ফেলুদা ১ সমগ্র

সত্যজিৎ রায়

ফেলুদা ১ সমগ্র

আনন্দ

প্রথম সংস্করণ জানুয়ারি ২০০৫
উনবিংশ মুদ্রণ ফেব্রুয়ারি ২০২৬

অলংকরণ সত্যজিৎ রায়

ISBN 9789388014007 (print)
দুই খণ্ডের সংগ্রহ ISBN 9788177564808 (set)

প্রকাশক: আনন্দ পাবলিশার্স প্রাইভেট লিমিটেড
হেড অফিস: ৯, প্রফুল্ল সরকার স্ট্রিট, কলকাতা ৭০০০০১
রেজিস্টার্ড অফিস: ৪৫, বেনিয়াটোলা লেন, কলকাতা ৭০০ ০০৯

CIN: U22121WB1957PTC023534

মুদ্রক: বসু মুদ্রণ, ১৯এ সিকদার বাগান স্ট্রিট
কলকাতা ৭০০ ০০৪

FELUDA SAMAGRA: Vol. I
[Detective]
by
Satyajit Ray
Published by Ananda Publishers Private Limited
45, Beniatola Lane, Calcutta 700009

খসড়া খাতায় ফেলুদা

ভারী বিপদে পড়লাম। 'সন্দেশ'-এর এই বিশেষ সংখ্যায় ফেলুদাকে নিয়ে এতজনে লিখছেন যে, বিষয়ের মিল হয়ে যাবার একটা আশঙ্কা থাকে। এখন এই সমস্যাকে এড়ানো যায় কীভাবে? অগত্যা সব থেকে নিরাপদ রাস্তাটাই বেছে নিলাম—ফিরে গেলাম বাবার খসড়া খাতায়। এ-খাতা কিন্তু ওঁর বিখ্যাত লাল খেরোর কাপড় দিয়ে বাঁধানো ফিল্মের খাতা নয়—পার্ক স্ট্রিটের অক্সফোর্ড বুক কোম্পানি থেকে কেনা হার্ড কভারের খাতা—যার উপর সোনার জল দিয়ে ছোট্ট করে লেখা: 'নোটস'। ১৯৬১ সাল, অর্থাৎ, নতুন 'সন্দেশ'-এর প্রথম বছর থেকে এই খাতা কেনা শুরু হয়, এবং সেই অভ্যাস বজায় থাকে ১৯৯১ অবধি। এই তিরিশ বছরের প্রায় ৭০-৮০টা খাতা থেকে ফেলুদাকে নিয়ে যে কত অজানা তথ্য বেরিয়ে এল, তার ইয়ত্তা নেই। সেইসব কিছু তথ্যের কথাই আজ তোমাদের বলব।

১৯৬১ থেকে ১৯৬৪—এই চার বছরের কোনও খাতাতেই ফেলুদার নাম-গন্ধটি নেই। তারপর হঠাৎই, ১৯৬৫-তে, খাতার একেবারে তৃতীয় পাতায় 'ফেলুদা'র গোয়েন্দাগিরি' শুরু হয়ে গেছে। প্রথম পাতায় শুধু ইংরিজিতে লেখা বাবার সই ও সাল। এক নতুন চরিত্রের জন্মের আগে, একজন লেখক সাধারণত যে-সব প্রাথমিক খসড়া করে থাকেন, উনি তা কিছুই করেননি। গত চার বছরে লেখা অন্যান্য গল্পের মতো সরাসরি আরম্ভ করে দিয়েছেন। ফেলুদাকে নিয়ে যে একটা জবরদস্ত, সাড়া-জাগানো সিরিজ হতে পারে, সেই চিন্তা কিন্তু তখনও তাঁর মাথায় আসেনি। ২৭ পাতার ঝরঝরে খসড়াটি শেষ করেই ধরেছেন 'আশ্চর্য' পত্রিকার জন্য কল্প-বিজ্ঞানের গল্প 'ময়ূরকণ্ঠী জেলি'। এ ছাড়া ওঁর প্রথম প্রকাশিত বই 'প্রোফেসর শঙ্কু'র প্রচ্ছদের কিছু এলোমেলো নক্শা এঁকেছেন।

ফেলুদা যে হিট, সেটা অবিশ্যি তার পরের বছরের খাতা দেখলেই বোঝা যায়। প্রায় এক নিশ্বাসে লিখে ফেলেছেন বারোটা কিস্তিতে ভাগ করা 'বাদশাহী আংটি'। তবে ১৯৬৯ অবধি ফেলুদার গল্পে বা উপন্যাসে কোনও তারিখ নেই, খালি খাতার প্রথম পাতায় যথারীতি বাবার সই ও সালটা লেখা। যদিও 'গ্যাংটকে গণ্ডগোল' লেখার শুরুর তারিখটা উনি দিয়েছিলেন, কিন্তু কবে লেখা শেষ করলেন, সেটা দেননি। তবে ১৯৭২ সাল থেকে উনি ফেলুদার অধিকাংশ লেখাতেই দুটো তারিখই দিতে আরম্ভ করেন। এবার পরের পাতার ছকটা দেখে ফেলুদার কোন লেখা কবে লেখা হয়েছে, বা কত দিনে লেখা হয়েছে, সেটা জেনে নিতে পারো।

এতে দেখা যাচ্ছে—দুই থেকে পাঁচ দিনে গল্প লেখা হচ্ছে, তিন থেকে ন'য়ে নভেলেট, আর ছয় থেকে তেত্রিশে উপন্যাস। গোড়ার দিকে বছরে একটা, কিন্তু পরে চাহিদা বেড়ে যাওয়ার ফলে দুটো, এমনকী তিনটে করেও ফেলুদা লিখতে হয়েছে বাবাকে। আর এটাও ভুলে গেলে চলবে না যে, এইসব লেখার ফাঁকে ফাঁকে তিনি ফিল্মও তুলে যাচ্ছেন! তবে রেকর্ড করলেন ১৯৮৯ সালে। শুধু জুন মাসেই একটানা এগারো দিন লিখে শেষ করলেন তিন-তিনটে ফেলুদা কাহিনী—'ডাঃ মুনসীর ডায়রি', 'গোলাপী মুক্তা রহস্য' ও 'লন্ডনে ফেলুদা'।

'কৈলাস রহস্য' নামে বাবা একটা ফেলুদা-উপন্যাস শুরু করেন ১৯৭২ সালের ৬ জুন। মাত্র

তিন পাতা লিখে তাঁর হঠাৎ একটা নতুন প্লট মাথায় আসে। ফলে, 'কৈলাস...'কে ধামা-চাপা দিয়ে, পরদিনই খাতাটা উলটে চালু হয়ে যায় 'বাক্স-রহস্য'। কিন্তু তার ঠিক এক বছর বাদে, তিনি আবার সেই তিন পাতার আইডিয়াতে ফিরে আসেন। তখন অবিশ্যি নাম পালটে সেটা 'কৈলাসে কেলেঙ্কারি' হয়ে গেছে।

বাবা যখন খসড়া থেকে ফুলস্ক্যাপ কাগজে ফাইনাল কপি করতেন, তখনও নানারকম অদল-বদল হত। যেমন 'হত্যাপুরী' ও 'টিনটোরেটোর যীশু'র প্রথম খসড়ায় যথাক্রমে 'ডুংরুর কথা' ও 'রুদ্রশেখরের কথা (১)' উনি লেখেননি—সোজা দ্বিতীয় পরিচ্ছেদ থেকে গল্প শুরু করেছেন। 'কৈলাসে কেলেঙ্কারি'র কথাই ধরা যাক। প্রকাশিত অবস্থায় এই উপন্যাসের প্রথম দু'টি বাক্য হল—'জুন মাসের মাঝামাঝি। স্কুল ফাইনাল দিয়ে বসে আছি, রেজাল্ট কবে বেরোবে জানি না।' কিন্তু খসড়ায় সে-উপন্যাস শুরু হচ্ছে একেবারে সিধুজ্যাঠার উক্তি দিয়ে, যা বইতে আসছে তিন নম্বর পাতার গোড়ায়—'মানুষ খুন ত আকচার হচ্ছে; তার চেয়েও সাংঘাতিক খুন কী জান?'

'কৈলাসে কেলেঙ্কারি'র এই ১১২ পাতার খসড়াটা লিখতে বাবার ন'দিন সময় লেগেছিল। কিন্তু তার মাঝখানে যে উনি চার দিন ধরে সাইনাস রোগে ভুগেছিলেন, তারও উল্লেখ পাওয়া যাচ্ছে শেষ পাতায়।

এভাবেই খুঁজতে খুঁজতে ১৯৮৭ সালের একটা খাতা থেকে বেরিয়ে পড়ল 'ইন্দ্রজাল রহস্য'। ছোটগল্প 'গণেশ মুৎসুদ্দির পোর্ট্রেট' আর ফেলুদার 'অপ্সরা থিয়েটারের মামলা'র মাঝখানে ছাব্বিশ পাতার এই সম্পূর্ণ লেখাটা দেখে তো আমি অবাক! চাপা উত্তেজনা নিয়ে এক নিমেষে লেখাটা পড়ে ফেলে নিশ্চিন্ত হলাম। না, এর সঙ্গে অন্য ফেলুদা-গল্পের কোনও মিলই নেই। অথচ, যেখানে 'অপ্সরা থিয়েটারের মামলা' প্রকাশিত হল, সেখানে তার ঠিক আগে লেখা 'ইন্দ্রজাল রহস্য' বাদ পড়ল কেন? রহস্যই বটে!

এ ছাড়াও বেরুল এন্তার অসমাপ্ত ফেলুদা-গল্পের খসড়া—যার থেকে একটা এবার শারদীয়া 'সন্দেশ'-এ বেরিয়েছে। বাকিগুলো যে কয়েক মাসের মধ্যেই পাবে, তা বলাই বাহুল্য!

ফেলুদার লেখার এক বাড়তি আকর্ষণ যে দেশ-ভ্রমণ, সেটা তোমরা সকলেই মানবে। ফেলুদার যাওয়া সব জায়গাতেই বাবা কোনও-না-কোনও সময় গেছেন। এর মধ্যে দার্জিলিং ওঁর অত্যন্ত প্রিয় ছিল। কাজেই, তাঁর প্রথম মৌলিক চিত্রনাট্য 'কাঞ্চনজঙ্ঘা' আর প্রথম ফেলুদার গল্পের ঘটনা যে দার্জিলিং শহরেই ঘটবে, তাতে আর আশ্চর্য কী?

দার্জিলিং ছাড়াও, প্রতি বছর পুজোর ছুটিতে আমাদের পুরী যাওয়াটা ছিল বাঁধা। যার ফল অবশ্যই 'হত্যাপুরী'। আর বাবার ছেলেবেলায় ঘোরা লখনৌ ও কাশ্মীরের স্মৃতি থেকেই লেখা হয়েছে 'বাদশাহী আংটি' ও 'ভূস্বর্গ ভয়ংকর'। ১৯৮২-তে বাবা-মা ফিলিপাইনস দ্বীপপুঞ্জের প্রথম আন্তর্জাতিক চলচ্চিত্র উৎসবে যোগ দিতে ম্যানিলা শহরে আমন্ত্রিত হন। যাবার পথে তাঁরা একদিন হংকং-এ ছিলেন। যদিও সে-শহর বাবার আগেই দেখা, কিন্তু এবারের জাঁকজমক তাঁর চোখ ঝলসে দিল। ফেলুদাকে তাই আর শুধু ভারতবর্ষ-নেপালে আটকে রাখা গেল না—লেখা হল 'টিনটোরেটোর যীশু'। বিদেশের আরও দুটো জাঁদরেল শহর বাবাকে ভীষণ টানত—লন্ডন ও নিউ ইয়র্ক। লন্ডনে ফেলুদা গেল ঠিকই, কিন্তু নিউ ইয়র্কে আর তার যাওয়া হয়ে উঠল না।

বাবার ফিল্মের জীবনও যে ফেলুদার সঙ্গে ওতপ্রোতভাবে জড়িত, তারও প্রমাণ পাওয়া যায় বার বার। সিকিমের উপর এক তথ্যচিত্র করার পরেই লেখা হয় 'গ্যাংটকে গণ্ডগোল'। 'গুপী গাইন বাঘা বাইন'-এর সময় জয়সলমীরে তোলা হাল্লা রাজার দুর্গ হয়ে ওঠে 'সোনার কেল্লা'। সেই একই ছবিতে গুপী-বাঘা যখন 'ঝুণ্ডি!' বলে তালি মেরে বরফের দেশে পৌঁছে যায়, তার শুটিং হয় সিমলার কাছে কুফরি অঞ্চলে। সেই সিমলা, এবং বিশেষ করে কুফরিতে ঘটে যায়

তিন বছর বাদে লেখা 'বাক্স-রহস্য'র দুর্ধর্ষ ক্লাইম্যাক্স। 'অপরাজিত' তুলতে গিয়ে বাবা বেনারস চষে ফেলেছিলেন, আর সেই অভিজ্ঞতাই তাঁকে সাহায্য করে 'জয় বাবা ফেলুনাথ' লিখতে। 'হীরক রাজার দেশে'র একটা দৃশ্য নিতে আমরা সকলে নেপাল যাই। কাঠমাণ্ডু থেকে কাক্‌নি নামের একটা জায়গায় গিয়ে, গুপী-বাঘাকে নিয়ে তোলা হয় 'এবারে দেখ গর্বিত বীর...' গানটি। তারপরেই কলকাতায় ফিরে ফেলুদার যে উপন্যাসটা বাবা লেখেন তার নাম তোমরা সকলেই জানো। এমনকী, ফেলুদার শেষ লেখা 'রবার্টসনের রুবি'তেও বাবার ফিল্ম-জীবনের এক জায়গা ও এক ঘটনা পাওয়া যাবে। জায়গাটা হল দুবরাজপুরের মামা-ভাগনে পাহাড় ('অভিযান'), আর ঘটনাটা হল সাঁওতাল নাচের দৃশ্য ('আগন্তুক')।

১৯৮৩ সালের ১ অক্টোবর বাবার প্রথম হার্ট-অ্যাটাক হয়; এবং সেই দিনই তিনি ভর্তি হয়ে যান বেলভিউ নার্সিং হোমে। ৭২ ঘণ্টা কড়া নজরে রাখার পর, ডাক্তাররা মোটামুটি হাঁফ ছেড়ে জানান যে, এ যাত্রার ফাঁড়াটা কেটেছে—তবে ঘরে এখনও তাঁকে নামানো হবে না, ইনটেনসিভ কেয়ারেই থাকবেন। সেই বেলভিউতেই, ৬ নভেম্বর বাবা শুরু করেন 'এবার কাণ্ড কেদারনাথে'। কিন্তু মাত্র একদিন লিখে, সাত দিনের বিরতি। তারপর ১৪ থেকে একনাগাড়ে দশ দিন লিখে, নার্সিং হোমেই উপন্যাসটি শেষ করেন তিনি। আর সেই লেখার প্রথম খসড়ার যে নাম উনি দিয়েছিলেন, সেটা একমাত্র ওই অবস্থাতে ওঁর পক্ষেই দেওয়া সম্ভব—'কেদারদা', বদ্রিদা' আর ফেলুদা'!

সন্দীপ রায়

সন্দেশ 'ফেলুদা ৩০' বিশেষ সংখ্যা (অগ্রহায়ণ ১৪০২)

	নাম	প্রথম খসড়ার নাম	রচনাকাল	ক'দিনে লেখা
১	ফেলুদা'র গোয়েন্দাগিরি		১৯৬৫	
২	বাদশাহী আংটি		১৯৬৬	
৩	কৈলাস চৌধুরীর পাথর		১৯৬৭	
৪	শেয়াল-দেবতা রহস্য	ফেলুদা ও আনুবিস রহস্য/আনুবিস রহস্য	১৯৬৯	
৫	গ্যাংটকে গণ্ডগোল	গ্যাংটকে ফেলুদা	১৭.৬.৭০-?	
৬	সোনার কেল্লা		১৯৭১	
৭	বাক্স-রহস্য		৭.৬.৭২-১৭.৬.৭২	১১
৮	সমাদ্দারের চাবি		১৪.৬.৭৩-১৬.৬.৭৩	৩
৯	কৈলাসে কেলেঙ্কারি	কৈলাস রহস্য	১৫.৭.৭৩-২৭.৭.৭৩	১৩
১০	রয়েল বেঙ্গল রহস্য	ফেলুদার অরণ্যকাণ্ড/যেখানে বাঘের ভয়	১৮.৫.৭৪-?	
১১	জয় বাবা ফেলুনাথ	কাশীধামে ফেলুদা	৭.৬.৭৫-২১.৬.৭৫	১৫
১২	ঘুরঘুটিয়ার ঘটনা	তোতা রহস্য	১৫.৮.৭৫-১৬.৮.৭৫	২
১৩	বোম্বাইয়ের বোম্বেটে		?-২১.৭.৭৬	
১৪	গোসাঁইপুর সরগরম	গোঁসাইপুরের ঠগী	১১.৮.৭৬-১৩.৮.৭৬	৩
১৫	গোরস্থানে সাবধান!	সাবধান গোরস্থান	২৭.৮.৭৭-১.৯.৭৭	৪
১৬	ছিন্নমস্তার অভিশাপ		৮.৮.৭৮-?	
১৭	হত্যাপুরী		১৯.৭.৭৯-২০.৮.৭৯	৩৩
১৮	গোলকধাম রহস্য	প্রফেসর দাশগুপ্তের ফরমুলা	১৯.৪.৮০-২৭.৪.৮০	৯
১৯	যত কাণ্ড কাঠমাণ্ডুতে		৫.৭.৮০-২৬.৭.৮০	২২
২০	নেপোলিয়নের চিঠি		২৪.৭.৮১-২৯.৭.৮১	৬
২১	টিনটোরেটোর যীশু		৫.৪.৮২-১১.৪.৮২	৭
২২	অম্বর সেন অন্তর্ধান রহস্য		৪.২.৮৩-৬.২.৮৩	৩
২৩	জাহাঙ্গীরের স্বর্ণমুদ্রা	নন্দন কানন রহস্য	২১.৬.৮৩-২৪.৬.৮৩	৪
২৪	এবার কাণ্ড কেদারনাথে	কেদারদা', বদ্রিদা' আর ফেলুদা	৬.১১.৮৩, ১৪-২৩.১১.৮৩	১১
২৫	বোসপুকুরে খুনখারাপি	বোসপুকুরের মামলা/ফেলুদা করল ফাঁস	৭.৫.৮৫-১০.৫.৮৫	৪
২৬	দার্জিলিং জমজমাট	হিল স্টেশনে হত্যাকাণ্ড	১৮.২.৮৬-২৩.২.৮৬	৬
২৭	ভূস্বর্গ ভয়ংকর		৩১.৩.৮৭-৩.৪.৮৭	৪
২৮	ইন্দ্রজাল রহস্য		২২.৪.৮৭-২৬.৪.৮৭	৫
২৯	অপ্সরা থিয়েটারের মামলা	অপ্সরা মঞ্চের মামলা	৫.৫.৮৭-৭.৫.৮৭	৩
৩০	শকুন্তলার কণ্ঠহার	কণ্ঠহার রহস্য	১৩.১.৮৮-১৫.১.৮৮	৩
৩১	ডাঃ মুনসীর ডায়রি	ডাঃ নন্দীর ডায়রি	১৯.৬.৮৯-২৩.৬.৮৯	৫
৩২	গোলাপী মুক্তা রহস্য	গোলাপী মুক্তার মামলা	২৩.৬.৮৯-২৬.৬.৮৯	৪
৩৩	লন্ডনে ফেলুদা		২৭.৬.৮৯-২৯.৬.৮৯	৩
৩৪	নয়ন রহস্য		২০.৩.৯০-২৫.৩.৯০	৬
৩৫	রবার্টসনের রুবি		২১.৫.৯১-?	

সূচিপত্র

•

ফেলুদা'র গোয়েন্দাগিরি

রাজেনবাবুকে রোজ বিকেলে ম্যাল্‌-এ আসতে দেখি। মাথার চুল সব পাকা, গায়ের রং ফরসা, মুখের ভাব হাসিখুশি। পুরনো নেপালি আর তিব্বতি জিনিস-টিনিসের যে দোকানটা আছে, সেটায় কিছুক্ষণ কাটিয়ে বাইরে এসে বেঞ্চিতে আধঘণ্টার মতো বসে সন্ধে হব-হব হলে জলাপাহাড়ে বাড়ি ফিরে যান। আমি আবার একদিন ওঁর পেছন পেছন গিয়ে ওঁর বাড়িটাও দেখে এসেছি। গেটের কাছাকাছি যখন পৌঁছেছি, হঠাৎ আমার দিকে ফিরে জিজ্ঞেস করলেন, 'কে হে তুমি, পেছু নিয়েছ?' আমি বললাম, 'আমার নাম তপেশরঞ্জন বোস।' 'তবে এই নাও লজেঞ্চুস' বলে পকেট থেকে সত্যিই একটা লেমন-ড্রপ বার করে আমায় দিলেন, আর দিয়ে বললেন, 'একদিন সকাল সকাল এসো আমার বাড়িতে—অনেক মুখোশ আছে; দেখাব।'

সেই রাজেনবাবুর যে এমন বিপদ ঘটতে পারে, তা কেউ বিশ্বাস করবে?

ফেলুদাকে কথাটা বলতেই সে খ্যাক করে উঠল।

'পাকামো করিসনে। কার কীভাবে বিপদ ঘটবে না-ঘটবে সেটা কি মানুষকে দেখলে বোঝা যায়?'

আমি দস্তুরমতো রেগে গেলাম।

'বা রে, রাজেনবাবু যে ভাল লোক, সেটা বুঝি দেখলে বোঝা যায় না? তুমি তো তাকে দেখোইনি। দার্জিলিং-এ এসে অবধি তো তুমি বাড়ি থেকে বেরোওইনি। রাজেনবাবু নেপালি বস্তিতে গিয়ে গরিবদের কত সেবা করেছেন জান?'

'আচ্ছা বেশ বেশ, এখন বিপদটা কী তাই শুনি। আর তুই কচি খোকা, সে বিপদের কথা তুই জানলি কী করে?'

কচি খোকা অবিশ্যি আমি মোটেই না, কারণ আমার বয়স সাড়ে তেরো বছর। ফেলুদার বয়স আমার ঠিক ডবল।

সত্যি বলতে কী ব্যাপারটা আমার জানার কথা নয়। ম্যাল-এ বেঞ্চিতে বসেছিলাম—আজ রবিবার, ব্যান্ড বাজাবে, তাই শুনব বলে। আমার পাশে বসেছিলেন তিনকড়িবাবু, যিনি রাজেনবাবুর ঘর ভাড়া নিয়ে দার্জিলিং-এ গরমের ছুটি কাটাতে এসেছেন। তিনকড়িবাবু 'আনন্দবাজার' পড়ছিলেন, আর আমি কোনওরকমে উঁকিঝুঁকি মেরে ফুটবলের খবরটা দেখার চেষ্টা করছিলাম। এমন সময় হাঁপাতে হাঁপাতে ফ্যাকাশে মুখ করে রাজেনবাবু এসে ধপ্‌ করে তিনকড়িবাবুর পাশে বসে গায়ের চাদরটা দিয়ে কপালের ঘাম মুছতে লাগলেন।

তিনকড়িবাবু কাগজ বন্ধ করে বললেন, 'কী হল, চড়াই উঠে এলেন নাকি?'

রাজেনবাবু গলা নামিয়ে বললেন, 'আরে না মশাই। এক ইন্‌ক্রেডিব্‌ল্‌ ব্যাপার!'

সত্যজিৎ রায়

ইন্‌ক্রেডিব্‌ল কথাটা আমার জানা ছিল। ফেলুদা ওটা প্রায়ই ব্যবহার করে। ওর মানে 'অবিশ্বাস্য'।

তিনকড়িবাবু বললেন, 'কী ব্যাপার ?'

'এই দেখুন না।'

রাজেনবাবু পকেট থেকে একটা ভাঁজ করা নীল কাগজ বার করে তিনকড়িবাবুর হাতে দিলেন। বুঝতে পারলাম সেটা একটা চিঠি।

আমি অবিশ্যি চিঠিটা পড়িনি, বা পড়ার চেষ্টাও করিনি ; বরঞ্চ আমি উল্‌টো দিকে মুখ ঘুরিয়ে গুনগুন করে গান গেয়ে এমন ভাব দেখাচ্ছিলাম যেন বুড়োদের ব্যাপারে আমার কোনও ইন্টারেস্টই নেই। কিন্তু চিঠিটা না পড়লেও, তিনকড়িবাবুর কথা আমি শুনতে পেয়েছিলাম।

'সত্যিই ইন্‌ক্রেডিব্‌ল। আপনার ওপর কার এমন আক্রোশ থাকতে পারে যে আপনাকে এ ভাবে শাসিয়ে চিঠি লিখবে ?'

রাজেনবাবু বললেন, 'তাই তো ভাবছি। সত্যি বলতে কী, কোনও দিন কারও অনিষ্ট করেছি বলে তো মনে পড়ে না।'

তিনকড়িবাবু এবার রাজেনবাবুর দিকে ঝুঁকে ফিসফিস করে বললেন, 'হাটের মাঝখানে এ সব ডিসকাস না করাই ভাল। বাড়ি চলুন।'

দুই বুড়ো উঠে পড়লেন।

* * *

ফেলুদা ঘটনাটা শুনে কিছুক্ষণ ভুরু কুঁচকে গুম্ হয়ে বসে রইল। তার পর বলল, 'তুই তা হলে বলছিস যে একবার তলিয়ে দেখা চলতে পারে ?'

'বা রে—তুমিই তো রহস্যজনক ঘটনা খুঁজছিলে। বললে, অনেক ডিটেক্‌টিভ বই পড়ে তোমারও ডিটেক্‌টিভ বুদ্ধিটা খুব ধারালো হয়ে উঠেছে।'

'তা তো বটেই। এই ধর—আমি তো আজ ম্যালে যাইনি, তবু বলে দিতে পারি তুই কোন্ দিকের বেঞ্চে বসেছিলি।'

'কোন দিক ?'

'রাধা রেস্টুরান্টের ডান পাশের বেঞ্চগুলোর একটাতে ?'

'আরেব্বাস ! কী করে বুঝলে ?'

'আজ বিকেলে রোদ ছিল। তোর বাঁ গালটা রোদে ঝল্‌সেছে, ডান ধারেরটা ঝলসায়নি। একমাত্র ওই বেঞ্চিগুলোর একটাতে বসলেই পশ্চিমের রোদটা বাঁ গালে পড়ে।'

'ইন্‌ক্রেডিব্‌ল।'

'যাক্ গে। এখন কথা হচ্ছে—রাজেন মজুমদারের বাড়িতে একবার যাওয়া দরকার।'

* * *

'আর সাতাত্তর পা।'

'আর যদি না হয় ?'

'হবেই, ফেলুদা। আমি সেবার গুনেছিলাম।'

'না হলে গাঁট্টা তো ?'

'হ্যাঁ—কিন্তু বেশি জোরে না। জোরে মারলে মাথার ঘিলু এদিক-ওদিক হয়ে যায়।'

কী আশ্চর্য—সাতাত্তরে রাজেনবাবুর বাড়ি পৌঁছলাম না। আরও তেইশ পা গিয়ে তবে ওর বাড়ির গেটের সামনে পড়লাম।

ফেলুদা ছোট্ট করে একটা গাঁট্টা মেরে বলল, 'আগের বার ফেরার সময় গুনেছিলি, না আসার সময় ?'

'ফেরার সময়।'

'ইডিয়ট ! ফেরার সময় তো ঢালে নামতে হয়। তুই নিশ্চয়ই ধাঁই ধাঁই করে ইয়া বড়া বড়া স্টেপ্‌স ফেলেছিলি !'

'তা হবে।'

'নিশ্চয়ই তাই। আর তাই স্টেপস্‌ সেবার কম হয়েছিল, এবার বেশি হয়েছে। জোয়ান বয়সে ঢালে নামতে মানুষ বড় বড় পা ফেলে দৌড়ানোর মতো। আর বুড়ো হলে ঢালুর বেলা ব্রেক ক'ষে ক'ষে ছোট ছোট পা ফেলতে হয়—তা না হলে মুখ থুবড়ে পড়ে।'

কাছাকাছি কোনও বাড়ি থেকে রেডিওতে গান শোনা যাচ্ছে। ফেলুদা এগিয়ে কলিং বেল টিপল।

'কী বলবে সেটা ঠিক করেছ ফেলুদা ?'

'যা খুশি তাই বলব। তুই কিন্তু স্পিকটি-নট। যতক্ষণ থাকবি এ বাড়িতে, একটি কথা বলবিনে।'

'কিছু জিজ্ঞেস করলেও না !'

'শাটাপ !'

একটা নেপালি চাকর এসে দরজা খুলে দিল।

'অন্দর আইয়ে।'

বৈঠকখানায় ঢুকলাম। বেশ সুন্দর পুরনো প্যাটার্নের কাঠের বাড়ি। শুনেছি রাজেনবাবু দশ বছর হল রিটায়ার করে দার্জিলিং-এ আছেন। কলকাতায় বেশ নাম-করা উকিল ছিলেন।

চেয়ার টেবিল যা আছে ঘরে, সব বেতের। যেটা সবচেয়ে বেশি চোখে পড়ে সেটা হচ্ছে, চারিদিকে দেওয়ালে টাঙানো সব অদ্ভুত দাঁত-খিঁচোনো চোখ-রাঙানো মুখোশের সারি। আর আছে পুরনো ঢাল, তলোয়ার, ভোজালি, থালা, ফুলদানি এই সব। কাপড়ের উপর রং করা বুদ্ধের ছবিও আছে—কত পুরনো কে জানে ? কিন্তু তাতে যে সোনালি রংটা আছে সেটা এখনও ঝলমল করছে।

আমরা দুজনে দুটো বেতের চেয়ারে বসলাম।

ফেলুদা দেওয়ালের এদিক-ওদিক দেখে বলল, 'পেরেকগুলো সব নতুন, মর্চে ধরেনি। ভদ্রলোকের প্রাচীন জিনিসের শখটা বোধহয় বেশি প্রাচীন নয়।'

রাজেনবাবু ঘরে ঢুকলেন।

আমি অবাক হয়ে দেখলাম ফেলুদা উঠে গিয়ে ঢিপ্‌ করে এক পেন্নাম ঠুকে বলল, 'চিনতে পারছেন ? আমি জয়কৃষ্ণ মিত্তিরের ছেলে ফেলু।'

রাজেনবাবু প্রথমে চোখ কপালে তুললেন, তার পর চোখের দু পাশ কুঁচকিয়ে একগাল হেসে বললেন, 'বা-বা ! কত বড় হয়েছ তুমি, অ্যাঁ ? কবে এলে এখানে ? বাড়ির সব ভাল ? বাবা এসেছেন ?'

ফেলুদা জবাব দিচ্ছে, আর আমি মনে মনে বলছি—কী অন্যায়, এত কথা হল, আর ফেলুদা একবারও বলল না সে রাজেনবাবুকে চেনে ?

এবার ফেলুদা আমার পরিচয়টাও দিয়ে দিল। রাজেনবাবুর মুখ দেখে মনেই হল না যে, এই সাত দিন আগে আমাকে লজেঞ্চুস দেবার কথাটা ওঁর মনে আছে।

ফেলুদা এবার বলল, 'আপনার খুব প্রাচীন জিনিসের শখ দেখছি।'

রাজেনবাবু বললেন, 'হ্যাঁ। এখন তো প্রায় নেশায় দাঁড়িয়েছে।'

‘কদ্দিনের ব্যাপার ?’

‘এই তো মাস ছয়েক হবে। কিন্তু এর মধ্যেই অনেক কিছু সংগ্রহ করে ফেলেছি।’

ফেলুদা এবার একটা গলা-খাঁকরানি দিয়ে, আমার কাছ থেকে শোনা ঘটনাটাই শুনিয়ে বলল, ‘আপনি আমার বাবার মামলার ব্যাপারে যেভাবে সাহায্য করেছিলেন, তার প্রতিদানে আপনার এই বিপদে যদি কিছু করতে পারি...’

রাজেনবাবুর ভাব দেখে মনে হল তিনি সাহায্য পেলে খুশিই হবেন, কিন্তু তিনি কিছু বলবার আগেই তিনকড়িবাবু ঘরে ঢুকলেন। তাঁর হাঁপানোর বহর দেখে মনে হল বোধহয় বেড়িয়ে ফিরলেন। রাজেনবাবু আমাদের সঙ্গে ভদ্রলোকের আলাপ করিয়ে দিয়ে বললেন, ‘আমার বিশেষ বন্ধু অ্যাডভোকেট্ জ্ঞানেশ সেন হচ্ছেন তিনকড়িবাবুর প্রতিবেশী। আমি ঘরভাড়া দেব শুনে জ্ঞানেশই ওঁকে সাজেস্ট করে আমার এখানে আসতে। গোড়ায় উনি হোটেলের কথা ভেবেছিলেন।’

তিনকড়িবাবু হেসে বললেন, ‘আমার ভয় ছিল আমার এই চুরুটের বাতিকটা নিয়ে। এমনও হতে পারত যে রাজেনবাবু হয়তো চুরুটের গন্ধ সহ্য করতে পারেন না। তাই সেটা আমি আমার প্রথম চিঠিতেই লিখে জানিয়ে দিয়েছিলাম।’

ফেলুদা বলল, ‘আপনি কি বায়ু পরিবর্তনের জন্য এসেছেন ?’

‘তা বটে। তবে বায়ুর অভাবটাই যেন লক্ষ করছি বেশি। পাহাড়ে ঠাণ্ডাটা আর একটু বেশি এক্সপেক্ট করে লোকে।’

ফেলুদা হঠাৎ বলল, ‘আপনার বোধহয় গান-বাজনার শখ ?’

তিনকড়িবাবু অবাক হাসি হেসে বললেন, ‘সেটা জানলে কী করে হে ?’

‘আপনি যখন কথা বলছেন তখন লক্ষ করছি যে, লাঠির উপর রাখা আপনার ডান হাতের তর্জনীটা রেডিওর সঙ্গে তাল রেখে যাচ্ছে।’

রাজেনবাবু হাসতে হাসতে বললেন, ‘মোক্ষম ধরেছ। উনি ভাল শ্যামা সংগীত গাইতে পারেন।’

ফেলুদা এবার বলল, ‘চিঠিটা হাতের কাছে আছে ?’

রাজেনবাবু বললেন, ‘হাতের কাছে কেন, একেবারে বুকের কাছে।’

রাজেনবাবু কোটের বুক-পকেট থেকে চিঠিটা বার করে ফেলুদাকে দিলেন। এইবার সেটা দেখার সুযোগ পেলাম।

হাতে-লেখা চিঠি নয়। নানান জায়গা থেকে ছাপা বাংলা কথা কেটে কেটে আঠা দিয়ে জুড়ে চিঠিটা লেখা হয়েছে। যা লেখা হয়েছে, তা হল এই—‘তোমার অন্যায়ের শাস্তি ভোগ করিতে প্রস্তুত হও।’

ফেলুদা বলল, ‘এ চিঠি কি ডাকে এসেছে ?’

রাজেনবাবু বললেন, ‘হ্যাঁ। লোক্যাল ডাক—বলা বাহুল্য। দুঃখের বিষয় খামটা ফেলে দিয়েছি। দার্জিলিং-এরই পোস্টমার্ক ছিল। ঠিকানাটাও ছাপা বাংলা কথা কেটে কেটে লেখা।’

‘আপনার নিজের কাউকে সন্দেহ হয় ?’

‘কী আর বলব বলো ! কোনও দিন কারও প্রতি কোনও অন্যায় বা অবিচার করেছি বলে তো মনে পড়ে না।’

‘আপনার বাড়িতে যাতায়াত করেন এমন কয়েকজনের নাম করতে পারেন ?’

‘খুব সহজ। আমি লোকজনের সঙ্গে মিশি কমই। ডাক্তার ফণী মিত্তির আসেন অসুখ-বিসুখ হলে...’

‘কেমন লোক বলে মনে হয় ?’

‘ডাক্তার হিসেবে বোধহয় সাধারণ স্তরের। তবে তাতে আমার এসে যায় না, কারণ আমার ব্যারামও সাধারণ—সর্দি-জ্বর ছাড়া আর কিছুই হয়নি দার্জিলিং এসে অবধি। তাই ভাল ডাক্তারের প্রয়োজন হয় না।’

‘চিকিৎসা করে পয়সা নেন ?’

‘তা নেন বইকী। আর আমারও তো পয়সার অভাব নেই। মিথ্যে অব্‌লিগেশনে যাই কেন ?’

‘আর কে আসেন ?’

‘সম্প্রতি মিস্টার ঘোষাল বলে এক ভদ্রলোক যাতায়াত...এই দ্যাখো !’

দরজার দিকে ফিরে দেখি একটি ফরসা, মাঝারি হাইটের, স্যুট-পরা ভদ্রলোক হাসিমুখে ঘরে ঢুকছেন।

‘আমার নাম শুনলাম বলে মনে হল যেন !’

রাজেনবাবু বললেন, ‘এইমাত্র আপনার নাম করা হয়েছে। আপনারও আমার মতো পুরনো জিনিসের শখ—সেটাই এই ছেলেটিকে বলতে যাচ্ছিলুম। আপনার সঙ্গে আলাপ করিয়ে দিই—’

নমস্কার-টমস্কারের পর মিস্টার ঘোষাল—পুরো নাম অবনীমোহন ঘোষাল—রাজেনবাবুকে বললেন, ‘আপনাকে আজ দোকানে দেখলুম না, তাই একবার ভাবলুম খোঁজ নিয়ে যাই।’

রাজেনবাবু বললেন, ‘নাঃ,—আজ শরীরটা ভাল ছিল না।’

বুঝলাম রাজেনবাবু চিঠিটার কথা মিস্টার ঘোষালকে বলতে চান না। ফেলুদা মিস্টার ঘোষাল আসার সঙ্গে সঙ্গেই চিঠিটা হাতের তেলোর মধ্যে লুকিয়ে ফেলেছে।

ঘোষাল বললেন, ‘আপনি ব্যস্ত থাকলে আজ বরং...আসলে আপনার ওই তিব্বতি ঘণ্টাটা একবার দেখার ইচ্ছে ছিল।’

রাজেনবাবু বললেন, ‘সে তো খুব সহজ ব্যাপার। হাতের কাছেই আছে।’

রাজেনবাবু ঘণ্টা আনতে পাশের ঘরে চলে গেলেন।

ফেলুদা ঘোষালকে জিজ্ঞেস করল, ‘আপনি কি এখানেই থাকেন ?’

ভদ্রলোক দেওয়াল থেকে একটা ভোজালি নামিয়ে সেটা দেখতে দেখতে বললেন, ‘আমি কোনও এক জায়গায় বেশি দিন থাকি না। আমার ব্যবসার জন্য প্রচুর ঘুরতে হয়। আমি কিউরিও সংগ্রহ করি।’

বাড়ি ফেরার পথে ফেলুদাকে জিজ্ঞেস করে জেনেছিলাম, ‘কিউরিও’ মানে দুষ্প্রাপ্য প্রাচীন জিনিস।

রাজেনবাবু ঘণ্টাটা নিয়ে এলেন। দারুণ দেখতে জিনিসটা। নীচের অংশটা রুপোর তৈরি, হাতলটা তামা আর পেতল মেশানো, আর তার উপরে লাল নীল সব পাথর বসানো।

অবনীবাবু চোখ-টোখ কুঁচকে বেশ অনেকক্ষণ ধরে ঘণ্টাটা এদিক-ওদিক ঘুরিয়ে-ফিরিয়ে দেখলেন।

রাজেনবাবু বললেন, ‘কী মনে হয় ?’

‘সত্যিই দাঁও মেরেছেন। একেবারে খাঁটি পুরনো জিনিস।’

‘আপনি বললে আমার আর কোনও সন্দেহই থাকে না। দোকানদার বলে, এটা নাকি একেবারে খোদ লামার প্রাসাদের জিনিস।’

'কিছুই আশ্চর্য না। ...আপনি বোধহয় এটা হাতছাড়া করতে রাজি নন? মানে, ভাল দাম পেলেও?'

রাজেনবাবু মিষ্টি করে হেসে ঘাড় নাড়তে নাড়তে বললেন, 'ব্যাপারটা কী জানেন? শখের জিনিস—ভালবেসে কিনেছি। সেটাকে বেচে লাভ করব, এমন কী কেনা দরেও বেচব—এ ইচ্ছে আমার নেই।'

অবনীবাবু ঘণ্টাটা ফিরিয়ে দিয়ে বললেন, 'আজ আসি। কাল আশা করি বেরোতে পারবেন একবার।'

রাজেনবাবু বললেন, 'ইচ্ছে তো আছে।'

অবনীবাবু বেরিয়ে যাওয়ার পর ফেলুদা রাজেনবাবুকে বলল, 'কটা দিন একটু না বেরিয়ে-টেরিয়ে সাবধানে থাকা উচিত নয় কি?'

'সেটাই বোধ হয় ঠিক। কিন্তু মুশকিল কী জান? সেই চিঠির ব্যাপারটা এতই অবিশ্বাস্য যে, এটাকে ঠিক যেন সিরিয়াসলি নিতেই পারছি না। মনে হচ্ছে এটা যেন একটা ঠাট্টা—যাকে বলে প্র্যাক্টিক্যাল জোক।'

'যদ্দিন না সেটা সম্বন্ধে ডেফিনিট হওয়া যাচ্ছে, তদ্দিন বাড়িতেই থাকুন না! আপনার নেপালি চাকরটা কদ্দিনের?'

'একেবারে গোড়া থেকেই আছে। কম্প্লিটলি রিলায়েব্‌ল।'

ফেলুদা এবার তিনকড়িবাবুর দিকে ফিরে বলল, 'আপনি কি বেশির ভাগ সময় বাড়িতেই থাকেন?'

'সকাল বিকেল ঘণ্টাখানেক একটু এদিক-ওদিক ঘুরে আসি আর কী। কিন্তু বিপদ যদি ঘটেই, আমি বুড়ো মানুষ খুব বেশি কিছু করতে পারি কি? আমার বয়স হল চৌষট্টি, রাজেনবাবুর চেয়ে এক বছর কম।'

রাজেনবাবু বললেন, 'উনি চেঞ্জে এসেছেন, ওঁকে আর বাড়িতে বন্দি করে রাখার ফন্দি করছ কেন তোমরা? আমি থাকব, আমার চাকর থাকবে, এই যথেষ্ট। তোমরা চাও তো দু বেলা খোঁজ-খবর নিয়ে যেয়ো এখন।'

'বেশ তাই হবে।'

ফেলুদার দেখাদেখি আমিও উঠে পড়লাম।

আমরা যেখানে বসেছিলাম তার উলটোদিকেই একটা ফায়ারপ্লেস। ফায়ারপ্লেসের উপরেই একটা তাক, আর সেই তাকের উপর তিনটে ফ্রেমে-বাঁধানো ছবি। ফেলুদা ছবিগুলোর দিকে এগিয়ে গেল।

প্রথম ছবিটা দেখিয়ে রাজেনবাবু বললেন, 'ইনি আমার স্ত্রী। বিয়ের চার বছর পরেই মারা গিয়েছিলেন।'

দ্বিতীয় ছবি, একজন আমার বয়সী ছেলের, গায়ে ভেলভেটের কোট।

ফেলুদা জিজ্ঞেস করল, 'এটি কে?'

রাজেনবাবু হো হো করে হেসে বললেন, 'সময়ের প্রভাবে মানুষের চেহারার কী বিচিত্র পরিবর্তন ঘটতে পারে, সেইটে বোঝানোর জন্য এই ছবি। উনি হচ্ছেন আমারই বাল্য সংস্করণ। বাঁকুড়া মিশনারি স্কুলে পড়তাম তখন। আমার বাবা ছিলেন বাঁকুড়ার ম্যাজিস্ট্রেট।'

সত্যি, ভারী ফুটফুটে চেহারা ছিল রাজেনবাবুর ছেলেবয়সে।

'অবিশ্যি, ছবি দেখে ভুলো না। দুরন্ত বলে ভারী বদনাম ছিল আমার। শুধু যে মাস্টারদের জ্বালিয়েছি তা নয়, ছাত্রদেরও। একবার স্পোর্টসের দিন হান্ড্রেড ইয়ার্ডস-এ আমাদের বেস্ট্‌ রানারকে কাত করে দিয়েছিলাম, ল্যাং মেরে।'

তৃতীয় ছবিটা ফেলুদার বয়সী একজন ছেলের। রাজেনবাবু বললেন, সেটা তাঁর একমাত্র ছেলে প্রবীরের।

'উনি এখন কোথায়?'

রাজেনবাবু গলা খাঁক্‌রিয়ে বললেন, 'জানি না ঠিক। বহুকাল দেশ ছাড়া! প্রায় সিক্সটিন ইয়ার্স্‌।'

'আপনার সঙ্গে চিঠি লেখালেখি নেই?'

'নাঃ।'

ফেলুদা দরজার দিকে এগোতে এগোতে বলল, 'ভারী ইন্টারেস্টিং কেস।'

আমি মনে মনে বললাম, ফেলুদা একেবারে বইয়ের ডিটেকটিভের মতো কথা বলছে।

বাইরেটা ছম্‌ছমে অন্ধকার হয়ে এসেছে। জলাপাহাড়ের গায়ের বাড়িগুলোতে বাতি জ্বলে উঠেছে। পাহাড়ের নীচের দিকে চেয়ে দেখলাম রঙ্গিত উপত্যকা থেকে কুয়াশা ওপর দিকে উঠছে।

রাজেনবাবু আর তিনকড়িবাবু আমাদের সঙ্গে গেট অবধি এলেন। রাজেনবাবু গলা নামিয়ে ফেলুদাকে বললেন, 'তুমি ছেলেমানুষ, তাও তোমাকে বলছি—একটু যে নারভাস বোধ করছি না তা নয়। এমন শান্তিপূর্ণ পরিবেশে এ-চিঠি যেন বিনামেঘে বজ্রপাত।'

ফেলুদা বেশ জোরের সঙ্গেই বলল, 'আপনি কিছু ভাববেন না। আমি এর সমাধান করবই। আপনি নিশ্চিন্তে বিশ্রাম করুন গিয়ে।'

রাজেনবাবু 'গুডনাইট অ্যান্ড থ্যাঙ্ক ইউ' বলে চলে গেলেন।

এবার তিনকড়িবাবু ফেলুদাকে বললেন, 'তোমার—তোমাকে "তুমি" করেই বলছি—তোমার অবজারভেশনের ক্ষমতা দেখে আমি সত্যিই ইম্‌প্রেসড হইচি। ডিটেক্‌টিভ গল্প আমিও অনেক পড়িচি। এই চিঠিটার ব্যাপারে আমি হয়তো তোমাকে কিছুটা সাহায্যও করতে পারি।'

'তাই নাকি?'

'এই যে টুকরো টুকরো ছাপা কথা কেটে চিঠিটা লেখা হয়েছে, এর থেকে কী বুঝলে বলো তো?'

ফেলুদা কয়েক সেকেন্ড ভেবে বলল, 'এক নম্বর—কথাগুলো কাটা হয়েচে খুব সম্ভব ব্লেড দিয়ে—কাঁচি দিয়ে নয়।'

'ভেরি গুড।'

'দুই নম্বর—কথাগুলো নানারকম বই থেকে নেওয়া হয়েছে—কারণ হরফ ও কাগজে তফাত রয়েছে।'

'ভেরি গুড। সেই সব বই সম্বন্ধে কোনও আইডিয়া করেচ?'

'চিঠির দুটো শব্দ "শাস্তি" আর "প্রস্তুত"—মনে হচ্ছে খবরের কাগজ থেকে কাটা।'

'আনন্দবাজার।'

'তাই বুঝি?'

'ইয়েস। ওই টাইপটা আনন্দবাজারেই ব্যবহার হয়—অন্য বাংলা কাগজে নয়। আর অন্য কথাগুলোও কোনওটাই পুরনো বই থেকে নেওয়া হয়নি, কারণ যে হরফে ওগুলো ছাপা, সেটা হয়েছে, মাত্র পনেরো-বিশ বছর। ...আর যে আঠা দিয়ে আটকানো হয়েছে সেটা সম্বন্ধে কোনও ধারণা করেছ?'

'গন্ধটা গ্রিপেক্স আঠার মতো।'

'চমৎকার ধরেছ।'

'কিন্তু আপনিও তো ধরার ব্যাপারে কম যান না দেখছি।'

তিনকড়িবাবু হেসে বললেন, 'কিন্তু তোমার বয়সে আমি ডিটেক্‌টিভ কথাটার মানে জানতুম কি না সন্দেহ!'

বাড়ি ফেরার পথে ফেলুদা বলল, 'রাজেনবাবুর মিস্ট্রি সল্‌ভ করতে পারব কি না জানি না—কিন্তু সেই সূত্রে তিনকড়িবাবুর সঙ্গে আলাপটা বেশ ফাউ পাওয়া গেল।'

আমি বললাম, 'তা হলে উনিই ব্যাপারটা তদন্ত করুন না। তুমি আর মিথ্যে মাথা ঘামাচ্ছ কেন?'

'আহা—বাংলা হরফের ব্যাপারটা জানা আছে বলে কি সবই জানবেন নাকি?'

ফেলুদার কথাটা শুনে ভালই লাগল। ওর মতো বুদ্ধি আশা করি তিনকড়িবাবুর নেই। মাঝে মাঝে ফোড়ন দিলে আপত্তি নেই, কিন্তু আসল কাজটা যেন ফেলুদাই করে।

'কাকে অপরাধী বলে মনে হচ্ছে ফেলুদা?'

'অপরা—'

কথাটার মাঝখানেই ফেলুদা থেমে গেল। তার দৃষ্টি দেখলাম একজন লোককে ফলো করে পিছন দিকে ঘুরছে।

'লোকটাকে দেখলি?'

'কই, না তো। মুখ দেখিনি তো।'

'ল্যাম্পের আলোটা পড়ল, আর ঠিক মনে হল'—ফেলুদা আবার থেমে গেল।

'কী মনে হল ফেলুদা?'

'নাঃ, বোধহয় চোখের ভুল। চ' পা চালিয়ে চ', ক্ষিদে পেয়েছে।'

ফেলুদা হল আমার মাসতুতো দাদা। ও আর আমি আমার বাবার সঙ্গে দার্জিলিং-এ বেড়াতে এসে শহরের নীচের দিকে স্যানাটোরিয়ামে উঠেছি। স্যানাটোরিয়াম ভর্তি বাঙালি; বাবা তাদেরই মধ্য থেকে সমবয়সী বন্ধু জুটিয়ে নিয়ে তাসটাস খেলে গল্পটল্প করে সময় কাটাচ্ছেন। আমি আর ফেলুদা কোথায় যাই, কী করি, তা নিয়ে বিশেষ মাথা ঘামান না।

আজ সকালে আমার ঘুম থেকে উঠতে একটু দেরি হয়েছে। উঠে দেখি বাবা রয়েছেন, কিন্তু ফেলুদার বিছানা খালি। কী ব্যাপার?

বাবাকে জিজ্ঞেস করতে বললেন, 'ও এসে অবধি কাঞ্চনজঙ্ঘা দেখেনি। আজ দিনটা পরিষ্কার দেখে বোধহয় আগেভাগে বেরিয়েছে।'

আমি কিন্তু মনে মনে আন্দাজ করছিলুম যে ফেলুদা তদন্তের কাজ শুরু করে দিয়েছে, আর সেই কাজেই বেরিয়েছে। কথাটা ভেবে ভারী রাগ হল। আমাকে বাদ দিয়ে কিছু করার কথা তো ফেলুদার নয়।

যাই হোক্‌, আমিও মুখটুখ ধুয়ে চা-টা খেয়ে বেরিয়ে পড়লাম।

লেডেন লা রোডে ট্যাক্সি স্ট্যান্ডটার কাছাকাছি এসে ফেলুদার সঙ্গে দেখা হয়ে গেল। আমি বললাম, 'বা রে, তুমি আমায় ফেলে বেরিয়েছ কেন?'

'শরীরটা ম্যাজম্যাজ করছিল—তাই ডাক্তার দেখাতে গেস্‌লাম।'

'ফণী ডাক্তার?'

'তোরও একটু একটু বুদ্ধি খুলেছে দেখছি।'

'দেখালে?'

'চার টাকা ভিজিট নিল, আর একটা ওষুধ লিখে দিল।'

'ভাল ডাক্তার ?'

'অসুখ নেই তাও পরীক্ষা করে ওযুধ দিচ্ছে—কেমন ডাক্তার বুঝে দ্যাখ ; তার পর বাড়ির যা চেহারা দেখলাম, তাতে পসার যে খুব বেশি তাও মনে হয় না।'

'তা হলে উনি কখনওই চিঠিটা লেখেননি।'

'কেন ?'

'গবিব লোকের অত সাহস হয় ?'

'তা টাকার দরকার হলে হয় বইকী।'

'কিন্তু চিঠিতে তো টাকা চায়নি।'

'ওই ভাবে খোলাখুলি বুঝি কেউ টাকা চায় ?'

'তবে ?'

'রাজেনবাবুর অবস্থা কাল কী রকম দেখলি বল তো ?'

'কেমন যেন ভিতু ভিতু।'

'ভয় পেয়ে মনের অসুখ হতে পারে, সেটা জানিস ?'

'তা তো পারেই।'

'আর মনের অসুখ থেকে শরীরের অসুখ ?'

'তাও হয় বুঝি ?'

'ইয়েস। আর শরীরের অসুখ হলে ডাক্তার ডাকতে হবে, সেটা আশা করি তোর মতো ক্যাবলারও জানা আছে।'

ফেলুদার বুদ্ধি দেখে আমার প্রায় নিশ্বাস বন্ধ হয়ে এল। অবিশ্যি ফণী ডাক্তার যদি সত্যিই এত সব ভেবে-টেবে চিঠিটা লিখে থাকে, তা হলে ওরও বুদ্ধি সাংঘাতিক বলতে হবে।

ম্যালের মুখে ফোয়ারার কাছাকাছি যখন এসেছি তখন ফেলুদা বলল, 'কিউরিও সম্বন্ধে একটা কিউরিয়সিটি বোধ করছি।'

'কিউরিও'র মানে আগেই শিখেছিলাম, আর কিউরিয়সিটি মানে যে কৌতূহল, সেটা ইস্কুলেই শিখেছি।

আমাদের ঠিক পাশেই 'নেপাল কিউরিও শপ'। রাজেনবাবু আর অবনীবাবু এখানেই আসেন।

ফেলুদা সটান দোকানের ভেতর গিয়ে ঢুকল।

দোকানদারের গায়ে ছাই রঙের কোট, গলায় মাফলার আর মাথায় সোনালি কাজ করা কালো টুপি। ফেলুদাকে দেখে হাসি হাসি মুখ করে এগিয়ে এল। দোকানের ভেতরটা পুরনো জিনিসপত্রে গিজগিজ করছে, আলোও বেশি নেই, আর গন্ধটাও যেন সেকেলে।

ফেলুদা এদিক-ওদিক দেখে গম্ভীর গলায় বলল, 'ভাল পুরনো থাঙ্কা আছে ?'

'এই পাশের ঘরে আসুন। ভাল জিনিস তো বিক্রি হয়ে গেছে সব। তবে নতুন মাল আবার কিছু আসছে।'

পাশের ঘরে যাবার সময় আমি ফেলুদার কানের কাছে মুখ নিয়ে গিয়ে বললাম, 'থাঙ্কা কী জিনিস ?'

ফেলুদা দাঁতে দাঁত চেপে বলল, 'দেখতেই তো পাবি।'

পাশের ঘরটা আরও ছোট—যাকে বলে একেবারে ঘুপচি।

দোকানদার দেওয়ালে ঝোলানো সিল্কের উপর আঁকা একটা বুদ্ধের ছবি দেখিয়ে বলল, 'এই একটাই ভাল জিনিস আছে—তবে একটু ড্যামেজড্।'

একেই বলে থাঙ্কা ? এ জিনিস তো রাজেনবাবুর বাড়িতে অনেক আছে।

ফেলুদা ভীষণ বিজ্ঞের মতো থাঙ্কাটার গায়ের উপর চোখ ঠেকিয়ে উপর থেকে নীচে অবধি প্রায় তিন মিনিট ধরে দেখে বলল, 'এটার বয়স তো সত্তর বছরের বেশি বলে মনে হচ্ছে না। আমি অন্তত তিনশো বছরের পুরনো জিনিস চাইছি।'

দোকানদার বলল, 'আমরা আজ বিকেলে কিন্তু এক লট মাল পাচ্ছি। তার মধ্যে ভাল থাংকা পাবেন।'

'আজই পাচ্ছেন ?'

'আজই।'

'এ খবরটা তাহলে রাজেনবাবুকে জানাতে হয়।'

'মিস্টার মজুমদার ? ওনার তো জানা আছে। রেগুলার খদ্দের যে দু-তিন জন আছেন, তাঁরা সকলেই নতুন মাল দেখতে বিকেলে আসছেন।'

'অবনীবাবুও খবরটা পেয়ে গেছেন ? মিস্টার ঘোষাল ?'

'জরুর !'

'আর বড় খদ্দের কে আছে আপনাদের ?'

'আর আছেন মিস্টার গিলমোর—চা বাগানের ম্যানেজার। সপ্তাহে দু দিন বাগান থেকে আসেন। আর মিস্টার নাওলাখা। উনি এখন সিকিমে।'

'বাঙালি আর কেউ নেই ?'

'না স্যার।'

'আচ্ছা দেখি, বিকেলে যদি একবার টুঁ মারতে পারি।'

তার পর আমার দিকে ফিরে বলল, 'তোপ্‌সে, তুই একটা মুখোশ চাস ?'

তোপ্‌সে যদিও আমার আসল ডাকনাম নয়, তবু ফেলুদা তপেশ থেকে ওই নামটাই করে নিয়েছে।

মুখোশের লোভ কি সামলানো যায় ? ফেলুদা নিজেই একটা বাছাই করে আমাকে কিনে দিয়ে বলল, 'এইটেই সবচেয়ে হরেনডাস্—কী বলিস ?'

ফেলুদা বলে 'হরেনডাস্' বলে আসলে কোনও কথা নেই। 'ট্রিমেনডাস্' মানে সাংঘাতিক, আর 'হরিবল্' মানে বীভৎস। এই দুটো একসঙ্গে বোঝাতে নাকি কেউ কেউ 'হরেনডাস্' ব্যবহার করে। মুখোশটা সম্বন্ধে যে ওই কথাটা দারুণ খাটে, সে বিষয়ে কোনও সন্দেহ নেই।

দোকান থেকে বেরিয়ে ফেলুদা আমার হাত ধরে কী একটা বলতে গিয়ে হঠাৎ থেমে গেল। এবারও দেখি ফেলুদা একজন লোকের দিকে দেখছে। বোধ হয় কাল রাতে যাকে দেখেছিল, সেই লোকটাই। বয়স আমার বাবার মতো, মানে চল্লিশ-বেয়াল্লিশ, গায়ের রং ফরসা, চোখে কালো চশমা। যে স্যুটটা পরে আছে সেটা দেখে মনে হয় খুব দামি। ভদ্রলোক ম্যালের মাঝখানে দাঁড়িয়ে পাইপ ধরাচ্ছেন। আমার দেখেই কেমন যেন চেনা চেনা মনে হল, কিন্তু কোথায় দেখেছি ঠিক বুঝতে পারলাম না।

ফেলুদা সোজা লোকটার দিকে এগিয়ে গিয়ে তার পাশে দাঁড়িয়ে ভীষণ সাহেবি কায়দার উচ্চারণে বলল, 'এক্সকিউজ মি, আপনি মিস্‌ঠা ছ্যাঠাঝি ?'

ভদ্রলোকও একটু গম্ভীর গলায় পাইপ কামড়ে বলল, 'নো, আই অ্যাম নঠ্।'

ফেলুদা খুবই অবাক হবার ভান করে বলল, 'স্ট্রেঞ্জ—আপনি সেন্ট্রাল হোটেলে উঠেছেন না ?'

ভদ্রলোক একটু হেসে অবজ্ঞার সুরে বললেন, 'না। মাউন্ট এভারেস্ট্। অ্যান্ড আই ডোন্ট হ্যাভ এ টুইন ব্রাদার।'

এই বলে ভদ্রলোক গটগটিয়ে অবজারভেটরি হিলের দিকে চলে গেলেন। যাবার সময় লক্ষ করলাম যে তার কাছে একটা ব্রাউন কাগজে মোড়া প্যাকেট, আর কাগজটার গায়ে লেখা 'নেপালি কিউরিও শপ'।

আমি চাপা গলায় বললাম, 'ফেলুদা, উনিও কি মুখোশ কিনেছেন নাকি?'

'তা কিনতে পারে। মুখোশটা তো আর তোর-আমার একচেটিয়া নয়।...চ', কেভেনটার্সে গিয়ে একটু কফি খাওয়া যাক।'

কেভেনটার্সের দিকে যেতে যেতে ফেলুদা বলল, 'লোকটাকে চিনলি?'

আমি বললাম, 'তুমিই চিনলে না, আমি আর কী করে চিনি বলো। তবে চেনা চেনা লাগছিল।'

'আমি চিনলাম না?'

'বা রে। কোথায় চিনলে? ভুল নাম বললে যে?'

'তোর যদি এতটুকু সেন্স থাকে। ভুল নাম বলেছি হোটেলের নামটা বের করার জন্য, সেটাও বুঝলি না? লোকটার আসল নাম কী জানিস?'

'কী?'

'প্রবীর মজুমদার।'

'ও হো! হ্যাঁ ঠিক বলেছ, ঠিক বলেছ! রাজেনবাবুর ছেলে, তাই না? যার ছবি রয়েছে তাকের উপর? অবিশ্যি বয়সটা এখন অনেক বেড়ে গেছে তো।'

'শুধু যে চেহারায় মিল তা নয়—গালের আঁচিলটা নিশ্চয় তুইও লক্ষ করেছিস—আসল কথাটা হচ্ছে, ভদ্রলোকের জামা-কাপড় সব বিলিতি। স্যুট লন্ডনের, টাই প্যারিসের, জুতো ইটালিয়ান, এমন কী রুমালটা পর্যন্ত বিলিতি। সদ্য বিলেত-ফেরত সে বিষয়ে কোনও সন্দেহ নেই।'

'কিন্তু ওঁর ছেলে এখানে রয়েছে সে খবর রাজেনবাবু জানেন না?'

'বাপ যে এখানে রয়েছে, সেটা ছেলে জানে কি না সেটাও খোঁজ নিয়ে দেখা দরকার।'

রহস্য ক্রমেই ঘনিয়ে আসছে, এই কথাটা ভাবতে ভাবতে কেভেন্টারের দোকানে পৌঁছলাম।

দোকানের ছাতে যে বসার জায়গাটা আছে, সেটা আমার ভীষণ ভাল লাগে। চারদিকে দার্জিলিং শহরটা, আর ওই নীচে বাজারটা দারুণ ভাল দেখায়।

ছাতে উঠে দেখি, কোণের টেবিলটায় চুরুট হাতে তিনকড়িবাবু বসে কফি খাচ্ছেন। ফেলুদাকে দেখতে পেয়েই হাত তুলে তাঁর টেবিলে গিয়ে বসতে বললেন আমাদের।

আমরা তিনকড়িবাবুর দু দিকে দুটো টিনের চেয়ারে বসলাম।

তিনকড়িবাবু ফেলুদাকে বললেন, 'ডিটেক্‌শনে তোমার পারদর্শিতা দেখে খুশি হয়ে আমি তোমাদের দুজনকে দুটো হট্ চকোলেট খাওয়াব—আপত্তি আছে?'

হট্ চকোলেটের নাম শুনে আমার জিভে জল এসে গেল।

তিনকড়িবাবু তুড়ি মেরে একটা বেয়ারাকে ডাকলেন।

বেয়ারা এসে অর্ডার নিয়ে গেলে পর তিনকড়িবাবু কোটের পকেট থেকে একটা বই বার করে ফেলুদাকে দিয়ে বললেন, 'এই নাও। একটা এক্সট্রা কপি ছিল—আমার লেটেস্ট্ বই। তোমায় দিলুম।'

বইয়ের মলাটটা দেখে ফেলুদার মুখটা হাঁ হয়ে গেল।

'আপনার বই মানে? আপনার লেখা? আপনিই 'গুপ্তচর' নাম নিয়ে লেখেন?'

তিনকড়িবাবু আধ-বোজা চোখে অল্প হাসি হেসে মাথা নেড়ে 'হ্যাঁ' বললেন।

ফেলুদার অবাক ভাব আরও যেন বেড়ে গেল।

'সে কী! আপনার সব ক'টা উপন্যাস যে আমার পড়া! বাংলায় আপনার ছাড়া আর কারুর রহস্য উপন্যাস আমার ভাল লাগে না।'

'থ্যাঙ্ক ইউ, থ্যাঙ্ক ইউ! ব্যাপারটা কী জানো? এখানে একটা প্লট মাথায় নিয়ে লেখার জন্যই এসেছিলাম। এখন দেখছি, বাস্তব জীবনের রহস্য নিয়েই মাথা ঘামিয়ে ছুটিটা ফুরিয়ে গেল।'

'আমার সত্যিই দারুণ লাক্—আপনার সঙ্গে এভাবে আলাপ হয়ে গেল।'

'দুঃখের বিষয় আমার ছুটির মেয়াদ সত্যিই ফুরিয়ে এসেছে। কাল সকালে চলে যাচ্ছি আমি। আশা করছি, যাবার আগে তোমাদের আরও কিছুটা হেলপ্ করে দিয়ে যেতে পারব।'

ফেলুদা এবার তার এক্সাইটিং খবরটা তিনকড়িবাবুকে দিয়ে দিল।

'রাজেনবাবুর ছেলেকে আজ দেখলাম।'

'বল কী হে?'

'এই দশ মিনিট আগে।'

'তুমি ঠিক বলছ? চিনতে পেরেছ তো ঠিক?'

'চোদ্দ আনা শিওর। মাউন্ট এভারেস্ট্ হোটেলে গিয়ে খোঁজ করলে বাকি দু আনাও পুরে যাবে বোধ হয়।'

তিনকড়িবাবু হঠাৎ একটা দীর্ঘশ্বাস ফেললেন।

'রাজেনবাবুর মুখে তার ছেলের কথা শুনেছ?'

'কাল যা বললেন, তার বেশি শুনিনি।'

'আমি শুনেছি অনেক কথা। ছেলেটি অল্পবয়সে বখে গিয়েছিল। বাপের সিন্দুক থেকে টাকা চুরি করে ধরা পড়েছিল। রাজেনবাবু তাকে ত্যাজ্যপুত্র করেন। বাড়ি থেকে বেরিয়ে যেতে বলেন। ছেলেটি গিয়েওছিল তাই। ২৪ বছর বয়স তখন তার। একেবারে নিখোঁজ। রাজেনবাবু অনেক অনুসন্ধান করেছিলেন, কারণ পরে তাঁর অনুতাপ হয়। কিন্তু ছেলে কোনও খোঁজখবর নেয়নি বা দেয়নি। বিলেতে তাকে দেখেছিলেন রাজেনবাবুরই এক বন্ধু। তাও সে দশ-বারো বছর আগে।'

'রাজেনবাবু তাহলে জানেন না যে তাঁর ছেলে এখানে আছে?'

'নিশ্চয়ই না। আমার মনে হয় ওঁকে না জানানোই ভাল। একে এই চিঠির শক্, তার উপর...'

তিনকড়িবাবু হঠাৎ থেমে গেলেন। তার পর ফেলুদার দিকে ফিরে বললেন; 'আমার বুদ্ধিশুদ্ধি সব লোপ পেয়েছে। রহস্য উপন্যাস লেখা ছেড়ে দেওয়া উচিত।'

ফেলুদা হাসতে হাসতে বলল, 'প্রবীর মজুমদার যে চিঠি লিখে থাকতে পারেন, সেটা আপনার খেয়াল হয়নি তো?'

'এগজ্যাক্টলি। কিন্তু...'

তিনকড়িবাবু অন্যমনস্ক হয়ে গেলেন।

বেয়ারা হট্ চকোলেট এনে টেবিলে রাখতে তিনকড়িবাবু যেন একটু চাগিয়ে উঠলেন। ফেলুদার দিকে ফিরে বললেন, 'ফণী মিত্তিরকে কেমন দেখলে?'

ফেলুদা যেন একটু হকচকিয়ে গেল।

'সে কি, আপনি কী করে জানলেন আমি ওখানে গেস্লাম?'

'তুমি যাওয়ার অল্পক্ষণ পরেই আমিও গেস্লাম।'

'আমাকে রাস্তায় দেখেছিলেন বুঝি ?'

'না।'

'তবে ?'

ডাক্তারের ঘরের মেঝেতে একটি মরা সিগারেট দেখে জিজ্ঞেস করলাম, কে খেয়েছে। ডাক্তার ধূমপান করেন না। ফণীবাবু তখন বর্ণনা দিলেন। তাতে তোমার কথা মনে হল, যদিও তোমাকে আমি সিগারেট খেতে দেখিনি। কিন্তু এখন তোমার আঙুলের গায়ে হলদে রং দেখে বুঝেছি, তুমি খাও।'

ফেলুদা তিনকড়িবাবুর বুদ্ধির তারিফ করে বলল, 'আপনারও কি ফণী মিত্তিরকে সন্দেহ হয়েছিল না কি ?'

'তা হবে না ? লোকটাকে দেখলে অভক্তি হয় কি না ?'

'তা হয়। রাজেনবাবু যে কেন ওকে আমল দেন জানি না।'

'তাও জানো না বুঝি ? দার্জিলিং-এ আসার কিছু দিনের মধ্যে রাজেনবাবুর ধম্মকম্মের দিকে মন যায়। তখন ফণীবাবুই তাকে এক গুরুর সন্ধান দিয়েছিলেন। একই গুরুর শিষ্য হিসেবে ওদের যে প্রায় ভাই-ভাই সম্পর্ক হে !'

ফেলুদা জিজ্ঞেস করল, 'ফণী মিত্তিরের সঙ্গে কথা বলে কী বুঝলেন ?'

'কথা তো ছুতো। আসলে বইয়ের আলমারিগুলোর দিকে একবার চোখ বুলিয়ে নিচ্ছিলুম।'

'বাংলা উপন্যাস আছে কিনা দেখার জন্য ?'

'ঠিক বলেছ।'

'আমিও দেখেছি, প্রায় নেই বললেই চলে। আর যা আছে, তাও আদ্যিকালের।'

'ঠিক।'

'তবে ফণী ডাক্তার অন্যের বাড়ির বই থেকেও কথা কেটে চিঠি তৈরি করতে পারে।'

'তা পারে। তবে লোকটাকে দেখে ভারী কুঁড়ে বলে মনে হয়। এ ব্যাপারে অতটা কাঠখড় পোড়াবে, সেটা কেন যেন বিশ্বাস হয় না।'

ফেলুদা এবার বলল, 'অবনী ঘোষাল লোকটা সম্বন্ধে আপনার কী ধারণা ?'

'বিশেষ সুবিধের লোক নয় বলেই আমার বিশ্বাস। ভারী ওপর-চালাক। আর ও সব প্রাচীন শিল্প-টিল্প কিছু না। ওর আসল লোভ হচ্ছে টাকার। এখন খরচ করে জিনিস কিনছে, পরে বিদেশিদের কাছে বিক্রি করে পাঁচগুণ প্রফিট করবে।'

'ওর পক্ষে এই হুমকি-চিঠি দেওয়ার কোনও কারণ থাকতে পারে বলে আপনার মনে হয় কি ?'

'সেটা এখনও তলিয়ে দেখিনি।'

'আমি একটা কারণ আবিষ্কার করেছি।'

আমি অবাক হয়ে ফেলুদার দিকে চাইলাম। ওর চোখ দুটো জ্বলজ্বল করছে।

তিনকড়িবাবু বললেন, 'কী কারণ ?'

ফেলুদা গলাটা নামিয়ে নিয়ে বলল, 'যে দোকান থেকে ওঁরা জিনিস কেনেন, সেখানে কিছু ভাল নতুন মাল আজ বিকেলে আসছে।'

এবার তিনকড়িবাবুর চোখও জ্বলজ্বল করে উঠল।

'বুঝেছি। হুমকি চিঠি পেয়ে রাজেন মজুমদার ঘরে বন্দি হয়ে রইলেন, আর সেই ফাঁকতালে অবনী ঘোষাল দোকানে গিয়ে সব লুটেপুটে নিলেন।'

'এগজ্যাক্টলি !'

তিনকড়িবাবু চকোলেটের পয়সা দিয়ে উঠে পড়লেন। আমরা দুজনেও উঠলাম।

উৎসাহে আর উত্তেজনায় আমার বুকটা ঢিপ্ ঢিপ্ করছিল।

অবনী ঘোষাল, প্রবীর মজুমদার আর ফণী মিত্তির—তিনজনকেই তাহলে সন্দেহ করার কারণ আছে!

পনেরো মিনিটের মধ্যেই মাউন্ট এভারেস্ট হোটেলে গিয়ে ফেলুদা সেই খবরটা জেনে নিল। প্রবীর মজুমদার বলে একজন ভদ্রলোক সেই হোটেলের ষোল নম্বর ঘরে পাঁচ দিন হল এসে রয়েছেন।

বিকেলের দিকে রাজেনবাবুর বাড়িতে যাবার কথা ফেলুদা বলেছিল, কিন্তু দুপুর থেকে মেঘলা করে চারটে নাগাত তেড়ে বৃষ্টি নামল। আকাশের চেহারা দেখে মনে হল বৃষ্টি সহজে থামবে না।

ফেলুদা সারাটা সন্ধে খাতা-পেনসিল নিয়ে কী সব যেন হিসেব করল। আমার ভীষণ জানতে ইচ্ছে করছিল কী লিখছে, কিন্তু জিজ্ঞেস করতে সাহস হল না। শেষটায় আমি তিনকড়িবাবুর বইটা নিয়ে পড়তে আরম্ভ করলাম। দারুণ থ্রিলিং গল্প। পড়তে পড়তে রাজেনবাবুর চিঠির ব্যাপারটা মন থেকে প্রায় মুছেই গেল।

আটটা নাগাত বৃষ্টি থামল। কিন্তু তখন এত শীত যে, বাবা আমাদের বেরোতে দিলেন না।

পরদিন ভোরবেলা ফেলুদার ধাক্কার চোটে ঘুম ভাঙল। 'ওঠ্, ওঠ্—এই তোপ্‌সে —ওঠ!'

আমি ধড়মড়িয়ে উঠে পড়লাম। ফেলুদা কানের কাছে মুখ এনে দাঁতে দাঁত চেপে এক নিশ্বাসে বলে গেল, 'রাজেনবাবুর নেপালি চাকরটা এসেছিল। বলল, বাবু এখুনি যেতে বলেছেন—বিশেষ দরকার। তুই যদি যেতে চাস তো—'

'সে আর বলতে!'

পনেরো মিনিটের মধ্যে তৈরি হয়ে রাজেনবাবুর বাড়িতে পৌঁছে দেখি, তিনি ফ্যাকাশে মুখ করে খাটে শুয়ে আছেন। ফণী ডাক্তার তাঁর নাড়ি টিপে খাটের পাশটায় বসে, আর তিনকড়িবাবু এই শীতের মধ্যেও একটা হাতপাখা নিয়ে মাথার পিছনটায় দাঁড়িয়ে হাওয়া করছেন।

ফণীবাবুর নাড়ি দেখা হলে পর রাজেনবাবু যেন বেশ কষ্ট করেই জোরে নিশ্বাস নিতে নিতে বললেন, 'কাল রাত্রে—বারোটার কিছু পরে ঘুমটা ভাঙতে বিদ্যুতের আলোয় আমার মুখের ঠিক সামনে আই স এ মাস্ক্‌ড্ ফেস্!'

মাস্ক্‌ড্ ফেস্! মুখোশ পরা মুখ!

রাজেনবাবু দম নিলেন। ফণী মিত্তির দেখলাম একটা প্রেসক্রিপ্‌শন লিখছেন।

রাজেনবাবু বললেন, 'দেখে এমন হল যে চিৎকারও বেরোল না গলা দিয়ে। রাতটা যে কীভাবে কেটেছে—তা বলতে পারি না।'

ফেলুদা বলল, 'আপনার জিনিসপত্তর কিছু চুরি যায়নি তো?'

রাজেনবাবু বললেন, 'নাঃ, তবে আমার বিশ্বাস, আমার বালিশের তলা থেকে আমার চাবির গোছাটা নিতেই সে আমার উপর ঝুঁকেছিল। ঘুম ভেঙে যাওয়াতে জানালা দিয়ে লাফিয়ে...ওঃ—হরিব্‌ল্, হরিব্‌ল্!'

ফণী ডাক্তার বললেন, 'আপনি উত্তেজিত হবেন না। আপনাকে একটা ঘুমের ওষুধ

দিচ্ছি। আপনার কমপ্লিট রেস্টের দরকার।'

ফণীবাবু উঠে পড়লেন।

ফেলুদা হঠাৎ বলল, 'ফণীবাবু কাল রাত্রে রুগি দেখতে গেস্‌লেন বুঝি? কোটের পিছনে কাদার ছিটে লাগল কী করে?'

ফণীবাবু তেমন কিছু না ঘাবড়িয়ে বললেন, 'ডাক্তারের লাইফ তো জানেনই—আর্তের সেবায় যখন জীবনটাই উৎসর্গ করিচি, তখন ডাক যখনই আসুক না কেন, বেরোতেই হবে। সে ঝড়ই হোক, আর বৃষ্টিই হোক, আর বরফই পড়ুক।'

ফণীবাবু তাঁর পাওনা টাকা নিয়ে চলে গেলেন। রাজেনবাবু এবার সোজা হয়ে উঠে বসে বললেন, 'তোমরা আসাতে অনেকটা সুস্থ বোধ করছি। বেশ খানিকটা ঘাবড়ে গেস্‌লুম, জানো। এখন বোধহয় বৈঠকখানায় গিয়ে একটু বসা চলতে পারে।'

ফেলুদা আর তিনকড়িবাবু হাত ধরাধরি করে রাজেনবাবুকে বৈঠকখানায় এনে বসালেন।

তিনকড়িবাবু বললেন, 'স্টেশনে ফোন করেছিলুম যদি যাওয়াটা দু দিন পেছোনো যায়! রহস্যের সমাধান না করে যেতে মন চাইছে না। কিন্তু ওরা বললে এ-টিকিট ক্যানসেল করলে দশ দিনের আগে বুকিং পাওয়া যাবে না।'

এটা শুনে আমার ভালই লাগল। আমি চাইছিলাম ফেলুদা একাই ডিটেক্‌টিভের কাজটা করুক। তিনকড়িবাবু যেন ফেলুদার অনেকটা কাজ আগে-আগেই করে দিচ্ছিলেন।

রাজেনবাবু বললেন, 'আমার চাকরটার পাহারা দেবার কথা ছিল, কিন্তু আমি নিজেই কাল দশটার সময় তাকে ছুটি দিয়ে দিয়েছি। ওর বাড়িতে খুব অসুখ। বুড়ো বাপ আছে, তার এখন-তখন অবস্থা।'

ফেলুদা বলল, 'মাস্কটা কেমন ছিল মনে আছে?'

রাজেনবাবু বললেন, 'খুবই সাধারণ নেপালি মুখোশ, দার্জিলিং শহরেই অন্তত আরও তিন-চার শ' খোঁজ করলে পাওয়া যাবে। আমার এই ঘরেই তো আরও পাঁচখানা রয়েছে—ওই যে, দ্যাখো-না।'

রাজেনবাবু যে মুখোশটার দিকে আঙুল দেখালেন, ঠিক সেই জিনিসটা কাল ফেলুদা আমার জন্য কিনে দিয়েছে।

তিনকড়িবাবু এতক্ষণ বেশি কথা বলেননি, এবার বললেন, 'আমার মতে এবার বোধহয় পুলিশে একটা খবর দেওয়া উচিত। একটা প্রোটেক্‌শনেরও তো দরকার। কাল যা ঘটেছে, তার পরে তো আর ব্যাপারটাকে ঠাট্টা বলে নেওয়া চলে না। ফেলুবাবু, তুমি তোমার নিজের ইচ্ছে মতো তদন্ত চালিয়ে যেতে পারো, তাতে তোমায় কেউ বাধা দেবে না। কিন্তু আমি সব দিক বিবেচনা করে বলছি, এবার পুলিশের সাহায্য নেওয়া দরকার। আমি বরং যাই, গিয়ে একটা ডায়েরি করে আসি। প্রাণের ভয় আছে বলে মনে হয় না, তবে রাজেনবাবু, আপনার ঘণ্টাটা একটু সাবধানে রাখবেন।'

আমরা যখন উঠছি, তখন ফেলুদা রাজেনবাবুকে বলল, 'তিনকড়িবাবু তো চলে যাচ্ছেন। তার মানে আপনার একটি ঘর খালি হয়ে যাচ্ছে। আমরা যদি আজ রাতটা ও ঘরে এসে থাকি, তা হলে আপনার কোনও আপত্তি আছে কি?'

রাজেনবাবু বললেন, 'মোটেই না। আপত্তি কী? তুমি তো হলে আমার প্রায় আত্মীয়ের মতো। আর সত্যি বলতে কী, যত বুড়ো হচ্ছি তত যেন সাহসটা কমে আসছে। ছেলেবয়সে দুরন্ত হলে নাকি বুড়ো বয়সে মানুষ ম্যাদা মেরে যায়।'

তিনকড়িবাবুকে ফেলুদা বলল স্টেশনে ওঁকে 'সি-অফ' করতে যাবে।

ফেরার পথে যখন নেপাল কিউরিও শপের পাশ দিয়ে যাচ্ছি, তখন আমাদের দুজনেরই

চোখ গেল দোকানের ভিতর।

দেখলাম দুজন ভদ্রলোক দোকানের ভিতর জিনিসপত্র দেখছে আর পরস্পরের সঙ্গে কথা বলছে। দেখে মনে হয় দুজনের অনেক দিনের আলাপ।

একজন অবনী ঘোষাল, আর একজন প্রবীর মজুমদার।

আমি ফেলুদার দিকে চাইলাম।

তার মুখের ভাব দেখে মনে হল না সে কোনও আশ্চর্য জিনিস দেখেছে।

সাড়ে দশটার সময় স্টেশনে গেলাম তিনকড়িবাবুকে গুড বাই করতে। উনি এলেন আমাদেরও পাঁচ মিনিট পরে।

'চড়াই উঠে উঠে পায়ে ব্যথা হয়ে গেছে তাই আস্তে হাঁটতে হল।' সত্যিই ভদ্রলোক একটু খোঁড়াচ্ছিলেন।

নীল রঙের ফার্স্ট ক্লাস কামরায় উঠে তিনকড়িবাবু তাঁর অ্যাটাচিকেস খুলে একটা ব্রাউন কাগজের প্যাকেট ফেলুদাকে দিলেন।

'এটা কিনতেও একটু সময় লাগল। রাজেনবাবু তো আর কিউরিওর দোকানে যেতে পারলেন না, অথচ কাল সত্যিই অনেক ভাল জিনিস এসেছে। তার থেকে একটি সামান্য জিনিস বাছাই করে ওঁর জন্যে এনেছি। তোমরা আমার নাম করে শুভেচ্ছা জানিয়ে ওঁকে দিয়ে দিও।'

ফেলুদা প্যাকেটটা নিয়ে বলল, 'আপনার ঠিকানা দিয়ে গেলেন না? মিস্ট্রিটা সল্‌ভ করে আপনাকে জানিয়ে দেব ভাবছিলাম যে।'

তিনকড়িবাবু বললেন, 'আমার প্রকাশকের ঠিকানাটা আমার বইতেই পাবে—তার কেয়ারে লিখলেই চিঠি আমার কাছে পৌঁছে যাবে। গুড লাক!'

ট্রেন ছেড়ে দিল। ফেলুদা আমাকে বলল, 'লোকটা বিদেশে জন্মালে দারুণ নাম আর পয়সা করত। পর পর এতগুলো ভাল রহস্য উপন্যাস খুব কম লোকেই লিখেছে।'

সারা দিন ধরে ফেলুদা রাজেনবাবুর ব্যাপারটা নিয়ে নানান জায়গায় ঘোরাফেরা করল। আমি অনেক করে বলতেও আমাকে সঙ্গে নিল না। সন্ধেবেলা যখন রাজেনবাবুর বাড়ি যাচ্ছি, তখন ফেলুদাকে বললাম, 'কোথায় কোথায় গেলে সেইটে অন্তত বলবে তো!'

ফেলুদা বলল, 'দুবার মাউন্ট এভারেস্ট হোটেল, একবার ফণী মিত্তিরের বাড়ি, একবার নেপাল কিউরিও শপ, একবার লাইব্রেরি, আর এ ছাড়াও আরও কয়েকটা জায়গা।'

'ও।'

'আর কিছু জানতে চাস?'

'অপরাধী কে বুঝতে পেরেছ?'

'এখনও বলার সময় আসেনি।'

'কাউকে সন্দেহ করেছ?'

'ভাল ডিটেক্‌টিভ্ হলে প্রত্যেককেই সন্দেহ করতে হয়।'

'প্রত্যেককে মানে?'

'এই ধর—তুই।'

'আমি?'

'যার কাছে এই মুখোশ আছে, সে-ই সন্দেহের পাত্র, সে যে-লোকই হোক।'

'তা হলে তুমিই বা বাদ যাবে কেন?'

'বেশি বাজে বকিস্‌নি।'

'বা রে—তুমি যে রাজেনবাবুকে আগে চিনতে, সে কথা তো গোড়ায় বলোনি। তার

মানে সত্য গোপন করেছ। আর আমার মুখোশ তো ইচ্ছে করলে তুমিও ব্যবহার করতে পারো—হাতের কাছেই থাকে।'

'শাটাপ্, শাটাপ্ !'

রাজেনবাবুকে এ বেলা দেখে তবু অনেকটা ভাল লাগল। কেমন আছেন জিজ্ঞেস করতে বললেন, 'দুপুরের দিকটা বেশ ভাল বোধ করছিলাম। যত সন্ধে হয়ে আসছে ততই যেন কেমন অসোয়াস্তি লাগছে।'

ফেলুদা তিনকড়িবাবুর দেওয়া প্যাকেটটা রাজেনবাবুকে দিল। সেটা খুলে তার থেকে একটা চমৎকার বুদ্ধের মাথা বের হল। সেটা দেখে রাজেনবাবুর চোখ ছলছল করে এল। ধরা গলায় বললেন, 'খাশা জিনিস, খাশা জিনিস !'

ফেলুদা বলল, 'পুলিশ থেকে লোক এসেছিল ?'

'আর বলো না। এসে বত্রিশ রকম জেরা করলে। কদ্দূর কী হদিস পাবে জানি না, তবে আজ থেকে বাড়িটা ওয়াচ করার জন্য লোক থাকবে, সেই যা নিশ্চিন্তি। সত্যি বলতে কী, তোমরা হয়তো না এলেও চলত।'

ফেলুদা বলল, 'স্যানাটোরিয়ামে বড্ড গোলমাল। এখানে হয়তো চুপচাপ আপনার কেসটা নিয়ে একটু ভাবতে পারব।'

রাজেনবাবু হেসে বললেন, 'আর তা ছাড়া আমার চাকরটা খুব ভাল রান্না করে। আজ মুরগির মাংস রাঁধতে বলেছি। স্যানাটোরিয়ামে অমনটি খেতে পাবে না।'

রাজেনবাবু আমাদের ঘরটা দেখিয়ে দিয়ে নিজের ঘরে চলে গেলেন।

ফেলুদা সটান খাটের উপর শুয়ে পড়ে একটা সিগারেট ধরিয়ে কড়িকাঠের দিকে তাগ করে পর পর পাঁচটা ধোঁয়ার রিং ছাড়ল।

তার পর আধবোজা চোখে বেশ কিছুক্ষণ চুপ করে থেকে বলল, 'ফণী মিত্তির কাল সত্যিই রুগি দেখতে গিয়েছিলেন। কার্ট রোডে একজন ধনী পাঞ্জাবি ব্যবসায়ীর বাড়ি। আমি খোঁজ নিয়েছি। সাড়ে এগারোটা থেকে সাড়ে বারোটা অবধি ওখানে ছিলেন।'

'তা হলে ফণী মিত্তির অপরাধী নন ?'

ফেলুদা আমার কথার জবাব না দিয়ে বলল, 'প্রবীর মজুমদার ষোলো বছর ইংলন্ডে থেকে বাংলা প্রায় ভুলেই গেছেন।'

'তা হলে ওই চিঠি ওর পক্ষে লেখা সম্ভব নয় ?'

'আর ওর টাকার কোনও অভাবই নেই। তা ছাড়া দার্জিলিং-এ এসেও লেবং-এ ঘোড়দৌড়ের বাজিতে উনি অনেক টাকা করেছেন।'

আমি দম আটকে বসে রইলাম। ফেলুদার আরও কিছু বলার আছে সেটা বুঝতে পারছিলাম।

আধখাওয়া জ্বলন্ত সিগারেটটা ক্যারমের ঘুঁটি মারার মতো করে প্রায় দশ হাত দূরের জানালা দিয়ে বাইরে ফেলে দিয়ে ফেলুদা বলল, 'আজ চা বাগানের গিলমোর সাহেব দার্জিলিং-এ এসেছে। প্লান্টারস ক্লাবে গিয়ে ওর সঙ্গে দেখা করেছিলাম। লামার প্রাসাদের আসল ঘণ্টা একটাই আছে, আর সেটা গিলমোরের কাছে। রাজেনবাবুরটা নকল। অবনী ঘোষাল সেটা জানে।'

'তা হলে রাজেনবাবুর ঘণ্টা তেমন মূল্যবান নয় ?'

'না। ..আর অবনী ঘোষাল কাল রাত্রে একটা পার্টিতে প্রবীর মজুমদারের সঙ্গে রাত ন'টা থেকে ভোর তিনটে অবধি মাতলামি করেছে।'

‘ও। আর মুখোশ পরা লোকটা এসেছিল বারোটার কিছু পরেই।’

‘হ্যাঁ।’

আমার বুকের ভেতরটা কেমন খালি খালি লাগছিল। বললাম, ‘তা হলে?’

ফেলুদা কিছু না বলে একটা দীর্ঘনিশ্বাস ফেলে খাট থেকে উঠে পড়ল। ওর ভুরু দুটো যে এতটা কুঁচকোতে পারে, তা আমার জানাই ছিল না।

কয়েক সেকেন্ড চুপ করে দাঁড়িয়ে থেকে কী যেন ভেবে ফেলুদা বৈঠকখানার দিকে চলে গেল। যাবার সময় বলল, ‘একটু একা থাকতে চাই। ডিস্‌টার্ব করিস না।’

কী আর করি। এবার ওর জায়গায় আমি বিছানায় শুলাম।

সন্ধে হয়ে আসছে। ঘরের বাতিটা আর জ্বালতে ইচ্ছে করল না। খোলা জানলা দিয়ে অবজারভেটরি হিলের দিকটায় অন্যান্য বাড়ির আলো দেখতে পাচ্ছিলাম। বিকেলে ম্যাল থেকে একটা গোলমালের শব্দ পাওয়া যায়। এখন সেটা মিলিয়ে আসছে। একটা ঘোড়ার খুরের আওয়াজ পেলাম। দূর থেকে কাছে এসে আবার মিলিয়ে গেল।

সময় চলে যাচ্ছে। জানালা দিয়ে শহরের আলো কেমন যেন ঝাপসা হয়ে আসছে। বোধহয় কুয়াশা হচ্ছে। ঘরের ভিতরটা এখন আরও অন্ধকার। একটা ঘুম-ঘুম ভাব আসছে মনে হল।

চোখের পাতা দুটো কাছাকাছি এসে গেছে, এমন সময় মনে হল, কে যেন ঘরে ঢুকছে।

মনে হতেই এমন ভয় হল যে, যে দিক থেকে লোকটা আসছে, সে দিকে না তাকিয়ে আমি জোর করে নিশ্বাস বন্ধ করে জানালার দিকে তাকিয়ে রইলাম।

কিন্তু লোকটা যে আমার দিকেই আসছে আর আমার সামনেই এসে দাঁড়াল যে!

জানালার বাইরে শহরের দৃশ্যটা ঢেকে দিয়ে একটা অন্ধকার কী যেন এসে আমার সামনে দাঁড়িয়েছে।

তার পর সেই অন্ধকার জিনিসটা নিচু হয়ে আমার দিকে এগিয়ে এল।

এইবার তার মুখটা আমার মুখের সামনে, আর সেই মুখে একটা—মুখোশ!

আমি যেই চিৎকার করতে যাব অমনি অন্ধকার শরীরটার একটা হাত উঠে গিয়ে মুখোশটা খুলতেই দেখি—ফেলুদা!

‘কী রে—ঘুমিয়ে পড়েছিলি নাকি?’

‘ওঃ—ফেলুদা—তুমি?’

‘তা আমি না তো কে? তুই কি ভেবেছিলি... ?’

ফেলুদা ব্যাপারটা বুঝে একটা অট্টহাস্য করতে গিয়ে হঠাৎ থেমে গম্ভীর হয়ে গেল। তার পর খাটের পাশটায় বসে বলল, ‘রাজেনবাবুর মুখোশগুলো সব কটা পরে দেখছিলাম। তুই এইটে একবার পর তো।’

ফেলুদা আমাকে মুখোশটা পরিয়ে দিল।

‘অস্বাভাবিক কিছু লাগছে কি?’

‘কই না তো। আমার পক্ষে একটু বড়, এই যা।’

‘আর কিচ্ছু না? ভাল করে ভেবে দেখ তো।’

‘একটু...একটু যেন...গন্ধ।’

‘কীসের গন্ধ?’

‘চুরুট।’

ফেলুদা মুখোশটা খুলে নিয়ে বলল, ‘এগজ্যাক্টলি।’

আমার বুকের ভিতরটা আবার ঢিপ ঢিপ করছিল। মুখ দিয়ে বেরিয়ে গেল, ‘তি-তিনকড়িবাবু ?’

ফেলুদা দীর্ঘশ্বাস ফেলে বলল, ‘সুযোগের দিক দিয়ে সবচেয়ে বেশি ছিল এঁরই। বাংলা উপন্যাস, খবরের কাগজ, ব্লেড, আঠা কোনওটারই অভাব নেই। আর তুই লক্ষ করেছিলি নিশ্চয়ই—স্টেশনে আজ যেন একটু খোঁড়াচ্ছিলেন। সেটা বোধহয় কাল জানালার বাইরে লাফিয়ে পড়ার দরুন। কিন্তু আসল যেটা রহস্য, সেটা হল—কারণটা কী ? রাজেনবাবুকে তো মনে হয় রীতিমতো সমীহ করতেন ভদ্রলোক। তা হলে কী কারণে, কী উদ্দেশ্য নিয়ে তিনি এই চিঠি লিখেছিলেন ? এটার উত্তর বোধ হয় আর জানা যাবে না...কোনও দিনও না।’

রাত্রে কোনও দুর্ঘটনা ঘটেনি।

সকালে খাবার ঘরে বসে রাজেনবাবুর সঙ্গে চা খাচ্ছি, এমন সময় নেপালি চাকরটা একটা চিঠি নিয়ে এল। আবার সেই নীল কাগজ—আর খামের উপর দার্জিলিং পোস্ট মার্ক।

রাজেনবাবু ফ্যাকাশে মুখ করে কাঁপতে কাঁপতে চিঠির ভাঁজ খুলে ফেলুদাকে দিয়ে বললেন, ‘তুমিই পড়ো। আমার সাহস হচ্ছে না।’

ফেলুদা চিঠিটা নিয়ে জোরে জোরে পড়ল। তাতে লেখা আছে—

‘প্রিয় রাজু, কলকাতায় জ্ঞানেশের কাছ থেকে তোমার ঘরের খবর পেয়ে যখন তোমায় চিঠি লিখি, তখনও জানতাম না আসলে তুমি কে। তোমার বাড়িতে এসে তোমার ছেলেবয়সের ছবিখানা দেখেই চিনেছি, তুমি সেই পঞ্চাশ বছর আগের বাঁকুড়া মিশনারি স্কুলের আমারই সহপাঠী রাজু !

‘এতকাল পরেও যে পুরনো আক্রোশ চাগিয়ে উঠতে পারে, সেটা আমার জানা ছিল না। অন্যায়ভাবে ল্যাং মেরে তুমি যে শুধু আমায় হাড্রেড ইয়ার্ডস-এর নিশ্চিত পুরস্কার ও রেকর্ড থেকে বঞ্চিত করেছিলে, তাই নয়—আমাকে রীতিমতো জখমও করেছিলে। বাবা বদলি হলেন তখনই, তাই তোমার সঙ্গে বোঝাপড়াও হয়নি, আর তুমিও আমার মন আর শরীরের কষ্টের কথা জানতে পারোনি। তিন মাস পায়ে প্লাস্টার লাগিয়ে হাসপাতালে পড়ে ছিলাম।

‘এখানে এসে তোমার জীবনের শান্তিময় পরিপূর্ণতার ছবি আমাকে অশান্ত করেছিল। তাই তোমার মনে খানিকটা সাময়িক উদ্বেগের সঞ্চার করে তোমার সেই প্রাচীন অপরাধের শাস্তি দিলাম। শুভেচ্ছা নিও। ইতি—তিনু (শ্রীতিনকড়ি মুখোপাধ্যায়)।

বাদশাহী আংটি

১

বাবা যখন বললেন, ‘তোর ধীরুকাকা অনেকদিন থেকে বলছেন—তাই ভাবছি এবার পুজোর ছুটিটা লখ্‌নৌতেই কাটিয়ে আসি’—তখন আমার মনটা খারাপ হয়ে গিয়েছিল। আমার বিশ্বাস ছিল লখ্‌নৌটা বেশ বাজে জায়গা। অবিশ্যি বাবা বলেছিলেন ওখান থেকে আমরা হরিদ্বার লছমনঝুলাও ঘুরে আসব, আর লছমনঝুলাতে পাহাড়ও আছে—কিন্তু সে আর কদিনের জন্য ? এর আগে প্রত্যেক ছুটিতে দার্জিলিং না হয় পুরী গিয়েছি। আমার পাহাড়ও ভাল লাগে, আবার সমুদ্রও ভাল লাগে। লখ্‌নৌতে দুটোর একটাও নেই। তাই বাবাকে

বললাম, 'ফেলুদা যেতে পারে না আমাদের সঙ্গে ?'

ফেলুদা বলে ও কলকাতা ছেড়ে যেখানেই যাক না কেন, ওকে ঘিরে নাকি রহস্যজনক ঘটনা সব গজিয়ে ওঠে। আর সত্যিই, দার্জিলিং-এ যেবার ও আমাদের সঙ্গে ছিল, ঠিক সেবারই রাজেনবাবুকে জড়িয়ে সেই অদ্ভুত ঘটনাগুলো ঘটল। তেমন যদি হয় তা হলে জায়গা ভাল না হলেও খুব ক্ষতি নেই।

বাবা বললেন, 'ফেলু তো আসতেই পারে, কিন্তু ও যে নতুন চাকরি নিয়েছে, ছুটি পাবে কি ?'

ফেলুদাকে লখ্‌নৌয়ের কথা বলতেই ও বলল, 'ফিফ্‌টি-এইটে গেস্‌লাম—ক্রিকেট খেলতে। জায়গাটা নেহাত ফেলনা নয়। বড়াইমামবড়ার ভুলভুলাইয়ার ভেতরে যদি ঢুকিস তো তোর চোখ আর মন একসঙ্গে ধাঁধিয়ে যাবে। নবাব-বাদশাহের কী ইম্যাজিনেশন ছিল—বাপ্‌রে বাপ্‌ !'

'তুমি ছুটি পাবে তো ?'

ফেলুদা আমার কথায় কান না দিয়ে বলল, 'আর শুধু ভুলভুলাইয়া কেন—গুম্‌তী নদীর ওপর মাঙ্কি ব্রিজ দেখবি, সেপাইদের কামানের গোলায় বিধ্বস্ত রেসিডেন্সি দেখবি।'

'রেসিডেন্সি আবার কী ?'

'সেপাই বিদ্রোহের সময় গোরা সৈনিকদের ঘাঁটি ছিল ওটা। কিস্যু করতে পারেনি। ঘেরাও করে গোলা দেগে ঝাঁঝরা করে দিয়েছিল সেপাইরা।'

দুবছর হল চাকরি নিয়েছে ফেলুদা, কিন্তু প্রথম বছর কোনও ছুটি নেয়নি বলে পনেরো দিনের ছুটি পেতে ওর কোনও অসুবিধে হল না।

এখানে বলে রাখি—ফেলুদা আমার মাসতুতো দাদা। আমার বয়স চোদ্দো, আর ওর সাতাশ। ওকে কেউ কেউ বলে আধপাগলা, কেউ কেউ বলে খামখেয়ালি, আবার কেউ কেউ বলে কুঁড়ে। আমি কিন্তু জানি ওই বয়সে ফেলুদার মতো বুদ্ধি খুব কম লোকের হয়। আর ওর মনের মতো কাজ পেলে ওর মতো খাটতে খুব কম লোকে পারে। তা ছাড়া ও ভাল ক্রিকেট জানে, প্রায় একশো রকম ইনডোর গেম বা ঘরে বসে খেলা জানে, তাসের ম্যাজিক জানে, একটু একটু হিপ্‌নটিজম্‌ জানে, ডান হাত আর বাঁ হাত দুহাতেই লিখতে জানে। আর ও যখন স্কুলে পড়ত তখনই ওর মেমারি এত ভাল ছিল যে ও দুবার রিডিং পড়েই পুরো 'দেবতার গ্রাস' মুখস্থ করেছিল।

কিন্তু ফেলুদার যেটা সবচেয়ে আশ্চর্য ক্ষমতা, সেটি হল—ও বিলিতি বই পড়ে আর নিজের বুদ্ধিতে দারুণ ডিটেক্‌টিভের কাজ শিখে নিয়েছে। তার মানে অবশ্যি এই নয় যে চোর ডাকাত খুনি এইসব ধরার জন্য পুলিশ ফেলুদাকে ডাকে। ও হল যাকে বলে শখের ডিটেক্‌টিভ।

সেটা বোঝা যায় যখন একজন অচেনা লোককে একবার দেখেই ফেলুদা তার সম্বন্ধে অনেক কিছু বলে দিতে পারে।

যেমন লখ্‌নৌ স্টেশনে ট্রেন থেকে নেমে ধীরুকাকাকে দেখেই ও আমায় ফিসফিস করে বলল, 'তোর কাকার বুঝি বাগানের শখ ?'

আমি যদিও জানতাম ধীরুকাকার বাগানের কথা, ফেলুদার কিন্তু মোটেই জানার কথা নয়, কারণ, যদিও ফেলুদা আমার মাসতুতো ভাই, ধীরুকাকা কিন্তু আমার আসল কাকা নন, বাবার ছেলেবেলার বন্ধু।

তাই আমি অবাক হয়ে জিজ্ঞেস করলাম, 'তুমি কী করে জানলে ?'

ফেলুদা আবার ফিসফিস করে বলল, 'উনি পিছন ফিরলে দেখবি ওঁর ডান পায়ের জুতোর

গোড়ালির পাশ দিয়ে একটা গোলাপ পাতার ডগা বেরিয়ে আছে। আর ডান হাতের তর্জনীটায় দেখ টিনচার আয়োডিন লাগানো। সকালে বাগানে গিয়ে গোলাপ ফুল ঘাঁটার ফল।'

স্টেশন থেকে বাড়ি আসার পথে বুঝলাম লখ্‌নৌ শহরটা আসলে খুব সুন্দর। গম্বুজ আর মিনারওয়ালা বাড়ি দেখা যাচ্ছে চারদিকে, রাস্তাগুলো চওড়া আর পরিষ্কার, আর তাতে মোটরগাড়ি ছাড়াও দুটো নতুন রকমের ঘোড়ার গাড়ি চলতে দেখলাম। তার একটার নাম টাঙ্গা আর অন্যটা এক্কা। 'এক্কা গাড়ি খুব ছুটেছে'—এই জিনিসটা নিজের চোখে এই প্রথম দেখলাম। ধীরুকাকার পুরনো সেভ্রোলে গাড়ি না থাকলে আমাদের হয়তো ওরই একটাতে চড়তে হত।

যেতে যেতে ধীরুকাকা বললেন, 'এখানে না এলে কি বুঝতে পারতে শহরটা এত সুন্দর? আর কলকাতার মতো আবর্জনা কি দেখতে পাচ্ছ রাস্তাঘাটে? আর কত গাছ দেখো, আর কত ফুলের বাগান।'

বাবা আর ধীরুকাকা পিছনে বসেছিলেন, ফেলুদা আর আমি সামনে। আমার পাশেই বসে গাড়ি চালাচ্ছে ধীরুকাকার ড্রাইভার দীনদয়াল সিং। ফেলুদা আমার কানের কাছে মুখ এনে ফিসফিস করে বলল, 'ভুলভুলাইয়ার কথাটা জিজ্ঞেস কর।'

ফেলুদা কিছু করতে বললে সেটা না করে পারি না। তাই বললাম, 'আচ্ছা ধীরুকাকা, ভুলভুলাইয়া কী জিনিস?'

ধীরুকাকা বললেন, 'দেখবে দেখবে—সব দেখবে। ভুলভুলাইয়া হল ইমামবড়ার ভেতরে একটা গোলকধাঁধা। আমরা বাঙালিরা অবিশ্যি বলি ঘুলঘুলিয়া, কিন্তু আসল নাম ওই ভুলভুলাইয়া। নবাবরা তাঁদের বেগমদের সঙ্গে লুকোচুরি খেলতেন ওই গোলকধাঁধায়।'

এবার ফেলুদা নিজেই বলল, 'ওর ভেতরে গাইড ছাড়া ঢুকলে নাকি আর বেরোনো যায় না?'

'তাই তো শুনিচি। একবার এক গোরাপল্টন—অনেকদিন আগে—মদটদ খেয়ে বাজি ধরে নাকি ঢুকেছিল ওর ভেতরে। বলেছিল কেউ যেন ধাওয়া না করে—ও নিজেই বেরিয়ে আসবে। দুদিন পরে ওর মৃতদেহ পাওয়া যায় ওই গোলকধাঁধার এক গলিতে।'

আমার বুকের ভেতরটা এর মধ্যেই টিপটিপ করতে শুরু করেছে।

ফেলুদাকে জিজ্ঞেস করলাম, 'তুমি কি একা গিয়েছিলে, না গাইড নিয়ে?'

'গাইড নিয়ে। তবে একাও যাওয়া যায়।'

'সত্যি?'

আমি তো অবাক। তবে ফেলুদার পক্ষে কিছুই অসম্ভব নয়।

'কী করে একা যাওয়া যায় ফেলুদা?'

ফেলুদা চোখটা ঢুলুঢুলু করে ঘাড়টা দুবার নাড়িয়ে চুপ করে গেল। বুঝলাম ও আর কথা বলবে না। এখন ও শহরের পথঘাট বাড়িঘর লোকজন এক্কা টাঙ্গা সব খুব মন দিয়ে লক্ষ করছে।

ধীরুকাকা কুড়ি বছর আগে লখ্‌নৌতে প্রথম আসেন উকিল হয়ে। সেই থেকে এখানেই আছেন, এবং এখন নাকি ওঁর বেশ নামডাক। কাকিমা তিনবছর হল মারা গেছেন, আর ধীরুকাকার ছেলে জার্মানির ফ্র্যাংকফার্ট শহরে চাকরি নিয়ে চলে গেছেন। ওঁর বাড়িতে এখন উনি থাকেন, ওঁর বেয়ারা জগমোহন থাকে, আর রান্না করার বাবুর্চি আর একটা মালী। ওঁর বাড়িটা যেখানে সে জায়গাটার নাম সেকেন্দার বাগ, স্টেশন থেকে প্রায় সাড়ে তিন মাইল দূরে। বাড়ির সামনে গেটের উপর লেখা—'ডি. কে. সান্যাল এম. এ., বি.এল. বি.,

অ্যাডভোকেট'। গেট দিয়ে ঢুকে খানিকটা নুড়ি পাথর ঢালা রাস্তার পর একতলা বাড়ি, আর রাস্তার দুদিকে বাগান। আমরা যখন পৌঁছলাম তখন মালী 'লন মোয়ার' দিয়ে বাগানের ঘাস কাটছে।

দুপুরে খাওয়া-দাওয়ার পর বাবা বললেন, 'ট্রেন জার্নি করে এসেছ, আজ আর বেরিয়ো না। কাল থেকে শহর দেখা শুরু করা যাবে।' তাই সারা দুপুর বাড়িতে বসে ফেলুদার কাছে তাসের ম্যাজিক শিখেছি। ফেলুদা বলে—'ইন্ডিয়ানদের আঙুল ইউরোপিয়ানদের চেয়ে অনেক বেশি ফ্লেক্সিব্‌ল। তাই হাত সাফাইয়ের খেলাগুলো আমাদের পক্ষে রপ্ত করা অনেক সহজ।'

বিকেলে যখন ধীরুকাকার বাগানে ইউক্যালিপটাস্ গাছটার পাশে বেতের চেয়ারে বসে চা খাচ্ছি, তখন গেটের বাইরে একটা গাড়ি থামার আওয়াজ পেলাম। ফেলুদা না দেখেই বলল 'ফিয়াট'। তারপর রাস্তার পাথরের উপর দিয়ে খচমচ খচমচ করতে করতে ছাই রঙের সুট পরা একজন ভদ্রলোক এলেন। চোখে চশমা, রং ফরসা আর মাথার চুলগুলো বেশির ভাগই সাদা। কিন্তু তাও দেখে বোঝা যায় যে বয়স বাবাদের চেয়ে খুব বেশি নয়।

ধীরুকাকা হেসে নমস্কার করে উঠে দাঁড়িয়ে প্রথমে বললেন, 'জগমোহন, আউর এক কুরসি লাও', তারপর বাবার দিকে ফিরে বললেন, 'আলাপ করিয়ে দিই—ইনি ডক্টর শ্রীবাস্তব, আমার বিশিষ্ট বন্ধু।'

আমি আর ফেলুদা দুজনেই চেয়ার ছেড়ে উঠে দাঁড়িয়েছিলাম। ফেলুদা ফিসফিস করে বলল, 'নার্ভাস হয়ে আছে। তোর বাবাকে নমস্কার করতে ভুলে গেল।'

ধীরুকাকা বললেন, 'শ্রীবাস্তব হচ্ছেন অস্টিওপ্যাথ, আর একেবারে খাস্ লখনৌইয়া।'

ফেলুদা চাপা গলায় বলল, 'অস্টিওপ্যাথ মানে বুঝলি ?'

আমি বললাম, 'না।'

'হাড়ের ব্যারামের ডাক্তার। অস্টিও আর অস্থি—মিলটা লক্ষ করিস। অস্থি মানে হাড় সেটা জানিস তো ?'

'তা জানি।'

আরেকটা বেতের চেয়ার এসে পড়াতে আমরা সকলেই বসে পড়লাম। ডক্টর শ্রীবাস্তব হঠাৎ ভুল করে বাবার চায়ের পেয়ালাটা তুলে আরেকটু হলেই চুমুক দিয়ে ফেলতেন, এমন সময় বাবা একটু খুক্ খুক্ করে কাশাতে 'আই অ্যাম সো সরি' বলে রেখে দিলেন।

ধীরুকাকা বললেন, 'আজ যেন তোমায় একটু ইয়ে বলে মনে হচ্ছে। কোনও কঠিন কেসটেস দেখে এলে নাকি ?'

বাবা বললেন, 'ধীরু, তুমি বাংলায় বলছ—উনি বাংলা বোঝেন বুঝি ?'

ধীরুকাকা হেসে বললেন, 'ওরে বাবা, বোঝেন বলে বোঝেন! তোমার বাংলা আবৃত্তি একটু শুনিয়ে দাও না।'

শ্রীবাস্তব যেন একটু অপ্রস্তুত হয়েই বললেন, 'আমি বাংলা মোটামুটি জানি। ট্যাগোরও পড়েছি কিছু কিছু।'

'বটে ?'

'ইয়েস। গ্রেট পোয়েট।'

আমি মনে মনে ভাবছি। এই বুঝি কবিতার আলোচনা শুরু হয়, এমন সময় কাঁপা হাতে তারই জন্যে ঢালা চায়ের পেয়ালাটা তুলে নিয়ে শ্রীবাস্তব বললেন, 'কাল রাতে আমার বাড়িতে ডাকু আসিয়াছিল।'

ডাকু ? ডাকু আবার কে ? আমাদের ক্লাসে দক্ষিণা বলে একটা ছেলে আছে যার ডাকনাম ডাকু।

কিন্তু ধীরুকাকার কথাতেই ডাকু ব্যাপারটা বুঝে নিলাম।

'সেকী—ডাকাত তো মধ্য প্রদেশেই আছে বলে জানতাম। লখ্‌নৌ শহরে আবার ডাকাত এল কোত্থেকে ?'

'ডাকু বলুন, কি চোর বলুন। আমার অঙ্গুরীর কথা তো আপনি জানেন মিস্টার সানিয়াল ?'

'সেই পিয়ারিলালের দেওয়া আংটি ? সেটা কি চুরি গেল নাকি ?'

'না, না। লেকিন আমার বিশ্বাস কি, ওই আংটি নিতেই চোর আসিল।'

বাবা বললেন, 'কী আংটি ?'

শ্রীবাস্তব ধীরুকাকাকে বললেন, 'আপনি বোলেন। উর্দুভাষা এঁরা বুঝবেন না আর অত কথা আমার বাংলায় হোবে না।'

ধীরুকাকা বললেন, 'পিয়ারিলাল শেঠ ছিলেন লখ্‌নৌ-এর নামকরা ধনী ব্যবসায়ী। জাতে গুজরাটি। এককালে কলকাতায় ছিলেন। তাই বাংলাও অল্প অল্প জানতেন। ওর ছেলে মহাবীরের যখন বারো কি তেরো বছর বয়স, তখন তার একটা কঠিন হাড়ের ব্যারাম হয়। শ্রীবাস্তব তাকে ভাল করে দেন। পিয়ারিলালের স্ত্রী নেই, দুই ছেলের বড়টি টাইফয়েডে মারা যায়। তাই বুঝতেই পারছ, সবেধন নীলমণিটিকে মৃত্যুর দরজা থেকে ফিরিয়ে আনার জন্য শ্রীবাস্তবের উপর পিয়ারিলালের মনে একটা গভীর কৃতজ্ঞতাবোধ ছিল। তাই মারা যাবার আগে তিনি তাঁর একটা বহুমূল্য আংটি শ্রীবাস্তবকে দিয়ে যান।'

বাবা বললেন, 'কবে মারা গেছেন ভদ্রলোক ?'

শ্রীবাস্তব বললেন, 'লাস্ট জুলাই। তিনমাস হল। মে মাসে ফার্স্ট হার্ট অ্যাটাক হল। তাতেই প্রায় চলে গিয়েছিলেন। সেই টাইমে আংটি দিয়েছিলেন আমায়। দেবার পরে ভাল হয়ে উঠলেন। তারপর জুলাই মাসে সেকেন্ড অ্যাটাক হল। তখনও আমি দেখা করতে গিয়েছিলাম। তিন দিনে চলে গেলেন। ...এই দেখুন—'

শ্রীবাস্তব তাঁর কোটের পকেট থেকে একটা দেশলাই-এর বাক্সর চেয়ে একটু বড় নীল রঙের ভেলভেটের কৌটো বার করে ঢাকনাটা খুলতেই তার ভেতরটায় রোদ পড়ে রামধনুর সাতটা রঙের একটা চোখ ঝলসানো ঝিলিক খেলে গেল।

তারপর শ্রীবাস্তব এদিক ওদিক দেখে সামনে ঝুঁকে পড়ে খুব সাবধানে ডানহাতের বুড়ো আঙুল আর তার পাশের আঙুল দিয়ে আলতো করে ধরে আংটিটা বার করলেন।

দেখলাম আংটিটার উপরে ঠিক মাঝখানে একটা প্রায় চার আনির সাইজের ঝলমলে পাথর—নিশ্চয়ই হিরে—আর তাকে ঘিরে লাল নীল সবুজ সব আরও অনেকগুলো ছোট ছোট পাথর।

এত অদ্ভুত সুন্দর আংটি আমি কোনওদিন দেখিনি।

ফেলুদার দিকে আড়চোখে চেয়ে দেখি সে একটা শুকনো ইউক্যালিপটাসের পাতা নিয়ে কানের মধ্যে ঢুকিয়ে সেটাকে পাকাচ্ছে, যদিও তার চোখটা রয়েছে আংটির দিকে।

বাবা বললেন, 'দেখে তো মনে হয় জিনিসটা পুরনো। এর কোনও ইতিহাস আছে নাকি ?'

শ্রীবাস্তব একটু হেসে আংটিটা বাক্সে পুরে বাক্সটা পকেটে রেখে চায়ের পেয়ালাটা আবার হাতে তুলে নিয়ে বললেন, 'তা একটু আছে। এর বয়স তিনশো বছরের বেশি। এ আংটি ছিল আওরঙ্গজেবের।'

বাবা চোখ কপালে তুলে বললেন, 'বলেন কী! আমাদের আওরঙ্গজেব বাদশা ?

শাজাহানের ছেলে আওরঙ্গজেব ?'

শ্রীবাস্তব বললেন, 'হাঁ—তবে আওরঙ্গজেব তখনও বাদশা বনেননি। গদিতে শাজাহান। সমরকন্দ দখল করবেন বলে ফৌজ পাঠাচ্ছেন বার বার—আর বার বার ডিফিট হচ্ছে। একবার আওরঙ্গজেবের আন্ডারে ফৌজ গেল। আওরঙ্গজেব মার খেলেন খুব। হয়তো মরেই যেতেন। এক সেনাপতি সেভ করল। আওরঙ্গজেব নিজের হাত থেকে আংটি খুলিয়ে তাকে দিলেন।'

'বাবা! এ যে একেবারে গল্পের মতো।'

'হাঁ। আর পিয়ারিলাল ওই আংটি কিনলেন ওই সেনাপতির এক বংশধরের কাছ থেকে আগ্রাতে। দাম কত ছিল তা পিয়ারিলাল বলেননি। তবে—দ্যাট বিগ স্টোন ইজ ডায়মন্ড, আমি যাচাই করিয়ে নিয়েছি। বুঝতেই পারছেন কতো দাম হোবে।'

ধীরুকাকা বললেন, 'কমপক্ষে লাখ দুয়েক। আওরঙ্গজেব না হয়ে যদি জাহান্নন খাঁ হত, তা হলেও লাখ দেড়েক হত নিশ্চয়ই।'

শ্রীবাস্তব বললেন, 'তাইতো বলছি—কালকের ঘটনার পর খুব আপসেট হয়েছি। আমি একেলা মানুষ, রোগী দেখতে হামেশাই বাইরে যাচ্ছি। আজ যদি পুলিশকে বলি, কাল আমি বাইরে গেলে রাস্তায় কেউ যদি ইট পাটকেল ছুঁড়িয়ে মারে? একবার ভেবেছিলাম কি কোনও ব্যাঙ্কে রেখিয়ে দিই। তারপর ভাবলাম—এত সুন্দর জিনিস বন্ধুবান্ধবকে দেখিয়েও আনন্দ। ওই জন্যেই তো রেখে দিলাম নিজের কাছে।'

ধীরুকাকা বললেন, 'অনেককে দেখিয়েছেন ও আংটি ?'

'মাত্র তিনমাস হল তো পেলাম। আর আমার বাড়িতে খুব বেশি কেউ তো আসে না। যাঁরা এলেন—বন্ধুলোক, ভদ্রলোক, তাঁদেরই দেখিয়েছি।'

সন্ধ্যা হয়ে এসেছে। ইউক্যালিপটাসের মাথায় একটু রোদ লেগে আছে, তাও বেশিক্ষণ থাকবে না। শ্রীবাস্তবকে দেখছিলাম কিছুতেই স্থির হয়ে বসে থাকতে পারছিলেন না।

ধীরুকাকা বললেন, 'চলুন ভিতরে গিয়ে বসা যাক। ব্যাপার নিয়ে একটু ভাবা দরকার।'

আমরা সবাই বাগান ছেড়ে গিয়ে বৈঠকখানায় বসলাম। ফেলুদাকে দেখে মনেই হচ্ছিল না যে ওর এই আংটির ব্যাপারটা একটুও ইন্টারেস্টিং লাগছে। ও সোফাতে বসেই পকেট

থেকে তাসের প্যাকেট বার করে হাতসাফাই প্র্যাকটিস করতে লাগল।

বাবা এমনিতে বেশি কথা বলেন না, কিন্তু যখন বলেন তখন বেশ ভেবেচিন্তে ঠাণ্ডা মাথায় বলেন। বাবা বললেন, 'আচ্ছা, আপনি কেন ভাবছেন যে আপনার ওই আংটিটা নিতেই ওরা এসেছিল ? আপনার অন্য কোনও জিনিস চুরি যায়নি ? এমনও তো হতে পারে যে ওরা সাধারণ চোর, টাকাকড়ি নিতেই এসেছিল ?'

শ্রীবাস্তব বললেন, 'ব্যাপার কী বলি। বনবিহারীবাবু আছেন বলে এমনিতেই আমাদের পাড়ায় চোর-টোর আসে না। আর আমার পাশের বাড়িতে থাকেন মিস্টার ঝুনঝুনওয়ালা, আর তার পাশের বাড়িতে থাকেন মিস্টার বিলিমোরিয়া—বোথ ভেরি রিচ। আর সেটা তাদের বাড়ি দেখলেই বোঝা যায়। তাদের কাছে আমি কী ? তাদের বাড়ি ছেড়ে আমার বাড়ি আসবে কেন চোর ?'

ধীরুকাকা বললেন, 'তারা যেমন ধনী, তেমনি তাদের পাহারার বন্দোবস্তও নিশ্চয়ই খুব জমকালো। সুতরাং চোর সে বাড়িতে যাবে কেন ? তারা তো বিরাট ধনদৌলতের আশায় যাবে না। শ' পাঁচেক টাকা মারতে পারলে তাদের ছ মাসের খোরাক হয়ে যায়। কাজেই আমার-আপনার বাড়িতে চোর আসার ব্যাপারে অবাক হবার কিছু নেই।'

শ্রীবাস্তব তবু যেন ভরসা পাচ্ছিলেন না। উনি বললেন, 'আমি জানি না মিস্টার সানিয়াল—আমার কেন জানি মনে হচ্ছে চোর ওই আংটি নিতেই এসেছিল। আমার পাশের ঘরের একটা আলমারি খুলেছিল। দেরাজ খুলেছিল। তাতে অন্য জিনিস ছিল। নিতে পারত। টাইম ছিল। আমার ঘুম ভাঙতে চোর পালিয়ে গেলো, একেবারে কিচ্ছু না নিয়ে। আর, কথা কী জানেন ?—'

শ্রীবাস্তব হঠাৎ থামলেন। তারপর ভ্রূকুটি করে কিছুক্ষণ ভেবে বললেন, 'পিয়ারিলাল যখন আমাকে আংটি দিয়েছিলেন, তখন মনে হল কী—উনি আংটি নিজের বাড়িতে রাখতে চাইলেন না। তাই আমাকে দিয়ে দিলেন। আউর—'

শ্রীবাস্তব আবার থেমে ভ্রূকুটি করলেন।

ধীরুকাকা বললেন—'আউর কেয়া, ডক্টরজি ?'

শ্রীবাস্তব একটা দীর্ঘশ্বাস ফেলে বললেন, 'দ্বিতীয়বার যখন হার্ট অ্যাটাক হল, আর আমি ওঁকে দেখতে গেলাম, তখন উনি একটা কিছু আমাকে বলতে চেষ্টা করলেন, কিন্তু পারলেন না। তবে একটা কথা আমি শুনতে পেয়েছিলাম।'

'কী কথা ?'

'দুবার বলেছিলেন—"এ স্পাই..." "এ স্পাই..."।'

ধীরুকাকা সোফা ছেড়ে উঠে পড়লেন।

'না ডক্টরজি—পিয়ারিলাল যাই বলে থাকুক—আমার দৃঢ় বিশ্বাস ও চোর সাধারণ চোর, ছ্যাঁচড় চোর। আপনি বোধহয় জানেন না, ব্যারিস্টার ভূদেব মিত্তিরের বাড়িতেও রিসেন্টলি চুরি হয়ে গেছে। একটা আস্ত রেডিয়ো আর কিছু রুপোর বাসন-কোসন নিয়ে গেছে। তবে আপনার যদি সত্যিই নার্ভাস লাগে, তা হলে আপনি ও আংটি স্বচ্ছন্দে আমার জিম্মায় রেখে যেতে পারেন। আমার গোদরেজের আলমারিতে থাকবে ওটা, তারপর আপনার ভয় কেটে গেলে পর আপনি ওটা ফেরত নিয়ে যাবেন।'

শ্রীবাস্তব হঠাৎ হাঁফ ছেড়ে একগাল হেসে ফেললেন।

'আমি ওই প্রস্তাব করতেই এলাম, লেকিন নিজে থেকে বলতে পারছিলাম না। থ্যাঙ্ক ইউ ভেরি মাচ, মিস্টার সানিয়াল। আপনার কাছে আংটি থাকলে আমি নিশ্চিন্ত থাকব।'

শ্রীবাস্তব তাঁর পকেট থেকে আংটি বার করে ধীরুকাকাকে দিলেন, আর ধীরুকাকা সেটা

নিয়ে শোবার ঘরে চলে গেলেন।

এইবার ফেলুদা হঠাৎ একটা প্রশ্ন করে বসল।

'বনবিহারীবাবু কে ?'

'পার্ডন ?' শ্রীবাস্তব বোধহয় একটু অন্যমনস্ক ছিলেন।

ফেলুদা বলল, 'আপনি বললেন না যে, বনবিহারীবাবু পাড়ায় আছেন বলে চোর-টোর আসে না—এই বনবিহারীবাবুটি কে ? পুলিশ-টুলিশ নাকি ?'

শ্রীবাস্তব হেসে বললেন, 'ও নো নো। পুলিশ না। তবে পুলিশের বাড়া। ইন্টারেস্টিং লোক। আগে বাংলাদেশে জমিদারি ছিল। তারপর সেটা গেল—আর উনি একটা ব্যবসা শুরু করলেন। বিদেশে জানোয়ার চালান দেবার ব্যবসা।'

'জানোয়ার ?' বাবা আর ফেলুদা একসঙ্গে প্রশ্ন করল।

'হাঁ। টেলিভিশন, সার্কাস, চিড়িয়াখানা—এইসবের জন্য এদেশ থেকে অনেক জানোয়ার চালান যায় ইউরোপ, আমেরিকা, অস্ট্রেলিয়া, এইসব জায়গায়। অনেক ইন্ডিয়ান এই ব্যবসা করে। বনবিহারীবাবু ওতে অনেক টাকা করেছিলেন। তারপর রিটায়ার করে এখানে চলে এলেন আজ দু-তিন বছর। আর আসার সময় সঙ্গে কিছু জানোয়ার ভি নিয়ে এসে একটা বাড়ি কিনে সেখানে একটা ছোটখাটো চিড়িয়াখানা বানিয়ে নিলেন।'

বাবা বললেন, 'বলেন কী—ভারী অদ্ভুত তো।'

'হাঁ। আর ওই চিড়িয়াখানার স্পেশালিটি হল কি, ওর প্রত্যেক জানোয়ার হল ভারী...ভারী...কী বলে—'

'হিংস্র ?'

'হাঁ, হাঁ—হিংস্র।'

লখ্‌নৌতে এমনিতেই যে চিড়িয়াখানাটা আছে সেটা শুনেছি খুব ভাল। ওখানে বাঘ সিংহ নাকি খাঁচায় থাকে না। জাল দিয়ে ঘেরা দ্বীপের মতন তৈরি করা আছে, তার মধ্যে মানুষের তৈরি পাহাড় আর গুহার মধ্যে থাকে ওরা। তার উপর আবার এই প্রাইভেট চিড়িয়াখানা !

শ্রীবাস্তব বললেন, 'ওয়াইল্ড ক্যাট আছে ওঁর কাছে। হাইনা আছে, কুমির আছে, স্করপিয়ন আছে। আওয়াজ শুনা যায়। চোর আসবে কী করিয়ে ?'

এর পরে আমি যেটা জিজ্ঞেস করতে যাচ্ছিলাম, ফেলুদা আমার আগেই সেটা জিজ্ঞেস করে ফেলল।

'চিড়িয়াখানাটা একবার দেখা যায় না ?'

ধীরুকাকা ঠিক এই সময় ঘরে ফিরে এসে বললেন, 'সে তো খুব সহজ ব্যাপার। যে কোনও দিন গেলেই হল। উনি মানুষটি মোটেই হিংস্র নন।'

শ্রীবাস্তব উঠে পড়লেন। বললেন, 'লাটুশ রোডে আমার এক পেশেন্ট আছে। আমি চলি।'

আমরা সবাই শ্রীবাস্তবের সঙ্গে গেটের বাইরে অবধি গেলাম। ভদ্রলোক সকলকে গুড নাইট করে ধীরুকাকাকে আবার ধন্যবাদ জানিয়ে ওঁর ফিয়াট গাড়িতে উঠে চলে গেলেন। বাবা আর ধীরুকাকা বাড়ির দিকে রওনা দিলেন। ফেলুদা সবে একটা সিগারেট ধরাতে যাচ্ছে, এমন সময় হুশ্‌ করে একটা কালো গাড়ি আমাদের সামনে দিয়ে শ্রীবাস্তবের গাড়ির দিকে চলে গেল।

ফেলুদা বলল, 'স্ট্যান্ডার্ড হেরাল্ড। নম্বরটা মিস্‌ করে গেলাম।'

আমি বললাম, 'নম্বর দিয়ে কী হবে ?'

'মনে হল শ্রীবাস্তবকে ফলো করছে। রাস্তায় ওদিকটা কেমন অন্ধকার দেখছিস ?

ওইখানে গাড়িটা ওয়েট করছিল। আমাদের গেটের সামনে গিয়ার চেঞ্জ করল দেখলি না?'

এই বলে ফেলুদা রাস্তা থেকে বাড়ির দিকে ঘুরল।

বাড়ির গেট থেকে প্রায় পঞ্চাশ গজ দূরে। আমার আন্দাজ আছে, কেননা আমি স্কুলে অনেকবার হান্ড্রেড ইয়ার্ড্স দৌড়েছি। ধীরুকাকার বৈঠকখানায় বাতি জ্বলছে। জানালা দিয়ে ভিতরের দরজাটাও দেখা যাচ্ছে। বাবা আর ধীরুকাকাকে দরজা দিয়ে ঘরে ঢুকতে দেখলাম। ফেলুদা দেখি হঠাৎ থমকে দাঁড়িয়ে সেই জানালার দিকে দেখছে। ওর চোখে ভ্রূকুটি আর দাঁত দিয়ে ঠোঁট কামড়ানোর ভাবটা দেখে বুঝলাম ও চিন্তিত।

'জানিস তোপ্‌সে—'

আমার ডাকনাম কিন্তু আসলে ওটা নয়। ফেলুদা তপেশ থেকে তোপ্‌সে করে নিয়েছে।

আমি বললাম, 'কী?'

'আমি থাকতে এ ভুলটা হবার কোনও মানে হয় না।'

'কী ভুল?'

'ওই জানালাটা বন্ধ করে দেওয়া উচিত ছিল। গেট থেকে জানালা দিয়ে ঘরের ভিতরটা পরিষ্কার দেখা যায়। ইলেক্‌ট্রিক লাইট হলে তাও বা কথা ছিল, কিন্তু তোর কাকা আবার লাগিয়েছেন ফ্লুয়োরেসেন্ট।'

'তাতে কী হয়েছে?'

'তোর বাবাকে দেখতে পাচ্ছিস?'

'শুধু মাথাটা। উনি যে চেয়ারে বসে আছেন।'

'ওই চেয়ারে দশ মিনিট আগে কে বসেছিল?'

'ডক্টর শ্রীবাস্তব।'

'আংটির কৌটোটা তোর বাবাকে দেবার সময় উনি উঠে দাঁড়িয়েছিলেন মনে পড়ে?'

'এর মধ্যেই ভুলে যাব?'

'সেই সময় এই গেটের কাছে কেউ থেকে থাকলে তার পক্ষে ঘটনাটা দেখে ফেলা অসম্ভব নয়।'

'এই রে! কিন্তু কেউ যে ছিল সেটা তুমি ভাবছ কেন?'

ফেলুদা নিচু হয়ে নুড়ি পাথরের উপর থেকে একটা ছোট্ট জিনিস তুলে আমার দিকে এগিয়ে দিল। হাতে নিয়ে দেখলাম সেটা একটা সিগারেটের টুকরো।

'মুখটা ভাল করে লক্ষ কর।'

আমি সিগারেটটা চোখের খুব কাছে নিয়ে এলাম, আর রাস্তার ল্যাম্পের অল্প আলোতেই যা দেখবার সেটা দেখে নিলাম।

ফেলুদা হাত বাড়িয়েই সিগারেটটা ফেরত নিয়ে নিল।

'কী দেখলি?'

'চারমিনার। আর যে লোকটা খাচ্ছিল, তার মুখে পান ছিল, তাই পানের দাগ লেগে আছে।'

'ভেরি গুড। চ' ভেতরে চ'।'

রাত্রে শোবার আগে ফেলুদা ধীরুকাকার কাছ থেকে আংটিটা চেয়ে নিয়ে সেটা আরেকবার ভাল করে দেখে নিল। ওর যে পাথর সম্বন্ধে এত জ্ঞান ছিল সেটা আমি জানতাম না। ল্যাম্পের আলোতে আংটিটা ধরে সেটাকে ঘুরিয়ে ঘুরিয়ে বলতে লাগল—

'এই যে নীল পাথরগুলো দেখছিস, এগুলোকে বলে স্যাফায়ার, যার বাংলা নাম নীলকান্ত মণি। লালগুলো হচ্ছে চুনি অর্থাৎ রুবি, আর সবুজগুলো পান্না—এমারেল্ড। অন্যগুলি

যতদূর মনে হচ্ছে পোখরাজ—যার ইংরেজি নাম টোপ্যাজ। তবে আসল দেখবার জিনিস হল মাঝখানের ওই হিরেটা। এমন হিরে হাতে ধরে দেখার সৌভাগ্য সকলের হয় না।'

তারপর ফেলুদা আংটিটা বাঁ হাতের কড়ে আঙুলের পাশের আঙুলে পরে বলল, 'আওরঙ্গজেবের আঙুল আর আমার আঙুলের সাইজ মিলে যাচ্ছে, দেখেছিস।'

সত্যিই দেখি ফেলুদার আঙুলে আংটিটা ঠিক ফিট করে গেছে।

ল্যাম্পের আলোতে ঝলমলে পাথরগুলির দিকে একদৃষ্টে তাকিয়ে থেকে ফেলুদা বলল, 'কত ইতিহাস জড়িয়ে আছে এ আংটির সঙ্গে কে জানে। তবে কী জানিস তোপ্‌সে—এর অতীতে আমার কোনও ইন্টারেস্ট্ নেই। এটা আওরঙ্গজেবের ছিল কি আলতামসের ছিল কি আক্রম খাঁর ছিল, সেটা আনিম্পরট্যান্ট। আমাদের জানতে হবে এর ভবিষ্যৎটা কী, আর বর্তমানে কোনও বাবাজি সত্যি করেই এর পেছনে লেগেছেন কি না, আর যদি লেগে থাকেন তবে তিনি কে এবং তাঁর কেন এই দুঃসাহস।'

তারপর ফেলুদা আংটি হাত থেকে খুলে নিয়ে আমার হাতে দিয়ে বলল, 'যা, ফেরত দিয়ে আয়। আর এসে জানালাগুলো খুলে দে।'

২

পরদিন দুপুরে একটু তাড়াতাড়ি খেয়ে নিয়ে আমরা ইমামবড়া দেখতে বেরিয়ে পড়লাম। বাবা আর ধীরুকাকা মোটরে গেলেন। গাড়িতে যদিও জায়গা ছিল, তবু ফেলুদা আর আমি দুজনেই বললাম যে আমরা টাঙ্গায় যাব।

সে দারুণ মজা। কলকাতায় থেকে তো ঘোড়ার গাড়ি চড়াই হয় না। সত্যি বলতে কী, আমি কোনও দিনই কোনওরকম ঘোড়ার গাড়ি চড়িনি। ফেলুদা অবিশ্যি চড়েছে। ও বলল কলকাতার ঠিকা গাড়ির চেয়ে টাঙ্গায় নাকি অনেক বেশি ঝাঁকুনি হয়, আর সেটা নাকি হজমের পক্ষে খুব ভাল।

'তোর কাকার বাবুর্চি যা ফার্স্ট ক্লাস রাঁধে, বুঝছি এখানে খাওয়ার ব্যাপারে হিসেব রাখাটা খুব মুশকিল হবে। কাজেই মাঝে মাঝে এই টাঙ্গা রাইডটার এমনিতেই দরকার হবে।'

নতুন শহরের রাস্তাঘাট দেখতে দেখতে আর টাঙ্গার ঝাঁকুনি খেতে খেতে যে জায়গাটায় পৌঁছলাম, গাড়োয়ানকে জিজ্ঞেস করাতে ও বলল সেটার নাম কাইজার-বাগ। ফেলুদা বলল, 'জর্মান আর উর্দুতে কেমন মিলিয়েছে দেখছিস?'

নবাবি আমলের যত প্রাসাদ-টাসাদ সব নাকি এই কাইজার-বাগের আশেপাশেই রয়েছে। গাড়োয়ান এদিকে ওদিকে আঙুল দেখিয়ে সব নাম বলে দিতে লাগল।

'উয়ো দেখিয়ে বাদশা মন্‌জিল...উয়ো হ্যায় চাঁদিওয়ালি বরাদরি...উস্‌কো বোলতা লাখ্‌ফটক...'

কিছুদূর গিয়ে দেখি রাস্তাটা গেছে একটা বিরাট গেটের মধ্যে দিয়ে। গাড়োয়ান বলল, 'রুমি দরওয়াজা।'

রুমি দরওয়াজা পেরিয়েই 'মচ্ছি ভওয়ন' আর মচ্ছি ভওয়নেই হল বড়া-ইমামবড়া।

ইমামবড়ার সাইজ দেখে আমার মুখের কথা বন্ধ হয়ে গেল। এত বড় প্রাসাদ যে হতে পারে সেটা আমার ধারণাই ছিল না।

টাঙ্গা থেকেই ধীরুকাকার গাড়িটা দেখতে পেয়েছিলাম। গাড়োয়ানকে ভাড়া চুকিয়ে দিয়ে আমরা বাবাদের দিকে এগিয়ে গেলাম। বাবা আর ধীরুকাকা একজন লম্বা মাঝবয়সী লোকের সঙ্গে কথা বলছেন।

ফেলুদা হঠাৎ আমার কাঁধে হাত দিয়ে চাপা গলায় বলল, 'ব্লাক স্ট্যান্ডার্ড হেরাল্ড।'

সত্যিই তো! ধীরুকাকার গাড়ির পাশে একটা কালো স্ট্যান্ডার্ড গাড়ি দাঁড়িয়ে আছে।

'মাডগার্ডে একটা টাট্‌কা ঘষটার দাগ দেখছিস?'

'টাট্‌কা কী করে জানলে?'

'চুনের গুঁড়ো সব ঝরে পড়েনি এখনও—লেগে রয়েছে। রং-করা পাঁচিল কিংবা গেটের গায়ে ঘষটে ছিল বোধ হয়। আজ সকালে যদি গাড়ি ধোওয়া না হয়ে থাকে, তা হলে ও দাগ কাল রাত্রে লেগে থাকতে পারে।'

ধীরুকাকা আমাদের দেখে বললেন, 'এসো আলাপ করিয়ে দিই। ইনিই বনবিহারীবাবু—যাঁর চিড়িয়াখানা আছে।'

আমি অবাক হয়ে নমস্কার করলাম। ইনিই সেই লোক! প্রায় ছ ফুট লম্বা, ফরসা রং, সরু গোঁফ, ছুঁচলো দাড়ি, চোখে সোনার চশমা। সব মিলিয়ে চেহারাটা বেশ চোখে পড়ার মতো।

আমার পিঠে একটা চাপড় মেরে ভদ্রলোক বললেন, 'লক্ষ্মণের রাজধানী কেমন লাগছে খোকা? জানো তো, রামায়ণের যুগে লখ্‌নৌ ছিল লক্ষ্মণাবতী।'

ভদ্রলোকের গলার আওয়াজও দেখলাম বেশ মানানসই।

ধীরুকাকা বললেন, 'বনবিহারীবাবু চৌক-বাজারে যাচ্ছিলেন, আমাদের গাড়ি দেখে চলে এলেন।'

ভদ্রলোক বললেন, 'হ্যাঁ। দুপুরবেলাটা আমি বাইরে কাজ সারতে বেরোই। সকালসন্ধে আমার জানোয়ারগুলোর পেছনে অনেকটা সময় চলে যায়।'

ধীরুকাকা বললেন, 'আমরা ভাবছিলাম দলেবলে একবার আপনার ওখানে ধাওয়া করব। এদের খুব শখ একবার আপনার চিড়িয়াখানাটা দেখার।'

'বেশ তো। এনি ডে। আজই আসুন না। আমি তো কেউ এলে খুশিই হই। তবে অনেকেই দেখেছি ভয়েই আসতে চায় না। তাদের ধারণা আমার খাঁচা বুঝি জু গার্ডেনের খাঁচার মতো অত মজবুত নয়। তাই যদি হবে তো আমি আছি কী করে?'

এ কথায় ফেলুদা ছাড়া আমরা সকলেই হাসলাম। ফেলুদা আমার দিকে সামান্য ঝুঁকে পড়ে চাপা গলায় বলল, 'জানোয়ারের গন্ধ ঢাকার জন্য কষে আতর মেখেছে।'

স্ট্যান্ডার্ড গাড়িটা দেখলাম বনবিহারীবাবুর নয়, কারণ তিনি তার পাশের একটা নীল অ্যাম্বাসাডর গাড়ি থেকে তাঁর ড্রাইভারকে ডেকে তার হাতে দুটো চিঠি দিয়ে বললেন ডাকবাক্সে ফেলে দিয়ে আসতে, তারপর আমাদের দিকে ফিরে বললেন, 'আপনারা ইমামবড়া দেখবেন তো? তারপরই না হয় সোজা চলে যাব আমার ওখানে।'

ধীরুকাকা বললেন, 'তা হলে আপনিও ভেতরে আসছেন আমাদের সঙ্গে?'

'চলুন না। নবাবের কীর্তিটা দেখে নেওয়া যাবে। সেই সিক্সটিথ্রিতে গিয়েছিলাম লখ্‌নৌতে আসার দুদিন বাদেই। তারপর আর যাওয়া হয়নি।'

গেট দিয়ে ঢুকে একটা বিরাট চত্বরের উপর দিয়ে প্রাসাদের দিকে হাঁটতে হাঁটতে বনবিহারী বললেন, 'দুশো বছর আগে নবাব আসাফ-উদ্-দৌল্লা তৈরি করেছিলেন এই প্রাসাদ। ভেবেছিলেন আগ্রা দিল্লিকে টেক্কা দেবেন। ভারতবর্ষের সেরা প্রাসাদ-করনে-ওয়ালাদের নিয়ে একটা কম্পিটিশন করলেন। তারা সব নকশা পাঠাল। তার মধ্যে বেস্ট নকশা বেছে নিয়ে হল এই ইমামবড়া। বাহারের দিক দিয়ে মোগল প্রাসাদের সঙ্গে কোনও তুলনা হয় না, তবে সাইজের দিক থেকে একেবারে নাম্বার ওয়ান। এত বড় দরবার-ঘর পৃথিবীর কোনও প্রাসাদে নেই।'

দরবার-ঘরটা দেখে মনে হল তার মধ্যে অনায়াসে একটা ফুটবল গ্রাউন্ড ঢুকে যায়। আর একটা কুয়ো দেখলাম, অত বড় কুয়ো আমি কখনও দেখিনি। গাইড বলল অপরাধীদের ধরে ধরে ওই কুয়োর মধ্যে ফেলে দিয়ে নাকি তাদের শাস্তি দেওয়া হত।

কিন্তু সবচেয়ে আশ্চর্য লাগল ভুলভুলাইয়া। এদিক ওদিক এঁকেবেঁকে সুড়ঙ্গ চলে গেছে সেগুলো এমন কায়দায় তৈরি যে, যতবারই এক একটা মোড় ঘুরছি, ততবারই মনে হচ্ছে যেন যেখানে ছিলাম সেইখানেই আবার ফিরে এলাম। একটা গলির সঙ্গে আরেকটা গলির কোনও তফাত নেই—দুদিকে দেয়াল, মাথার ওপরে নিচু ছাত, আর দেওয়ালের ঠিক মাঝখানটায় একটা করে খুপরি। গাইড বলল, নবাব যখন বেগমদের সঙ্গে লুকোচুরি খেলতেন, তখন ওই খুপরিগুলোতে পিদিম জ্বলত। রাত্তিরবেলা যে কী ভুতুড়ে ব্যাপার হবে সেটা বেশ বুঝতে পারছিলাম।

ফেলুদা যে কেন বারবার পেছিয়ে পড়ছিল, আর দেওয়ালের এত কাছ দিয়ে হাঁটছিল সেটা বুঝতেই পারছিলাম না। আমিও গোলোকধাঁধাটা দেখতে দেখতে, আর তার মধ্যে লুকোচুরি খেলার কথা ভাবতে ভাবতে এত মশগুল হয়ে গিয়েছিলাম যে ওর বিষয় খেয়ালই ছিল না। এর মধ্যে হঠাৎ বাবা বলে উঠলেন, 'আরে ফেলু কোথায় গেল?'

সত্যিই তো! পেছন ফিরে দেখি ফেলুদা নেই। আমার বুকের ভিতরটা ঢিপ্ করে উঠল। তারপর 'ফেলু, ফেলু' বলে বাবা দুবার ডাক দিতেই ও আমাদের পিছন দিকের একটা গলি দিয়ে বেরিয়ে এল। বলল, 'অত তাড়াতাড়ি হাঁটলে গোলকধাঁধার প্ল্যানটা ঠিক মাথায় তুলে নিতে পারব না।'

গোলকধাঁধার শেষ গলিটার শেষে যে দরজা আছে, সেটা দিয়ে বেরোলেই ইমামবড়ার বিরাট ছাতে গিয়ে পড়তে হয়। গিয়ে দেখি সেখান থেকে প্রায় সমস্ত লখ্নৌ শহরটাকে দেখা যায়। আমরা ছাড়াও ছাতে কয়েকজন লোক ছিল। তাদের মধ্যে একজন অল্পবয়সী ভদ্রলোক ধীরুকাকাকে দেখে হেসে এগিয়ে এল।

ধীরুকাকা বললেন, 'মহাবীর যে—কবে এলে?'

ভদ্রলোককে দেখলে যদিও বাঙালি মনে হয় না, তবু তিনি বেশ পরিষ্কার বাংলায় বললেন, 'তিন দিন হল। এই সময়টাতে আমি প্রতি বছরই আসি। দেওয়ালিটা সেরে ফিরে যাই। এবারে দুজন বন্ধু আছেন, তাদের লখ্নৌ শহর দেখাচ্ছি।'

ধীরুকাকা বললেন, 'ইনি পিয়ারিলালের ছেলে—বোম্বাইতে অভিনয় করছেন।'

মহাবীর দেখলাম বনবিহারীবাবুর দিকে কী রকম যেন অবাক হয়ে দেখছেন—যেন ওকে আগে দেখেছেন, কিন্তু কোথায় সেটা মনে করতে পারছেন না।

বনবিহারীবাবু বললেন, 'চেনা চেনা মনে হচ্ছে কি?'

মহাবীর বলল, 'হ্যাঁ—কিন্তু কোথায় দেখেছি বলুন তো?'

বনবিহারীবাবু বললেন, 'তোমার স্বর্গত পিতার সঙ্গে একবার আলাপ হয়েছিল বটে; তুমি তো তখন এখানে ছিলে না।'

মহাবীর যেন একটু অপ্রস্তুত হয়েই বলল, 'ও। তা হলে বোধহয় ভুল করছি। আচ্ছা, আসি তা হলে।'

মহাবীর নমস্কার করে চলে গেল। ভদ্রলোকের বয়স হয়তো ফেলুদার চেয়েও কিছুটা কম—আর চেহারা বেশ সুন্দর আর শক্ত। মনে হল নিশ্চয়ই এক্সারসাইজ করেন, কিংবা খেলাধূলা করেন।

বনবিহারীবাবু বললেন, 'আমার মনে হয় এবার আমার ওখানে গিয়ে পড়তে পারলে ভালই হয়। জানোয়ারগুলো যদি দেখতেই হয়, তা হলে আলো থাকতে থাকতে দেখাই ভাল।

খাঁচাগুলোতে আলোর ব্যবস্থা এখনও করে উঠতে পারিনি।'

আমরা গাইডকে বকশিশ দিয়ে ছাত থেকে সোজা সিঁড়ি দিয়ে একদম নীচে নেমে এলাম।

গেটের বাইরে এসে দেখলাম মহাবীর আরও দুজন ভদ্রলোককে নিয়ে সেই কালো স্ট্যান্ডার্ড গাড়িটায় উঠছে।

৩

বনবিহারীবাবুর বাড়িতে পৌঁছতে প্রায় চারটে বাজল। বাইরে থেকে বোঝার কোনও উপায় নেই যে ভিতরে একটা চিড়িয়াখানা আছে, কারণ যা আছে তা বাড়ির পিছন দিকটায়।

'মিউটিনিরও প্রায় ত্রিশ বছর আগে এক ধনী মুসলমান সওদাগর এ বাড়ি তৈরি করেছিলেন' বনবিহারীবাবু বললেন। 'আমি বাড়িটা কিনি এক সাহেবের কাছ থেকে।'

দেখেই বোঝা যায় বাড়িটা অনেক পুরনো। আর দেওয়ালের গায়ে যে সব কারুকার্য আছে তা থেকে নবাবদের কথাই মনে হয়।

বাড়ির ভিতর ঢুকে বনবিহারীবাবু বললেন, 'আপনারা সবাই কফি খান তো? আমার বাড়িতে কিন্তু চায়ের পাট নেই।'

আমাকে বাড়িতে বেশি কফি খেতে দেওয়া হয় না, কিন্তু আমার খেতে খুব ভাল লাগে, তাই আমার তো মজাই হয়ে গেল। কিন্তু কফি পরে—আগে জানোয়ার দেখা।

বৈঠকখানা পেরিয়ে একটা বারান্দা, তার পরেই প্রকাণ্ড বাগান, আর সেই বাগানেই এদিকে ওদিকে রাখা বনবিহারীবাবুর সব খাঁচা। বাগানের মাঝখানে ছুঁচলো শিক দিয়ে ঘেরা একটা পুকুর। সেটায় একটা কুমির রোদ পোহাচ্ছে।

বনবিহারীবাবু বললেন, 'এটাকে বছর দশেক আগে মুঙ্গের থেকে এনেছিলাম একেবারে বাচ্চা অবস্থায়। প্রথমে আমার কলকাতার বাড়ির চৌবাচ্চায় ছিল। একদিন দেখি বেরিয়ে এসে একটা আস্ত বেড়ালছানা খেয়ে ফেলেছে।'

পুকুরের চারপাশ থেকে বাঁধানো রাস্তা অন্য খাঁচাগুলোর দিকে গেছে। একটা খাঁচার দিক থেকে ফ্যাঁস ফ্যাঁস শব্দ শুনে আমরা কুমির ছেড়ে সেইদিকেই গেলাম।

গিয়ে দেখি খাঁচার ভেতরে একটা মাঝারি গোছের কুকুরের সাইজের বেড়াল, তার চোখ দুটো সবুজ আর জ্বলজ্বলে, আর গায়ের রং ডোরাকাটা খয়েরি। এত বড় বেড়ালকে বাঘ বলতেই ইচ্ছে করে। বনবিহারীবাবু বললেন, 'এটার বাসস্থান আফ্রিকা। এটা কিনি কলকাতায় রিপন স্ট্রিটের এক ফিরিঙ্গি পশু ব্যবসায়ীর কাছ থেকে। এ জিনিস আলিপুরের চিড়িয়াখানাতেও নেই।'

বেড়ালের পর হাইনা, হাইনার পর নেক্‌ড়ে, নেক্‌ড়ের পর আমেরিকান র‍্যাট্‌ল স্নেক। দারুণ বিষাক্ত সাপ। একরকম সরু ছুঁচলো শামুক পুরী থেকে আমরা অনেকবার এনেছি; এই সাপের ল্যাজের ডগায় সেইরকম একটা শামুকের মতো জিনিস আছে। সাপটা এদিক ওদিক চলার সময় ল্যাজটাকে কাঁপায়, আর তাতে ওই জিনিসটা মাটিতে লেগে একটা ঝুমঝুমির মতো কর্‌কর্‌ কর্‌কর্‌ শব্দ হয়। আমেরিকার জঙ্গলে অনেকদূর থেকেই এরকম শব্দ শুনতে পেয়ে নাকি লোকে বুঝতে পারে যে র‍্যাট্‌ল স্নেক ঘোরাফেরা করছে।

আরও দুটো জিনিস দেখে ভয়ে গা শিউরে উঠল। একটা কাচের বাক্সর মধ্যে দেখলাম নীল রঙের বিশ্রী বিরাট এক কাঁকড়া বিছে। এটাও আমেরিকার বাসিন্দা। এর নাম ব্লু স্করপিয়ন। আর আরেকটা কাচের বাক্স দেখলাম, একটা মানুষের আঙুল ফাঁক করা হাতের

মতো বড় কালো রোঁয়াওয়ালা মাকড়সা—আফ্রিকার বিষাক্ত 'ব্ল্যাক উইডো' মাকড়সা।

বনবিহারীবাবু বললেন, 'ওই বিছে আর ওই মাকড়সা—ওই দুটোরই বিষ হল যাকে বলে নিউরোটক্সিক। অর্থাৎ এক কামড়ে একটা আস্ত মানুষ মেরে ফেলার শক্তি রাখে ওই দুটোই।'

চিড়িয়াখানা দেখে আমরা বৈঠকখানায় এলাম। আমরা সোফায় বসার পর নিজে একটা চেয়ারে বসে বনবিহারীবাবু বললেন, 'রাত্রে চারিদিক নিস্তব্ধ হলে মাঝে মাঝে আমার বাগান থেকে বনবেড়ালের ফ্যাঁসফ্যাঁসানি, হাইনার হাসি, নেকড়ের খ্যাঁকরানি আর র‍্যাট্‌ল স্নেকের করকরানি মিলে এক অদ্ভুত কোরাস শুনতে পাই। তাতে ঘুমটা হয় বড় আরামের। এরকম বডিগার্ডের সম্ভার আর কজনের আছে বলুন। অবিশ্যি চোর এলে এরা খুব হেল্‌প করতে পারে না বটে, কারণ এরা খাঁচায় বন্দি। তার জন্যে আমার আলাদা ব্যবস্থা আছে।—বাদশা!

হাঁক দিতেই পাশের ঘর থেকে বেরিয়ে এল এক বিরাট কালো হাউন্ড কুকুর। এটাকেই নাকি বনবিহারীবাবু পাহারার জন্য রেখেছেন। শুধু যে বাড়ি পাহারা তা নয়—চিড়িয়াখানারও কোনও অনিষ্ট নাকি এই বাদশা করতে দেবে না।

ফেলুদা আমার পাশেই বসে ছিল। কুকুরটা দেখে আমার কানে ফিস্ ফিস্ করে বলল, 'ল্যাব্রেডর হাউন্ড। বাস্কারভিলের কুকুরের জাত।'

বাবা এতক্ষণ একটাও কথা বলেননি। এবার বললেন, 'আচ্ছা, সত্যিই আপনার এইসব হিংস্র জানোয়ারের মধ্যে বাস করতে ভাল লাগে?'

বনবিহারীবাবু তাঁর পাইপে তামাক ভরতে ভরতে বললেন, 'কেন লাগবে না বলুন? ভয়টা কীসের? এককালে কত বাঘ ভালুক মেরেছি জানেন? ওয়াইল্ড অ্যানিম্যাল্ ছাড়া মারতুম না। অব্যর্থ টিপ ছিল। একবার কী যে ভীমরতি ধরল। চাঁদার জঙ্গলে এক মার্কিনি সাহেবকে বড়াই করে টিপ দেখাতে গিয়ে দেড়শো গজ দূর থেকে এক হরিণ মেরে ফেললুম। আর তারপর সে কী অনুতাপ! সেই থেকে শিকার ছেড়ে দিয়েছি। তবে জানোয়ার ছাড়াও থাকতে পারব না, তাই চালান দেবার ব্যবসা ধরলুম। ব্যবসা যখন ছাড়লুম, তখন বাধ্য হয়েই বাড়িতে চিড়িয়াখানা করলুম। এদের নিয়ে বাস করার কী আনন্দ জানেন? এরা যে হিংস্র ও বিষাক্ত, সেটা সকলেরই জানা। এরা তো নিরীহ ভালমানুষ বলে চালাতে চাইছে না নিজেদের! অথচ মানুষের মধ্যে দেখুন—একজনকে আপনি ভাবছেন সৎ লোক, শেষে হঠাৎ বেরিয়ে গেল সে আসলে একটা ক্রিমিনাল। অন্তরঙ্গ বন্ধুকেই কি আর আজকের দিনে বিশ্বাস করার জো আছে? তাই স্থির করেছি জানোয়ার পরিবেষ্টিত হয়েই বাকি জীবনটা কাটাব—তাতে শান্তি অনেক বেশি। আমি মশাই সাতেও নেই পাঁচেও নেই। নিজের সম্পত্তি একা নিজে ভোগ করছি—তাতে কে কী ভাবছে না ভাবছে সেই নিয়ে মাথা ঘামিয়ে কী হবে? তবে শুনিচি আমার এ চিড়িয়াখানার দৌলতে পাড়ায় নাকি চুরিচামারি বন্ধ হয়ে গেছে। তা হলে বলতে হয় অজান্তে আমি লোকের উপকারই করছি!'

এই শেষ কথাটা শুনে আমি প্রথমে ধীরুকাকার দিকে, তারপর ফেলুদার দিকে চাইলাম। বনবিহারীবাবু কি তা হলে শ্রীবাস্তবের বাড়ির ঘটনাটা জানেন না?

এই প্রশ্নের উত্তরের জন্য বেশিক্ষণ অপেক্ষা করতে হল না, কারণ বনবিহারীবাবুর বেয়ারা কফি আর মিষ্টি এনে দেবার প্রায় সঙ্গে সঙ্গেই শ্রীবাস্তব এসে হাজির হলেন।

সকলকে নমস্কার-টমস্কার করে ধীরুকাকাকে বললেন, 'আপনাদের বাড়ির কাছেই কেলভিন রোডে একটি ছেলে গাছ থেকে পড়ে হাত ভেঙেছে। তাকে দেখে আপনার বাড়ি গিয়ে দেখি আপনারা ফেরেননি। তাই এখানে চলে এলাম।'

ধীরুকাকা শ্রীবাস্তবের দিকে চোখ দিয়ে একটা ইশারা করে বুঝিয়ে দিলেন যে তাঁর আংটি ঠিকই আছে।

বনবিহারীবাবুর সঙ্গে দেখলাম শ্রীবাস্তবের যথেষ্ট আলাপ। ছোট শহরে পাড়ার লোকেদের পরস্পরের মধ্যে আলাপটা বোধহয় সহজেই হয়।

শ্রীবাস্তব ঠাট্টার সুরে বললেন, 'বনবিহারীবাবু, আপনার পাহারাদারেরা কিন্তু আজকাল ফাঁকি দিচ্ছে।'

বনবিহারীবাবু একটু অবাক হয়েই বললেন, 'কী রকম ?'

'কাল আমার বাড়িতে চোর এল, আর আপনার একভি জানোয়ার কিছু সাড়াশব্দ করল না।'

'সে কী ? চোর ? আপনার বাড়িতে ? কখন ?'

'রাত তিনটের কাছাকাছি। নেয়নি কিছুই। ঘুমটা ভেঙে গেল আমার, তাই পালিয়ে গেল।'

'না নিলেও—খুব এক্সপার্ট বলতে হবে। আমার 'বাদশা' অন্তত খুবই সজাগ। দুশো গজের মধ্যে আপনার বাড়ি—আর চোর এলেও আমার কম্পাউন্ডের পিছন দিয়েই তাকে যেতে হবে।'

'যাক গে ! আপনাকে ঘটনাটা জানিয়ে রাখলাম।'

কফির সঙ্গে একরকম মিষ্টি দিয়ে গিয়েছিল প্লেটে। শ্রীবাস্তব বললেন সেটার নাম সান্ডিলা লাড্ডু।

'সান্ডিলা লাড্ডু, গুলাবি রেউরি, আর ভুনা পেঁড়া—এই তিন মিষ্টি হল লখ্‌নৌয়ের স্পেশালিটি।'

আমার নিজের মিষ্টি জিনিসটা খুব ভাল লাগে না, তাই আমি ও সব কথায় বিশেষ কান না দিয়ে বনবিহারীবাবুকে লক্ষ করছিলাম। ওঁকে যেন একটু অন্যমনস্ক মনে হচ্ছিল। ফেলুদা কিন্তু দেখি এর মধ্যেই দুটো লাড্ডু শেষ করে নিয়ে, আমার কফির পেয়ালার উপর মাছি তাড়াবার মতো করে হাত নাড়িয়ে দারুণ কায়দায় আমার প্লেট থেকে আরেকটা লাড্ডু তুলে নিল।

বনবিহারীবাবু হঠাৎ শ্রীবাস্তবের দিকে ফিরে বললেন, 'আপনার সেই বাদশাহী আংটি ঠিক আছে তো ?'

শ্রীবাস্তবের হঠাৎ বিষম লেগে গেল। তারপর কোনওরকমে নিজেকে সামলে নিয়ে কাশিটাকে হাসিতে চেঞ্জ করে বললেন—'ও বাবা—আপনার দেখি মনে আছে !'

বনবিহারীবাবু পাইপের ধোঁয়া ছেড়ে বললেন, 'মনে থাকবে না ! আমার যদিও ও সব ব্যাপারে কোনও ইন্টারেস্ট্ নেই, তবুও ওরকম আংটি তো সচরাচর দেখা যায় না।'

শ্রীবাস্তব বললেন, 'আংটি ঠিকই আছে। ওর ভ্যালু আমার জানা আছে।'

বনবিহারীবাবু এবার হঠাৎ উঠে পড়ে বললেন, 'এক্সকিউজ মি—আমার বেড়ালের খাবার সময় হয়ে গেছে।'

এ কথার পর আর থাকা যায় না—তাই আমরাও উঠে পড়লাম।

বাইরে এসে একজন লোককে হাতে একটা ব্যাগ নিয়ে বনবিহারীবাবুর গেট দিয়ে ভেতরে ঢুকতে দেখলাম। তার যে দারুণ মাস্‌ল সেটা গায়ে জামা থাকলেও বোঝা যায়। শুনলাম তার নাম নাকি গণেশ গুহ। বনবিহারীবাবুর যখন জানোয়ার চালান দেবার কারবার ছিল তখন থেকেই নাকি ইনি আছেন ; এখন নাকি চিড়িয়াখানা দেখাশোনা করেন।

বনবিহারীবাবু বললেন, 'গণেশকে ছাড়া আমার চিড়িয়াখানা মেনটেন করা হত না। ওর

ভয় বলে কোনও বস্তুই নেই। একবার ওয়াইল্ড ক্যাটের আঁচড় খাওয়া সত্ত্বেও ও আমার চাকরি ছাড়েনি।'

আমরা যখন গাড়িতে উঠছি তখন বনবিহারীবাবু বললেন, 'আপনারা আসাতে খুব ভাল লাগল। মাঝে মাঝে এসে পড়বেন না হয়! এখন এখানেই আছেন তো?'

বাবা বললেন, 'কদিন আছি। তারপর ভাবছি এদের একবার হরিদ্বারটা দেখিয়ে আনব।'

'বটে? লছমনঝুলা থেকে একটা বারো ফুট পাইথনের খবর এসেছে। আমিও তাই একবার ওদিকটায় যাব যাব করছিলাম।'

শ্রীবাস্তবকে আমরা ওঁর বাড়ির সামনে নামিয়ে দিলাম। ঠিক সেই সময় বনবিহারীবাবুর বাড়ির দিক থেকে একটা বিকট চিৎকার শুনতে পেলাম।

ফেলুদা একটা হাই তুলে বলল, 'হাইনা।'

বাপরে!—একেই বলে হাইনার হাসি!

শ্রীবাস্তব বললেন তাঁর নাকি প্রথম প্রথম এই হাসি শুনে গা ছম্ ছম্ করত, এখন অভ্যেস হয়ে গেছে।

'আপনার বাড়িতে কাল আর কোনও উপদ্রব হয়নি তো?' ধীরুকাকা প্রশ্ন করলেন।

শ্রীবাস্তব হেসে বললেন, 'নো, নো। নাথিং।'

আমরা যখন বাড়িতে ফিরলাম তখন প্রায় সন্ধে হয়ে গেছে। গাড়ি থেকে নেমে শুনতে পেলাম দূর থেকে একটা ঢাক-ঢোলের শব্দ আসছে। ধীরুকাকা বললেন, 'দেওয়ালির সময় এখানে রামলীলা হয়। এটা তারই প্রিপারেশন হচ্ছে।'

আমি বললাম 'রামলীলা কী রকম?'

'প্রায় দশটা মানুষের সমান উঁচু একটা রাবণ তৈরি করে তার ভিতর বারুদ বোঝাই করা হয়। তারপর দুজন ছেলেকে মেকআপ-টেকআপ করে রাম লক্ষ্মণ সাজায়। তারা রথে চড়ে এসে তীর দিয়ে রাবণের দিকে তাগ করে মারে—আর সেই সঙ্গে রাবণের গায়ে আগুন লাগিয়ে দেওয়া হয়। তারপর গা থেকে তুবড়ি হাউই চরকি রংমশাল ছড়াতে ছড়াতে রাবণ পুড়ে ছাই হয়ে যায়। সে একটা দেখবার জিনিস!'

বাড়িতে ঢুকতে বেয়ারা শ্রীবাস্তবের আসার খবরটা দিল। তারপর বলল, 'আউর এক সাধুবাবা ভি আয়া থা। আধঘণ্টা বইঠ্‌কে চলা গিয়া।'

'সাধুবাবা?'

ধীরুকাকার ভাব দেখে বুঝলাম উনি কোনও সাধুবাবাকে এক্সপেক্ট করছিলেন না।

'কোথায় বসেছিলেন?'

বেয়ারা বলল, 'বৈঠকখানায়।'

'আমার সঙ্গে দেখা করতে চাইছিলেন?'

'হ্যাঁ।'

'আমার নাম করেছিলেন?'

বেয়ারা তাতেও বলল হ্যাঁ।

'তাজ্জব ব্যাপার!'

হঠাৎ কী মনে করে ধীরুকাকা ঝড়ের মতো শোবার ঘরে গিয়ে ঢুকলেন। তারপর গোদরেজ আলমারি খোলার শব্দ পেলাম। আর তার পরেই শুনলাম ধীরুকাকার চিৎকার—

'সর্বনাশ!'

বাবা, আমি আর ফেলুদা প্রায় একসঙ্গে হুড়মুড় করে ধীরুকাকার ঘরে ঢুকলাম।

গিয়ে দেখি উনি আংটির কৌটোটা হাতে নিয়ে চোখ বড় বড় করে দাঁড়িয়ে আছেন।

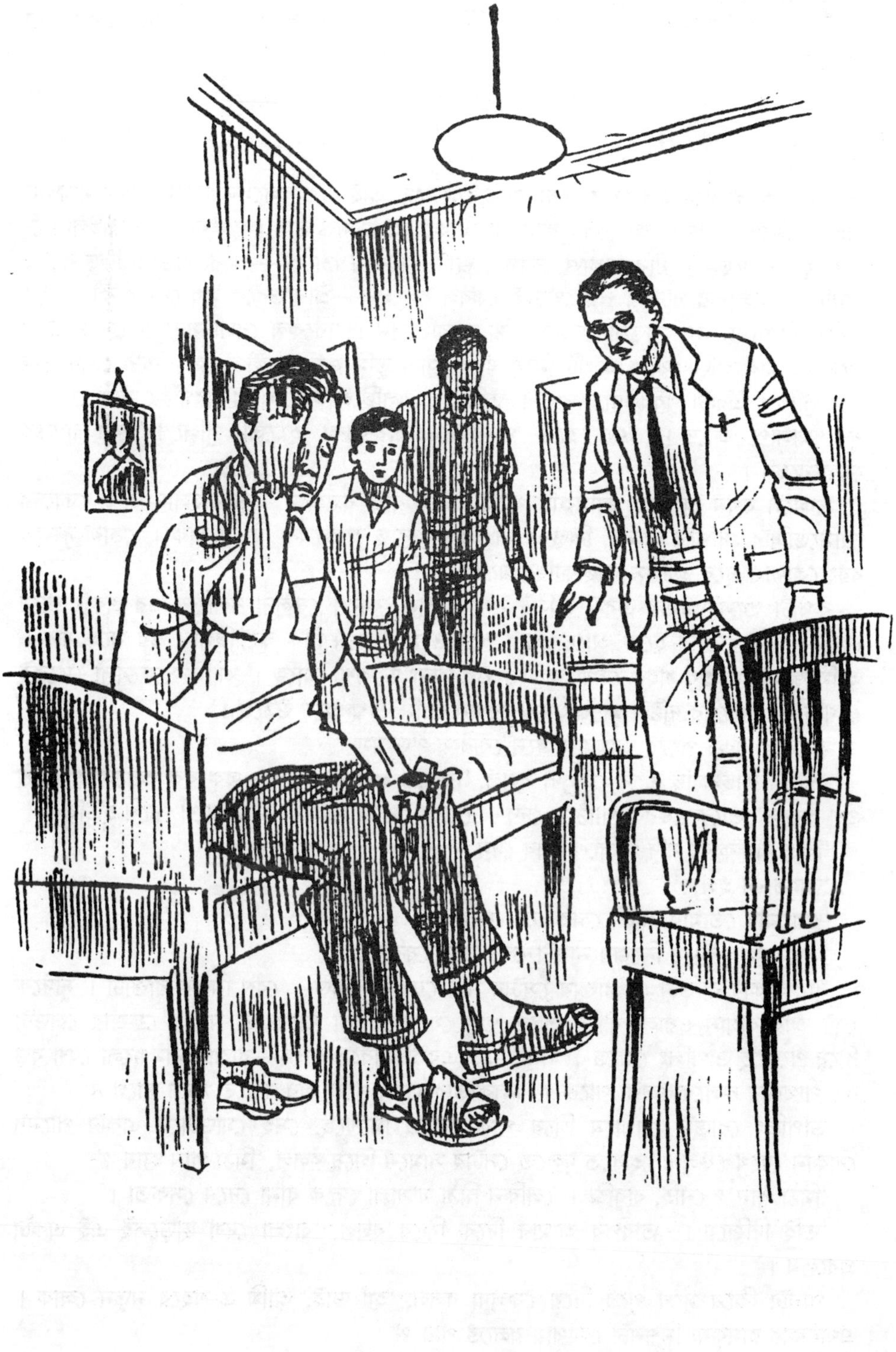

কৌটোর ঢাকনা খোলা, আর তার ভিতরে আংটি নেই।

ধীরুকাকা কিছুক্ষণ বোকার মতো দাঁড়িয়ে থেকে ধপ্ করে তাঁর খাটের উপর বসে পড়লেন।

৪

পরদিন সকালে মনে হল যে শীতটা একটু বেড়েছে, তাই বাবা বললেন গলায় একটা মাফ্লার জড়িয়ে নিতে। বাবার কপালে ভ্রূকুটি আর একটা অন্যমনস্ক ভাব দেখে বুঝতে পারছিলাম যে উনি খুব ভাবছেন। ধীরুকাকাও কোথায় জানি বেরিয়ে গেছেন—আর কাউকে কিছু বলেও যাননি। কালকের ঘটনার পর থেকেই কেবল বললেন—শ্রীবাস্তবকে মুখ দেখাব কী করে ? বাবা অবিশ্যি অনেক সান্ত্বনা দেবার চেষ্টা করেছিলেন। 'বিকেল বেলা সন্ন্যাসী সেজে চোর এসে তোমার বাড়ি থেকে আংটি নিয়ে যাবে সেটা তুমি জানবে কী করে। তার চেয়ে তুমি বরং পুলিশে একটা খবর দিয়ে দাও। তুমি তো বলছিলে ইন্স্পেক্টর গরগরির সঙ্গে তোমার খুব আলাপ আছে।' এও হতে পারে যে ধীরুকাকা হয়তো পুলিশে খবর দিতেই বেরিয়েছেন।

সকালে যখন চা আর জ্যামরুটি খাচ্ছি, তখন বাবা বললেন, 'ভেবেছিলাম আজ তোদের রেসিডেন্সিটা দেখিয়ে আনব, কিন্তু এখনও মনে হচ্ছে আজকের দিনটা যাক। তোরা দুজনে বরং কোথাও ঘুরে আসিস কাছাকাছির মধ্যে।'

কথাটা শুনে আমার একটু হাসিই পেয়ে গেল, কারণ ফেলুদা বলছিল ওর একটু পায়ে হেঁটে শহরটা দেখার ইচ্ছে আছে, আর আমিও মনে মনে ঠিক করেছিলাম ওর সঙ্গে যাব। আমি জানতাম শুধু শহর দেখা ছাড়াও ওর অন্য উদ্দেশ্য আছে। আমি সন্ধেবেলা থেকেই দেখছি ওর চোখের দৃষ্টিটা মাঝে মাঝে কেমন জানি তীক্ষ্ণ হয়ে উঠছে।

আটটার একটু পরেই আমরা দুজনে বেরিয়ে পড়লাম।

গেটের কাছাকাছি এসে ফেলুদা বলল, 'তোকে ওয়ার্নিং দিচ্ছি—বক্ বক্ করলে বা বেশি প্রশ্ন করলে তোকে ফেরত পাঠিয়ে দেব। বোকা সেজে থাকবি, আর পাশে পাশে হাঁটবি।'

'কিন্তু ধীরুকাকা যদি পুলিশে খবর দেন ?'

'তাতে কী হল ?'

'ওরা যদি তোমার আগে চোর ধরে ফেলে ?'

'তাতে আর কী ? নিজের নামটা চেঞ্জ করে ফেলব !'

ধীরুকাকার বাড়িটা যে রাস্তায় সেটার নাম ফ্রেজার রোড। বেশ নির্জন রাস্তাটা। দুদিকে গেট আর বাগান-ওয়ালা বাড়ি, তাতে শুধু যে বাঙালিরা থাকে তা নয়। ফ্রেজার রোডটা গিয়ে পড়েছে ডাপ্‌লিং রোডে। লখ্নৌতে একটা সুবিধে আছে—রাস্তার নামগুলো বেশ বড় বড় পাথরের ফলকে লেখা থাকে। কলকাতার মতো খুঁজে বার করতে সময় লাগে না।

ডাপ্‌লিং রোডটা যেখানে গিয়ে পার্ক রোডে মিশেছে, সেই মোড়টাতে একটা পানের দোকান দেখে ফেলুদা হেলতে দুলতে সেটার সামনে গিয়ে বলল, 'মিঠা পান হ্যায় ?'

'মিঠা পান ? নেহি, বাবুজি। লেকিন মিঠা মাসাল্লা দেকে বানা দেনে সেকতা।'

'তাই দিজিয়ে।' তারপর আমার দিকে ফিরে বলল, 'বাংলা দেশ ছাড়লেই এই একটা প্রবলেম।'

পানটা কিনে মুখে পুরে দিয়ে ফেলুদা বলল, 'হ্যাঁ ভাই, আমি এ-শহরে নতুন লোক। এখানকার রামকৃষ্ণ মিশনটা কোথায় বলতে পার ?'

ফেলুদা অবিশ্যি হিন্দিতে প্রশ্ন করছিল, আর লোকটাও হিন্দিতে জবাব দিয়েছিল, কিন্তু আমি বাংলাতেই লিখছি।

দোকানদার বলল, 'রামকিষণ মিসির ?'

'রামকৃষ্ণ মিশন। শহরে একজন বড় সাধুবাবা এসেছেন, আমি তাঁর খোঁজ করছি। শুনলাম তিনি রামকৃষ্ণ মিশনে উঠেছেন।'

দোকানদার মাথা নেড়ে বিড় বিড় করে কী জানি বলে বিড়ি বাঁধতে আরম্ভ করে দিল। কিন্তু দোকানের পাশেই একটা খাটিয়ায় একটা ইয়াবড় গোঁফওয়ালা লোক একটা পুরনো মরচে ধরা বিস্কুটের টিন বাজিয়ে গান করছিল, সে হঠাৎ ফেলুদাকে জিজ্ঞেস করল, কালো গোঁফদাড়িওয়ালা কালো চশমা পরা সাধু কি ? তাই যদি হয় তা হলে তাকে কাল সন্ধেবেলা টাঙ্গার স্ট্যান্ড কোথায় বলে দিয়েছিলাম।

'কোথায় টাঙ্গার স্ট্যান্ড ?'

'এখান থেকে পাঁচ মিনিট। ওই দিকে প্রথম চৌমাথাটায় গেলেই সার সার গাড়ি দাঁড়ানো আছে দেখতে পাবেন।'

'শুক্রিয়া !'

শুক্রিয়া কথাটা প্রথম শুনলাম। ফেলুদা বলল ওটা হল উর্দুতে থ্যাঙ্ক ইউ।

টাঙ্গা স্ট্যান্ডে পৌঁছে সাতটা টাঙ্গাওয়ালাকে জিজ্ঞেস করার পর আট বারের বার সাতান্ন নম্বর গাড়ির গাড়োয়ান বলল যে গতকাল সন্ধ্যায় একজন গেরুয়াপরা দাড়িগোঁফওয়ালা লোক তার গাড়ি ভাড়া করেছিল বটে।

'কোথায় নিয়ে গিয়েছিলে সাধুবাবাকে ?'—ফেলুদা প্রশ্ন করল।

গাড়োয়ান বলল, 'ইস্টিশান।'

'স্টেশন ?'

'হাঁ।'

'কত ভাড়া এখান থেকে ?'

'বারো আনা।'

'কত টাইম লাগবে পৌঁছুতে ?'

'দশ মিনিটের মতো।'

'চার আনা বেশি দিলে আট মিনিটে পৌঁছে দেবে ?'

'টিরেন পাকাড়না হ্যায় কেয়া ?'

'টিরেন বলে টিরেন ! বঢ়িয়া টিরেন—বাদশাহী এক্সপ্রেস !'

গাড়োয়ান একটু বোকার মতো হেসে বলল, 'চলিয়ে—আট মিনিটমে পৌঁছা দেঙ্গে !'

গাড়ি ছাড়বার পর ফেলুদাকে একটু ভয়ে ভয়ে জিজ্ঞেস করলাম, 'সেই সাধুবাবা কি এখনও বসে আছেন স্টেশনে আংটি নিয়ে ?'

এটা বলতে ফেলুদা আমার দিকে এমন কট্‌মট্ করে চাইল যে আমি একেবারে চুপ মেরে গেলাম।

কিছুক্ষণ যাবার পর ফেলুদা গাড়োয়ানকে জিজ্ঞেস করল, 'সাধুবাবার সঙ্গে কোনও মালপত্তর ছিল কি ?'

গাড়োয়ান একটুক্ষণ ভেবে বলল, 'মনে হয় একটা বাক্স ছিল। তবে, বড় নয়, ছোট !'

'হুঁ।'

স্টেশনে পৌঁছে টিকিট ঘরের লোক, গেটের চেকার, কুলি-টুলি এদের কাউকে জিজ্ঞেস করে কোনও ফল হল না। রেস্টুরেন্টের ম্যানেজার বাঙালি ; তিনি বললেন, 'আপনি কি

পবিত্রানন্দ ঠাকুরের কথা বলছেন ? যিনি দেরাদুনে থাকেন ? তিনি তো তিনদিন হল সবে এসেছেন। তাঁর তো এখনও ফিরে যাবার সময় হয়নি। আর তাঁর সঙ্গে তো দেদার সাঙ্গোপাঙ্গ চেলাচামুণ্ডা !'

সবশেষে ফার্স্টক্লাস ওয়েটিং রুমের যে দারোয়ান, তাকে জিজ্ঞেস করতে সে বলল একজন গেরুয়াপরা দাড়িওয়ালা লোক গতকাল সন্ধ্যায় এসেছিল বটে।

'ওয়েটিংরুমে বসেছিলেন ?'

'আজ্ঞে না। বসেননি।'

'তবে ?'

'বাথরুমে ঢুকেছিলেন। হাতে একটা ছোট বাক্স ছিল।'

'তারপর ?'

'তারপর তো জানি না।'

'সে কী ? বাথরুমে ঢোকার পর তাকে আর দেখোনি ?'

'দেখেছি বলে তো মনে পড়ছে না।'

'তুমি এখানেই ছিলে তো ?'

'তা তো থাকবই। ডুন এক্সপ্রেস আসছে তখন। ঘরে অনেক লোক যে।'

'তা হলে হয়তো খেয়াল করোনি। এমনও হতে পারে তো ?'

'তা পারে।'

কিন্তু লোকটার হাবভাব দেখে মনে হল যে সে বলতে চায় যে সাধুবাবা বেরোলে সে নিশ্চয়ই দেখতে পেত। কিন্তু তা হলে সে সাধুবাবা গেলেন কোথায় ?

স্টেশনে আর বেশিক্ষণ থেকে এ রহস্যের উত্তর পাওয়া যাবে না, তাই আমরা বাইরে বেরিয়ে এলাম।

এখানেও বাইরে টাঙ্গার লাইন, আর তারই একটাতে আমরা উঠে পড়লাম। টাঙ্গা জিনিসটাকে আর অবজ্ঞা করতে পারছিলাম না, কারণ সাতান্ন নম্বরের গাড়োয়ান আমাদের ঠিক সাত মিনিট সাতান্ন সেকেন্ডে স্টেশনে পৌঁছে দিয়েছিল।

এবারেও কিন্তু গাড়ি ছাড়বার পরে আমার মুখ থেকে একটা প্রশ্ন বেরিয়ে পড়ল—

'সাধুবাবা বাথরুমে গিয়ে ভ্যানিস করে গেল ?'

ফেলুদা দাঁতের ফাঁক দিয়ে ছিক্ করে খানিকটা পানের পিক রাস্তায় ফেলে দিয়ে বলল, 'তা হতে পারে। আগেকার দিনে তো সাধুসন্ন্যাসীদের ভ্যানিস-ট্যানিস করার ক্ষমতা ছিল বলে শুনেছি।'

বুঝলাম ফেলুদা কথাটা সিরিয়াসলি বলছে না, যদিও ওর মুখ দেখে সেটা বোঝার কোনও উপায় নেই।

স্টেশনের গেট ছাড়িয়ে বড় রাস্তায় পড়তেই একটা ব্যান্ডের আওয়াজ পেলাম। ভোঁপ্পর ভোঁপ্পর ভোঁপ্পর ভোঁপ্পর...আওয়াজটা এগিয়ে আসছে।

তারপর দেখলাম আমাদেরই মতো একটা টাঙ্গা, কিন্তু সেটার গায়ে কাগজের ফুল, বেলুন, ফ্ল্যাগ—এই সব দিয়ে খুব সাজানো হয়েছে। বাজনাটা বাজছে একটা লাউডস্পিকারে, আর একটা রঙিন কাগজের গাধার টুপি পরা লোক গাড়ির ভিতর থেকে গোছা গোছা করে কী একটা ছাপানো কাগজ রাস্তার লোকের দিকে ছুঁড়ে দিচ্ছে।

ফেলুদা বলল, 'হিন্দি ফিল্মের বিজ্ঞাপন।'

সত্যিই তাই। গাড়িটা আরেকটু কাছে আসতেই রংচঙে ছবি আঁকা বিজ্ঞাপনের বোর্ডটা দেখতে পেলাম। ছবির নাম 'ডাকু মনসুর।'

হ্যান্ডবিলের দু-একটা আমাদের গাড়ির ভিতর এসে পড়ল, আর ঠিক সেই সময় একটা দলাপাকানো সাদা কাগজ বেশ জোরে গাড়ির মধ্যে এসে ফেলুদার বুক পকেটে লেগে গাড়ির মেঝেতে পড়ল।

আমি চেঁচিয়ে বলে উঠলাম, 'লোকটাকে দেখেছি ফেলুদা! কাবলিওয়ালার পোশাক, কিন্তু—'

আমার কথা শেষ হল না। ফেলুদা চট করে কাগজটা তুলে নিয়ে একলাফে চলন্ত টাঙ্গা থেকে রাস্তায় নেমে পাঁই পাঁই করে যে দিকে লোকটাকে দেখা গিয়েছিল সেইদিকে ছুটে গেল। ভিড়ের মধ্যে কলিশন বাঁচিয়ে একটা মানুষ কত স্পিডে ছুটতে পারে সেটা এই প্রথম দেখলাম।

এর মধ্যে অবিশ্যি টাঙ্গাওয়ালা গাড়ি থামিয়েছে। আমি আর কী করব? অপেক্ষা করে রয়েছি। ব্যান্ডের আওয়াজ ক্রমশ মিলিয়ে আসছে, তবে রাস্তায় কতগুলো বাচ্চা বাচ্চা ছেলে এখনও হ্যান্ডবিল কুড়োচ্ছে। এমন সময় হাঁপাতে হাঁপাতে ফিরে এসে গাড়োয়ানকে ইশারা করে চালানোর হুকুম দিয়ে এক লাফে গাড়িতে উঠে ধপ্ করে সিটে বসে পড়ে ফেলুদা বলল, 'নতুন জায়গাতে অলিগলিগুলো জানা নেই, তাই বাবাজি রক্ষে পেয়ে গেলেন।'

আমি জিজ্ঞেস করলাম, 'তুমি লোকটাকে দেখেছিলে?'

'তুই দেখলি, আর আমি দেখব না?'

আমি আর কিছু বললাম না। ফেলুদা লোকটাকে না দেখে থাকলে আমি ওকে বলতাম যে যদিও লোকটার গায়ে কাবলিওয়ালার পোশাক ছিল, কিন্তু অত কম লম্বা কাবলিওয়ালা আমি কখনও দেখিনি।

ফেলুদা এবার পকেট থেকে দলাপাকানো কাগজটা খুলে হাত দিয়ে ঘষে সমান করে, চোখের খুব কাছে নিয়ে তার মধ্যে যে লেখাটা ছিল সেটা পড়ে ফেলল। তারপর সেটাকে তিনভাঁজ করে ওর মানিব্যাগের ভিতর নিয়ে নিল। লেখাটা যে কী ছিল সেটা আর আমার জিজ্ঞেস করার সাহস হল না।

বাড়ি ফিরে দেখি ধীরুকাকার সঙ্গে শ্রীবাস্তব এসেছেন। শ্রীবাস্তবকে দেখে মনে হল না যে আংটিটা যাওয়াতে তাঁর খুব একটা দুঃখ হয়েছে। তিনি বললেন, 'উ আংটি ছিল অপয়া। যার কাছে যাবে তারই দুশ্চিন্তা হোবে, বিপদ হোবে, বাড়িতে ডাকু আসবে। আপনি তো লাকি, ধীরুবাবু। ধরুন যদি ডাকু এসে ঝামেলা করত, গোলাগোলি চালাতো!'

ধীরুকাকা একটু হেসে বললেন, 'তা হলে তবু একটা মানে হত। এ যে একেবারে ভাঁওতা দিয়ে বুদ্ধু বানিয়ে জিনিসটা নিয়ে চলে গেল। এটা যেন কিছুতেই হজম করতে পারছি না।'

শ্রীবাস্তব বললেন, 'আপনি কেন ভাবছেন ধীরুবাবু। আংটি আমার কাছে থাকলেও যেত, আপনার কাছে থাকলেও যেত। আর আপনি যে বলেছিলেন পুলিশে খবর দেবেন—তাও করবেন না। ওতে আপনার বিপদ আরও বেড়ে যাবে। যারা চুরি করল, তারা খেপে গিয়ে ফির আপনাদের উপর হামলা করবে।'

ফেলুদা এতক্ষণ একটা সোফায় বসে একটা 'লাইফ' ম্যাগাজিন দেখছিল, এবার সেটাকে বন্ধ করে টেবিলে রেখে দিয়ে হাত দুটোকে সোফার মাথার পিছনে এলিয়ে দিয়ে বলল, 'মহাবীরবাবু জানেন এ আংটির কথা?'

'পিয়ারিলালের ছেলে?'

'হ্যাঁ।'

'সে তো আমি জানি না ঠিক। মহাবীর ডুন স্কুলে পড়ত, ওখানেই থাকত। তারপর মিলিটারি একাডেমিতে জয়েন করেছিল। তারপর সেটা ছেড়ে দিল, বোম্বাই গিয়ে ফিল্মে

অ্যাকটিং শুরু করল।'

'উনি ফিল্মে নামার ব্যাপারে পিয়ারিলালের মত ছিল ?'

'সে বিষয়ে আমায় কিছু বলেননি পিয়ারিলাল। তবে জানি উনি ছেলেকে খুব ভালবাসতেন।'

'পিয়ারিলাল মারা যাবার সময় মহাবীর কাছে ছিলেন ?'

'না। বোম্বাই ছিল। খবর পেয়ে এসে গেলো।'

ধীরুকাকা বললেন, 'ফেলুবাবু যে একেবারে পুলিশের মতো জেরা করছ।'

বাবা বললেন, 'ও যে শখের ডিটেক্‌টিভ। ওর ওদিকে বেশ ইয়ে আছে।'

শুনে শ্রীবাস্তব খুব অবাক হয়ে ফেলুদার দিকে তাকিয়ে বললেন, 'বাঃ—ভেরি গুড, ভেরি গুড !'

কেবল ধীরুকাকাই যেন একটু ঠাট্টার সুরে বললেন, 'খোদ ডিটেক্‌টিভের বাড়ি থেকেই মালটা চুরি হল, এইটেই যা আপশোস।'

ফেলুদা এ সব কথাবার্তায় কোনও মন্তব্য না করে শ্রীবাস্তবকে আরেকটা প্রশ্ন করল, 'মহাবীরবাবুর ফিল্মে অ্যাকটিং করে ভাল রোজগার হচ্ছে কি ?'

শ্রীবাস্তব বললেন, 'সেটা ঠিক জানি না। মাত্র দুবছর তো হল ?'

'ওঁর এমনিতে টাকার কোনও অভাব আছে ?'

'নাঃ। কারণ, পিয়ারিলাল ওকেই সম্পত্তি দিয়ে গেছেন। সিনেমাটা ওর শখের ব্যাপার।'

'হুঁ'—বলে ফেলুদা আবার লাইফটা তুলে নিল।

শ্রীবাস্তব হঠাৎ তাঁর রিস্ট ওয়াচের দিকে তাকিয়ে বললেন, 'এই দেখুন, আপনাদের সঙ্গে কথা বলতে বলতে আমার পেশেন্টের কথাই ভুলে গেছি। আমি চলি !'

শ্রীবাস্তবকে তাঁর গাড়িতে পৌঁছে দিতে বাবা আর ধীরুকাকা বাইরে গেলে পর ফেলুদা ম্যাগাজিনটা বন্ধ করে একটা বিরাট হাই তুলে বলল, 'তোর চাঁদে যেতে ইচ্ছে করে, না মঙ্গল গ্রহে ?'

আমি বললাম, 'আমার এখন শুধু একটা জিনিসই ইচ্ছে করছে।'

ফেলুদা আমার কথায় কান না দিয়ে বলল, 'লাইফে চাঁদের সারফেসের ছবি দিয়েছে। দেখে জায়গাটাকে খুব ইন্টারেস্টিং বলে মনে হচ্ছে না। মঙ্গল সম্বন্ধে তবু একটা কৌতূহল হয়।'

আমি এবার একেবারে চেয়ার ছেড়ে উঠে বললাম, 'ফেলুদা আমার কৌতূহল হচ্ছে তোমার ম্যানিব্যাগে যে কাগজটা আছে সেইটি দেখার জন্যে।'

'ওঃ—ওইটে !'

'ওটা দেখাবে না বুঝি ?'

'ওটা উর্দুতে লেখা।'

'তবু দেখি না !'

'এই দ্যাখ্‌।'

ফেলুদা ভাঁজ করা কাগজটা বার করে সেটা দু আঙুলের ফাঁকে ধরে ক্যারামের গুটির মতো করে আমার দিকে ছুঁড়ে দিল। খুলে দেখি সেটায় লেখা আছে—'খুব হুঁশিয়ার !'

আমি বললাম, 'তবে যে বললে উর্দু ?'

'বোকচন্দর—খুব আর হুঁশিয়ার—এই দুটো কথাই যে উর্দু সেটাও বুঝি তোর জানা নেই ?'

সত্যিই তো ! মনে পড়ল একবার বাবা বলেছিলেন—যে-কোনও বাংলা উপন্যাস নিয়ে তার যে-কোনও একটা পাতা খুলে পড়ে দেখো, দেখবে প্রায় অর্ধেক কথা হয় উর্দু, নয় ফারসি, না হয় ইংরাজি—, না হয় পর্তুগিজ, না হয় অন্য কিছু। এ সব কথা বাংলায় এমন চলে গেছে যে, আমরা ভুলে গেছি এগুলো আসলে বাংলা নয়।

আমি লাল অক্ষরে লেখা কথা দুটোর দিকে চেয়ে আছি দেখে প্রায় যেন আমার মনের প্রশ্নটা আন্দাজ করেই ফেলুদা বলল, 'একটা সাজা পানের ডগা দিয়ে অনেক সময় চুন খয়ের মেশানো লাল রস চুঁইয়ে পড়ে দেখেছিস ? এটা সেই পানের ডগা দিয়ে লাল রস দিয়ে লেখা।'

আমি লেখাটা নাকের কাছে আনতেই পানের গন্ধ পেলাম।

'কিন্তু কে লিখেছে বলো তো ?'

'জানি না।'

'লোকটা বাঙালি তো বটেই ?'

'জানি না।'

'কিন্তু তোমাকে কেন লিখতে যাবে ? তুমি তো আর আংটি চুরি করোনি।'

ফেলুদা হো হো করে হেসে বলল, 'হুমকি জিনিসটা কি আর চোরকে দেয় রে বোকা ? ওটা দেয় চোরের যে শত্রু তাকে। অর্থাৎ ডিটেক্‌টিভকে। তাই এ সব কাজে নামতে হলে ডিটেক্‌টিভের একেবারে প্রাণটি হাতে নিয়ে নামতে হয়।'

আমার বুকের ভিতরটা ঢিপ ঢিপ করে উঠল, আর বুঝতে পারলাম যে গলাটা কেমন জানি শুকিয়ে আসছে। কোনও রকমে ঢোক গিলে বললাম, 'তা হলে এবার থেকে সত্যিই হুঁশিয়ার হওয়া উচিত।'

'হুঁশিয়ার হইনি সে কথা তোকে কে বললে ?'—এই বলে ফেলুদা পকেট থেকে একটা গোল কৌটো বার করে আমার নাকের সামনে ধরল। দেখলাম বাক্সটার ঢাকনায় লেখা রয়েছে—'দশংসংস্কারচূর্ণ।'

ওটা যে একটা দাঁতের মাজনের নাম সেটা আমি ছেলেবেলা থেকে জানি—কারণ দাদু ওটা ব্যবহার করতেন। তাই আমি একটু অবাক হয়েই বললাম, 'দাঁতের মাজন দিয়ে কী করে হুঁশিয়ার হবে ফেলুদা।'

'তোর যেমন বুদ্ধি !—দাঁতের মাজন হতে যাবে কেন ?'

'তবে ওটায় কী আছে ?'

চোখ দুটো গোল করে গলাটা বাড়িয়ে আর নামিয়ে নিয়ে ফেলুদা বলল, 'চূর্ণীকৃত ব্রহ্মাস্ত্র !'

৫

রাত্রে খাওয়া-দাওয়ার পর ফেলুদা হঠাৎ বলল, 'তোপ্‌সে, কী মনে হচ্ছে বল তো ?'

আমি বললাম, 'কীসের কী মনে হচ্ছে ?'

'এই যে-সব ঘটনা ঘটছে-টটছে।'

'বারে বা, সে তো তুমি বলবে। আমি আবার কী করে বলব ? আমি কি ডিটেকটিভ নাকি ? আর সন্ন্যাসীটা কে, সেটা না জানা অবধি তো কিছুই বোঝা যাবে না।'

'কিন্তু কিছু কিছু জিনিস তো বোঝা যাচ্ছে। যেমন, সন্ন্যাসীটা বাথরুমে ঢুকে আর বেরোল না। এটা তো খুব রিভিলিং।'

'রিভিলিং মানে ?'

'রিভিলিং মানে যার থেকে অনেক কিছু বোঝা যায়।'

'এখানে কী বোঝা যাচ্ছে ?'

'তুই নিজে বুঝতে পারছিস না ?'

'আমি বুঝতে পারছি যে ওয়েটিংরুমের দারোয়ানটা অন্যমনস্ক ছিল।'

'তোর মুণ্ডু।'

'তবে ?'

'সন্ন্যাসী বেরোলে নিশ্চয়ই দারোয়ানের চোখে পড়ত।'

'তা হলে ? সন্ন্যাসী বেরোয়নি ?'

'সন্ন্যাসীর হাতে কী ছিল মনে আছে ?'

'আমি তো আর...ও হ্যাঁ হ্যাঁ—অ্যাটাচি কেস।'

'সন্ন্যাসীর হাতে অ্যাটাচি কেস দেখেছিস কখনও ?'

'তা দেখিনি।'

'সেই তো বলছি। ওটা থেকেই সন্দেহ হয়।'

'কী সন্দেহ হয় ?'

'যে সন্ন্যাসী আসলে সন্ন্যাসী নন। উনি প্যান্ট শার্ট কি ধুতি-পাঞ্জাবি পরা আমাদের মতো অ-সন্ন্যাসী, আর সেই পোশাক ছিল ওই অ্যাটাচি কেসে। গেরুয়াটা ছিল ছদ্মবেশ। খুব সম্ভবত দাড়িগোঁফটাও।'

'বুঝেছি। সেগুলো ও বাক্সে পুরে নিয়েছে, আর অন্য পোশাক পরে বেরিয়ে এসেছে। তাই দারোয়ান ওকে চিনতে পারেনি।'

'গুড। এইবার মাথা খুলেছে।'

'কিন্তু আজ সকালে তা হলে কে তোমার গায়ে কাগজ ছুঁড়ে মারল ?'

'হয় ও নিজেই, না হয় ওর কোনও লোক। স্টেশনের আশেপাশে ঘোরাফেরা করছিল। আমি যে একে-তাকে সন্ন্যাসীর কথা জিজ্ঞেস করছি, সেটা ও শুনেছিল—আর তাই হুমকি দিয়ে গেল।'

'বুঝেছি। কিন্তু এ ছাড়া আর কোনও রহস্য আছে কি ?'

'বাবা, বলিস কী! রহস্যের কোনও শেষ আছে নাকি ? শ্রীবাস্তবকে স্ট্যান্ডার্ড গাড়িতে কে ফলো করল ? সেও কি ওই সন্ন্যাসী, না অন্য কেউ ? গেটের বাইরে দাঁড়িয়ে চারমিনার আর পান খেতে খেতে কে ওয়াচ করছিল ? পিয়ারিলাল কোন 'স্পাই'-এর কথা বলতে চেয়েছিলেন ? বনবিহারীবাবু হিংস্র জানোয়ার পোষেন কেন ? পিয়ারিলালের ছেলে বনবিহারীবাবুকে আগে কোথায় দেখেছে ? সে আংটির ব্যাপার কতখানি জানে ?'...

* * *

রাত্রে বিছানায় শুয়ে এই সব রহস্যের কথাই ভাবছিলাম। ফেলুদা একটা নীল খাতায় কী যেন সব লিখল। তারপরে সাড়ে দশটায় শুয়ে পড়ল, আর শোবার কিছুক্ষণ পরেই জোরে জোরে নিশ্বাস। বুঝলাম ও ঘুমিয়ে পড়েছে।

দূর থেকে রামলীলার ঢাকের শব্দ ভেসে আসছে। একবার একটা জানোয়ারের ডাক শুনলাম—হয়তো শেয়াল কিংবা কুকুর, কিন্তু হঠাৎ কেন জানি হাইনার হাসি বলে মনে হয়েছিল।

বনবিহারীবাবু যে হিংস্র জানোয়ার পোষেন, তাতে ফেলুদার আশ্চর্য হবার কী আছে ? সব সময় কি সব জিনিসের পিছনে লুকোনো কারণ থাকে ? অনেক রকম অদ্ভুত অদ্ভুত শখের কথা তো শুনতে পাওয়া যায়। বনবিহারীবাবুর চিড়িয়াখানাও হয়তো সেই রকমই একটা

অদ্ভুত শখের নমুনা।

এই সব ভাবতে ভাবতে কখন যে ঘুমিয়ে পড়েছি, আর কখন যে আবার ঘুমটা ভেঙে গেছে তা জানি না। জাগতেই মনে হল চারিদিক ভীষণ নিস্তব্ধ। ঢাকের বাজনা থেমে গেছে, কুকুর শেয়াল কিচ্ছু ডাকছে না। খালি ফেলুদার জোরে জোরে নিশ্বাস ফেলার শব্দ, আর মাথার পিছনে টেবিলের উপর রাখা টাইম পিসটার টিক্ টিক্ শব্দ। আমার চোখটা পায়ের দিকের জানালায় চলে গেল।

জানালা দিয়ে রোজ রাত্রে দেখেছি আকাশ আর আকাশের তারা দেখা যায়। আজ দেখি আকাশের অনেকখানি ঢাকা। একটা অন্ধকার মতো কী যেন জানালার প্রায় সমস্তটা জুড়ে দাঁড়িয়ে আছে।

ঘুমের ঘোরটা পুরো কেটে যেতেই বুঝতে পারলাম সেটা একটা মানুষ। জানালার গরাদ ধরে দাঁড়িয়ে আমাদেরই ঘরের ভিতর দেখছে।

যদিও ভয় করছিল সাংঘাতিক, তবু লোকটার দিক থেকে চোখ ফেরাতে পারলাম না। আকাশে তারা অল্প অল্প থাকলেও ঘরের ভিতর আলো নেই, তাই লোকটার মুখ দেখা অসম্ভব। কিন্তু এটা বুঝতে পারছিলাম যে তার মুখের নীচের দিকটা—মানে নাক থেকে থুতনি অবধি—একটা কালো কাপড়ে ঢাকা!

এবার দেখলাম লোকটা ঘরের ভিতর হাত ঢুকিয়েছে, তবে শুধু হাত নয়, হাতে একটা লম্বা ডান্ডার মতো জিনিস রয়েছে।

একটা মিষ্টি অথচ কড়া গন্ধ এইবার আমার নাকে এল। একে ভয়েতেই প্রায় দম বন্ধ হয়ে আসছিল, এখন হাত-পাও কী রকম যেন অবশ হয়ে আসতে লাগল।

আমার মনে যত জোর আছে, সবটা এক সঙ্গে করে, শরীরটা প্রায় একদম না নাড়িয়ে, আমার বাঁ হাতটা আমার পাশেই ঘুমন্ত ফেলুদার দিকে এগিয়ে দিলাম।

আমার চোখ কিন্তু জানালার দিকে। লোকটা এখনও হাতটা বাড়িয়ে রয়েছে, গন্ধটা বেড়ে চলেছে, আমার মাথা ভোঁ ভোঁ করছে।

আমার হাতটা ফেলুদার কোমরে ঠেকল। আমি একটা ঠেলা দিলাম। ফেলুদা একটু নড়ে উঠল। নড়তেই ক্যাঁচ করে খাটের একটা শব্দ হল। আর সেই শব্দটা হতেই জানালার লোকটা হাওয়া!

ফেলুদা ঘুমো ঘুমো গলায় বলল, 'খোঁচা মারছিস কেন?'

আমি শুকনো গলায় কোনওরকমে ঢোক গিলে বললাম, 'জানালায়।'

'কে জানালায়? ঈস্—গন্ধ কীসের?'—বলেই ফেলুদা একলাফে উঠে জানালার সামনে গিয়ে দাঁড়াল। তারপর কিছুক্ষণ একদৃষ্টে বাইরের দিকে চেয়ে থেকে ফিরে এসে বলল, 'কী দেখলি ঠিক করে বল তো!'

আমি তখনও প্রায় কাঠের মতো পড়ে আছি। কোনওমতে বললাম, 'একটা লোক...হাতে ডান্ডা...ঘরের ভেতর—'

'হাত বাড়িয়েছিল?'

'হ্যাঁ।'

'বুঝেছি। লাঠির ডগায় ক্লোরোফর্ম ছিল। আমাদের অজ্ঞান করবার তালে ছিল।'

'কেন?'

'বোধহয় আরেক আংটি-চোর। ভাবছে এখনও আংটি এখানেই আছে। যাকগে—তুই এ ব্যাপারটা আর বাবা কাকাকে বলিস না। মিথ্যে নার্ভাস-টার্ভাস হয়ে আমার কাজটাই ভেস্তে দেবে।'

পরদিন সকালে বাবা আর ধীরুকাকা দুজনেই বললেন যে আর বিশেষ কোনও গোলমাল হবে বলে মনে হচ্ছে না। আংটি উদ্ধারের ভার পুলিশের উপর দিয়ে দেওয়া হয়েছে, ইন্‌স্পেক্টর গরগরি কাজ শুরু করে দিয়েছেন।

পুলিশে আংটি খুঁজে পেলে ফেলুদার উপর টেক্কা দেওয়া হবে, আর তাতে ফেলুদার মনে লাগবে, এই ভেবে আমি মনে মনে প্রার্থনা করলাম পুলিশ যেন কোনওমতেই আংটি খুঁজে না পায়। সে ক্রেডিটটা যেন ফেলুদারই হয়।

বাবা বললেন, 'আজ তোদের আরও কয়েকটা জায়গা দেখিয়ে আনব ভাবছি।'

ঠিক হল দুপুরে খাওয়ার পর বেরোনো হবে। কোথায় যাওয়া হবে সেটা ঠিক করে দিলেন বনবিহারীবাবু।

আমরা সবে খেয়ে উঠেছি, এমন সময় বনবিহারীবাবু এসে হাজির। বললেন, 'আপনাদের বাড়ি দিনে ডাকাতির খবর পেয়ে চলে এলাম। একটা ভাল দেখে হাউন্ড পুষলে এ-কেলেঙ্কারি হত না। সাধুবাবার উদ্দেশ্য সাধু না অসাধু, সেটা বুঝতে একটা ওয়েল-ট্রেনড জেতো হাউন্ডের লাগত ঠিক পাঁচ সেকেন্ড। যাক চোর পালানোর পর আর বুদ্ধি দিয়ে কী হবে বলুন।'

বনবিহারীবাবু সঙ্গে কাগজে মোড়া পান নিয়ে এসেছিলেন। বললেন, 'লখ্‌নৌ শহরের বেস্ট পান। খেয়ে দেখুন। এক বেনারস ছাড়া কোথাও পাবেন না এ জিনিস।'

আমি মনে মনে ভাবছি, বনবিহারীবাবু যদি বেশিক্ষণ থাকেন তা হলে আমাদের বাইরে যাওয়া ভেস্তে যাবে, এমন সময় উনি নিজেই বললেন, 'বাড়িতে থাকছেন, না বেরোচ্ছেন ?'

বাবা বললেন, 'ভেবেছিলাম এদের নিয়ে একটা কিছু দেখিয়ে আনব। ইমামবড়া ছাড়া তো আর কিছুই দেখা হয়নি এখনও।'

'রেসিডেন্স দেখোনি এখনও ?' প্রশ্নটা আমাকেই করলেন ভদ্রলোক। আমি মাথা নেড়ে না বললাম।

'চলো—আমার মতো গাইড পাবে না। মিউটিনি সম্বন্ধে আমার থরো নলেজ আছে।'

তারপর ধীরুকাকার দিকে ফিরে বললেন—'আমার কেবল একটা জিনিস জানার কৌতূহল হচ্ছে। আংটিটা কোত্থেকে গেল। সিন্দুকে রেখেছিলেন কি ?'

ধীরুকাকা বললেন, 'সিন্দুক আমার নেই। একটা গোদরেজের আলমারি খুলে নিয়ে গেছে। চাবি অবিশ্যি আমার পকেটেই ছিল। বোধহয় ডুপ্লিকেট চাবি দিয়ে খুলেছে।'

'শুনলাম বাক্সটা নাকি রেখে গেছে ?'

'হ্যাঁ।'

'ভেরি স্ট্রেঞ্জ ! বাক্স দেরাজে ছিল ?'

'হ্যাঁ।'

'দেরাজ ভাল করে খুঁজে দেখেছেন তো ?'

'তন্ন তন্ন করে।'

'কিন্তু একটা জিনিস তো করতে পারেন। আলমারির হাতলে, বাক্সটার গায়ে ফিঙ্গার প্রিন্ট আছে কি না সেটা তো...'

'থাকলে সবচেয়ে বেশি থাকবে আমারই আঙুলের ছাপ। ওতে সুবিধে হবে না।'

বনবিহারীবাবু মাথা নেড়ে বললেন, 'খাসা লোক ছিলেন বাবা পিয়ারিলাল। আংটিটা ইনসিওর পর্যন্ত করেননি। আর যাঁকে দিয়ে গেলেন তিনিও অবশ্যি তথৈবচ। যাক—হাড়ের ডাক্তারের এবার হাড়ে হাড়ে শিক্ষা হয়েছে।'

এবার আর আমাদের টাঙ্গায় যাওয়া হল না। বনবিহারীবাবুর গাড়িতেই সবাই উঠে পড়লাম। ফেলুদা আর আমি সামনে ড্রাইভারের পাশে বসলাম।

ক্লাইভ রোড দিয়ে যখন যাচ্ছি, তখন বনবিহারীবাবু আমাদের দুজনকে উদ্দেশ করে বললেন, 'তোমরা এখানে এসে এমন একটা রহস্যের ব্যাপারে জড়িয়ে পড়বে ভেবেছিলে কি ?'

আমি মাথা নেড়ে না বললাম। ফেলুদা খালি হিঃ হিঃ করে একটু হাসল।

বাবা বললেন, 'ফেলুবাবুর অবিশ্যি পোয়া বারো, কারণ ওর এ সব ব্যাপারে খুব ইন্টারেস্ট। ও হল যাকে বলে শখের ডিটেকটিভ।'

'বটে ?'

বনবিহারীবাবু যেন খবরটা শুনে খুবই অবাক আর খুশি হলেন। বললেন, 'ব্রেনের ব্যায়ামের পক্ষে ওটা খুব ভাল জিনিস। তা, রহস্যের কিছু কিনারা করতে পারলে ফেলুবাবু ?'

ফেলুদা বলল, 'এ তো সবে শুরু।'

'অবিশ্যি তুমি কোন রহস্যের কথা ভাবছ জানি না। আমার কাছে অনেক কিছুই রহস্যজনক।'

ধীরুকাকা বললেন, 'কী রকম ?'

'এই যেমন ধরুন—সন্ন্যাসী গোদরেজের আলমারির চাবি পেল কোত্থেকে। তারপর বাড়িতে চাকর-বাকর থাকতে সে-সন্ন্যাসীর এত সাহসই বা হবে কোত্থেকে যে সে একেবারে আপনার বেডরুমে গিয়ে ঢুকবে। তা ছাড়া একটা ব্যাপার তো অনেকদিন থেকেই খটকা লেগে আছে।'

ধীরুকাকা বললেন, 'কী ব্যাপার ?'

'শ্রীবাস্তবকে সত্যিই পিয়ারিলাল আংটি দিয়েছিলেন, না শ্রীবাস্তব সেটা অন্য ভাবে—'

ধীরুকাকা বাধা দিয়ে বললেন, 'সে কী মশাই, আপনি কি শ্রীবাস্তবকেও সন্দেহ করেন নাকি ?'

'সন্দেহ তো প্রত্যেককেই করতে হবে—এমন কী আমাকে আপনাকেও—তাই নয় কি ফেলুবাবু ?'

ফেলুদা বলল, 'নিশ্চয়ই। আর যেদিন সন্ন্যাসী আমাদের বাড়ি এসেছিলেন, সেদিন তো শ্রীবাস্তবও এসেছিলেন—ওই বিকেলেই। তারপর আমাদের না পেয়ে বনবিহারীবাবুর বাড়িতে এলেন।'

'এগ্‌জ্যাক্টলি !' বনবিহারীবাবু যেন রীতিমতো উত্তেজিত হয়ে উঠলেন।

এবারে বাবা যেন বেশ থতমত খেয়েই বললেন, 'কিন্তু শ্রীবাস্তব যদি অসদুপায়ে আংটি পেয়ে থাকেন, তা হলে তিনি সেটা আমাদের কাছে রাখবেনই বা কেন, আর রেখে সেটা চুরিই বা করবেন কেন ?'

বনবিহারীবাবু হো হো করে হেসে উঠে বললেন, 'বুঝলেন না ? অত্যন্ত সহজ। শ্রীবাস্তবের পেছনে সত্যিই ডাকাত লেগেছিল। ভিতু মানুষ—তাই ভয় পেয়ে আংটিটা আপনাদের কাছে এনে রেখেছিলেন। এদিকে লোভও আছে ষোলো আনা, তাই তিনি নিজেই আবার সেটা চুরি করে চোরদের ধাপ্পা দিয়ে এক ঢিলে দুই পাখি মেরেছেন।'

আমার মাথার মধ্যে সব কেমন জানি গণ্ডগোল হয়ে যাচ্ছিল। শ্রীবাস্তবের মতো এত ভালমানুষ হাসিখুশি লোক, তিনি কখনও চোর হতে পারেন ? ফেলুদাও কি বনবিহারীবাবুর সঙ্গে একমত, নাকি বনবিহারীবাবুর কথাতেই ওর প্রথম শ্রীবাস্তবের ওপর সন্দেহ পড়েছে ?

বনবিহারীবাবু বললেন, 'শ্রীবাস্তব অমায়িক লোক তাতে সন্দেহ নেই। কিন্তু একবার ভেবে দেখুন—লখ্নৌ-এর মতো জায়গা—এমন আর কী—সেখানে স্রেফ হাড়ের ব্যারামের চিকিৎসা করে এত বড় বাড়ি গাড়ি বাগান আসবাবপত্র—ভাবতে একটু ইয়ে লাগে না কি ?'

ধীরুকাকা বললেন, 'ওর বাপের হয়তো টাকা ছিল ?'

বনবিহারীবাবু বললেন, 'বাপ ছিলেন এলাহাবাদ পোস্ট আপিসের সামান্য কেরানি।'

এই সময় ফেলুদা হঠাৎ একটা বাজে প্রশ্ন করে বসল—

'আপনার কোনও জানোয়ার কখনও আপনাকে কামড়েছে কি ?'

'নো নেভার।'

'তা হলে আপনার ডান হাতের কবজিতে ওই দাগটা কী ?'

'ও হো হো—বাঃ বাঃ, তুমি তো খুব ভাল লক্ষ করেছ—কারণ ও দাগটা সচরাচর আমার আস্তিনের ভেতরেই থাকে। ওটা হয়েছিল ফেন্সিং করতে গিয়ে। ফেন্সিং বোঝো ?'

ফেলুদা কেন—আমিও জানতাম ফেন্সিং কাকে বলে। রেপিয়ার বলে একরকম সরু লম্বা তলোয়ার দিয়ে খেলাকে বলে ফেন্সিং।

'ফেন্সিং করতে গিয়ে হাতে খোঁচা খাই। এটা সেই খোঁচার দাগ।'

রেসিডেন্সিটা সত্যিই একটা দেখবার জিনিস। প্রথমত জায়গাটা খুব সুন্দর। চারিদিকে বড় বড় গাছপালা—তার মাঝখানে এখানে ওখানে এক একটা মিউটিনির আমলের সাহেবদের ভাঙা বাড়ি। গাছগুলোর ডালে দেখলাম ঝাঁকে ঝাঁকে বাঁদর। লখ্নৌ শহরের বাঁদরের কথা আগেই শুনেছি, এবার নিজের চোখে তাদের কাণ্ডকারখানা দেখলাম।

কতগুলো রাস্তার ছেলে গুলতি দিয়ে বাঁদরগুলোর দিকে তাগ করে ইঁট মারছিল—বনবিহারীবাবু তাদের কষে ধমক দিলেন। তারপর আমাদের বললেন, 'জন্তুজানোয়ারের ওপর দুর্ব্যবহারটা আমি সহ্য করতে পারি না। আমাদের দেশেই এ-জিনিসটা সবচেয়ে বেশি দেখা যায়।'

ইতিহাসে সিপাহি বিদ্রোহের কথা পড়েছি, রেসিডেন্সি দেখার সময় সেই বইয়ে পড়া ঘটনাগুলো চোখের সামনে ভেসে উঠল।

একটা বড় বাড়ির ভিতর আমরা ঘুরে ঘুরে দেখছি, আর বনবিহারীবাবু বর্ণনা দিয়ে চলেছে—

'সেপাই মিউটিনির সময় লখ্নৌ শহরে নবাবদেরই রাজত্ব। ব্রিটিশরা তাদের সৈন্য রেখেছিলেন এই বাড়িটার ভেতরেই। স্যার হেনরি লরেন্স ছিলেন তাদের সেনাপতি। বিদ্রোহ লাগল দেখে প্রাণের ভয়ে লখ্নৌ শহরের যত সাহেব মেমসাহেব একটা হাসপাতালের ভিতর গিয়ে আশ্রয় নিল। কদিন খুব লড়েছিলেন স্যার হেনরি, কিন্তু আর শেষটায় পেরে উঠলেন না। সেপাই-এর গুলিতে তাঁর মৃত্যু হল। আর তার পরে ব্রিটিশদের কী দশা হল সেটা এই বাড়ির চেহারা দেখেই কিছুটা আন্দাজ করতে পারছ। স্যার কলিন ক্যাম্পবেল যদি শেষটায় টাটকা সৈন্য সামন্ত নিয়ে না-এসে পড়তেন, তা হলে ব্রিটিশদের দফা রফা হয়ে যেত।...এ ঘরটা ছিল বিলিয়ার্ড খেলার ঘর। দেয়ালে সেপাইদের গোলা লেগে কী অবস্থা হয়েছে দেখো।'

বাবা আর ধীরুকাকা আগেই রেসিডেন্সি দেখেছেন বলে মাঠে পায়চারি করছিলেন। আমি আর ফেলুদাই তন্ময় হয়ে বনবিহারীবাবুর কথা শুনছিলাম। আর দুশো বছরের পুরনো পাতলা অথচ মজবুত ইঁটের তৈরি ব্রিটিশদের ঘরবাড়ির ভগ্নাবশেষ দেখছিলাম, এমন সময় ঘরের দেয়ালের একটা ফুটো দিয়ে হঠাৎ কী একটা জিনিস তীরের মতো এসে ফেলুদার কান

ঘেঁষে ধাঁই করে পিছনের দেয়ালে লেগে মাটিতে পড়ল। চেয়ে দেখি সেটা একটা পাথরের টুকরো।

তার পরমুহূর্তেই বনবিহারীবাবু একটা হ্যাঁচকা টানে ফেলুদাকে তার দিকে টেনে নিলেন, আর ঠিক সেই সময় আরেকটা পাথর এসে আবার ঘরের দেয়ালে লেগে মাটিতে পড়ল। পাথরগুলো যে গুলতি দিয়ে মারা হয়েছে সে বিষয়ে কোনও সন্দেহ নেই।

বনবিহারীবাবুর বয়স হলেও এখনও যে কত চটপটে সেটা এবার বেশ বুঝতে পারলাম। উনি এক লাফে দেয়ালের একটা বড় গর্তের ভেতর দিয়ে গিয়ে বাইরের ঘাসে পড়লেন। আমি আর ফেলুদাও অবিশ্যি তক্ষুনি লাফিয়ে গিয়ে ওঁর কাছে পৌঁছলাম। আর গিয়েই দেখলাম যে-দিক দিয়ে পাথর এসেছে, সেই দিকে বেশ খানিক দূরে, একটা লাল ফেজটুপি আর কালো কোট পরা দাড়িওয়ালা লোক দৌড়ে পালাচ্ছে।

ফেলুদা আর এক মুহূর্ত সময় নষ্ট না করে সোজা লোকটার দিকে ছুটল। আমি ফেলুদার পিছনে পিছনে যাব বলে পা বাড়িয়েছিলাম, কিন্তু বনবিহারীবাবু আমার জামার আস্তিনটা ধরে বললেন, 'তুমি এখনও স্কুলবয় তপেশ ; তোমার এ সব গোলমালের মধ্যে না যাওয়াই ভাল।'

কিছুক্ষণ পরে ফেলুদা ফিরে এল। বনবিহারীবাবু বললেন, 'ধরতে পারলে ?'

ফেলুদা বলল, 'নাঃ। অনেকটা ডিস্‌ট্যান্স। একটা কালো স্ট্যান্ডার্ড গাড়িতে উঠে ভেগেছে লোকটা।'

বনবিহারীবাবু চাপা গলায় বললেন, 'স্কাউন্ড্রেল !' তারপর আমাদের দুজনের পিঠে হাত দিয়ে বললেন, 'চলো—আর এখানে থাকা ঠিক হবে না।'

একটু এগিয়ে গিয়ে বাবা আর ধীরুকাকার সঙ্গে দেখা হল। বাবা বললেন, 'ফেলু এত হাঁপাচ্ছ কেন ?'

বনবিহারীবাবু বললেন, 'ওর বোধহয় গোয়েন্দাগিরিটা বেশি না করাই ভাল। মনে হচ্ছে

ওর পেছনে গুণ্ডা লেগেছে।'

বাবা আর ধীরুকাকা দুজনেই ঘটনাটা শুনে বেশ ঘাবড়ে গেলেন।

তখন বনবিহারীবাবু হাসতে হাসতে বললেন, 'চিন্তা করবেন না। আমি রসিকতা করছিলাম। আসলে পাথরগুলো আমাকেই লক্ষ্য করে মারা হয়েছিল। ওই যে ছোকরাগুলোকে তখন ধমক দিলুম এ হচ্ছে তারই প্রতিশোধ।'

তারপর ফেলুদার দিকে ঘুরে বললেন, 'তবে তাও বলছি ফেলুবাবু, তোমারও বয়সটা কাঁচাই। বিদেশ-বিভুঁয়ে একটা গোলমালে জড়িয়ে পড়বে সেটা কি খুব ভাল হবে? এবার থেকে একটু খেয়াল করে চলো।'

কথাটা শুনে ফেলুদা চুপ করে রইল।

গাড়ির দিকে হাঁটার সময় দুজনে একটু পেছিয়ে পড়েছিলাম—সেই সুযোগে ফেলুদাকে ফিস ফিস করে বললাম, 'পাথরটা তোমাকে মারছিল, না ওঁকে?'

ফেলুদা দাঁতে দাঁত চেপে বলল, 'ওঁকে মারলে কি উনি চুপ করে থাকতেন নাকি? হল্লাটল্লা করে রেসিডেন্সির বাকি ইঁট কটা খসিয়ে দিতেন না?'

'আমারও তাই মনে হয়।'

'তবে একটা জিনিস পেয়েছি। লোকটা পালানোর সময় ফেলে গিয়েছিল।'

'কী জিনিস?'

ফেলুদা পকেট থেকে একটা কালো জিনিস বার করে দেখাল। ভাল করে দেখে বুঝলাম সেটা একটা নকল গোঁফ, আর তাতে এখনও শুকনো আঠা লেগে রয়েছে।

গোঁফটা আবার পকেটে রেখে ফেলুদা বলল, 'পাথরগুলো যে আমাকেই মারা হয়েছে, সেটা ভদ্রলোক খুব ভাল ভাবেই জানেন।'

'তা হলে বললেন না কেন?'

'হয় আমাদের নার্ভাস করতে চান না, আর না হয়...'

'না হয় কী?'

ফেলুদা উত্তরের বদলে মাথা ঝাঁকিয়ে একটা তুড়ি মেরে বলল, 'কেসটা জমে আসছে রে তোপসে। তুই এখন থেকে আর আমাকে একদম ডিস্টার্ব করবি না।'

বাকি দিনটা ও আর একটাও কথা বলেনি আমার সঙ্গে। বেশির ভাগ সময় বাগানে পায়চারি করেছে, আর বাকি সময়টা ওর নীল নোটবইটাতে হিজিবিজি কী সব লিখেছে। ও যখন বাগানে ঘুরছিল, তখন আমি একবার লুকিয়ে লুকিয়ে বইটা খুলে দেখেছিলাম, কিন্তু একটা অক্ষরও পড়তে পারিনি, কারণ সেরকম অক্ষর এর আগে আমি কখনও দেখিনি।

৬

টাঙ্গায় উঠে ফেলুদা গাড়োয়ানকে বলল, 'হজরতগঞ্জ।'

আমি বললাম, 'সেটা আবার কোন জায়গা?'

'এখানকার চৌরঙ্গি। শুধু নবাবি আমলের জিনিস ছাড়াও তো শহরে দেখবার জিনিস আছে। আজ একটু দোকান-টোকান ঘুরে দেখব।'

গতকাল রেসিডেন্সি থেকে আমরা বনবিহারীবাবুর বাড়িতে কফি খেতে গিয়েছিলাম। সেই সুযোগে ওঁর চিড়িয়াখানাটাও আরেকবার দেখে নিয়েছিলাম। সেই হাইনা, সেই র‍্যাট্‌ল্‌ স্নেক, সেই মাকড়সা, সেই বনবেড়াল, সেই কাঁকড়া বিছে।

বৈঠকখানায় বসে কফি খেতে খেতে ফেলুদা একটা দরজার দিকে দেখিয়ে বলল, 'ও

দরজাটায় সেদিনও তালা দেখলাম, আজও তালা।'

বনবিহারীবাবু বললেন, 'হ্যাঁ—ওটা একটা এক্‌স্ট্রা ঘর। এসে অবধি তালা লাগিয়ে রেখেছি। খোলা রাখলেই ঝাড়পোঁছের হ্যাঙ্গামা এসে যায়, বুঝলে না!'

ফেলুদা বলল, 'তা হলে তালাটা নিশ্চয়ই বদল করা হয়েছে, কারণ এটায় তো মরচে ধরেনি।'

বনবিহারীবাবু ফেলুদার দিকে একটু হাসি-হাসি অথচ তীক্ষ্ণ দৃষ্টি দিয়ে বললেন, 'হ্যাঁ—এর আগেরটায় এত বেশি মরচে ধরেছিল যে ওটা বদলাতে বাধ্য হলাম।'

বাবা বললেন, 'আমরা ভাবছিলাম হরিদ্বার লছমনঝুলাটা এই ফাঁকে সেরে আসব।'

বনবিহারীবাবু পাইপ ধরিয়ে একটা লম্বা টান দিয়ে কড়া গন্ধওয়ালা ধোঁয়া ছেড়ে বললেন, 'কবে যাবেন? পরশু যদি যান তো আমিও আসতে পারি আপনাদের সঙ্গে। আমার এমনিতেই সেই বারো ফুট অজগর সাপটা দেখার জন্য একবার যাওয়া দরকার। আর ফেলুবাবুও যেভাবে গোয়েন্দাগিরি শুরু করেছেন, কয়েকদিনের জন্য শহর ছেড়ে কোথাও যেতে পারলে বোধহয় সকলেরই মঙ্গল।'

ধীরুকাকা বললেন, 'আমার তো শহর ছেড়ে যাওয়ার উপায় নেই। তোমরা কজন ঘুরে এসো না। ফেলু তপেশ দুজনেরই লছমনঝুলা না-দেখে ফিরে যাওয়া উচিত হবে না।'

বনবিহারীবাবু বললেন, 'আমার সঙ্গে গেলে আপনাদের একটা সুবিধে হবে—আমার চেনা ধরমশালা আছে, এমন কী হরিদ্বার থেকে লছমনঝুলা যাবার গাড়ির ব্যবস্থাও আমি চেনাশুনার মধ্যে থেকে করে দিতে পারব। এখন আপনারা ব্যাপারটা ডিসাইড করুন।'

ঠিক হল পরশু শুক্রবারই আমরা রওনা দেব। দুদিন আগে যদি বনবিহারীবাবু বলতেন আমাদের সঙ্গে যাবেন, তা হলে আমার খুব ভালই লাগত। কিন্তু আজ বিকেলে রেসিডেন্সির ঘটনার পর থেকে আমার লোকটা সম্বন্ধে মনে একটা কীরকম খটকা লেগে গেছে। তবুও যখন দেখলাম ফেলুদার খুব একটা আপত্তি নেই, তখন আমিও মনটাকে যাবার জন্য তৈরি করে নিলাম।

আজ সকালে উঠে ফেলুদা বলল, 'দাড়ি কামাবার ব্লেড ফুরিয়ে গেছে—ওখানে গিয়ে মুশকিলে পড়ে যাব। চল ব্লেড কিনে আনিগে।'

তাই দুজনে টাঙ্গা করে বেরিয়েছি। হজরতগঞ্জে নাকি সব কিছুই পাওয়া যায়।

কাল থেকেই দেখছি ফেলুদা আংটি নিয়ে আর কিছুই বলছে না। আজ সকালে ও যখন স্নান করতে গিয়েছিল, তখন আমি আরেকবার ওর নোটবইটা খুলে, দেখেছিলাম, কিন্তু পড়তে পারিনি। অক্ষরগুলোর এক একটা ইংরিজি মনে হয়, কিন্তু বেশির ভাগই অচেনা।

গাড়িতে যেতে যেতে আর কৌতূহল চেপে রাখতে না পেরে ফেলুদাকে জিজ্ঞেস করে ফেললাম।

ও প্রথমে লুকিয়ে ওর খাতা দেখার জন্য দারুণ রেগে গেল। বলল, 'এটা তুই একটা জঘন্য কাজ করেছিস। তোকে প্রায় ক্রিমিন্যাল বলা যেতে পারে।'

তারপর একটু নরম হয়ে বলল, 'তোর পক্ষে ওটা পড়ার চেষ্টা করা বৃথা, কারণ ও অক্ষর তোর জানা নেই।'

'কী অক্ষর ওটা?'

'গ্রিক।'

'ভাষাটাও গ্রিক?'

'না।'

'তবে?'

'ইংরিজি।'

'তা তুমি গ্রিক অক্ষর শিখলে কী করে?'

'সে অনেকদিনের শেখা। ফার্স্ট-ইয়ারে থাকতে। আল্‌ফা বিটা গামা ডেল্টা পাই মিউ এপসাইলন—এ সব তো অঙ্কতেই শিখেছি, আর বাকিগুলো শিখে নিয়েছিলাম এন্‌সাইক্লোপিডিয়া ব্রিট্যানিকা থেকে। ইংরিজি ভাষাটা গ্রিক অক্ষরে লিখলে বেশ একটা সাংকেতিক ভাষা হয়ে যায়। এমনি লোকের কারুর সাধ্য নেই যে পড়ে।'

'লখ্‌নৌ বানান কী হবে গ্রিকে?'

'ল্যামডা উপসাইলন কাপা নিউ ওমিক্রন উপসাইলন! C আর Wটা গ্রিকে নেই, তাই বানানটা হচ্ছে L-U K-N O U।'

'আর ক্যালকাটা বানান?'

'কাপা আল্‌ফা ল্যাম্‌ডা কাপা উপসাইলন টাউ টাউ আল্‌ফা'।

'বাস্‌রে বাস্! তিনটে বানান করতেই পিরিয়ড কাবার!'

চৌরঙ্গি বললে অবিশ্যি বাড়িয়ে বলা হবে—কিন্তু হজরতগঞ্জের দোকান-টোকানগুলো বেশ ভালই দেখতে।

টাঙ্গার ভাড়া চুকিয়ে দিয়ে ফেলুদা আর আমি হাঁটতে আরম্ভ করলাম।

'ওই তো মনিহারি দোকান ফেলুদা—ওখানে নিশ্চয়ই ব্লেড পাওয়া যাবে।'

'দাঁড়া, আগে একটা অন্য কাজ সেরে নিই।'

আরও কিছুদুর গিয়ে ফেলুদা হঠাৎ একটা দোকান দেখে সেটার দিকে এগিয়ে গেল। দোকানের সামনে লাল সাইনবোর্ডে সোনালি উঁচু উঁচু অক্ষরে লেখা আছে—

MALKANI & CO
ANTIQUE & CURIO DEALERS

কাচের মধ্যে দিয়ে দোকানের ভিতরটা দেখেই বুঝতে পেরেছিলাম সেটা সব পুরনো আমলের জিনিসের দোকান। ঢুকে দেখি হরেক রকমের পুরনো জিনিসে দোকানটা গিজগিজ করছে—গয়নাগাটি কার্পেট ঘড়ি চেয়ার টেবিল ঝাড়লণ্ঠন বাঁধানো ছবি আর আরও কত কী।

পাকাচুলওয়ালা সোনার চশমা পরা একজন বুড়ো ভদ্রলোক আমাদের দিকে এগিয়ে এলেন।

ফেলুদা বলল, 'বাদশাদের আমলের গয়নাগাটি কিছু আছে আপনাদের এখানে?'

'গয়না তো নেই। তবে মুগল আমলের ঢাল তলোয়ার জাজিম বর্ম, এই সব কিছু আছে। দেখাব?'

ফেলুদা একটা কাচের আতরদান হাতে নিয়ে দেখতে দেখতে বলল, 'পিয়ারিলালের কাছে কিছু মুগল আমলের গয়না দেখেছিলাম। তিনি তো আপনার খুব বড় খদ্দের ছিলেন, তাই না?'

ভদ্রলোক যেন অবাক হলেন।

'বড় খদ্দের? কোন পিয়ারিলাল?'

'কেন—পিয়ারিলাল শেঠ, যিনি কিছুদিন আগে মারা গেলেন।'

মালকানি মাথা নেড়ে বললেন, 'আমার কাছ থেকে কখনই কিছু কেনেননি তিনি, আর আমার চেয়ে বড় দোকান এখানে আর নেই।'

'আই সি। তা হলে বোধহয় যখন কলকাতায় ছিলেন তখন কিনেছিলেন।'

'তাই হবে।'

'এখানে বড় খদ্দের বলতে কাকে বলেন আপনি?'

মালকানির মুখ দেখে বুঝলাম বড় খদ্দের তার খুব বেশি নেই। বললেন, 'বিদেশি টুরিস্ট এসে মাঝে মাঝে ভাল জিনিস ভাল দামে কিনে নিয়ে যায়। এখানের খদ্দের বলতে মিস্টার মেহতা আছেন, মাঝে মাঝে এটা সেটা নেন, আর মিস্টার পেস্টনজি আমার অনেক দিনের খদ্দের—সেদিন তিন হাজার টাকায় একটা কার্পেট কিনে নিয়ে গেছেন—খাস ইরানের জিনিস।'

ফেলুদা হঠাৎ একটা হাতির দাঁতের তৈরি নৌকোর দিকে আঙুল দেখিয়ে বলল, 'ওটা বাংলা দেশের জিনিস না?'

'হ্যাঁ, মুরশিদাবাদ।'

'দেখেছিস তোপ্‌সে—বজরাটা কেমন বানিয়েছে।'

সত্যি, এত সুন্দর হাতির দাঁতের কাজ করা নৌকো আমি কখনও দেখিনি। বজরার ছাতে সামিয়ানার তলায় নবাব বসে গড়গড়া টানছে, তার দুপাশে পাত্রমিত্র সভাসদ সব বসে আছে, আর সামনে নাচগান হচ্ছে। ষোলোজন দাঁড়ি দাঁড় বাইছে, আর একটা লোক হাল ধরে বসে আছে। তা ছাড়া সেপাই বরকন্দাজ সব কিছুই আছে, আর সব কিছুই এত নিখুঁতভাবে করা হয়েছে যে দেখলে তাক লেগে যায়।

ফেলুদা বলল, 'এটা কোত্থেকে পেলেন?'

'ওটা বেচলেন মিস্টার সরকার।'

'কোন মিস্টার সরকার?'

'মিস্টার বি. সরকার—যিনি বাদশানগরে থাকেন। উনি মাঝে মাঝে এটা সেটা কিনে নিয়ে যান। ভাল জিনিস আছে ওঁর কাছে।'

'আই সি। ঠিক আছে। থ্যাঙ্ক ইউ। আপনার দোকান ভারী ভাল লাগল। গুড ডে।'

'গুড ডে, স্যার।'

বাইরে এসে ফেলুদা বলল, 'বনবিহারী সরকারের তা হলে এ সব দোকানে যাতায়াত আছে। অবিশ্যি সে সন্দেহটা আমার আগেই হয়েছিল।'

'কিন্তু উনি যে বলেছিলেন এ সব ব্যাপারে ওঁর কোনও ইন্টারেস্ট নেই।'

'ইন্টারেস্ট না থাকলে পাথর দেখেই কেউ বলতে পারে সেটা আসল কি নকল?'

মালকানি ব্রাদার্সের সামনে দেখি এম্পায়ার বুক স্টল বলে একটা বইয়ের দোকান। ফেলুদা বলল ওর হরিদ্বার লছমনঝুলা সম্বন্ধে একটা বই কেনা দরকার, তাই আমরা দোকানটায় ঢুকলাম, আর ঢুকেই দেখি পিয়ারিলালের ছেলে মহাবীর।

ফেলুদা ফিস্‌ফিস্ করে বলল, 'ক্রিকেটের বই কিনছে। ভেরি গুড।'

মহাবীর আমাদের দিকে পিঠ করে দাঁড়িয়ে বই কিনছিল তাই আমাদের দেখতে পায়নি।

ফেলুদা দোকানদারের দিকে এগিয়ে গিয়ে বলল, 'নেভিল কার্ডাসের কোনও বই আছে আপনাদের?'

বলতেই মহাবীর ফেলুদার দিকে ফিরে তাকাল। আমি জানতাম নেভিল কার্ডাস ক্রিকেট সম্বন্ধে খুব ভাল ভাল বই লিখেছে।

দোকানদার বলল, 'কোন বইটা খুঁজছেন বলুন তো?'

'Centuries বইটা আছে?'

'আজ্ঞে না—তবে অন্য বই দেখাতে পারি।'

মহাবীর মুখে হাসি নিয়ে ফেলুদার দিকে এগিয়ে এসে বলল, 'আপনার বুঝি ক্রিকেটে ইন্টারেস্ট?'

'হ্যাঁ। আপনারও দেখছি...'

মহাবীর তার হাতের বইটা ফেলুদাকে দেখিয়ে বলল, 'এটা আমার অর্ডার দেওয়া ছিল। ব্র্যাডম্যানের আত্মজীবনী।'

'ওহো—ওটা পড়েছি। দারুণ বই।'

'আপনার কী মনে হয়—রণজি বড় ছিলেন, না ব্র্যাডম্যান?'

দুজনে ক্রিকেটের গল্পে দারুণ মেতে গেল। কিছুক্ষণ দাঁড়িয়ে কথা বলার পর মহাবীর বলল, 'কাছেই কোয়ালিটি আছে, আসুন না একটু বসে চা খাই।'

ফেলুদা আপত্তি করল না। আমরা তিনজনে গিয়ে কোয়ালিটিতে ঢুকলাম। ওরা দুজনে চা আর আমি কোকা-কোলা অর্ডার দিলাম। মহাবীর বলল, 'আপনি নিজে ক্রিকেট খেলেন?'

ফেলুদা বলল, 'খেলতাম। স্লো স্পিন বল দিতাম। লখ্‌নৌয়ে ক্রিকেট খেলে গেছি।...আর আপনি!'

'আমি ডুন স্কুলে ফার্স্ট ইলেভেনে খেলেছি। বাবাও স্কুলে থাকতে ভাল খেলতেন।'

পিয়ারিলালের কথা বলেই মহাবীর কেমন জানি গম্ভীর হয়ে গেল।

ফেলুদা চা ঢালতে ঢালতে বলল, 'আপনি আংটির ঘটনাটা জানেন নিশ্চয়ই।'

'হ্যাঁ। ডক্টর শ্রীবাস্তবের বাড়ি গিয়েছিলাম। উনি বললেন।'

'আপনার বাবার যে আংটি ছিল, আর উনি যে সেটা শ্রীবাস্তবকে দিয়েছিলেন সেটা আপনি জানতেন তো?'

'বাবা আমাকে অনেকদিন আগেই বলেছিলেন যে আমাকে ভাল করে দেবার জন্য শ্রীবাস্তবকে উনি একটা কিছু দিতে চান। সেটা যে কী, সেটা অবিশ্যি আমি বাবা মারা যাবার পর শ্রীবাস্তবের কাছেই জেনেছি।'

তারপর হঠাৎ ফেলুদার দিকে তাকিয়ে মহাবীর বলল, 'কিন্তু আপনি এ ব্যাপারে এত ইন্টারেস্ট নিয়েছেন কেন?'

ফেলুদা একটু হেসে বলল, 'ওটা আমার একটা শখের ব্যাপার।'

মহাবীর চায়ে চুমুক দিয়ে একটু যেন অন্যমনস্ক হয়ে পড়ল।

ফেলুদা বলল, 'আপনার বাড়িতে আর কে থাকেন?'

'আমার এক বুড়ি পিসিমা আছেন, আর চাকর-বাকর।'

'চাকর-বাকর কি পুরনো?'

'সবাই আমার জন্মের আগে থেকে আছে। অর্থাৎ কলকাতায় থাকার সময় থেকে প্রীতম সিং বেয়ারা আছে আজ পঁয়ত্রিশ বছর।'

'আংটিটার মতো আর কোনও জিনিস আপনার বাবার কাছে ছিল?'

'বাবার এ-শখটার কথা আমি প্রায় ভুলেই গিয়েছিলাম। এটা অনেক দিন আগের ব্যাপার। তখন আমি খুবই ছোট। এবার এসে এই সেদিন বাবার একটা সিন্দুক খুলেছিলাম, তাতে বাদশাহী আমলের আরও কিছু জিনিস পেয়েছি। তবে আংটিটার মতো অত দামি বোধহয় আর কোনওটা নয়।'

আমি 'স্ট্র' দিয়ে আমার ঠাণ্ডা কোকা-কোলায় চুমুক দিলাম। মহাবীর একটুক্ষণ চুপ করে থেকে গলাটা একটু নামিয়ে নিয়ে বলল, 'প্রীতম সিং একটা অদ্ভুত কথা বলেছে আমাকে।'

ফেলুদা চুপ করে অপেক্ষা করতে লাগল। রেস্টুরেন্টের চারিদিকে একবার চোখ বুলিয়ে নিয়ে ফেলুদার দিকে একটু ঝুঁকে পড়ে মহাবীর বলল, 'বাবার যেদিন দ্বিতীয় বার হার্ট অ্যাটাক হল, সেদিন সকালে অ্যাটাকটা হবার কিছু আগেই প্রীতম সিং বাবার ঘর থেকে বাবারই গলায় একটা আর্তনাদ শুনতে পেয়েছিল।'

'বটে?'

'কিন্তু প্রীতম সিং তখন খুব বিচলিত হয়নি, কারণ বাবার মাঝে মাঝে কোমরে একটা ব্যথা হত, তখন চেয়ার বা বিছানা থেকে উঠে দাঁড়াবার সময় উনি একটা আর্তনাদ করতেন। কিন্তু তা সত্ত্বেও কারুর সাহায্য নিতেন না। প্রীতম সিং প্রথমে ভেবেছিল ব্যথার জন্যই উনি চিৎকার করছেন, কিন্তু এখন বলে যে ওর হয়তো ভুল হতে পারে, কারণ চিৎকারটা ছিল বেশ জোরে।'

'আচ্ছা, সেদিন আপনার বাবার সঙ্গে কেউ দেখা করতে গিয়েছিলেন কি না সে খবর আপনি জানেন? প্রীতম সিং-এর কিছু মনে আছে কি?'

'সে কথা আমি ওকে জিজ্ঞেস করেছি, কিন্তু ও ডেফিনিটলি কিছু বলতে পারছে না। সকালের দিকটায় মাঝে মাঝে বাবার কাছে লোকজন আসত—কিন্তু বিশেষ করে সেদিন ওঁর কাছে কেউ এসেছিল কি না সে কথা প্রীতম বলতে পারছে না। প্রীতম যখন বাবার ঘরে গিয়েছিল, তখন ওঁর অবস্থা খুবই খারাপ, আর তখন ঘরে অন্য কোনও লোক ছিল না। তারপর প্রীতমই ফোন করে শ্রীবাস্তবকে আনায়। বাবার হার্টের চিকিৎসা যিনি করতেন—ডক্টর গ্রেহ্যাম—তিনি সেদিন এলাহাবাদে ছিলেন একটা কন্‌ফারেন্সে।'

'আর স্পাই ব্যাপারটা সম্বন্ধে আপনার কী ধারণা?'

'স্পাই?'—মহাবীর যেন আকাশ থেকে পড়ল।

'ও, তা হলে আপনি এটা জানেন না। আপনার বাবা শ্রীবাস্তবকে 'স্পাই' সম্বন্ধে কী যেন বলতে গিয়ে কথাটা শেষ করতে পারেননি।'

মহাবীর মাথা নেড়ে বলল, 'এটা আমার কাছে একেবারে নতুন জিনিস। এ সম্বন্ধে আমি কিছুই জানি না, আর বাবার সঙ্গে গুপ্তচরের কী সম্পর্ক থেকে থাকতে পারে তা আমি কল্পনাই করতে পারছি না।'

আমি কোকো-কোলাটাকে শেষ করে সবে স্ট্র-টাকে দুমড়ে দিয়েছি, এমন সময় দেখলাম একজন ষণ্ডা মার্কা লোক আমাদের কাছেই একটা টেবিলে বসে চা খেতে খেতে আমাদেরই দিকে দেখছে। আমার সঙ্গে চোখাচোখি হতেই ভদ্রলোক টেবিল ছেড়ে উঠে এগিয়ে এলেন, আর ফেলুদার দিকে ঘাড়টা কাত করে বললেন, 'নমস্কার। চিনতে পারছেন?'

'হ্যাঁ—কেন পারব না।'

আমি প্রথমে চিনতে পারিনি, এখন হঠাৎ ধাঁ করে মনে পড়ে গেল—ইনিই বনবিহারীবাবুর বাড়িতে থাকেন আর ওঁর চিড়িয়াখানা দেখাশোনা করেন। ভদ্রলোকের থুতনিতে একটা তুলোর উপর দুটো স্টিকিং প্লাস্টার ক্রসের মতো করে লাগানো রয়েছে। বোধহয় দাড়ি কামাতে গিয়ে কেটে গেছে।

ফেলুদা বলল, 'বসুন। ইনি হচ্ছেন মহাবীর শেঠ—আর ইনি গণেশ গুহ।'

এবার লক্ষ করলাম যে ভদ্রলোকের ঘাড়েও একটা আঁচড়ের দাগ রয়েছে—যদিও এ দাগটা পুরনো।

ফেলুদা বলল, 'আপনার থুতনিতে কী হল?'

গণেশবাবু তার নিজের টেবিল থেকে চায়ের পেয়ালাটা তুলে এনে আমাদের টেবিলে রেখে বলল, 'আর বলবেন না—সমস্ত শরীরটাই যে অ্যাদ্দিন ছিঁড়ে ফুঁড়ে শেষ হয়ে যায়নি সেই ভাগ্যি। আমার চাকরিটা কী সে তো জানেনই।'

'জানি। তবে আমার ধারণা ছিল চাকরিটা খুশি হয়েই করেন আপনি।'

'পাগল! সব পেটের দায়ে। এক কালে বিজু সার্কাসের বাঘের ইন্‌-চার্জ ছিলুম—তা সে বাঘ তো আফিম খেয়ে গুম হয়ে পড়ে থাকত। বনবিহারীবাবুর এই সব জানোয়ারের কাছে তো সে দুগ্ধপোষ্য শিশু। সেদিন বেড়ালের আঁচড়, আর কাল এই থুতনিতে হাইনার চাপড়!

আর পারলুম না। সকালে গিয়ে বলে এসেছি—আমার মাইনে চুকিয়ে দিন। আমি ফিরে যাচ্ছি সার্কাস পার্টিতে। তা ভদ্রলোক রাজি হয়ে গেলেন।'

ফেলুদা যেন খবরটা শুনে অবাক হয়ে গেল। বলল, 'সেকী, আপনি বনবিহারীবাবুর চাকরি ছেড়ে দিলেন ? কাল বিকেলেও তো আমরা ওঁর ওখানে ঘুরে এলাম।'

'জানি। শুধু আপনারা কেন, অনেকেই যাবেন। কিন্তু আমি আর ও তল্লাটেই নয়। এই এখন স্টেশনে যাব, গিয়ে হাওড়ার টিকিট কাটব। ব্যস্—ঘরের ছেলে ঘরে ফিরে গিয়ে নিশ্চিন্ত। আর—' ভদ্রলোক নিচু হয়ে ফেলুদার কানের কাছে মুখ নিয়ে এলেন, '—একটা কথা বলে যাই—উনি লোকটি খুব সুবিধের নন।'

'বনবিহারীবাবু ?'

'আগে ঠিকই ছিলেন, ইদানীং হাতে একটি জিনিস পেয়ে মাথাটি গেছে বিগড়ে।'

'কী জিনিস ?'

'সে আর না হয় নাই বললাম'—বলে গণেশ গুহ তার চায়ের পয়সা টেবিলের উপর ফেলে দিয়ে রেস্টুরেন্ট থেকে হাওয়া হয়ে গেল।

ফেলুদা এবার মহাবীরের দিকে ফিরে বললেন, 'আপনি দেখেছেন বনবিহারীবাবুর চিড়িয়াখানা ?'

'ইচ্ছে ছিল যাওয়ার—কিন্তু হয়নি। বাবার আপত্তি ছিল। ওই ধরনের জানোয়ার-টানোয়ার উনি একদম পছন্দ করতেন না। একটা আরশোলা দেখলেই বাবার প্রায় হার্ট্ প্যালপিটেশন হয়ে যেত ! তবে এবার ভাবছি একদিন গিয়ে দেখে আসব।'

মহাবীর তুড়ি মেরে বেয়ারাকে ডাকল। ফেলুদা অবিশ্যি চায়ের দামটা দিতে চেয়েছিল, কিন্তু মহাবীর দিতে দিল না। আমি মনে মনে ভাবলাম যে ফিল্মের অ্যাক্টরের অনেক টাকা, কাজেই মহাবীর দিলে কোনও ক্ষতি নেই।

বিলটা দেবার পর মহাবীর তার সিগারেটের প্যাকেটটা বের করে ফেলুদার দিকে এগিয়ে দিল। দেখলাম প্যাকেটটা চারমিনারের।

'আপনি কদিন আছেন ?' মহাবীর জিজ্ঞেস করল।

'পরশু দিন-দুয়েকের জন্য হরিদ্বার যাচ্ছি, তারপর ফিরে এসে বাকি এ মাসটা আছি।'

'আপনারা সবাই যাচ্ছেন হরিদ্বার ?'

'ধীরেনবাবুর কাজ আছে তাই উনি যাবেন না। আমরা তিনজন যাচ্ছি, আর বোধ হয় বনবিহারীবাবু। উনি লছমনঝুলায় একটা অজগরের সন্ধানে যাচ্ছেন।'

রেস্টুরেন্টের বাইরে এসে পড়লাম। মহাবীর বলল, 'আমার কিন্তু গাড়ি আছে—আমি লিফ্‌ট দিতে পারি।'

ফেলুদা ধন্যবাদ দিয়ে বলল, 'না, থাক। মোটর তো কলকাতায় হামেশাই চড়ি। এখানে টাঙ্গাটা বেড়ে লাগছে।'

এবার মহাবীর ফেলুদার কাছে এসে ওর হাতটা নিজের হাতের মুঠোর মধ্যে নিয়ে বলল, 'আপনার সঙ্গে আলাপ করে সত্যিই ভাল লাগল। একটা কথা আপনাকে বলছি—যদি জানতে পারি যে বাবার মৃত্যু স্বাভাবিক ভাবে হয়নি, তার জন্য অন্য কেউ দায়ী, তা হলে সেই অপরাধী খুনিকে খুঁজে বার করে তার প্রতিশোধ আমি নেবই। আমার বয়স বেশি না হতে পারে, কিন্তু আমি চার বছর মিলিটারি অ্যাকাডেমিতে ছিলাম। রিভলভারের লাইসেন্স আছে, আমার মতো অব্যর্থ টিপ খুব বেশি লোকের নেই।...গুড বাই।'

মহাবীর রাস্তা পেরিয়ে গিয়ে একটা কালো স্ট্যান্ডার্ড গাড়িতে উঠে হুশ্ করে বেরিয়ে চলে গেল।

ফেলুদা খালি বলল, 'সাবাস্।'

আমি মনে মনে বললাম, ফেলুদা যে বলেছিল প্যাঁচের মধ্যে প্যাঁচ সেটা খুব ভুল নয়। টাঙ্গার খোঁজে আমরা হাঁটতে শুরু করলাম। এটাও বুঝতে পারছিলাম যে ব্লেড জিনিসটার খুব বেশি দরকার বোধহয় ফেলুদার নেই।

৭

হরিদ্বার যেতে হয় ডুন এক্সপ্রেসে। লখ্‌নৌ থেকে সন্ধ্যায় গাড়ি ছাড়ে, আর হরিদ্বার পৌঁছায় সাড়ে চারটায়।

লখ্‌নৌ আসার আগে যখন হরিদ্বার যাবার কথা হয় তখন আমার খুব মজা লেগেছিল। কারণ পুরী ছাড়া আমি কোনও তীর্থস্থান দেখিনি। কিন্তু লখ্‌নৌতে এসে আংটির ব্যাপারটা ঘটে যাওয়ায় আর সে রহস্যের এখনও কোনও সমাধান না হওয়ায়, আমার এখন আর লখ্‌নৌ ছেড়ে যেতে খুব বেশি ইচ্ছা করছিল না।

কিন্তু ফেলুদার দেখলাম উৎসাহের কোনও অভাব নেই। ও বলল, হরিদ্বার, হৃষীকেশ আর লছমনঝুলা—এই তিনটে জায়গা পর পর দেখতে দেখবি কেমন ইন্টারেস্টিং লাগে। কারণ তিন জায়গার গঙ্গা দেখবি তিন রকম। যত উত্তরে যাবি তত দেখবি নদীর ফোর্স বেড়ে যাচ্ছে। আর ফাইন্যালি লছমনঝুলায় গিয়ে দেখবি একেবারে উত্তাল পাহাড়ে নদী। তোড়ের শব্দে প্রায় কথাই শোনা যায় না।'

আমি বললাম, 'তোমার এ সব দেখা আছে বুঝি ?'

'সেই যেবার ক্রিকেট খেলতে লখ্‌নৌ এলাম, সেবারই দেখা সেরে গেছি।'

ধীরুকাকা অবিশ্যি আমাদের সঙ্গে যেতে পারলেন না, তবে উনি নিজে গাড়ি চালিয়ে আমাদের সকলকে স্টেশনে নিয়ে এলেন। কামরাতে মালপত্র রাখতে না রাখতে আরেকজন ভদ্রলোক এসে পড়লেন, তিনি হচ্ছেন ডাঃ শ্রীবাস্তব। আমি ভাবলাম উনিও বুঝি ধীরুকাকার মতো 'সি-অফ্' করতে এসেছেন, কিন্তু তারপর দেখলাম কুলির মাথা থেকে স্যুটকেস নামাচ্ছেন। আমাদের সকলেরই অবাক ভাব দেখে শ্রীবাস্তব হেসে বললেন, 'ধীরুবাবুকে বলিয়েছিলাম যেন আপনাদের না বোলেন। উনি জানতেন আমি যাব আপনাদের সঙ্গে। কেমন সারপ্রাইজ দিলাম বোলেন তো!'

বাবা দেখলাম খুশি হয়েই বললেন, 'খুব ভালই হল। আমি ভাবতে পারিনি আপনি আসতে পারবেন, তা না হলে আমি নিজেই আপনাকে বলতাম।'

শ্রীবাস্তব বেঞ্চির একটা কোণ ঝেড়ে সেখানে বসে বললেন, 'সত্যি জানেন কী—কদিন বড্ড ওয়ারিড আছি। আমাকে বাইরে থেকে দেখলে বুঝতে পারবেন না। পিয়ারিলালের দেওয়া জিনিসটা এইভাবে গেল—ভাবলে বড় খারাপ লাগে। শহর ছেড়ে দুদিনের জন্য আপনাদের সঙ্গে ঘুরে আসতে পারলে খানিকটা শান্তি পাব।'

পাঁচ মিনিটের মধ্যে বনবিহারীবাবুও এসে পড়লেন। তাঁর মালপত্তর যেন একজনের পক্ষে একটু বেশিই মনে হল। ভদ্রলোক হাসিমুখে নমস্কার করে বললেন, 'এইবার রগড় দেখবেন। পবিত্রানন্দস্বামী চলেছেন এ-গাড়িতে। তাঁর ভক্তরা তাঁকে বিদায় দিতে আসছেন। ভক্তির বহরটা দেখবেন এবার।'

সত্যিই, কিছুক্ষণ পরে অনেক লোকজন ফুলের মালাটালা নিয়ে একজন মোটামতো গেরুয়াপরা লম্বা চুলওয়ালা সন্ন্যাসী এসে আমাদের পাশের ফার্স্টক্লাস গাড়িটায় উঠলেন। ওঁর সঙ্গে আরও চার-পাঁচজন গেরুয়াপরা লোক উঠল—আর কিছু গেরুয়াপরা, আর অনেক

এমনি পোশাক পরা লোক কামরার সামনে ভিড় করে দাঁড়াল। বুঝলাম এরাই সব ভক্তের দল।

গাড়ি ছাড়তে আর পাঁচ মিনিট দেরি, তাই আমরা সব উঠে পড়েছি, ধীরুকাকা কেবল জানালার বাইরে থেকে বাবার সঙ্গে কথা বলছেন, এমন সময় একজন গেরুয়াপরা লোক হঠাৎ ধীরুকাকার দিকে হাসিহাসি মুখ করে হাত বাড়িয়ে এগিয়ে এল।

'ধীরেন না ? চিনতে পারছ ?'

ধীরুকাকা কিছুক্ষণ হতভম্বের মতো চেয়ে থেকে, হঠাৎ—'অম্বিকা নাকি ?'—বলে এগিয়ে গিয়ে ভদ্রলোককে প্রায় জড়িয়ে ধরলেন। 'বাপ্‌রে বাপ !—তোমার আবার এ-পোশাক কী হে ?'

'কেন, এ তো প্রায় সাত বছর হতে চলল।'

ধীরুকাকা তখন ভদ্রলোকের সঙ্গে আমাদের পরিচয় করিয়ে দিয়ে বললেন, 'অম্বিকা হল আমার স্কুলের সহপাঠী। প্রায় পনেরো বছর পরে দেখা ওর সঙ্গে।'

গার্ড হুইস্‌ল দিয়েছে। ঘ্যাঁ—চ্ করে গাড়ি ছাড়ার শব্দ হবার সঙ্গে সঙ্গে আমরা সকলেই শুনতে পেলাম অম্বিকাবাবু ধীরুকাকাকে বলছেন, 'আরে, সেদিন বিকেলে তোমার বাড়ি গিয়ে প্রায় আধঘণ্টা বসে রইলাম। তুমি ছিলে না। তোমার বেয়ারা তোমাকে সে কথা বলেনি ?'

ধীরুকাকা কী উত্তর দিলেন সেটা আর শোনা গেল না, কারণ গাড়ি তখন ছেড়ে দিয়েছে।

আমি অবাক হয়ে প্রথমে ফেলুদা, আর তারপর বাবার দিকে চাইলাম। ফেলুদার কপালে দারুণ ভ্রূকুটি।

বাবা বললেন, 'ভেরি স্ট্রেঞ্জ।'

বনবিহারীবাবু বললেন, 'ওই ভদ্রলোককেই কি আপনারা আংটিচোর বলে সাসপেক্ট করছিলেন ?'

বাবা বললেন, 'সে-প্রশ্ন অবিশ্যি আর ওঠে না। কিন্তু আংটিটা তা হলে গেল কোথায় ? কে নিল ?'

ট্রেনটা ঘটাং ঘটাং করে লখ্‌নৌ স্টেশনের প্ল্যাটফর্ম ছাড়িয়ে বেরোল। স্টেশনের মাথার গম্বুজগুলো ভারী সুন্দর দেখতে, কিন্তু এখন আর ও সব যেন চোখেই পড়ছিল না। মাথার মধ্যে সব যেন কীরকম গণ্ডগোল হয়ে যাচ্ছিল। ফেলুদা নিশ্চয়ই মনে মনে খুব অপ্রস্তুত বোধ করছে। ও-তো সেই সন্ন্যাসীর খোঁজ নিতে নিতে একেবারে লখ্‌নৌ স্টেশন অবধি পৌঁছে গিয়েছিল।

কিন্তু তা হলে স্টেশনের সেই অ্যাটাচি-কেসওয়ালা সন্ন্যাসী কে ? আজকে যাকে দেখলাম সে তো আর ছদ্মবেশধারী সন্ন্যাসী নয়—একেবারে সত্যিকার সন্ন্যাসী। সে কি তা হলে আরেকজন লোক ? আর সেও কি ধীরুকাকার বাড়ির আশেপাশে ঘোরাফেরা করছিল ? আর সেটার কারণ কি ওই আংটি, না অন্য কিছু ? আর ফেলুদার গায়ে 'খুব হুঁশিয়ার' লেখা কাগজ কে ছুঁড়ে মেরেছিল—আর কেন ?

ফেলুদার মাথাতে কি এখন এই সব প্রশ্নই ঘুরছে—না সে অন্য কিছু ভাবছে ?

ওর দিকে চেয়ে দেখি ও সেই গ্রিক অক্ষরে হিজিবিজি লেখা খাতাটা বার করে খুব মন দিয়ে পড়ছে—আর মাঝে মাঝে কলম দিয়ে আরও কী সব জানি লিখছে।

বনবিহারীবাবু হঠাৎ একটা প্রশ্ন করে বসলেন : 'আচ্ছা, ডক্টর শ্রীবাস্তব—পিয়ারিলাল মারা যাবার আগে আপনিই বোধহয় শেষ তাঁকে দেখেছিলেন, তাই না ?'

শ্রীবাস্তব একটা থলি থেকে কমলালেবু বার করে সকলকে একটা একটা করে দিতে দিতে

বললেন, 'আমি ছিলাম, ওনার বিধবা বোন ছিলেন, ওনার বেয়ারা ছিল, আর অন্য একটি চাকরও ছিল।'

বনবিহারীবাবু একটু গম্ভীর হয়ে বললেন, 'হুঁ।...ওঁর অ্যাটাকটা হবার পর আপনাকে খবর দিয়ে আনানো হয় ?'

'আজ্ঞে হ্যাঁ।'

'আপনি কি হার্টের চিকিৎসাও করেন ?'

'হাড়ের চিকিৎসা করলে হার্টের যে করা যায় না এমন তো নয় বনবিহারীবাবু ! আর ওঁর ডাক্তার গ্রেহ্যাম শহরে ছিলেন না, তাই আমাকে ডেকেছিলেন।'

'কে ডেকেছিল ?'

'ওঁর বেয়ারা।'

'বেয়ারা ?' বনবিহারীবাবু ভ্রূ কপালে তুলে জিজ্ঞেস করলেন।

'হ্যাঁ। প্রীতম সিং। অনেক দিনের লোক। খুব বুদ্ধিমান, বিশ্বস্ত, কাজের লোক।'

বনবিহারীবাবু মুখ থেকে পাইপ নামিয়ে কমলালেবুর একটা কোয়া মুখে পুরে দিয়ে বললেন, 'আপনি বলেছেন পিয়ারিলাল আংটিটা দিয়েছেন প্রথম অ্যাটাকের পর। আর দ্বিতীয় অ্যাটাকের পর আপনাকে ডাকা হয়, আর সেই অ্যাটাকেই তাঁর মৃত্যু হয়।'

'আজ্ঞে হ্যাঁ।'

'আংটিটা দেবার সময় ঘরে কেউ ছিল কি ?'

'তা কী করে থাকবে বনবিহারীবাবু ? এ সব কাজ কি আর বাইরের লোকের সামনে কেউ করে ? বিশেষ করে পিয়ারিলাল কী রকম লোক ছিলেন তা তো আপনি জানেন। ঢাক বাজিয়ে নোব্‌ল কাজ করার লোক তিনি একেবারেই ছিলেন না। ওনার কত সিক্রেট চ্যারিটি আছে তা জানেন ? লাখ লাখ টাকা হাসপাতালে অনাথাশ্রমে দান করেছেন, অথচ কোনও কাগজে তার বিষয়ে কখনও কিছু বেরোয়নি।'

'হুঁ।'

শ্রীবাস্তব বনবিহারীবাবুর দিকে কিছুক্ষণ চেয়ে থেকে বললেন, 'আপনি কি আমার কথা অবিশ্বাস করছেন ?'

বনবিহারীবাবু বললেন, 'আসলে ব্যাপারটা কী জানেন—এই আংটি দেওয়ার ঘটনার অন্তত একজন সাক্ষী রাখলে আপনি বুদ্ধিমানের কাজ করতেন। এমন একটা মূল্যবান জিনিস হাত বদল হল—অথচ কেউ জানতে পারল না।'

শ্রীবাস্তব একটুক্ষণ গম্ভীর থেকে হঠাৎ হো হো করে হেসে বললেন, 'বাঃ বনবিহারীবাবু, বাঃ ! আমি পিয়ারিলালের আংটি চুরি করলাম, আমিই ধীরেনবাবুর কাছে সেটা রাখলাম, আবার আমিই সেটা ধীরেনবাবুর বাড়ি থেকে চুরি করলাম ? ওয়ান্ডারফুল !'

বনবিহারীবাবু তাঁর মুখের ভাব একটুও না বদলিয়ে বললেন, 'আপনি বুদ্ধিমানের কাজই করেছেন। আমি হলেও তাই করতাম। কারণ আপনার বাড়িতে ডাকাত পড়াতে আপনি সত্যিই ভয় পেয়েছিলেন, তাই আংটিটা ধীরুবাবুর কাছে রাখতে দিয়েছিলেন। তারপর ধীরুবাবুর আলমারি থেকে সরিয়ে সেটা আবার নিজের কাছে রেখে ভাবছেন এইবার ডাকাতের হাত থেকে রেহাই পাওয়া গেল। কী বলো, ফেলু মাস্টার ? আমার গোয়েন্দাগিরিটা কি নেহাত উড়িয়ে দেবার মতো ?'

ফেলুদা তার খাতা বন্ধ করে কমলালেবুর খোসা ছাড়াতে ছাড়াতে বলল, 'ডাক্তার শ্রীবাস্তব যে মহাবীরকে প্রায় দুরারোগ্য ব্যারাম থেকে বাঁচিয়ে তুলেছিলেন, তার কি কোনও সাক্ষীর অভাব আছে ?'

বনবিহারীবাবু বললেন, 'না তা হয়তো নেই।'

ফেলুদা বলল, 'আমি বিশ্বাস করি, আংটির দাম যত লাখ টাকাই হোক না কেন, একটি ছেলের জীবনের মূল্যের চেয়ে তার মূল্য বেশি নয়। শ্রীবাস্তব যদি আংটি চুরি করে থাকেন, তা হলে তাঁর অপরাধ নিশ্চয় আছে, কিন্তু এখন যারা ওঁর আংটির পিছনে লেগেছে, তাদের অপরাধ আরও অনেক বেশি, কারণ তারা একেবারে খাঁটি চোর এবং খুব ডেঞ্জারাস জাতের চোর।'

'বুঝেছি।' বনবিহারীবাবুর গলার স্বর গম্ভীর। 'তা হলে তুমি বিশ্বাস করো না যে শ্রীবাস্তবের কাছেই এখনও আংটিটা আছে।'

'না। করি না। আমার কাছে তার প্রমাণ আছে।'

কামরার সকলেই চুপ। আমি অবাক হয়ে ফেলুদার দিকে চাইলাম। বনবিহারীবাবু কিছুক্ষণ ফেলুদার দিকে চেয়ে থেকে বললেন, 'কী প্রমাণ আছে তা জিজ্ঞেস করতে পারি কি?'

'জিজ্ঞেস নিশ্চয়ই করতে পারেন, কিন্তু উত্তর এখন পাবেন না—তার সময় এখনও আসেনি।'

আমি ফেলুদাকে এরকম জোরের সঙ্গে কথা বলতে এর আগে কখনও শুনিনি।

বনবিহারীবাবু আবার ঠাট্টার সুরে বললেন, 'আমি বেঁচে থাকতে সে উত্তর পাব তো?'

ফেলুদা বলল, 'আশা তো করছি। একটা স্পাই-এর রহস্য আছে—সেটা সমাধান হলেই পাবেন।'

'স্পাই?' বনবিহারীবাবু অবাক হয়ে ফেলুদার দিকে চাইলেন। 'কী স্পাই?'

শ্রীবাস্তব বললেন, 'ফেলুবাবু বোধহয় পিয়ারিলালের লাস্ট ওয়ার্ডস-এর কথা বলছেন। মারা যাবার আগে দুবার 'স্পাই' কথাটা বলেছিলেন।'

বনবিহারীবাবুর ভ্রূকুটি আরও বেড়ে গেল। বললেন, 'আশ্চর্য! লখ্নৌ শহরে স্পাই?'

তারপর কিছুক্ষণ পাইপটা হাতে নিয়ে চুপ করে কামরার মেঝের দিকে চেয়ে বললেন 'হতে পারে...হতে পারে...আমার একবার একটা সন্দেহ হয়েছিল বটে।'

'কী সন্দেহ?'—শ্রীবাস্তব জিজ্ঞেস করলেন।

'নাঃ। কিচ্ছু না। ...আই মে বি রং।'

বুঝলাম বনবিহারীবাবু আর ও বিষয় কিছু বলতে চান না। আর এমনিতেই হরদোই স্টেশন এসে পড়াতে কথা বন্ধই হয়ে গেল।

'একটু চা হলে মন্দ হয় না'—বলে ফেলুদা প্ল্যাটফর্মে নেমে পড়ল। আমিও নামলাম, কারণ ট্রেন স্টেশনে থামলে গাড়ির ভিতর বসে থাকতে আমার ইচ্ছে করে না।

আমরা নামতেই আরেকজন গেরুয়াপরা দাড়িওয়ালা লোক কোত্থেকে জানি এসে আমাদের গাড়িতে উঠে পড়ল। বনবিহারীবাবু ব্যস্ত হয়ে বললেন, 'কামরা রিজার্ভড্—জায়গা নেই, জায়গা নেই!'

তাতে গেরুয়াধারী ইংরিজিতে বলল, 'বেরিলি পর্যন্ত যেতে দিন দয়া করে। তারপর আমি অন্য গাড়িতে চলে যাব। রাত্রে আপনাদের বিরক্ত করব না।'

অগত্যা বনবিহারীবাবু তাকে উঠতে দিলেন।

ফেলুদা বলল, 'সন্ন্যাসীদের জ্বালায় দেখছি আর পারা গেল না। এই চা-ওয়ালা!'

চা-ওয়ালা দৌড়ে এগিয়ে এল।

'তুই খাবি?'

'কেন খাব না?'

অন্যদের জিজ্ঞেস করাতে ওঁরা বললেন যে খাবেন না।

গরম চায়ের ভাঁড় কোনও রকমে এ-হাত ও-হাত করতে করতে ফেলুদাকে বললাম, 'শ্রীবাস্তব চোর হলে কিন্তু খুব খারাপ হবে।'

ফেলুদা ওই সাংঘাতিক গরম চায়ে চুমুক দিয়ে বলল, 'কেন ?'

'কারণ ওঁকে আমার বেশ ভাল লাগে—আর মনে হয় খুব ভালমানুষ।'

'বোকচন্দর—তুই যে ডিটেকটিভ বই পড়িসনি। পড়লে জানতে পারতিস যে যে-লোকটাকে সবচেয়ে নিরীহ বলে মনে হয়, সে-ই শেষ পর্যন্ত অপরাধী প্রমাণ হয়।'

'এ ঘটনা তো আর ডিটেকটিভ বইয়ের ঘটনা নয়।'

'তাতে কী হল ? বাস্তব জীবনের ঘটনা থেকেই তো লেখকরা আইডিয়া পান।'

আমার ভারী রাগ হল। বললাম, 'তা হলে শ্রীবাস্তব যখন প্রথম দিন আমাদের বাড়িতে বসে গল্প করছিলেন, তখন বাইরে থেকে কে ওঁকে ওয়াচ করছিল, আর চারমিনার খাচ্ছিল ?'

'সে হয়তো ডাকাতের দলের লোক।'

'তা হলে তুমি বলছ শ্রীবাস্তবও খারাপ লোক, আর ডাকাতরাও খারাপ লোক ? তা হলে তো সকলেই খারাপ লোক—কারণ গণেশ গুহ বলছিল বনবিহারীবাবুও লোক ভাল নয়।'

ফেলুদা উত্তরের বদলে চায়ের ভাঁড়ে একটা বড় রকম চুমুক দিতেই কোত্থেকে জানি একটা দলা পাকানো কাগজ ঠাঁই করে এসে ওর কপালে লেগে রিবাউন্ড করে একেবারে ভাঁড়ের মধ্যে পড়ল।

এক ছোবলে কাগজটা ভাঁড় থেকে তুলে নিয়ে ফেলুদা প্ল্যাটফর্মের ভিড়ের দিকে চাইতেই গার্ডের হুইসি্ল শোনা গেল। এখন আর কারুর সন্ধানে ছোটাছুটি করার কোনও উপায় নেই।

কম্পার্টমেন্টে ওঠার আগে কাগজটা খুলে একবার নিজে দেখে তারপর আমাকে দেখিয়ে ফেলুদা সেটাকে আবার দলা পাকিয়ে প্ল্যাটফর্মের পাশ দিয়ে একেবারে ট্রেনের চাকার ধারে ফেলে দিল।

কাগজে লেখা ছিল 'খুব হুঁশিয়ার'—আর দেখে বুঝলাম এবারও পানের রস দিয়েই লেখা।

বাদশাহী আংটির রহস্যজনক আর রোমাঞ্চকর ব্যাপারটা আমরা মোটেই লখ্নৌ শহরে ছেড়ে আসিনি। সেটা আমাদের সঙ্গে সঙ্গেই চলেছে।

৮

সন্ধ্যা হয়ে এসেছে। কামরার বাতিগুলো এইমাত্র জ্বলেছে। ট্রেন ছুটে চলেছে বেরিলির দিকে।

কামরায় সবসুদ্ধ সাতজন লোক। আমি আর ফেলুদা একটা বেঞ্চিতে, একটায় বাবা আর শ্রীবাস্তব, আর তৃতীয়টায় বনবিহারীবাবু আর সেই সন্ন্যাসী। বাবাদের উপরের বাঙ্কে বনবিহারীবাবুর একটা কাঠের প্যাকিং কেস আর একটা বড় ট্রাঙ্ক রয়েছে। আমাদের উপরের বাঙ্কে একটা লোক আপাদমস্তক চাদর মুড়ি দিয়ে ঘুমোচ্ছে। লখ্নৌ স্টেশনে গাড়িতে উঠে অবধি তাকে এই ঘুমন্ত আর চাদরমুড়ি অবস্থাতেই দেখেছি। তার পায়ের ডগাদুটো শুধু বেরিয়ে আছে, উপরের দিকে চাইলেই দেখা যায়।

বনবিহারীবাবু বেঞ্চির উপর পা তুলে বাবু হয়ে বসে পাইপ টানছেন, শ্রীবাস্তব 'গীতাঞ্জলি'

পড়ছেন, আর বাবাকে দেখলেই মনে হয় ওঁর ঘুম পেয়েছে। মাঝে মাঝে চোখ রগড়িয়ে টান হয়ে বসছেন। সন্ন্যাসীর যেন আমাদের কোনও ব্যাপারেই কোনও ইন্টারেস্ট নেই। সে একমনে একটা হিন্দি খবরের কাগজের পাতা উলটোচ্ছে। ফেলুদা জানালার বাইরে চেয়ে গাড়ির তালে তালে একটা গান ধরেছে। সেটা আবার হিন্দি গান। তার প্রথম দুলাইন হচ্ছে—

যব ছোড় চলে লখ্‌নৌ নগরী
তব হাল আদম্ পর ক্যা গুজরী...

বাকিটা ফেলুদা হুঁ হুঁ করে গাইছে। বুঝলাম ওই দুলাইন ছাড়া আর কথা জানা নেই।

বনবিহারীবাবু হঠাৎ বললেন, 'ওয়াজিদ আলি শা-র গান তুমি জানলে কী করে?'

ফেলুদা বলল, 'আমার এক জ্যাঠামশাই গাইতেন। খুব ভাল ঠুংরি গাইয়ে ছিলেন।'

বনবিহারীবাবু পাইপে টান দিয়ে জানালার বাইরে সন্ধ্যার লাল আকাশের দিকে চেয়ে বললেন, 'আশ্চর্য নবাব ছিলেন ওয়াজিদ আলি। গান গাইতেন পাখির মতো। গান রচনাও করতেন। ভারতবর্ষের প্রথম অপেরা লিখেছিলেন—একেবারে বিলিতি ঢং-এ। কিন্তু যুদ্ধ করতে জানতেন না এক ফোঁটাও। শেষ বয়সটা কাটে কলকাতার মেটেবুরুজে—এখন যেখানে সব কলকাতার মুসলমান দরজিগুলো থাকে। আর সবচেয়ে ইন্টারেস্টিং ব্যাপার কী জানো? তখনকার বিখ্যাত ধনী রাজেন মল্লিকের সঙ্গে একজোটে কলকাতার প্রথম চিড়িয়াখানার পরিকল্পনা করেন ওয়াজিদ আলি শা।'

কথা শেষ করে বনবিহারীবাবু দাঁড়িয়ে উঠে বাঙ্কে রাখা ট্রাঙ্কটা খুলে তার ভিতর থেকে একটা ছোট গ্রামোফোনের মতো বাক্স বার করে বেঞ্চির উপরে রেখে বললেন, 'এবার আমার প্রিয় কিছু গান শোনাই। এটা হচ্ছে আমার টেপ রেকর্ডার। ব্যাটারিতে চলে।'

এই বলে বাক্সটার ঢাকনা খুলে হারমোনিয়ামের পর্দার মতো দেখতে একটা সাদা জিনিস টিপতেই বুঝতেই পারলাম কী একটা জিনিস জানি চলতে আরম্ভ করল।

বনবিহারীবাবু বললেন, 'এ গান যদি সত্যি করে উপভোগ করতে হয় তা হলে জানালা দিয়ে বাইরের দিকে দেখতে দেখতে শোনো।'

আমি বাইরের দিকে চেয়ে আবছা আলোতে দেখলাম, বিরাট গাছওয়ালা ঘন অন্ধকার জঙ্গল ছুটে চলেছে ট্রেনের উলটো দিকে। সেই জঙ্গল থেকেই যেন শোনা গেল বনবিড়ালের কর্কশ চিৎকার।

বনবিহারীবাবু বললেন, 'ভলুম ইচ্ছে করে বাড়াইনি—যাতে মনে হয় চিৎকারটা দূর থেকেই আসছে।'

তারপর শুনলাম হাইনার হাসি। সে এক অদ্ভুত ব্যাপার। ট্রেনে করে জঙ্গলের পাশ দিয়ে ছুটে চলেছি—আর সারা জঙ্গল থেকে হাইনার হাসির শব্দ ভেসে আসছে।

বনবিহারীবাবু বললেন, 'এর পরের শব্দটা আরেকটু কমানো উচিত, কারণ ওটা শোনা যায় খুব আস্তেই। তবে গাড়ির শব্দের জন্য আমি ওটা একটু বাড়িয়েই শোনাচ্ছি।'

'কির্‌র্‌র্ কিট্ কিট্ কিট্...কির্‌র্‌র্ কিট্ কিট্ কিট্...'

আমার বুকের ভিতরটা যেন ঢিপ ঢিপ করতে লাগল। সন্ন্যাসীর দিকে চেয়ে দেখি তিনিও অবাক হয়ে শুনছেন।

বনবিহারীবাবু বললেন, 'র‍্যাট্‌ল স্নেক।...আওয়াজটা শুনলে যদিও ভয় করে, কিন্তু আসলে ওরা নিজের অস্তিত্বটা জানিয়ে দেবার জন্যই শব্দটা করে—যাতে অন্য কোনও প্রাণী অজান্তে ওদের মাড়িয়ে না ফেলে।'

বাবা বললেন, 'তা হলে ওরা এমনিতে মানুষকে অ্যাটাক করে না?'

'জঙ্গলে-টঙ্গলে এমনিতে করে না। সে আমাদের দিশি বিষাক্ত সাপেরাই বা কটা অ্যাটাক করে বলুন। তবে কোণঠাসা হয়ে গেলে করে বইকী। যেমন ধরুন, একটা ছোট ঘরের মধ্যে আপনার সঙ্গে যদি সাপটাকে বন্দি করে রাখা যায়—তা হলে কি আর করবে না? নিশ্চয়ই করবে। আর এদের আরেকটা আশ্চর্য ক্ষমতা কী জানেন তো—ইন্‌ফ্রা রেড রশ্মি এদের চোখে ধরা পড়ে। অর্থাৎ, এরা অন্ধকারে স্পষ্ট দেখতে পায়।'

তারপর রেকর্ডার বন্ধ করে দিয়ে বনবিহারীবাবু বললেন, 'দুঃখের বিষয় আমার বাকি যে-কটি প্রাণী আছে—বিছে আর মাকড়সা—তারা দুটিই মৌন। এবার যদি অজগরটি পাই, তা হলে তার ফোঁসফোঁসানি নিশ্চয়ই রেকর্ড করে রাখব।'

বাবা বললেন, 'ভয় ভয় করছিল কিন্তু শব্দগুলো শুনে।'

বনবিহারীবাবু বললেন, 'তা তো বটেই। কিন্তু আমার কাছে এ-শব্দ সংগীতের চেয়েও মধুর! বাইরে যখন যাই, জানোয়ারগুলোকে তো তখন নিয়ে যেতে পারি না, তাই এই শব্দগুলোকেই নিয়ে যাই সঙ্গে করে।'

বেরিলিতে আমাদের ডিনার দিল, আর সন্ন্যাসী ভদ্রলোক নেমে গেলেন।

ফেলুদা এক প্লেট খাবার পরেও আমার প্লেট থেকে মুরগির ঠ্যাং তুলে নিয়ে বলল, 'ব্রেনের কাজটা যখন বেশি চলে, তখন মুরগি জিনিসটা খুব হেল্প করে।'

'আর আমি বুঝি ব্রেনের কাজ করছি না!'

'তোরটা কাজ নয়, খেলা।'

'তোমার এত কাজ করে কী ফলটা হচ্ছে শুনি।'

ফেলুদা গলাটা নামিয়ে নিয়ে শুধু আমি যাতে শুনতে পাই এমনভাবে বলল, 'পিয়ারিলাল কোন স্পাই-এর কথা বলেছিলেন সেটার একটা আন্দাজ পেয়েছি।'

এইটুকু বলে ফেলুদা একেবারে চুপ মেরে গেল।

গাড়ি বেরিলি ছেড়েছে। বাবা বললেন, 'ভোর চারটায় উঠতে হবে। তোরা সব এবার শুয়ে পড়।'

বেঞ্চির অর্ধেকটা আমি নিয়ে বাকি অর্ধেকটা ফেলুদাকে ছেড়ে দিলাম। বনবিহারীবাবু বললেন উনি ঘুমোবেন না। 'তবে আপনারা নিশ্চিন্তে ঘুমোন, আমি হরিদ্বার আসার ঠিক আগেই আপনাদের তুলে দেব।'

বাবা আর শ্রীবাস্তব ওঁদের বেঞ্চিটায় ভাগাভাগি করে শুয়ে পড়লেন। বনবিহারীবাবু দেখলাম বাতিগুলো নিভিয়ে দিলেন। ঘরের ভিতরটা অন্ধকার হতেই বুঝতে পারলাম বাইরে চাঁদের আলো রয়েছে। শুধু তাই না, আমি যেখানে শুয়ে আছি সেখান থেকে চাঁদটা দেখাও যাচ্ছে। বোধহয় পূর্ণিমার আগের দিনের চাঁদ, আর সেটা আমাদের গাড়ির সঙ্গে সঙ্গেই ছুটে চলেছে।

চাঁদ দেখতে দেখতে আমার মন কেন জানি বলল যে, হরিদ্বারে শুধু তীর্থস্থানই দেখা হবে না—আরও কিছু ঘটবে সেখানে। কিংবা এও হতে পারে যে আমার মন চাইছে হরিদ্বারেও কিছু ঘটুক। শুধু গঙ্গা আর গঙ্গার ঘাট আর মন্দির দেখলেই যেন ওখানে যাওয়াটা সার্থক হবে না।

আচ্ছা, ট্রেনের এত দোলানি আর এত শব্দের মধ্যে কী করে ঘুম এসে যায়? কলকাতায় আমার বাড়ির পাশে যদি এরকম ঘটাং ঘটাং শব্দ হত, আর আমার খাটটাকে ধরে কেউ যদি ক্রমাগত ঝাঁকুনি দিত, তা হলে কি ঘুম আসত? ফেলুদাকে কথাটা জিজ্ঞেস করাতে ও বলল, 'এরকম শব্দ যদি অনেকক্ষণ ধরে হয়, তা হলে মানুষের কান তাতে অভ্যস্ত হয়ে যায়; তখন আর শব্দটা ডিস্টার্ব করে না। আর ঝাঁকুনিটা তো ঘুমকে হেল্পই করে। খোকাদের দোল

দিয়ে ঘুম পাড়ায় দেখিসনি ? বরং শব্দ আর দোলানি যদি হঠাৎ বন্ধ হয়ে যায় তা হলেই ঘুম ভেঙে যাবার চান্স থাকে। তুই লক্ষ করে দেখিস, অনেক সময় স্টেশনে গাড়ি থামলেই ঘুম ভেঙে যায়।'

ঘুমে যখন প্রায় চোখ বুজে এসেছে, তখন একবার মনে হল বাঙ্কের উপর যে লোকটি চাদর মুড়ি দিয়ে ঘুমোচ্ছিল, সে যেন উঠে বাঙ্ক থেকে নেমে একবার ঘরের মধ্যে ঘোরাফেরা করল। তারপর একবার যেন কার একটা হাসি শুনতে পেলাম—সেটা মানুষও হতে পারে, আবার হাইনাও হতে পারে। তারপর দেখলাম আমি ভুলভুলাইয়ার ভেতর পথ হারিয়ে পাগলের মতো ছুটোছুটি করছি, আর যতবারই এক একটা মোড় ঘুরছি, ততবারই দেখছি একটা প্রকাণ্ড মাকড়সা আমার পথ আগলিয়ে দাঁড়িয়ে আছে, আর প্রকাণ্ড দুটো জ্বলজ্বলে সবুজ চোখ দিয়ে আমাকে দেখছে। একবার একটা মাকড়সা হঠাৎ আমার দিকে এগিয়ে এসে তার একটা প্রকাণ্ড কালো লোমে ঢাকা পা আমার কাঁধের উপর রাখতেই আমার ঘুম আর স্বপ্ন একসঙ্গে ভেঙে গেল, আর দেখলাম ফেলুদা আমার কাঁধে হাত রেখে ঠেলা দিয়ে বলছে—

'এই তোপ্‌সে ওঠ্ ! হরিদ্বার এসে গেছে।'

৯

'পাণ্ডা চাই, বাবু পাণ্ডা ?'

'বাবুর নামটা কী ? নিবাস কোথায় ?'

'এই যে বাবু, এদিকে ! কোন ধর্মশালায় উঠেছেন বাবু ?'

'বাবা দক্ষেশ্বর দর্শন হবে তো বাবু ?'

প্ল্যাটফর্মে নামতে না নামতে পাণ্ডারা যে এভাবে চারিদিক থেকে ছেঁকে ধরবে সেটা ভাবতেই পারিনি। ফেলুদা অবিশ্যি আগেই বলেছিল যে এরকম হয়। আর এই সব পাণ্ডাদের কাছে নাকি প্রকাণ্ড মোটা মোটা সব খাতা থাকে, তাতে নাকি আমাদের সব দুশো তিনশো বছরের পূর্বপুরুষদের নাম ঠিকানা লেখা থাকে—অবিশ্যি তাঁরা যদি কোনওদিন হরিদ্বার এসে থাকেন তা হলেই। বাবার কাছে শুনেছি আমার ঠাকুরদাদার ঠাকুরদা নাকি সন্ন্যাসী হয়ে বাড়ি থেকে বেরিয়ে গিয়েছিলেন, আর তিনি নাকি অনেকদিন হরিদ্বারে ছিলেন। হয়তো এই সব খাতার মধ্যে তাঁর নাম, ঠিকানা আর হাতের লেখা পাওয়া যাবে।

বনবিহারীবাবু বললেন, 'পাণ্ডাটান্ডার কোনও দরকার নেই। এতে সুবিধের চেয়ে উৎপাতটাই বেশি। চলুন, আমার জানা শীতল দাসের ধরমশালায় নিয়ে যাই আপনাদের। একসঙ্গে থাকা যাবে, খাওয়াও মন্দ না। একদিনের তো মামলা। তারপর তো মোটরে করে হৃষীকেশ-লছমনঝুলা।'

কুলির মাথায় জিনিস চাপিয়ে প্রায় রাতের মতো অন্ধকারে আমরা পাঁচজন তিনটে টাঙ্গায় উঠে পড়লাম।—একটায় ফেলুদা আর আমি, একটায় বনবিহারীবাবু, আর একটায় বাবা আর শ্রীবাস্তব।

যেতে যেতে ফেলুদা বলল, 'তীর্থস্থান মানেই নোংরা শহর। তবে একবার গঙ্গার ধারটায় গিয়ে বসতে পারলে দেখবি ভালই লাগবে।'

খট্ খট্ ঘড়্ ঘড়্ করতে করতে আমাদের টাঙ্গা অলিগলির মধ্যে দিয়ে চলেছে। দোকান-টোকান এখনও একটাও খোলেনি। রাস্তার দুপাশে লোক কম্বল মুড়ি দিয়ে খাটিয়ায় শুয়ে ঘুমোচ্ছে। কেরোসিনের বাতি দু-একটা টিম্ টিম্ করে জ্বলছে এখানে সেখানে। কিছু বুড়ো লোক দেখলাম হাতে ঘটি নিয়ে রাস্তা হেঁটে চলেছে। ফেলুদা বলল ওরা গঙ্গাস্নান

যাত্রী। সূর্য যখন উঠবে তখন কোমরজলে দাঁড়িয়ে সূর্যের দিকে চেয়ে স্তব করবে। বাকি শহর এখনও ঘুমন্ত বললেই চলে।

আমাদের সামনের গাড়িটায় বনবিহারীবাবু ছিলেন। একটা সাদা একতলা থামওয়ালা বাড়ির সামনে সেটা থামল। আমাদের আর বাবাদের গাড়িও তার পিছনে থামল। বুঝলাম এটাই শীতলদাসের ধর্মশালা।

বাড়ির সামনের ফটকের ভিতর দেখতে পেলাম একটা বেশ বড় খোলা জায়গা, আর তার তিন পাশে বারান্দা আর ঘরের সারি।

ধর্মশালার চাকর এসে মালগুলো তুলে নিয়ে গেল। আমরা তার ফটকের পিছন গেট দিয়ে ঢুকছি, এমন সময় আরেকটা টাঙ্গা এসে ফটকের সামনে দাঁড়াল। তারপর দেখি, বেরিলি পর্যন্ত যে সন্ন্যাসী আমাদের সঙ্গে গিয়েছিলেন, তিনি সেই টাঙ্গা থেকে নামলেন। লোকটাকে দেখে আমি ফেলুদার কোটের আস্তিন ধরে একটা টান দিয়ে বললাম, 'এই সেই ট্রেনের সন্ন্যাসী, ফেলুদা!'

ফেলুদা একবার আড় চোখে লোকটার দিকে দেখে মুখ ঘুরিয়ে নিয়ে বলল, 'এই বাবাজির মধ্যেও তুই রহস্যজনক কিছু পেলি নাকি?'

'কিন্তু বার বার—'

'চোপ্! চ' ভেতরে চ'।'

দুটো পাশাপাশি ঘরে আমাদের থাকার বন্দোবস্ত হল। একটাতে চারটে খাটিয়া পাতা রয়েছে, তার মধ্যে একটাতে একজন লোক ঘুমোচ্ছে, আর বাকি তিনটে আমি, বাবা আর ফেলুদার জন্য ঠিক হল। পাশের ঘরে শ্রীবাস্তব আর বনবিহারীবাবুর ব্যবস্থা হল। বনবিহারীবাবুর ঘরেই দেখলাম সেই বাবাজিও আশ্রয় নিলেন।

মুখটুখ ধুয়ে চা বিস্কুট খেতে খেতে সূর্য উঠে গেল, আর ধর্মশালাতেও লোকজন উঠে গিয়ে বেশ একটা গোলমাল শুরু হয়ে গেল। এখন বুঝতে পারলাম কতরকম লোক সেখানে এসে রয়েছে। ছেলে বুড়ো মেয়ে পুরুষ বাঙালি হিন্দুস্থানি মাড়োয়াড়ি গুজরাটি মারাঠি মিলে হইচই হট্টগোল ব্যাপার।

বাবা বললেন, 'তোরা কি বেরোবি নাকি?'

ফেলুদা বলল, 'সেরকম তো ভাবছিলাম। একবার ঘাটের দিকটা ঘুরে এলে...'

'তা হলে সেই ফাঁকে আমি বনবিহারীবাবুর সঙ্গে গিয়ে কাল সকালের জন্য দুটো ট্যাক্সির ব্যবস্থা দেখি। আর একটা কাজ করো তো ফেলু—বাজারের দিকটা গিয়ে একবার দেখো তো যদি এভারেডি টর্চ পাওয়া যায়। এ তো আর লখ্‌নৌ শহর না—ও জিনিস একটা হাতে রাখা ভাল।'

আমরা দুজনে বেরিয়ে পড়লাম। ফেলুদা বলল এত ছোট শহরে টাঙ্গা না নিয়ে হাঁটাই ভাল।

হাঁটতে হাঁটতে বুঝলুম হরিদ্বার শহরে সত্যিই বেশ ঠাণ্ডা। আর গঙ্গার পাশে বলেই বোধহয় সমস্ত শহরটা একটা আবছা কুয়াশায় ঢেকে রয়েছে। ফেলুদাকে জিজ্ঞেস করতে ও বলল, 'যত না কুয়াশা তার চেয়ে বেশি উনুনের ধোঁয়া।'

ধর্মশালার সামনের রাস্তা দিয়ে কিছুদূর এগিয়ে গিয়ে একজন লোককে জিজ্ঞেস করতেই সে ঘাটের পথ দেখিয়ে দিয়ে বলল, 'ইহাসে আধা মিল যানেসেই ঘাট মিল যায়গা।'

ঘাটে পৌঁছনোর কিছু আগে থেকেই একটা গণ্ডগোল শুনতে পাচ্ছিলাম, শেষে বুঝতে পারলাম যে সেটা আসলে এত লোক একসঙ্গে স্নান করার গণ্ডগোল। তার উপর ঘাটের পথের দুদিকে ভিখিরি আর ফেরিওয়ালার সারি, তারাও কম চেঁচামেচি করছে না।

আমরা ভিড় ঠেলে ঘাটের সিঁড়ির দিকে এগিয়ে গেলাম। এরকম দৃশ্য আমি আর কখনও দেখিনি। জলের মধ্যে যেন একটা মেলা বসেছে। ঘাটের উপরেই একটা মন্দির, তার থেকে আরতির ঘণ্টার আওয়াজ আসছে। এক জায়গায় গলায় কণ্ঠী পরা, কপালে তিলক কাটা একজন বৈষ্ণব গান গাইছে। তাকে ঘিরে একদল বুড়োবুড়ি বসে আছে। মানুষের আশেপাশে ছাগল কুকুর গোরুবাছুরও কিছু কম নেই।

ফেলুদা ঘাটের ধাপে একটা খালি জায়গা বেছে নিয়ে বসে পড়ে বলল, 'প্রাচীন ভারতবর্ষ যদি দেখতে চাস তো এই ঘাটের ধাপে কিছুক্ষণ বসে থাক।'

লখ্‌নৌ থেকে এই জায়গার ব্যাপারটা এত অন্যরকম যে, আমার মন থেকে আংটির ঘটনাটা প্রায় মুছেই যাচ্ছিল। ফেলুদারও কি তাই—না কি ও মনে মনে রহস্য সমাধানের কাজ চালিয়েই চলেছে? ওকে সে কথাটা আর জিজ্ঞেস করতে সাহস হল না। ওর দিকে ফিরে দেখি, ও বেশ একটা খুশি খুশি ভাব নিয়ে পকেট থেকে দেশলাই আর সিগারেট বার করেছে। বাবাদের সামনে তো খেতে পারে না, তাই এই সুযোগে খেয়ে নেবে।

সিগারেটটা মুখে পুরে দেশলাইয়ের বাক্সটা খুলতেই দেখলাম তার মধ্যে কী যেন একটা জিনিস ঝলমল করে উঠল।

আমি চমকে উঠে বললাম, 'ওটা কী, ফেলুদা?'

ফেলুদা ততক্ষণে দেশলাই বার করে বাক্স বন্ধ করে দিয়েছে। সে অবাক হবার ভাব করে বলল, 'কোনটা?'

'ওই যে চক্ চক্ করে উঠল—দেশলাইয়ের বাক্সে?'

ফেলুদা কায়দা করে দুহাতের আড়ালে গঙ্গার হাওয়ার মধ্যেও সিগারেটটা ধরিয়ে ধোঁয়া ছেড়ে বলল, 'দেশলাইতে ফসফরাস থাকে জানিস তো? সেইটেই রোদে চক্‌চক্ করে উঠেছে আর কী।'

আমি আর কিছু জিজ্ঞেস করতে পারলাম না, কিন্তু দেশলাইয়ের উপর রোদ পড়ে এতটা ঝলমল করে উঠতে পারে, এ জিনিসটা আমি কিছুতেই বিশ্বাস করতে পারছিলাম না।

হরি-কা-চরণ ঘাট থেকে গঙ্গার দৃশ্য দেখে, দক্ষেশ্বরের মন্দির দেখে বাজারের মনিহারি দোকান থেকে যখন আমরা তিন-সেলের একটা টর্চ কিনছি, তখন প্রায় সাড়ে দশটা বাজে। যতই ঘুরি না কেন, আর যা-ই দেখি না কেন, ফেলুদার দেশলাইয়ের বাক্সর মধ্যে ওই চক্-চকানির কথাটা আমি কিছুতেই ভুলতে পারছিলাম না। বারবার খালি মনে হচ্ছিল যে ওটা আসলে ওই আওরঙ্গজেবের আংটির হিরের চক্‌চকানি। ফেলুদা যদি বলত ওটা একটা সিকি বা আধুলি—তা হলেও হয়তো বিশ্বাস করতে পারতাম, কিন্তু ফস্‌ফরাসের ব্যাপারটা যে একেবারে গুল, সেটা আমার বুঝতে বাকি ছিল না।

আর আংটিটা যদি সত্যিই ফেলুদার কাছে থেকে থাকে, আর সেটার পিছনে যদি সত্যিই ডাকাত লেগে থাকে, আর সে ডাকাত যদি জেনে থাকে যে ফেলুদার কাছেই আংটিটা আছে—তা হলে? সেটা সে জানে বলেই কি ফেলুদা ও সব হুম্‌কি দেওয়া-দেওয়া কাগজ পাচ্ছে, আর ওর দিকে গুলতি দিয়ে ইঁট মারছে, আর লাঠির ডগায় ক্লোরোফর্মের ন্যাকড়া বেঁধে আমাদের ঘরের মধ্যে ঢুকিয়ে দিচ্ছে?

ফেলুদা কিন্তু সারা রাস্তা গুনগুন করে গান গেয়েছে। একবার গান থামিয়ে আমায় বলল, 'খট্ বলে একটা রাগ আছে জানিস? এটা সেই রাগ। সকালে গাইতে হয়।'

আমি বলতে চেয়েছিলাম যে 'খট্‌টট্ জানি না, রাগ-রাগিণী জানি না—কিন্তু আমার ভীষণ রাগ হচ্ছে আর খটকা লাগছে তুমি আমায় ধাপ্পা দিলে কেন।' কিন্তু কথাটা আর বলা হল না, কারণ তখন আমরা ধর্মশালায় পৌঁছে গেছি। মনে মনে ঠিক করলাম যে আজকের মধ্যেই

ফেলুদার সঙ্গে এ বিষয়ে কথা বলতেই হবে।

ধরমশালার বারান্দায় দেখি বাবা, বনবিহারীবাবু, শ্রীবাস্তব আর একজন ধুতি-পাঞ্জাবি পরা বাঙালি ভদ্রলোক বসে গল্প করছেন।

বাবা আমাদের দেখেই বললেন, 'ট্যাক্সির ব্যবস্থা হয়ে গেছে—কাল ভোর ছটায় রওনা। বনবিহারীবাবুর চেনা থাকায় বেশ শস্তায় হয়ে গেল।'

বাঙালি ভদ্রলোক শুনলাম এলাহাবাদে থাকেন—নাম বিলাসবাবু। তিনি নাকি একজন নামকরা হাত-দেখিয়ে। আপাতত বনবিহারীবাবুর হাত দেখছেন। বনবিহারীবাবু বললেন, 'কোনও জানোয়ারের কামড়-টামড় খেয়ে মরব কি না সেটা একবার দেখুন তো।'

ভদ্রলোক হাতে একটা লবঙ্গ নিয়ে বনবিহারীবাবুর হাতের উপর বুলোতে বুলোতে বললেন, 'কই, তা তো দেখছি না। স্বাভাবিক মৃত্যু বলেই তো মনে হচ্ছে।'

হতে পারেন বিলাসবাবু হাত-দেখিয়ে, আমার কিন্তু তাঁর পা-টা দেখে ভারী অদ্ভুত লাগল। বুড়ো আঙুলটা তার পাশের আঙুলের চেয়ে প্রায় আধ ইঞ্চি বড়। আর সেটা দেখে মনে হল খুব রিসেন্ট্‌লি যেন আমি সেরকম পা দেখেছি। কিন্তু কোথায় বা কার পা সেটা মনে করতে পারলাম না।

বনবিহারীবাবু একটা হাঁফ-ছাড়ার শব্দ করে বললেন, 'যাক, বাঁচা গেল।'

'কেন মোশাই, আপনি কি শিকার করেন নাকি ? বাঘ-ভাল্লুক মারেন ?'

বিলাসবাবুর বাংলায় একটা অবাঙালি টান লক্ষ করলাম।

বনবিহারীবাবু বললেন, 'নাঃ। তবু—এ সব জেনে-টেনে রাখা ভাল। আমার এক খুড়তুতো ভাই—কোথাও কিছু নেই—হঠাৎ এক পাগলা কুকুরের কামড় খেয়ে হাইড্রোফোবিয়ায় মরল। তাই আর কী...

'আপনি কি আগে কলকাতায় ছিলেন ?' বিলাসবাবু জিজ্ঞেস করলেন।

বনবিহারীবাবু একটু অবাক হয়েই বললেন, 'ওটাও কি হাতের রেখায় পাওয়া যায় নাকি ?'

'তাই তো দেখছি। আর...আপনার কি পুরনো আমলের শিল্পদ্রব্য বা অন্য দামি জিনিস জমানোর শখ আছে ?'

'আমার ? না না—আমার কেন ? সে ছিল পিয়ারিলালের। আমার শখ জন্তু জানোয়ারের।'

'তাই কি ? তাই কামড় খাওয়ার কথা বলছিলেন ? কিন্তু...'

'কিন্তু কী ?'

বনবিহারীবাবুকে বেশ উত্তেজিত বলে মনে হল। বিলাসবাবু প্রশ্ন করলেন, 'আপনার কি সম্প্রতি কোনও উদ্বেগের কারণ ঘটেছে ?'

'সম্প্রতি মানে ?'

'এই ধরুন—গত মাসখানেকের মধ্যে ?'

বনবিহারীবাবু বেশ জোরে হেসে উঠে বললেন, 'মশাই—আমার, যাকে বলে, নট এ কেয়ার ইন দ্য ওয়র্লড। কোনও উদ্বেগ নেই। তবে হ্যাঁ—একটা অ্যাংজাইটি আছে এই যে, কাল লছমনঝুলায় গিয়ে একটা বারো ফুট অজগরের দেখা পাব কি না পাব।'

বিলাসবাবুর বোধহয় আরেকটু দেখার ইচ্ছে ছিল, কিন্তু বনবিহারীবাবু হঠাৎ হাত দুটো সরিয়ে নিয়ে একটা হাই তুলে বললেন, 'আসলে ব্যাপারটা কী জানেন—কিছু মনে করবেন না—এ সব পামিস্ট্রি-ফামিস্ট্রিতে আমার বিশ্বাস নেই। আমাদের ভূত ভবিষ্যৎ বর্তমান সবই আমাদের হাতে বটে—কিন্তু সেটা হাতের রেখায় নয়। হাত বলতে আমি বুঝি ক্ষমতা, সামর্থ্য। সেইটের উপরেই সব নির্ভর করে।'

এই বলে বনবিহারীবাবু চেয়ার ছেড়ে উঠে সোজা ঘরের ভিতর চলে গেলেন।

আমার চোখ আবার চলে গেল বিলাসবাবুর পায়ের দিকে।

অনেক ভেবেও কিছুতেই মনে করতে পারলাম না কোথায় দেখেছি ওরকম লম্বা বুড়োআঙুলওয়ালা পা।

১০

সারাদিনের মধ্যে একবারও ফেলুদাকে সেই ঝলমলে জিনিসটার কথা জিজ্ঞেস করার সুযোগ পেলাম না।

রাত্রে বাবা যদিও বললেন, 'তাড়াতাড়ি শুয়ে পড়, ভোরে উঠতে হবে—' তবুও খাওয়া-দাওয়া করে বিছানা পেতে শুতে শুতে প্রায় দশটা হয়ে গেল।

লেপের তলায় যখন ঢুকছি, তখন আমাদের পাশাপাশি দুটো ঘরের মাঝখানের দরজা দিয়ে একটা বিকট নাক ডাকার আওয়াজ পেলাম।

ফেলুদা বলল, 'বিলাসবাবু।'

আমি বললাম, 'কী করে জানলে?'

'কেন, কাল ট্রেনেও ডাকছিল—শুনিসনি?'

ট্রেনে? বিলাসবাবু ট্রেনেও ছিলেন? তাই তো! একটা রহস্যের হঠাৎ সমাধান হয়ে গেল।

'ওই বুড়ো আঙুল!'

ফেলুদা আস্তে করে আমার পিঠ চাপড়ে বলল, 'গুড।'

ঠিক কথা। আমাদের উপরের বাঙ্কে উনিই সারা রাস্তা চাদর মুড়ি দিয়ে শুয়ে ছিলেন। কেবল পায়ের ডগা দুটো বেরিয়ে ছিল বাঙ্ক থেকে, আর তখনই দেখেছিলাম ওই বুড়ো আঙুল।

কিন্তু এবার যে আসল প্রশ্নটা করতে হবে ফেলুদাকে। বাবার নড়াচড়া দেখে বুঝতে পারছিলাম উনি এখনও ঘুমোননি। বাবা না ঘুমোলে কথাটা বলা চলে না, তাই আরেকটু অপেক্ষা করতে হবে।

ধরমশালাটা ক্রমেই আরও নিঝুম হয়ে আসছে, আর তার সঙ্গে সমস্ত শহরটা। শীতকাল, তাই এমনিতেই লোকে তাড়াতাড়ি শুয়ে পড়ে। আমাদের ঘরের ভিতর অন্ধকার। বাইরে উঠোনে বোধহয় একটা লাইট জ্বলছে আর তারই আলো আমাদের দরজার চৌকাঠে এসে পড়েছে। একবার আমাদের ঘরের মেঝে থেকে যেন খুট করে একটা শব্দ এল। বোধহয় ইঁদুর-টিদুর কিছু হবে।

এবার বাবার খাটিয়া থেকে শুনলাম ওঁর জোরে জোরে নিশ্বাস পড়ার শব্দ। বুঝলাম উনি ঘুমিয়ে পড়েছেন। আমি ফেলুদার দিকে ফিরলাম। তারপর গলা নামিয়ে একেবারে ফিস্‌ফিস্ করে বললাম, 'ওটা আংটিই ছিল, তাই না?'

ফেলুদা কিছুক্ষণ চুপ। তারপর একটা দীর্ঘশ্বাস ফেলে আমারই মতো ফিস্‌ফিস্ করে বলল, 'তুই যখন জেনেই ফেলেছিস, তখন আর তোর কাছে লুকোনোর কোনও মানে হয় না। আংটিটা আমার কাছেই রয়েছে, সেই প্রথম দিন থেকেই। তোরা সব ঘুমিয়ে পড়ার পর, ধীরুকাকার ঘরে আলনায় ঝোলানো ওঁর পাঞ্জাবির পকেট থেকে চাবি নিয়ে আলমারি খুলে আংটিটা বার করে নিই। বাক্সটা নিইনি যাতে ডেফিনিটলি বোঝা যায় আংটিটা গেছে।'

'কিন্তু কেন নিলে আংটিটা ?'

'কারণ ওটা সরিয়ে রাখলে আসল ডাকাতকে উস্‌কে দিয়ে তাকে ধরার আরও সুবিধে হবে বলে।'

'তা হলে সেই সন্ন্যাসী কি আংটিটাই নিতে এসেছিলেন ?'

'অম্বিকাবাবু নয় ; আরেকজন সন্ন্যাসী, যে নকল। যার হাতে অ্যাটাচি কেস ছিল। সে-ই এসেছিল চুরি করতে, কিন্তু গেট থেকেই বৈঠকখানায় আরেকজন গেরুয়াধারীকে দেখে চম্পট দেয়। তারপর টাঙ্গা করে স্টেশনে গিয়ে ওয়েটিংরুমে ঢুকে পোশাক বদলে নেয়।'

'সেই নকল সন্ন্যাসী কে ?'

'একটা সন্দেহ আছে মনে, কিন্তু এখনও প্রমাণ পাইনি।'

'এতদিন ধরে তুমি ওই আংটি পকেটে নিয়ে ঘুরে বেড়িয়েছ ?'

'না।'

'তবে ?'

'একটা নিরাপদ জায়গায় রেখে দিয়েছিলাম।'

'কোথায় ?'

'ভুলভুলাইয়ার একটা খুপরির ভিতর।'

'বাপ্‌রে বাপ্‌! কী সাংঘাতিক বুদ্ধি! এতদিনে বুঝতে পারলাম ফেলুদার দ্বিতীয়বার ভুলাভুলাইয়া যাবার এবং গিয়ে কিছুক্ষণের জন্য হারিয়ে যাবার কারণটা। কিন্তু তবু মনে একটা খটকা লাগল, তাই জিজ্ঞেস করলাম, 'কিন্তু তুমি তো ভুলভুলাইয়ার প্ল্যান জানতে না।'

'প্রথম দিনই সেটার একটা ব্যবস্থা করেছিলাম। আমার বাঁ হাতের কড়ে আঙুলের নখটা বড় সেটা জানিস তো ? প্রথম দিনে হাঁটবার সময় ভুলভুলাইয়ার প্রত্যেকটি গলির মুখে দেওয়ালের গায়ে নখ দিয়ে ঘষে ১, ২, ৩ করে নম্বর দিয়ে রেখেছিলাম। সাত নম্বর গলির খুপরির মধ্যে ছিল আংটিটা। আমি জানতাম ওর চেয়ে নিরাপদ জায়গা আর নেই। এদিকে হরিদ্বার যাব, অথচ আংটিটা লখ্‌নৌয়ে থেকে যাবে, এটা ভাল লাগছিল না, তাই সেদিন গিয়ে বার করে নিয়ে আসি।'

আমার বুকের ভিতরটা আবার টিপ টিপ করতে আরম্ভ করেছে। বললাম—

'কিন্তু সে ডাকাত যদি সন্দেহ করে যে তোমার কাছে আংটিটা আছে ?'

'সন্দেহ করলেই বা। প্রমাণ তো নেই। আমার বিশ্বাস সন্দেহ করেনি, কারণ অত বুদ্ধি ওদের নেই।'

'কিন্তু তা হলে তোমার পিছনে এভাবে লেগেছিল কেন ?'

'তার কারণ, আংটির লোভ ওরা ছাড়তে পারছে না। আর ওরা জানে যে আমি যদ্দিন আছি, তদ্দিন ওদের সব প্ল্যান ভণ্ডুল করে দেবার ক্ষমতা আমার আছে।'

'কিন্তু—' আমার গলা শুকিয়ে প্রায় আওয়াজই বেরোচ্ছিল না ; কোনও রকমে ঢোক গিলে তবে কথাটা শেষ করতে পারলাম,—'তার মানে তো তোমার সাংঘাতিক বিপদ হতে পারে।'

'বিপদের মুখে ঝাঁপিয়ে পড়াই তো ফেলু মিত্তিরের ক্যারেক্‌টার।'

'কিন্তু—'

'আর কিন্তু না। এবার ঘুমো।'

ফেলুদা একটা তুড়ি মেরে হাই তুলে পাশ বদল করল।

ধরমশালা এখন একেবারে চুপ। দূরে রাস্তায় একটা কুকুর ডেকে উঠল। পাশের ঘরে

নাক ডাকার শব্দ একটানা চলেছে। ঘুম কি আসবে? ফেলুদার টেক্কামার্কা দেশলাইয়ের বাক্সে রোদের আলোতে ঝলমল করা বাদশাহী আংটির কথাটা কিছুতেই ভুলতে পারছিলাম না। এই আংটির ব্যাপারে কী অদ্ভুত সাহসের সঙ্গে ফেলুদা নিজেকে জড়িয়ে ফেলেছে তা ভাবতেও অবাক লাগে। অথচ এটাও ঠিক যে, ও যদি না থাকত, তা হলে হয়তো আংটি চুরিও হয়ে যেত, আর চোর ধরাও পড়ত না।

'কির্র্র্ কিট্ কিট্ কিট...কিররর কিট কিট কিট...কিরর কিট কিট্ কিট্ কিট্...'

পাশের ঘর থেকে—কিন্তু মনে হয় যেন অনেক দূর থেকে—র‍্যাট্‌ল স্নেকের আওয়াজ পেলাম। বুঝলাম বনবিহারীবাবু তাঁর প্রিয় সংগীত শুনছেন।

আর এই ঝুমঝুমির আওয়াজ শুনতে শুনতে বোধহয় ঘুমটা এসে গিয়েছিল।

বাবার ট্র্যাভলিং ক্লক-এ পাঁচটার সময় অ্যালার্ম দেওয়া ছিল, কিন্তু আমার ঘুম ভেঙে গেল সেটা বাজার একটু আগেই। তাড়াতাড়ি মুখটুখ ধুয়ে চা-টা খেয়ে তৈরি হয়ে নিলাম। সঙ্গে নিয়ে যাবার জন্য খাবারের কথা বলতে শ্রীবাস্তব বললেন, 'লছমনঝুলায় একেবারে ব্রিজের মুখেই দোকানে চমৎকার পুরি-তরকারি পাবেন। খাবার নেবার দরকার নেই।'

সকলেই বেশ ভাল করে গরম জামা পরে নিয়েছিলাম। কারণ পথে তো ঠাণ্ডা হবেই, আর লছমনঝুলার হাইট বেশি বলে সেখানে এমনিতেই এখানের চেয়ে বেশি ঠাণ্ডা।

পৌনে ছটার সময় দুটো ট্যাক্সি পর পর এসে ধরমশালার গেটের সামনে দাঁড়াল। আমাদের সঙ্গে সঙ্গে দেখলাম বিলাসবাবুও এসেছেন। শুনলাম উনিও লছমনঝুলা যাবেন বলে আমাদের দলে ঢুকে পড়েছেন। কোন গাড়িতে উঠব ভাবছি, এমন সময় বনবিহারীবাবু এগিয়ে এসে বললেন, 'তিনজন তিনজন করে ভাগাভাগি হয়ে যেতে হবে অবশ্যই। জানোয়ার সম্বন্ধে আমার কিছু ইন্টারেস্টিং গল্প আছে, তপেশবাবু যদি চাও তো আমার গাড়িতে আসতে পারো।'

আমি বললাম, 'শুধু আমি কেন, ফেলুদাও নিশ্চয় শুনতে চাইবে।'

ফেলুদা কোনও আপত্তি করল না। তাই শেষ পর্যন্ত আমি, ফেলুদা আর বনবিহারীবাবু একটা গাড়িতে, আর বাবা, শ্রীবাস্তব আর বিলাসবাবু অন্য গাড়িটায় উঠলাম। শ্রীবাস্তবের সঙ্গে দেখলাম বিলাসবাবুর বেশ ভাব হয়ে গেছে।

সামনের সিটে ড্রাইভারের পাশে বনবিহারীবাবু তাঁর কাঠের বাক্সটা রাখলেন। বললেন, 'এইটেতে আমার অজগর আসবে।' পিছনের সিটের মাঝখানে ফেলুদা, আর দুপাশে আমি আর বনবিহারীবাবু বসলাম।

ঠিক সোয়া ছটার সময় আমাদের গাড়ি দুটো একসঙ্গে রওনা দিল।

শহর ছাড়িয়ে খোলা জায়গায় পৌঁছতে আরও পাঁচ মিনিট লাগল। সামনে পাহাড়। ডান দিকে চেয়ে থাকলে মাঝে মাঝে গঙ্গা দেখা যাচ্ছে। আমার মনটা খুশিতে ভরে উঠল। বনবিহারীবাবুও বোধহয় বেশ ফুর্তিতেই আছেন, কারণ গুনগুন করে গান ধরেছেন। বোধহয় অজগরের আশাতেই ওঁর মনের এই ভাব।

ফেলুদাই কেবল দেখলাম একেবারে চুপ মেরে গেছে। কী ভাবছে ও? আংটিটা কি এখনও ওর পকেটেই আছে? সেটা জানার কোনও উপায় নেই। কারণ ও বনবিহারীবাবুর সামনে সিগারেট খাবে না।

বাবাদের ট্যাক্সিটা আমাদের সামনেই চলেছে। ট্যাক্সির পিছনের কাচের ভিতর দিয়ে দেখা যাচ্ছে বিলাসবাবু শ্রীবাস্তবকে কী সব যেন বোঝাচ্ছেন। হয়তো শ্রীবাস্তব এই ফাঁকতালে তাঁর হাতটা দেখিয়ে নিচ্ছেন।

বনবিহারীবাবু হঠাৎ বললেন, 'শিশির-ভেজা রাস্তা থেকে এখনও ধুলো উঠছে না, কিন্তু রোদের তেজ বাড়লে উঠবে। আমার মনে হয় ওদের একটু এগিয়ে যেতে দেওয়া উচিত। এই ড্রাইভার—একটু আস্তে চালাও তো দিকি।'

দাড়িওয়ালা পাগড়িপরা পাঞ্জাবি ড্রাইভার বনবিহারীবাবুর কথা মতো গাড়ির স্পিড কমিয়ে দিল, আর তার ফলে বাবাদের ট্যাক্সি বেশ কিছুদূর এগিয়ে গেল। ধুলো হোক আর যাই হোক, আমি মনে মনে চাইছিলাম গাড়ি দুটো যেন কাছাকাছি একসঙ্গে চলে, কিন্তু বনবিহারীবাবুর আদেশের উপর কিছু বলতে সাহস হল না। ভদ্রলোক জানোয়ারের গল্প আরম্ভ করবেন কখন ?

একটা গাড়ি যেন পিছন থেকে বেশ কিছুক্ষণ ধরে বার বার হর্ন্ দিচ্ছে। বনবিহারীবাবু বললেন, 'এ তো জ্বালাল দেখছি ! পাশ দাও হে ড্রাইভার, পাশ দাও—নইলে প্যাঁক্ প্যাঁক করে কান ঝালাপালা করে দেবে।'

ড্রাইভার বাধ্যভাবে গাড়িটাকে রাস্তার একটু বাঁদিকে নিল, আর অমনি একটা পুরনো ধরনের শেভ্রোলে ট্যাক্সি আমাদের গাড়ির পাশ দিয়ে হুশ করে বেরিয়ে এগিয়ে গেল। যাবার সময় দেখলাম যে সে-গাড়ির পিছনের সিটে বসা একজন লোক মুখ বার করে আমাদের দিকে দেখে নিল।

এ আমাদের চেনা লোক—সেই বেরিলি পর্যন্ত যাওয়া গেরুয়াধারী সন্ন্যাসী।

১১

আমরা আগেই ঠিক করেছিলাম যে প্রথমে লছমনঝুলা যাব, তারপর সেখানে বেশ কিছুক্ষণ থেকে দুপুরের খাওয়া সেরে ফেরার পথে হৃষীকেশটা দেখে আসব। সত্যি বলতে কী, হৃষীকেশটা সম্বন্ধে আমার খুব বেশি উৎসাহ ছিল না। সেও তো তীর্থস্থান—পাণ্ডা ধর্মশালা অলিগলি ঘাট মন্দির, এই সব—কেবল গঙ্গাটা একটু অন্যরকম।

বনবিহারীবাবু এখন ফেলুদার গানটা ধরেছেন—

'যব ছোড় চলে লখ্নৌ নগরী
তব হাল আদ্ পর ক্যা গুজরী !'...

গান থামিয়ে হঠাৎ বনবিহারীবাবু বললেন, 'এই গানের সুরে জ্যোতি ঠাকুরের একটা বাংলা গান আছে জানো ?'

ফেলুদা বলল, 'জানি—কত কাল রবে বল ভারত হে।'

'ঠিক বলেছ।'

'তারপর আমার দিকে ফিরে বনবিহারীবাবু বললেন, Steal মানে হরণ, Horn মানে শিং, Sing মানে গান, Gun মানে কামান, Come on মানে আইস, I Saw মানে আমি দেখিয়াছিলাম—এটা জানো ?'

এটা আমি জানতাম না ; শুনে খুব মজা লাগল, আর মনে মনে মুখস্থ করে নিলাম।

বনবিহারীবাবু বললেন, 'এটার জন্যই বোধহয় আমার গান বলতেই বন্দুকের কথা মনে পড়ে, আর বন্দুক বলতেই জিম করবেট। শিকারি করবেটের কথা জান তো ?'

ফেলুদা বলল, 'জানি।'

'তিনি কিন্তু এই সব অঞ্চলে মানুষখেকো বাঘ মেরে গেছেন। আমার করবেটকে কেন এত ভাল লাগে জান ? কারণ উনিও আমার মতো জানোয়ারদের স্বভাব বুঝতেন, ওদের ভালবাসতেন।'

এই বলে আবার গুনগুন করে গান ধরলেন বনবিহারীবাবু।

গাড়ি ছুটে চলেছে লছমনঝুলার দিকে। বাঁদিকে পাহাড়, সামনে পাহাড়, ডানদিকে মাঝে মাঝে গঙ্গাটা দেখা যাচ্ছে, মাঝে মাঝে ঘন জঙ্গল। আকাশে মেঘ জমছে। সূর্যটা এক একবার মেঘে ঢেকে যাচ্ছে, আর তক্ষুনি বাতাসটা আরও ঠাণ্ডা হয়ে যাচ্ছে।

আমি প্রথম দিকে কেবল লছমনঝুলার কথাই ভাবছিলাম, এখন আবার মাঝে মাঝে আংটির ব্যাপারটা মনটাকে খোঁচা দিতে আরম্ভ করেছে। অনেক কিছু নতুন জিনিস এ দুদিনে জানতে পেরেছি, কিন্তু আরও অনেক কিছুই যে এখনও জানতে বাকি আছে! মহাবীর কেন সন্দেহ করে যে পিয়ারিলাল স্বাভাবিক ভাবে মারা যাননি? পিয়ারিলাল কীসের জন্য চিৎকার করেছিলেন মারা যাবার আগে? পিয়ারিলাল কোন স্পাই-এর কথা বলতে চেয়েছিলেন? সে স্পাই কি আমাদের চেনার মধ্যে কেউ, না চেনার বাইরে?

এই সব ভাবতে ভাবতে আমার চোখটা গাড়ির সামনে আয়নাটার দিকে চলে গেল। আয়নায় ফেলুদাকে দেখা যাচ্ছে। সে অদ্ভুত তীক্ষ্ণ দৃষ্টি দিয়ে সামনের দিকে চেয়ে কী জানি দেখছে।

এবার আমি আড়চোখে ফেলুদার দিকে চেয়ে দেখি সে দেখছে তার সামনেই বসা ড্রাইভারের দিকে।

আমার চোখটাও প্রায় আপনা থেকেই ঘুরে ড্রাইভারের দিকে গেল, আর সেদিকে দৃষ্টি পড়তেই আমার বুকের ভিতরটা ছাঁৎ করে উঠল।

ড্রাইভারের পাগড়ির নীচে আর কোটের কলারের ঠিক উপরে ঘাড়ের মাঝখানে আঁচড়ের দাগ।

এ রকম দাগ আমরা আরেকজনের ঘাড়ে দেখেছি।

সে হল গণেশ গুহ।

আবার ফেলুদার দিকে চেয়ে দেখি সে দৃষ্টি ঘুরিয়ে নিয়ে জানালার বাইরে দেখছে। তাকে এমন গম্ভীর এর আগে আমি কখনও দেখিনি।

কোয়ালিটি রেস্টুরেন্টে বসে গণেশ গুহ বলেছিল সে বনবিহারীবাবুর চাকরি ছেড়ে দিয়ে সেই দিনই কলকাতায় চলে যাচ্ছে। আর আজ সে পাঞ্জাবি ড্রাইভারের ছদ্মবেশে আমাদের নিয়ে চলেছে লছমনঝুলা! হঠাৎ মনে পড়ল বনবিহারীবাবুই এই ট্যাক্সি ঠিক করে দিয়েছেন। তা হলে কি...?

আমি আর ভাবতে পারলাম না। আমার মাথা ভোঁ ভোঁ করতে আরম্ভ করেছে। আমরা কোথায় চলেছি এখন? লছমনঝুলা, না অন্য কোথাও? বনবিহারীবাবুর উদ্দেশ্যটা কী? অথচ তাঁকে দেখে তো তাঁর মনে কোনও রকম উত্তেজনা বা দুরভিসন্ধি আছে বলে মনে হয় না।

হঠাৎ বনবিহারীবাবুর গলার আওয়াজে চমকে উঠলাম।

'আমরা বাঁয়ে একটা রাস্তা ধরব এবার। ওই জঙ্গলের মধ্যে দিয়ে রাস্তাটা গেছে। কিছুদূর গেলেই একটা বাড়ি পাব, সেখানেই আমার অজগরটা থাকার কথা। যাবার সময় একবার দেখে যাই, ফেরার পথে একেবারে বাক্সে পুরে নিয়ে গাড়িতে তুলে নেব। কী বলেন ফেলুবাবু?'

আশ্চর্য শান্তভাবে ফেলুদা বলল, 'বেশ তো।'

আমি কিন্তু একটা কথা না বলে পারছিলাম না—

'আপনি যে বলেছিলেন অজগরটা লছমনঝুলায় আছে?'

বনবিহারীবাবু হো হো করে হেসে উঠে বললেন, 'এটা যে লছমনঝুলা নয় সেটা তোমাকে

কে বলল তপেশবাবু ? হাওড়া বলতে কি কেবল হাওড়ার পুল আর তার আশপাশটা বোঝায় ? লছমনঝুলা শুরু হয়ে গেছে এখান থেকেই। গঙ্গার ব্রিজ এখান থেকে মাইল দেড়েক।'

শালবনের মধ্যে দিয়ে আগাছায় ঢাকা, প্রায় দেখা যায় না, এমন একটা পথ ধরে গাড়িটা বাঁ দিকে ঘুরল। লক্ষ করলাম ড্রাইভারটা এবার বনবিহারীবাবুর নির্দেশের অপেক্ষাও করল না—যেন তার আগে থেকেই জানা ছিল এ রাস্তা দিয়ে যেতে হবে।

'কেমন লাগছে ফেলুবাবু ?'

বনবিহারীবাবুর গলায় একটা নতুন সুর। কথাগুলোর পিছনে যেন একটা চাপা উত্তেজনা লুকোনো রয়েছে।

'দারুণ !'

কথাটা বলেই ফেলুদা তার বাঁ হাতটা দিয়ে আমার ডান হাতটা ধরে আস্তে একটা চাপ দিল। বুঝতে পারলাম ও বলতে চাইছে—ভয় পাস না, আমি আছি।

'রুমাল এনেছিস, তোপ্‌সে ?'

ফেলুদার এ প্রশ্নটার জন্য আমি একেবারেই তৈরি ছিলাম না, তাই কীরকম ভ্যাবাচ্যাকা খেয়ে গেলাম।

'রু-রুমাল ?'

'রুমাল জানিস না ?'

'হ্যাঁ—কিন্তু...ভুলে গেছি।'

বনবিহারী বললেন, 'ধুলোর জন্য বলছ ? এখানে কিন্তু ধুলোটা কম হবে।'

'না, ধুলো না'—বলে ফেলুদা তার কোটের পকেট থেকে একটা রুমাল বার করে আমার পকেটে গুঁজে দিল। কেন যে সে এটা করল তা বুঝতেই পারলাম না।

বনবিহারীবাবু তাঁর টেপ রেকর্ডারটা নিজের কোলের উপর নিয়ে সেটাকে চালিয়ে দিলেন। শালবনের ভিতর হাইনা হেসে উঠল।

বন এখন আরও গভীর। সূর্যের আলো আর আসছে না এখানে। এমনিতেই মেঘ আরও ঘন হয়েছে। বাবাদের গাড়ি এখন কোথায় ? লছমনঝুলা পৌঁছে গেছে কি ? আমাদের যদি কিছু হয়, ওঁরা টেরও পাবেন না। সেই জন্যেই কি বনবিহারীবাবু ওঁদের গাড়িটা এগিয়ে যেতে দিলেন ?

মনে যত জোর আছে, সাহস আছে, সব একসঙ্গে জড়ো করার চেষ্টা করলাম। কেন জানি বুঝতে পারছিলাম না ফেলুদার উপর যতই ভরসা থাকুক না কেন, আজ যে অবস্থায় পড়তে হবে ওকে তাতে ওর যত বুদ্ধি, যত সাহস আছে, সবটুকু দরকার হবে।

গাড়ি আরও গভীর বনের মধ্যে দিয়ে চলেছে এখন। বনবিহারীবাবু আর গান গাইছেন না। এখন কেবল ঝিঁঝির ডাক আর মোটরের চাকার তলায় আগাছার খসখসানি।

প্রায় দশ মিনিট চলার পর গাছের গুঁড়ি আর পাতার ফাঁক দিয়ে কিছু দূরে একটা বাড়ি দেখা গেল। এরকম জায়গায় এত গভীর বনের ভেতর কে আবার বাড়ি তৈরি করল ? হঠাৎ মনে পড়ল, আমার এক দূর সম্পর্কের কাকা আছেন যিনি সুন্দরবনের কোথায় যেন ফরেস্ট অফিসার। তারও এরকম একটা বাড়ি আছে শুনেছি—আশেপাশে বাঘ ঘোরাফেরা করে। এও হয়তো সেই ধরনের একটা বাড়ি।

আরেকটু কাছে গিয়ে বুঝতে পারলাম বাড়িটা কাঠের তৈরি, আর সেটা বহু পুরনো। শুধু তাই না, বাড়িটা আসলে একটা মাচার ওপর তৈরি। একটা কাঠের সিঁড়ি দিয়ে সেই মাচায় উঠতে হয়। বাইরে থেকে দেখে মনেই হয় না সেখানে কোনও লোক থাকে।

আমাদের ট্যাক্সি বাড়িটার সামনে এসে থামল। বনবিহারীবাবু বললেন, 'পাঁড়ে আছেন বলে তো মনে হয় না। তবে এসেইছি যখন, তখন ভেতরে গিয়ে একটু অপেক্ষা করা যাক। হয়তো কাছাকাছির মধ্যেই কোথায় গেছেন কাঠটাঠ সংগ্রহ করতে বোধ হয়। একা মানুষ তো, সব নিজেই করেন। আর ওঁর অত জানোয়ারের ভয় নেই। আমারই মতো। এসো ফেলুচন্দ্র তপেশচন্দ্র ভেতরে গিয়ে বসা যাক। মেকি সন্ন্যাসী তো অনেক দেখলে। এবার একজন সত্যিকারের সাধুপুরুষ কী ভাবে থাকেন দেখবে চলো।'

আমরা তিনজন গাড়ি থেকে নামলাম। ফেলুদা না থাকলে আমার মনের অবস্থা যে কী হত জানি না। এখনও যে সাহস পাচ্ছি তার একমাত্র কারণ হল ফেলুদার নির্বিকার ভাব। এক এক সময় তাই মনে হয় বিপদটা হয়তো আসলে আমার কল্পনা। আসলে ড্রাইভার সত্যিকারের শিখ ড্রাইভার, আর বনবিহারীবাবু খুব ভাল লোক, আর এই বাড়িটায় সত্যিকারের

পাঁড়েজি বলে একজন সাধুপুরুষ থাকেন যাঁর কাছে একটা বারো ফুট লম্বা অজগর সাপ আছে, আর সেটা দেখার জন্যই বনবিহারীবাবু এখানে আসছেন।

আগাছা আর শুকনো শালপাতার উপর দিয়ে হেঁটে কাঠের সিড়িটা দিয়ে উঠে আমরা বাড়িটার ভেতরে ঢুকলাম।

যে ঘরটায় ঢুকলাম সেটা সাইজে আমাদের ট্রেনের কামরার চেয়ে খুব বেশি বড় নয়। ঢোকার দরজা ছাড়াও আরেকটা দরজা আছে, সেটা দিয়ে পাশের আরেকটা ঘরে যাওয়া যায়—কিন্তু মনে হল সে দরজাটা বাইরে থেকে বন্ধ। দুটো দরজার উলটো দিকে দুটো ছোট্ট জানালাও রয়েছে। জানালা দিয়ে বাইরের শালবন দেখা যাচ্ছে। মাচাটার হাইট একটা মানুষের বেশি নয়।

বনবিহারীবাবু কাঁধে ঝোলানো টেপ রেকর্ডার মাটিতে নামিয়ে রেখে বললেন, 'পাঁড়েজির কেমন সরল জীবনযাত্রা, দেখেই বুঝতে পারছ।'

ঘরের মধ্যে একটা ভাঙা টেবিল, একটা হাতল ভাঙা বেঞ্চি, আর একটা টিনের চেয়ার। ফেলুদা বেঞ্চিটার উপর বসল দেখে আমিও তার পাশে গিয়ে বসলাম।

বনবিহারীবাবু তাঁর পাইপে তামাক ভরে তাতে আগুন দিয়ে, দেশলাইটা জানালা দিয়ে বাইরে ফেলে দিয়ে, টিনের চেয়ারটা মজবুত কি না হাত দিয়ে চেপে পরীক্ষা করে, মুখ দিয়ে একটা আরামের শব্দ করে সেটার উপর বসলেন। তারপর পাইপটাতে একটা বিরাট টান দিয়ে ঘরটাকে প্রায় ধোঁয়ায় ভরে দিয়ে, চাপা অথচ পরিষ্কার গলায় ভীষণ স্পষ্ট উচ্চারণে বললেন—

'তারপর, ফেলুবাবু—আমার আংটিটা যে এবার ফেরত চাই!'

১২

'আপনার আংটি?'

বনবিহারীবাবুর কথাটা যে ফেলুদাকে বেশ অবাক করেছে সেটা বুঝতে পারলাম।

বনবিহারীবাবু ঠোঁটের কোণে পাইপ আর একটা অল্প হাসি নিয়ে চুপ করে বসে রইলেন। বাইরে ঝিঁঝিঁর শব্দ কমে এসেছে। ফেলুদা বলল—

'আর সে আংটি যে আমার কাছে রয়েছে তা আপনি কী করে জানলেন?'

বনবিহারীবাবু এবার কথা বললেন।

'অনুমান অনেক দিন থেকেই করছিলাম। বাইরের একটা লোক এসে ধীরুবাবুর শোবার ঘরের আলমারি খুলে তার থেকে আংটি বার করে নিয়ে যাবে, এটা প্রথম থেকেই কেমন যেন অবিশ্বাস্য লাগছিল। তবে তোমার ওপর সন্দেহ গেলেও, এতদিন প্রমাণ পাইনি। এখন পেয়েছি।'

'কী প্রমাণ?'

বনবিহারীবাবু উত্তরে কিছু না বলে মেঝে থেকে টেপ রেকর্ডারটা কোলে তুলে নিয়ে ঢাকনা খুলে সুইচ টিপে দিলেন। যা শুনলাম তাতে আমার রক্ত জল হয়ে গেল। চাকা ঘুরছে, আর যন্ত্রটা থেকে আমার আর ফেলুদার গলার স্বর বেরোচ্ছে—

'ওটা আংটিই ছিল—তাই না?'

'তুই যখন জেনেই ফেলেছিস্, তখন আর তোর কাছে লুকোনোর কোনও মানে হয় না। আংটিটা আমার কাছেই রয়েছে—সেই প্রথম দিন থেকেই।—'

বনবিহারীবাবু খট করে রেকর্ডারের সুইচ বন্ধ করে দিলেন। তারপর বললেন, 'কাল রাত্রে

তোমরা শোবার আগেই মাইক্রোফোনটা তোমাদের খাটিয়ার তলায় রেখে এসেছিলাম। অবিশ্যি তোমরা যে ঠিক এই বিষয়েই কথাবার্তা বলবে সেটা আমার জানা ছিল না, কিন্তু যখন বলেইছ, তখন কি আর এ সুযোগ ছাড়া যায়? এর চেয়ে বেশি প্রমাণ কি দরকার আছে তোমার—অ্যাঁ, ফেলুবাবু?'

'কিন্তু আংটিটা আপনার, সে কথা আপনি বলছেন কী করে?'

বনবিহারীবাবু রেকর্ডারটা টেবিলের উপর রেখে দিয়ে পায়ের উপর পা তুলে চেয়ারে হেলান দিয়ে বললেন, '১৯৪৮ সালে, অর্থাৎ আজ থেকে আঠারো বছর আগে, কলকাতার নৌলাখা কোম্পানি থেকে দুলাখ টাকা দিয়ে আমি ও আংটিটা কিনি। পিয়ারিলালের সঙ্গে আমার আলাপ হয় তার কিছু পরেই। তাঁর যে এ সব জিনিসের শখ ছিল সেটা তিনি আমাকে বলেননি, কিন্তু আংটিটা আমি তাঁকে দেখিয়েছিলাম। দেখে তাঁর চোখ-মুখের অবস্থা যা হয়েছিল, তাতেই আমার মনে একটা সন্দেহ জাগে। তার দুদিন পরেই আংটিটা আমার বাড়ি থেকে লোপ পেয়ে যায়। পুলিশে খবর দেওয়া হয়েছিল, কিন্তু চোর ধরা পড়েনি। তারপর লখ্‌নৌ এসে কবছর থাকার পর এই সেদিন শ্রীবাস্তবের কাছে আংটিটা দেখে জানতে পারি পিয়ারিলাল সেটা তাঁকে দিয়েছেন। পিয়ারিলাল ভাবেননি তিনি প্রথম অ্যাটাকটা থেকে বেঁচে উঠবেন। তাই মানে মানে চোরাই মাল অন্যের হাতে চালান করে দিয়েছিলেন। কিন্তু তারপর তিনি সুস্থ হয়ে উঠলেন। আমি তাঁর আরোগ্যের সুযোগ নিয়ে তাঁর সঙ্গে দেখা করতে গেলাম। ভাবলাম, তিনি যদি ব্যাপারটা স্বীকার করেন, তা হলে শ্রীবাস্তবকে বললে তিনি নিশ্চয়ই আমাকে আংটিটা দিয়ে দেবেন। শ্রীবাস্তবকে তার দরুন কিছু টাকাও দিতে রাজি ছিলাম আমি। কিন্তু আশ্চর্য কী জানো? পিয়ারিলাল চুরির ব্যাপারটা বেমালুম অস্বীকার করে গেলেন! বললেন, আমার কাছে ওরকম আংটি উনি কোনওদিন দেখেননি। অথচ সে আংটির রসিদ পর্যন্ত এখনও আমার কাছে।'

এবার ফেলুদা কথা বলল, আর তার গলার স্বরে ভয়ের কোনও চিহ্নমাত্র নেই।

'কিন্তু বনবিহারীবাবু, আমি এবার আপনাকে একটা প্রশ্ন করতে চাই—আশা করি আপনি তার জবাব দেবেন।'

বনবিহারীবাবু বললেন, 'আগে বলো সে-আংটি এখনও তোমার কাছেই রয়েছে, না তুমি সেটা অন্য কোথাও রেখে এসেছ। নিজের জিনিস আমি নিজের হাতেই ফেরত নিতে চাই।'

এবার ফেলুদার গলার বিদ্রূপের ইঙ্গিত—

'কিন্তু এত দিন তো অন্য লোক লাগিয়ে আংটি চুরির চেষ্টার ব্যাপারে, এবং আমার পিছনে লাগার ব্যাপারে আপনার উৎসাহের কোনও অভাব দেখিনি। আপনার ওই গণেশ গুহ লোকটি—যিনি আজ দাড়ি-পাগড়ি পরে পাঞ্জাবি ড্রাইভার সেজেছেন, তিনিই তো বোধ হয় সেই নকল সন্ন্যাসী, তাই না? শ্রীবাস্তবের বাড়ির ডাকাতও তো বোধ হয় তিনিই, আর প্রথম দিন শ্রীবাস্তবকে ধাওয়া করার ভারও তো তার উপরেই ছিল। অবিশ্যি পরে শ্রীবাস্তবকে ছেড়ে আমার পিছনে লাগানো হয় তাকে। রেসিডেন্সিতে গুলতি মারা, ক্লোরোফর্ম দিয়ে আমাকে অজ্ঞান করার চেষ্টা, হুমকি-কাগজ ছুঁড়ে মারা—এ সবই তো তার কাজ, তাই না?'

বনবিহারীবাবু একটু হেসে বললেন, 'সব কাজ তো আর নিজে করা যায় না ফেলুরাম! এমন কিছু কিছু কাজ সব সময়েই থাকে যার ভার অন্যের উপর দিতে হয়। আর বুঝতেই তো পারো—গণেশের স্বাস্থ্যটা তো ভাল, কারণ সে এককালে সার্কাসে বাঘ সিংহ হ্যান্ডল করেছে—সুতরাং ডানপিটেমোর কাজগুলো সে ভালই করে। আর এটা আমি অবশ্যই বলব যে, আমার হুকুমে এ সব কাজগুলো করে সে যে-অপরাধ করেছে, তোমার অপরাধ তার

চেয়ে অনেক বেশি। কারণ তুমি যে আংটি তোমার কাছে ধরে রেখেছ, তাতে তোমার কোনও অধিকার নেই। ওটা আমার জিনিস, আমার প্রপার্টি। এবং সেটা আমার ফেরত চাই—আজই, এখনই !'

শেষ কথাগুলো বনবিহারীবাবু বললেন প্রায় চিৎকার করে। মনে সাহস আনার অনেক চেষ্টা সত্ত্বেও আমার হাত-পা কীরকম যেন ঠাণ্ডা হয়ে আসছিল।

ফেলুদার উত্তরটা এল ইস্পাতের মতো কঠিন স্বরে—

'খুনের দায়ে অভিযুক্ত হলে পর ও-আংটি কি আপনার কোনও কাজে আসবে ?'

বনবিহারীবাবু প্রায় কাঁপতে কাঁপতে চেয়ার ছেড়ে উঠে দাঁড়ালেন।

'তুমি তো কম বেয়াদব নও হে ছোকরা ! যাকে তাকে ফস্ করে খুনি বলে দিচ্ছ।'

'যাকে তাকে বলতে যাব কেন। আমার বিশ্বাস খুনিকেই খুনি বলছি। আপনি পিয়ারিলালের স্পাই-এর ব্যাপারটা একটু খুলে বলবেন কি ? পরশু আপনার কথা শুনে মনে হয়েছিল আপনার ও সম্বন্ধে কিছু জানা আছে।'

বনবিহারীবাবু একটা শুকনো হাসি হেসে বললেন, 'ভেরি সিম্পল্। খুলে বলার কিছু নেই। আমি আংটিটা সম্পর্কে খোঁজ-খবর করার জন্য ওঁর পেছনে কিছু লোক লাগিয়েছিলাম। পিয়ারিলাল নিশ্চয়ই তাদের সম্পর্কে কিছু বলতে চেয়েছিলেন।'

'আমি যদি বলি পিয়ারিলালের স্পাই-এর সঙ্গে গুপ্তচরের কোনও সম্পর্ক নেই ?'

'তার মানে ? কী বলতে চাইছ তুমি ?'

'আপনি পিয়ারিলালের দ্বিতীয় অ্যাটাকের দিন সকালে তাঁর বাড়িতে গিয়েছিলেন, তাই না ?'

'তাতে কী হয়েছে ? আমি গেলেই তাঁর অ্যাটাক হবে ? তাঁর বাড়িতে তো আগেও গিয়েছি আমি।'

'তখন তো খালি হাতে গেছেন।'

'খালি হাতে মানে ?'

'কিন্তু এই শেষবার আপনি খালি হাতে যাননি। আপনার সঙ্গে একটা বাক্স ছিল, আর সেই বাক্সের মধ্যে ছিল আপনার চিড়িয়াখানার একটা অধিবাসী—আপনার বিশাল, বিষাক্ত আফ্রিকান মাকড়সা—ব্ল্যাক্ উইডো স্পাইডার, তাই না ? পিয়ারিলাল বলতে চেয়েছিলেন 'স্পাইডার', কিন্তু পুরো কথাটা সেই অবস্থায় উচ্চারণ করা সম্ভব হয়নি, তাই স্পাইডার হয়ে গিয়েছিল 'স্পাই'।'

বনবিহারীবাবুর মুখ হঠাৎ জানি কেমন ফ্যাকাশে হয়ে গেল তিনি আবার চেয়ারে বসে পড়লেন। বললেন, 'কিন্তু...তাঁকে আমি মাকড়সা দেখিয়ে করবটা কী ?'

ফেলুদা বলল, 'পিয়ারিলালের আরশুলা দেখে হৃৎকম্প হয় সেটা বোধহয় আপনার জানা ছিল না। আপনি হয়তো মাকড়সাটা দেখিয়ে ভয় পাইয়ে আংটিটা আদায় করে নিতে চেয়েছিলেন, কিন্তু হয়ে গেল একেবারে হার্ট অ্যাটাক, এবং শেষ পর্যন্ত মৃত্যু। এ মৃত্যুর জন্য আপনি ছাড়া আর কে দায়ী বলুন ? আর আপনি বলছেন আংটি আপনি কিনেছিলেন এবং পিয়ারিলাল সেটা চুরি করেন। আমি যদি বলি, আংটি পিয়ারিলাল কিনে কলকাতায় আঠারো বছর আগে আপনাকে দেখিয়েছিলেন। আর সেই থেকে আপনার ও আংটির উপর লোভ—আর আপনার বাড়ির ওই তালা-দেওয়া বন্ধ ঘরে এরকম আরও অনেক পুরনো জিনিস আপনার আছে, আর ওই সব মূল্যবান জিনিস চোর ডাকাতের হাত থেকে সামলানোর জন্যেই আপনার ওই চিড়িয়াখানা ?'

বনবিহারীবাবু গম্ভীর গলায় বললেন, 'তুমি আর কী বিশ্বাস করো সেটা শুনতে পারি কি ?'

ফেলুদা গম্ভীর গলায় বলল, 'নিশ্চয় পারেন। আমার বিশ্বাস পিয়ারিলালের ওই বাদশাহী আংটি আপনি আর কোনওদিন চোখেও দেখতে পাবেন না, আর আমার বিশ্বাস আপনার ভবিষ্যতে রয়েছে আপনার অপরাধের উপযুক্ত শাস্তি।'

'গণেশ!'

বনবিহারীবাবুর গুরুগম্ভীর চিৎকারে কাঠের ঘরটা গম্‌গম্ করে উঠল।

ফেলুদা হঠাৎ বলল, 'মুখে রুমাল চাপা দে!'

কেন এ কথা বলল জানি না—কিন্তু আমি তৎক্ষণাৎ পকেট থেকে ফেলুদার দেওয়া রুমালটা বার করে মুখের উপর চাপা দিলাম।

গণেশ গুহ ঘরের ভিতর এসে ঢুকল—হাতে সেই কাঠের বাক্স।

বনবিহারীবাবু দেখি টেপ রেকর্ডারটা নিয়ে দরজার দিকে পিছিয়ে যাচ্ছেন।

ফেলুদা নিজের পকেট থেকে রুমাল বার করল, আর তার সঙ্গে সেই মাজনের কৌটোটা—যাতে লেখা 'দশংসংস্কারচূর্ণ'।

গণেশ গুহ বাক্সটা মাটিতে রেখে ঢাকনাটা খুলে যেই পিছিয়ে যাবে, সেই মুহূর্তে ফেলুদা কৌটোটার ঢাকনা খুলে তার ভিতর থেকে এক খাবলা কী জানি গুঁড়ো তুলে নিয়ে গণেশ আর বনবিহারীবাবুর দিকে ছুঁড়ে দিয়ে নিজের মুখে রুমাল চাপা দিল।

আমার রুমালের ফাঁক দিয়ে সামান্য যে গন্ধ এল তাতে বুঝলাম সেটা গোলমরিচ।

সেই গোলমরিচের গুঁড়ো দুজনের চোখে নাকে ঢুকে ওদের যে কী অবস্থা হল তা বলে

বোঝাতে পারব না। প্রথমে যন্ত্রণায় তাদের মুখ একেবারে বেঁকে গেল, তারপরে একসঙ্গে দুজনের আরম্ভ হল হাঁচি আর আর্তনাদ। বনবিহারীবাবু টলতে টলতে দরজার বাইরে গিয়ে সিঁড়ি দিয়ে গড়িয়ে একেবারে সোজা মাটিতে গিয়ে পড়লেন। গণেশ গুহরও প্রায় একই অবস্থা। তবু সে যাবার সময় কোনওরকমে দরজাটা টেনে বন্ধ করে আমাদের বন্দি করে দিয়ে গেল।

এবার মেঝেতে খোলা বাক্সটার দিকে চেয়ে দেখি তার ভিতর থেকে একটা সাপের মাথা বেরিয়েছে, আর সেই সঙ্গে আরম্ভ হয়েছে সেই হাড়কাঁপানো শব্দ—

'কির্‌র্‌র্ কিট্ কিট্ কিট্...কির্‌র্‌র্ কিট্ কিট্ কিট্ কিট্—কির্‌র্‌র্ কিট্ কিট্ কিট্...'

আমি বুঝতে পারলাম আমার মাথার ভিতরটা কেমন জানি করছে, বুঝতে পারলাম ফেলুদা আমাকে ধরে বেঞ্চির উপর দাঁড় করিয়ে দিল, আর বুঝলাম যে ফেলুদা নিজেও বেঞ্চির উপর উঠে দাঁড়িয়েছে।

খুব বেশি ভয় পেলে একটা অদ্ভুত ব্যাপার হয় সেটা এখন বুঝতে পারলাম। যার থেকে ভয়, তার দিকেই যেন চোখটা চলে যায়। কিংবা হয়তো সাপ জিনিসটার সত্যি করেই একটা হিপ্‌নোটাইজ করার ক্ষমতা আছে। মাথা ঝিম্ ঝিম্ অবস্থাতেই স্পষ্ট দেখলাম র‍্যাট্‌ল স্নেকটা বাক্স থেকে বেরিয়ে ঝুমঝুমির শব্দ করতে করতে এদিক ওদিক দেখে আমাদের দিকে চোখটা ফেরাল, আমাদের দিকে চেয়ে রইল, তারপর কাঠের মেঝের উপর দিয়ে দিয়ে এঁকেবেঁকে আমাদেরই বেঞ্চির দিকে প্রায় যেন আমাকে লক্ষ্য করেই এগোতে লাগল।

বুঝলাম আমার চোখের দৃষ্টি ক্রমশ ঝাপসা হয়ে আসছে। সাপটা যখন বেঞ্চি থেকে তিন হাত দূরে, তখন হঠাৎ মনে হল যেন একটা বাজ পড়ল, আর সেটা যেন আমাদের ঘরেরই ভেতর। একটা চোখ ঝলসানো আলো, একটা কানফাটা আওয়াজ, আর তার পরেই বারুদের গন্ধ।

আর সাপ ?

সাপের মাথা দেখলাম থেঁতলে শরীর থেকে আলগা হয়ে পড়ে আছে। ঝুমঝুমিটা দু-একবার নড়ে থেমে গেল।

তারপর আর কিছু মনে নেই।

যখন জ্ঞান হল, তখন দেখি আমি শালবনের মধ্যেই একটা শতরঞ্চির উপর শুয়ে আছি। কপাল আর মাথাটা ঠাণ্ডা ঠাণ্ডা লাগছে—বুঝলাম জল দেওয়া হয়েছে। শ্রীবাস্তবের মুখটা প্রথম চোখে পড়ল—আর তার পরেই বাবা।

'কেমন আছেন তপেশবাবু—'

গলাটা শুনে চমকে উঠে পাশ ফিরে দেখি—মহাবীর ! কিন্তু গায়ে গেরুয়া পোশাক কেন ?

মহাবীর বলল, 'ট্রেনে বেরিলি পর্যন্ত একসঙ্গে এলাম, আর চিনতে পারলে না ?'

দারুণ মেক-আপ করে তো লোকটা ! দাড়িওয়ালা অবস্থায় সত্যিই চিনতে পারিনি। আর তা ছাড়া গলার আওয়াজ আর কথা বলার ঢংও বদলে ফেলেছিল।

মহাবীর বলল, 'আমার রিভলবারের টিপ দেখলে তো ? আসলে যেদিন ভুলভুলাইয়ায় দেখা হল, আর উনি বললেন আমাকে চেনেন না—সেদিন থেকেই বনবিহারীবাবুর উপর আমার সন্দেহ হয়েছিল। কারণ কলকাতায় উনি আমাদের বাড়ি অনেকবার এসেছেন, আমার সঙ্গে কথাও বলেছেন। একদিন বাবার সঙ্গে খুব কথা কাটাকাটি হয়েছিল—ওই আংটিটা নিয়েই। সেটাও আমার কিছুদিন আগেই মনে পড়েছে।'

বাবা বললেন, 'তোদের দেরি দেখে লছমনঝুলা থেকে গাড়ি ঘুরিয়ে নিয়ে শেষটায় টায়ারের দাগ দেখে বনের রাস্তাটা ধরে ভিতরে ঢুকেছি। মহাবীরবাবুই অবিশ্যি গাড়ি ঘোরানোর কথা প্রথম বলেন।'

'আর ওরা দুজন কোথায় গেলেন ?'

'গোলমরিচের ঝাঁজে খুব শাস্তি পেয়েছে। ফেলুর ব্রহ্মাস্ত্রের তুলনা নেই। ওরা এখন পুলিশের জিম্মায় আছে।'

'পুলিশ কোত্থেকে এল ?'

'সঙ্গেই তো ছিল ! বিলাসবাবু তো আসলে ইন্‌স্পেক্টর গরগরি !'

কী আশ্চর্য ! ওই হাত-দেখিয়ে ভদ্রলোকই ইন্‌স্পেক্টর গরগরি ! এমন অদ্ভুত ভাবে যে আংটির ঘটনাটা শেষ হবে তা ভাবতেই পারিনি।

কিন্তু ফেলুদা ? ফেলুদা কোথায় ?

ওর কথা মনে পড়তেই আমার চোখে একটা ঝিলিক-মারা আলো এসে পড়ল। যেদিক থেকে আসছে সেদিকে তাকিয়ে দেখি ফেলুদা আঙুলে আংটিটা পরে কিছুদূরে একটা খোলা জায়গায় দাঁড়িয়ে, গাছের পাতার ফাঁক দিয়ে এসে পড়া সূর্যের আলোটা আংটির হিরের উপর ফেলে সেটা রিফ্লেক্ট করে আমার চোখে ফেলছে !

আমি মনে বললাম—এই আংটি রহস্য সমাধানের ব্যাপারে কেউ যদি সত্যি করে বাদশা হয়ে থাকে, তবে সে ফেলুদাই।

কৈলাস চৌধুরীর পাথর

'কার্ডটা কীরকম হয়েছে দ্যাখ তো।'

ফেলুদা ওর মানিব্যাগের ভিতর থেকে সড়াৎ করে একটা ভিজিটিং কার্ড বার করে আমায় দেখতে দিল। দেখি তাতে ছাপার অক্ষরে লেখা রয়েছে Prodosh C. Mitter, Private Investigator। বুঝতে পারলাম ফেলুদা এবার তার গোয়েন্দাগিরির ব্যাপারটা বেশ ফলাও করে জাহির করছে। আর তা করবে নাই বা কেন। বাদশাহি আংটির শয়তানকে ফেলুদা যে-ভাবে শায়েস্তা করেছিল, সে কথা ও ইচ্ছে করলে সকলকে বুক ফুলিয়ে বলে বেড়াতে পারত। তার বদলে ও শুধু একটি ভিজিটিং কার্ড ছাপিয়েছে এই তো!

ফেলুদার নাম আপনা থেকেই বেশ রটে গিয়েছিল। আমি জানি ও এর মধ্যে দু তিনটে রহস্যের ব্যাপারে গোয়েন্দাগিরির অফার পেয়েছে, কিন্তু কোনওটাই ওর মনের মতো হয়নি বলে না করে দিয়েছে।

কার্ডটা ব্যাগের মধ্যে পুরে রেখে পা দুটো টেবিলের উপর তুলে লম্বা করে ছড়িয়ে দিয়ে ফেলুদা বলল, 'বড়দিনের ছুটিতে কিছুটা মাথা খাটানোর প্রয়োজন হবে বলে মনে হচ্ছে।'

আমি বললাম, 'নতুন কোনও রহস্য বুঝি ?'

ফেলুদার কথাটা শুনে ভীষণ এক্‌সাইটেড লাগছিল—কিন্তু বাইরে সেটা একদম দেখালাম না।

ফেলুদা তার প্যান্টের পাশের পকেট থেকে একটা ছোট্ট কৌটো বার করে তার থেকে

খানিকটা মাদ্রাজি সুপুরি নিয়ে মুখে পুরে দিয়ে বলল, 'তোর খুব উত্তেজিত লাগছে বলে মনে হচ্ছে?

সে কী, ফেলুদা বুঝল কী করে?

ফেলুদা নিজেই আমার প্রশ্নের জবাব দিয়ে দিল। 'কী করে বুঝলাম ভাবছিস? মানুষ তার মনের ভাব যতই গোপন করার চেষ্টা করুক না কেন, তার বাইরের ছোটখাটো হাবভাব থেকেই সেটা ধরা পড়ে যায়। কথাটা যখন তোকে বললাম, ঠিক সেই সময়টা তোর একটা হাই আসছিল। কিন্তু কথাটা শুনে মুখটা খানিকটা খুলেই বন্ধ হয়ে গেল। তুই যদি আমার কথায় উত্তেজিত না হতিস, তা হলে কিন্তু যথারীতি হাইটা তুলতিস—মাঝপথে থেমে যেতিস না।'

ফেলুদার এই ব্যাপারগুলো সত্যিই আমাকে অবাক করে দিত। ও বলত, পর্যবেক্ষণ ক্ষমতা না থাকলে ডিটেক্‌টিভ হবার কোনও মানে হয় না। এ ব্যাপারে যা খাঁটি কথা বলার সবই শার্লক হোম্‌স বলে গেছেন। আমাদের কাজ শুধু তাঁকে ফলো করা।'

আমি বললাম, 'কী কাজে তোমাকে মাথা ঘামাতে হবে বললে না?'

ফেলুদা বলল, 'কৈলাস চৌধুরীর নাম শুনেছিস? শ্যামপুকুরের কৈলাস চৌধুরী?'

আমি বললাম, 'না, শুনিনি। কত বিখ্যাত লোক আছে কলকাতা শহরে—তার ক'জনের নামই বা আমি শুনেছি। আর আমার তো সবেমাত্র পনেরো বছর বয়স।'

ফেলুদা একটা সিগারেট ধরিয়ে বলল, 'এরা রাজসাহিতে বড় জমিদার ছিল। কলকাতায় বাড়ি ছিল; পাকিস্তান হবার পর এখানে চলে আসে। কৈলাসবাবুর পেশা হচ্ছে ওকালতি। তা ছাড়া শিকারি হিসাবে নামডাক আছে। দুখানা শিকারের বই লিখেছেন। এই কিছুদিন আগে জলদাপাড়া রিজার্ভ ফরেস্টে একটা হাতি পাগল হয়ে গিয়ে উৎপাত আরম্ভ করেছিল উনি গিয়ে সেটাকে মেরে এলেন। কাগজে নামটাম বেরিয়েছিল।'

'কিন্তু তোমার মাথা খাটাতে হচ্ছে কেন? ভদ্রলোকের জীবনে কোনও রহস্য আছে নাকি?'

ফেলুদা জবাব না দিয়ে, তার কোটের বুক পকেট থেকে একটা চিঠি বার করে আমাকে দিল। 'পড়ে দ্যাখ।'

আমি চিঠির ভাঁজ খুলে পড়ে দেখলাম। তাতে এই লেখা ছিল—

'শ্রীপ্রদোষচন্দ্র মিত্র সমীপেষু।

সবিনয় নিবেদন,

অমৃতবাজার পত্রিকায় আপনার বিজ্ঞাপন দেখিয়া আপনাকে এই পত্র দেওয়া স্থির করিলাম। আপনি উপরোক্ত ঠিকানায় আসিয়া আমার সহিত সাক্ষাৎ করিলে বাধিত হইব। কারণ সাক্ষাতে বলিব। আমি এক্সপ্রেস ডেলিভারি যোগে এই পত্র পাঠাইতেছি, সুতরাং আগামীকল্য ইহা আপনার হস্তগত হইবে। আমি পরশু অর্থাৎ শনিবার, সকাল ১০টায় আপনার আগমন প্রত্যাশা করিব। ইতি ভবদীয় শ্রীকৈলাসচন্দ্র চৌধুরী।'

চিঠিটা পড়ামাত্র আমি বললাম, 'শনিবার সকাল দশটা মানে তো আজই, আর এক ঘণ্টার মধ্যেই।'

ফেলুদা বলল, 'তোর দেখছি বেশ ইমপ্রুভমেন্ট হয়েছে। তারিখ-টারিখগুলো বেশ খেয়াল রাখছিস।'

আমার মনে এর মধ্যেই একটা সন্দেহ জেগে উঠেছে। বললাম, 'তোমাকেই যখন ডেকেছে, তখন কি আর সঙ্গে অন্য কেউ...'

ফেলুদা চিঠিটা আমার হাত থেকে নিয়ে সযত্নে ভাঁজ করে পকেটে রেখে বলল, 'তোর বয়সটা কম বলেই হয়তো তোকে সঙ্গে নেওয়া যেতে পারে। কারণ তোকে হয়তো মানুষ বলেই ধরবেন না ভদ্রলোক। কাজেই তোর সামনে কথাবার্তা বলতে আপত্তি করবেন না। যদি করেন,

তা হলে তুই না হয় পাশের ঘরে-টরে কোথাও অপেক্ষা করিস, সেই ফাঁকে আমরা কথা সেরে নেব।'

আমার বুকের মধ্যে ঢিপ ঢিপ শুরু হয়ে গিয়েছে। ছুটিটা কী করব কী করব ভাবছিলাম। এখন মনে হচ্ছে হয়তো দারুণ ইন্টারেস্টিং ভাবেই কেটে যাবে।

দশটা বাজতে পাঁচ মিনিটে আমরা ট্রামে করে কর্নওয়ালিশ স্ট্রিট আর শ্যামপুকুর স্ট্রিটের মোড়ে পৌঁছলাম। পথে একবার ট্রাম থেকে নেমে ফেলুদা দাশগুপ্ত অ্যান্ড কোম্পানি থেকে কৈলাস চৌধুরীর লেখা একটা শিকারের বই কিনেছিল, সেটার নাম 'শিকারের নেশা'। বাকি পথটা বইটা উলটেপালটে দেখল। ট্রাম থেকে নামার সময় সেটা কাঁধে ঝোলানো থলির মধ্যে রেখে বলল, 'এমন সাহসী লোকের কেন ডিটেক্‌টিভের দরকার পড়েছে কে জানে।'

একান্ন নম্বর শ্যামপুকুর স্ট্রিট, একটা মস্ত পুরনো আমলের ফটকওয়ালা বাড়ি—যাকে বলে অট্টালিকা। সামনের দিকে বাগান, ফোয়ারা, পাথরের মূর্তি ইত্যাদি পেরিয়ে বাড়ির দরজায় কলিং বেল টেপার আধ মিনিটের মধ্যেই ভিতর থেকে পায়ের আওয়াজ পেলাম। দরজা খুলতে দেখি একজন ভদ্রলোক, যাকে দেখে কেন জানি মনে হল, তিনি কখনই কৈলাসবাবু নন, কারণ বাঘ মারা মানুষের এমন গোবেচারা চেহারা হতেই পারে না। মাঝারি সাইজের মোটা-সোটা ফরসা ভদ্রলোক বয়স ত্রিশের বেশি বলে মনে হয় না। চোখের চাহনিতে কেমন জানি একটা সরল, ছেলেমানুষি ভাব। লক্ষ করলাম ভদ্রলোকের হাতে একটা ম্যাগনিফাইং গ্লাস রয়েছে।

'কাকে চান আপনারা?' গলার আওয়াজ দেখলাম মানানসই রকমের মিহি ও নরম।

ফেলুদা একটা কার্ড বার করে ভদ্রলোককে দিয়ে বলল, 'কৈলাসবাবুর সঙ্গে আমার একটা অ্যাপয়েন্টমেন্ট আছে। উনি চিঠি দিয়েছিলেন।'

ভদ্রলোক কার্ডটায় চোখ বুলিয়ে বললেন, 'আসুন ভিতরে।'

দরজা দিয়ে ঢুকে একটা সিঁড়ি পেরিয়ে ভদ্রলোক একটা আপিস ঘরে নিয়ে গিয়ে আমাদের অপেক্ষা করতে বললেন।

'আপনারা একটু বসুন—আমি মামাবাবুকে খবর দিচ্ছি।'

বহুদিনের পুরনো একটা কালো টেবিলের সামনে দুটো পুরনো হাতলওয়ালা চেয়ারে আমরা বসলাম। ঘরের তিনদিকে আলমারি বোঝাই পুরনো বই। সামনে টেবিলের উপর নজর যেতে একটা মজার জিনিস দেখলাম। তিনখানা মোটা স্ট্যাম্প অ্যালবাম একটার উপর আরেকটা স্তূপ করে রাখা রয়েছে, আরেকটা অ্যালবাম খোলা অবস্থায় পড়ে আছে, যাতে সারি সারি স্ট্যাম্প যত্ন করে আটকানো রয়েছে। কয়েকটা সেলোফেনের মধ্যে কিছু আলগা স্ট্যাম্পও রয়েছে, আর তা ছাড়া রয়েছে স্ট্যাম্প-কালেকটারদের অত্যন্ত দরকারি ও আমার খুব চেনা কয়েকটা জিনিস, যেমন হিঞ্জ, চিমটে, স্ট্যাম্পের ক্যাটালগ ইত্যাদি। এখন বুঝতে পারলাম ভদ্রলোকের হাতের ম্যাগনিফাইং গ্লাসটাও এই কাজেই ব্যবহার হয়, আর তিনিই এই সব স্ট্যাম্পের কালেকটর।

ফেলুদাও ওই সবের দিকেই দেখছিল, কিন্তু ও নিয়ে আমাদের মধ্যে কিছু কথা হবার আগেই ভদ্রলোক ফিরে এসে বললেন, 'আপনারা বৈঠকখানায় এসে বসুন, মামা এক্ষুনি আসছেন।'

মাথার উপর বিরাট ঝাড়লণ্ঠনওয়ালা বৈঠকখানায় গিয়ে আমরা দু'জনে সাদা খোলস দিয়ে ঢাকা একটা প্রকাণ্ড সোফার উপর বসলাম। ঘরের চারিদিকে পুরনো বড়লোকি ছাপ। একবার বাবার সঙ্গে বেলেঘাটার মল্লিকদের বাড়িতে ঠিক এইরকম সব আসবাব, পেন্টিং, মূর্তি আর ফুলদানির ছড়াছড়ি দেখেছিলাম। এছাড়া রয়েছে মেঝের উপর একটা রয়েল বেঙ্গল টাইগারের ছাল, আর দেয়ালে চারটে হরিণ, দুটো চিতাবাঘ আর একটা মহিষের মাথা।

প্রায় দশ মিনিট বসে থাকার পর একজন মাঝবয়সী কিন্তু বেশ জোয়ান গোছের ভদ্রলোক ঘরে ঢুকলেন। তাঁর রং ফরসা, নাকের তলায় সরু গোঁফ আর গায়ে সিল্কের পাঞ্জাবি পায়জামা

আর ড্রেসিং গাউন।

আমরা দুজনেই উঠে দাঁড়িয়ে নমস্কার করলাম। ভদ্রলোক আমাকে দেখে যেন ভুরুটা একটু কপালে তুললেন। ফেলুদা বলল, 'এটি আমার খুড়তুতো ভাই।'

ভদ্রলোক আমাদের পাশের সোফাতে বসে বললেন, 'আপনারা কি দুজনে একসঙ্গে ডিটেক্‌টিভগিরি করেন?'

ফেলুদা হেসে বলল, 'আজ্ঞে না। তবে ঘটনাচক্রে আমার সব কটা কেসের সঙ্গেই তপেশ জড়িত ছিল। ও কোনও অসুবিধা করেনি কখনও।'

'বেশ।...অবনীশ, তুমি যেতে পারো। এদের জন্যে একটু জলযোগের ব্যবস্থা দেখো।'

স্ট্যাম্প-জমানো ভদ্রলোকটি দরজায় এসে দাঁড়িয়েছিলেন; তিনি তাঁর মামার আদেশ শুনে চলে গেলেন। কৈলাস চৌধুরী ফেলুদার দিকে চেয়ে বললেন, 'কিছু মনে করবেন না আমার চিঠিটা কি আপনি সঙ্গে এনেছেন?'

ফেলুদা একটু হেসে বলল, 'আমিই যে প্রদোষ মিত্তির সেটার প্রমাণ চাইছেন তো? এই যে আপনার চিঠি।'

ফেলুদা পকেট থেকে কৈলাসবাবুর চিঠিটা বার করে ভদ্রলোকের হাতে দিল। উনি সেটায় একবার চোখ বুলিয়ে 'থ্যাঙ্ক ইউ' বলে ফেলুদাকে ফেরত দিয়ে দিলেন।

'এ সব প্রিকশন নিতেই হয়, বুঝতেই পারছেন। যাই হোক—শিকারি বলে আমার একটা নামডাক আছে জানেন বোধ হয়।'

ফেলুদা বলল, 'আজ্ঞে হ্যাঁ।'

ঘরের দেয়ালে জানোয়ারের মাথাগুলির দিকে আঙুল দেখিয়ে ভদ্রলোক বললেন, 'এগুলো সব আমারই শিকার। সতেরো বছর বয়সে বন্দুক চালাতে শিখি। তার আগে অবিশ্যি এয়ার গান দিয়ে পাখি-টাখি মেরেছি। সম্মুখ সমরে জানোয়ার কোনওদিন আমার সঙ্গে পেরে উঠবে বলে মনে হয় না। কিন্তু...যে শত্রু অদৃশ্য ও অজ্ঞাত—সে আমাকে বড় ভাবিয়ে তোলে।'

ভদ্রলোক একটু থামলেন। আমার বুকের ভিতরটায় আবার ঢিপঢিপ শুরু হয়েছে। জানি এক্ষুনি ভদ্রলোক রহস্যের কথাটা বলবেন, কিন্তু এত কায়দা করে আস্তে আস্তে আসল কথাটায় যাচ্ছেন যে তাতে যেন সাসপেন্স আরও বেড়ে যায়।

কৈলাসবাবু আবার শুরু করলেন।

'আপনার বয়স যে এত কম তা জানা ছিল না। কত হবে বলুন তো?'

ফেলুদা বলল, 'টুয়েন্টি এইট।'

'কাজেই, যে কাজের ভার আপনাকে দিতে যাচ্ছি সেটা আপনার পক্ষে কতদূর সম্ভব তা জানি না। পুলিশকে আমি এ ব্যাপারে জড়াতে চাই না, কারণ এর আগে আরেকটা ব্যাপারে তাদের সাহায্য নিয়ে ঠকেছি। ওরা অনেক সময় কাজের চেয়ে অকাজটা করে বেশি, আর এটাও ঠিক যে আমি তরুণদের অশ্রদ্ধা করি না মোটেই। কাঁচা বয়সের সঙ্গে পাকা বুদ্ধির সমাবেশটা খুব জোরাল হয় বলেই আমার বিশ্বাস।'

এবারে কৈলাসবাবুর থামার সুযোগ নিয়ে ফেলুদা গলা খাঁকরিয়ে বলল, 'ঘটনাটা কী সেটা যদি বলেন...।'

কৈলাসবাবু এ কথার কোনও উত্তর না দিয়ে পকেট থেকে একটা ভাঁজ করা কাগজ বার করে ফেলুদাকে দিয়ে বললেন, 'দেখুন তো এটা পড়ে কী বোঝেন।'

ফেলুদা কাগজটা খুলে ধরতে আমি পাশ থেকে ঝুঁকে পড়ে সেটায় চোখ বুলিয়ে নিলাম। তাতে ইংরেজিতে যা লেখা রয়েছে তার মানে হয় এই 'পাপের বোঝা বাড়িয়ো না। যে জিনিসে তোমার অধিকার নেই, সে-জিনিস তুমি আগামী সোমবার বিকেল চারটের মধ্যে ভিক্টোরিয়া

মেমোরিয়ালের দক্ষিণ গেটের বিশ হাত ভিতর দিকে, রাস্তার বাঁ ধারে লিলি ফুলের প্রথম সারির প্রথম গাছটার নীচে রেখে আসবে। আদেশ অমান্য করার, বা পুলিশ-গোয়েন্দার সাহায্য নেওয়ার ফল ভাল হবে না—তোমার অনেক শিকারের মতোই তুমিও শিকারে পরিণত হবে একথা জেনে রেখো।'

'কী মনে হয়?' গম্ভীর গলায় কৈলাসবাবু প্রশ্ন করলেন।

ফেলুদা কিছুক্ষণ মনোযোগ দিয়ে চিঠিটা দেখে বলল, 'হাতের লেখা ভাঁড়ানো হয়েছে, কারণ একই অক্ষর দু-তিন জায়গায় দু-তিন রকম ভাবে লেখা হয়েছে। আর, নতুন প্যাডের প্রথম কাগজে লেখা।'

'সেটা কী করে বুঝলেন?'

'প্যাডের কাগজে লেখা হলে তার পরের কাগজে সে লেখার কিছুটা ছাপ থেকে যায়। এ কাগজ একেবারে মসৃণ।'

'ভেরি গুড। আর কিছু?'

'আর কিছু এ থেকে বলা অসম্ভব। এ চিঠি ডাকে এসেছিল?'

'হ্যাঁ। পোস্টমার্ক পার্ক স্ট্রিট। তিনদিন আগে এ চিঠি পেয়েছি। আজ শনিবার ২০শে।'

ফেলুদা চিঠিটা ফেরত দিয়ে বলল, 'এবার আপনাকে আমি কয়েকটি প্রশ্ন করতে চাই, কারণ আপনার শিকারের কাহিনী ছাড়া আপনার সম্বন্ধে কিছুই জানা নেই আমার।'

'বেশ তো। করুন না। মিষ্টি মুখে পুরে খেতে খেতে করুন।'

চাকর রুপোর প্লেটে রসগোল্লা আর অমৃতি রেখে গেছে। ফেলুদাকে খাবার কথা বলতে হয় না। সে টপ করে একটা আস্ত রসগোল্লা মুখে পুরে দিয়ে বলল, 'চিঠিতে যে জিনিসটার কথা লেখা হয়েছে সেটা কী জানতে পারি?'

কৈলাসবাবু বললেন, 'ব্যাপারটা কী জানেন—যাতে আমার অধিকার নেই, এমন কোনও জিনিস আমার কাছে আছে বলে আমার জানা নেই। এ বাড়িতে যা কিছু আছে তা সবই হয় আমার নিজের কেনা, না হয় পৈতৃক সম্পত্তি। আর তার মধ্যে এমন কোনও জিনিস নেই যেটা আদায় করার জন্য কেউ আমাকে এমন চিঠি দিতে পারে। তবে একটিমাত্র জিনিস আছে যেটা বলতে পারেন মূল্যবান ও লোভনীয়।'

'সেটা কী?'

'একটা পাথর।'

'পাথর?'

'প্রেশাস স্টোন।'

'আপনার কেনা?'

'না, কেনা নয়।'

'পৈতৃক সম্পত্তি?'

'তাও না। পাথরটা পাই আমি মধ্যপ্রদেশে চাঁদার কাছে একটা জঙ্গলে। একটা বাঘকে ধাওয়া করে আমরা তিন-চার জন একটা জঙ্গলে ঢুকেছিলাম। শেষ পর্যন্ত সেটাকে মারা হয়। কাছেই একটা বহু পুরনো ভাঙা পরিত্যক্ত মন্দিরে একটা দেবমূর্তির কপালে পাথরটা লাগানো ছিল। ওটার অস্তিত্ব বোধহয় আমাদের আগে কেউই জানত না।'

'ওটা কি আপনার চোখেই প্রথম পড়ে?'

'মন্দিরটা সকলেই দেখেছিল, তবে পাথরটা প্রথম আমিই দেখি।'

'সঙ্গে আর কে ছিল সেবার?'

'রাইট বলে এক মার্কিন ছোকরা, কিশোরীলাল বলে এক পাঞ্জাবি, আর আমার ভাই কেদার।'

'আপনার ভাইও শিকার করেন?'

'করত। এখন করে কি না জানি না। বছর চারেক হল ও বিদেশে।'

'বিদেশ মানে?'

'সুইজারল্যান্ড! ঘড়ির ব্যবসার ধান্দায়।'

'যখন পাথরটা পেলেন তখন ওটা নিয়ে আপনাদের মধ্যে কাড়াকাড়ি হয়নি?'

'না। তার কারণ ওটার যে কত দাম সেটা কলকাতায় এসে জহুরিকে দেখাবার পর জানতে পারি।'

'তারপর সে খবর আর কে জেনেছে?'

'খুব বেশি লোককে বলিনি। এমনিতে আত্মীয়-স্বজন বিশেষ কেউ নেই। দু-একজন উকিল বন্ধুকে বলেছি, কেদার জানত, আর বোধহয় আমার ভাগনে অবনীশ জানে।'

'পাথরটা বাড়িতেই আছে?'

'হ্যাঁ। আমার ঘরেই থাকে।'

'এত দামি জিনিস ব্যাঙ্কে রাখেন না যে?'

'একবার রেখেছিলাম। যেদিন রেখেছিলাম তার পরের দিনই একটা মোটর অ্যাক্সিডেন্ট হয়—প্রায় মরতে মরতে বেঁচে যাই। তারপর থেকে ধারণা হয় ওটা কাছে না রাখলে ব্যাড লাক্ আসবে, তাই ব্যাঙ্ক থেকে আনিয়ে নিই।'

'হুঁ...।'

ফেলুদার খাওয়া শেষ হয়ে গেছে। ওর ভ্রূকুটি দেখে বুঝলাম ও ভাবতে আরম্ভ করে দিয়েছে। জল খেয়ে রুমাল দিয়ে মুখ মুছে বলল, 'আপনার বাড়িতে কে কে আছেন?'

'আমি, আমার ভাগনে অবনীশ, আর তিনটে পুরনো চাকর। আর আমার বাবাও আছেন, তবে তিনি একেবারে অথর্ব, জরাগ্রস্ত। একটি চাকর তার পিছনেই লেগে থাকে সারাক্ষণ।'

'অবনীশবাবু কী করেন?'

'বিশেষ কিছুই না। ওর নেশা ডাকটিকিট সংগ্রহ করা। বলছে একটা টিকিটের দোকান করবে।'

ফেলুদা একটু ভেবে মনে মনে কী জানি হিসাব করে বলল, 'আপনি কি চাইছেন আমি এই পত্রলেখকের অনুসন্ধান করি?'

কৈলাসবাবু যেন একটু জোর করেই হেসে বললেন, 'বুঝতেই তো পারছেন এই বয়সে এ ধরনের অশান্তি কি ভাল লাগে? আর শুধু যে চিঠি লিখছে তা নয়—কাল রাত্রে একটা টেলিফোনও করেছিল। ইংরেজিতে ওই একই কথা বলল। গলা শুনে চিনতে পারলাম না। কী বলল জানেন? বলল, নির্দিষ্ট জায়গায় এবং নির্দিষ্ট সময়ের মধ্যে জিনিসটা রেখে না এলে আমার বাড়িতে এসে আমাকে ঘায়েল করে দিয়ে যাবে। অথচ এ পাথর হাতছাড়া করতে আমি মোটেই রাজি নই। তা ছাড়া লোকটার যখন ন্যায্য দাবি নেই, অথচ হুমকি দিচ্ছে—তখন বুঝতে হবে সে বদমাইশ, সুতরাং তার শাস্তি হওয়া দরকার। সেটা কী করে সম্ভব সেটাই আপনি একটু ভেবে দেখুন।'

'উপায় তো একটাই। বাইশ তারিখে সন্ধ্যাবেলা ভিক্টোরিয়া মেমোরিয়ালের আশেপাশে ঘাপটি মেরে বসে থাকা। তাকে তো আসতেই হবে।'

'সে নিজে নাও আসতে পারে।'

'তাতে ক্ষতি নেই। যে-ই এসে লিলি গাছের পাশে ঘুরঘুর করুক না কেন, সে যদি আসল লোক নাও হয়, তাকে ধরতে পারলে আসল লোকের সন্ধান পাওয়া অসম্ভব হবে না।'

'কিন্তু আপনি বুঝতে পারছেন না। লোকটা ডেনজারাস হতে পারে। সে যখন দেখবে লিলি

গাছের তলায় পাথরটা নেই, তখন যে কী করতে পারে তা বলা যায় না। তার চেয়ে বাইশ তারিখের আগে—অর্থাৎ আজ আর কালের মধ্যে এই লোকটি কে তা যদি জানা সম্ভব হত তা হলে খুবই ভাল হত। এই চিঠি, আর ওই একটা টেলিফোন কল এই দুটো থেকে কিছু বার করা যায় না?'

ফেলুদা সোফা ছেড়ে উঠে পায়চারি শুরু করে দিয়েছে। ও বলল, 'দেখুন কৈলাসবাবু, চিঠিতে সে লিখেছে যে, গোয়েন্দার সাহায্য নিলে ফল ভাল হবে না—সুতরাং আমি কিছু করি বা না করি, আপনি যে আমাকে ডেকেছেন, এতেই আপনার বিপদের একটা আশঙ্কা আছে। সুতরাং আপনি বরঞ্চ ভেবে দেখুন যে আমাদের সাহায্য চান কি না।'

কৈলাসবাবু ঠাণ্ডার মধ্যেও রুমাল দিয়ে তাঁর কপাল মুছে বললেন, 'আপনি, এবং আপনার সঙ্গে আপনার ভাইটি—এ দুজনকে দেখলে কেউ মনে করবে না যে আপনাদের সঙ্গে গোয়েন্দার কোনও সম্পর্ক আছে। এটা একটা অ্যাডভানটেজ। আপনার নাম লোকে জেনে থাকলেও, আপনার চেহারা জানে কি? মনে তো হয় না। সুতরাং সেদিকে আমার বিশেষ ভয় নেই। আপনি রাজি হলে কাজটা নিন। উপযুক্ত পারিশ্রমিক আমি দেব।'

'থ্যাঙ্ক ইউ। তবে যাবার আগে একবার পাথরটা দেখে যেতে চাই!'

'নিশ্চয়ই।'

কৈলাসবাবুর পাথর ওঁর শোবার ঘরে আলমারির ভিতর থাকে। আমরা ভদ্রলোকের পিছন পিছন একটা শানবাঁধানো সিঁড়ি দিয়ে উঠে দোতলায় পৌঁছলাম। সিঁড়িটা গিয়ে পড়েছে একটা লম্বা, অন্ধকার বারান্দায়। তার দুদিকে সারি সারি প্রায় দশ-বারোটা ঘর, তার অনেকগুলো আবার তালা-বন্ধ। চারিদিকে একটা থমথমে ভাব, আর লোকজন নেই বলেই বোধ হয় সামান্য একটু আওয়াজ হলেই তার প্রতিধ্বনি হয়।

বারান্দার শেষ মাথায় ডানদিকের ঘর হল কৈলাসবাবুর শোবার ঘর। আমরা যখন বারান্দার মাঝামাঝি এসেছি, তখন দেখি পাশের একটা ঘরের দরজা অর্ধেক খোলা, আর তার ভিতর দিয়ে একজন ভীষণ বুড়ো লোক গলা বাড়িয়ে ঘোলাটে চোখে আমাদের দিকে দেখছে। আমার তো দেখেই কীরকম ভয় ভয় করতে লাগল। কৈলাসবাবু বললেন, 'উনিই আমার বাবা। মাথার ঠিক নেই। সব সময়েই এখান দিয়ে ওখান দিয়ে উঁকি মারেন।'

কাছাকাছি যখন এসেছি, তখন বুড়োর চাহনি দেখে সত্যিই আমার রক্ত জল হয়ে গেল। আর সেই ভয়াবহ চাহনি দিয়ে উনি তাকিয়ে রয়েছেন কৈলাসবাবুর দিকে।

বাবার ঘর পেরিয়ে কিছুদূর গেলে পর কৈলাসবাবু বললেন, 'বাবার সকলের উপরেই আক্রোশ। ওঁর ধারণা সকলেই ওঁকে নেগলেক্ট করে। আসলে কিন্তু ওঁর দেখাশোনার ত্রুটি হয় না।'

কৈলাসবাবুর ঘরে দেখলাম প্রকাণ্ড উঁচু খাট, আর তার মাথার দিকে ঘরের কোনায় আলমারি। সেটা খুলে তার দেরাজ থেকে একটা নীল ভেলভেটের বাক্স বার করে বললেন, 'সাতরামদাসের দোকান থেকে এই বাক্সটা কিনে নিয়েছিলুম এই পাথরটা রাখার জন্য।'

বাক্সটা খুলে নীল আর সবুজ রং মেশানো লিচুর সাইজের একটা ঝলমলে পাথর বার করে কৈলাসবাবু ফেলুদার হাতে দিয়ে বললেন—

'একে বলে ব্লু বেরিল। ব্রেজিল দেশে পাওয়া যায়। ভারতবর্ষে যে খুব বেশি আছে তা নয়। অন্তত এত বড় সাইজের বেশি নেই সে-বিষয়ে আমি নিঃসন্দেহ।'

ফেলুদা পাথরটা হাতে নিয়ে এদিক ওদিক নাড়িয়ে দেখে ফেরত দিয়ে দিল। এবার কৈলাসবাবু তাঁর পকেট থেকে একটা মানিব্যাগ বার করলেন। তারপর তার থেকে পাঁচটা দশটাকার নোট বার করে ফেলুদার দিকে এগিয়ে দিয়ে বললেন, 'এইটে আগাম। কাজটা ভালয়

সত্যজিৎ রায়

ভালয় উতরে গেলে বাকিটা দেব, কেমন?'

'থ্যাঙ্ক ইউ' বলে ফেলুদা নোটগুলো পকেটে পুরে নিল। চোখের সামনে ওকে রোজগার করতে এই প্রথম দেখলাম।

সিঁড়ি দিয়ে নীচে নামতে নামতে ফেলুদা বলল, 'আপনার ওই চিঠিখানা আমাকে দিতে হবে, আর অবনীশবাবুর সঙ্গে একটু কথা বলব।'

নীচে যখন পৌঁছলাম, ঠিক সেই সময় বৈঠকখানা থেকে টেলিফোন বাজতে আরম্ভ করেছে। কৈলাসবাবু তাড়াতাড়ি এগিয়ে গিয়ে ফোনটা ধরলেন।

'হ্যালো।'

তারপর আর কোনও কথা নেই। আমরা বৈঠকখানায় ঢুকতেই কৈলাসবাবু ফ্যাকাশে মুখ করে ধপ করে টেলিফোনটা রেখে দিয়ে বললেন, 'আবার সেই লোক, সেই হুমকি।'

'কী বলল?'

'এবার আর কোনও সন্দেহ রাখেনি।'

'তার মানে?'

'বলল—কোন জিনিসটা চাইছি বুঝতে পারছ বোধহয়। চাঁদার জঙ্গলের মন্দিরে যেটা ছিল সেইটে।'

'আর কী বলল?'

'আর কিছু না।'

'গলা চিনলেন?'

না। তবে এইটুকু বলতে পারি যে গলাটা শুনতে ভাল লাগে না। আপনি বরং আরেকবার ভেবে দেখুন।'

ফেলুদা একটু হেসে বলল, 'আমার ভাবা হয়ে গিয়েছে।'

কৈলাসবাবুর কাছ থেকে অবনীশবাবুর ঘরে গিয়ে দেখি তিনি ম্যাগনিফাইং গ্লাস দিয়ে টেবিলের উপর রাখা কী একটা জিনিস খুব মন দিয়ে পরীক্ষা করছেন। আমরা ঢুকতেই টেবিলের উপর হাতটা চাপা দিয়ে উঠে দাঁড়ালেন।

'আসুন, আসুন!'

ফেলুদা বলল, 'আপনার ডাকটিকিটের খুব শখ দেখছি।'

অবনীশবাবুর চোখ দুটো জ্বলজ্বল করে উঠল। 'আজ্ঞে হ্যাঁ, ওই আমার একমাত্র নেশা। বলতে গেলে আমার ধ্যান জ্ঞান চিন্তা।'

'আপনি কি কোনও দেশ নিয়ে স্পেশালাইজ করেন, না সারা পৃথিবীর টিকিট জমান?'

'আগে সারা পৃথিবীরই জমাতুম, কিন্তু কিছুদিন হল ইন্ডিয়াতে স্পেশালাইজ করছি। আমাদের এই বাড়ির দপ্তরে যে কী আশ্চর্য সব পুরনো টিকিট রয়েছে তা বলতে পারি না। অবশ্যি বেশির ভাগই ইন্ডিয়ার। গত দু মাস ধরে হাজার হাজার পুরনো চিঠির গাদা ঘেঁটে টিকিট সংগ্রহ করেছি।'

'ভাল কিছু পেয়েছেন?'

'ভাল? ভাল?' ভদ্রলোক চেয়ার ছেড়ে উঠে দাঁড়ালেন। 'আপনাকে বললে বুঝবেন? আপনার এ ব্যাপারে ইন্টারেস্ট আছে?'

ফেলুদা একটু হেসে বলল, 'একটা বয়সে তো সকলেই ওদিকটায় ঝোঁকে—তাই নয় কী? কেপ-অফ-গুড-হোপের এক পেনি, মরিশাসের দু পেনি আর ব্রিটিশ গায়নার ১৮৫৬ সনের সেই বিখ্যাত স্ট্যাম্পগুলো পাবার স্বপ্ন আমিও দেখেছি। বছর দশেক আগে লাখ খানেক টাকা দাম ছিল ওগুলোর। এখন আরও বেড়েছে।'

অবনীশবাবু উত্তেজনায় প্রায় লাফিয়ে উঠলেন।

'তা হলে মশাই আপনি বুঝবেন। আপনাকে দেখাই। এই দেখুন!'

ভদ্রলোক তার চাপা হাতের তলা থেকে একটা ছোট্ট রঙিন কাগজ ফেলুদাকে দিলেন। দেখি খাম থেকে খোলা রং প্রায় মিলিয়ে যাওয়া একটা টিকিট।

'কী দেখলেন?' অবনীশবাবু প্রশ্ন করলেন।

ফেলুদা বলল, 'শ'খানেক বছরের পুরনো ভারতবর্ষের টিকিট। ভিক্টোরিয়ার ছবি। এ টিকিট আগে দেখেছি।'

'দেখেছেন তো? এবার এই গ্লাসের মধ্যে দিয়ে দেখুন।'

ফেলুদা ম্যাগনিফাইং গ্লাস চোখে লাগাল।

'এবার কী দেখছেন?' ভদ্রলোকের গলায় চাপা উত্তেজনা।

'এতে তো ছাপার ভুল রয়েছে।'

'এগজ্যাক্টলি!'

'POSTAGE কথাটার G-এর জায়গায় C ছাপা হয়েছে।'

অবনীশবাবু টিকিট ফেরত নিয়ে বললেন, 'তার ফলে এটার দাম কত হচ্ছে জানেন?'

'কত?'

'বিশ হাজার টাকা।'

'বলেন কী?'

'আমি বিলেত থেকে চিঠি লিখে খোঁজ নিয়েছি। এই ভুলটার উল্লেখ স্ট্যাম্প ক্যাটালগে নেই। আমিই প্রথম এটার অস্তিত্ব আবিষ্কার করলাম।'

ফেলুদা বলল, 'কনগ্র্যাচুলেশন্‌স। কিন্তু আপনার সঙ্গে টিকিট ছাড়াও অন্য ব্যাপারে একটু আলোচনা ছিল।'

'বলুন।'

'আপনার মামা—কৈলাসবাবু—তাঁর যে একটা দামি পাথর আছে সেটা আপনি জানেন?'

অবনীশবাবুকে যেন কয়েক সেকেন্ড ভাবতে হল। তারপর বললেন, 'ও হ্যাঁ হ্যাঁ। শুনেছিলাম বটে। দামি কি না জানি না—তবে 'লাকি' পাথর সেটা একবার বলেছিলেন বটে। কিছু মনে করবেন না। আমার মাথায় এখন ডাকটিকিট ছাড়া কিচ্ছু নেই।'

'আপনি এ বাড়িতে কদ্দিন আছেন?'

'বাবা মারা যাবার পর থেকেই। প্রায় পাঁচ বছর।'

'মামার সঙ্গে আপনার গোলমাল নেই তো?'

'কোন মামা? এক মামা তো বিদেশে।'

'আমি কৈলাসবাবুর কথা বলছি।'

'ও। ইনি অত্যন্ত ভাল লোক, তবে...'

'তবে কী?'

অবনীশ ভুরু কুঁচকালেন।

'ক'দিন থেকে—কোনও একটা কারণে—ওঁকে যেন একটু অন্যরকম দেখছি।'

'কবে থেকে?'

'এই দু-তিন দিন হল। কাল ওঁকে আমার এই স্ট্যাম্পটার কথা বললাম—উনি যেন শুনেও শুনলেন না। অথচ এমনিতে রীতিমতো ইন্টারেস্ট নেন। আর তা ছাড়া, ওঁর কতগুলো অভ্যেস কীরকম যেন বদলে যাচ্ছে।'

'উদাহরণ দিতে পারেন?'

‘এই যেমন, এমনিতে রোজ সকালে উঠে বাগানে পায়চারি করেন, গত দুদিন করেননি। ঘুম থেকে উঠেইছেন দেরিতে। বোধহয় রাত জাগছেন বেশি।’

‘সেটার কোনও ইঙ্গিত পেয়েছেন?’

হ্যাঁ। আমি তো একতলায় শুই। আমার ঠিক উপরের ঘরটাই মামার। পায়চারি করার শব্দ পেয়েছি মাঝ রাত্রে। গলার স্বরও পেয়েছি। বেশ জোরে। মনে হল ঝগড়া করছেন।’

‘কার সঙ্গে?’

‘বোধহয় দাদু। দাদু ছাড়া আর কে হবেন। সিঁড়ি দিয়ে ওঠা-নামা করারও শব্দ পেয়েছি। একদিন তো সন্দেহ করে সিঁড়ির নীচটায় গিয়ে দাঁড়িয়ে ছিলাম। দেখলাম মামা ছাত থেকে দোতলায় নামলেন, হাতে বন্দুক।’

‘তখন কটা?’

‘রাত দুটো হবে।’

‘ছাতে কী আছে?’

‘কিছুই নেই। কেবল একটা ঘর আছে—চিলেকোঠা যাকে বলে। পুরনো চিঠিপত্র কিছু ছিল ওটায়, সে সব আমি মাস খানেক হল বের করে এনেছি।’

ফেলুদা উঠে পড়ল। বুঝলাম তার আর কিছু জিজ্ঞেস করার নেই।

অবনীশবাবু বললেন, ‘এ সব কেন জিজ্ঞেস করলেন বলুন তো।’

ফেলুদা একটু হেসে বলল, ‘আপনার মামা কোনও কারণে একটু উদ্বিগ্ন আছেন। তবে সে নিয়ে আপনি ভাববেন না। আপনি স্ট্যাম্প নিয়েই থাকুন। এদিকের ঝামেলা মিটলে একদিন এসে আপনার কালেকশান দেখব’খন।’

কৈলাসবাবুর সঙ্গে একবার শেষ দেখা করে ফেলুদা বলল, ‘আপনাকে ষোলো আনা ভরসা দিতে পারছি না, তবু এটুকু বলছি যে আপনার ভাবনাটা আমায় ভাবতে দিন। রাত্রে ঘুমোতে চেষ্টা করুন, দরকার হলে ওষুধ খেয়ে। আর ছাতে যাবেন না দয়া করে। এপাড়ার বাড়িগুলো যেরকম ঘেঁষাঘেঁষি আপনার শত্রু পাশের কোনও বাড়িতে এসে আস্তানা গেড়ে থাকলে বিপদ হতে পারে।’

কৈলাসবাবু বললেন, ‘ছাতে গিয়েছিলাম বটে, তবে সঙ্গে বন্দুক ছিল। একটা আওয়াজ পেয়েই গিয়েছিলাম, যদিও গিয়ে কিছুই দেখতে পাইনি।’

‘বন্দুকটা সব সময়ই কাছে রাখেন তো?’

‘তা রাখি। তবে মানুষের মনের উদ্বেগ অনেক সময় তার হাতের আঙুলে সঞ্চারিত হয় সেটা জানেন তো? বেশিদিন এইভাবে চললে আমার টিপের কী হবে জানি না।’

* * *

পরের দিন ছিল রবিবার। সারা দিনের মধ্যে বেশির ভাগটা সময় ফেলুদা ওর ঘরে পায়চারি করেছে। বিকেলে চারটে নাগাত ওকে পায়জামা ছেড়ে প্যান্ট পরতে দেখে জিজ্ঞেস করলাম, ‘তুমি কি বেরোচ্ছ?’

ফেলুদা বলল, ‘ভিক্টোরিয়া মেমোরিয়ালের লিলি গাছগুলো একবার দেখে আসব ভাবছি। যাবি তো চ।’

ট্রামে করে গিয়ে লোয়ার সারকুলার রোডের মোড়ে নেমে হাঁটতে হাঁটতে পাঁচটা নাগাত ভিক্টোরিয়া মেমোরিয়ালের দক্ষিণ গেটটায় পৌঁছলাম। এদিকটায় লোকজন একটু কম আসে। বিশেষ করে সন্ধের দিকটায় যা লোক আসে সবই সামনের দিকে—মানে, উত্তরে—গড়ের মাঠের দিকে।

গেট দিয়ে ঢুকে বিশ হাত আন্দাজ করে এগিয়ে গিয়ে দেখি বাঁ দিকে সত্যিই লিলি গাছের

কেয়ারি। তার প্রথম সারির প্রথম গাছটার নীচেই পাথরটা রাখার কথা।

লিলি গাছের মতো এত সুন্দর জিনিস দেখেও গা-টা কেমন জানি না ছম্‌ছম্‌ করে উঠল। ফেলুদা বলল, 'কাকার একটা বাইনোকুলার ছিল না—যেটা সেবার দার্জিলিং নিয়ে গেছিলেন?'

আমি বললাম, 'আছে।'

মিনিট পনেরো ভিক্টোরিয়া মেমোরিয়ালে ঘুরে আমরা একটা ট্যাক্সি নিয়ে সোজা চলে গেলাম লাইটহাউসের সামনে। ফেলুদার কি সিনেমা দেখার শখ হল নাকি? কিন্তু শেষ পর্যন্ত সিনেমায় না ঢুকে ও গেল উলটোদিকের একটা বইয়ের দোকানে। এ বই সে বই ঘেঁটে ফেলুদা দেখি একটা বিরাট মোটা স্ট্যাম্প ক্যাটালগ নিয়ে তার পাতা উলটোতে আরম্ভ করল। আমি পাশ থেকে ফিসফিস করে বললাম, 'তুমি কি অবনীশবাবুকে সন্দেহ করছ নাকি?'

ফেলুদা বলল, 'এত যার স্ট্যাম্পের শখ, তার কিছুটা কাঁচা টাকা হাতে পেলে সুবিধে হয় বইকী?'

আমি বললাম, 'কিন্তু আমরা যখন দোতলা থেকে একতলায় এলাম, তখন যে টেলিফোনটা এল, সেটা তো আর অবনীশবাবু করেননি।'

'না। সেটা করেছিল মসলন্দপুরের আদিত্যনারায়ণ সিংহ।'

বুঝলাম ফেলুদা এখন ঠাট্টার মেজাজে রয়েছে, ওর সঙ্গে আপাতত আর এ-বিষয়ে কথা বলা চলবে না।

বাড়ি যখন ফিরলাম তখন আটটা বেজে গেছে। ফেলুদা কোটটা খুলে বিছানায় ছুঁড়ে ফেলে দিয়ে বলল, আমি যতক্ষণ হাতমুখ ধুচ্ছি, তুই ডিরেক্টরি থেকে কৈলাসবাবুর টেলিফোন নাম্বারটা বার কর তো।'

ডিরেক্টরি হাতে নিয়ে টেলিফোনের সামনে বসা মাত্র ক্রিং করে ফোনটা বেজে উঠে আমায় বেশ চমকে দিল। আমাকেই ধরতে হয়। তুলে নিলাম রিসিভারটা।

'হ্যালো।'

কে কথা বলছেন?'

এ কী অদ্ভুত গলা! এ গলা তো চিনি না! বললাম, 'কাকে চাই?'

কর্কশ গম্ভীর গলায় উত্তর এল, 'ছেলেমানুষ বয়সে গোয়েন্দাদের সঙ্গে ঘোরাফেরা করা হয় কেন? প্রাণের ভয় নেই?'

আমি ফেলুদার নাম ধরে ডাকতে গেলাম, কিন্তু গলা দিয়ে আওয়াজ বেরোল না। কাঁপতে কাঁপতে টেলিফোনটা রেখে দেওয়ার আগে শুনতে পেলাম লোকটা বলল, 'সাবধান করে দিচ্ছি—তোমাকেও, তোমার দাদাকেও। ফল ভাল হবে না।'

আমি কাঠ হয়ে চেয়ারে বসে রইলাম। বাথরুম থেকে বেরিয়ে এসে ফেলুদা বলল, 'ও কী—ওরকম থুম মেরে বসে আছিস কেন? কার ফোন এসেছিল?'

কোনওমতে ঘটনাটা ফেলুদাকে বললাম। দেখলাম ও-ও গম্ভীর হয়ে গেল। তারপর পিঠে একটা চাপড় মেরে বলল, 'ঘাবড়াস না। লোক থাকবে—পুলিশের লোক। বিপদের কোনও ভয় নেই। ভিক্টোরিয়া মেমোরিয়ালে একবার যেতেই হবে কালকে।'

রাত্রে ভাল ঘুম হল না। শুধু যে টেলিফোনের জন্য তা নয়; কৈলাসবাবুর বাড়ির ভিতরের অনেক কিছুই বার বার চোখের সামনে ভেসে উঠছিল। সেই লোহার রেলিং দেওয়া ছাদ পর্যন্ত উঠে যাওয়া সিঁড়ি, দোতলায় মার্বেল-বাঁধানো অন্ধকার লম্বা বারান্দা, আর তার দরজার ফাঁক দিয়ে বার করা কৈলাসবাবুর বাবার মুখ। কৈলাসবাবুর দিকে ওরকম ভাবে চেয়েছিলেন কেন তিনি? আর কৈলাসবাবু বন্দুক হাতে ছাতে গিয়েছিলেন কেন? কীসের শব্দ পেয়েছিলেন উনি?

ঘুমোতে যাবার আগে ফেলুদা একটা কথা বলেছিল—'জানিস, তোপসে—যারা চিঠি লিখে

আর টেলিফোন করে হুমকি দেয়—তারা বেশির ভাগ সময়েই আসলে কাওয়ার্ড হয়।' এই কথাটার জন্যই বোধ হয় শেষ পর্যন্ত ঘুমটা এসে গেল।

* * *

পরদিন সকালে ফেলুদা কৈলাসবাবুকে ফোন করে বলল তিনি যেন নিশ্চিন্তে বাড়িতে বসে থাকেন; যা করবার ফেলুদাই করবে।

আমি জিজ্ঞেস করলাম, 'কখন যাবে ভিক্টোরিয়া মেমোরিয়ালে?'

ফেলুদা বলল, 'কাল যে সময় গিয়েছিলাম, সেই সময়। ভাল কথা, তোর স্কুলের ড্রইং-এর খাতা, পেনসিল-টেনসিল আছে তো?'

আমি একটু ঘাবড়ে গেলাম।

'কেন, তা দিয়ে কী হবে?'

'আছে কি না বল না!'

'তা তো থাকতে হবেই।'

'সঙ্গে নিয়ে নিবি। লিলি গাছের উলটো দিকে কিছুদূরে দাঁড়িয়ে তুই ছবি আঁকবি—গাছপালা, মেমোরিয়াল বিল্ডিং—যা হয় একটা কিছু। আমি হব তোর মাস্টার।'

ফেলুদার আঁকার হাত রীতিমতো ভাল। বিশেষ করে, মাত্র একবার যে-মানুষকে দেখেছে, পেনসিল দিয়ে খসখস করে মোটামুটি তার একটা পোর্ট্রেট আঁকার আশ্চর্য ক্ষমতা ফেলুদার আছে। কাজেই ড্রইংমাস্টারের কাজটা তার পক্ষে বেমানান হবে না।

শীতকালের দিন ছোট হয়, তাই আমরা চারটের কিছু আগেই ভিক্টোরিয়া মেমোরিয়াল পৌঁছে গেলাম। সোমবার ভিড়টা আরও কম। তিনটে পেরামবুলেটার সাহেবের বাচ্চাদের নিয়ে নেপালি আয়ারা ঘোরাফেরা করছে; একটা পরিবারকে দেখে মাড়োয়ারি বলে মনে হল; আর তা ছাড়া দু-একজন বুড়ো ভদ্রলোক। এদিকটায় আর বিশেষ কেউ নেই। কম্পাউন্ডের মধ্যেই, কিন্তু গেট থেকে বেশ কিছুটা দূরে চৌরঙ্গির দিকটায় একটা বড় গাছের তলায় দুজন প্যান্টপরা লোককে দেখলাম, যাদের দিকে দেখিয়ে ফেলুদা আস্তে করে আমায় কনুই দিয়ে একটা খোঁচা দিল। বুঝলাম ওরাই হচ্ছে পুলিশের লোক। ওদের কাছে নিশ্চয়ই লুকোনো রিভলবার আছে। ফেলুদার সঙ্গে পুলিশের কিছু লোকের বেশ খাতির আছে এটা জানতাম।

লিলি ফুলের সারির উলটো দিকে কিছুটা দূরে খাতা-পেনসিল বার করে ছবি আঁকতে আরম্ভ করলাম। এ অবস্থায় কি আঁকায় মন বসে? চোখ আর মন দুটোই অন্য দিকে চলে যায়, আর ফেলুদা মাঝে মাঝে এসে ধমক দেয়, আর পেনসিল দিয়ে খসখস করে হিজিবিজি এঁকে দেয়—যেন কতই না কারেক্ট করছে! আমার কাছ থেকে দূরে সরে গেলেই ফেলুদা বাইনোকুলার চোখে লাগিয়ে এদিক ওদিক দেখে।

সূর্য প্রায় ডুবু ডুবু। কাছেই গির্জার ঘড়িতে ঢং ঢং করে পাঁচটা বাজল। লোকজন কমে আসছে, কারণ একটু পরেই বেশ ঠাণ্ডা পড়বে। মাড়োয়ারিরা একটা বিরাট গাড়িতে উঠে চলে গেল। আয়াগুলোও পেরামবুলেটার ঠেলতে ঠেলতে রওনা দিল। লোয়ার সারকুলার রোড দিয়ে আপিস ফেরতা গাড়ির ভিড় আরম্ভ হয়েছে, ঘন ঘন হর্নের শব্দ কানে আসছে। ফেলুদা আমার পাশে এসে ঘাসের উপর বসতে গিয়ে বসল না। দেখলাম তার চোখ ভিক্টোরিয়া মেমোরিয়ালের গেটের দিকে। আমি সেইদিকে চেয়ে গেটের বেশ কিছুটা বাইরে রাস্তার ধারে একজন ব্রাউন চাদর জড়ানো লোক ছাড়া আর কাউকে দেখতে পেলাম না। ফেলুদা চোখে বাইনোকুলার লাগিয়ে কিছুক্ষণ ওই দিকে দেখে বাইনোকুলারটা আমার হাতে দিয়ে বলল, 'দ্যাখ।'

'ওই চাদর গায়ে দেওয়া লোকটাকে?'

'হুঁ।'

বাইনোকুলার চোখে লাগাতেই লোকটা যেন দশ হাতের মধ্যে চলে এল, আর আমিও চমকে উঠে বললাম, 'এ কী—এ যে কৈলাসবাবু নিজে এসে দাঁড়িয়ে রয়েছেন!'

'হ্যাঁ। চল—নিশ্চয়ই আমাদের খুঁজতে এসেছেন।'

কিন্তু আমরা রওনা হবার সঙ্গে সঙ্গেই দেখলাম ভদ্রলোক হাঁটতে আরম্ভ করলেন। গেটের বাইরে এসে কৈলাসবাবুকে আর দেখা গেল না।

ফেলুদা বলল, 'চল শ্যামপুকুর। ভদ্রলোক বোধ হয় আমাদের দেখতে পাননি, আর না দেখে নিশ্চয়ই চিন্তিত হয়ে পড়েছেন।'

ট্যাক্সি পেলে ট্যাক্সিই নিতাম, কিন্তু আপিস টাইমে সেটা সম্ভব নয়, তাই ট্রাম ধরার মতলবে চৌরঙ্গির দিকে রওনা দিলাম। রাস্তা দিয়ে পর পর লাইন করে গাড়ি চলেছে। হঠাৎ ক্যালকাটা ক্লাবের সামনে এসে একটা কাণ্ড হয়ে গেল যেটা ভাবলে এখনও আমার ঘাম ছুটে যায়। কথা নেই বার্তা নেই, ফেলুদা হঠাৎ একটা হ্যাঁচকা টান মেরে প্রায় আমাকে ছুঁড়ে রাস্তার একেবারে কিনারে ফেলে দিল। আর সেই সঙ্গে নিজেও একটা লাফ দিল। পরমুহূর্তে, দারুণ স্পিডে আর দারুণ শব্দ করে একটা গাড়ি আমাদের প্রায় গা ঘেঁষে চলে গেল।

'হোয়াট দ্য ডেভিল!' ফেলুদা বলে উঠল। 'গাড়ির নাম্বারটা...'

কিন্তু সেটার আর কোনও উপায় নেই। সন্ধ্যার অন্ধকারে অন্য গাড়ির ভিড়ের মধ্যে সে গাড়ি মিলিয়ে গেছে। আমার হাতের খাতা-পেনসিল কোথায় ছিটকে পড়েছে তার ঠিক নেই, তাই সেটা খুঁজে আর সময় নষ্ট করলাম না। এটা বেশ বুঝতে পারছিলাম যে ফেলুদা ঠিক সময় বুঝতে না পারলে আমরা দুজনেই নির্ঘাত গাড়ির চাকার তলায় চলে যেতাম।

ট্রামে ফেলুদা সারা রাস্তা ভীষণ গম্ভীর মুখ করে রইল। কৈলাসবাবুর বাড়িতে পৌঁছে সোজা বৈঠকখানায় গিয়ে সোফায় বসা কৈলাসবাবুকে ফেলুদা প্রথম কথা বলল, 'আপনি দেখতে পেলেন না আমাদের?'

ভদ্রলোক কেমন যেন থতমত খেয়ে গেলেন। বললেন, 'কোথায় দেখতে পেলাম না? কী বলছেন আপনি?'

'কেন, আপনি ভিক্টোরিয়া মেমোরিয়াল যাননি?'

'আমি? সে কী কথা! আমি তো এতক্ষণ শোবার ঘরে বিছানায় শুয়ে ভাবনায় ছটফট করছিলুম—এই সবে মাত্র নীচে এসেছি।'

'তা হলে কি আপনার কোনও যমজ ভাই আছে নাকি?'

কৈলাসবাবু কীরকম যেন একটু অবাক হয়ে গেলেন। তারপর বললেন, 'সে কী, আপনাকে সেদিন বলিনি?'

'কী বলেননি?'

'কেদারের কথা? কেদার যে আমার যমজ ভাই।'

ফেলুদা সোফার উপর বসে পড়ল। কৈলাসবাবুরও মুখটা যেন কেমন শুকিয়ে গেল। কাঁপা কাঁপা গলায় বললেন, 'আপনি কেদারকে দেখেছেন? সে ওখানে ছিল?'

'উনি ছাড়া আর কেউ হতেই পারেন না।'

'সর্বনাশ!'

'কেন বলুন তো? কেদারবাবুর কি ওই পাথরটার উপর কোনও অধিকার ছিল?'

কৈলাসবাবু হঠাৎ কেমন যেন নেতিয়ে পড়লেন। সোফার হাতলে মাথাটা এলিয়ে দিয়ে একটা দীর্ঘশ্বাস ফেলে বললেন, 'তা ছিল...তা ছিল। কেদারই প্রথম পাথরটা দেখে। আমি মন্দিরটা দেখি, কিন্তু দেবমূর্তির কপালে পাথর কেদারই প্রথম দেখে।'

'তারপর?'

'তারপর আর কী। একরকম আবদার করেই পাথরটা আমি নিই। অবিশ্যি মনে জানতুম ওটা আমার কাছে থাকলে থাকবে, কেদার নিলে ওটা বেচে দেবে, দিয়ে টাকাটা নষ্ট করবে। আর ওটার যে কত দাম সেটা আমি জেনেও কেদারকে জানাইনি। সত্যি বলতে কী, কেদার যখন বিদেশে চলে গেল, তখন আমার মনে একটা নিশ্চিন্ত ভাব এল। কিন্তু ওখানে হয়তো ও বিশেষ সুবিধা করতে পারেনি, তাই ফিরে এসেছে। হয়তো পাথরটাকে নিয়ে বিক্রি করে সেই টাকায় নতুন কিছু ব্যবসা ফাঁদবে।'

একটুক্ষণ চুপ করে থেকে ফেলুদা বলল, 'এখন উনি কী করতে পারেন সেটা বলতে পারেন?'

কৈলাসবাবু বললেন, 'জানি না। তবে আমার মুখোমুখি তো একবার তাকে আসতেই হবে। বাড়ি থেকে যখন বেরোই না, আর লিলি গাছের নীচে পাথর যখন রাখিনি, তখন সে আসবেই।'

'আপনি কি চান আমি এখানে থেকে একটা কোনও ব্যবস্থা করি?'

'না। তার কোনও প্রয়োজন হবে না। সে আমাকে কথা বলার সুযোগ না দিয়ে কিছু করবে বলে মনে হয় না। আর কথা যদি বলতে আসে, তা হলে ভাবছি পাথরটা দিয়েই দেব। আপনার কর্তব্য এখানেই শেষ। আপনি যে লাইফ রিস্ক করে আজ ভিক্টোরিয়া মেমোরিয়ালে গিয়েছিলেন, তার জন্যে সত্যিই আমি কৃতজ্ঞ। আপনি বিলটা পাঠিয়ে দেবেন, একটা চেক আমি দিয়ে দেব।'

ফেলুদা বলল, 'লাইফ রিসকই বটে। একটা গাড়ি তো পিছন থেকে এসে প্রায় আমাদের শেষ করে দিয়েছিল!'

আমার কনুইটা খানিকটা ছড়ে গিয়েছিল, আমি সেটা এতক্ষণ হাত দিয়ে ঢাকবার চেষ্টা করছিলাম, কিন্তু চেয়ার ছেড়ে ওঠবার সময় ফেলুদা সেটা দেখে ফেলল।

'ও কী রে, তোর হাতে যে রক্ত!' তারপর কৈলাসবাবুর দিকে ফিরে বলল, 'কিছু যদি মনে না করেন—আপনার এখানে একটু ডেটল বা আয়োডিন হবে কি? এই সব ঘাগুলো আবার বড্ড চট করে সেপটিক হয়ে যায়।'

কৈলাসবাবু ব্যস্ত হয়ে বললেন, 'ইস—যা হয়েছে কলকাতার রাস্তাঘাট! দেখি, অবনীশকে জিজ্ঞেস করি!'

অবনীশবাবুর ঘরের সামনে গিয়ে ডেটলের কথা জিজ্ঞেস করতেই উনি কেমন যেন একটু অবাক হয়ে বললেন, 'তুমি যে এই দিন সাতেক আগেই আনলে। সে কি এর মধ্যেই ফুরিয়ে গেল?'

কৈলাসবাবু একটু অপ্রস্তুত হয়ে বললে, 'ওহো, তাই তো! এই দ্যাখ, খেয়ালই নেই। আমার কি আর মাথার ঠিক আছে?'

ডেটল লাগিয়ে কৈলাসবাবুর বাড়ি থেকে বেরিয়ে এসে দেখি ফেলুদা কর্নওয়ালিশ স্ট্রিটে ট্রামের দিকে না গিয়ে যাচ্ছে উলটো দিকে। আমি কিছু জিজ্ঞেস করার আগেই ও বলল, 'গণপতিদা'র কাছে একবার টেস্টম্যাচের টিকিটের কথাটা বলে যাই। এত কাছেই যখন এসেছি...'

কৈলাসবাবুর দুটো বাড়ি পরেই গণপতি চ্যাটার্জির বাড়ি। আমি ওর নাম শুনেছি ফেলুদার কাছে, কিন্তু দেখিনি কখনও। রাস্তার উপরেই সামনের ঘর, টোকা মারতেই গেঞ্জির উপর পুলোভার পরা একজন নাদুসনুদুস ভদ্রলোক দরজা খুলল।

'আরে, ফেলু মাস্টার যে—কী খবর?'

'একটা খবর তো বুঝতেই পারছেন।'

'তা তো বুঝছি, তবে সশরীরে তাগাদা না দিতে এলেও চলত। তোমার রিকোয়েস্ট কি ভুলি? যখন বলিচি দেব তখন দেবই।'

'আসার কারণ অবিশ্যি আরেকটা আছে। আপনার বাড়ির ছাত থেকে শুনিচি উত্তর কলকাতার একটা খুব ভাল ভিউ পাওয়া যায়। একটা ফিল্ম কোম্পানির জন্য সেইটে একবার দেখতে চাইছিলাম।'

'স্বচ্ছন্দে! সটান সিঁড়ি দিয়ে চলে যাও। আমি এদিকে চায়ের আয়োজন করছি।'

চারতলার ছাতে উঠে পুব দিকে চাইতেই দেখি—কৈলাসবাবুদের বাড়ি। একতলার বাগান থেকে ছাত অবধি দেখা যাচ্ছে। দোতলার একটা ঘরে আলো জ্বলছে—আর তার ভিতরে একজন লোক খুটখুট করে এদিক ওদিক ঘুরে বেড়াচ্ছে। খালি চোখেই বুঝতে পারলাম সেটা কৈলাসবাবুর বাবা। ছাতের ওপর ওই যে চিলেকোঠা—তার জানলার দিকে দেয়ালটা দেখা যাচ্ছে। দরজাটা বোধহয় উলটো দিকে।

দোতলার একটা বাতি জ্বলে উঠল। বুঝলাম সেটা সিঁড়ির বাতি। ফেলুদা বাইনোকুলার চোখে লাগাল। একজন লোক সিঁড়ি দিয়ে উঠছে। কে? কৈলাসবাবু। এতদূর থেকেও তার লাল সিল্কের ড্রেসিং গাউনটা দেখেই বোঝা যায়। কয়েক সেকেন্ডের জন্য কৈলাসবাবুকে দেখা গেল না। তারপর হঠাৎ দেখি উনি ছাতে উঠে এসেছেন। আমরা দুজনেই চট করে একসঙ্গে নিচু হয়ে শুধু চোখদুটো পাঁচিলের ওপর দিয়ে বার করে রাখলাম।

কৈলাসবাবু এদিক ওদিক দেখে চিলেকোঠার উলটোদিকে চলে গেলেন। তারপর ঘরের বাতি জ্বলে উঠল। কৈলাসবাবুকে জানালায় দেখা গেল। উনি আমাদের দিকে পিঠ করে দাঁড়িয়ে আছেন। আমার বুকের ভিতরে ভীষণ জোরে ঢিপ ঢিপ আরম্ভ হয়ে গেছে। কৈলাসবাবু কিছুক্ষণ দাঁড়িয়ে থেকে মাটিতে বসে পড়লেন।

কিছুক্ষণ পর কৈলাসবাবু আবার ঘরের বাতি নিভিয়ে সিঁড়ি দিয়ে নীচে চলে গেলেন।

ফেলুদা শুধু বলল, 'গোলমাল, গোলমাল।'

ফেলুদার এরকম অবস্থায় আমি ওকে বিশেষ কিছু বলতে সাহস পাই না। অন্য সময় মাথায় চিন্তা থাকলেও পায়চারি করে, কিন্তু আজ দেখলাম ও সটান বিছানায় শুয়ে সিলিং-এর দিকে তাকিয়ে আছে। রাত সাড়ে নটায় দেখলাম ও নোট বইয়ে কী যেন হিজিবিজি লিখছে। ও আবার এ সব লেখা ইংরিজি ভাষায় কিন্তু গ্রিক অক্ষরে লেখে, আর সে অক্ষর আমার জানা নেই। এইটুকুই শুধু বুঝতে পারছিলাম যে, কৈলাসবাবুর বারণ সত্ত্বেও ও এই পাথরের ব্যাপারে কাজ চালিয়ে যাচ্ছে।

ঘুমোতে রাত হয়েছিল বলেই বোধহয় সকালে নিজে থেকে ঘুমটা ভাঙেনি—ভাঙল ফেলুদার ঠেলাতে।

'এই তোপ্‌সে ওঠ ওঠ, শ্যামপুকুর যেতে হবে।'

'কীসের জন্য?'

'ফোন করেছিলাম। কেউ ধরছে না। গণ্ডগোল মনে হচ্ছে।'

দশ মিনিটের মধ্যে ট্যাক্সিতে উঠে উর্ধ্বশ্বাসে ছুটে চললাম শ্যামপুকুরের দিকে। গাড়িতে ফেলুদা শুধু একটা কথাই বলল, 'কী সাংঘাতিক লোক রে বাবা! আরেকটু আগে বুঝতে পারলে বোধহয় গণ্ডগোলটা হত না।'

কৈলাসবাবুর বাড়িতে পৌঁছে ফেলুদা বেল-টেল না টিপেই ভেতরে চলে গেল। অবিশ্যি দরজাটা যে খোলাই ছিল সেটাও আমাদের ভাগ্য। সিঁড়ি পেরিয়ে অবনীশবাবুর ঘরের সামনে পৌঁছতেই চক্ষুস্থির! টেবিলের সামনে একটা চেয়ার উলটে পড়ে আছে, আর তার ঠিক পাশেই মেঝেতে হাত দুটো পিছনে জড়ো করে বাঁধা আর মুখে রুমাল বাঁধা অবস্থায় পড়ে আছেন অবনীশবাবু। ফেলুদা হুমড়ি দিয়ে পড়ে আধ মিনিটের মধ্যে দড়ি রুমাল খুলে দিতেই ভদ্রলোক

বললেন,—'উঃ—থ্যাঙ্ক গড!'

ফেলুদা বলল, 'কে করেছে এই দশা আপনার?'

ভদ্রলোক হাঁপাতে হাঁপাতে উঠে বসে বললেন, 'মামা! কৈলাসমামা! মামার মাথা খারাপ হয়ে গেছে—সেদিন বলছিলাম না আপনাকে? ভোরে এসে বসেছি ঘরে—বাতি জ্বালিয়ে কাজ করছিলাম। মামা ঘরে ঢুকেই আগে বাতি নিভিয়েছেন। তারপর মাথায় একটা বাড়ি। তারপর আর কিচ্ছু জানি না। কিছুক্ষণ হল জ্ঞান ফিরেছে—কিন্তু নড়তে পারি না, মুখে শব্দ করতে পারি না—উঃ!'

'আর কৈলাসবাবু?' ফেলুদা প্রায় চিৎকার করে উঠল।

'জানি না!'

ফেলুদা এক লাফে উঠে ঘর থেকে বেরিয়ে গেল। আমিও ছুটলাম তার পিছনে।

একবার বৈঠকখানায় ঢুকে কাউকে না দেখে, তিন ধাপ সিঁড়ি এক এক লাফে উঠে দোতলায় পৌঁছে ফেলুদা সটান কৈলাসবাবুর ঘরে গিয়ে উপস্থিত হল। খাটের চেহারা দেখে মনে হল সেখানে লোক শুয়েছিল, কিন্তু ঘর এখন খালি। আলমারির দরজা দেখি হাঁ করে খোলা। ফেলুদা দৌড়ে গিয়ে দেরাজ খুলে জিনিসটা বার করল সেটা মখমলের সেই নীল বাক্স। খুলে দেখা গেল ভিতরে সেই পাথর যেমন ছিল তেমনিই আছে।

এতক্ষণে দেখি অবনীশবাবু এসে হাজির হয়েছেন, তার মুখের অবস্থা শোচনীয়। তাকে দেখেই ফেলুদা বলল, 'ছাতের ঘরের চাবি কার কাছে?'

ভদ্রলোক থতমত খেয়ে বললেন, 'সে-সে-সেতো মামার কাছে।'

'তবে চলুন ছাতে'—বলে ফেলুদা তাকে হিড় হিড় করে টেনে বার করে নিয়ে গেল।

অন্ধকার সিঁড়ি দিয়ে তিনজনে ছাতে উঠে দেখি—চিলেকোঠার দরজা বাইরে থেকে তালা দিয়ে বন্ধ। এইবার দেখলাম ফেলুদার গায়ের জোর। দরজা থেকে তিন হাত পিছিয়ে কাঁধটা আগিয়ে বাঘের মতো ঝাঁপিয়ে পড়ে চার বার ধাক্কা দিতেই কড়াগুলো পেরেক সুদ্ধ উপড়ে বেরিয়ে এসে দরজাটা ঝটাং করে খুলে গেল।

ভিতরে অন্ধকার। তিনজনেই ঘরের মধ্যে ঢুকলাম। ক্রমে চোখটা সয়ে আসতে দেখলাম—এক কোণে অবনীশবাবুরই মতো দড়ি বাঁধা মুখ বাঁধা অবস্থায় পড়ে আছেন—ইনি কে? কৈলাস চৌধুরী, না কেদার চৌধুরী?

দড়ির বাঁধন খুলে দিয়ে তাঁকে কোলপাঁজা করে নিয়ে ফেলুদা সিঁড়ি দিয়ে দোতলায় নেমে কৈলাসবাবুর ঘরে নিয়ে বিছানার উপর শোয়াল। ভদ্রলোক তখন ফেলুদার দিকে ফ্যাল ফ্যাল করে চেয়ে ক্ষীণ গলায় বললেন, 'আপনিই কি...?'

ফেলুদা বলল, 'আজ্ঞে হ্যাঁ। আমারই নাম প্রদোষ মিত্তির। চিঠিটা বোধ হয় আপনিই আমাকে লিখেছিলেন— কিন্তু আপনার সঙ্গে সাক্ষাৎ পরিচয় হবার সৌভাগ্য হয়নি।...অবনীশবাবু, এঁর জন্য একটু গরম দুধের ব্যবস্থা দেখুন তো।'

আমি অবাক হয়ে ভদ্রলোকের দিকে চেয়ে আছি। ইনিই তা হলে কৈলাস চৌধুরী! ভদ্রলোক বালিশের উপর ভর দিয়ে খানিকটা সোজা হয়ে বসে বললেন, 'শরীরে জোর ছিল, তাই টিকে আছি। অন্য কেউ হলে...এই চার দিনে...!'

ফেলুদা বলল, 'আপনি বেশি স্ট্রেন করবেন না।'

কৈলাসবাবু বললেন, 'কিছু কথা তো বলতেই হবে—নইলে ব্যাপারটা আপনার কাছে পরিষ্কার হবে না। আপনার সঙ্গে আর সাক্ষাৎ হবে কী করে—যেদিন চিঠি দিলুম আপনাকে, সেইদিনই তো ও আমাকে বন্দি করে ফেলল। তাও চায়ের সঙ্গে ওষুধ মিশিয়ে অজ্ঞান করে—নইলে গায়ের জোরে পারত না।'

'আর সেদিন থেকেই উনি কৈলাস চৌধুরী সেজে বসেছিলেন?'

কৈলাসবাবু দুঃখের ভাব করে মাথা নেড়ে বললেন, 'দোষটা আমারই, জানেন। বানিয়ে বানিয়ে বড়াই করাটা বোধহয় আমাদের রক্তে একেবারে মিশে আছে। পঞ্চাশ টাকা দিয়ে একটা পাথর কিনেছিলুম জব্বলপুরের বাজার থেকে। কী দুর্মতি হল, ফিরে এসে চাঁদার জঙ্গলের এক দেবমন্দিরের গল্প ফেঁদে কেদারকে তাক লাগিয়ে দিলুম। সেই থেকেই ওর ওইটের উপর লোভ। আমার ভাগ্যটা ও সহ্য করতে পারেনি। অনেক কিছুই সহ্য করতে পারেনি। বোধহয় ভাবত—দুজনে যমজ ভাই—চোখে দেখে কোনও তফাত করা যায় না, অথচ আমার গুণ, আমার রোজগার, আমার ভাগ্য—এ ব্যাপারে ওর সঙ্গে এত তফাত হবে কেন? ও নিজে ছিল বেপরোয়া রেকলেস। একবার তো নোট জাল করার কেসে পড়েছিল। আমিই কোনও রকমে ওকে বাঁচাই। বিলেত গেল আমারই কাছ থেকে টাকা ধার করে। ভাবলুম আপদ গেল। এই সাতদিন আগে—গত মঙ্গলবার—বাড়ি ফিরে দেখি পাথরটা নেই। তার কথা মনেই হয়নি। চাকরদের উপর চোটপাট করলুম—কোনও ফল হল না। বিষ্যুদবার সকালে আপনাকে চিঠি দিলাম। সেদিনই রাত্রে ও এল। বাজারে যাচাই করে জেনেছে ও পাথরের কোনও দাম নেই, অথচ ও দেখেছিল লাখ টাকার স্বপ্ন। ক্ষেপে একেবারে লাল। টাকার দরকার—অন্তত বিশ হাজার! চাইল—রিফিউজ করলুম। তাতে ও আমাকে অজ্ঞান করে বন্দি করল। বলল যতদিন না টাকা দিই তদ্দিন ছাড়বে না—আর সে ক'দিন ও কৈলাস চৌধুরী সেজে বসে থাকবে—কেবল আদালতে যাবে না—অসুখ বলে ছুটি নেবে।'

ফেলুদা বলল, 'আমি যখন আপনার চিঠি পেয়ে এসে পড়লাম, তখন ভদ্রলোক একটু মুশকিলে পড়েছিলেন, তাই আমাদের দশ মিনিট বসিয়ে রেখে একটা হুমকি চিঠি, আর একজন কাল্পনিক শত্রু খাড়া করলেন। এইটে না করলে আমাদের সন্দেহ হত। অথচ আমি থাকলেও বিপদ—তাই আবার টেলিফোনে হুমকি দিয়ে আর গাড়ি চাপা দিয়ে আমাদের হটাতেও চেষ্টা করলেন!'

কৈলাস ভ্রূকুটি করে বললেন, 'কিন্তু আমি ভাবছি, কেদার এ ভাবে হঠাৎ আমাকে রেহাই দিয়ে চলে গেল কেন। আমি তো কাল রাত অবধি ওকে টাকা দিতে রাজি হইনি। ও কি শুধু হাতেই চলে গেল?'

অবনীশবাবু যে কখন দুধ নিয়ে হাজির হয়েছেন তা লক্ষই করিনি। হঠাৎ ভদ্রলোকের চিৎকার শুনে চমকে উঠলাম।

'খালি হাতে যাবেন কেন তিনি? আমার টিকিট—আমার মহামূল্য ভিক্টোরিয়ার টিকিট নিয়ে গেছেন তিনি।'

ফেলুদা অবনীশবাবুর দিকে চেয়ে চোখ বড় বড় করে বলল, 'সে কী—সেটা গেছে নাকি?'

'গেছে বইকী! আমাকে শেষ করে দিয়ে গেছেন কেদার মামা।'

'কত দাম যেন বলেছিলেন টিকিটটার?'

'বিশ হাজার।'

'কিন্তু'—ফেলুদা অবনীশবাবুর দিকে ঝুঁকে পড়ে গলাটা নামিয়ে বলল, 'ক্যাটালগে যে বলছে ওটার দাম পঞ্চাশ টাকার বেশি নয়।'

অবনীশবাবুর মুখ হঠাৎ ফ্যাকাশে হয়ে গেল।

ফেলুদা বলল, 'আপনার মধ্যেও তো চৌধুরী বংশের রক্ত রয়েছে—তাই না? আপনিও বোধহয় একটু রং চড়িয়ে কথা বলতে ভালবাসেন?'

ভদ্রলোক এবার একেবারে ছেলেমানুষের মতো কাঁদো কাঁদো মুখ করে বললেন, 'কী করি বলুন! তিন বছর ধরে চার হাজার ধুলোমাখা চিঠি ঘেঁটেও যে একটা ভাল টিকিট পেলাম না!

তাও তো মিথ্যে বলে লোককে অবাক করে কিছুটা আনন্দ পাওয়া যায়।'

ফেলুদা হো হো করে হেসে উঠে অবনীশবাবুর পিঠ চাপড়ে বললেন, 'কুছ পরোয়া নেই। আপনার কেদার মামাকে আপনি যে টাইটটি দিলেন, সেটার কথা ভাবলেই দেখবেন প্রচুর আনন্দ পাবেন।...যাক গে, এবার দমদম এয়ারপোর্টে একটা টেলিফোন করে দেখি। কেদারবাবু পালাবেন আন্দাজ করে আজ সকালে এয়ার ইন্ডিয়াতে ফোন করে জেনেছি আজই একটা বোম্বাই-এর প্লেনে ওঁর বুকিং আছে। পুলিশ থাকবে ওখানে, তাই পালাবার কোনও রাস্তা নেই। ভাগ্যে তপেশের কনুই ছড়েছিল! ডেটলের ব্যাপারটাতেই আমার ওর উপর প্রথম সন্দেহ হয়।'

কেদারবাবুকে গ্রেপ্তার করতে কোনও বেগ পেতে হয়নি, আর অবনীশবাবুও তাঁর পঞ্চাশ টাকার টিকিটটা ফেরত পেয়েছিলেন। ফেলুদা যা টাকা পেল, তাই দিয়ে আমাদের তিনদিন রেস্টুর‍্যান্টে খাওয়া আর দুটো সিনেমা দেখার পরেও ওর পকেটে বেশ কিছু বাকি রইল।

আজ বিকেলে বাড়িতে বসে চা খেতে খেতে ফেলুদাকে বললাম, 'ফেলুদা, একটা জিনিস আমি ভেবে বার করেছি, সেটা ঠিক কি না বলবে?'

'কী ভেবেছিস শুনি।'

'আমার মনে হয় কৈলাসবাবুর বাবা বুঝতে পেরেছিলেন যে কেদারবাবু কৈলাসবাবু সেজে বসে আছেন, আর সেই জন্যেই সেদিন ওর দিকে কটমট করে চাইছিলেন। বাবারা নিশ্চয়ই নিজেদের যমজ ছেলেদের মধ্যে তফাত ধরতে পারে—তাই না?'

'এক্ষেত্রে তা যদি নাও হয়, তা হলেও, তোর ভাবনাটা আমার ভাবনার সঙ্গে মিলে গেছে বলে আমি তোকে সম্মানিত করছি'—এই বলে ফেলুদা আমার প্লেট থেকে একটা জিলিপি তুলে নিয়ে মুখে পুরে দিল।

শেয়াল-দেবতা রহস্য

'টেলিফোনটা কে করেছিল ফেলুদা?'

প্রশ্নটা করেই বুঝতে পারলাম যে বোকামি করেছি, কারণ যোগব্যায়াম করার সময় ফেলুদা কথা বলে না। এক্সারসাইজ ছেড়ে ফেলুদা এ-জিনিসটা সবে মাস ছয়েক হল ধরেছে। সকালে আধঘণ্টা ধরে নানারকম 'আসন' করে সে। এমনকী, কনুইয়ের উপর ভর দিয়ে মাথা নীচের দিকে আর পা উপর দিকে শূন্যে তুলে শীর্ষাসন পর্যন্ত। এটা স্বীকার করতেই হবে যে একমাসে ফেলুদার শরীর আরও 'ফিট' হয়েছে বলে মনে হয়; কাজেই বলতে হয় যে যোগাসনে রীতিমতো উপকার হচ্ছে।

প্রশ্নটা জিজ্ঞেস করেই পিছন দিকে টেবিলের উপরে রাখা ঘড়ির টাইমটা দেখে নিলাম। ঠিক সাড়ে সাত মিনিট পরে আসন শেষ করে ফেলুদা জবাব দিল—

'তুই চিনবি না।'

এতক্ষণ পরে এরকম একটা উত্তর পেয়ে ভারী রাগ হল। চিনি না তো অনেককেই, কিন্তু নামটা বলতে দোষ কী? আর না চিনলেও, চিনিয়ে দেওয়া যায় না কি? একটি গম্ভীরভাবেই জিজ্ঞেস করলাম, 'তুমি চেনো?'

ফেলুদা জলে-ভেজানো ছোলা খেতে খেতে বলল, 'আগে চিনতাম না। এখন চিনি।'

কয়েকদিন হল আমার পুজোর ছুটি হয়ে গেছে। বাবা তিনদিন হল জামসেদপুরে গেছেন কাজে। বাড়িতে এখন আমি, ফেলুদা আর মা। এবার আমরা পুজোয় বাইরে যাব না। তাতে আমার বিশেষ আপশোস নেই, কারণ পুজোয় কলকাতাটা ভালই লাগে, বিশেষ করে যদি ফেলুদা সঙ্গে থাকে। ওর আজকাল শখের গোয়েন্দা হিসাবে বেশ নামটাম হয়েছে, কাজেই মাঝে মাঝে যে রহস্য সমাধানের জন্য ওর ডাক পড়বে তাতে আর আশ্চর্য কী? এর আগে প্রত্যেকটা রহস্যের ব্যাপারেই আমি ফেলুদার সঙ্গে ছিলাম। ভয় হয় ওর নাম বেশি হওয়াতে হঠাৎ যদি ও একদিন বলে বসে 'নাঃ, তোকে আর এবার সঙ্গে নেব না।' কিন্তু এখন পর্যন্ত সেটা ঘটেনি। আমার বিশ্বাস ওর আমাকে সঙ্গে রাখার একটা কারণ আছে। হয়তো সঙ্গে একটা অল্পবয়স্ক ছেলেকে দেখে অনেকেই ওকে গোয়েন্দা বলে ভাবতে পারে না। সেটা তো একটা মস্ত সুবিধে। গোয়েন্দারা যতই আত্মগোপন করে থাকতে পারে ততই তাদের লাভ।

'ফোনটা কে করল জানতে খুব ইচ্ছে করছে বোধহয়?'

এটা ফেলুদার একটা কায়দা। ও যখনই বুঝতে পারে আমার কোনও একটা জিনিস জানবার খুব আগ্রহ, তখনই সেটা চট করে না-বলে আগে একটা সাসপেন্স তৈরি করে। সেটা আমি জানি বলেই বিশেষ উৎসাহ না দেখিয়ে বললাম, 'ফোনটার সঙ্গে যদি কোনও রহস্যের ব্যাপার জড়িয়ে থাকে তা হলে জানতে ইচ্ছে করে বইকী।'

ফেলুদা গেঞ্জির উপর তার সবুজ ডোরাকাটা শার্টটা চাপিয়ে নিয়ে বলল, 'লোকটার নাম নীলমণি সান্যাল। রোল্যান্ড রোডে থাকে। বিশেষ জরুরি দরকারে আমাকে ডেকে পাঠিয়েছে।'

'কী দরকার বলেনি?'

'না। সেটা ফোনে বলতে চায় না। তবে গলা শুনে মনে হল ঘাবড়েছে।'

'কখন যেতে হবে?'

'ট্যাক্সিতে করে যেতে মিনিট দশেক লাগবে। ন'টায় অ্যাপয়েন্টমেন্ট। সুতরাং আর দুমিনিটের মধ্যে বেরিয়ে পড়া উচিত।'

ট্যাক্সি করে নীলমণি সান্যালের বাড়ি যেতে যেতে ফেলুদাকে বললাম, 'অনেক রকম তো দুষ্টু লোক থাকে; ধরো নীলমণিবাবুর যদি কোনওরকম বিপদ না হয়ে থাকে—তিনি যদি শুধু তোমাকে প্যাঁচে ফেলার জন্যই ডেকে থাকেন।'

ফেলুদা রাস্তার দিক থেকে চোখ না সরিয়ে বলল, 'সে রিস্ক তো থাকেই। তবে সেরকম লোক বাড়িতে ডেকে নিয়ে প্যাঁচে ফেলবে না, কারণ সেটা তাদের পক্ষেও রিস্কি হয়ে যাবে। সে সব কাজের জন্য অল্প টাকায় ভাড়াটে গুণ্ডার কোনও অভাব নেই।'

একটা কথা বলা হয়নি—ফেলুদা গত বছর অল ইন্ডিয়া রাইফ্ল কম্পিটিশনে ফার্স্ট হয়েছে। মাত্র তিনমাস বন্দুক শিখেই ওর যা টিপ হয়েছিল সে একেবারে থ মেরে যাবার মতো। ফেলুদার এখন বন্দুক রিভলবার দুই-ই আছে, তবে বইয়ের ডিটেকটিভের মতো ও সারাক্ষণ রিভলবার নিয়ে ঘোরে না। সত্যি বলতে কী, এখন পর্যন্ত ফেলুদাকে ও দুটোর একটাও ব্যবহার করতে হয়নি; তবে কোনওদিন যে হবে না সে কথা কী করে বলি?

ট্যাক্সি যখন ম্যাডক্ স্কোয়ারের কাছাকাছি এসেছে, তখন জিজ্ঞেস করলাম, 'ভদ্রলোক কী করেন সেটা জান?'

ফেলুদা বলল, 'ভদ্রলোক পান খান, বোধহয় কানে একটু কম শোনেন, "ইয়ে" শব্দটা একটু বেশি ব্যবহার করেন, আর অল্প সর্দিতে ভুগছেন—এ ছাড়া আর কিছুই জানি না।'

এর পরে আর আমি কিছু জিজ্ঞেস করিনি।

নীলমণি সান্যালের বাড়িতে পৌঁছতে ট্যাক্সিভাড়া উঠল এক টাকা সত্তর পয়সা। একটা দুটাকার নোট বার করে ট্যাক্সিওয়ালার হাতে দিয়ে ফেলুদা হাতের একটা কায়দার ভঙ্গিতে বুঝিয়ে দিল যে তার চেঞ্জ ফেরত চাই না। গাড়ি থেকে নেমে পোর্টিকোর তলা দিয়ে গিয়ে সামনের দরজায় পৌঁছে কলিং বেল টেপা হল।

দোতলা বাড়ি, তবে খুব যে বড় তাও নয়, আর খুব পুরনোও নয়। সামনের দিকে একটা বাগানও আছে, তবে সেটা খুব বাহারের কিছু নয়।

একজন দারোয়ান গোছের লোক এসে ফেলুদার কাছ থেকে ভিজিটিং কার্ড নিয়ে আমাদের বৈঠকখানায় বসতে বলল। ঘরে ঢুকে চারদিকে তাকিয়ে বেশ তাক লেগে গেল। সোফা, টেবিল, ফুলদানি, ছবি, কাচের আলমারিতে সাজানো নানারকম সুন্দর পুরনো জিনিস-টিনিস মিলিয়ে বেশ একটা জমকালো ভাব। মনে হয় অনেক খরচ করে মাথা খাটিয়ে কিনে সাজানো হয়েছে।

ফেলুদা নিজেই উঠে পাখার রেগুলেটারটা ঘোরানোর সঙ্গে সঙ্গেই একজন ভদ্রলোক এসে ঢুকলেন। গায়ে স্লিপিং সুটের পায়জামার উপর একপাশে বোতামওয়ালা আদ্দির পাঞ্জাবি, পায়ে হরিণের চামড়ার চটি, আর দুহাতের আঙুলে অনেকগুলো আংটি। হাইট মাঝারি, দাড়ি গোঁফ কামানো, মাথায় চুল বেশি নেই, রং মোটামুটি ফরসা, আর চোখ দুটো ঢুলুঢুলু—দেখলে মনে হয় এই বুঝি ঘুম থেকে উঠে এলেন। বয়স কত হবে? পঞ্চাশের বেশি নয়।

'আপনারই নাম প্রদোষ মিত্তির?' জিজ্ঞেস করলেন। 'আপনি যে এত ইয়ং সেটা জানা ছিল না।'

ফেলুদা একটু হেঁ হেঁ করে আমার দিকে দেখিয়ে বলল, 'এটি আমার খুড়তুতো ভাই। খুব বুদ্ধিমান ছেলে। আপনি চাইলে আমাদের কথাবার্তার সময় আমি ওকে বাইরে পাঠিয়ে দিতে পারি।'

আমার বুকটা ধুকপুক করে উঠল। কিন্তু ভদ্রলোক আমার দিকে একবার চোখ বুলিয়ে নিয়েই বললেন, 'কেন, থাকুক না—কোনও ক্ষতি নেই।' তারপর ফেলুদার দিকে ফিরে বললেন, 'ইয়ে—আপনারা কিছু খাবেন-টাবেন? চা বা কফি?'

'নাঃ। এই সবে চা খেয়ে বেরিয়েছি।'

'বেশ, তা হলে আর সময় নষ্ট না করে কেন ডেকেছি সেইটে বলি। তবে তার আগে আমার নিজের পরিচয়টা একটু দিই। বুঝতেই পারছেন আমি একজন শৌখিন লোক। পয়সা কড়িও কিছু আছে সেটাও নিশ্চয়ই অনুমান করেছেন। তবে বললে বিশ্বাস করবেন না, আমি চাকরিও করি না, ব্যবসাও করি না, বা বাপের সম্পত্তিও এক পয়সাও পাইনি।'

নীলমণিবাবু রহস্য করার ভাব করে চুপ করলেন।

ফেলুদা বলল, 'তা হলে কি লটারি?'

'আজ্ঞে?'

'বলছিলাম—তা হলে কি কখনও লটারি-টটারি জিতেছিলেন?'

'এগজাক্টলি?' ভদ্রলোক প্রায় ছেলেমানুষের মতো চেঁচিয়ে উঠলেন। 'এগারো বছর আগে রেঞ্জার্স লটারি জিতে এক ধাক্কায় পেয়ে যাই প্রায় আড়াই লাখ টাকা। তারপর সেই টাকা দিয়ে, খানিকটা বুদ্ধি আর খানিকটা ভাগ্যের জোরে, বেশ ভালভাবেই চালিয়ে এসেছি। বাড়িটা তৈরি করি বছর আষ্টেক আগে। আপনি হয়তো ভাবছেন, এরকম অকেজোভাবে একটা মানুষ বেঁচে থাকে কী করে; কিন্তু আসলে একটা কাজ আমার আছে—একটাই কাজ—সেটা হল, অকশন থেকে এইসব জিনিসপত্র কিনে ঘর সাজানো!'

ভদ্রলোক তাঁর ডান হাতটি বাড়িয়ে চারিদিকের সাজানো জিনিসপত্রগুলোর দিকে দেখিয়ে দিলেন। তারপর বললেন—

'যে ঘটনাটা ঘটেছে তার সঙ্গে আমার এইসব আর্টিস্টিক জিনিসপত্তরের কোনও সম্পর্ক আছে কি না জানি না, কিন্তু আমার মনে সন্দেহ হয় যে হয়তো থাকতেও পারে। এই যে—'

নীলমণিবাবু তাঁর পাঞ্জাবির পকেটে হাত ঢুকিয়ে কয়েকটা কাগজের টুকরো বার করে ফেলুদার দিকে এগিয়ে দিলেন। ফেলুদার সঙ্গে সঙ্গে আমিও কাগজগুলো দেখে নিলাম। তিনটে কাগজ, তার প্রত্যেকটাতেই লেখার বদলে লাইন করে ছোট ছোট ছবি আঁকা। সেই ছবির মধ্যে কিছু কিছু বেশ বোঝা যায়—যেমন, প্যাঁচা, চোখ, সাপ, সূর্য—এইসব। আমার কেমন যেন ব্যাপারটাকে দেখা দেখা বলে মনে হচ্ছিল, এমন সময় ফেলুদা বলল, 'এসব তো হিয়েরোগ্লিফিক লেখা বলে মনে হচ্ছে।'

ভদ্রলোক একটু থতমত খেয়ে বললেন, 'আজ্ঞে?'

ফেলুদা বলল, 'প্রাচীনকালে ইজিপ্সিয়ানরা যে লেখা বার করেছিল, এটা সেই জিনিস বলে মনে হচ্ছে।'

'তাই বুঝি?'

'হুঁ। তবে এ লেখা পড়তে পারে এমন লোক কলকাতায় আছে কি না সন্দেহ।'

ভদ্রলোক যেন একটু মুষড়ে পড়ে বললেন, 'তা হলে? যে জিনিস দুদিন অন্তর অন্তর ডাকে আমার নামে আসছে, তার মানে না করতে পারলে তো ভারী অস্বস্তিকর ব্যাপার হবে! ধরুন যদি এগুলো সাংকেতিক হুমকি হয়—কেউ হয়তো আমাকে খুন করতে চাইছে, আর তার আগে আমাকে শাসাচ্ছে।'

ফেলুদা একটুক্ষণ চুপ করে থেকে বলল, 'আপনার যে-সমস্ত জিনিসপত্র সাজানো রয়েছে—তার মধ্যে ইজিপ্সিয়ান কিছু আছে?'

নীলমণিবাবু হেসে বললেন, 'দেখুন, আমার কোন জিনিস যে কোথাকার, সেটা আমি নিজেই ঠিক ভালভাবে জানি না। আমি কিনি, কারণ আমার পয়সা আছে এবং আর পাঁচজন শৌখিন লোককে এ সব জিনিস কিনতে দেখেছি, তাই।'

'কিন্তু আপনার এত জিনিসের মধ্যে একটিকেও তো খেলো বলে মনে হচ্ছে না। যারা শুধু এগুলো দেখবে, তারা তো আপনাকে রীতিমতো সমঝদার লোক বলে মনে করবে।

ভদ্রলোক হেসে বললেন, 'ওটা কী জানেন? এ সব ব্যাপারে সচরাচর জিনিস ভাল হলেই তার দাম বেশি হয়। টাকা যখন আছে, তখন আমি সেরা জিনিসটা কিনব না কেন! অনেক ভারী ভারী খদ্দেরের উপরে টেক্কা দিয়ে নিলাম থেকে এ সব কিনেছি মশাই, কাজেই ভাল জিনিস আমার কাছে থাকাটা কিছু আশ্চর্য নয়।'

'কিন্তু মিশরের জিনিস কিছু আছে কি না জানেন না?'

নীলমণিবাবু সোফা ছেড়ে উঠে একটা কাচের আলমারির দিকে গিয়ে তার উপরের তাক থেকে একটা বিঘতখানেক লম্বা মূর্তি নামিয়ে এনে সেটা ফেলুদার হাতে দিলেন। সবুজ পাথরের মূর্তি, তার গায়ে আবার নানা রঙের ঝলমলে পাথর বসানো। দু-এক জায়গায় যেন সোনাও রয়েছে। তবে আশ্চর্য এই যে, মূর্তিটার শরীর মানুষের মতো হলেও, তার মুখটা শেয়ালের মতো। 'এটা দিন দশেক আগে কিনেছি অ্যারাটুন ব্রাদার্সের একটা নিলাম থেকে। এটা বোধহয়—'

ফেলুদা মূর্তিটায় একবার চোখ বুলিয়েই বলল, 'আনুবিস।'

'আনুবিস? সে আবার কী?'

ফেলুদা মূর্তিটা সাবধানে নেড়েচেড়ে নীলমণিবাবুর হাতে ফেরত দিয়ে বলল, 'আনুবিস ছিল প্রাচীন মিশরের গড অফ দ্য ডেড। মৃত আত্মাদের দেবতা।...চমৎকার জিনিস পেয়েছেন এটা।'

'কিন্তু—' ভদ্রলোকের গলায় ভয়ের সুর '—এই মূর্তি আর এইসব চিঠির মধ্যে কোনও

সম্পর্ক আছে কি? আমি কি এটা কিনে ভুল করলাম? কেউ কি এটা আমার কাছ থেকে ছিনিয়ে নেবে বলে শাসাচ্ছে?'

ফেলুদা মাথা নেড়ে বলল, 'সেটা বলা মুশকিল। চিঠিগুলো কবে থেকে পেতে শুরু করেছেন?'

'গত সোমবার থেকে।'

'অর্থাৎ, মূর্তিটা কেনার ঠিক পর থেকেই?'

'হ্যাঁ।'

'খামগুলো আছে?'

'না, ফেলে দিয়েছি। রেখে দেওয়া হয়তো উচিত ছিল—তবে খুবই সাধারণ খাম, সাধারণ টাইপরাইটারে ঠিকানা লেখা। পোস্টঅফিস এলগিন রোড।'

'ঠিক আছে।' ফেলুদা উঠে পড়ল। 'আপাতত কিছু করার আছে বলে মনে হয় না। শুধু সেফ

সাইডে থাকার জন্য মূর্তিটাকে ওই আলমারিতে না রেখে আপনার হাতের কাছে রাখবেন। সম্প্রতি একজনদের বাড়ি থেকে এ ধরনের কিছু জিনিস চুরি হয়েছিল।'

'তাই বুঝি?'

'হ্যাঁ। একজন সিন্ধি ভদ্রলোক। যদ্দূর জানি এখনও সে চোর ধরা পড়েনি।'

আমরা ঘর থেকে বেরিয়ে বাইরে ল্যান্ডিং-এ এলাম।

ফেলুদা বলল, 'আপনার সঙ্গে রসিকতা করতে পারে এমন কারুর কথা মনে পড়ছে?'

ভদ্রলোক মাথা নেড়ে বললেন, 'কেউ না। পুরনো বন্ধুদের সঙ্গে অনেকদিন ছাড়াছাড়ি হয়ে গেছে।'

'আর শত্রু?'

ভদ্রলোক কয়েক মুহূর্ত চুপ থেকে বললেন, 'ধনীর তো শত্রু সব সময়ই থাকে, তবে তারা তো কেউ আর শত্রু বলে নিজেদের পরিচয় দেয় না! সামনাসামনি দেখা হলে সকলেই খাতির করে কথা বলে।'

'আপনি মূর্তিটা তো নিলামে কিনেছিলেন বললেন।'

'হ্যাঁ। অ্যারাটুন ব্রাদার্সের নিলামে।'

'ওটার ওপর আর কারও লোভ ছিল না?'

কথাটা শুনে ভদ্রলোক হঠাৎ যেন বেশ একটু উত্তেজিত হয়ে হাত কচলাতে শুরু করলেন। তারপর বললেন, 'আপনি কথাটা জিজ্ঞেস করে আমার ভাবনার একটা নতুন দিক খুলে দিলেন। আমার সঙ্গে একটি ভদ্রলোকের অনেকবার নিলামে ঠোকাঠুকি হয়েছে—সেদিনও হয়েছিল।'

'তিনি কে?'

'প্রতুল দত্ত।'

'কী করেন?'

'বোধহয় উকিল ছিলেন। রিটায়ার করেছেন। সেদিন ওর আর আমার মধ্যে শেষ অবধি রেষারেষি চলে। তারপর আমি বারো হাজার বলার পর উনি থেমে যান। মনে আছে, নিলামের পর আমি যখন বাইরে এসে গাড়িতে উঠছি, তখন হঠাৎ ওর সঙ্গে একবার চোখাচুখি হয়ে পড়ে। ওর চোখের চাহনিটা মোটেই ভাল লাগেনি।'

'আই সি।'

আমরা নীলমণিবাবুর বাড়ি থেকে বেরোলাম। গেটের দিকে হাঁটতে হাঁটতে ফেলুদা প্রশ্ন করল, 'এ বাড়িতে কি আপনারা অনেকে থাকেন?'

নীলমণিবাবু হেসে বললেন, 'কী বলছেন মশাই? আমার মতো একা মানুষ বোধহয় কলকাতায় দুটি নেই। ড্রাইভার, মালি, দুটি পুরনো বিশ্বস্ত চাকর, ও আমি—ব্যস!'

ফেলুদার পরের প্রশ্নটা একেবারেই এক্সপেক্ট করিনি—

'বাচ্চা ছেলে কি কেউ থাকে না এ বাড়িতে?'

ভদ্রলোক একমুহূর্তের জন্য একটু অবাক হয়ে তারপর হো হো করে হেসে বললেন, 'দেখেছেন—ভুলেই গেছি! আসলে আমি লোক বলতে বয়স্ক লোকের কথাই ভাবছিলাম! আজ দিন দশেক হল আমার ভাগনে ঝন্টু এখানে এসে রয়েছে। ওর বাবা ব্যবসা করেন। এই সেদিন সস্ত্রীক জাপানে গেছেন! ঝন্টুকে রেখে গেছেন আমার জিম্মায়। বেচারি এসে অবধি ইনফ্লুয়েঞ্জায় ভুগছে।'

তারপর হঠাৎ ফেলুদার দিকে চেয়ে বললেন, 'আপনার বাচ্চার কথা মনে হল কেন?'

ফেলুদা বলল, 'বৈঠকখানার একটা আলমারির পিছন থেকে একটা ঘুড়ির কোনা উঁকি মারছিল। সেইটে দেখেই...'

নীলমণিবাবুর চাকর একটা ট্যাক্সি ডাকতে গিয়েছিল, সেটা নুড়ি ফেলা পথের উপর দিয়ে কড় কড় শব্দ করে পোর্টিকোর তলায় ঠিক আমাদের সামনে এসে দাঁড়াল। ফেলুদা ট্যাক্সিতে ওঠার সময় বলল, 'সন্দেহজনক আরও কিছু যদি ঘটে তা হলে তৎক্ষণাৎ আমাকে জানাবেন। আপাতত আর কিছু করার আছে বলে মনে হয় না।'

বাড়ি ফেরার পথে ফেলুদাকে বললাম, 'শেয়াল-দেবতার চেহারাটা দেখে কীরকম ভয় করে—তাই না?'

ফেলুদা বলল, 'মানুষের ধড়ে অন্য যে-কোনও জিনিসের মাথা জুড়ে দিলেই ভয় করে—শুধু শেয়াল কেন?'

আমি বললাম, 'পুরনো ইজিপ্সিয়ান দেবদেবীর মূর্তি ঘরে রাখা তো বেশ বিপজ্জনক।'

'কে বলল?'

'বাঃ—তুমিই তো বলেছিলে।'

'মোটেই না। আমি বলেছিলাম, যে সব প্রত্নতাত্ত্বিকরা মাটি খুঁড়ে প্রাচীন ইজিপ্সিয়ান মূর্তি-টুর্তি বার করেছে, তাদের মধ্যে কয়েকজনকে বেশ নাজেহাল হতে হয়েছে।'

'হ্যাঁ-হ্যাঁ—সেই যে একজন সাহেব—সে তো মরেই গিয়েছিল—কী নাম না?'

'লর্ড কারনারভন।'

'আর তার কুকুর...?'

'কুকুর তার সঙ্গে ছিল না। কুকুর ছিল বিলেতে। সাহেব ছিলেন ইজিপ্টে। তুতানখামেনের কবর খুঁড়ে বার করার কিছুদিনের মধ্যেই কারনারভন হঠাৎ ভীষণ অসুখে পড়ে মারা যান। তারপরে খবর পাওয়া গিয়েছিল যে, যে সময় সাহেব মারা যান, ঠিক সেই একই সময় বিনা অসুখে রহস্যজনকভাবে বেশ কয়েক হাজার মাইল দূরে তার কুকুরটিও মারা যায়।'

প্রাচীন ইজিপ্টের কোনও জিনিস দেখলেই আমার ফেলুদার কাছে শোনা এই অদ্ভুত ঘটনাটা মনে পড়ে যায়। শেয়াল দেবতা আনুবিসের মূর্তিটাও নিশ্চয়ই কোনও মান্ধাতার আমলের ঈজিপ্সিয়ান সম্রাটের কবর থেকে এসেছে। নীলমণিবাবু কি এ সব কথা জানেন না? সাধ করে বিপদ ডেকে আনার মধ্যে কী মজা থাকতে পারে তা তো আমি ভেবেই পাই না।

পরদিন ভোর পৌনে ছ'টায় আমাদের বারান্দায় খবরের কাগজের বান্ডিলটা পড়ার প্রায় সঙ্গে সঙ্গেই টেলিফোনটা বেজে উঠল। আমি ফোনটা তুলে 'হ্যালো' বলেছি, কিন্তু উলটোদিকের কথা শোনার আগেই ফেলুদা সেটা আমার হাত থেকে ছিনিয়ে নিল। পর পর তিনবার 'হুঁ', দুবার 'ও', আর একবার 'আচ্ছা ঠিক আছে' বলেই ফোনটা ধপ করে রেখে দিয়ে ও ধরাগলায় বলল, 'আনুবিস গায়েব। এক্ষুনি যেতে হবে।'

সকালবেলায় ট্রাফিক কম বলে নীলমণি সান্যালের বাড়ি পৌঁছাতে লাগল ঠিক সাত মিনিট। ট্যাক্সি থেকে নেমেই দেখি নীলমণিবাবু কেমন যেন ভ্যাবাচ্যাকা ভাব করে বাড়ির বাইরেই আমাদের অপেক্ষায় দাঁড়িয়ে আছেন। ফেলুদাকে দেখেই বললেন, 'নাইটমেয়ারের মধ্যে দিয়ে গেছি মশাই। এরকম হরিব্‌ল অভিজ্ঞতা আমার কক্ষনও হয়নি।'

আমরা ততক্ষণে বৈঠকখানায় ঢুকেছি। ভদ্রলোক আমাদের আগেই সোফায় বসে প্রথমে তাঁর হাতের কব্জিগুলো দেখালেন। দেখলাম, লোকে যেখানে ঘড়ি পরে, তার ঠিক নীচ দিয়ে দুই হাতে দড়ির দাগ বসে গিয়ে হাতটা লাল হয়ে গেছে।

ফেলুদা বলল, 'কী ব্যাপার বলুন।'

ভদ্রলোক দম নিয়ে ধরা গলায় বলতে শুরু করলেন, 'আপনার কথা মতো গতকাল মূর্তিটা শোবার ঘরে নিয়ে গিয়ে একেবারে বালিশের তলায় রেখে দিয়েছিলাম। এখন মনে হচ্ছে

যেখানে ছিল সেখানেই রাখলে আর কিছু না হোক, অন্তত শারীরিক যন্ত্রণাটা ভোগ করতে হত না। যাক গে—মূর্তিটা তো মাথার তলায় নিয়ে দিব্যি ঘুমোচ্ছি, এমন সময়—রাত কত জানি না—একটা বিশ্রী অবস্থায় ঘুম ভেঙে গেল। দেখি কে জানি আমার মুখটা আষ্টেপৃষ্ঠে গামছা দিয়ে বাঁধছে। গলা দিয়ে আওয়াজ বেরোবার পথ বন্ধ দেখে হাত দিয়ে বাধা দিতে গেলুম, আর তখনই বুঝতে পারলুম যে আমার চেয়ে অনেক বেশি শক্তিশালী লোকের পাল্লায় পড়েছি। দেখতে দেখতে আমার হাত পিছমোড়া করে দিলে। ব্যাস্—তারপর বালিশের তলা থেকে মূর্তি নিতে আর কী?'

ভদ্রলোক দম নেবার জন্য কয়েক মুহূর্ত চুপ করে রইলেন। তারপর বললেন, 'ঘণ্টা তিনেক বোধহয় হাত বাঁধা অবস্থায় পড়েছিলুম। সমস্ত শরীরে ঝি ঝি ধরে গেসল। সকালে চাকর নন্দলাল চা নিয়ে এসে আমাকে ওই অবস্থায় দেখে বাঁধন খুলে দেয়, আর তৎক্ষণাৎ আমি আপনাকে ফোন করি।'

ফেলুদার দেখলাম চোখ-মুখের ভাব বদলে গেছে। সে সোফা ছেড়ে উঠে দাঁড়িয়ে বলল, 'আপনার ঘরটা একবার দেখব, আর প্রয়োজন হলে আপনার বাড়ির কিছু ছবি তুলব।' ক্যামেরাটাও ফেলুদার নতুন বাতিকের মধ্যে একটা।

নীলমণিবাবু দোতলায় তাঁর শোবার ঘরে নিয়ে গেলেন। ঘরে ঢুকেই ফেলুদা বলল, 'এ কী—জানলার শিক নেই?'

ভদ্রলোক মাথা নেড়ে বললেন, 'আর বলবেন না—বিলিতি কায়দার বাড়ি তো! আর আমি আবার জানলা বন্ধ করে শুতেই পারি না।'

ফেলুদা জানলা দিয়ে গলা বাড়িয়ে নীচের দিকে দেখে বলল, 'খুব সহজ— পাইপ রয়েছে, কার্নিশ রয়েছে। একটু জোয়ান লোক হলেই অনায়াসে জানলা দিয়ে ঘরে ঢুকে আসতে পারে।'

তারপর ফেলুদা ঘরের চারদিকে খুব ভাল করে দেখে নিয়ে ছবি-টবি তুলে বলল, 'বাড়ির অন্য অংশও এবার ঘুরে দেখতে চাই।' নীলমণিবাবু প্রথমে দোতলা দেখালেন। পাশের ঘরটাতে দেখলাম একটা খাটে বারো-তেরো বছর বয়সের একটা ছেলে গলা অবধি লেপ মুড়ি দিয়ে শুয়ে আছে। তার চোখগুলো বড় বড়, আর দেখলেই মনে হয় তার স্বাস্থ্য মোটেই ভাল নয়। বুঝলাম এই হল ঝন্টু। নীলমণিবাবু বললেন, 'কালই আবার ডাক্তার বোস ঝন্টুকে ঘুমের ওযুধ দিয়ে গেছেন। তাই ও রাত্রে কিছুই শুনতে পায়নি।'

দোতলার আরও দুটো ঘর দেখে, একতলার ঘরগুলোতে চোখ বুলিয়ে আমরা বাড়ির বাইরে এলাম। নীলমণিবাবুর ঘরের জানলার ঠিক নীচেই দেখলাম কয়েকটা ফুলের টবে পামজাতীয় গাছ লাগানো। ফেলুদা টবগুলোর ভিতর কিছু আছে কি না দেখতে লাগল। প্রথম দুটোয় কিছু পেল না। তৃতীয়টার পাতার ভিতর হাতড়ে একটা ছোট্ট টিনের কৌটো পেল। সেটার ঢাকনা খুলে নীলমণিবাবুর দিকে এগিয়ে দিয়ে ফেলুদা বলল, 'এ বাড়িতে কারুর নস্যির বাতিক আছে?'

নীলমণিবাবু মাথা নেড়ে না বললেন। ফেলুদা কৌটোটা নিজের প্যান্টের পকেটে রেখে দিল।

এবার নীলমণিবাবু যেন বেশ মরিয়া হয়েই বললেন, 'মিস্টার মিত্তির—আর কিছু না—মূর্তি একটা গেছে, আরেকটা না হয় কিনব—কিন্তু একটা ডাকাত আমার বাড়িতে এসে আমার ঘরে ঢুকে আমার উপর যা-তা অত্যাচার করে চলে যাবে—এ কিছুতেই বরদাস্ত করা যায় না। আপনার এর একটা বিহিত করতেই হবে। যদি লোকটাকে ধরে দিতে পারেন তা হলে আমি আপনাকে ইয়ে—মানে, ইয়ে আর কী—'

'পারিশ্রমিক?'

'হ্যাঁ হ্যাঁ। পারিশ্রমিক—মানে, রিওয়ার্ড দেব।'

ফেলুদা বলল, 'রিওয়ার্ডটা বড় কথা নয়। সে আপনি দিতে চান দেবেন। কিন্তু আমি কাজটার

ভার নিচ্ছি তার প্রধান কারণ হল, এ ধরনের অনুসন্ধানে একটা চ্যালেঞ্জ আছে, একটা আনন্দ আছে।'

এটা শুনে আমার মনে হল, বড় বড় গোয়েন্দাকাহিনীতে ডিটেকটিভরা যে ভাবে কথা বলে, ফেলুদাও যেন ঠিক সেইভাবেই কথাটা বলল।

এর পরে প্রায় দশ মিনিট ধরে ফেলুদা নীলমণিবাবুর ড্রাইভার গোবিন্দ, চাকর নন্দলাল আর পাঁচু, আর মালি নটবরের সঙ্গে কথা বলল। তারা সবাই বলল রাত্রে অস্বাভাবিক কিছু দেখেনি। বাইরের লোক আসার মধ্যে এক রাত ন'টা নাগাত ডাক্তার বোস এসেছিলেন ঝুন্টুকে দেখতে। নীলমণিবাবু নিজে নাকি তারপর একবার বেরিয়েছিলেন—ও এন মুখার্জির ডাক্তারখানা থেকে ঝুন্টুর জন্য ওষুধ কিনে আনতে।

ফেরার পথে একটু অন্যমনস্ক ছিলাম। হঠাৎ খেয়াল হল ট্যাক্সি আমাদের বাড়ির রাস্তা ছাড়িয়ে অন্য কোথাও চলেছে। ফেলুদাকে গম্ভীর দেখে তাকে আর কিছু জিজ্ঞেস করলাম না। ট্যাক্সি থামল ফ্রি স্কুল স্ট্রিটের একটা বাড়ির সামনে। দেখলাম বাড়ির সদর দরজার উপরে সাইনবোর্ডে উঁচু উঁচু রুপোলি অক্ষরে লেখা রয়েছে—'আরাটুন ব্রাদার্স—অকশনিয়ার্স'। এটাই সেই নিলামের দোকান।

আমি কোনওদিন নিলামঘর দেখিনি। এই প্রথম দেখে একেবারে চোখ ছানাবড়া হয়ে গেল। এত রকম হিজিবিজি জিনিস একসঙ্গে এর আগে কখনও দেখিনি।

ফেলুদার কাজ দুমিনিটের মধ্যে সারা হয়ে গেল। প্রতুল দত্তের ঠিকানা সেভেন বাই ওয়ান লাভলক স্ট্রিট। আমি মনে ভাবলাম প্রতুল দত্তের বাড়ি গিয়েও যদি ফেলুদাকে হতাশ হতে হয়, তা হলে আর ওর কোথাও যাবার থাকবে না। তার মানে এবার ফেলুদাকে হার স্বীকার করতে হবে। আর তা হলে আমার যে কী দশা হবে তা জানি না। কারণ এখন পর্যন্ত ফেলুদা কোথাও হার মানেনি। ও কোনও ব্যাপারে হাল ছেড়ে দিয়ে মুখ চুন করে বসে আছে—এ দৃশ্য আমি কল্পনাই করতে পারি না। আশা করি শিগ্‌গিরই ও একটা 'ক্লু' পেয়ে যাবে। আমি অন্তত এখন পর্যন্ত চোখে অন্ধকার দেখছি।

দুপুরে খেতে খেতে ফেলুদাকে বললাম, 'এর পর?'

ও ভাতের ঢিপির মধ্যে একটা গর্ত করে তাতে এক বাটি সোনামুগ ডাল ঢেলে বলল, 'এর পর মাছ। তারপর চাটনি, তারপর দই।'

'তারপর?'

'তারপর জল খেয়ে মুখ ধোব। তারপর একটা পান খাব।'

'তারপর?'

'তারপর একটা টেলিফোন করে আধঘণ্টা ঘুম দেব।'

এর মধ্যে টেলিফোনটাই একমাত্র ইন্টারেস্টিং খবর, কাজেই আমি সেটার অপেক্ষায় বসে রইলাম।

ডিরেকটরি থেকে প্রতুল দত্তর নম্বরটা আমি বার করে দিয়েছিলাম। নম্বরটা ডায়াল করে 'হ্যালো' বলার সময় দেখলাম ফেলুদা গলাটা একদম চেঞ্জ করে বুড়োর গলা করে নিয়েছে। যে কথাটা হল ফোনে, তার শুধু একটা দিকই আমি শুনতে পেয়েছিলাম, আর সেইভাবেই সেটা লিখে দিচ্ছি—

'হ্যালো—আমি নাকতলা থেকে কথা কইচি।'

—

'আজ্ঞে, আমার নাম শ্রীজয়নারায়ণ বাগচি। আমি প্রাচীন কারুশিল্প সম্পর্কে বিশেষ উৎসাহী। এই বিষয় নিয়ে আমি একটি পুস্তক রচনা করচি।'

'হ্যাঁ...আজ্ঞে হ্যাঁ। আপনার সংগ্রহের কথা শুনেছি। আমার একান্ত অনুরোধ, আপনি যদি অনুগ্রহ করে আপনার কিছু জিনিস আমাকে দেখতে দেন...'

—

'না না না! পাগল নাকি!'

—

'আচ্ছা।'

—

'হ্যাঁ—নিশ্চয়ই!'

—

'আপনাকে অশেষ ধন্যবাদ। নমস্কার।'

টেলিফোন শেষ করে ফেলুদা বলল, 'ভদ্রলোকের বাড়িতে চুনকাম হচ্ছে—তাই জিনিসপত্রগুলো সরিয়ে রেখেছেন। তবে সন্ধের দিকে গেলে দেখতে পাওয়া যাবে।'

আমি একটা কথা না বলে পারলাম না।

'কিন্তু প্রতুলবাবু যদি সত্যিই আনুবিসের মূর্তি চুরি করে থাকেন, তা হলে তো আর সেটা আমাদের দেখাবেন না।'

ফেলুদা বলল, 'যদি তোর মতো বোকা হয় তা হলে দেখাতেও পারে; তবে না দেখানোটাই সম্ভব। আমি মূর্তি দেখার জন্য যাচ্ছি না, যাচ্ছি লোকটাকে দেখতে।'

তার কথা মতো ফেলুদা টেলিফোনটা করেই নিজের ঘরে চলে গেল ঘুমোতে। ফেলুদার একটা আশ্চর্য ক্ষমতা হল, ও যখন তখন প্রয়োজন মতো একটু-আধটু ঘুমিয়ে নিতে পারে। শুনেছি নেপোলিয়নেরও নাকি এ ক্ষমতা ছিল; যুদ্ধের আগে ঘোড়ায় চাপা অবস্থাতেই একটু ঘুমিয়ে নিয়ে শরীরটাকে চাঙ্গা করে নিতেন।

আমার বিশেষ কিছুই করার ছিল না, তাই ফেলুদার তাক থেকে একটা ইজিপ্সিয়ান আর্টের বই নিয়ে সেটা উলটে পালটে দেখছিলাম, এমন সময় ক্রি—ং করে ফোনটা বেজে উঠল।

আমি এক দৌড়ে বসবার ঘরে গিয়ে ফোনটা তুলে নিলাম।

'হ্যালো!'

কিছুক্ষণ কেউ কিছু বলল না, যদিও বেশ বুঝতে পারছিলাম ফোনটা কেউ ধরে আছে।

আমার বুকের ভিতরটা টিপ টিপ করতে শুরু করল।

প্রায় দশ সেকেন্ড পরে একটা গম্ভীর, কর্কশ গলা শুনতে পেলাম।

'প্রদোষ মিত্তির আছেন?'

আমি কোনওমতে ঢোক গিলে বললাম, 'উনি একটু ঘুমোচ্ছেন। আপনি কে কথা বলছেন?'

আবার কয়েক সেকেন্ড চুপ। তারপর কথা এল, 'ঠিক আছে। আপনি তাকে বলে দেবেন যে মিশরের দেবতা যেখানে যাবার সেখানেই গেছেন। প্রদোষ মিত্তির যেন ও ব্যাপারে আর নাক গলাতে না আসেন, কারণ তাতে কারুর কোনও উপকার হবে না। বরং অনিষ্ট হবার সম্ভাবনা বেশি।'

এর পরেই কট করে ফোনটা রাখার শব্দ পেলাম, আর তার পরেই সব চুপ।

কতক্ষণ যে ফোনটা হাতে ধরে প্রায় দম বন্ধ করে বসেছিলাম জানি না, হঠাৎ ফেলুদার গলা পেয়ে তাড়াতাড়ি রিসিভারটাকে জায়গায় রেখে দিলাম।

'কে ফোন করেছিল?'

আমি ফোনে যা শুনেছি তা বললাম। ফেলুদা গম্ভীর মুখ করে ভুরু কুঁচকে সোফায় বসে বলল, 'ইস—তুই যদি আমাকে ডাকতিস!'

'কী করব? কাঁচা ঘুম ভাঙালে যে তুমি রাগ করো।'

'লোকটার গলার আওয়াজ কীরকম?'

'ঘড়ঘড়ে গম্ভীর।'

'হুঁ...। যাক গে, আপাতত প্রতুল দত্তর চেহারাটা একবার দেখে আসি। মনে হচ্ছিল একটু আলো দেখতে পাচ্ছি; এখন আবার সব ঘোলাটে।'

ছ'টা বাজতে পাঁচ মিনিটে আমরা প্রতুল দত্তর বাড়ির গেটের সামনে ট্যাক্সি থেকে নামলাম। আমি বাজি ফেলে বলতে পারি যে বাবাও আমাদের দেখে চিনতে পারতেন না। ফেলুদা সেজেছে একটা ষাট বছরের বুড়ো। কাঁচা-পাকা মেশানো ঝোলা গোঁফ, চোখে মোটা কাচের চশমা, গায়ে কালো গলাবন্ধ কোট, হাঁটুর উপর তোলা ধুতি, আর মোজার উপর বাটার তৈরি ব্রাউন কেড্‌স জুতো। আধঘণ্টা ধরে ঘরের দরজা বন্ধ করে মেক-আপ করে বাইরে এসেই বলল, 'তোর জন্য দু-তিনটে জিনিস আছে—চট করে পরে নে।'

আমি অবাক হয়ে বললাম, 'আমাকেও মেক-আপ করতে হবে নাকি?'

'আলবাৎ!'

দুমিনিটের মধ্যে আমার মাথায় একটা কদম-ছাঁট পরচুলা, আর আমার নাকের উপর একটা চশমা বসে গেল। তারপর একটা কালো পেন্সিল দিয়ে আমার পরিষ্কার করে ছাঁটা-জুলপিটা ফেলুদা একটু অপরিষ্কার করে দিল। তারপর বলল—

'তুই আমার ভাগনে, তোর নাম সুবোধ—অর্থাৎ শান্তশিষ্ট লেজবিশিষ্ট ভালমানুষটি। ওখানে মুখ খুলেছ কি বাড়ি এসে রদ্দা!'

প্রতুলবাবুর বাড়ির চুনকাম প্রায় হয়ে এসেছে। ডিজাইন দেখে বোঝা যায় বাড়ি অন্তত পঁচিশ-ত্রিশ বছরের পুরনো, তবে নতুন রঙের জন্য দরজা জানলা দেয়াল সব কিছু ঝলমল করছে।

গেট দিয়ে ঢুকে এগিয়ে গিয়েই দেখি বাইরে একটা খোলা বারান্দায় একটা বেতের চেয়ারে একজন মাঝবয়সী ভদ্রলোক বসে আছেন। আমাদের এগোতে দেখেও তিনি চেয়ার ছেড়ে উঠলেন না। সন্ধ্যার আবছা অন্ধকারেও বুঝলাম তাঁর মুখটা বেশ গম্ভীর।

ফেলুদা দুহাত তুলে মাথা হেঁট করে নমস্কার করে তার নতুন বুড়ো মিহি গলায় বলল, 'মাপ করবেন—আপনিই কি প্রতুলবাবু?'

ভদ্রলোক গম্ভীর গলায় বললেন, 'হ্যাঁ।'

'আজ্ঞে আমারই নাম জয়নারায়ণ বাগচি। আমিই আপনাকে আজ দুপুরে টেলিফোন করেছিলাম। এটি আমার ভাগনে সুবোধ।'

'আবার ভাগনে কেন? ওর কথা তো টেলিফোনে হয়নি।'

আমার মাথায় পরচুলা কুটকুট করতে শুরু করেছে।

ফেলুদা গলা ভীষণ নরম করে বলল, 'আজ্ঞে ও ছবি আঁকা শিখছে তাই...' ভদ্রলোক চেয়ার ছেড়ে উঠলেন।

'আপনারা আমার জিনিসগুলি দেখতে চাইছেন তাতে আপত্তি নেই; তবে সরিয়ে রাখা জিনিস সব টেনে বার করতে হয়েছে। অনেক হ্যাঙ্গাম। একে বাড়িতে রাতদিন মিস্ত্রিদের ঝামেলা, এটা ঠেলো, ওটা ঢাকো...চারিদিকে কাঁচা রং...রঙের গন্ধটাও ধাতে যায় না। সব ঝক্কি শেষ হলে যেন বাঁচি। আসুন ভেতরে...'

লোকটাকে ভাল না লাগলেও, ভিতরে গিয়ে তার জিনিসপত্তর দেখে চোখ ছানাবড়া হয়ে গেল।

ফেলুদা বলল, 'আপনার কাছে মিশর দেশের শিল্পকলার অনেক চমৎকার নিদর্শন রয়েছে দেখছি।'

'তা আছে। কিছু জিনিস কায়রোতে কেনা, কিছু এখানে অকশনে।'

'দ্যাখো বাবা সুবোধ ভাল করে দ্যাখো।' ফেলুদা আমার পিঠে একটা চিমটি কেটে আমায় জিনিসগুলোর দিকে ঠেলে দিল। 'কতরকম দেবদেবী—দ্যাখো! এই যে বাজপাখি, এও দেবতা, এই যে প্যাঁচা—এও দেবতা। মিশরদেশে কতরকম জিনিসকে পুজো করত লোকেরা দ্যাখো।'

প্রতুলবাবু একটা সোফায় বসে চুরুট ধরালেন।

হঠাৎ কী খেয়াল হল, আমি বলে উঠলাম, 'শেয়াল দেবতা নেই, বড় মামা?'

প্রশ্নটা শুনেই প্রতুলবাবু যেন হঠাৎ বিষম খেয়ে উঠলেন। বললেন, 'চুরুটের কোয়ালিটি ফল করছে। আগে এত কড়া ছিল না।'

ফেলুদা সেই রকমই মিহি সুরে বললেন, 'হেঁ হেঁ—আমার ভাগনে আনুবিসের কথা বলছে। কালই ওকে বলছিলাম কিনা?'

প্রতুলবাবু হঠাৎ ফোঁস করে উঠলেন, 'হুঁ!—আনুবিস! স্টুপিড ফুল!'

'আজ্ঞে?' ফেলুদা চোখ গোল গোল করে প্রতুলবাবুর দিকে চাইলেন। 'আনুবিসকে মূর্খ বলছেন আপনি?'

'আনুবিস না। সেদিন নিলামে—লোকটাকে আগেও দেখেছি আমি—হি ইজ এ ফুল। ওর বিডিং-এর কোনও মাথামুণ্ডু নেই। চমৎকার একটা মূর্তি ছিল। এমন এক অ্যাবসার্ড দাম হাঁকল যে যার ওপর আর চড়া যায় না। অত টাকা কোথায় পায় জানি না।'

ফেলুদা চারিদিকে আরেকবার চোখ বুলিয়ে নিয়ে ভদ্রলোককে নমস্কার করে বললেন, 'অশেষ ধন্যবাদ। আপনি মহাশয় ব্যক্তি। পরম আনন্দ পেলাম আপনার শিল্প সংগ্রহ দেখে।'

এ সব জিনিসপত্র ছিল দোতলায়। আমরা এবার নীচে রওনা দিলাম। সিঁড়ি দিয়ে নামতে নামতে ফেলুদা বলল, 'আপনার বাড়িতে লোকজন আর বিশেষ...?'

'গিন্নি আছেন। ছেলে বিদেশে।'

প্রতুল দত্তর বাড়ি থেকে বেরিয়ে ট্যাক্সির জন্য হাঁটতে হাঁটতে বুঝলাম পাড়াটা কত নির্জন। সাতটাও বাজেনি, অথচ রাস্তায় প্রায় লোক নেই বললেই চলে। দুটি বাচ্চা ভিখারি ছেলে শ্যামাসংগীত গাইতে গাইতে এগিয়ে আসছে। একটু কাছে এলে পরে বুঝলাম একজন গাইছে আর অন্যজন বাজাচ্ছে। ভারী সুন্দর গান করে ছেলেটা। ফেলুদা তাদের সঙ্গে গলা মিশিয়ে গেয়ে উঠল—

বল মা তাঁরা দাড়াই কোথা
আমার কেহ নাই শঙ্করী হেথা...

বালিগঞ্জ সার্কুলার রোড দিয়ে কিছুদূর হেঁটে একটা চলন্ত খালি ট্যাক্সির দেখা পেয়েই ফেলুদা হাঁক দিয়ে সেটাকে থামাল। ওঠার সময় দেখি বুড়ো ড্রাইভার ভারী অবাক হয়ে ফেলুদার দিকে দেখছে। এই চিমড়ে বুড়োর গলা দিয়ে ওরকম জোয়ান চিৎকার বেরোল কী করে সেটাই বোধহয় চিন্তা করছে ও।

পরদিন সকালে যখন টেলিফোনটা বাজল, তখন আমি বাথরুমে দাঁত মাজছি। কাজেই ফোনটা ফেলুদাই ধরল।

জিজ্ঞেস করে জানলাম নীলমণিবাবু ফোন করেছিলেন একটা খবর দেবার জন্য।

প্রতুলবাবুর বাড়িতেও কাল ডাকাতি হয়ে গিয়েছে, আর এ খবরটা কাগজেও বেরিয়েছে। টাকা পয়সা কিছু যায়নি; গেছে শুধু কিছু প্রাচীন কারুশিল্পের নমুনা। আট-দশটা ছোট ছোট

জিনিস, সব মিলিয়ে যার দাম বিশ-পঁচিশ হাজার টাকার কম না। পুলিশ নাকি তদন্ত আরম্ভ করে দিয়েছে।

প্রতুলবাবুর বাড়িতে যে সকালেই পুলিশের দেখা পাব, আর তার মধ্যে যে ফেলুদার চেনা লোকও বেরিয়ে পড়বে সেটা কিছুই আশ্চর্য না। আমরা যখন পৌঁছেছি তখন সোয়া সাতটা। অবিশ্যি আজ আর মেক-আপ করিনি। ফেলুদা দেখলাম তার জাপানি ক্যামেরাটা নিতে ভোলেনি।

আমরা গেটের ভিতর সবে ঢুকেছি—এমন সময় একজন বেশ হাসিখুশি মোটাসোটা চশমা পরা পুলিশ—বোধহয় ইন্‌স্পেক্টর-টিনস্পেক্টর হবেন—ফেলুদাকে দেখেই এগিয়ে এসে ওর পিঠে একটা চাপড় মেরে বলল, 'কী হে, ফেলুমাস্টার?—গন্ধে গন্ধে এসে জুটেছ দেখছি!'

ফেলুদা বেশ নরমভাবেই হেসে বলল, 'আর কী করি বলুন—আমাদের তো ওই কাজ!'

'কাজ বোলো না। কাজটা তো আমাদের। তোমাদের হল শখ। তাই না?'

ফেলুদা একথার কোনও উত্তর না দিয়ে বলল, 'কিছু কিনারা করতে পারলেন! বার্গলারি কেস?'

'তা ছাড়া আর কী? তবে ভদ্রলোক খুব আপসেট। খালি মাথা চাপড়াচ্ছেন আর বলছেন কাল এক বুড়ো নাকি এক ছোকরা সঙ্গে করে ওঁর জিনিস দেখতে এসেছিল। ওঁর ধারণা এই দুজনেই নাকি আছে এই বার্গলারির পেছনে।'

আমার কথাটা শুনেই গলা শুকিয়ে গেল। সত্যি, ফেলুদা মাঝে মাঝে বড্ড বেপরোয়া কাজ করে ফেলে।

ফেলুদা কিন্তু একটু ঘাবড়ে না গিয়ে বলল, 'তা হলে তো সেই বুড়োর সন্ধান করতে পারলেই চোর ধরা পড়বে। এ তো জলের মতো কেস।'

গোলগাল পুলিশটি বললেন, 'বেশ বলেছ—একেবারে খাঁটি উপন্যাসের গোয়েন্দাদের মতো বলেছ—বাঃ!'

ভদ্রলোকের পারমিশন নিয়ে ফেলুদা আর আমি বাড়ির দিকে এগিয়ে গেলাম। প্রতুলবাবু দেখি আজও সেই বারান্দাতেই বসে আছেন। বুঝলাম তিনি এতই অন্যমনস্ক যে আমাদের দেখেও দেখতে পেলেন না।

'কোন ঘরটা থেকে চুরি হয়েছে দেখবে?' মোটা পুলিশ জিজ্ঞেস করল।

'চলুন না।'

কাল সন্ধেবেলা দোতলার যে ঘরটায় গিয়েছিলাম, আজও সেটাতেই যেতে হল। অন্য কিছুর দিকে দৃষ্টি না দিয়ে ফেলুদা সটান ঘরের দক্ষিণ দিকের ব্যালকনিটার দিকে চলে গেল। সেটা থেকে ঝুঁকে নীচের দিকে চেয়ে বলল, 'হুঁ, পাইপ বেয়ে অনায়াসে উঠে আসা যায়—তাই না?'

মোটা পুলিশ বললেন, 'তা যায়। আর মুশকিল হচ্ছে কী—দরজার রং কাঁচা বলে ওটাকে আবার দুদিন থেকে বন্ধ করা হচ্ছিল না।'

'ঠিক কখন হয়েছে চুরিটা?'

'রাত পৌনে দশটা।'

'কে প্রথম টের পেল?'

'এদের একটি পুরনো চাকর আছে, সে ওদিকের ঘরে বিছানা করছিল। একটা শব্দ পেয়ে আসে। ঘর তখন অন্ধকার। বাতি জ্বালানোর আগেই সে একটা প্রচণ্ড ঘুঁষি খেয়ে প্রায় অজ্ঞান হয়ে যায়। সেই সুযোগে চোর বাবাজি হাওয়া।'

ফেলুদার কপালে আবার সেই বিখ্যাত ভ্রূকুটি। বলল, 'একবার চাকরটার সঙ্গে কথা বলব।'

চাকরের নাম বংশলোচন। দেখলাম ঘুঁষিটা খাওয়ার ফলে তার এখনও যন্ত্রণা আর ভয়—

কোনওটাই যায়নি। ফেলুদা বলল, 'কোথায় ব্যথা?'

চাকরটা চিঁ চিঁ করে উত্তর দিল, 'তলপেটে।'

'তলপেটে? ঘুঁষি তলপেটে মেরেছিল?'

'সে কী হাতের জোর—বাপ্‌রে বাপ! মনে হল যেন পেটে এসে একখানা পাথর লাগল। আর তার পরেই সব অন্ধকার।'

'আওয়াজটা শুনলে কখন? তখন তুমি কী করছিলে?'

'টাইম তো দেখিনি বাবু। আমি তখন মায়ের ঘরে বিছানা করছি। দুটো ছেলে এসে কীর্তন গান করছিল তাই শুনছিলাম। মা ঠাকরুণ ছিলেন পুজোর ঘরে; বললেন ছেলেটাকে পয়সা দিয়ে আয়। আমি যাব যাব করছি এমন সময় বাবুর ঘর থেকে ঘটিবাটি পড়ার মতো একটা শব্দ পেলাম। ভাবলাম—কেউ তো নাই—তা জিনিস পড়ে কেন? তাই দেখতে গেছি—আর ঘরে ঢুকতেই...'

বংশলোচন আর কিছু বলতে পারল না।

সব শুনে-টুনে বুঝলাম, আমরা চলে যাবার ঘণ্টাখানেকের মধ্যেই চোর এসেছিল।

আমি ভাবলাম ফেলুদা বোধহয় আরও কিছু জিজ্ঞেস করবে, কিন্তু শেষ পর্যন্ত ও আর কোনও কথাই বলল না। সেই মোটা পুলিশকে ধন্যবাদ দিয়ে আমরা বাড়ি থেকে বেরিয়ে এলাম।

বাইরে রাস্তায় এসে ফেলুদার মুখের চেহারা একদম বদলে গেল। এ চেহারা আমি জানি। ফেলুদা কী জানি একটা রাস্তা দেখতে পেয়েছে, আর সে রাস্তা দিয়ে গেলেই রহস্যের সমাধানে পৌঁছনো যাবে।

পাশ দিয়ে খালি ট্যাক্সি বেরিয়ে গেল, কিন্তু ফেলুদা থামাল না। আমরা দুজনে হাঁটতে লাগলাম। ফেলুদার দেখাদেখি আমিও ভাবতে চেষ্টা করলাম, কিন্তু তাতে খুব বেশিদূর এগোতে পারলাম না। প্রতুলবাবু যে চোর নন সেটা তো পরিষ্কার বোঝা যাচ্ছে, যদিও প্রতুলবাবুকে বেশ জোয়ান লোক বলে মনে হয়, আর ওঁর গলার আওয়াজটা বেশ ভারী। কিন্তু তাও এটা কিছুতেই সম্ভব বলে মনে হচ্ছিল না যে, প্রতুলবাবু একটা বাড়ির পাইপ বেয়ে দোতলায় উঠতে পারেন। তার জন্য যেন আরও অনেক কম বয়সের লোকের দরকার। তা হলে চোর কে? আর ফেলুদা কোন জিনিসটার কথা এত মন দিয়ে ভাবছে?

কিছুক্ষণ হাঁটার পরে দেখি আমরা নীলমণিবাবুর বাড়ির পাঁচিলের পাশে এসে পড়েছি। ফেলুদা পাঁচিলটা বাঁয়ে রেখে ধীরে ধীরে হাঁটতে আরম্ভ করল।

কিছুদূর গিয়ে পাঁচিলটা বাঁ দিকে ঘুরেছে। ফেলুদাও ঘুরল, আর তার সঙ্গে সঙ্গে আমিও। এদিকে রাস্তা নেই, ঘাসের উপর দিয়ে হাঁটতে হয়। মোড় ঘুরে আঠারো কি উনিশ পা হাঁটার পর ফেলুদা হঠাৎ থেমে গিয়ে পাঁচিলের একটা বিশেষ অংশের দিকে খুব মন দিয়ে দেখল। তারপর সেই জায়গাটার খুব কাছ থেকে একটা ছবি তুলল। আমি দেখলাম সেখানে একটা ব্রাউন রঙের হাতের ছাপ রয়েছে। পুরো হাত নয়—দুটো আঙুল আর তেলোর খানিকটা অংশ—কিন্তু তা থেকেই বোঝা যায় যে সেটা বাচ্চা ছেলের হাত।

এবার আমরা যে পথে এসেছিলাম সে পথে গিয়ে গেট দিয়ে ভিতরে ঢুকে সোজা একেবারে বাড়ির দিকে চলে গেলাম।

খবর পাঠাতেই নীলমণিবাবু বেশ ব্যস্ত হয়ে নীচে চলে এলেন। আমরা তিনজনেই বৈঠকখানায় বসার পর নীলমণিবাবু বললেন, 'আপনি শুনলে কী বলবেন জানি না, তবে আমার মনটা আজ কালকের চেয়ে কিছুটা হালকা। আমার মতো দুর্দশা যে আরেকজনেরও হয়েছে, সেটা ভেবে খানিকটা কষ্টের লাঘব হচ্ছে। কিন্তু তাও একটা প্রশ্নের উত্তর না পাওয়া অবধি কষ্ট যাবে না—কোথায় গেল আমার আনুবিস? বলুন? আপনি এত বড় ডিটেকটিভ—দু-দুটো

ডাকাতি দুদিন উপরি উপরি হয়ে গেল আর আপনি এখনও যেই তিমিরে সেই তিমিরে?'

ফেলুদা একটা প্রশ্ন করে ফেলল।

'আপনার ভাগনেটি কেমন আছে?'

'কে, ঝুন্টু? ও আজ অনেকটা ভাল। ওষুধে কাজ দিয়েছে। আজ জ্বরটা অনেক কমে গেছে?'

'আচ্ছা—বাইরের কোনও ছেলেটেলে কি পাঁচিল টপকে এখানে আসে? ঝুন্টুর সঙ্গে খেলতে-টেলতে?'

'পাঁচিল টপকে? কেন বলুন তো?'

'আপনার পাঁচিলের বাইরের দিকটায় একটা বাচ্চা ছেলের হাতের ছাপ দেখছিলাম।'

'ছাপ মানে? কীরকম ছাপ?'

'ব্রাউন রঙের ছাপ।'

'টাটকা?'

'বলা মুশকিল—তবে খুব পুরনো নয়।'

'কই, আমি তো কোনওদিন কোনও বাচ্চাকে আসতে দেখিনি। বাচ্চা বলতে এক আসে—তাও সেটা পাঁচিল টপকে নয়—একটা ছোকরা ভিখিরি। দিব্যি শ্যামাসংগীত গায়। তবে হ্যাঁ—আমার বাগানের পশ্চিম দিকে একটা জামরুল গাছ আছে। মধ্যে মধ্যে বাইরের ছেলে পাঁচিল টপকে এসে সে গাছের ফল পেড়ে খায় না, এমন গ্যারান্টি আমি দিতে পারি না।'

'হুঁ...'

নীলমণিবাবু এবার জিজ্ঞেস করলেন, 'চোরের বিষয় আর কিছু জানতে পারলেন কি?'

ফেলুদা সোফা ছেড়ে উঠে পড়ল।

'লোকটার হাতের জোর সাংঘাতিক। এক ঘুঁষিতে প্রতুলবাবুর চাকরকে অজ্ঞান করে দিয়েছিল।'

'তা হলে এচুরি-ওচুরি এক চোরই করেছে তাতে সন্দেহ নেই।'

'হতে পারে। তবে গায়ের জোরটা এখানে বড় কথা বলে আমার মনে হয় না। একটা বীভৎস বুদ্ধিরও ইঙ্গিত যেন পাওয়া যাচ্ছে।'

নীলমণিবাবু যেন মুষড়ে পড়লেন। বললেন, 'আশা করি সে বুদ্ধিকে জব্দ করার মতো বুদ্ধি আপনার আছে! না হলে তো আমার মূর্তি ফিরে পাবার আশা ছাড়তে হয়।'

ফেলুদা বলল, 'আরও দুটো দিন অপেক্ষা করুন। এখন পর্যন্ত কখনও ফেলু মিত্তিরের ডিফিট হয়নি।'

নীলমণিবাবুর বাড়ির গাড়িবারান্দা থেকে গেট অবধি নুড়ি পাথর দেওয়া রাস্তা। সেটার মাঝামাঝি যখন পৌঁছেছি তখন একটা কট্ কট্ শব্দ পেয়ে পিছন ফিরে দেখি নীলমণিবাবুর দোতলার একটা ঘরের জানালার পিছনে দাঁড়িয়ে একটা ছোট ছেলে—ঝুন্টুই বোধহয়—জানালার কাচটাতে হাত দিয়ে টোকা মারছে।

আমি বললাম, 'ঝুন্টু।'

ফেলুদা বলল, 'দেখেছি।'

সারা দুপুর ফেলুদা তার নীল খাতায় অভ্যাস মতো গ্রিক অক্ষরে কী সব হিজিবিজি লিখল। আমি জানি ভাষাটা আসলে ইংরিজি, কিন্তু অক্ষরগুলো গ্রিক, যাতে আর কেউ পড়ে মানে বুঝতে না পারে। আমার সঙ্গে ওর কথা একেবারেই বন্ধ, তবে সেটা এক হিসেবে ভাল। এখন ওর ভাববার সময়, কথা বলার সময় নয়। মাঝে মাঝে শুনছিলাম ও গুন গুন করে গান গাইছে। এটা সেই ভিখিরি ছেলেটার গাওয়া রামপ্রসাদী গানটা।

বিকেলে পাঁচটা নাগাত চা খেয়ে ফেলুদা বলল, 'আমি একটু বেরুচ্ছি। পপুলার ফোটো থেকে আমার ছবির এনলার্জমেন্টগুলো নিয়ে আসতে হবে।'

আমি একাই বাড়িতে রয়ে গেলাম।

দিন ছোট হয়ে আসছে। তাই সাড়ে পাঁচটা বাজতে না বাজতেই সূর্য ডুবে অন্ধকার হয়ে এল। পপুলার ফোটো দোকানটা হাজরা রোডের মোড়ে। ফেলুদার ছবি নিয়ে ফিরে আসতে কুড়ি মিনিটের বেশি লাগা উচিত না। তবে এত দেরি হচ্ছে কেন? অবিশ্যি অনেক সময় ছবি তৈরি না হলে দোকানে বসিয়ে রাখে। আশা করি অন্য কোথাও যায়নি ও। আমাকে ফেলে ঘোরাঘুরিটা আমার ভাল লাগে না।

একটা করতালের আওয়াজ কানে এল, আর তার সঙ্গে সঙ্গে চেনা গলায় সেই গান—

বল মা তারা দাঁড়াই কোথা
আমার কেহ নাই শঙ্করী হেথা...

সেই ছেলে দুটো। আজ আমাদের পাড়ায় ভিক্ষে করতে এসেছে।

গান ক্রমে এগিয়ে এল। আমি আমাদের ঘরের জানলাটার কাছে গিয়ে দাঁড়ালাম। এখান থেকে রাস্তাটা দেখা যায়। ওই যে ছেলে দুটো—একজন গাইছে, একজন করতাল বাজাচ্ছে। কী সুন্দর গলা ছেলেটার।

এবার গান থামিয়ে ছেলেটি ঠিক আমাদের বাড়ির সামনে দাঁড়িয়ে উপরের দিকে মুখ করে বলল, 'মা দুটি ভিক্ষে দেবে মা?'

কী মনে হল, আমার ব্যাগ থেকে একটা পঞ্চাশ নয়া বার করে জানলা দিয়ে ছেলেটার দিকে ফেলে দিলাম। টিং শব্দ করে পয়সাটা মাটিতে পড়ল। দেখলাম ছেলেটা সেটা কুড়িয়ে নিয়ে ঝোলার মধ্যে পুরে আবার গান গাইতে গাইতে হাঁটতে শুরু করল।

একটা ব্যাপারে আমার মাথাটা কেমন জানি গোলমাল হয়ে গেল। যদিও আমাদের রাস্তাটা বেশ অন্ধকার, তবু ভিখিরি ছেলেটা যখন ওপর দিকে মুখ করে ভিক্ষে চাইল তখন যেন মনে হল তার মুখের সঙ্গে ঝন্টুর একটা আশ্চর্য মিল আছে। হয়তো এটা আমার দেখার ভুল, কিন্তু তাতে মনের মধ্যে কেমন খটকা লাগতে লাগল। আমি ঠিক করলাম ফেলুদা এলেই কথাটা ওকে বলব।

প্রায় সাড়ে ছ'টার সময় মেজাজ বেশ গরম করে ফেলুদা এনলার্জমেন্ট নিয়ে বাড়ি ফিরল। যা ভেবেছিলাম তাই, ওকে দোকানে বসে অপেক্ষা করতে হয়েছিল। বলল, 'এবার থেকে নিজেই একটা ডার্করুম তৈরি করে ছবি ডেভেলপিং-প্রিন্টিং করব। বাঙালি দোকানের কথার কোনও ঠিক নেই।'

ফেলুদা যখন ওর বিছানার ওপর ছবিগুলো বিছিয়ে বসেছে, তখন আমি ওকে গিয়ে ভিখিরি ছেলেটার কথা বললাম। ও কিন্তু একটুও অবাক না হয়ে বলল, 'সেটা আর আশ্চর্য কী?'

'আশ্চর্য না?'

'উঁহু।'

'কিন্তু তা হলে ভীষণ গণ্ডগোল বলতে হবে।'

'গণ্ডগোল তো বটেই। সেটা তো আমি প্রথম থেকেই বুঝেছি।'

'তুমি বলতে চাও যে ওই ছেলেটা চুরির ব্যাপারে জড়িত?'

'হতেও পারে।'

'কিন্তু একটা বাচ্চা ছেলের ঘুঁষির এত জোর যে একটা ধেড়ে লোককে অজ্ঞান করে দেবে?'

'বাচ্চা ছেলে ঘুঁষি মেরেছে তা তো বলিনি।'

'তাও ভাল!'

যদিও ভাল বললাম, কিন্তু আসলে মোটেই ভাল লাগছিল না। ফেলুদাও যে কেন পরিষ্কার করে কিছু বলছে না তা জানি না।

খাটের উপর বিছানো বারোটা ছবির মধ্যে দেখলাম একটা ছবি ফেলুদা বিশেষ মনোযোগ দিয়ে দেখছে। কাছে গিয়ে দেখি সেটা আজই সকালে তোলা নীলমণিবাবুর পাঁচিলে বাচ্চা ছেলের হাতের দাগের ছবিটা। এনলার্জমেন্টের ফলে হাতের তেলোটা স্পষ্ট বোঝা যাচ্ছে। বললাম, 'তুমি তো বলো হাত দেখতে জান—বলো তো ছেলেটার কত আয়ু।'

ফেলুদা কোনও উত্তর দিল না। সে তন্ময় হয়ে ছবিটার দিকে চেয়ে আছে। লক্ষ করলাম যে তার মধ্যে একটা দারুণ কনসেনট্রেশনের ভাব।

'কিছু বুঝতে পারছিস?'

হঠাৎ ওর প্রশ্নটা আমাকে একেবারে চমকে দিল।

'কী বুঝব?'

'সকালে কী বুঝেছিলি, আর এখন কী বুঝলি—বল তো।'

'সকালে? মানে, যখন ছবিটা তুললে?'

'হ্যাঁ।'

'কী আর বুঝব? বাচ্চা ছেলের হাত—এ ছাড়া আর কী বোঝার আছে?'

'ছাপের রংটা দেখে কিছু মনে হয়নি?'

'রং তো ব্রাউন ছিল।'

'তার মানে কী?'

'তার মানে ছেলেটার হাতে ব্রাউন রঙের কিছু একটা লেগেছিল।'

'কিছু মানে কী? ঠিক করে বল।'

'পেন্ট হতে পারে।'

'কোথাকার পেন্ট?'

'কোথাকার পেন্ট...কোথাকার...?'

হঠাৎ মনে পড়ে গেল।

'প্রতুলবাবুর ঘরের দরজার রং!'

'এগজ্যাক্টলি। সেদিন তোরও শার্টের বাঁদিকের আস্তিনে লেগে গিয়েছিল। এখনও গিয়ে দেখতে পারিস লেগে আছে।'

'কিন্তু'—আমার মাথাটা ভোঁ ভোঁ করছিল, '—যার হাতের ছাপ, সেই কি প্রতুলবাবুর ঘরে ঢুকেছিল?'

'হতেও পারে। এখন বল—ছবি দেখে কী বুঝছিস।'

আমি অনেক ভেবেও নতুন কিছু বোঝার কথা বলতে পারলাম না।

ফেলুদা বলল, 'তুই পারলে আশ্চর্য হতাম। শুধু আশ্চর্য হতাম না—শক পেতাম। কারণ তা হলে বলতে হত তোর আর আমার বুদ্ধিতে কোনও তফাত নেই।'

'তোমার বুদ্ধিতে কী বলছে?'

'বলছে যে এটা একটা সাংঘাতিক কেস। ভয়াবহ ব্যাপার। আনুবিস যেরকম ভয়ঙ্কর—এই রহস্যটাও তেমনি ভয়ঙ্কর।'

পরদিন সকালে ফেলুদা প্রথম নীলমণি সান্যালকে ফোন করল।

'হ্যালো—কে, মিস্টার সান্যাল?...আপনার রহস্য সমাধান হয়ে গেছে...মূর্তি এখনও হাতে আসেনি, তবে কোথায় আছে মোটামুটি আন্দাজ পেয়েছি...আপনি কি বাড়ি আছেন?...অসুখ

বেড়েছে?...কোন হাসপাতালে নিয়ে যাচ্ছেন...ও, আচ্ছা। তা হলে পরে দেখা হবে...'

ফোনটা রেখেই ফেলুদা চট করে আরেকটা নম্বর ডায়াল করল। ফিস ফিস করে কী কথা হল সেটা ভাল শুনতে পেলাম না—তবে ফেলুদা যে পুলিশে টেলিফোন করছে সেটা বুঝলাম। ফোনটা রেখেই ও আমাকে বলল, 'এক্ষুনি বেরোতে হবে—তৈরি হয়ে নে।'

একে সকালে ট্র্যাফিক কম, তার উপর ফেলুদা আবার ট্যাক্সির ড্রাইভারকে বলল টপ স্পিডে যেতে। দেখতে দেখতে আমরা নীলমণিবাবুর বাড়ির রাস্তায় এসে পড়লাম।

গেটের কাছাকাছি যখন পৌঁছেছি, তখন দেখি নীলমণিবাবু তাঁর কালো অ্যাম্ব্যাসাডরে বেরিয়ে বেশ স্পিডের মাথায় আমরা যেদিকে যাচ্ছি তার উলটো দিকে রওনা দিলেন। সামনে ড্রাইভার আর পিছনে নীলমণিবাবু ছাড়া আর কাউকে দেখতে পেলাম না।

'আউর জোরসে'—ফেলুদা চেঁচিয়ে উঠল। ট্যাক্সি ড্রাইভারও কীরকম এক্সাইটেড হয়ে অ্যাক্সিলারেটরে পা চেপে দিল।

সামনের গাড়িটা দেখলাম বিশ্রী গোঁ গোঁ শব্দ করে ডান দিকে মোড় নিচ্ছে।

এইবার ফেলুদা যে জিনিসটা করল সেটা এর আগে কক্ষনও করেনি। কোটের ভিতরে হাত ঢুকিয়ে হঠাৎ তার রিভলভারটা বার করে গাড়ির জানলা দিয়ে ঝুঁকে পড়ে নীলমণিবাবুর গাড়ির পিছনের টায়ারের দিকে অব্যর্থ টিপ করে রিভলভারটা মারল।

প্রায় একই সঙ্গে রিভলভারের আর টায়ার ফাটার শব্দে কানে তালা লেগে গেল। দেখলাম নীলমণিবাবুর গাড়িটা বিশ্রীভাবে রাস্তার একপাশে কেদ্‌রে গিয়ে একটা ল্যাম্পপোস্টের সঙ্গে ধাক্কা খেয়ে থেমে গেল।

আমাদের গাড়িটা নীলমণিবাবুর গাড়ির পিছনে থামতেই দেখি উলটোদিক থেকে পুলিশের জিপ এসেছে।

এদিকে নীলমণিবাবু গাড়ি থেকে নেমে এসে ভীষণ বিরক্ত মুখ করে এদিক ওদিক চাইছেন।

ফেলুদা আর আমি ট্যাক্সি থেকে নেমে নীলমণিবাবুর দিকে এগিয়ে গেলাম।

পুলিশের জিপটাও কাছাকাছি এসে থেমেছে। দেখলাম সেটা থেকে নামলেন সেই মোটা অফিসারটি।

নীলমণিবাবু হঠাৎ বলে উঠলেন, 'এ সব কী হচ্ছে কী?'

ফেলুদা গম্ভীর গলায় বলল, 'আপনার সঙ্গে গাড়িতে ড্রাইভার ছাড়া আর কে আছে জানতে

পারি কি?'

'কে আবার থাকবে?' ভদ্রলোক চেঁচিয়ে উঠলেন। 'বললাম তো আমি আমার ভাগনেকে নিয়ে হাসপাতালে যাচ্ছি।'

ফেলুদা এবার আর কিছু না বলে সোজা গিয়ে নীলমণিবাবুর গাড়ির দরজার হ্যান্ডেলটা ধরে একটানে দরজাটা খুলে ফেলল।

খোলার সঙ্গে সঙ্গে একটা বাচ্চা ছেলে গাড়ি থেকে তীরের মতো বেরিয়ে ফেলুদার উপর ঝাঁপিয়ে পড়ে ওর টুঁটি টিপে ধরল! কিন্তু ফেলুদা তো শুধু যোগব্যায়াম করে না? ও রীতিমতো যুযুৎসু আর কারাটে শিখেছে। ছেলেটার কব্‌জি দুটো ধরে উলটে তাকে অদ্ভুত কায়দায় মাথার উপর দিয়ে ঘুরিয়ে আছাড় মেরে রাস্তায় ফেলল। যন্ত্রণার চোটে একটা চিৎকার ছেলেটার মুখ দিয়ে বেরোল, আর সে চিৎকার শুনে আমার রক্ত জল হয়ে গেল!

কারণ সেটা মোটেই বাচ্চার গলা নয়।

সেটা একটা বয়স্ক লোকের বিকট হেঁড়ে গলার চিৎকার!

এই গলাই সেদিন আমি টেলিফোনে শুনেছিলাম!

ইতিমধ্যে পুলিশ এসে নীলমণিবাবুর গাড়ির ড্রাইভার আর 'বাচ্চাটা'কে ধরে ফেলল।

ফেলুদা তার জামার কলারটা ঠিক করতে করতে বলল, 'পাঁচিলের গায়ে হাতের ছাপ দেখেই ধরেছিলাম। অল্প বয়সের ছেলের হাতে এত লাইন থাকে না। তাদের হাত আরও অনেক মসৃণ থাকে। অথচ সাইজ যখন ছোট, তখন তার একটাই মানে হতে পারে। এটা আসলে একটা বেঁটে বামনের হাতের ছাপ। বাচ্চাটা আসলে আর কিছুই না—একটি ডোয়ার্ফ। কত বয়স হল আপনার সাকরেদের, নীলমণিবাবু?'

'চল্লিশ!' ভদ্রলোকের গলা দিয়ে ভাল করে আওয়াজ বেরোচ্ছে না!

'খুব বুদ্ধি খাটিয়েছেন যা হোক। আগে জিনিস চুরির মিথ্যে ঘটনাটা খাড়া করে আমাকে ডেকে পাঠিয়ে, তারপর নিজেই লোক লাগিয়ে পরের জিনিস চুরি করছেন। আপনার বাড়িতে কাল যাকে দেখলাম সে কি সেই ভিখারি ছেলেটি?'

নীলমণিবাবু মাথা নেড়ে হ্যাঁ বললেন।

'তার মানে আপনার ভাগনে বলে আসলে কেউ নেই। ওকে বাড়িতে এনে ধরে রেখেছেন এই চুরির ব্যাপারে হেল্প করার জন্য?'

ভদ্রলোক মাথা হেঁট করে চুপ করে রইলেন।

ফেলুদা বলে চলল, 'ছেলেটা গান গাইত আর বামনটা খঞ্জনি বাজাত। কেবল চুরির টাইম এলে খঞ্জনিটা ভিখারির হাতে দিয়ে যেত, এবং তখন সে-ই বাজাতে থাকত। বামন বলেই তার গায়ের জোরের অভাব নেই। এক ঘুঁষিতে একজন জোয়ান লোককে ঘায়েল করতে পারে। ওয়ান্ডারফুল! আপনার বুদ্ধির তারিফ না করে পারা যায় না নীলমণিবাবু।'

নীলমণিবাবু একটা দীর্ঘশ্বাস ফেলে বললেন, 'মিশরের প্রাচীন জিনিসের উপর একটা নেশা ধরে গিয়েছিল। প্রচুর পড়াশুনা করেছি এই নিয়ে। সাধে কি প্রতুল দত্তের উপর হিংসা হয়েছিল।'

ফেলুদা বলল, 'অতি লোভে শুধু তাঁতিই নষ্ট হয় না, বামুনও হয়। কারণ আপনার ওই বেঁটেটিও বামুন, আর আপনি সান্যাল—একেবারে উচ্চ শ্রেণীর বামুন!...যাক্‌গে—এবার একটা শেষ অনুরোধ আছে।'

'কী?'

'আমার রিওয়ার্ডটা।'

নীলমণিবাবু ফ্যাল ফ্যাল করে ফেলুদার দিকে চাইলেন।

'রিওয়ার্ড!'

'আনুবিসের মূর্তিটা আপনার কাছেই আছে বোধহয়?'

ভদ্রলোক কেমন যেন বোকার মতো ডান হাতটা নিজের পাঞ্জাবির পকেটে ঢুকিয়ে দিলেন। হাতটা বার করতে দেখলাম তাতে রয়েছে এক বিঘত লম্বা কালো পাথরের উপর রঙিন মণিমুক্তা বসানো চার হাজার বছরের পুরনো মিশর দেশের শেয়ালমুখী দেবতা আনুবিসের মূর্তি।

ফেলুদা হাত বাড়িয়ে সেটা নিয়ে বলল, 'থ্যাঙ্ক ইউ।'

গ্যাংটকে গণ্ডগোল

১

কিছুক্ষণ আগে অবধি জানালা দিয়ে বাইরে নীচের দিকে তাকালেই শুকনো হলদে মাটি আর সরু সরু সিল্কের সুতোর মতো এঁকে-বেঁকে যাওয়া নদী আর মাঝে মাঝে খুদে-খুদে গ্রামের খুদে-খুদে ঘর বাড়ি গাছপালা দেখতে পাচ্ছিলাম। হঠাৎ কোত্থেকে জানি মেঘ এসে পড়াতে সে-সব আর কিছুই দেখা যাচ্ছে না। তাই মুখ ঘুরিয়ে নিয়ে এখন প্লেনের যাত্রীদের দিকে দেখছি।

আমার পাশেই বসেছে ফেলুদা, তার হাতে একটা মহাকাশ ভ্রমণ সম্বন্ধে বই। ফেলুদা অনেক বই পড়ে, তবে আজ পর্যন্ত কখনও ওকে একই বিষয় নিয়ে পর পর দুটো বই পড়তে দেখিনি। কালই রাত্রে কলকাতায় দেখেছি, ও তাকলামাকান মরুভূমির উপর একটা বই পড়ছে। তার আগে ও দুটো বই একসঙ্গে পড়ছিল—সকালে একটা, রাত্রে একটা। একটা গল্পের বই, অন্যটা পৃথিবীর নানান দেশের রান্না সম্পর্কে। ও বলে, একজন গোয়েন্দার পক্ষে জেনারেল নলেজ জিনিসটা ভীষণ দরকারি ; কখন যে কোন জ্ঞানটা কাজে লেগে যায়, তা বলা যায় না।

আমাদের লাইনে প্যাসেজের উলটোদিকে পাশাপাশি দুটো সিটে দুজন ভদ্রলোক বসে আছেন। যিনি দূরে বসে, তাঁর শুধু ডান হাতটা আর নীল প্যান্টের খানিকটা অংশ দেখতে পাচ্ছি। হাতের আঙুল দিয়ে তিনি হাঁটুর উপর তাল ঠুকছেন। বোধহয় আপন মনে গান গাইছেন। যিনি কাছে বসে আছেন, তিনি বেশ আঁটসাঁট চক্‌চকে ভদ্রলোক। হাতের কবজিটা দেখে বেশ জোয়ান মনে হলেও, জুলপির কাছে পাকা চুল থাকাতে মনে হয় ভদ্রলোকের বয়স অন্তত পঁয়তাল্লিশ তো হবেই। একটা স্টেটসম্যান খুলে ভারী মনোযোগ দিয়ে কী জানি পড়ছেন তিনি। ফেলুদা হলে শুধু চেহারা দেখেই লোকটা সম্বন্ধে অনেক কিছু বলে দিতে পারত। আমি সময় কাটানোর জন্য অনেকক্ষণ একদৃষ্টে চেয়ে থেকেও কিছুই বার করতে পারলাম না।

'ও রকম হাঁ করে কী দেখছিস?'

চাপা গলায় ফেলুদার হঠাৎ-প্রশ্নটা চমকে দিয়েছিল। কথাটা বলে ও একবার আড়চোখে ভদ্রলোকের দিকে দেখে নিয়ে বলল, 'যে রেটে খায় লোকটা, সে তুলনায় শরীরে তেমন চর্বি জমেনি এখনও।'

এটা বলতে মনে পড়ল সত্যিই ভদ্রলোক এই এক ঘণ্টার মধ্যেই দুবার চেয়ে চা খেয়েছেন, আর তার সঙ্গে গোটা তিনেক করে বিস্কুটও। বললাম, 'আর কী বুঝলে?'

'ভদ্রলোকের প্লেনে চড়া অভ্যেস আছে।'

'কী করে জানলে ?'

'একটু আগেই প্লেনটা একটা এয়ার পকেটে পড়ে ধড়াস্ করে বাম্প করেছিল—মনে আছে ?'

'হ্যাঁ হ্যাঁ—ওরে বাবা—আমার তো পেটের ভিতরটা কী রকম করে উঠেছিল।'

'শুধু তুই কেন, আশেপাশের সকলেই নড়েচড়ে উঠেছিল, একমাত্র উনিই দেখলাম কাগজ থেকে চোখটি পর্যন্ত তুললেন না।'

'আর কী বুঝলে ?'

'লোকটার মাথার সামনের দিকের চুল বেশ পরিপাটি রয়েছে, কিন্তু পেছনটা এলোমেলো হয়ে মোরগের ঝুঁটি হয়ে গেছে।'

'সে তো দেখতেই পাচ্ছি।'

'অথচ প্লেনে লোকটা সিটে মাথা ঠেকিয়ে শোয়নি একবারও, একটানা সোজা হয়ে বসে কাগজ পড়েছে, আর না হয় চা-বিস্কুট খেয়েছে। তার মানে দমদমে ওয়েটিং রুমে—'

'বুঝেছি, বুঝেছি—তার মানে ও প্লেন ছাড়ার বেশ কিছুক্ষণ আগেই দমদম পৌঁছেছিল, আর তাই—'

'ভেরি গুড। হাতে সময় আছে দেখে সোফায় বসে পা ছড়িয়ে মাথা চিতিয়ে বিশ্রাম করে নিয়েছে। তাই পিছনের চুলের ওই দশা।'

ফেলুদার এই ক্ষমতাটা সত্যিই অবাক করে দেবার মতো। আরও আশ্চর্য এই যে, এগুলো বুঝে ফেলার জন্য ওকে আমার মতো ড্যাব-ড্যাব করে চেয়ে থাকতে হয় না অচেনা লোকের দিকে। দু-একবার আড়চোখে দেখে নিলেই কাজ হয়ে যায়।

'লোকটা কোন দেশি বল তো।' ফেলুদা প্রশ্ন করল।

এটার জবাব দেওয়া ভারী কঠিন। বললাম, 'লোকটা পরে আছে স্যুট, হাতে আবার ইংরেজি কাগজ—কী করে বুঝব ? বাঙালি, মারাঠি, গুজরাটি, পাঞ্জাবি—এনিথিং হতে পারে।'

ফেলুদা ছিক্ করে জিভ দিয়ে একটা শব্দ করে মাথা নেড়ে বলল, 'কবে যে অবজারভেশন শিখবি তা জানি না। লোকটার ডান হাতে কী রয়েছে ?'

'খবরের—না না, একটা আংটি !'

'আংটিতে কী আছে ?'

চোখ কুঁচকে ভাল করে চেয়ে দেখলাম সোনার আংটির মাঝখানে লেখা রয়েছে 'মা'।

অন্য যাত্রীদের সম্বন্ধেও প্রশ্ন করার ইচ্ছে ছিল, কিন্তু ঠিক সেই সময়ে লাউডস্পিকারে বলে উঠল বাগডোগরা পৌঁছাতে আর বেশি সময় নেই—'প্লিজ ফাস্‌ন ইয়োর সিট বেল্টস অ্যান্ড অবজার্ভ দ্য নো-স্মোকিং সাইন।'

বাগডোগরা বলতে অনেকেই মনে করবে, আমরা হয়তো দার্জিলিং কিম্বা কালিম্পং যাচ্ছি। আসলে তা নয়। আমরা যাচ্ছি সিকিমের রাজধানী গ্যাংটকে। এর আগে গ্রীষ্মের ছুটিতে দুবার দার্জিলিং গেছি ; এবারও প্রথমে দার্জিলিং-এর কথাই হয়েছিল, কিন্তু শেষ মুহূর্তে ফেলুদা গ্যাংটকের নাম করল। বাবার হঠাৎ ব্যাঙ্গালোরে একটা কাজ পড়ে গেল বলে উনি আর এলেন না। বললেন, 'তুই পরীক্ষা দিয়ে বসে আছিস, ফেলুরও ছুটি পাওনা হয়েছে—দিন পনেরোর জন্য ঘুরে আয়। কলকাতায় বসে ভ্যাপসা গরমে পচার কোনও মানে হয় না।'

ফেলুদা গ্যাংটক বলল তার কারণ বোধহয় এই যে, ইদানীং ও তিব্বত নিয়ে পড়াশুনা করেছে। (সেই ফাঁকে আমিও একটা স্বেন হেদিনের লেখা ভ্রমণ কাহিনী পড়ে ফেলেছি)।

সিকিমে তিব্বতের অনেক কিছুই এসে জমা হয়েছে। সিকিমের রাজা তিব্বতি, সিকিমের গুম্ফাগুলোতে তিব্বতি লামাদের দেখা যায়, সিকিমের অনেক গ্রামে তিব্বতি রেফিউজিরা এসে রয়েছে। তিব্বতের গান, তিব্বতের খাবার, তিব্বতের পোশাক, তিব্বতের মুখোশ-পরা নাচ—এ সবই নাকি সিকিমে রয়েছে। আমিও তাই আর গ্যাংটক নিয়ে আপত্তি করিনি। সত্যি বলতে কী, আমার এই খুড়তুতো দাদাটির সঙ্গে যদি উলুবেড়েতেও ছুটি কাটাতে হয়, তাতেও আমি রাজি। অবিশ্যি তার সঙ্গে যদি সে-জায়গায় কোনও রহস্যের সন্ধান মেলে, তা হলে তো পোয়াবারো। গোয়েন্দাগিরিতে ফেলুদার জুড়ি আর কেউ আছে বলে আমার জানা নেই।

বাগডোগরা এয়ারপোর্টে এসে প্লেন নামল ঠিক সাড়ে সাতটায়। কলকাতা থেকেই বাবা ব্যবস্থা করে দিয়েছিলেন যাতে আমাদের জন্য এখানে একটা জিপ মজুত থাকে। আমরা সটান জিপে না উঠে আগে এয়ারপোর্টের রেস্টোরান্টে গিয়ে বেশ ভাল করে ব্রেকফাস্ট করে নিলাম ; কারণ এখান থেকে গ্যাংটক যেতে লাগবে প্রায় ছ-সাত ঘণ্টা। রাস্তা খারাপ থাকলে আরও বেশি লাগতে পারে। তবে ভরসা এই যে আজ সবে চোদ্দোই এপ্রিল ; মনে হয় এখনও তেমন বর্ষা নামেনি।

অমলেটটা শেষ করে মাছ ভাজা ধরেছি, এমন সময় দেখি প্লেনের সেই ভদ্রলোকটি একটা কোনার টেবিল থেকে উঠে রুমালে মুখ মুছতে মুছতে আমাদেরই দিকে হাসিমুখে এগিয়ে আসছেন।

'আপনারা কি ড্যাং, না ক্যাং, না গ্যাং ?'

আমি তো প্রশ্ন শুনে ঘাবড়েই গেলাম। এ আবার কী হেঁয়ালিতে কথা বলছেন ভদ্রলোক ? কিন্তু ফেলুদা তৎক্ষণাৎ হেসে উত্তর দিল 'গ্যাং।'

গ্যাং শুনে ভদ্রলোক বললেন, 'জিপের ব্যবস্থা আছে ? মানে, সোজা কথা—আপনাদের সঙ্গে শেয়ারে লটকে পড়তে পারি কি ?'

ফেলুদা বলল, 'স্বচ্ছন্দে', আর আমিও বুঝে ফেললাম যে ড্যাং হচ্ছে দার্জিলিং, ক্যাং কালিম্পং আর গ্যাং গ্যাংটক।

ভদ্রলোক বললেন, 'থ্যাঙ্ক ইউ। আমার নাম শশধর বোস।'

'কী ব্যাপার ?' ভদ্রলোক জিজ্ঞেস করলেন। 'হলিডে ?'

'তা ছাড়া আর কী !'

'আই লাভ গ্যাংটক। আগে গেছেন কখনও ?'

'আজ্ঞে না।'

'কোথায় উঠছেন ?'

ফেলুদা বেয়ারাকে ডেকে বিল আনার কথা বলে দিয়ে ভদ্রলোককে একটি চারমিনার অফার করে নিজে একটা ধরিয়ে বলল, 'একটা হোটেলে ঘর বুক করা আছে। নাম বোধ হয় স্নো-ভিউ।'

শশধরবাবু বললেন, 'গ্যাংটকের নাড়ি-নক্ষত্র আমার জানা। শুধু গ্যাংটক কেন—সারা সিকিম চষে বেড়িয়েছি। লাচেন, লাচুং, নামচে, নাথুলা—কিছুই বাদ নেই। গ্লোরিয়াস ! যেমন দৃশ্য, তেমনি শান্তি। পাহাড় চান পাহাড়, অর্কিড চান অর্কিড—রোদ চান, মেঘ চান, বৃষ্টি চান, মিস্ট চান—সব পাবেন। তিস্তা, রঙ্গিত—নদীগুলোর কোনও তুলনা নেই। তবে গণ্ডগোল হল রাস্তা নিয়ে—রোড্স্—বুঝেছেন। আসলে এ দিকের পাহাড়গুলো, যাকে বলে গ্রোইং মাউনটেনস। এখনও বাড়ছে। তাই একটু অস্থির, বুঝেছেন—আর কাঁচা। ইয়াং বয়সে যা হয় আর কী—হে হে !'

'তার ফলেই বুঝি ল্যান্ডস্লাইড হয় ?'

'ইয়েস, আর সে বড় বেয়াড়া ব্যাপার। যাচ্ছেন যাচ্ছেন, হঠাৎ দেখলেন সামনে রাস্তা বন্ধ—ধসে গেছে। তার মানে ব্লাস্টিং, পাথর ভাঙো, দেয়াল তোলো, মাটি ফেলো—সে অনেক ঝক্কি। তাও আর্মি আছে বলে রক্ষে, চটপট সরিয়ে নেয়। তবে এখনও বৃষ্টিটা তেমন নামেনি, তাই খুব একটা গোলমাল হবে বলে মনে হয় না। যাক—আপনাদের পেয়ে খুব আনন্দ হল, সুবিধেও হল। একা একা এতখানি পথ যেতে হবে ভাবতে বিশ্রী লাগছিল। কম্পানি পেলে গপ্পোটপ্পো করে সময়টা কেটে যায়।'

ফেলুদা বলল, 'আপনিও কি চেঞ্জে যাচ্ছেন ?'

'আরে না মশাই !' ভদ্রলোক হেসে উঠলেন। 'আমি যাচ্ছি কাজে। তবে সে এক পিকিউলিয়ার কাজ। অ্যারোম্যাটিক প্লান্টস জানেন ?'

'আপনার বুঝি পারফিউমারির ব্যবসা ?'

'ঠিক ধরেছেন। কেমিক্যাল ফার্ম। তার অনেক কাজের একটা হচ্ছে এসেন্স তৈরি করা। সিকিমে কিছু আমাদের প্রয়োজনীয় গাছ আছে সেটা জানি। সেগুলো সংগ্রহ করতেই যাওয়া। আমার পার্টনার আগেই গেছে—দিন সাতেক হল। গাছপালা সম্বন্ধে অগাধ জ্ঞান—বটানিতে ডিগ্রি আছে। আমারও ওর সঙ্গে যাবার কথা ছিল—শেষটায় এক ভাগনের বিয়ের ব্যাপারে ঘাটশিলা চলে যেতে হল। কাল রাত্রেই কলকাতা ফিরেছি।'

বিল দেওয়া হয়ে গিয়েছিল, তাই আমরা উঠে পড়লাম। মালপত্র তুলে নিয়ে জিপের দিকে যেতে যেতে ফেলুদা বলল, 'আপনাদের কোম্পানিটা কোথায় ?'

শশধরবাবু বললেন, 'বম্বে। কোম্পানি প্রায় বিশ বছর হতে চলল। আমি জয়েন করেছি বছর সাতেক। এস্ এস্ কেমিক্যালস। শিবকুমার শেলভাঙ্কার—ওর নামেই নাম।'

বাগডোগরা থেকে শিলিগুড়ি হয়ে সেবক রোড। সেবক রোড থেকে ডান দিকে তিস্তা নদীকে রেখে রাস্তা চড়াই উঠতে আরম্ভ করে। তারপর মাঝে মাঝে নীচেও নামে, দার্জিলিং-এর মতো সমানে চড়াই ওঠে না। রংপো-তে গিয়ে পশ্চিমবাংলার শেষ আর সিকিমের শুরু।

তিস্তার ধারেই তিস্তা বাজার বলে একটা জায়গা আছে, যেখানে একটা প্রকাণ্ড ব্রিজের উপর দিয়ে নদী পেরিয়ে উলটোদিকের পাহাড়ের রাস্তা ধরতে হয়। তিস্তা বাজারে আমাদের জিপ থামানো হল। রোদ থাকার ফলে বেশ গরম লাগছিল, তাই শশধরবাবু বললেন, 'কোকা-কোলা খাবেন ?' এ জায়গাটা নাকি দুবছর আগে তিস্তার বন্যায় একেবারে ভেসে গিয়েছিল। দোকানপাট ঘরবাড়ি যা দেখছি, সবই নাকি নতুন তৈরি হয়েছে। দেখেও তাই মনে হয়। ব্রিজটাও নতুন ; আগেরটা জলের তোড়ে ভেঙে চুরমার হয়ে গিয়েছিল।

শশধরবাবু দেখলাম পর পর দু বোতল কোকা-কোলা সাবাড় করে দিলেন। সেই সঙ্গে অবিশ্যি আমাদেরও খাওয়ালেন। মনে মনে ভাবলাম—গ্যাংটকে আশা করি কোল্ড ড্রিঙ্ক খেয়ে শরীর ঠাণ্ডা রাখতে হবে না। পাঁচ হাজার ফুট হাইট যখন, নিশ্চয়ই এখানের চেয়ে অনেক বেশি ঠাণ্ডা হবে।

'কোক' খাওয়া সেরে যখন দোকানে বোতলগুলো ফেরত দিচ্ছি, তখন লক্ষ করলাম কিছু দূরেই একটা জিপের পাশে দাঁড়িয়ে কয়েকজন লোক (তার মধ্যে দুজন মিলিটারিও আছে) হাতটাত নেড়ে বেশ উত্তেজিতভাবে কী জানি আলোচনা করছে। জিপটা উলটোদিক থেকে এসেছে—বোধ হয় শিলিগুড়িই যাবে। 'অ্যাক্সিডেন্ট' কথাটা হঠাৎ কানে আসাতে আমরা তিনজনেই জিপটার দিকে এগিয়ে গেলাম, আর গিয়ে যা শুনলাম, সে এক বিশ্রী ব্যাপার। ও

দিকে বৃষ্টি না হলেও, গ্যাংটকে নাকি দিন-সাতেক আগে বেশ বৃষ্টি হয়েছে, আর তার ফলে পাহাড় থেকে একটা পাথর গড়িয়ে একটা জিপের উপর পড়ে একজন লোক নাকি মারা গেছে। জিপটাও নাকি রাস্তা থেকে গড়িয়ে প্রায় পাঁচশো ফুট নীচে পড়ে ভেঙে চুরমার হয়ে গেছে। যে মরেছে, তার নাম-ধাম এরা কেউ বলতে পারল না, কারণ এরা কেউ গ্যাংটক থেকে আসছে না।

ফেলুদা খবরটা শুনে বলল, 'একেই বলে নিয়তি। লোকটার নেহাতই মরণ ছিল, না হলে একটা চলন্ত গাড়ির উপর একটা মাত্র খসা পাথর এসে পড়া—এ ঘটনা সচরাচর ঘটে না।'

শশধরবাবু বললেন, 'ওয়ান চান্স ইন এ মিলিয়ন।' তারপর জিপে উঠতে উঠতে বললেন, 'যাবার সময় দৃষ্টিটা পাহাড়ের গায়ে রাখবেন, আর কানটা খোলা রাখবেন। সাবধানের মার নেই মশাই।'

তিস্তা ছাড়বার কিছুক্ষণ পর থেকেই চারিদিকের দৃশ্য এমন অদ্ভুত সুন্দর হয়ে উঠতে লাগল যে, অ্যাক্সিডেন্টের কথাটা মন থেকে মুছে গেল। রংপো পেরিয়ে কিছু দূর যাবার পর এক পশলা বৃষ্টি হওয়ায় গরমটা এমনিতেই কমে গিয়েছিল, তার উপরে তিন হাজার ফুট হাইটের মাথায় যখন কুয়াশা আরম্ভ হল, তখন রীতিমতো ঠাণ্ডা লাগতে লাগল। গ্যাংটক আসতে যখন দশ কিলোমিটার বাকি, তখন এক জায়গায় জিপ থামিয়ে সুটকেস খুলে কোট আর মাফলারটা বার করে পরে নিলাম। শশধরবাবুও দেখলাম এয়ার ইন্ডিয়ার একটা ব্যাগ খুলে একটা নীল পুলওভার বার করে সেটা তাঁর ঠাণ্ডা কোটের তলায় চাপিয়ে নিলেন।

ক্রমে কুয়াশার মধ্যে দিয়ে আবছা আবছা চোখে পড়ল, পাহাড়ের গায়ে নীল রঙের চিনে প্যাটার্নের ছাতওয়ালা সব ঘরবাড়ি। শশধরবাবু বললেন, 'পাঁচ ঘণ্টাও লাগল না। উই আর ভেরি লাকি।'

ক্রমে মিলিটারি ক্যাম্পের পাশ দিয়ে, ফুলের টব সাজানো কাঠের বারান্দাওয়ালা দোতলা দোকান-বাড়ির সারি পেরিয়ে, লাল নীল সবুজ হলদে ডুরে কাটা পোশাকপরা কাঁধে বাচ্চা-নেওয়া মেয়ে, আর বাহারের টুপি আর রংবেরঙের জামা পরা সিকিমি নেপালি ভুটিয়া তিব্বতি পুরুষদের ভিড়ের মধ্যে দিয়ে আমাদের জিপ গিয়ে পৌঁছল স্নোভিউ হোটেলের সামনে। শশধরবাবু ডাকবাংলোয় যাবেন বলে আমাদের কাছ থেকে তখনকার মতো বিদায় নিলেন। যাবার সময় বললেন, 'এ সব জায়গায়, জানেন তো, চান কি না চান, চারবেলা অন্তত একবার করে দেখা না হয়ে যায় না।'

ফেলুদা বলল, 'আপাতত আপনি ছাড়া আর কাউকেই চিনি না এখানে। বিকেলে একবার ডাকবাংলোর দিকটায় ঢুঁ মেরে আসব।'

'বহুৎ আচ্ছা' বলে হাত নেড়ে জিপের সঙ্গে ভদ্রলোকও কুয়াশায় মিলিয়ে গেলেন।

২

আমাদের হোটেলের নাম যদিও স্নো-ভিউ, আর যদিও সত্যি করেই নাকি পিছনের ঘরগুলোর জানালা দিয়ে কাঞ্চনজঙ্ঘা দেখা যায়, এসে অবধি এখনও পর্যন্ত কুয়াশা কাটেনি বলে আমাদের স্নো-ভিউ করা হয়নি। হোটেলের মালিক একজন পাঞ্জাবি ভদ্রলোক—নাম মিস্টার বিব্‌রা। আর যে-সব লোক হোটেলে রয়েছে, তার মধ্যে মনে হল মাত্র একজনই বাঙালি। এখনও আলাপ হয়নি। বাঙালি বুঝলাম, কারণ দুপুরে কাঁটা চামচ দিয়ে খাবার সময় তাঁর হাত থেকে কাঁটাটা ছিটকে মাটিতে পড়ার সঙ্গে সঙ্গে স্পষ্ট শুনলাম তিনি বলে উঠলেন, 'ধুত্তেরি।'

খাওয়া-দাওয়া সেরে হোটেলের সামনেই সারি সারি দোকানওয়ালা বড় রাস্তায় বেরিয়ে দু মিনিটের মধ্যেই ফেলুদা একটা পানের দোকান আবিষ্কার করে সেখান থেকে মিঠে পান কিনল। বলল, 'এ জিনিসটা যে এখানে পাওয়া যাবে তা ভাবিনি।' ও দুপুরে আর রাত্রে রোজ খাবার পরে একটা করে মিঠে পান খায়—তবে খয়ের ছাড়া, কারণ ঠোঁট লাল হওয়াটা ও একেবারেই পছন্দ করে না।

গ্যাংটকের এ রাস্তাটা দেখলাম রীতিমতো চওড়া। রাস্তার মাঝখানে জিপ লরি স্টেশন ওয়াগন ইত্যাদি নানারকম গাড়ি লাইন বেঁধে পার্ক করা রয়েছে, আর রাস্তার দুদিকে দোকান। দোকানের নাম দেখে বোঝা যায় ভারতবর্ষের অনেক জায়গার লোক সিকিমে এসে ব্যবসা গেড়ে বসেছে। পাঞ্জাবি, মাড়োয়ারি, গুজরাটি, সিন্ধি—সব রকম লোক সিকিমে এসে দোকান করেছে। বাঙালি প্রায় চোখে পড়ে না বললেই চলে। কুয়াশার মধ্যে বেশি দূর অবধি দেখা না গেলেও একটা জিনিস বেশ বুঝতে পারছিলাম যে, দার্জিলিং-এর সঙ্গে এ জায়গাটার বেশ একটা তফাত রয়েছে। সবচেয়ে বড় তফাত এই যে, এখানে লোকজনের ভিড়টা কম, তাই গোলমালটা কম, আর তাই নোংরাটাও কম।

খাওয়া-দাওয়া হল, মিঠে পানও হল, সবে ভাবছি এবার জায়গাটা একটু ঘুরে দেখলে হয়, এমন সময় হঠাৎ দেখি কুয়াশার মধ্যে দিয়ে শশধরবাবুকে দেখা যাচ্ছে। তিনি যেন ব্যস্তভাবে এই হোটেলের দিকেই এগিয়ে আসছেন। ফেলুদাকে দেখতে পেয়েই ভদ্রলোক আরও জোরে পা ফেলে এগিয়ে এসে হাঁপাতে হাঁপাতে বললেন, 'সর্বনাশ হয়ে গেছে!'

'কী ব্যাপার?'

'সকালে তিস্তায় যে অ্যাক্সিডেন্টের কথাটা শুনলেন সেটা কার জানেন?'

প্রশ্নটা শুনেই আমার মনের মধ্যে একটা সন্দেহ ধাক্কা দিয়ে উঠেছিল, ভদ্রলোকের কথায় সেটা সত্যি হয়ে গেল।

'এস্ এস্। আমার পার্টনার।'

'বলেন কী? কোথায় যাচ্ছিলেন ভদ্রলোক?'

'মা গঙ্গাই জানেন। টেরিব্‌ল ব্যাপার!'

'তৎক্ষণাৎ মারা গেছেন?'

'ঘণ্টা চারেক বেঁচে ছিল। হাসপাতালে আনার আধ ঘণ্টার মধ্যেই মারা যায়। মাথায় চোট, হাড়গোড় ভেঙেছিল। মারা যাবার আগে নাকি একবার জ্ঞান হয়েছিল। আমার নাম করে। 'বোস' 'বোস' করে দু-একবার বলে। তারপরই শেষ।'

'খবরটা পাওয়া যায় কী করে?' ফেলুদা জিজ্ঞেস করল।

আমারা হোটেলে গিয়ে ঢুকলাম। একতলার ডাইনিং রুম এখন খালি। তিনজনে তিনটে চেয়ার দখল করে বসলাম। শশধরবাবু একটা সবুজ রুমাল কোটের বুক-পকেট থেকে বার করে কপালের ঘাম মুছলেন।

'সেও এক ব্যাপার। ড্রাইভারটা মরেনি। পাথরটা গাড়িটায় এসে লেগেছে, আর ড্রাইভারও স্টিয়ারিং-এর কন্ট্রোল হারিয়ে ফেলেছে। এমনিতে পাথরটা নাকি খুব একটা বড় কিছু ছিল না, কিন্তু স্টিয়ারিং ঘুরে যাওয়াতে গাড়ি রাস্তা থেকে সরে একেবারে কাত হয়ে খাদে পড়েছে। ড্রাইভার ছিল খাদের উলটো দিকে—যেই না গাড়ি কাত হয়েছে, ব্যাটা লাফ দিয়ে একেবারে রাস্তায়। মাইনর ইন্‌জুরি—বাঁ চোখের পাশটায় সামান্য একটু ছড়েছে—দ্যাট্‌স অল। জিপ এদিকে শেলভাঙ্কার সমেত একেবারে পাঁচশো ফুট নীচে। নর্থ সিকিম হাইওয়েতে অ্যাক্সিডেন্ট। ড্রাইভারটা সেখান থেকে গ্যাংটকের দিকে হাঁটতে আরম্ভ করেছে খবরটা দেবে বলে। পথে কিছু নেপালি মজুরদের দেখে তাদের সঙ্গে করে নিয়ে গিয়ে এস্

এস্-এর বডি উদ্ধার করে। তারাই বয়ে আনছিল, এমন সময় একটা আর্মি জিপ এসে পড়ে। তারপর হাসপাতাল। তারপর...ওয়েল...'

যে লোকটাকে দু ঘণ্টা আগেও ফুর্তিবাজ বলে মনে হয়েছিল, তাকে এ রকম ভেঙে পড়তে দেখে অদ্ভুত লাগছিল।

'ডেডবডি কী হল ?' ফেলুদা জিজ্ঞেস করল।

'বম্বে পাঠিয়ে দেওয়া হয়েছে। বম্বেতে ওর ভাইকে কনট্যাক্ট করেছিল—ব্যারিস্টার ভাই। এস্ এস্-এর স্ত্রী নেই। দুবার বিয়ে করেছিল, দুই স্ত্রীই মারা গেছে। প্রথম পক্ষের একটি ছেলে ছিল—সে বছর-চোদ্দ আগে বাপের সঙ্গে ঝগড়া করে বাড়ি ছেড়ে চলে যায়। সে অনেক ব্যাপার। এস্ এস্ ছেলেকে ভীষণ ভালবাসত, তার অনেক খোঁজ করেছিল, কিন্তু তার আর কোনও পাত্তাই পাওয়া যায়নি। তাই ভাইকেই ইনফর্ম করেছিল। ভাই পোস্টমর্টেম করতে দেয়নি, তাই বডি তার পরদিন পাঠিয়ে দেওয়া হয়েছে।'

এখানে বলে রাখি—পোস্টমর্টেম কথাটার মানে আমি ফেলুদার কাছেই জেনেছিলাম। কেউ যদি অস্বাভাবিক বা সন্দেহজনকভাবে মারা যায়, তা হলে পুলিশের তদন্ত হয়, আর তখন পুলিশের ডাক্তার মৃতদেহ পরীক্ষা করে রিপোর্ট দেয়—কখন মরেছে, কোথায় চোট পেয়ে মরেছে, বিষ খাওয়ানো হয়েছিল কি না—এই সব আর কী। একেই বলে পোস্টমর্টেম।

ফেলুদা বলল, 'কবে ঘটেছে ব্যাপারটা ?'

শশধরবাবু বললেন, 'ইলেভন্থ সকালে। সাতুই ও এখানে এসে পৌঁছেছিল।' তারপর আক্ষেপের ভঙ্গিতে মাথা নেড়ে বললেন, 'আমি তো এখনও বিশ্বাসই করতে পারছি না !...কার কপালে যে কখন কী ঘটে ! তবে আমি থাকলে বোধহয় এ দুর্ঘটনা ঘটত না।'

'আপনার প্ল্যান কী ?' ফেলুদা জিজ্ঞেস করল।

'কী আবার ? আর তো এখানে থাকার কোনও মানে হয় না। আমি এখন যাচ্ছি কাল সকালে যদি একটা ফ্লাইট পাওয়া যায় তার খোঁজ করতে। চেনাশোনা আছে, হয়ে যাবে বলে মনে হয়।'

শশধরবাবু উঠে পড়লেন।

'চলি। যাবার আগে একবার দেখা হবে নিশ্চয়ই। আপনারা আর এ নিয়ে ভাববেন না। হ্যাভ এ গুড টাইম।'

ভদ্রলোক হোটেল থেকে বেরিয়ে চলে গেলেন। ফেলুদা কিছুক্ষণ চুপ করে ভুরু কুঁচকিয়ে বসে থেকে সকালে অ্যাক্সিডেন্টের কথা শুনে শশধরবাবু যে কথাটা বলেছিলেন, সেটাই ফিস ফিস করে দুবার বলল—'ওয়ান চান্স ইন মিলিয়ন।' তারপর বলল, 'অবিশ্যি মাথায় বাজ পড়েও তো লোক মরে। সেটাও কম আশ্চর্য নয়।'

আমি এতক্ষণ লক্ষ করিনি, এখন দেখলাম, আমাদের কাছেই আরেকটা চেয়ারে হোটেলের সেই বাঙালি ভদ্রলোকটি হাতে 'আনন্দবাজার' খুলে বসে আছেন। শশধরবাবু চলে যেতেই তিনি কাগজটা ভাঁজ করে চেয়ার ছেড়ে উঠে এসে ফেলুদাকে নমস্কার করে তার পাশের চেয়ারে বসে বললেন, 'সিকিমের রাস্তাঘাটে কখন যে কী হয় কিছুই বলা যায় না। এখানে পাথর পড়ে মানুষ মরাটা কিছুই আশ্চর্য না। আপনারা তো আজই এলেন ?'

ফেলুদা একটা গম্ভীর হুঁ-এর মতো শব্দ করল। ভদ্রলোক একটা স্টিলের ফ্রেমে হালকা সবুজ রঙের কাচওয়ালা চশমা পরেছিলেন। বয়স বোধহয় ত্রিশ-পঁয়ত্রিশের বেশি নয়। ঠোঁট আর নাকের মাঝখানে একটা ছোট্ট চারকোনা গোঁফ আছে, যেটাকে বোধহয় 'বাটারফ্লাই' বলা হয়। আজকাল এ রকম গোঁফ খুব বেশি দেখা যায় না।

'বেশ অমায়িক লোক ছিলেন মিস্টার শেলভাঙ্কার।'

'আপনার সঙ্গে পরিচয় ছিল?' ফেলুদা জিজ্ঞেস করল।

'যেটুকু হয়েছিল তাতেই বুঝেছি। সমঝদার লোক—যাকে বলে রসিক আর কী। আর্টের দিকে খুব ঝোঁক। আমার কাছে একটা তিব্বতি মূর্তি ছিল, সেটা উনি কিনলেন মারা যাবার ঠিক দু দিন আগে।'

'উনি ওসব জিনিস কালেক্ট করতেন?'

'কালেক্ট-ফালেক্ট জানি না—আমার সঙ্গে আর্ট এম্পোরিয়ামে আলাপ, দেখি এটা-সেটা ঘেঁটেঘুঁটে দেখছেন। বললুম, আমার কাছে একটা পুরনো তিব্বতি মূর্তি আছে, তুমি দেখবে? তা বললে, ডাকবাংলোয় নিয়ে এসো। গেলুম নিয়ে, দেখালুম। ভদ্রলোক অন দি স্পট কিনে নিলেন। অবিশ্যি জিনিসটাও ছিল খুব ডিসেন্ট। আমার ঠাকুরদা তিব্বত থেকে এনেছিলেন। নটা মাথা, চৌত্রিশটা হাত।'

'আই সি।'

ফেলুদা গম্ভীর ভাব দেখালেও, আমার কিন্তু ভদ্রলোককে বেশ ইন্টারেস্টিং লাগছিল, বিশেষ করে ওর হাসিটা, যেটা ওর ঠোঁটের কোণে লেগেই আছে। শেলভাঙ্কারের মৃত্যুটাও যেন ওর কাছে একটা হাসির ব্যাপার।

'আমার নাম নিশিকান্ত সরকার।'

ফেলুদা নিজের পরিচয় না দিয়ে কেবল একটা ছোট্ট নমস্কার করল।

ভদ্রলোক বলে চললেন, 'আমি থাকি দার্জিলিং-এ তিন পুরুষ ধরে আছি আমরা। তবে গায়ের রংটা দেখলে বিশ্বাস করা মুশকিল, তাই না?'

ফেলুদা সামান্য একটু হেসে অভদ্রতা অ্যাভয়েড করল।

'ও দিকটা, আর কালিম্পংটা থরলি ঘুরে দেখা আছে। সিকিমটা আসা হয়নি। অবিশ্যি সেটা আমার নেগ্—মানে নেগ্‌লিজেন্স। এসে বুঝছি কী মিস করছিলুম। কাছেপিঠে সব অদ্ভুত জায়গা আছে, জানেন তো? নাকি আপনার সব দেখা?'

ফেলুদা বলল যে সেও নতুন, আজই প্রথম সিকিমের মাটিতে পদার্পণ।

'বাঃ!' ভদ্রলোকের এবার প্রায় ছাব্বিশ পাটি দাঁত দেখা গেল। 'ক'দিন আছেন তো? বেশ ঘুরে-টুরে দেখা যাবে।'

'ইচ্ছে তো আছে।'

'পেমিয়াংচিটা শুনিচি দারুণ জায়গা।'

'যেখানে সিকিমের পুরনো রাজধানীর ভগ্নাবশেষ আছে?'

'শুধু রাজধানী কেন? গাইডবুকটা দেখুন না। ফরেস্ট আছে, ব্রিটিশ আমলের ডাকবাংলো আছে, প্রাচীন গুম্ফা আছে, কাঞ্চনজঙ্ঘার ফার্স্টক্লাস ভিউ আছে—আর কত চাই?'

'সুযোগ হলে নিশ্চয়ই যাব।' বলে ফেলুদা উঠে পড়ল।

'উঠছেন?'

ফেলুদা বলল, 'যাই, একটু ঘুরে দেখে আসি। এখানে কি বেরোবার সময় ঘরের দরজা-টরজা বন্ধ করে যেতে হয় নাকি?'

'তা হোটেলের ঘরের দরজায় চাবি দেওয়া ভাল। তবে চুরি-চামারি এখানে নেই বললেই চলে। সারা সিকিমে মাত্র একটি জেলখানা, আর সেটা গ্যাংটকেই। খোঁজ নিয়ে দেখুন—চারটির বেশি কয়েদি নেই সেখানে।'

হোটেল থেকে বেরিয়ে দেখি তখনও কুয়াশা কাটেনি। ফেলুদা এদিক-ওদিক দেখে বলল, 'একটা ভুল হয়ে গেল—দুজনের জন্যই এক জোড়া করে হান্টিং বুট কিনে আনা উচিত ছিল। যা বুঝছি, এখানে বাদলা হবে। তার মানেই রাস্তাঘাট পেছল। আর জুতোয় গ্রিপ না থাকলে পাহাড়ে ওঠা মুশকিল।'

আমি বললাম, 'এখানে পাওয়া যাবে না ?'

'তা যেতে পারে। বাটার দোকান তো সর্বত্রই আছে। সন্ধে নাগাত ফিরে এসে কিনে নেব। আপাতত চল একটু এক্সপ্লোর করা যাক।'

বাজার থেকে শহরের দিকে যেতে হলে চড়াই উঠতে হয়। কিছু দূর গিয়েই বুঝলাম, এদিকটায় লোকের ভিড় আর বাড়ির ভিড় আরও অনেকটা কম। অল্প যে সব লোক চলাচল করছে, তার মধ্যে কিছু স্কুলের ইউনিফর্ম-পরা ছেলে মেয়েও দেখলাম। দার্জিলিং-এর মতো ঘোড়া দেখলাম না এখানে, তবে জিপ চলে ওখানের চেয়ে অনেক বেশি। সেটা বোধহয় মিলিটারিরা থাকার দরুন। গ্যাংটক থেকে ষোলো মাইল দূরে ১৪,০০০ ফুট হাইটে নাথুলা। নাথুলাতে চিন আর ভারতের মধ্যের সীমারেখা। এদিকে ভারতীয় সৈন্য, আর ওদিকে পঞ্চাশ গজের মধ্যে চিন সৈন্য।

আরও কিছু দূর হেঁটে যাবার পর একটা মোড়ের মাথায় এসে কুয়াশার মধ্যে দিয়ে হঠাৎ একটা ঝলমলে রং চোখে পড়ল। একটু এগোতেই বুঝলাম সেটা আর কিছুই না—একটা লোক, ভারী বাহারের পোশাক পরে রাস্তার এক পাশে দাঁড়িয়ে আছে। তার পা থেকে মাথা অবধি রঙের বাহার। পায়ে হলদে জুতো, প্যান্টটা হল নীল রঙের জিন্‌স, সোয়েটারটা টকটকে লাল, আর তার গলার ফাঁক দিয়ে ভিতরে সবুজ শার্টের কলার দুটো বেরিয়ে আছে। শার্টের ঠিক উপরেই, থুতনির নীচে, একটা সাদার উপর কালো নকশা করা স্কার্ফ। লোকটার মুখের রং হালকা হলদে আর ফ্যাকাসে গোলাপি মেশানো, আর চুল—শুধু চুল নয়, গোঁফদাড়িও—বাদামি রঙের। দেখেই বোঝা যায় ইনি একজন বিদেশি হিপি। দাড়ি থাকার ফলে বয়স বোঝা মুশকিল, তবে মুখের চামড়া একটুও কুঁচকোয়নি। মনে হয় ফেলুদারই বয়সী—মানে ত্রিশের একটু নীচেই।

ভদ্রলোক আমাদের দেখে মৃদু হেসে ঠাণ্ডা মোলায়েম সুরে বললেন, 'হ্যালো।'

ফেলুদাও উত্তরে 'হ্যালো' বলল। এবার লক্ষ করলাম হিপির কাঁধ থেকে দুটো ক্যামেরা ঝুলছে, আর তার সঙ্গে একটা চামড়ার ব্যাগ। তাতেও হয়তো ক্যামেরারই জিনিসপত্র রয়েছে। একটা ক্যামেরার নাম 'ক্যানন' দেখে বুঝলাম সেটা জাপানি। ফেলুদার সঙ্গেও তার জাপানি ক্যামেরাটা ছিল, আর সেটা দেখেই বোধহয় হিপি বললেন, 'নাইস ডে ফর কালার।'

ফেলুদা হেসে বলল, 'তোমাকে কিছু দূর থেকে কুয়াশার মধ্যে দিয়ে দেখে আমারও সেই কথাটাই মনে পড়ছিল, তবে দুঃখের বিষয় ভাল কালার ফিল্ম এখন আমাদের দেশে দুষ্প্রাপ্য না হলেও দুর্মূল্য।'

হিপি বলল, 'সেটা জানি। আমার কাছে কালারের স্টক আছে, প্রয়োজন হলে আমাকে বোলো।'

হিপি যদিও ইংরেজিতে কথা বলছিল, উচ্চারণ শুনে তার জাতটা বুঝতে পারলাম না। ফরাসি অথবা আমেরিকান হলে চন্দ্রবিন্দুটা একটু বেশি ব্যবহার করত, আর ইংরেজ হলে তো বোঝাই যেত। ইনি কিন্তু ওই তিনটি জাতের একটিও নন।

ফেলুদা বলল, 'তুমি কি বেড়াতে এসেছ ?'

হিপি বলল, 'আমি ছবি তুলতে এসেছি। সিকিম সম্বন্ধে একটা বই করার ইচ্ছে। আমি

একজন প্রোফেশন্যাল ফটোগ্রাফার।'

'কদ্দিন আছ এখানে?'

'এসেছি নাইন্থ। পাঁচদিন হল। তিনদিনের ভিসা ছিল, বলে-কয়ে বাড়িয়ে নিয়েছি। আরও দিন-সাতেক থাকার ইচ্ছে।'

'কোথায় উঠেছ?'

'ডাকবাংলো। এই যে রাস্তাটা ডান দিকে উঠে গেছে—এইটে দিয়ে একটু উঠে গিয়েই ডাকবাংলো।'

ডাকবাংলো শুনেই আমার কানটা খাড়া হয়ে উঠল। শেলভাঙ্কারও তো বোধহয় ডাকবাংলোতেই ছিলেন।

'তা হলে যে-ভদ্রলোকটি অ্যাক্সিডেন্টে মারা গেলেন, তার সঙ্গে তোমার নিশ্চয়ই আলাপ ছিল?' ফেলুদা জিজ্ঞেস করল।

হিপি আক্ষেপের ভঙ্গিতে মাথা নেড়ে বললেন, 'ভেরি স্যাড। আমার সঙ্গে যথেষ্ট আলাপ হয়েছিল। হি ওয়াজ এ ফাইন ম্যান, অ্যান্ড—'

এইটুকু বলেই হিপি থেমে গেল। দেখে মনে হল সে হঠাৎ কেন জানি চিন্তিত হয়ে পড়েছে। একটুক্ষণ চুপ করে থেকে সে প্রায় আপন মনেই বলল, 'ভেরি স্ট্রেঞ্জ।'

'কী ব্যাপার?' ফেলুদা জিজ্ঞেস করল।

'উনি এখানে এসে একটা আশ্চর্য মূর্তি সংগ্রহ করেছিলেন একটি বাঙালি ভদ্রলোকের কাছ থেকে। হি পেড ওয়ান থাউজ্যান্ড রুপিজ ফর ইট।'

'এক হাজার!' ফেলুদা অবাক হয়ে বলল।

'হ্যাঁ। জিনিসটা কেনার পর ও এখানকার টিবেটান ইনস্টিটিউটে সেটা দেখাতে নিয়ে গিয়েছিল। তারা নাকি বলেছিল মূর্তিটা একটা আশ্চর্য উঁচু দরের দুষ্প্রাপ্য জিনিস। কিন্তু—' ভদ্রলোক গম্ভীর হয়ে আবার কিছুক্ষণ চুপ করে রইলেন। তারপর বললেন, 'আমার খট্‌কা লাগছে এই ভেবে যে, মূর্তিটা গেল কোথায়?'

'তার মানে?' ফেলুদা জিজ্ঞেস করল। 'তার ডেড বডি তো শুনলাম বম্বে পাঠিয়ে দেওয়া হয়েছে। সুতরাং তার জিনিসপত্রও নিশ্চয়ই সেই সঙ্গেই গেছে—তাই নয় কি?'

হিপি মাথা নাড়ল। 'অন্য সব জিনিস ফেরত গেছে সেটা ঠিকই, কিন্তু মিস্টার শেলভাঙ্কার মূর্তিটা সব সময়ে তাঁর কোটের বুক-পকেটে রাখতেন। বলতেন, এটা আমার ম্যাসকট—আমার ভাগ্য ফিরিয়ে দেবে। সেদিন যখন বেরোন, তখনও সেটা ওঁর পকেটেই ছিল। এটা আমি জানি। অ্যাক্সিডেন্টের পর ওঁকে হাসপাতালে আনা হয়। তখন আমি সেখানে ছিলাম। ওঁর জামাকাপড় খুলে ওঁর পকেট থেকে সব জিনিসপত্র বার করে ফেলা হয়। একটা নোটবুক বেরোয়, মানিব্যাগ বেরোয়, খাপের মধ্যে ভাঙা অবস্থায় ওঁর চশমাটা বেরোয়, কিন্তু মূর্তি বেরোয়নি। অবিশ্যি এমন হতে পারে যে, মূর্তিটা পকেট থেকে বেরিয়ে মাটিতে পড়ে গিয়েছিল; হয়তো সেটা সেখানেই পড়ে আছে, আর না হয় যারা তাকে তুলে আনে তাদেরই কেউ সেটাকে পকেটস্থ করেছে।'

'কিন্তু এখানের লোকেরা তো শুনেচি খুব অনেস্ট।'

'সেইজন্যেই তো গোলমাল লাগছে।' হিপি থুতনিতে হাত দিয়ে মাথা হেঁট করে কিছুক্ষণ ভাবল। ফেলুদা বলল, 'মিস্টার শেলভাঙ্কার সেদিন কোথায় যাচ্ছিলেন সেটা জানেন?'

'সিংগিকের রাস্তায় একটা গুম্‌ফা আছে, সেখানে আমারও যাওয়ার কথা ছিল, কিন্তু সেদিন সকালে উঠে দিনটা ভাল দেখে আমি ওঁর অনেক আগেই ক্যামেরা নিয়ে ছবি তুলতে বেরিয়ে পড়ি। উনি বলেছিলেন—পথে যদি তোমাকে দেখি তা হলে তুলে নেব।'

'হঠাৎ গুম্‌ফা সম্পর্কে আগ্রহ কেন ?'

'সেটা ঠিক জানি না। বোধ হয় ডক্টর বৈদ্য এর জন্য কিছুটা দায়ী।'

'ডক্টর বৈদ্য ?' ফেলুদা প্রশ্ন করল। নামটা এই প্রথম শুনছি।

হিপি হেসে বলল, 'এইভাবে রাস্তার মাঝখানে দাঁড়িয়ে কথা বলার কোনও মানে হয় কি ? চলো, ডাকবাংলোয় চলো—কফি খাবে।'

ফেলুদা আপত্তি করল না। বুঝলাম ও শেলভাঙ্কার সম্বন্ধে যা কিছু জানবার সব জেনে নিতে চাইছে।

ডান দিকের চড়াই রাস্তাটা দিয়ে উঠতে উঠতে হিপি বলল, 'তা ছাড়া আমার পা-টাকেও একটু রেস্ট দেওয়া দরকার। সেদিন পাহাড়ে উঠতে গিয়ে স্লিপ করে একটু মচকেছে। বেশিক্ষণ একটানা দাঁড়িয়ে থাকলে টনটন করে।'

কুয়াশা হালকা হয়ে আসছে। চারদিকে যে এত গাছপালা ছিল, তা এতক্ষণ বুঝতে পারিনি। হালকা হয়ে আসা কুয়াশার ফাঁক দিয়ে এখন পাইন গাছের মাথাগুলো দেখা যাচ্ছে।

খানিক দূর হেঁটেই আমরা ডাকবাংলো পৌঁছে গেলাম। বেশ সুন্দর একতলা বাড়ি ; বেশিদিনের পুরনো বলেও মনে হল না।

হিপি তার ঘরে নিয়ে গিয়ে দুটো চেয়ারের উপর থেকে কাগজপত্র সরিয়ে আমাদের বসবার জায়গা করে দিয়ে বলল, 'আমার পরিচয়টাই এখনও দেওয়া হয়নি। আমার নাম হেলমুট উঙ্গার।'

'জার্মান নাম কি ?' ফেলুদা জিজ্ঞেস করল।

'ঠিকই ধরেছ।' হেলমুট তার খাটেই বসল। ঘরের চারিদিকে জিনিসপত্র ছড়ানো, আলনায় আরও রংচঙে পোশাক, বাক্সগুলো আধখোলা, তার মধ্যে কাপড়ের চেয়ে কাগজপত্র ম্যাগাজিন ইত্যাদিই বেশি। কিছু ফোটো রাখা রয়েছে টেবিলের উপর, দেয়ালের গায়ে ঠেস দিয়ে দাঁড় করানো অবস্থায়। বেশির ভাগই বিদেশের ছবি, কিছু এদেশে তোলা। আমি খুব বেশি বুঝি না, তবে দেখে মনে হল ছবিগুলো বেশ ভাল।

ফেলুদাও নিজের পরিচয় দিল, যদিও সে যে শখের ডিটেকটিভ সে কথা বলল না। তারপর হেলমুট 'এক্সকিউজ মি' বলে ঘর থেকে বেরিয়ে গিয়ে বোধ হয় কফির অর্ডার দিয়ে ফিরে এসে আবার খাটে বসে বলল, 'ডক্টর বৈদ্য ভারী ইন্টারেস্টিং লোক, তবে কথাটা একটু বেশি বলেন। ডাকবাংলোতেই এসে ছিলেন কয়েকদিন। ভাগ্য গণনা জানেন, ভবিষ্যৎ বলতে পারেন, যে লোক মরে গেছে তার আত্মার সঙ্গে যোগস্থাপন করতে পারেন।'

'প্লানচেট জাতীয় ব্যাপার ?'

'কতকটা তাই। মিস্টার শেলভাঙ্কারকে অনেক কিছু বলে ভারী আশ্চর্য করে দিয়েছিলেন। আর পরলোকতত্ত্ব সম্বন্ধে মনে হল অনেক পড়াশুনা আছে।'

'তিনি এখন কোথায় ?'

'কালিম্পং যাবার কথা ছিল। সেখানে নাকি কোনও এক তিব্বতি সাধুর সঙ্গে অ্যাপয়েন্টমেন্ট ছিল। বলেছেন তো আবার আসবেন।'

'মিস্টার শেলভাঙ্কারকে কী বলেছিলেন তিনি ? আপনি শুনেছেন সে সব কথা ?'

'আমার সামনেই কথাবার্তা হয়। তার ব্যবসার কথা বললেন, স্ত্রীর মৃত্যুর কথা বললেন, ছেলের কথা বললেন। এমনকী, তিনি যে কিছুদিন থেকে মানসিক উদ্বেগে ভুগছেন সে কথাও বললেন।'

'সেটা কী কারণে ?'

'তা জানি না।'

'আপনাকে কিছু বলেননি ?'

'না। তবে বুঝতে পারতাম। মাঝে মাঝে অন্যমনস্ক হয়ে যেতেন, দীর্ঘশ্বাস ফেলতেন। একদিন বারান্দায় বসে চা খাচ্ছিলাম, এমন সময় ওঁর একটা টেলিগ্রাম আসে। উনি সেটা পড়ে রীতিমতো আপসেট হয়ে পড়েন।'

ফেলুদা বলল, 'মিস্টার শেলভাঙ্কার যে আকস্মিকভাবে মারা যাবেন, এ নিয়ে ডক্টর বৈদ্য কোনও ভবিষ্যদ্বাণী করেছিলেন ?'

'ঠিক ভবিষ্যদ্বাণী না করলেও, একটা সপ্তাহ একটু সাবধানে থাকতে বলেছিলেন। বলেছিলেন তার সময় ভাল যাচ্ছে না।'

কফি এল। আমরা তিনজনেই চুপচাপ বসে খেলাম। শেলভাঙ্কারের মৃত্যুর মধ্যে কোনও রহস্য আছে কি না জানা না গেলেও, আমার মন বলছিল কোথায় যেন একটা গণ্ডগোল রয়েছে। আমার বিশ্বাস ফেলুদারও আমার মতোই মনের অবস্থা। কারণ আগেও দেখেছি যে ওর মনে যখন একটা সন্দেহ জাগে, তখন ও চুপচাপ বসে থাকার ফাঁকে ফাঁকে আঙুল মটকায়। এখনও সে আঙুল মটকাচ্ছে।

কফি শেষ করে ফেলুদা ধন্যবাদ দিয়ে উঠে পড়ল। বলল, 'তুমি যখন আরও দিন-সাতেক রয়েছ, তখন নিশ্চয়ই আবার দেখা হবে। ডক্টর বৈদ্য যদি আসেন তা হলে যেন একটা খবর পাই। আমরা স্নো-ভিউ হোটেলে আছি।'

হেলমুট আমাদের সঙ্গে বাংলোর গেট পর্যন্ত এল। গুডবাই করার সময় সে শুধু একটা কথাই বলল : 'মূর্তিটা কোথায় গেল সেটা জানতে পারলে খানিকটা নিশ্চিন্ত লাগত।'

৩

কুয়াশা কাটলে কী হবে, আকাশে মেঘ এখনও কাটেনি। অল্প অল্প ঝিরঝিরে বৃষ্টিও পড়ছিল, তবে এ রকম বৃষ্টি ভালই লাগে। ছাতার দরকার হয় না, গা ভিজল কি না ভিজল বোঝাই যায় না, অথচ শরীরটা বেশ ঠাণ্ডা হয়ে যায়।

বাটার দোকানটা দেখলাম আমাদের হোটেল থেকে খুব বেশি দূরে নয়। দুজনের জন্য হান্টিং বুট কেনা হলে পর ফেলুদা বলল, 'রাস্তাঘাট যখন জানা নেই, তখন আজকের দিনটা অন্তত ট্যাক্সি ছাড়া গতি নেই। আপাতত টিবেটান ইনস্টিটিউট। দুর্দান্ত সব থাঙ্কা, পুঁথি আর তান্ত্রিক জিনিসপত্রের সংগ্রহ আছে শুনেছি।'

'তোমার মনে কি কোনও সন্দেহ হচ্ছে ?' উত্তর পাব কি না জানি না, তাও প্রশ্নটা না করে পারলাম না।

'কীসের সন্দেহ ?'

'যে মিস্টার শেলভাঙ্কার স্বাভাবিকভাবে মরেননি।'

'এখনও সেটা ভাববার বিন্দুমাত্র কারণ ঘটেনি।'

'তবে যে মূর্তিটা পাওয়া যাচ্ছে না।'

'তাতে কী হল ? লোকটা পাথর চাপা পড়ে জখম হয়েছে, পকেট থেকে মূর্তি গড়িয়ে পড়েছে, যারা তাকে উদ্ধার করেছে তাদের মধ্যে কেউ সেটিকে দেখতে পেয়ে ট্যাঁকস্থ করেছে—ব্যস ফুরিয়ে গেল। খুন করা এমনিতেই সহজ না, তার উপর মাত্র এক হাজার টাকার একটা মূর্তির জন্যে খুন—এ তো ভাবাই যায় না।'

আমি আর কিছু বললাম না। খালি মনে মনে বললাম—একটা রহস্য যদি গজিয়ে ওঠে,

তা হলে ছুটিটা জমবে ভাল।

সারি সারি দাঁড়ানো জিপের একটার দিকে এগিয়ে গিয়ে তার নেপালি ড্রাইভারকে ফেলুদা জিজ্ঞেস করল, 'ভাড়া যায়গা ?'

লোকটা বলল, 'কাঁহা যায়গা ?'

'টিবেটান ইনস্টিটিউট মালুম হ্যায় ?'

'হ্যায়। বৈঠ যাইয়ে।'

আমরা দুজনেই সামনে ড্রাইভারের পাশের সিটে বসলাম। ড্রাইভারটা গলায় মাফলারটা জড়িয়ে নিয়ে মাথায় একটা ক্যাপ চাপিয়ে, জিপটা ঘুরিয়ে যে-পথে আমরা শহরে এসে ঢুকেছিলাম, সেই পথে উলটোমুখে চলতে লাগল।

ফেলুদা একটা সিগারেট ধরিয়ে লোকটার সঙ্গে বাতচিত আরম্ভ করে দিল। কথা অবিশ্যি হিন্দিতেই হল ; আমি সেটা বাংলায় লিখছি।

'এখানে সেদিন যে অ্যাক্সিডেন্টটা হয়েছে সেটার কথা তুমি জান ?'

'সবাই জানে।'

'সে ড্রাইভার তো বেঁচে আছে, তাই না ?'

'ওঃ—ওর খুব ভাগ্য ভাল। গত বছর একটা অ্যাক্সিডেন্ট হয়, সেও পাথর পড়ে—তাতে ড্রাইভারটা মরেছিল, আর যাত্রী বেঁচে গিয়েছিল।'

'তুমি এ ড্রাইভারকে চেন ?'

'চিনব না ? এখানে সবাই সবাইকে চেনে।'

'সে কী করছে এখন ?'

'আবার অন্য একটা ট্যাক্সি চালাচ্ছে—SKM 463। নতুন ট্যাক্সি।'

'অ্যাক্সিডেন্টের জায়গাটা তুমি দেখেছ ?'

'হ্যাঁ, ও তো নর্থ সিকিম হাইওয়েতে। এখান থেকে দশ কিলোমিটার।'

'কাল একবার নিয়ে যেতে পারবে ?'

'কেন পারব না ?'

'তা হলে এক কাজ করো। আটটা নাগাত বেরোব—সকালে। আমরা স্নো-ভিউ হোটেলে থাকি—তুমি চলে এসো।'

'বহুৎ আচ্ছা।'

একটা জঙ্গলের মধ্যে দিয়ে খাড়াই পথ ধরে উঠে গিয়ে টিবেটান ইনস্টিটিউট। ড্রাইভার বলল জঙ্গলে নাকি খুব ভাল অর্কিড আছে—কিন্তু সে সব দেখবার সময় এখন নয়। গাড়ি একেবারে সোজা ইনস্টিটিউটের দরজার সামনে গিয়ে থামল। প্রকাণ্ড দোতলা বাড়ি, তার গায়ে বোধহয় তিব্বতি ধাঁচেরই সব নকশা করা। চারদিক এত নির্জন আর নিস্তব্ধ যে, একবার মনে হল ইনস্টিটিউট হয়তো বন্ধ হয়ে গেছে। কিন্তু কাছে গিয়ে দেখি দরজা খোলা।

দরজা দিয়ে ঢুকেই দেখি একটা প্রকাণ্ড হলঘরে এসে পড়েছি, তার দেয়ালে লম্বা লম্বা ছবি ঝুলছে (এগুলোকেই বলে থাঙ্কা), আর মেঝেতে রয়েছে নানারকম খুঁটিনাটি জিনিসপত্রে বোঝাই সারি সারি কাচের আলমারি আর শো-কেস।

কোনদিকে যাব বুঝতে পারছি না, এমন সময় একজন ঢোলা সিকিমি পোশাক আর চশমা-পরা ভদ্রলোক আমাদের দিকে এগিয়ে এলেন।

ফেলুদা তাকে ভীষণ ভদ্রভাবে জিজ্ঞেস করল, 'ডক্টর গুপ্ত আছেন কি ?'

ভদ্রলোক ইংরেজিতে উত্তর দিলেন, 'দুঃখের বিষয় কিউরেটর সাহেব আজ অসুস্থ। আমি

তাঁর অ্যাসিসট্যান্ট। কীভাবে আপনাদের সাহায্য করতে পারি, বলুন।'

ফেলুদা বলল, 'না, মানে, একটা বিশেষ ধরনের তিব্বতি মূর্তি সম্বন্ধে আমি একটু ইনফরমেশন চাচ্ছিলাম। নামটা জানি না, তবে কোনও এক দেবতার মূর্তি। তার ন'টা মাথা আর চৌত্রিশটা হাত।'

ভদ্রলোক হেসে মাথা নেড়ে বললেন, 'ইয়েস ইয়েস—যমন্তক, যমন্তক। টিবেট ইজ ফুল অফ স্ট্রেঞ্জ গডস। আমাদের কাছে একটা যমন্তকের মূর্তি আছে, এসো দেখাচ্ছি। কিন্তু ওর বেস্ট স্পেসিমেন এই কিছুদিন আগে একটি ভদ্রলোক আমাদের দেখাতে এনেছিলেন। আনফরচুনেটলি হি ইজ ডেড নাউ।'

'আই সি !'

প্রয়োজনে ফেলুদার অ্যাকটিং দেখবার মতো।

আমরা ভদ্রলোকের পিছন পিছন একটা আলমারির দিকে এগিয়ে গেলাম। যে মূর্তিটা ভদ্রলোক বার করে আমাদের সামনে ধরলেন সেটার চেহারা ভয়ঙ্কর। ন'টা মুখের প্রত্যেকটাতেই একটা হিংস্র ভাব—প্রায় রাক্ষসের মতো।

এবার ভদ্রলোক মূর্তিটাকে চিত করে দেখালেন তার তলায় একটা ফুটো। এই ফুটোর ভিতরে নাকি মন্ত্র লেখা কাগজ পাকিয়ে ঢুকিয়ে রাখা হয়, আর তাকে বলে নাকি 'সেক্রেড ইনটেসটাইন।'

মূর্তিটাকে আলমারিতে রেখে ভদ্রলোক বললেন, 'যিনি মারা গেছেন, তাঁর মূর্তিটা ছিল মাত্র তিন ইঞ্চি লম্বা, কিন্তু কী আশ্চর্য সুন্দর কারুকার্য ! সোনার মূর্তি, আর তাতে নানারকম পাথর বসানো। চোখ দুটো ছিল রুবি পাথরের। আমরা এত সুন্দর মূর্তি এর আগে কখনও দেখিনি।'

ফেলুদা বলল, 'কী রকম দাম হতে পারে সে মূর্তির ?'

ভদ্রলোক হেসে বললেন, 'হি পেড এ থাউজ্যান্ড রুপিজ। আমার মতে জলের দরে পেয়েছিলেন। ওর দাম দশ হাজার টাকা হলেও বেশি হত না। আমাদের কিউরেটার নিজে তিব্বত গেছেন, দলাইলামার সঙ্গে বসে মড়ার মাথার খুলিতে চা খেয়েছেন, কিন্তু তিনিও অত ভাল মূর্তি কখনও দেখেননি।'

ভদ্রলোক এর পরে আমাদের আরও অনেক জিনিস দেখিয়ে অনেক কিছু বোঝালেন। ফেলুদা সে সব মন দিয়ে শুনলেও, আমার কোনও কথাই কানে ঢুকল না। আমি শুধু ভাবছি—শেলভাঙ্কারের মূর্তির দাম ছিল দশ হাজার টাকা। এক হাজার নয়, দশ হাজার ! দশ হাজার টাকার মূর্তির লোভে কি একজন আরেকজনকে খুন করতে পারে না ? অবিশ্যি তার পরেই আবার মনে পড়ল যে পাহাড় থেকে পাথর গড়িয়ে পড়ে তার জিপে লাগার ফলেই শেলভাঙ্কার মারা গিয়েছিল। তাই যদি হয়, তা হলে তো খুনের কথাটা আসেই না।

টিবেটান ইনস্টিটিউট থেকে বেরোবার সময় আমাদের গাইড ভদ্রলোক হেসে বললেন, 'যমন্তক সম্বন্ধে হঠাৎ লোকের এত কৌতূহল কেন বুঝতে পারছি না। তোমরা ছাড়া আরেকজন জিজ্ঞেস করে গেছে।'

'যিনি মারা গেছেন তিনি কি ?'

'না না। তাঁর কথা বলছি না। আরেকজন।'

'কে মনে পড়ছে না ?'

ভদ্রলোক কিছুক্ষণ ভেবে মাথা নেড়ে বললেন, 'নাঃ—শুধু প্রশ্নটা ছাড়া আর কিছুই মনে পড়ছে না। আসলে সেদিন এখানে একদল আমেরিকান এসেছিলেন, আমাদের চোগিয়ালের অতিথি—তাদের নিয়ে এত ব্যস্ত ছিলাম...'

ইনস্টিটিউট থেকে বেরিয়ে যখন জিপে উঠছি, তখন দেখি চারিদিক অন্ধকার হয়ে এসেছে। ঘড়িতে পাঁচটা বাজতে পাঁচ মিনিট। দিনের আলো এত শিগগির যাবার কথা নয়। জিপ জঙ্গল থেকে খোলা জায়গায় বেরোনো মাত্র বুঝতে পারলাম পশ্চিমে ঘন কালো মেঘই এই অন্ধকারের কারণ। ড্রাইভার বলল, 'দিনের বেলাটা এখানে অনেক সময়ই ভাল যায়, যত দুর্যোগ রাত্তিরে।' আজ আর ঘোরাঘুরির কোনও মানে হয় না, তাই আমরা হোটেলে ফিরে যাওয়াই স্থির করলাম।

গাড়িতে ফেলুদা কোনও কথা বলল না। ও যে কী ভাবছে তা বোঝার কোনও উপায় নেই, তবে ওর চোখ যে কাজ করে চলেছে তাতে কোনও সন্দেহ নেই। চলন্ত গাড়ির

জানালার বাইরের সব কিছুর দিকেই ওর সজাগ দৃষ্টি। কোনও নতুন জায়গায় এলেই, আগেও দেখেছি, ফেলুদা এইভাবেই প্রায় জায়গাটাকে গিলে খায়। আরেক দিন যদি আমরা এ রাস্তা দিয়ে যাই, আমার বিশ্বাস ফেলুদার পর পর সব দোকানের নামই মুখস্থ হয়ে যাবে। আমি যে কবে ফেলুদার চোখ আর মেমরি পাব তা জানি না! অবিশ্যি আমার বয়স এখন মাত্র পনেরো, আর ওর আঠাশ।

হোটেলে পৌঁছে যখন জিপের ভাড়া দিচ্ছি তখন আবার শশধরবাবুর সঙ্গে দেখা। এখনও সেই ব্যস্ত অন্যমনস্কভাবে বাজারের দিক থেকে ফিরছেন। প্রথমে আমাদের দেখতেই পাননি, তারপর ফেলুদার ডাক শুনে একটু চমকে হেসে আমাদের দিকে এগিয়ে এলেন।

'সব ব্যবস্থা হয়ে গেল। কালকের ফ্লাইটেই যাচ্ছি।'

ফেলুদা বলল, 'বম্বে গিয়ে একটা ব্যাপারে একটু খোঁজ করে দেখতে পারেন কি? মিস্টার শেলভাঙ্কার এখানে একটা তিব্বতি মূর্তি কিনেছিলেন। একটা মূল্যবান দুষ্প্রাপ্য স্পেসিমেন। সেই মূর্তিটা তাঁর জিনিসপত্রের সঙ্গে ফেরত গেছে কি না।'

শশধরবাবু বললেন, 'নিশ্চয়ই দেখব। কিন্তু আপনি ব্যাপারটা জানলেন কী করে?'

ফেলুদা সংক্ষেপে নিশিকান্তবাবু আর হিপির কাছে যা জেনেছে সেটা বলল। সব শুনেটুনে শশধরবাবু বললেন, 'বুক পকেটে মূর্তিটা রাখাটাই ওর পক্ষে স্বাভাবিক বলে মনে হচ্ছে। হি হ্যাড এ গ্রেট প্যাশন ফর আর্ট অবজেক্টস।'

তারপর হঠাৎ মুখের ভাব একদম বদলে ফেলুদার দিকে চেয়ে একটা অবাক হাসি হেসে বললেন, 'ভাল কথা—আপনি যে ডিটেকটিভ সেটা তো আমাকে বলেননি!'

আমার তো চক্ষু ছানাবড়া। ফেলুদারও দেখি মুখ হাঁ হয়ে গেছে।

'কী করে জানলেন?'

ভদ্রলোক হাসতে হাসতে তাঁর মানিব্যাগ থেকে একটা কার্ড বার করে ফেলুদাকে দেখালেন। আমি জানি সেটা ফেলুদারই কার্ড; তাতে লেখা আছে Prodosh C. Mitter, Private Investigator.

'আপনি যখন জিপের শেয়ারটা দিচ্ছিলেন, তখনই বোধহয় আপনার কার্ডটা ব্যাগ থেকে সামনের সিটে পায়ের কাছে পড়ে গিয়েছিল। বাংলোয় যখন নামছি, তখন ড্রাইভারটা আমায় কার্ডটা দেয়। ভাল করে পড়ে দেখিনি, কারণ চশমাটা ছিল না হাতের কাছে। তারপর থেকে যা গণ্ডগোল—এটার কথা ভুলেই গিয়েছিলাম। এনিওয়ে, এটা আমি রাখছি—আর এই নিন আমার কার্ড। যদি কোনও গোলমাল দেখেন, আর মনে করেন আমার আসা দরকার—একটা টেলিগ্রাম করে দেবেন—আর্লিয়েস্ট অ্যাভেইলেবল ফ্লাইটে চলে আসব।'

'কখন যাচ্ছেন আপনি?'

'কাল ভোরে। হয়তো আপনাদের সঙ্গে আর দেখা হবে না। আসি। হ্যাভ এ গুড টাইম।'

বড় বড় বৃষ্টির ফোঁটা পড়তে আরম্ভ করেছে। ভদ্রলোক হাত তুলে গুড বাই করে হনহনিয়ে বাংলোর দিকে চলে গেলেন।

ঘরে এসে ফেলুদা বুট-মোজা খুলে হাত-পা ছড়িয়ে খাটের উপর শুয়ে পড়ে বলল—উফ্‌ফ!

সত্যিই, আজ এই প্রথম দিনে এত রকম ঘটনা ঘটল যে উফ্‌ ছাড়া আর কিছু বলা যায় না।

'ভেবে দ্যাখ', ফেলুদা সিলিং-এর দিকে তাকিয়ে বলল, 'একটা ক্রিমিন্যালের যদি ন'টা

মাথা হত তা হলে কী সাংঘাতিক ব্যাপার হত। পেছন থেকে এসে খপ করে ধরার আর কোনও উপায় থাকত না।'

'আর চৌত্রিশটা হাত ?'

'সেও সাংঘাতিক। চৌত্রিশ জোড়া হাতকড়া না হলে অ্যারেস্ট করা যেত না।'

বাইরে বৃষ্টি আরম্ভ হয়ে গেছে।

ঘরের আলোটা জ্বালিয়ে দিলাম।

ফেলুদা তার হাতবাক্সটা খুলে তার থেকে তার বিখ্যাত নীল খাতাটা বের করল। তারপর শোয়া অবস্থাতেই খাতাটা খুলে বুকের উপর রেখে পকেট থেকে কলমটা বার করে লেখার জন্য তৈরি হল। শেলভাঙ্কার যেভাবেই মরে থাকুক না কেন, ফেলুদা যে অলরেডি রহস্যের গন্ধ পেয়েছে আর তদন্ত শুরু করে দিয়েছে, সেটা আমার বুঝতে বাকি রইল না।

'বল তো, এখানে এসে এখন পর্যন্ত কার কার সঙ্গে আলাপ হল ?'

প্রশ্নটার জন্য মোটেই তৈরি ছিলাম না, তাই প্রথমটা কী রকম হকচকিয়ে গেলাম। ঢোক গিলে বললাম, 'একেবারে বাগডোগরা থেকে শুরু করতে হবে নাকি ?'

'দূর গর্দভ। এখন যারা গ্যাংটকে রয়েছে, তার মধ্যে বল।'

'এক—শশধরবাবু।'

'পদবি ?'

'দত্ত।'

'তোর মুণ্ডু।'

'সরি—বোস।'

'কেন এসেছেন এখানে ?'

'ওই যে বললেন কী সুগন্ধী গাছের ব্যাপার।'

'অত দায়সারাভাবে বললে চলবে না।'

'দাঁড়াও। ভদ্রলোকের পার্টনার মিস্টার শেলভাঙ্কারকে মিট করতে। ওদের একটা কেমিক্যাল কোম্পানি আছে, যার অনেক কাজের মধ্যে একটা কাজ হল—'

'ও কে—ও কে! নেক্সট ?'

'হিপি।'

'নাম ?'

'হেলমেট—'

'মুট। মেট নয়। হেলমুট।'

'হ্যাঁ, হ্যাঁ।'

'পদবি ?'

'উঙ্গার।'

'আসার উদ্দেশ্য ?'

'প্রোফেশনাল ফোটোগ্রাফার। সিকিমের ছবি তুলে একটা বই করতে চায়। তিনদিনের ভিসা পেয়েছিল, বলে-কয়ে বাড়িয়ে নিয়েছে।'

'নেক্সট ?'

'নিশিকান্ত সরকার। দার্জিলিং-এ থাকেন। তিন পুরুষের বাস। কী করেন জানি না। একটা তিব্বতি মূর্তি ছিল, শেলভাঙ্কারকে—'

দরজায় টোকা পড়ল।

'কাম ইন!' ফেলুদা ভীষণ সাহেবি কায়দায় বলে উঠল।

'ডিসটার্ব করছি না তো ?' নিশিকান্ত সরকারের প্রবেশ। 'একটা খবর দিতে এলুম।'

ফেলুদা সোজা হয়ে বসে ভদ্রলোককে খাটের পাশের চেয়ারটা দেখিয়ে দিল। নিশিকান্তবাবু তার সেই অদ্ভুত হাসি নিয়ে চেয়ারে বসে বললেন, 'কাল লামা ডান্স হচ্ছে।'

'কোথায় ?' ফেলুদা জিজ্ঞেস করল।

'রুমটেক। এখান থেকে মাত্র দশ মাইল। দারুণ ব্যাপার। ভুটান কালিম্পং থেকে সব লোক আসছে। রুমটেকের যিনি লামা—তাঁর পোজিশন খুব হাই—জানেন দলাই, পাঞ্চেন, তারপরেই ইনি। ইনি তিব্বতেই থাকতেন। ইদানীং এসেছেন। মঠটাও নতুন। একবার দেখে আসবেন নাকি ?'

'সকালে হবে না।' ফেলুদা ভদ্রলোককে একটা চারমিনার অফার করল। 'দুপুরে খাওয়া-দাওয়া সেরে যাওয়া যেতে পারে।'

'আর পরশু যদি যান, তা হলে হিজ হোলিনেস-এর দর্শনও পেতে পারেন। বলেন তো গুটি চারেক সাদা স্কার্ফ জোগাড় করে রাখি।'

আমি বললাম, 'স্কার্ফ কেন ?'

নিশিকান্ত হেসে বললেন, 'ওইটেই এখানকার রীতি। হাইক্লাস কোনও তিব্বতির সঙ্গে দেখা করতে গেলে স্কার্ফ নিয়ে যেতে হয়। তুমি গিয়ে তাঁকে স্কার্ফটা দিলে, তিনি আবার সেটা তোমাকে ফেরত দিলেন—ব্যস, ফরম্যালিটি কমপ্লিট।'

ফেলুদা বলল, 'লামাদর্শনে কাজ নেই। তার চেয়ে নাচটাই দেখা যাবে।'

'আমারও তাই মত। আর গেলে কালই যাওয়া ভাল। যা দিন পড়েছে, এর পরে রাস্তাঘাটের কী অবস্থা হবে বলা যায় না।'

'ভাল কথা—আপনি আপনার মূর্তির কথা কি শেলভাঙ্কার ছাড়া আর কাউকে বলেছিলেন ?'

নিশিকান্তবাবুর জবাব দিতে দেরি হল না। 'ঘুণাক্ষরেও না। নট এ সোল। কেন বলুন তো ?'

'না—এমনি জিজ্ঞেস করছি।'

'এখানকার দোকানে গিয়ে ওটা একবার যাচাই করব ভেবেছিলাম, তবে তারও প্রয়োজন হয়নি। দোকানেই শেলভাঙ্কারের সঙ্গে আলাপ হয়, তারপর সোজা ডাকবাংলোয় গিয়ে জিনিসটা দিয়ে আসি। অবিশ্যি উনি একদিন রেখে তারপর দামটা দিয়েছিলেন।'

'নগদ টাকা ?'

'না না। সেটা হলে আমার সুবিধেই হত, কিন্তু ক্যাশ ছিল না ওঁর কাছে। চেক দিয়েছিলেন। দাঁড়ান—'

নিশিকান্তবাবু তাঁর ওয়ালেট থেকে একটা ভাঁজ করা চেক বার করে ফেলুদাকে দেখালেন। আমিও ঝুঁকে পড়ে দেখে নিলাম। ন্যাশনাল অ্যান্ড গ্রিন্ডলেজ ব্যাঙ্কের চেক—তলায় দারুণ পাকা সই—এস শেলভাঙ্কার।

ফেলুদা চেকটা ফেরত দিয়ে দিল।

'কোথাও কোন সাস—মানে, সাসপিশাস কিছু দেখলেন নাকি ?' মুখে সেই হাসি নিয়ে নিশিকান্তবাবু জিজ্ঞেস করলেন।

'নাঃ।' ফেলুদা হাই তুলল। ভদ্রলোক উঠে পড়লেন। বাইরে একটা চোখ-ঝলসানো নীল বিদ্যুতের পর একটা প্রচণ্ড বাজের শব্দে ঘরের কাচের জানালা ঝন্ ঝন্ করে উঠল। নিশিকান্তবাবু দেখলাম ফ্যাকাসে হয়ে গেছেন।

'বাজ জিনিসটাকে মোটেই বরদাস্ত করতে পারি না, হেঁ হেঁ। আসি...'

যখন ডিনার খাচ্ছি তখনও বৃষ্টি, যখন শুতে গেলাম তখনও বৃষ্টি, যখন ঘুমোচ্ছি তখনও এক-একবার বাজের আওয়াজে ঘুম ভেঙে গেছে—আর বৃষ্টির শব্দ পেয়েছি। একবার ঘুম ভেঙে জানালার দিকে চোখ পড়াতে মনে হল, কে যেন জানালার বাইরের কাঠের বারান্দা দিয়ে হেঁটে গেল। কিন্তু এই দুর্যোগের রাতে কে আর বাইরে বেরোবে? নিশ্চয়ই আমার দেখার ভুল। কিংবা হয়তো ঘুমই ভাঙেনি। পাহাড়ের দিকের জানালার কাচের মধ্যে দিয়ে বিদ্যুতের আলোয় দেখা লাল পোশাক পরা লোকটা হয়তো আসলে আমার স্বপ্নে দেখা।

৪

কোন ভোরে বৃষ্টি থেমেছে জানি না। সাড়ে ছ'টায় উঠে জানালার কাছে গিয়ে দেখি আকাশ ঝকঝকে পরিষ্কার, চারিদিকে রোদ-ঝলমল, আর আমার ঠিক সামনের পাহাড়ের সারির পিছন দিয়ে মাথা উঁচিয়ে রয়েছে কাঞ্চনজঙ্ঘা। দার্জিলিং-এর চেয়ে অন্য রকম দেখতে, হয়তো অত সুন্দরও না, কিন্তু তা হলেও চেনা যায়, তা হলেও কাঞ্চনজঙ্ঘা।

ফেলুদা আমার আগেই উঠে যোগব্যায়াম সেরে স্নানে ঢুকেছিল, এইমাত্র বেরিয়ে এসে বলল, 'চটপট সেরে নে—অনেক কাজ।'

পনেরো মিনিটের মধ্যেই আমার সব কিছু সারা হয়ে গেল। ব্রেকফাস্ট খেতে যখন নীচে নেমেছি তখন সবে সাতটা বেজেছে। একটু অবাক লাগল দেখে যে নিশিকান্তবাবু আমাদের আগেই ডাইনিং রুমে এসে হাজির হয়েছেন। ফেলুদা বলল, 'আপনি তো খুব আর্লি রাইজার মশাই?'

কাছে গিয়ে বুঝলাম, মুখে সেই হাসিটা থাকা সত্ত্বেও ভদ্রলোককে কেমন জানি একটু নার্ভাস বলে মনে হচ্ছে।

'আপনাদের, ইয়ে, মানে ভাল ঘুমটুম হয়েছিল?'

বুঝলাম আসলে ওর অন্য কিছু বলার দরকার, আগে একটু পাঁয়তাড়া কষছেন। ভদ্রলোকের গলাটা শুকনো শোনাল।

'মন্দ কী?' ফেলুদা বলল। 'কেন বলুন তো?'

ভদ্রলোক এ দিক ও দিক দেখে নিয়ে তার কোটের বুক পকেট থেকে একটা হলদেটে কাগজ বার করে ফেলুদার দিকে এগিয়ে দিলেন।

'এটা কী ব্যাপার বলুন তো?'

দেখি কাগজটার উপর কালো কালি দিয়ে কয়েকটা অদ্ভুত অক্ষরে কী যেন লেখা রয়েছে।

ফেলুদা বলল, এ তো তিব্বতি লেখা বলে মনে হচ্ছে। কোথায় পেলেন?'

'কাল রাত্রে—মানে মাঝরাত্রে—অ্যাট, মানে অ্যাট ডেড অফ নাইট—কেউ আমার ঘরে ফেলে দিয়ে গেছে।'

'বলেন কী!'

আমার কিন্তু কথাটা শুনেই বুকটা ধড়াস করে উঠেছিল। নিশিকান্তবাবুর ঘর হল আমাদের পাশের ঘর। ওটাও হোটেলের পিছন দিকে। আমাদের আর ওর ঘরের জানালার বাইরে দিয়ে একই বারান্দা গেছে, আর সেই বারান্দায় ওঠার জন্য কাঠের সিঁড়ি রয়েছে হোটেলের পিছন দিকে।

'এটা রাখতে পারি?' ফেলুদা জিজ্ঞেস করল।

'স্বচ্—মানে স্বচ্ছন্দে। কিন্তু কী লিখেছে, সেটার একটা ইয়ে না করা অবধি...'

'সেটা আর এমন কী কঠিন। তিব্বতি ভাষা-জানা লোকের তো অভাব নেই এখানে। আর কিছু না হোক—টিবেটান ইনস্টিটিউট তো আছে।'

'হ্যাঁ। সেই আর কী।'

'তবে আর কী। আপনি চিন্তা করছেন কেন ? এটা হুমকি বা শাসানি গোছের একটা কিছু, সেটা ভাবার তো কোনও কারণ নেই। নাকি আছে ?'

নিশিকান্তবাবু চমকে উঠে তৎক্ষণাৎ সামলে নিয়ে বললেন, 'সার্টেনলি নট !'

'এমনও তো হতে পারে যে এটায় বলা হয়েছে—তোমার মঙ্গল হোক বা তুমি দীর্ঘজীবী হও।'

'তা তো বটেই। অবিশ্যি, মানে হঠাৎ, কথা নেই বার্তা নেই, আশীর্বাদটাই বা করবে কেন—হেঁ হেঁ।'

'হুমকিরও কোনও কারণ নেই বলছেন ?'

'না না। আমি মশাই যাকে বলে নট ইন সেভেন, নট ইন ফাইভ।'

ফেলুদা বেয়ারাকে চা আর ডিম-রুটি অর্ডার দিয়ে বলল, 'যাক গে—এ নিয়ে আর ভাববেন না। আমরা তো পাশের ঘরেই রয়েছি। আপনার কোনও চিন্তা নেই।'

'বলছেন ?' আজ সকালে এই প্রথম ভদ্রলোকের অনেকগুলো দাঁত এক সঙ্গে দেখা গেল।

'আলবাৎ। চা খেয়েছেন ?'

'এবার খাব আর কী।'

'পেট ভরে ব্রেকফাস্ট করুন। রোদ উঠেছে। দুপুরে লামা-নাচ দেখার প্রোগ্রাম আছে। কুছ পরোয়া নেহি।'

'আপনাকে যে কী বলে থ্যা—'

'থ্যাঙ্কস দিতে হবে না। আপনার চেকটি যেন খোয়া না যায়, সেদিকে খেয়াল রাখবেন।'

জিপ ঠিক সময়ই হাজির হল। আমরা উঠতে যাব, এমন সময় দেখি আরেকটা জিপ বাংলোর দিক থেকে আসছে। নম্বরটা দেখে কেমন জানি চেনা মনে হল। SKM 463, ওহো—এই নম্বরের গাড়িই তো সেই নেপালি ড্রাইভার চালাচ্ছে, যে অ্যাক্সিডেন্ট থেকে পার পেয়েছিল। এবার নীল কোট পরা ড্রাইভারকে দেখতে পেলাম, আর তার পাশেই বসে—ওমা, এ যে শশধরবাবু।

ভদ্রলোক আমাদের দেখে গাড়ি থামিয়ে বললেন, 'আর্মির কাছ থেকে খবরের জন্য ওয়েট করছিল। বৃষ্টির বহর দেখে ভয় হচ্ছিল রাস্তা বুঝি বন্ধ হয়ে গেছে।'

'হয়নি বুঝি ?' ফেলুদা জিজ্ঞেস করল।

'নাঃ। অবিশ্যি নেহাত বেগতিক দেখলে ঠিক করেছিলাম ভায়া কালিম্পং চলে যাব।'

'ওই ড্রাইভারই তো শেলভাঙ্কারের গাড়ি চালাচ্ছিল—তাই না ?'

শশধরবাবু হেসে উঠলেন। 'আপনি তো তদন্ত শুরু করে দিয়েছেন দেখছি। ইয়েস—ইউ আর রাইট। আমি ওকে ডেলিবারেটলি বেছে নিয়েছি। প্রথমত, গাড়িটা নতুন ; দ্বিতীয়ত—বাজ কখনও একই জায়গায় দুবার পড়ে না, জানেন তো ?'

শশধরবাবু দ্বিতীয়বার গুডবাই করে বাজারের রাস্তা দিয়ে নীচের দিকে চলে গেলেন। আমরা আমাদের জিপে উঠলাম। ড্রাইভারকে বলাই ছিল কোথায় যাব, তাই আর বৃথা বাক্যব্যয় না করে রওনা দিয়ে দিলাম।

ডাকবাংলোর কাছাকাছি গিয়ে একবার উপরের দিকে চেয়ে দেখলাম হেলমুটকে দেখা যায়

কি না। কাউকেই দেখতে পেলাম না। কাল কুয়াশায় কিচ্ছু দেখা যাচ্ছিল না, আর আজ আকাশে এক টুকরো মেঘও নেই। বাঁ দিকে শহর অনেক দূর পর্যন্ত নীচে নেমে গেছে। একটা বাড়ি দেখে ইস্কুল বলে মনে হল, কারণ তার সামনেই একটা চারকোনা খোলা জায়গা, আর তার দুদিকে দুটো খুদে খুদে সাদা গোলপোস্ট। এখনও ইস্কুলের সময় হয়নি, না হলে ইউনিফর্ম পরা খুদে খুদে ছেলেদেরও দেখা যেত।

আরও কিছু দূর গিয়ে একটা চৌমাথা পড়ল। ডান দিকে একটা পান-সিগারেটের দোকান, মাঝখানে পুলিশ, বাঁ দিকে একটা রাস্তা পিছনে নীচের দিকে চলে গেছে। সামনের দিকে রাস্তাটা দু ভাগ হয়ে গেছে। একটার মুখে একটা গেট—তাতে লেখা ইন্ডিয়া হাউস—সেটা পাহাড় বেয়ে উপর দিকে উঠে গেছে। আমরা নিলাম অন্য রাস্তাটা, যেটা সোজা সামনের দিকে এগিয়ে গেছে।

মিনিট খানেক চলার পরেই রাস্তার ডান পাশে পাহাড়ের গায়ে পাথরের ফলকে খোদাই করে বড় বড় অক্ষরে লেখা দেখলাম—নর্থ সিকিম হাইওয়ে।

ফেলুদা একটা অচেনা গান গুনগুন করে গাইছিল, সেটা থামিয়ে ড্রাইভারকে জিজ্ঞেস করল, 'ইয়ে রাস্তা কিতনা দূর তক গিয়া ?'

ড্রাইভার বলল রাস্তা গেছে চুংথাম পর্যন্ত। সেখানে আবার দুটো রাস্তা আছে, যার একটা গেছে লাচেন, আরেকটা লাচুং। দুটোরই নাম শুনেছি, দুটোরই হাইট ন' হাজার ফুটের কাছাকাছি, আর দুটোই নাকি অদ্ভুত সুন্দর জায়গা।

'রাস্তা ভাল ?' ফেলুদা জিজ্ঞেস করল।

'তা ভাল, তবে পানি হোনেসে কভি কভি বিগড় যাতা।'

'ল্যান্ডস্লাইড হয় ?'

'হাঁ বাবু। রাস্তা তোড় যাতা, বিরিজ তোড় যাতা, ট্রাফিক সব বন্ধ হো যাতা।'

শহর ছাড়তে বেশি সময় লাগল না। একটা আর্মি ক্যাম্প পেরোতেই একেবারে নিরিবিলি জায়গায় এসে পড়লাম। এখন নীচের দিকে তাকালে পাকা বাড়ির বদলে ফসলের খেত দেখা যাচ্ছে। এখন ভুট্টা হয়েছে, ধানের সময় ধান হয়। পাহাড়ের গা কেটে সিঁড়ির মতো ধাপে ধাপে করা খেত—ভারী সুন্দর দেখতে।

মাঝে মাঝে রাস্তার ধারে মাইল পোস্ট পড়ছে, তবে তাতে সব কিলোমিটারে লেখা। প্রথম প্রথম অসুবিধে হচ্ছিল, তারপর মনে মনে হিসেব (৫ মাইল = ৮ কিলোমিটার) করে নেওয়ার অভ্যাস হয়ে গেল।

দশ কিলোমিটার ছাড়িয়ে কিছু দূরে গিয়ে এক জায়গায় গাড়ি থামিয়ে ড্রাইভার বলল, এই হচ্ছে অ্যাক্সিডেন্টের জায়গা।

আমরা গাড়ি থেকে নামলাম।

এতক্ষণ গাড়ির শব্দে যেটা বুঝতে পারিনি, সেটা এবার বুঝতে পারলাম।

জায়গাটা অস্বাভাবিক রকম নির্জন নিস্তব্ধ।

রাস্তা থেকে অনেকখানি নীচে খাদের মধ্যে দিয়ে নদী বয়ে চলেছে, তার একটা সর সর শব্দ আছে, আর আছে মাঝে মাঝে কে জানে কদ্দূর থেকে ভেসে আসা নাম-না-জানা পাহাড়ে পাখির শিস। এ ছাড়া আর কোনও শব্দ নেই।

আমরা যেদিকে যাচ্ছিলাম, সেদিকে মুখ করে দাঁড়ালে বাঁ দিক দিয়ে নেমেছে ঢাল, আর ডান দিক দিয়ে পাহাড় খাড়াই উপরে উঠে গেছে। এই পাহাড়ের গা দিয়েই পাথর গড়িয়ে পড়ে অ্যাক্সিডেন্টটা হয়েছিল। সেই পাথরকে ভেঙে টুকরো করে এখন রাস্তার ধারে ছড়িয়ে রাখা হয়েছে। সেগুলোকে দেখে আর অ্যাক্সিডেন্টের কথাটা ভেবে পেটের ভিতরটা কেমন

জানি করে উঠল।

ফেলুদা প্রথমে চটপট কয়েকটা ছবি তুলে নিল, তারপর রাস্তার বাঁ পাশটায় গিয়ে নীচের দিকে দেখে কয়েকবার খালি হুঁ হুঁ বলল। তারপর ক্যামেরাটা কাঁধ থেকে খুলে আমার হাতে দিয়ে বলল, 'এই ঢাল দিয়ে হ্যাঁচোড় প্যাঁচোড় করে কিছুদূর নেমে যাওয়া বোধহয় খুব কঠিন হবে না। তুই এখানেই থাক। আমার মিনিট পনেরোর মামলা।'

আমি যে উত্তরে কিছু বলব, ওকে বাধা দেবার কোনও চেষ্টা করব, তার আর সুযোগই হল না। ও চোখের নিমেষে এবড়ো-খেবড়ো পাথর আর গাছগাছড়া লতাপাতা খামচাতে খামচাতে তরতরিয়ে নীচের দিকে নেমে গেল। আমার কাছে কাজটা বেশ দুঃসাহসিক বলে মনে হচ্ছিল, কিন্তু ফেলুদা দেখি তারই মধ্যে শিস দিয়ে চলেছে।

ক্রমে ফেলুদার শিস মিলিয়ে গেল। আমি ভরসা করে নীচের দিকে চাইতে পারছিলাম না, কিন্তু এবার একবার না দেখলেই নয় মনে করে রাস্তার কিনারে গিয়ে মাথাটা বাড়িয়ে দিলাম। যা দেখলাম তাতে বুকটা কেঁপে উঠল। ফেলুদা পুতুল হয়ে গেছে; না জানলে তাকে দেখে চিনতেই পারতাম না।

ড্রাইভার বলল, 'বাবু ঠিক জায়গাতেই পৌঁছেছেন। ওইখানেই গিয়ে পড়েছিল জিপটা।'

ফেলুদার আন্দাজ অব্যর্থ। ঠিক পনেরো মিনিট পরে খচমচ খড়মড় শব্দ শুনে আবার এগিয়ে গিয়ে দেখি ফেলুদা যেভাবে নেমেছিল সেইভাবেই আবার এটা-ওটা খামচে ধরে উঠে আসছে। হাতটা বাড়িয়ে একটা হ্যাঁচকা টান মেরে তাকে রাস্তায় তুলেই জিজ্ঞেস করলাম—'কী পেলে?'

'গাড়ির কিছু ভাঙা পার্টস, নাট-বোল্ট, কিছু ভাঙা কাচ, একটা তেলচিটে ন্যাকড়া। নো যমন্তক।'

মূর্তিটা যে পাবে না সেটা আমারও মনে হয়েছিল।

'আর কিচ্ছু না?'

ফেলুদা তার প্যান্ট আর কোটটা ঝেড়ে নিয়ে পকেট থেকে একটা ছোট্ট জিনিস বার করে আমাকে দেখাল। সেটা আর কিছুই না—একটা ঝিনুকের কিংবা প্লাস্টিকের তৈরি সাদা বোতাম—মনে হয় শার্টের। আমাকে দেখিয়েই বোতামটা আবার পকেটে রেখে ফেলুদা উলটোদিকে খাড়াই পাহাড়ের দিকে এগিয়ে গেল। 'পাথর...পাথর...পাথর' আপন মনে বিড়বিড় করে চলেছে সে। তারপর গলা চড়িয়ে বলল, 'আরেকটু তেনজিঙ্গি না করলে চলছে না।'

এবারে আর ফেলুদাকে একা ছাড়লাম না, কারণ খাড়াই খুব বেশি না, আর মাঝে মাঝে এমন এক-একটা জায়গা আছে যেখানে ইচ্ছে করলে একটু জিরিয়ে নেওয়া যায়। ফেলুদা আগেই বলে নিয়েছিল—তুই আগে ওঠ, তোর পিছনে আমি। তার মানে হচ্ছে আমি যদি পা হড়কে পড়ি, তা হলে ও আমাকে ধরবে।

খানিক দূরে ওঠার পরেই ফেলুদা হঠাৎ পিছন থেকে বলল—'থাম।'

একটা খোলা সমতল জায়গায় এসে পড়েছি।

সোজা হয়ে উঠে দাঁড়িয়ে হাত-পা ঝেড়ে চারদিকটা একবার দেখলাম। ফেলুদা আবার গুনগুন গান ধরেছে, আর দৃষ্টি মাটির দিকে রেখে পায়চারি করছে।

'হুঁ!'

শব্দটা এল প্রায় মিনিট খানেক পায়চারির পর। ফ্ল্যাট জায়গাটা যেখানে ঢালু হয়ে নীচে নেমেছে, তারই একটা অংশের দিকে ফেলুদা একদৃষ্টে চেয়ে রয়েছে। আশেপাশে ঘাস থাকলেও এই বিশেষ অংশটা নেড়া। মাটি আর দু-একটা নুড়ি পাথর ছাড়া আর কিছু নেই।

'এখান থেকেই পাথরবাবাজি গড়িয়েছেন। লক্ষ করে দ্যাখ—এইখান থেকে শুরু করে ঢাল বেয়ে গাছপালা ভেঙে চলেছে নীচে অবধি। ও ঝোপড়াটা দ্যাখ—ওই ফার্নের গোছাটা দ্যাখ—কীভাবে থেঁতলেছে। এগুলো সব পরিষ্কার ইনডিকেশন।'

আমি বললাম, 'কত বড় পাথর বলে মনে হচ্ছে?'

ফেলুদা বলল, 'নীচে তো টুকরোগুলো দেখলি। কত বড় আর হবে? আর এ হাইট থেকে গড়িয়ে পড়ে মারাত্মক দুর্ঘটনা সৃষ্টি করার জন্য একটা ছোটখাটো ধোপার পুঁটুলির সাইজের পাথরই যথেষ্ট।'

'তাই বুঝি?'

'তা ছাড়া আর কী? এ হল মোমেন্টামের ব্যাপার। ম্যাস ইনটু ভেলোসিটি। ধর, তুই যদি মনুমেন্টের তলায় দাঁড়িয়ে থাকিস, আর মনুমেন্টের উপর থেকে কেউ যদি তাগ করে একটা পায়রার ডিমের সাইজের নুড়িপাথরও তোর মাথায় ফেলে, তা হলে তার চোটেই তোর মাথা ফুটি-ফাটা হয়ে যাবে। একটা ক্রিকেট বল যত বেশি হাইটে ছোড়া যায়, সেটাকে লুফতে তত বেশি চোট লাগে হাতে। লোফার সময় কায়দা করে হাতে টেনে নিতে না পারলে অনেক সময় তেলো ফেটে যায়। অথচ বল তো সেই একই থাকছে, বদলাচ্ছে কেবল হাইট, আর তার ফলে মোমেন্টাম।'

ফেলুদা এবার নেড়া জায়গাটার পাশে ঘাসের উপর বসে পড়ে বলল, 'পাথরটা কীভাবে পড়েছিল জানিস?'

'কীভাবে?' আমি ফেলুদার দিকে এগিয়ে গেলাম।

'এই দ্যাখ।'

ফেলুদা নেড়া অংশটার একটা জায়গায় আঙুল দিয়ে দেখাল। আমি ঝুঁকে পড়ে দেখলাম সেখানে একটা ছোট্ট গর্ত রয়েছে। সাপের গর্ত নাকি?

'যদ্দূর মনে হয়', ফেলুদা বলে চলল, 'প্রায় পঁচাত্তর পার্সেন্ট সিওর হয়ে বলা চলে যে একটা লম্বা লোহার ডান্ডা বা ওই জাতীয় একটা কিছু মাটিতে ঢুকিয়ে চাড় দিয়ে পাথরটাকে ফেলা হয়েছিল। তা না হলে এখানে এ রকম একটা গর্ত থাকার কোনও মানে হয় না। অর্থাৎ—'

অর্থাৎ যে কী আমিও বুঝে নিয়েছিলাম। তবুও মুখে কিছু না বলে আমি ফেলুদাকে কথাটা শেষ করতে দিলাম।

'অর্থাৎ মিস্টার শিবকুমার শেলভাঙ্কারের অ্যাক্সিডেন্টটা প্রকৃতির নয়, মানুষের কীর্তি। অর্থাৎ অত্যন্ত ক্রূর ও শয়তানি পদ্ধতিতে কেহ বা কাহারা তাহাকে হত্যা করিয়াছিল। অর্থাৎ—এক কথায়—গণ্ডগোল, বিস্তর গণ্ডগোল...'

৫

খুনের জায়গা (এখন থেকে আর অ্যাক্সিডেন্ট বলব না) থেকে হোটেলে ফিরে আমাকে নামিয়ে দিয়ে ফেলুদা বলল ওর একটু কাজ আছে—একটু পরে ফিরবে। আমি জানি যে যদি জিজ্ঞেস করি কী কাজ তা হলে উত্তর পাব না।

আমরা ফেরার পথে চৌমাথায় হেলমুটের সঙ্গে দেখা হয়েছিল ; তাকে রুমটেকের নাচের কথা বলতে সেও যেতে চাইল। আর যাবেন নিশিকান্তবাবু। কোথায় গেলেন ভদ্রলোক? আর তার সেই হিজিবিজি তিব্বতি লেখার মানে করারই বা কী হল?

একবার মনে হল ফেলুদা না আসা পর্যন্ত বাজারের রাস্তায় পায়চারি করে কাটিয়ে দিই।

তারপর মনে হল—নাঃ, হোটেলেই যাই। সঙ্গে একটা গল্পের বই এনেছি, ঘরে বসে সেটা পড়তে পড়তেই ফেলুদা এসে যাবে।

হোটেলে ঢুকতেই দেখলাম নিশিকান্তবাবু গোমড়া মুখ করে ডাইনিং রুমে বসে আছেন। অবিশ্যি আমাকে দেখেই তাঁর সে পুরনো হাসি ফিরে এল। বললেন, 'দাদা কই ?' বললাম, 'একটু কাজে বেরিয়েছেন ; আসবেন এক্ষুনি।'

'তোমার দাদার গায়ে খুব জোর, তাই না ?'

এ আবার কী রকম প্রশ্ন করেন ভদ্রলোক ? আমি কিছু বলার আগেই আবার বললেন, 'উনি ভরসা দিচ্ছেন বলেই রয়ে গেলুম ; তা না হলে আজই পাততাড়ি গুটিয়ে দার্জিলিং পালাতুম।'

'কেন ?'

ভদ্রলোক হাত কচলাতে শুরু করেছেন। বুঝলাম তাঁর নার্ভাসনেসটা আবার ফিরে এসেছে।

ভদ্রলোক এ দিক ও দিক দেখে আবার পকেট থেকে সেই কাগজটা বার করলেন।

'জান ভাই—সাতজন্মে কারুর কোনও অনিষ্ট করিনি, অথচ এ রকম শাসানি শেষটায় আমাকেই দিলে !'

'ওটার মানে বের করেছেন নাকি ?'

ভদ্রলোক বললেন, 'একটা অ্যাং—মানে অ্যাংজাইটি ছিল, তাই সোজা চলে গেলুম তিব্বত ইনস্টিটিউটে। কাগজটা দেখালুম। কী বললে জান ? বললে এ লেখাটার মানে হচ্ছে 'মৃত্যু'। গিয়াংফুং—না ওই জাতীয় একটা কী তিব্বতি কথা। মানে হচ্ছে ডেথ। থার্টি সেভেনে আমার একটা ফাঁড়া আছে তাও জানি।'

আমার একটু বিরক্ত লাগল। বললাম, 'শুধু তো বলেছে মৃত্যু। এমন তো বলেনি যে আপনাকেই মরতে হবে।'

ভদ্রলোক হঠাৎ যেন একটু আশার আলো দেখতে পেলেন।

'তাও বটে। মৃত্যু মানে তো এনিবডিজ ডেথ হতে পারে—তাই না ?'

'কাগজে লেখা আছে বলেই যে কাউকে মরতেই হবে তারই বা কী মানে আছে ?'

কিন্তু তাও যেন ভদ্রলোক ভরসা পেলেন না। আবার তাঁর মুখ থেকে হাসি মিলিয়ে গেল। তারপর ভুরু কুঁচকে কিছুক্ষণ ভেবে প্রায় নিজের মনেই বিড়বিড় করে বললেন, 'দক্ষিণের জানালাটা খোলা ছিল...ঝড় বৃষ্টি হচ্ছিল...তার মানে হাওয়া ছিল...বাইরের জিনিস হাওয়ার সঙ্গে ঘরের ভিতর এসে পড়তে পারে। এটা যদি এমনি উট্‌কো কাগজের টুকরো হয়...হয়তো ছেঁড়া পুঁথিটুথির পাতা—কাছাকাছি তো ছোটখাটো গুম্‌ফাও রয়েছে...একটা তো শহরে ঢোকার মুখটাতেই...হুঁ...হুঁ...'

আমি আর কাল রাত্রে জানালা দিয়ে কী দেখেছি সেটা বললাম না। তা হলে যেটুকু ভরসা পাচ্ছেন ভদ্রলোক, তাও আর পেতেন না। শেষে যেন আর ভাবতে না পেরেই ভদ্রলোক জোর করে তাঁর মন থেকে দুশ্চিন্তাটা ঝেড়ে ফেলে দিয়ে বললেন, 'যাক্‌গে ! তোমার দাদাই তো রয়েছেন। বেশ কনফিডেন্স পাওয়া যায় ভদ্রলোককে দেখে। খেলোয়াড়-টেলোয়াড় ছিলেন নাকি ? না, এক্সারসাইজ করেন ?'

'এককালে ক্রিকেট খেলেছেন। এখন যোগব্যায়াম করেন।'

'ঠিক ধরেচি। আজকালকার বাঙালিদের মধ্যে অমন ফিট বডি চোখে পড়ে না। চা খাবে ?'

পাহাড়ে ওঠানামা করতে বেশ পরিশ্রম হয়েছিল, তাই বললাম চায়ে আপত্তি নেই।

ভদ্রলোক বেয়ারাকে ডেকে দু কাপ চা অর্ডার দিলেন। চা এসে পৌঁছতে না পৌঁছতেই ফেলুদা ফিরে এল। আসার দশ সেকেন্ডের মধ্যেই নিশিকান্তবাবু তাঁর 'মৃত্যু'-র কথাটা ফেলুদাকে বলে দিলেন।

ফেলুদা আরেকবার কাগজটা দেখে বলল, 'আপনাকে এতটা ইম্পর্ট্যান্স দিচ্ছে কেন সেটা আঁচ করতে পারছেন?'

নিশিকান্তবাবু মাথা নাড়লেন, 'আমি স্যার আকাশ-পাতাল ভেবেও এর কূল-কিনারা করতে পারছি না।'

ফেলুদা বলল, 'আর ভাববেন না। কারণ না থাকলে কেউ কারুর মৃত্যু কামনা করে না। আমার বিশ্বাস ওটা যে-ই ফেলে থাকুক না কেন, ঝড়ের রাতে অন্ধকারে ভুল করে ভুল ঘরে ফেলেছে। তিব্বতি তিব্বতিকেই তিব্বতি ভাষায় শাসায়। আপনাকে শাসাতে হলে যে ভাষা আপনি জানেন তাতেই শাসানো স্বাভাবিক। নইলে তো শাসানি মাঠে মারা—তাই নয় কি?'

'তা তো বটেই।'

'ব্যস—নিশ্চিন্ত থাকুন।'

'আর গোলমাল হলে আপনি তো আছেনই।'

'আমি থাকলে কিন্তু গোলমালটা মাঝে-মধ্যে একটু বেশিই হয়।'

'তাই বুঝি?'

ভদ্রলোকের মুখ আবার ফ্যাকাসে হয়ে গেল।

ফেলুদা আর কোনওরকম সান্ত্বনা দেবার চেষ্টা না করে দোতলায় নিজের ঘরে চলে গেল। আমি জানি কাঁদুনে ভিতু লোকদের ফেলুদা বরদাস্ত করতে পারে না। নিশিকান্তবাবু যদি ওর সিমপ্যাথি পেতে চান, তা হলে ওঁকে কাঁদুনি বন্ধ করতে হবে।

আমি চা শেষ করে ঘরে গিয়ে দেখি ফেলুদা আবার তার নীল খাতার উপর ঝুঁকে পড়েছে। আমি ঢুকতেই বলল, 'টেলিগ্রাফ অফিসগুলোতে বেশির ভাগ লোকই যে অশিক্ষিত সেটা আগেই জানা ছিল—তবে এটা একটু বেশি রকম বাড়াবাড়ি।'

'হঠাৎ টেলিগ্রাফ আপিসে কেন?'

'শশধরবাবুকে একটা কেব্‌ল করে দিলাম। ও পৌঁছবার আগেই অবিশ্যি পৌঁছে যাবে—তাও দেরি করে কোনও লাভ নেই।'

'কী লিখলে?'

'হ্যাভ্‌ রিজ্‌ন টু সাসপেক্ট শেলভাঙ্কারস্‌ ডেথ নট অ্যাক্সিডেন্টাল। অ্যাম ইনভেসটিগেটিং।'

'বাড়াবাড়িটা কীসে দেখলে!'

'ও। সে অন্য ব্যাপার।'

ফেলুদা নাকি টেলিগ্রাফ আপিসে কেরানিদের ঘুষ দিয়ে গত ক' দিনে শেলভাঙ্কারের নামে কোনও টেলিগ্রাম এসেছিল কি না সেটা জেনে নিয়েছে। 'একটা ছিল শশধরবাবুর টেলিগ্রাম—অ্যাম অ্যারাইভিং ফোর্টিন্‌থ।'

'আর অন্যটা?'

'পড়ে দ্যাখ'—বলে ফেলুদা তার নীল খাতাটা আমার দিকে এগিয়ে দিল। দেখলাম তাতে লেখা রয়েছে—

YOUR SON MAY BE IS A SICK MONSTER...PRITEX.

পড়ে তো চক্ষু চড়কগাছ। সিক্‌ মনস্টার? রুগ্‌ণ রাক্ষস? সে আবার কী?

ফেলুদা বলল, 'বোঝাই যাচ্ছে যে কোনও গোলমাল করেছে। কিন্তু প্রশ্নটা হচ্ছে—কী

গোলমাল। আসল টেলিগ্রামটা কী ছিল।'

আমি বললাম, 'প্রাইটেক্স আবার কী ?'

ফেলুদা বলল, 'ওটা বোধহয় ছাপার ভুল নয়। মনে হয়, ওটা কোনও গোয়েন্দা এজেন্সির টেলিগ্রাফিক অ্যাড্রেস। PRI অর্থাৎ প্রাইভেট, আর TEX হল TEC-এর বহুবচন। TEC মানে যে ডিটেকটিভ সেটা নিশ্চয়ই তোকে বলে দিতে হবে না।'

'এই টেলিগ্রামটা পেয়েই কি শেলভাঙ্কার ঘাবড়ে গিয়েছিল ?'

'কিছুই আশ্চর্য না।'

'আর তার মানে এই এজেন্সিটা শেলভাঙ্কারের ছেলের খোঁজ করছিল ?'

'তাই তো মনে হয়। কিন্তু Sick Monster!—হরি হরি !'

আমি বললাম, 'কতগুলো রহস্য এক সঙ্গে সমাধান করবে বলো তো।'

ফেলুদা বলল, 'সেইটেই তো ভাবছি। প্রশ্নের পর প্রশ্ন। এইবেলা খাতায় নোট করে ফেলা উচিত। বল তো দেখি একটা একটা করে।'

'এক—Sick Monster।'

'তারপর ?'

'পাথর কে ফেলল।'

'গুড।'

'তিন—মূর্তিটা কোথায় গেল।'

'ঠিক হ্যায়।'

'চার—নিশিকান্তবাবুর ঘরে কাগজ কে ফেলল।'

'আর, কেন ফেলল। বহুত আচ্ছা।'

'পাঁচ—খুনের জায়গায় কার বোতাম।'

'অবিশ্যি সেটা শেলভাঙ্কারের নিজের শার্টের বোতামও হতে পারে। যাই হোক—বলে চল।'

'ছয়—তিব্বতি ইনস্টিটিউটে গিয়ে, কে মূর্তির কথা জিজ্ঞেস করেছিল।'

'স্প্লেনডিড। আর বছর দশেকের মধ্যেই তুই গোয়েন্দাগিরি শুরু করতে পারবি।'

ফেলুদা ঠাট্টা করলেও বুঝতে পারলাম যে আমি পরীক্ষায় পাশ করেছি।

'শুধু একটি লোকের সঙ্গে এখন দেখা হওয়া দরকার। মনে হয় তিনি শেলভাঙ্কার সম্বন্ধে জরুরি ইনফরমেশন দিতে পারেন।'

'কে লোকটা ?'

'ডক্টর বৈদ্য। যিনি ভবিষ্যৎ বলেন, আর প্রেতাত্মার সঙ্গে যোগ স্থাপন করেন, আর অন্যান্য যাবতীয় ভেল্‌কি প্রদর্শন করেন। শুনেটুনে লোকটাকে ইন্টারেস্টিং বলে মনে হচ্ছে।'

৬

রুমটেক যেতে হলে যে পথে শিলিগুড়ি থেকে গ্যাংটক আসে, সে পথে খানিক দূর ফিরে গিয়ে তারপর ডান দিকে একটা মোড় নিয়ে নতুন পথে সটান সিধে রাস্তায় চলতে হয়। রুমটেকের হাইট গ্যাংটকের চেয়েও প্রায় এক হাজার ফুট বেশি, কিন্তু যাবার রাস্তা প্রথমে উতরাই নেমে একেবারে নদী পর্যন্ত গিয়ে একটা ব্রিজ পেরিয়ে উলটোদিকের পাহাড়ের গা বেয়ে চড়াই ওঠে। ছোট ছোট গ্রামের বাড়ি আর ভুট্টার খেতের পাশ দিয়ে রাস্তা এঁকেবেঁকে

চলে—চারিদিকের দৃশ্য দার্জিলিং-এর চেয়ে কোনও অংশে কম সুন্দর নয়।

সকালের রোদ এখন আর নেই। হোটেলে থাকতেই মেঘ উঠে আকাশ ছেয়ে ফেলেছে। তাতে অবিশ্যি এক হিসেবে ভালই, কারণ গরমের কোনও সম্ভাবনা নেই। কিছুদিন আগের দুর্ঘটনার জন্যেই বোধহয়, আমাদের ড্রাইভার খুব সাবধানে জিপ চালাচ্ছিল। সামনের সিটে ড্রাইভারের পাশে বসেছি আমি আর ফেলুদা। পিছনের দুটো সিটে মুখোমুখি বসে আছে হেলমুট উঙ্গার আর নিশিকান্ত সরকার। হেলমুটের পায়ের ব্যথাটা নাকি সেরে গেছে। ওর কাছে নাকি কী জার্মান মলম ছিল, তাতেই কাজ দিয়েছে। নিশিকান্তবাবুর ভয়ের ভাবটা বোধহয় কেটে গেছে, কারণ এখন উনি গুনগুন করে হিন্দি ফিল্মের গানের সুর ভাঁজছেন। গ্যাংটক শহর এখন আমাদের উলটোদিকের পাহাড়ের গায়ে বিছিয়ে আছে। মনে হয় শহরটাকে আর খুব বেশিক্ষণ দেখা যাবে না, কারণ নীচের উপত্যকা থেকে কুয়াশা উঠতে শুরু করেছে উপরের দিকে।

ফেলুদা এখন পর্যন্ত একটাও কথা বলেনি। সেটা আশ্চর্য না। আমি জানি ওর মাথার ভিতর এখন সেই ছটা প্রশ্নের উত্তর বার করার প্রচণ্ড চেষ্টা চলেছে। নেহাত কাল কথা দিয়ে ফেলেছিল তাই, তা না হলে ও এখন হোটেলের ঘরে বসে নীল খাতায় হিজিবিজি লিখত আর হিসেব করত।

বাইরের ঠাণ্ডা থেকে বেশ বুঝতে পারছি যে আমরা এখন বেশ হাইটে উঠে গেছি। সামনে একটা মোড়। ড্রাইভার জিপে হর্ন দিতে দিতে সেটা ঘুরতেই দেখলাম সামনে রাস্তার দু ধারে ঘরবাড়ি দেখা যাচ্ছে। আর দেখা যাচ্ছে বাঁশের এক খুঁটির সঙ্গে আরেক খুঁটিতে বাঁধা দড়িতে টাঙানো সারি সারি রং-বেরঙের চারকোনা নিশান। এই নিশানগুলো টাঙিয়ে দিয়ে তিব্বতিরা নাকি অনিষ্টকারী প্রেতাত্মাদের দূরে সরিয়ে রাখে। কাছ থেকে দেখলে বোঝা যায় প্রত্যেকটা নিশানে নকশা করা আছে।

একটা ক্ষীণ শব্দ অনেকক্ষণ থেকেই কানে আসছিল। এবার সেটা ক্রমশ জোর হতে আরম্ভ করল। ভোঁ ভোঁ ভোঁ ভোঁ গুরুগম্ভীর শিঙার শব্দ, আর তার সঙ্গে থেকে থেকে ঝম্ ঝম্ করে কাঁসা বা পিতলের ঝাঁঝের আওয়াজ, আর চড়া বেসুরো সানাইয়ের মতো আওয়াজ। এটাই বোধহয় তিব্বতি নাচের বাজনা।

রাস্তাটা গিয়ে এক জায়গায় থেমে গেছে। তারপরে রয়েছে একটা বড় গ্যারাজ গোছের ঘর, যাতে কয়েকটা জিপ রয়েছে, আর বাঁ দিকে রয়েছে কিছু দোকান। রাস্তার দু ধারেও কয়েকটা জিপ আর স্টেশন ওয়াগন দাঁড়িয়ে আছে, আর চারিদিকে ঘোরাফেরা করছে নানান রঙের পোশাক পরা ছেলেমেয়ে বুড়ো-বুড়ির দল।

আমাদের জিপটা রাস্তার ডান দিকে একটা প্রকাণ্ড গেটের সামনে গিয়ে দাঁড়াল। বুঝলাম এটাই রুমটেক মঠের ফটক। নিশিকান্তবাবু বোধহয় হেলমুটের খাতিরেই ইংরেজিতে বললেন, 'দ্য লামাজ আর ড্যা—মানে ড্যানসিং।' আমরা চারজনে গাড়ি থেকে নামলাম।

গেটের ভিতর ঢুকে দেখি সামনে একটা বিরাট খোলা উঠোন। সেটাকে একটা প্রকাণ্ড সাদা চাঁদোয়া দিয়ে ঢাকা হয়েছে ; তাতে আবার গাঢ় নীল রঙের নকশা করা। এত সুন্দর চাঁদোয়া আমি কক্ষনও দেখিনি। চাঁদোয়ার নীচে উঠোনের মেঝেতে লোকেরা সব ভিড় করে বাবু হয়ে বসেছে, আর পিছন দিকে একটা প্রকাণ্ড নকশা করা পর্দার সামনে আট-দশ জন লোক ঝলমলে পোশাক আর বীভৎস সব মুখোশ পরে ঘুরে ঘুরে দুলে দুলে নাচছে। বাজিয়ের দল লাল পোশাক পরে বসেছে নাচিয়েদের ডান দিকে। শিঙাগুলোতে সবচেয়ে গম্ভীর আওয়াজ হচ্ছে। সেগুলো প্রায় পাঁচ-ছ হাত লম্বা। আর সেগুলো বাজাচ্ছে আট-দশ বছর বয়সের ছেলেরা। সব মিলিয়ে একটা অদ্ভুত থমথমে অথচ জমকালো ব্যাপার। এমন

জিনিস এর আগে আমি কখনও দেখিওনি বা শুনিওনি।

হেলমুট উঠোনে পৌঁছানো মাত্র পটাপট ছবি তুলতে আরম্ভ করে দিল। আজ তার কাঁধে তিনটে ক্যামেরা। ব্যাগটাও সঙ্গে রয়েছে; তার মধ্যে আরও ক্যামেরা আছে কি না কে জানে!

নিশিকান্তবাবু বললেন, 'বসবেন নাকি?'

'আপনি কী করছেন?' ফেলুদা জিজ্ঞেস করল।

'আমার তো জিনিস দেখা; কালিম্পঙে দেখেছি। আমি একটু পেছন দিকটায় গিয়ে মন্দিরটা দেখে আসছি। শুনিচি ভেতরে নাকি অদ্ভুত সব কারুকার্য রয়েছে।'

আমি আর ফেলুদা ভিড়ের মধ্যে জায়গা করে নিয়ে মাটিতে বসে পড়লাম। ফেলুদা বলল, 'এ সব দেখে-শুনে বিংশ শতাব্দীতে বাস করছি সে কথা ভুলে যেতে হয়। গত এক হাজার বছরে এ জিনিসের কোনও পরিবর্তন হয়েছে বলে মনে হয় না।'

আমি বললাম, 'গুম্ফা বলে কেন ফেলুদা?'

ফেলুদা বলল, 'এটা ঠিক গুম্ফা নয়। গুম্ফা হল গুহা। এটাকে বরং মঠ বা মন্দির বলা চলতে পারে। ওই যে উঠোনের দুপাশে একতলা ঘরের লাইন দেখছিস—ওখানে সব লামারা থাকে। আর লক্ষ কর কত বাচ্চা ছেলে রয়েছে। সব মাথা মুড়োনো, গায়ে তিব্বতি জোব্বা। এদের এখন ট্রেনিং দেওয়া হচ্ছে। বড় হলে সব লামাটামা হবে।'

'মঠ আর মনাস্টেরি কি এক জিনিস?'

'হ্যাঁ, মঠ—'

এইটুকু বলেই ফেলুদা হঠাৎ থেমে গেল। তার দিকে চেয়ে দেখি তার চোখ দুটো কুঁচকে গেছে, তার মুখ হাঁ হয়ে গেছে। হঠাৎ কী মনে পড়ল ফেলুদার?

মিনিট খানেক চুপ করে মাথা নেড়ে নিজের ওপর একটা ধিক্কারের ভাব দেখিয়ে ফেলুদা বলল, 'পাহাড়ে এলে কি তা হলে আমার বুদ্ধিটা স্লো হয়ে যায়? এই সহজ জিনিসটা বুঝতে পারিনি এতক্ষণ?'

'কী জিনিস?' জিজ্ঞেস করলাম। 'কোনটা বুঝতে পারনি?'

'Sick Monster! Sick হল সিকিম, আর Monster হল মনাস্টেরি। থ্যাঙ্ক ইউ, তোপ্‌সে।'

সত্যিই তো! বুঝতে পারা উচিত ছিল। 'তা হলে পুরো টেলিগ্রামটার কী মানে দাঁড়াচ্ছে?'

ফেলুদা পকেট থেকে তার খাতাটা বার করে সেই পাতাটা খুলে ফের পড়ল—

'YOUR SON MAY BE IS A SICK MONSTER—গোড়ার দিকটায় কোনও গোলমাল নেই। Is-টাকে In করে নে। তা হলে দাঁড়াচ্ছে—ইয়োর সান মে বি ইন এ সিকিম মনাস্টেরি। তোমার ছেলে হয়তো সিকিমের কোনও মঠে রয়েছে।- ব্যস—পরিষ্কার ব্যাপার।'

'তার মানে শেলভাঙ্কারের যে-ছেলে চোদ্দ না পনেরো বছর আগে বাড়ি ছেড়ে চলে গিয়েছিল, সে এখন এখানে রয়েছে?'

'প্রাইটেক্স তো তাই বলছে। এখন, প্রাইটেক্সের কেরামতির দৌড় যে কতখানি তা তো জানি না। তবে এটা ঠিক যে শেলভাঙ্কার যদি টেলিগ্রামের ভুল সত্ত্বেও তার মানেটা আঁচ করে থাকে, তা হলে তার মনে আশার সঞ্চার হওয়া অস্বাভাবিক নয়। কারণ সে ছেলেকে ভালবাসত, অনেকদিন ধরে তার খোঁজ করেছে।'

'ও যেদিন একটা কোনও গুম্ফায় যাচ্ছিল, সেটাও হয়তো টেলিগ্রামটা পাবার পর ছেলের

সন্ধানে।'

'কোয়াইট পসিব্‌ল। আর ছেলে যদি সত্যি করে থেকেই থাকে এ তল্লাটে, তা হলে অবিশ্যি...'

ফেলুদা আবার চুপ করে গেল। মনে পড়ল শশধরবাবু বলেছিলেন শেলভাঙ্কারের ছেলে বাপের সঙ্গে ঝগড়া করে বাড়ি থেকে বেরিয়ে যায়। তার মানে সে তার বাপের শত্রু।

'উইল...উইল...উইল', ফেলুদা আপন মনে বিড়বিড় করে যাচ্ছে। 'শেলভাঙ্কার যদি উইলে তাঁর ছেলেকে সম্পত্তি দিয়ে গিয়ে থাকেন, তা হলে সে অনেক টাকা পাবে।'

ফেলুদা ভিড়ের মধ্যে থেকে উঠে পড়ল, আর সেই সঙ্গে আমিও। বেশ বুঝতে পারলাম টেলিগ্রামের মানে করতে পেরে ফেলুদা চঞ্চল হয়ে উঠেছে। এদিকে ওদিকে দেখছে সে। ভিড়ের মধ্যে অ-তিব্বতি ভারতীয় চেহারা খুঁজছে কি ?

আমরা দুজনেই ভিড়ের দিকে চোখ রেখে এগিয়ে চললাম। বাঁ দিকের একতলা বাড়িগুলোর পাশ দিয়ে আমরা চললাম মঠের বাড়িটার দিকে—যেদিকে এই কিছুক্ষণ আগেই নিশিকান্তবাবু গেছেন। পিছন দিকটায় ক্রমে ভিড় হালকা হয়ে এসেছে। দু-একজন ভীষণ বুড়ো লামাকে দেখলাম ঘরের দরজায় চৌকাঠে বসে আপন মনে প্রেয়ার হুইল ঘুরিয়ে চলেছে, তাদের মুখের চামড়া এত কুঁচকোনো যে দেখলে মনে হয় অন্তত একশো বছর বয়স হবেই। এদের বেশির ভাগেরই গোঁফ-দাড়ি কামানো, কিন্তু এক-একজনের দেখলাম নাকের নীচে গোঁফ না থাকলেও, ঠোঁটের দু পাশে সরু ঝোলা গোঁফ রয়েছে—যেমন কোনও কোনও চিনেদের থাকে।

পর্দার পিছন দিক দিয়ে গিয়ে আমরা মনাস্টেরির দালানের বারান্দায় পৌঁছালাম। দেয়ালে বোধহয় বুদ্ধের জীবনী থেকেই নানারকম ঘটনার ছবি আঁকা রয়েছে। বারান্দার পিছনে অন্ধকার হলঘর রয়েছে, তার মধ্যে সারি সারি প্রদীপের আলো জ্বলতে দেখা যাচ্ছে। একটা প্রকাণ্ড লাল কাঠের দরজা দিয়ে এই ঘরে ঢুকতে হয়।

আশেপাশে প্রহরী জাতীয় কেউ নেই দেখে আমরা দুজনে চৌকাঠ পেরিয়ে হলঘরে ঢুকলাম। স্যাঁতস্যাঁতে ঠাণ্ডা ঘর। অদ্ভুত একটা ধূপের গন্ধ ভরে রয়েছে তাতে। কিন্তু অন্ধকার হলে কী হবে—তার মধ্যেই চারদিকের রঙিন সাজসজ্জার ঝলসানি ফুটে বেরোচ্ছে—তিন-তলা উঁচু সিলিং থেকে ঝুলছে লম্বা লম্বা আশ্চর্য কাজ করা সব সিল্কের নিশান। ঘরের দু দিকে রঙিন কাপড়ে ঢাকা লম্বা লম্বা বেঞ্চি পাতা রয়েছে, প্রকাণ্ড গোল ঢাকের মতো কয়েকটা জিনিস খুঁটিতে দাঁড় করানো রয়েছে। আর পিছন দিকের সবচেয়ে অন্ধকার অংশটায় লম্বা বেদিতে বসানো রয়েছে প্রকাণ্ড প্রকাণ্ড সব মূর্তি, তার কোনটা বুদ্ধ আর কোনটা বুদ্ধ না সেটা আমার পক্ষে বোঝা ভারী মুশকিল।

কাছে গিয়ে দেখলাম এই সব বড় বড় মূর্তির পায়ের কাছে আরও অনেক ছোট ছোট মূর্তি রয়েছে, নানারকম ফুলদানিতে ফুল রয়েছে, আর ছোট ছোট পেতলের পিদিমে আগুন জ্বলছে।

এই সব জিনিস খুব মন দিয়ে দেখছি, এমন সময় হঠাৎ ফেলুদা আমার পিঠে হাত দিল। ঘুরে দেখি ও দরজার দিকে চেয়ে রয়েছে। এটা সামনের মেন গেট নয়, পাশের একটা ছোট দরজা।

'বাইরে আয়।'

দাঁতে দাঁত চেপে কথাটা বলে ফেলুদা দরজাটার দিকে এগিয়ে গেল।

দরজা দিয়ে বেরিয়ে দেখি ডান দিকে ওপরে যাবার সিঁড়ি রয়েছে।

'কোন দিকে গেল লোকটা জানি না ; তবে চান্স নেওয়া ছাড়া গতি নেই।'

'কোন লোকটা ?' সিঁড়ি দিয়ে উঠতে উঠতে ফিস্‌ফিসিয়ে জিজ্ঞেস করলাম।

'লাল পোশাক। দরজার বাইরে থেকে উঁকি দিচ্ছিল। আমি চাইতেই সটকাল।'

'মুখটা দেখনি ?'

'আলো ছিল না।'

দোতলায় উঠে দেখি সামনে একটা ঘর রয়েছে, তার দরজা বন্ধ। এটাতেই কি সেই হাই পোজিশনের লামা থাকেন নাকি ? বাঁ দিকে খোলা ছাত, এখানে-ওখানে নিশান ঝুলছে। একতলা থেকে নাচের বাজনার শব্দ আসছে—ভোঁ ভোঁ ভোঁ ঝ্যাং ঝ্যাং ঝ্যাং। এদের নাচ নাকি একবার শুরু হলে সাত ঘণ্টার আগে থামে না।

আমরা ছাত দিয়ে হেঁটে উলটোদিকের পাঁচিলের দিকে এগিয়ে গেলাম। পিছনে পাহাড়ের দৃশ্য আবছা কুয়াশায় ক্রমে ঢেকে আসছে। ডান দিকের মঠের পিছন দিয়ে খাড়াই পাহাড় উঠে গেছে, তার উপর দিকটায় দেখলাম এক জায়গায় অনেকগুলো বাঁশের খুঁটিতে একসঙ্গে অনেকগুলো ভূত-তাড়ানো নিশান আস্তে আস্তে কুয়াশার পিছনে লুকিয়ে যাচ্ছে।

'শেলভাঙ্কারের ছেলে যদি এখানে—'

ফেলুদার কথা শেষ হল না। একটা বিকট চিৎকারে আমরা দুজনেই চমকে থ মেরে গেলাম।

'ওরে বাবা—ওঃ ! হেল্‌প ! হেল্‌প !'

এ যে নিশিকান্তবাবুর গলা !

আর কিছু ভাববার আগেই ফেলুদা দেখি দৌড় দিয়েছে।

সিঁড়ি দিয়ে নেমে বাইরে বেরিয়ে মঠের পিছন দিকের দরজা খুঁজে বার করতে সময় লাগল এক মিনিটেরও কম। দরজার বাইরে বেরিয়ে দেখি দশ হাতের মধ্যেই পাহাড় খাড়াই উঠে গেছে। হান্টিং বুট আজও পায়ে ছিল, তাই উঠতে কোনও অসুবিধা হল না। কোন দিকে যেতে হবে সেটা মোটামুটি আন্দাজ করতে পারছি, কারণ 'হেল্‌প, হেল্‌প' চিৎকারটা এখনও আমাদের হেল্‌প করছে।

খানিক দূর উঠে একটা ফ্ল্যাট জায়গা দিয়ে এগিয়ে গিয়ে যেখানে পৌঁছোলাম, সেটা পাহাড়ের কিনারা। তারপরেই খাদ, তবে সে খাদ বেশি দূর নামেনি—বড় জোর একশো ফুট। আর তাও ধাপে ধাপে। এরই একটা ধাপে—বোধহয় দু হাতের বেশি চওড়া নয়—একটা গাছড়াকে আঁকড়ে ধরে ঠিকরে বেরিয়ে-আসা চোখ উপরের দিকে করে ঝুলে আছেন নিশিকান্ত সরকার। আমাদের দেখেই ভদ্রলোক দ্বিগুণ জোরে চিৎকার করে উঠলেন—মরে গেলুম। বাঁচান !

নিশিকান্তবাবুকে উদ্ধার করা ফেলুদার পক্ষে এমন কিছু একটা কঠিন ব্যাপার ছিল না। কিন্তু মুশকিল হল এই যে, তাঁকে জাপটে ধরে টেনে তোলামাত্র ভদ্রলোক চোখ উলটে ভিরমি দিলেন। অবিশ্যি জিপে এনে চোখে-মুখে জলের ঝাপটা দিতেই জ্ঞান ফিরে এল।

'কী ব্যাপার বলুন তো'—ফেলুদা জিজ্ঞেস করল।

নিশিকান্তবাবু কোঁকানির সুরে বললেন, 'আরে মশাই, কী আর বলব—এই এতখানি পথ—একটু হালকা হবার দরকার পড়েছিল—তা ধর্মস্থান অ—মানস্—মানে যাকে বলে মনাস্ট্রি—তাই ভাবলুম পেছন দিকটায় গিয়ে দেখি—ঝোপঝাড়ের তো অভাব নেই—তা জায়গাও পেলুম সুটেব্‌ল—কিন্তু আমাকে যে আবার ফলো করেছে, তা কী করে জানব বলুন !'

'পেছন থেকে এসে ধাক্কা মারল ?'

'সেন্ট পারসেন্ট। কী সাং—মানে সাংঘাতিক ব্যাপার বলুন তো ! নেহাত হাতের কাছে

একটা গাছ পেলুম বলে—নইলে তিব্বতি শাসানি তো, মানে, অক্ষরে অক্ষরে—'

'লোকটাকে দেখেছেন ?'

'পেছন দিক থেকে এসে ধাক্কা মারলে আবার দেখা যায় নাকি—হেঃ !'

এই দুর্ঘটনার পর রুমটেকে থাকার আর কোনও মানে হয় না—হয়তো নিরাপদও নয়—তাই আমরা আবার বাড়িমুখো রওনা দিলাম। হেলমুটের একটু আপশোস হল, কারণ ও বলল, ছবি তোলার এত ভাল সাবজেক্ট ও এসে অবধি আর পায়নি। তবে নাচ আগামীকালও হবে, তাই ইচ্ছে করলে আরেকবার আসতে পারে।

ফেলুদা অনেকক্ষণ চুপ করে ছিল—বোধহয় চিন্তা করছিল—কারণ ঘটনা এত দ্রুত ঘটে চলেছে, ওর মতো পরিষ্কার মাথাও হয়তো গুলিয়ে আসছিল। এবার সে নিশিকান্তবাবুকে উদ্দেশ্য করে বলল, 'মশাই, আপনার একটা দায়িত্ব আছে সেটা বোধহয় বেশ ভাল করেই বুঝতে পারছেন।'

'দায়িত্ব ?' ভদ্রলোকের গলা দিয়ে যেন পুরো আওয়াজ বেরোচ্ছে না।

'আপনি কার পিছনে লেগেছেন সেটা না বললে তো কে আপনার পিছনে লেগেছে সেটা বলা যাবে না।'

নিশিকান্তবাবু ঢোক গিলে দু হাত তুলে কান মলে বললেন, 'কী সাক্ষী করে বলতে হবে বলুন—আমি বলছি—জ্ঞানত আমি কোনও লোকের কোনও অনিষ্ট করিনি—কারুর পিছনে লাগিনি—এমনকী কারুরও বদনাম পর্যন্ত করিনি।'

'আপনার কোনও যমজ ভাই-টাই নেই তো ?'

'আজ্ঞে না স্যার। আই অ্যাম ওন্‌লি অফ্‌স্প্রিং।'

'হুঁ...। মিথ্যে বললে অবিশ্যি আপনিই ঠকবেন। কাজেই ধরে নিচ্ছি আপনি সত্যি কথাই বলছেন। কিন্তু...'

ফেলুদা চুপ করে গেল। আর সেই যে চুপ করল, সে একেবারে ডাকবাংলো পর্যন্ত।

ডাকবাংলোতে এসে হেলমুট গাড়ি থেকে নেমে জিপের ভাড়ার শেয়ার দিতে যাওয়াতে ফেলুদা বাধা দিল—'তোমাকে তো আমরাই ইনভাইট করেছি, আর তুমি আমাদের দেশে অতিথি—কাজেই তোমার পয়সা তো আমরা নেব না।'

'অল রাইট'—হেলমুট হেসে বলল, 'তা হলে একটু বসে চা খেয়ে যাও।'

নিশিকান্তবাবুরও আপত্তি নেই দেখে আমরা তিনজনেই জিপটাকে পাওনা চুকিয়ে ছেড়ে দিয়ে বাংলোয় হেলমুটের ঘরে গিয়ে হাজির হলাম।

তিনজনে চেয়ারে বসেছি। হেলমুট ঘাড় থেকে ক্যামেরা নামিয়ে টেবিলের উপর রেখে চায়ের অর্ডার দিতে যাবে, এমন সময় একটা আওয়াজ পেয়ে দরজার দিকে চেয়ে দেখি একজন অদ্ভুত দেখতে ভদ্রলোক বাইরে দাঁড়িয়ে হেলমুটের দিকে চেয়ে হেসে 'হ্যালো' বললেন। ভদ্রলোকের মুখে কাঁচা-পাকা চাপ দাড়ি, মাথায় কাঁচা-পাকা চুল প্রায় কাঁধ অবধি নেমেছে, গায়ের উপর দিকে একটা গলাবন্ধ ঢলঢলে অরেঞ্জ রঙের সিকিম জ্যাকেট, আর তলার দিকে ঢিলে ফ্ল্যানেলের পাতলুন। তার হাতে একটা বেশ বড় হলদে লাঠিও রয়েছে—যাকে বোধহয় বলে যষ্টি।

হেলমুট আমাদের দিকে ফিরে বলল, 'পরিচয় করিয়ে দিই—ইনিই ডক্টর বৈদ্য।'

'আপনাদের দেখিয়ে বঙ্গালি মনে হতেছে।'

ডাক্তার বৈদ্য ঠিক আমার পাশের চেয়ারটায় বসলেন।

ফেলুদা বলল, 'ঠিকই বলেছেন।... আপনার কথা আমরা আগেই হেলমুটের কাছে শুনেছি।'

'হেলমুট ইজ এ নাইস বয়।'

ভদ্রলোক ইংরেজি বাংলা হিন্দি তিনরকম ভাষা মিশিয়ে কথা বলে গেলেন।

'তবে হেলমুটকে আমি বলেছি যে এদেশের একটা সংস্কারের কথা ও যেন না ভোলে। এরা বিশ্বাস করে যে যার যত বেশি ছবি তোলা হবে, তার তত বেশি আয়ু কমে যাবে। কারণ, এই যে আমি, এই আমার খানিকটা যদি অন্য কোনও বস্তুতেও থেকে থাকে, তার মানে আমার ভাইটাল ফোর্সের খানিকটাও নিশ্চয়ই সেই অন্য বস্তুর মধ্যে রয়েছে। এবং সেই পরিমাণে আমার নিজের ভাইটাল ফোর্সও নিশ্চয়ই কমে যাচ্ছে।'

'আপনিও কি এতে বিশ্বাস করেন?' ফেলুদা জিজ্ঞেস করল।

'করলেই বা কী?' ডক্টর বৈদ্য হেসে বললেন। 'হেলমুট কি আর আমার ছবি তুলতে বাদ রেখেছে? তবে কোনও জিনিস পরীক্ষা করে দেখার আগে বিশ্বাস-অবিশ্বাসের প্রশ্নটা ওঠে না। এখনও অনেক জিনিস শিখতে বাকি আছে, অনেক কিছু জানতে হবে, অনেক পরীক্ষা করতে হবে।'

ফেলুদা বলল, 'কিন্তু আপনি তো সে সব না করেই অনেক দূর অগ্রসর হয়েছেন বলে মনে হয়। শুনলাম আপনি ভবিষ্যৎ বলে দিতে পারেন, মৃত ব্যক্তির আত্মার সঙ্গে কথাবার্তা বলতে পারেন।'

'সব সময় না।' বৈদ্য একটু মুচকি হাসলেন। 'পারিপার্শ্বিক অবস্থার উপর অনেকটা নির্ভর করে। কিছু জিনিস খুব সহজে বলে দেওয়া যায়। যেমন—' বৈদ্য নিশিকান্তবাবুর দিকে আঙুল দেখালেন '—ওই ভদ্রলোকটি কোনও কারণে অত্যন্ত দুশ্চিন্তায় ভুগছেন।'

নিশিকান্তবাবু জিভ দিয়ে ঠোঁট চাটলেন।

ফেলুদা বলল, 'আপনি ঠিকই বলেছেন। ওকে একজন অজ্ঞাত ব্যক্তি মৃত্যুভয় দেখাচ্ছেন। সেটা কে বলতে পারেন?'

ডক্টর বৈদ্য কিছুক্ষণের জন্য চোখ বন্ধ করলেন। তারপর চোখ খুলে জানালা দিয়ে বাইরের পাহাড়ের দিকে তাকিয়ে বললেন, 'এজেন্ট।'

'এজেন্ট?' ফেলুদা প্রশ্ন করল।

'হ্যাঁ, এজেন্ট। মানুষ অন্যায় করলে তার শাস্তি হবেই। অনেক সময় ভগবান নিজেই শাস্তি দেন, আবার অনেক সময় তাঁর এজেন্টরা এই কাজটা করে।'

নিশিকান্তবাবু হঠাৎ কাঁপা গলায় বলে উঠলেন, 'দ্যাট ইজ অল। আমি আর শুনতে চাই না।'

বৈদ্য হেসে বললেন, 'আমি জোর করে কাউকে কিছু শোনাই না। ইনি জিজ্ঞেস করলেন, তাই বললাম। স্বেচ্ছায় লব্ধ জ্ঞান ছাড়া অন্য কোনও জ্ঞানের কোনও মূল্য নেই। তবে একটা কথা বলতে চাই—বাঁচতে হলে সাবধানতা অবলম্বন করতে হবে।'

'কাইন্ডলি এক্সপ্লেন', বললেন নিশিকান্তবাবু।

'এর চেয়ে বেশি কিছু বলা আমার পক্ষে সম্ভব নয়।'

চা এসে গিয়েছিল। হেলমুট নিজেই চা ঢেলে সবাইকে জিজ্ঞেস করে দুধ-চিনি মিশিয়ে

আমাদের হাতে হাতে পেয়ালা তুলে দিল।

চায়ে চুমুক দিয়ে ফেলুদা বলল, 'আপনাদের সঙ্গে তো মিস্টার শেলভাঙ্কারের আলাপ হয়েছিল।'

বৈদ্য মাথা নেড়ে বললেন, 'বড় দুঃখের ব্যাপার। আমি ওকে সতর্ক করে দিয়েছিলাম যে, ওর সময়টা ভাল যাচ্ছে না। অবিশ্যি অকস্মাৎ মৃত্যুর ব্যাপারে তো কারুর কোনও হাত নেই। দোরোম পোরোবিংচিতেত বলেইছে—

হ্রেম দোরমোং দোরজি সিংচিয়াম্
ওম্ পিরিয়ান হোতোরিবিরিচিয়াং!'

কিছুক্ষণ সবাই চুপচাপ বসে চা খেলাম। হেলমুট এই ফাঁকে তার টেবিলটা গোছগাছ করে নিল। নিশিকান্তবাবু চায়ের পেয়ালা হাতে করে বসে আছেন—বুঝতে পারছি তাঁর চা ঠাণ্ডা হয়ে আসছে—কিন্তু খাবার কথাটা তাঁর যেন মনেই আসছে না। এর মধ্যে নিশ্চিন্ত দেখলাম ফেলুদাকে। কিম্বা তার মনে উদ্বেগ থাকলেও সেটা সে একেবারেই বাইরে প্রকাশ করছে না, দিব্যি একটার পর একটা বিস্কুট খেয়ে চলেছে।

বাইরে রোদ পড়ে আসছে। হেলমুট সুইচ টিপল, কিন্তু বাতি জ্বলল না। কী ব্যাপার? নিশিকান্তবাবু বললেন, 'পাওয়ার গেছে। এটা প্রায়ই ঘটে।'

'বেয়ারাকে মোমবাতি দিতে বলি' বলে হেলমুট ঘর থেকে বেরিয়ে গেল।

এবার ফেলুদা ডক্টর বৈদ্যকে আরেকটা প্রশ্ন করল।

'মিস্টার শেলভাঙ্কারের মৃত্যু কি সত্যি আকস্মিকভাবে হয়েছিল বলে আপনার বিশ্বাস?'

ডক্টর বৈদ্য হাতের পেয়ালা সামনের বেতের টেবিলের উপর রেখে হাত দুটোকে পেটের উপর জড়ো করে বললেন, 'এ কথার উত্তর তো শুধু একজনই দিতে পারে।'

'কে?' ফেলুদা জিজ্ঞেস করল।

'যে মৃত—একমাত্র সে-ই সর্বজ্ঞ। তারই কাছে অজানা কিছু নেই। আমাদের জীবিতকালে অজস্র অবান্তর জিনিস আমাদের জ্ঞান ও অনুভূতির পথে বাধার সৃষ্টি করে। ওই যে জানালা খোলা রয়েছে—সে জানালা দিয়ে আমরা দূরের পাহাড় দেখতে পাচ্ছি, আকাশ দেখতে পাচ্ছি, পাহাড়ের গায়ে গাছপালা বাড়িঘর সব দেখতে পাচ্ছি, আকাশে মেঘ দেখতে পাচ্ছি। এ সব হল অবান্তর জিনিস—নির্ভেজাল জ্ঞানের পথে এ সব দৃশ্যবস্তু বাধাস্বরূপ। অথচ জানালা যদি বন্ধ করে দিই তা হলে কী দেখব? ঘরে যদি আলো না থাকে, তা হলে বাইরের আলোর পথ বন্ধ করে দিলে কী থাকে? অন্ধকার। জীবন হল আলো, আর জীরন হল ওই জানালা দিয়ে দেখা দৃশ্য, যা আমাদের প্রকৃত জ্ঞানের পথ থেকে দূরে সরিয়ে নিয়ে যায়। আর মৃত্যু হল বন্ধ জানালার ফলে যে অন্ধকার, সেই অন্ধকার। এই অন্ধকারের ফলে আমাদের অন্তর্দৃষ্টি খুলে যায়। মৃত্যুই হল অন্ধকারের চরম অবস্থা।'

এত বড় বক্তৃতা একটানা শুনে একটু বুঝতে কষ্ট হচ্ছিল, কিন্তু ভরসা ছিল যে ফেলুদা নিশ্চয়ই সব বুঝতে পারছে। ও বলল, 'তা হলে আপনার মতে মিস্টার শেলভাঙ্কারই একমাত্র জানেন তাঁর মৃত্যু কীভাবে হয়েছিল?'

'মৃত্যুর মুহূর্তটিতে হয়তো জানত না—কিন্তু এখন নিশ্চয়ই জানে।'

কেন বলতে পারি না—আমার একটু গা ছমছম করতে শুরু করেছিল। হয়তো অন্ধকার বেড়ে আসছে বলেই; আর মৃত্যু-টিত্যু নিয়ে এত কথাবার্তা, আর ডক্টর বৈদ্যর চশমার কাচে বেগুনি মেঘে ভরা আকাশের ছায়া, আর তাঁর অস্বাভাবিক রকম কাঁপা কাঁপা গলার স্বর, এমনকী তাঁর ঠোঁটের কোণে লেগে থাকা হাসিটাও কেমন জানি থমথমে মনে হচ্ছিল।

বেয়ারা ঘরে এসে চায়ের জিনিসপত্র তুলে নিয়ে তার জায়গায় টেবিলের উপর একটা

জ্বালানো মোমবাতি রেখে চলে গেল। ফেলুদা সবাইকে চারমিনার অফার করল, আর সবাই রিফিউজ করল। তখন ও একাই একটা সিগারেট ধরিয়ে পর পর দুটো রিং ছেড়ে বলল—'মিস্টার শেলভাঙ্কারের মতামতটা জানতে পারলে মন্দ হত না।'

ফেলুদা অবিশ্যি প্ল্যানচেট-ট্যানচেট নিয়ে বই পড়েছে। ও বলে যে-জিনিসে বিশ্বাস নেই—সেই নিয়ে বইও পড়া উচিত না—এ কথাটা আমি মানি না। কারণ, যে বইটা লিখেছে, তার মতামতটা জানা মানে মানুষের চিন্তাধারার একটা বিশেষ দিক সম্বন্ধে জানা। ক্রাইম নিয়ে যারা ঘাঁটাঘাঁটি করবে, তাদের মানুষ সম্বন্ধে জানতেই হবে, আর মানুষ বলতে সব রকম মানুষই বোঝায়, কাউকেই বাদ দেওয়া চলে না।

ডক্টর বৈদ্য কিছুক্ষণ চোখ বন্ধ করে ছিলেন, হঠাৎ চোখ খুলে হাত দুটো উপরে তুলে বললেন, 'দরজা এবং জানালা দুটো বন্ধ করো।'

কথাটা বললেন, হুকুম করার ভঙ্গিতেই, আর সে হুকুম পালন করলেন নিশিকান্তবাবু। মনে হল তিনি যেন হিপ্‌নোটাইজড্ হয়ে প্রায় যন্ত্রের মানুষের মতো কাজটা করলেন।

জানালা বন্ধ করার সঙ্গে সঙ্গে মোমবাতির আবছা হলদে আলো ছাড়া ঘরে আর কোনও আলোই রইল না।

আমরা সবাই বেতের টেবিলটাকে ঘিরে বসেছিলাম। আমার ডান পাশে বৈদ্য, বাঁ পাশে ফেলুদা। ফেলুদার অন্য পাশে নিশিকান্তবাবু। আর তার পাশে একটা মোড়ায় হেলমুট। ডক্টর বৈদ্য এবার বললেন, 'তোমাদের হাতগুলো উপুড় করে টেবিলের উপর রাখো। প্রত্যেকের হাত তার দু পাশের লোকের হাতের সঙ্গে ঠেকে থাকা চাই।'

ডক্টর বৈদ্য এতক্ষণ আমাদের 'আপ' আর 'আপনি' বলে বলছিলেন, এবার দেখলাম 'তুম' আর 'তুমি' আরম্ভ করলেন।

আমরা একে একে সবাই পরস্পরের সঙ্গে হাত ঠেকিয়ে টেবিলে রাখলাম। সব শেষে ডক্টর বৈদ্য আমার আর হেলমুটের হাতের মাঝখানে তাঁর নিজের হাত দুটো গুঁজে দিলেন। পাঁচ দশে পঞ্চাশটা উপুড় করা হাতের আঙুল এখন ফুলের পাপড়ির মতো মোমবাতিটাকে গোল করে ঘিরে বেতের টেবিলের উপর রাখা হয়েছে।

'তোমরা সবাই একদৃষ্টে মোমবাতির শিখার দিকে চেয়ে শেলভাঙ্কারের মৃত্যুর কথা চিন্তা করো।'

ঘরে বাতাস ঢোকার কোনও রাস্তা নেই, তাই মোমবাতির শিখা একেবারে স্থিরভাবে জ্বলছে। অল্প অল্প করে মোম গলে বাতির গা বেয়ে গড়িয়ে বেতের বুনুনির ওপর জমা হচ্ছে। একটা ফড়িং জাতীয় পোকা ঘরের ভিতরে ছিল, সেটা বাতির শিখার চারিদিকে পাক খেতে আরম্ভ করল।

কতক্ষণ যে এইভাবে বাতির দিকে চেয়েছিলাম জানি না। সত্যি বলতে কী, দু-একবার যে আড়চোখে ডক্টর বৈদ্যর দিকে চেয়ে দেখিনি তা নয়—কিন্তু সেটা তিনি নিশ্চয়ই বুঝতে পারেননি, কারণ তাঁর চোখ বন্ধ।

হঠাৎ—যেন অনেক দূর থেকে গলার স্বর আসছে—এইভাবে চিঁ চিঁ করে ডক্টর বৈদ্যর মুখ থেকে কথা বেরোল—'হোয়াট ডু ইউ ওয়ান্ট টু নো ?'

ফেলুদা বলল, 'শেলভাঙ্কার কি অ্যাক্সিডেন্টে মরেছিল ?'

আবার সেই চিঁচিঁ গলায় উত্তর এল—'নো।'

'তা হলে কীভাবে মরেছিলেন তিনি ?'

কিছুক্ষণ সব চুপ। এখন আমরা সবাই মোমবাতি ছেড়ে ডক্টর বৈদ্যর মুখের দিকে চেয়ে আছি। তাঁর চোখ বন্ধ, মাথা পিছন দিকে হেলানো। হেলমুট দেখলাম তার নীল নিষ্পলক

চোখে ডক্টর বৈদ্যকে দেখছে। নিশিকান্তবাবুর কুতকুতে চোখও তাঁরই দিকে।

ঘরে হঠাৎ এক ঝলক নীল আলো। বাইরে বিদ্যুৎ চমকাচ্ছে।

এবার আরও পরিষ্কার গলায় উত্তর এল—

'মার্ডার।'

'মার্ডার!' এটা নিশিকান্তর গলা—শুকিয়ে খস্‌খসে হয়ে গেছে। কথাটা একটানা বলতে পারলেন না তিনি। বললেন, 'মা-হা-হারা-ডার!'

'কে খুন করেছিল বলা সম্ভব কি?' আবার ফেলুদাই প্রশ্ন করল।

আমার বুকের ভিতরে অসম্ভব টিপটিপানি আরম্ভ হয়েছে। নিশিকান্তবাবুর মতো আমারও গলা শুকিয়ে এসেছে। নেহাত কথা বলতে হচ্ছে না বলে, না হলে আমিও ধরা পড়ে যেতাম।

আবার কিছুক্ষণের জন্য সব চুপ। ফেলুদা দেখলাম একদৃষ্টে ডক্টর বৈদ্যর হাতের দিকে দেখছে। ভদ্রলোক কয়েকবার খুব জোরে জোরে—যেন বেশ কষ্ট করে—নিশ্বাস নিলেন। তারপর উত্তর এল—'বীরেন্দ্র।'

বীরেন্দ্র? সে আবার কে?

ফেলুদাও নিশ্চয়ই এটা জানতে চাইত, কিন্তু ডক্টর বৈদ্য হঠাৎ তাঁর হাত দুটো টেবিলের উপর থেকে তুলে নিয়ে চোখ খুলে বললেন, 'এ গ্লাস অফ ওয়াটার প্লিজ।'

হেলমুট মোড়া থেকে উঠে গিয়ে তার টেবিলের উপর রাখা ফ্লাস্ক থেকে গেলাসে জল ঢেলে বৈদ্যকে দিল। ভদ্রলোকের জল খাওয়া শেষ হলে পর ফেলুদা বলল, 'বীরেন্দ্র যে কে, সেটা বোধহয় জানার কোনও সম্ভাবনা নেই?'

উত্তর এল হেলমুটের কাছ থেকে।

'বীরেন্দ্র মিস্টার শেলভাঙ্কারের ছেলের নাম। আমাকে বীরেন্দ্রর কথা বলেছেন তিনি। একবার নয়—অনেকবার।'

জানালা খুলে দিতে গিয়ে দেখি, বাইরে ইলেকট্রিকের আলো দেখা যাচ্ছে। হেলমুটও বোধহয় দেখেছিল, কারণ ও সুইচ টিপে দিল, আর ঘরের বাতি জ্বলে উঠল। ঘড়িতে দেখি পৌনে সাতটা। আমরা সকলেই উঠে পড়লাম।

ডক্টর বৈদ্য নিশিকান্তবাবুর কাঁধে হাত রেখে বললেন, 'আপনাকে খুব নার্ভাস লোক বলে মনে হচ্ছে।'

নিশিকান্তবাবু একটু হেঁ হেঁ করলেন।

'যাক্ গে' ডক্টর বৈদ্য বললেন, 'মনে হয় আপনার ফাঁড়া কেটে গেছে।'

'ওঃ!' আহ্লাদে হাঁফ ছেড়ে নিশিকান্তবাবু তাঁর সব ক'টা দাঁত বার করে দিলেন।

ফেলুদা বলল, 'আপনি ক' দিন আছেন?'

ডক্টর বৈদ্য বললেন, 'কাল দিনটা ভাল থাকলে পেমিয়াংচি যাবার ইচ্ছে আছে। ওখানকার মনাস্টেরিতে অনেক পুঁথিপত্র আছে শুনেছি।'

'আপনি কি তিব্বত নিয়ে পড়াশুনা করছেন?'

'প্রাচীন সভ্যতা বলতে তো ওই একটি বাকি আছে। মিশর, ইরাক, মেসোপটেমিয়া—এ সব তো বহুকাল আগেই নিশ্চিহ্ন হয়ে গেছে। ভারতবর্ষে কী আছে বলুন—সবই পাঁচমেশালি। যা ছিল তিব্বতেই ছিল—একেবারে খাঁটি অবস্থায়—এই সেদিনও পর্যন্ত। এখন তো আর তিব্বতে যাবার কোনও মানে হয় না। সৌভাগ্যক্রমে এই সিকিমের মঠগুলোতে সেই পুরনো সভ্যতার কিছুটা আভাস পাওয়া যায়।'

আমরা বাইরে বেরিয়ে এলাম। রাত্রে নির্ঘাত বৃষ্টি হবে। আকাশ কালো, আর মাঝে মাঝে

বিদ্যুতের ঝিলিক।

ডক্টর বৈদ্য বললেন, 'আপনারাও এসে পড়ুন না পেমিয়াংচি।'

ফেলুদা বলল, 'ঠিক কালই যেতে পারব বলে মনে হয় না। আপনি তো কয়েক দিন থাকবেন ওখানে ?'

'অন্তত দিন চারেক থাকার ইচ্ছে আছে।'

'তা হলে হয়তো দেখা হতে পারে, কারণ পেমিয়াংচির কথা অনেকেই বলছে।'

'গেলে কিছু নুন সঙ্গে নিতে ভুলবেন না।' ডক্টর বৈদ্য হেসে বললেন।

'নুন ?'

'জোঁক ছাড়াতে হলে নুন ছাড়া গতি নেই!'

৮

আমাদের হোটেলটা অন্যদিক দিয়ে খুব একটা কিছু না হলেও, রান্নাটা এখানে বেশ ভালই হয়—বিশেষ করে পাঁঠার মাংসের ঝোল। আমি আর ফেলুদা দুজনেই রাত্রে রুটি খাই, আর নিশিকান্তবাবু দুবেলাই খান ভাত। আজ তিনজনে এক সঙ্গে খেতে বসেছি। নিশিকান্তবাবু একটা নলি-হাড় চুষে চোঁ করে ম্যারো বার করে খেতে খেতে বললেন, 'ডিসেন্ট লোক মশাই।'

'ডক্টর বৈদ্যর কথা বলছেন ?' ফেলুদা জিজ্ঞেস করল।

'আশ্চর্য ক্ষমতা। কী রকম সব বলে-বলে দিলে।'

ফেলুদা হেসে ঠাট্টার সুরে বলল, 'আপনার তো ভাল লাগবেই—বলেছে ফাঁড়া কেটে গেছে—আর কী চাই!'

'আপনার বুঝি ওঁর কথাগুলো বিশ্বাস হয় না ?'

'কথাগুলো যদি ফলে যায় তা হলে হবে নিশ্চয়ই। এখনও তো সে স্টেজে পৌঁছয়নি। এমনিতে এ সব লোকের উপর চট করে শ্রদ্ধা হওয়া কঠিন। এত বুজরুকের দল আছে এ লাইনে।'

'কিন্তু সত্যি করে গুণী লোকও তো থাকতে পারে। এঁর কথাবার্তার স্টাইলই আলাদা। শুনলেই ইম্‌প্রেস্‌ড হতে হয়। আর যদি ধরুন গিয়ে মার্ডার হয়েই থাকে...'

ফেলুদা মাঝে মাঝে অন্যমনস্ক হয়ে পড়ছিল ; কেন, সেটা বুঝতে পারলাম না। হয়তো মনের মধ্যে কোনও খট্‌কা রয়েছে। এত ভাল মাংস খাবার সময়ও তার চোখ থেকে ভ্রূকুটি যেতে চাইছে না।

'মার্ডারের কথা যে বললে সেটা আপনার বিশ্বাস হয় ?' নিশিকান্তবাবু প্রশ্ন করলেন।

ফেলুদা বলল, 'হয়।'

'হয় ?'

'হয়।'

'কেন বলুন তো।'

'কারণ আছে।'

এর বেশি আর ফেলুদা কিছু বলল না।

খাবার পরে কালকের মতোই দুজনে পান কিনতে বেরোলাম। বৃষ্টি এখনও নামেনি, তবে বাতাস একদম বন্ধ হয়ে গেছে। আজ আমাদের হোটেলের সামনে দিয়ে দু-একজন নতুন মুখকে হাঁটতে দেখলাম। তারা সবাই বিদেশি, বোধহয় আমেরিকান। এ সব বিদেশি

টুরিস্টরা সাধারণত এসে ‘নরখিল’ বলে একটা হোটেলে থাকে ; ওটাই এখানকার সবচেয়ে বড় হোটেল।

ফেলুদা পান খেয়ে রাস্তায় পায়চারি করতে আরম্ভ করেছিল, হঠাৎ থেমে বলল, ‘সময় নষ্ট করে লাভ নেই। কিছু ক্যালকুলেশন আছে, সেরে ফেলি গে। তুই বরং এক কাজ কর। কাছাকাছির মধ্যে একটু ঘুরে আয়। আমি আধঘণ্টা আন্‌ডিস্‌টার্বড কাজ করতে চাই।’

ফেলুদা হোটেলে ফিরে গেল। ওর কাজে ব্যাঘাত করার ইচ্ছে বা সাহস কোনওটাই আমার নেই—বিশেষ করে তদন্তের এই জট পাকানো অবস্থায়।

দোকানপাট সব বন্ধ হয়ে গেছে। রাস্তায় লোক নেই বেশি। হোটেলের কাছেই একটা বন্ধ দোকানের সামনে কয়েকটা নেপালি গোল হয়ে বসে জুয়া খেলছে। মাঝে মাঝে ঘুঁটি নাড়ার শব্দ আর তাদের চিৎকার শোনা যাচ্ছে।

আমি শহরের দিকের রাস্তা ধরে হাঁটতে লাগলাম। এখনও বিদ্যুৎ চমকাচ্ছে আর তার সঙ্গে অনেক দূর থেকে মেঘের গর্জন। তবে মনে হয় না বৃষ্টি খুব শিগ্‌গির আসবে। ধীরে ধীরে তোড়জোড় চলেছে, নামবে গিয়ে হয়তো সেই মাঝরাত্রে।

রাস্তার বাতিগুলোর খুব জোর নেই আর উপর দিক থেকে পড়ে বলে চেনা লোকের মুখ চিনতে সময় লাগে।

উলটোদিক থেকে কে যেন আসছে। এখনও প্রায় বিশ-ত্রিশ গজ দূরে। এবার একটা আলোর তলায় এসে পড়াতে মাথার ব্রাউন চুলটা চক্‌চক্‌ করে উঠল।

পরের আলোটায় পরিষ্কার চিনতে পারলাম হেলমুটকে। সে অন্যমনস্ক ভাবে মাটির দিকে চেয়ে হাঁটছে।

এখন দশ হাতের মধ্যে হেলমুট। তার ভুরু কুঁচকোনো, হাত দুটো প্যান্টের পকেটে গোঁজা।

হেলমুট আমার পাশ দিয়ে গটগটিয়ে হেঁটে চলে গেল, অথচ আমাকে যেন দেখতেই পেল না।

আমি মুখ ঘুরিয়ে হতভম্বভাবে কিছুক্ষণ ওর ক্রমে-ছোট-হয়ে-যাওয়া চেহারাটার দিকে চেয়ে রইলাম। তারপর আস্তে আস্তে হোটেলের দিকে রওনা দিলাম।

ঘরে এসে দেখি ফেলুদা বুকের ওপর খাতা খুলে চিত হয়ে খাটে শুয়ে আছে। বললাম, ‘আধঘণ্টা হয়ে গেছে ফেলুদা।’

ফেলুদা বলল, ‘সাসপেক্টের তালিকাটা আপ-টু-ডেট করে ফেললাম।’

আমি বললাম, ‘বীরেন্দ্র শেলভাঙ্কার যে সাসপেক্ট সেটা তো আগেই জানতাম, শুধু নামটা জানা ছিল না। ডক্টর বৈদ্যও কি সাসপেক্ট ?’

ফেলুদা একটু হেসে বলল, ‘লোকটা ভেল্‌কি দেখিয়েছে ভালই। অবিশ্যি, এমন ভেল্‌কি যে সম্ভব নয় তা বলছি না। আর আজকের ব্যাপারে একটা জিনিস মনে রাখা দরকার যে, বৈদ্যর শেলভাঙ্কারের সঙ্গে আলাপ হয়েছিল। শেলভাঙ্কার ওকে কী বলেছিল না-বলেছিল সেটা না জানা অবধি এই বৈদ্য ভণ্ড-বৈদ্য না খাঁটি-বৈদ্য সেটা জানা যাবে না।’

‘কিন্তু নিশিকান্তবাবুর ব্যাপারটা যে বলে দিল।’

‘জলের মতো সোজা। নিশিকান্ত যে-রেটে নখ কামড়াচ্ছিল, তার নার্ভাসনেস বুঝতে অলৌকিক ক্ষমতার দরকার হয় না।’

‘আর মার্ডার ?’

‘মার্ডার না বলে স্বাভাবিক মৃত্যু বললে নাটক জমে না। লোকটা এসেনশিয়ালি নাটুকে। অনেক গুণী লোকই নাটুকে হয়, অভিনয় পছন্দ করে, লোককে চমকে দিতে ভালবাসে।

এটা মানুষের অনেকগুলো স্বাভাবিক প্রবৃত্তির মধ্যে একটা।'

'তা হলে সাসপেক্ট কাকে কাকে বলতে হয় ?'

'যথারীতি সকলকেই।'

'ডক্টর বৈদ্যও ?'

'হোয়াই নট ? মূর্তির কথাটা ভুলিস না।'

'আর হেলমুট ?' আমি হেলমুটের ঘটনাটা বললাম।

ফেলুদা কিন্তু খুব বেশি অবাক হল না। বলল, 'হেলমুটও যে রহস্যময় চরিত্র সেটা আমি আগেই বুঝেছি। ও বলছে প্রোফেশনাল ফোটোগ্রাফার, সিকিম সম্বন্ধে একটা ছবির বই করছে, অথচ রুমটেকে যে এত বড় একটা উৎসব হচ্ছে, সে খবরটা সে জানত না। এখানেই তো খট্‌কার কারণ রয়েছে।'

'তার মানে কী হতে পারে ?'

'তার মানে এই যে, ওর এখানে থেকে যাওয়ার অন্য কোনও একটা কারণ রয়েছে যেটা ও আমাদের কাছে প্রকাশ করছে না।'

ফেলুদা আরও কিছুক্ষণ ধরে খাতায় হিজিবিজি লিখল। আমি আকাশ-পাতাল ভেবেও এই সব ঘটনার জট ছাড়াতে পারলাম না। আমরা এর আগেও অদ্ভুত সব রহস্যের জালে জড়িয়ে পড়েছি, কিন্তু কোনওটারই সমাধান এত কঠিন বলে মনে হয়নি। একবার মনে হল ফেলুদার পুলিশে খবর দেওয়া উচিত। ও একা কেন সমস্ত ব্যাপারটা ঘাড়ে নিচ্ছে ? শেলভাঙ্কারকে যে-ই খুন করুক না কেন, সে যে একটা ডাকসাইটে ক্রিমিন্যাল তাতে কোনও সন্দেহ নেই। যদি সেই লোক ফেলুদার তদন্তের কথা জেনে ফেলে, আর ওকে ঘায়েল করার চেষ্টা করে ? কিন্তু তারপরেই আবার মনে হল, পুলিশ যদি ফেলুদার আগে খুনিকে ধরে ফেলে, তা হলে সেটা আমার মোটেই ভাল লাগবে না। তার চেয়ে ফেলুদা যা করছে তা একাই করুক। যদি ও এই কঠিন রহস্যের সমাধান করতে পারে, তা হলে ওর গৌরব পঞ্চাশ গুণ বেড়ে যাবে।

পৌনে এগারোটার সময় নিশিকান্তবাবু দরজায় টোকা মেরে 'গুড নাইট' করে গেলেন। আমি কিছুক্ষণ গল্পের বইটা পড়ার চেষ্টা করলাম। জুল ভার্নের 'কার্পেথিয়ান কাস্‌ল'। জানি খুব ইন্টারেস্টিং বই, কিন্তু তাও মন বসল না। কিছুক্ষণ পরে বই বন্ধ করে চোখ বুজলাম। ঘুম আসার আগে পর্যন্ত মাঝে মাঝে চোখ খুলে দেখেছি ফেলুদা তার খাতায় নোট করে চলেছে।

মনে যত দুশ্চিন্তাই থাকুক না কেন—রাত্রে একবারও ঘুম ভাঙেনি। সকালে যখন উঠেছি, তখন জানালা দিয়ে পাহাড়ের গায়ে রোদ দেখা যাচ্ছে। ফেলুদা ঘরে নেই—বোধহয় স্নান করতে গেছে।

যেখানেই যাক—যাবার আগে তার খাটের উপর একটা সাদা কাগজ অ্যাশ-ট্রে চাপা দিয়ে রেখে গেছে—বোধহয় আমারই দেখার জন্য।

কাগজটা হাতে নিয়ে দেখলাম তাতে লেখা রয়েছে—আমাদের চেনা একটা তিব্বতি কথা—যার মানে হল মৃত্যু।

আসলে ফেলুদা বাথরুমে যায়নি। ও খুব ভোর থাকতে উঠে নীচে চলে গিয়েছিল একটা টেলিফোন করতে। বম্বেতে ট্রাঙ্ক-কল। আমি স্নান-টান সেরে নীচে গিয়ে দেখি ফেলুদা টেলিফোনে কথা বলছে। শেষ হলে পর জিজ্ঞেস করলাম, 'কী ব্যাপার ?' ও বলল, 'শশধরবাবু বম্বেতে নেই। আজ ভোরেই বেরিয়ে পড়েছেন। বোধহয় এখানেই আসছেন। আমার আগের টেলিগ্রামটাতে হয়তো কাজ হয়েছে।'

চা খেতে খেতে ফেলুদা বলল, 'আজ একটা এক্সপেরিমেন্ট করব। মনে হচ্ছে একটা ব্যাপারে একটু ছেলেমানুষি করে ফেলেছি। সেটা সত্যি কি না পরীক্ষা করে দেখতে হবে।'

এক্সপেরিমেন্টটা কী সেটা আর আগে থেকে জিজ্ঞেস করতে সাহস হল না। কোথায় সেটা হবে জিজ্ঞেস করাতে ফেলুদা বলল তার জন্য একটা নিরিবিলি জায়গা চাই। নিরিবিলি ঘর হলে হবে কি না জিজ্ঞেস করাতে ফেলুদা চটে গিয়ে বলল, 'তোর মুণ্ডু ! ঘর তো হোটেলেই রয়েছে। চাই একটা রাস্তা, যেখানে লোকজনের ভিড় নেই। কারণ লোকে দেখে ফেললে ভাববে পাগল। একবার নাথুলা রোডের দিকটায় গিয়ে দেখতে হবে।'

সত্যি বলতে কী, এই দুদিনে গ্যাংটকের একটামাত্র রাস্তা ছাড়া আর বিশেষ কিছুই দেখা হয়নি। তাই একটু হেঁটে বেড়াবার ছুতো পেয়ে ভালই লাগছিল।

হোটেল থেকে বেরিয়েই ডক্টর বৈদ্যর সঙ্গে দেখা হয়ে গেল। রোদের বেশ ঝাঁঝ, তাই ভদ্রলোক দেখি সানগ্লাস পরেছেন। বললেন, 'কোথায় চললেন আপনারা ?'

ফেলুদা বলল, 'শহরটা দেখাই হয়নি। ভাবছিলাম একটু ওপর দিকটায় যাব—প্যালেসের ও দিকে।'

'আমি যাচ্ছি গাড়ির সন্ধানে। আজ দিনটা ভাল আছে। এ গুড ডে টু মেক দ্যাট ট্রিপ টু পেমিয়াংচি। আপনারা না এলে কিন্তু একটা খুব ভাল জায়গা মিস করবেন।'

'যাবার তো ইচ্ছে আছে।'

'আমি থাকতে থাকতে চলে আসুন। গ্যাংটক জায়গাটা খুব সুবিধের না। বিশেষ করে আপনার পক্ষে নিরাপদ নয় মোটেই।'

ভদ্রলোক হাসিমুখে হাত নেড়ে চলে গেলেন।

আমি বললাম, 'হঠাৎ ওকথাটা বললেন কেন ভদ্রলোক ?'

ফেলুদা হাঁটতে হাঁটতে বলল, 'তুখোড় আছেন বাবাজি। আমি যেমন ওকে সন্দেহ করছি, ও-ও তেমনি উলটে আমাকে সন্দেহ করছে। হয়তো বুঝে ফেলেছে যে আমি একটা গোলমালে জড়িয়ে পড়ছি।'

'কিন্তু তোমাকে তো সত্যিই হুমকি দিয়ে লিখেছে ফেলুদা। খাটের উপর কাগজটা দেখলাম যে।'

'এটা কি নতুন জিনিস হল ?'

'তা অবিশ্যি নয়।'

'তবে ! তোর যদি ধারণা হয়ে থাকে যে, ওই একটা তিব্বতি কথার জন্য আমি তদন্ত বন্ধ করে দেব, তা হলে তুই ফেলু মিত্তিরকে এখনও চিনিসনি।'

মুখে সেটা না বললেও, মনে মনে বললাম যে যদি কেউ ফেলু মিত্তিরকে চেনে তবে সেটা আমিই। বাদশাহী আংটির ব্যাপারে হুমকি সত্ত্বেও কী সাংঘাতিক বিপদের মুখে ঝাঁপিয়ে পড়েছিল ফেলুদা সেটা তো আমি দেখেছি।

চড়াই রাস্তাটা উঠে ক্রমে ফ্ল্যাট হয়ে গিয়ে শেষটায় একটা প্রকাণ্ড চওড়া—প্রায়

দার্জিলিং-এর ম্যালের মতো—খোলা জায়গায় এসে পড়েছে। সেটার মাঝখানে একটা নিচু রেলিং দিয়ে ঘেরা ফুলের কেয়ারি করা গোল জায়গা রয়েছে। আবার সেটার মাঝখানে একটা হলদে কাঠের পোস্টে এদিকে-ওদিকে পয়েন্ট করা সব রাস্তা আর জায়গার নাম লেখা ফলক রয়েছে। ডান দিকে যে ফলকটা পয়েন্ট করা, তাতে লেখা রয়েছে 'প্যালেস'। ডান দিকে চেয়ে দেখলাম, দুদিকে গাছের সারিওয়ালা একটা সোজা রাস্তার শেষ মাথায় একটা বাহারের গেট দেখা যাচ্ছে। বুঝলাম ওটাই হল প্যালেসের গেট।

বাঁ দিকে দেখানো ফলকটায় লেখা রয়েছে 'নাথুলা রোড।' আশেপাশে কোনও লোকজন নেই। দূরে প্যালেসের রাস্তায় কালকের দেখা বিদেশি টুরিস্টরা ক্যামেরা হাতে পায়চারি করছে। ফেলুদা বলল, 'লক্ষণ ভালই। চ' বাঁ দিকে চ'।'

যে নাথুলা রোড দিয়ে একেবারে বর্ডারে চলে যাওয়া যায়, সেটা দিয়ে আমি আর ফেলুদা এগিয়ে চললাম এক্সপেরিমেন্টের উদ্দেশ্যে। রাস্তাটা ক্রমেই নির্জন হয়ে এসেছে। ফেলুদা বাঁ দিকের খাড়াই পাহাড়ের দিকে দৃষ্টি রেখে এগিয়ে চলেছে। এদিকটা শহরের পুব দিক। কাঞ্চনজঙ্ঘা হল পশ্চিম দিকে। এ দিকে বরফ দেখা যায় না, তবে নীচে বহু দূরে দুই পাহাড়ের মাঝখান দিয়ে বয়ে যাওয়া একটা নদী দেখা যায়। আরেকটা জিনিস যেটা দেখা যায় সেটা হল রোপওয়ে। শূন্যে টাঙানো তারের রাস্তা দিয়ে ঝুলন্ত গাড়ি চলেছে মাল নিয়ে পাহাড়ের এ-মাথার এক স্টেশন থেকে ও-মাথার আরেক স্টেশনে।

রোপওয়ে দেখতে এত ভাল লাগছিল যে ফেলুদার প্রথম ডাকটা শুনতেই পাইনি। তারপর শুনলাম, 'অ্যাই তোপ্‌সে—এদিকে আয়!'

পাহাড়ের গা বেয়ে খানিক দূরে উঠে গেছে ফেলুদা, আর সেখান থেকে আমায় হাতছানি দিয়ে ডাকছে।

আমিও উঠে গেলাম। ফেলুদার পাশে একটা পাথর পড়ে আছে—সাইজে সেটা একটা পাঁচ নম্বরের ফুটবলের মতো।

'এই পাথরের পাশে দাঁড়া।'

দাঁড়ালাম। এ রকম বাধ্য অ্যাসিস্ট্যান্ট কোনও গোয়েন্দা কখনও পেয়েছে বলে আমার মনে হয় না।

'আমি যাচ্ছি নীচে। ও দিক থেকে এ দিকে হেঁটে যাব। আমি যখন বলব, তখন তুই পাথরটা ঠেলে নীচের দিকে গড়িয়ে দিবি। যেভাবে রয়েছে পাথরটা, বুঝতেই পারছিস একটা ঠেলা দিলেই ওটা নীচের দিকে গড়িয়ে যাবে। পারবি তো?'

'জলের মতো সোজা।'

ফেলুদা নীচে নেমে যেদিক দিয়ে এসেছি, সেদিকটায় চলে গেল। তারপর শুনতে পেলাম ওর হাঁক—'রেডি?'

আমি চেঁচিয়ে বললাম 'রেডি'—আর তারপরেই পেলাম ফেলুদার পায়ের আওয়াজ।

আমার লাইনে আসার আট-দশ পা আগেই ফেলুদা চেঁচিয়ে উঠল—'গো!' আমি পাথর ঠেলে দিলাম। ফেলুদা হাঁটা থামাল না। দেখলাম পাথর গড়িয়ে রাস্তায় পৌঁছনোর আগেই ফেলুদা তার অন্তত দশ পা সামনে এগিয়ে চলে গেছে।

'দাঁড়া!

ফেলুদা ফিরে এল, সঙ্গে পাথর।

'এবার তুই নীচে যা। তোকে হাঁটতে হবে। হাঁটা থামাবি না। আমি পাথর ফেলব। যদি দেখিস পাথর তোর দিকে তাগ করে আসছে—হয়তো তোর গায়ে এসে লাগবে—তুই লাফিয়ে পাশ কাটাতে পারবি তো?'

'জলের মতো সহজ।'

এবার আমি হাঁটতে শুরু করলাম—আড়চোখ পাহাড়ের দিকে। ফেলুদা খুব হিসেব করে জিভটিব কামড়ে একটা বিশেষ টাইমে পাথরটাকে মারল ঠেলা। আমি থামলাম না। লাফিয়ে পাশ কাটানোরও দরকার হল না। পাথর আমি পৌঁছনোর আগেই রাস্তায় পড়ে দুটো পাক খেয়ে ডান দিকের পাহাড়ের ঢাল বেয়ে নীচের দিকে চলে গেল।

ফেলুদা যেখানে ছিল সেখানেই বসে পড়ল। কী আর করি—আমিও তার কাছে গিয়ে হাজির হলাম।

'কী মূর্খ আমি! কী মূর্খ! এই সহজ—'

ফেলুদার কথা শেষ হল না। একটা শব্দ আমার কানে আসতেই এক ঝলক উপরে তাকিয়ে এক হ্যাঁচকা টানে আমি ফেলুদাকে তার জায়গা থেকে প্রায় তিন হাত পাশে সরিয়ে আনলাম, আর ঠিক সেই মুহূর্তেই একটা বিরাট পাথরের চাঁই এক সেকেন্ড আগে যেখানে ফেলুদা ছিল, সেখান দিয়ে গড়িয়ে গিয়ে বুনো লাল ফুলের একটা প্রকাণ্ড ঝোপড়াকে তছনছ করে দিয়ে রাস্তায় একবার মাত্র ঠোক্কর দিয়ে পিছনের ঢাল দিয়ে নেমে অদৃশ্য হয়ে গেল।

ফেলুদা 'জায়গাটা সত্যিই নিরাপদ নয়' বলে আমার হাত ধরে টেনে একেবারে রাস্তায়। তারপর দুজনে আর টুঁ শব্দটি না করে পা চালিয়ে এক নিশ্বাসে একেবারে তেমাথায় পৌঁছে গেলাম। একটা মিলিটারি লরি আমাদের পাশ কাটিয়ে নাথুলার দিকে চলে গেল। ফেলুদা খালি একবার মৃদুস্বরে বলল, 'থ্যাঙ্কস, তোপ্‌সে।' তার দিকে চেয়ে দেখি সে গম্ভীর হয়ে গেছে। আমার মনের যে কী অবস্থা সে আর বলে কাজ নেই।

কাছেই একটা ছাউনি দেওয়া বসবার ঘর ছিল। অনেকটা ইডেন গার্ডেনের ব্যান্ডস্ট্যান্ডের মতো দেখতে। আমরা তার ভিতরে গিয়ে বেঞ্চিতে বসে হাঁপ ছাড়লাম। ফেলুদা কপালের ঘাম মুছে বলল—

'কাউকে দেখতে পেয়েছিলি?'

বললাম, 'না। অনেক উঁচু থেকে পাথরটা এসেছিল। আমি যখন দেখেছি তখনই তার ভেলোসিটি অনেক।'

ফেলুদা একটা সিগারেট ধরিয়ে ভাল করে একটা টান দিয়ে বলল, 'আর ঢিলেঢালা চলবে না। একটা কুইক এসপার-ওসপার হওয়া দরকার।'

আমি বললাম, 'কিন্তু অনেক প্রশ্নের তো উত্তর পাওয়া যাচ্ছে না ফেলুদা।'

'কে বললে তোকে?' ফেলুদা খেঁকিয়ে উঠল। 'কাল রাত্রে কখন ঘুমিয়েছি জানিস? আড়াইটে। ফেলু মিত্তির ঘোড়ার ঘাস কাটছে না। এক্সপেরিমেন্ট সাক্‌সেসফুল। যা সন্দেহ করেছিলাম তাই। পাথর এসে গাড়িতে পড়েনি। ওয়ান ইন এ মিলিয়ন চান্সের উপর নির্ভর করে কেউ খুন করে না। প্ল্যানটা ছিল অন্য, কিন্তু সেটাকে অ্যাক্সিডেন্টের চেহারা দেবার জন্য পাথরটা ফেলা হয়েছিল। মিস্টার শেলভাঙ্করকে অজ্ঞান করা হয়েছিল আগেই। তারপর তাকে জিপ সমেত খাদের মধ্যে ফেলা হয়েছিল, তারপর সব শেষে ফেলা হয়েছিল পাথর।'

'কিন্তু তা হলে...ড্রাইভারটা যে...'

'ড্রাইভারকে হাত করা হয়েছিল। এ বিষয়ে আমার কোনও সন্দেহ নেই, কারণ এ ছাড়া জিনিসটা সম্ভব নয়।'

'কিম্বা ড্রাইভার তো নিজেই খুন করে থাকতে পারে?'

'না। কারণ, মোটিভ কী? তার পক্ষে মূর্তিটার কথা জানার বিন্দুমাত্র সম্ভাবনা ছিল বলে মনে হয় না।'

ফেলুদা উঠে পড়ল।

'আমাদের টার্গেট হচ্ছে SKM 463।'

কিন্তু দুঃখের বিষয় SKM 463-এর খোঁজ করে তাকে পাওয়া গেল না। সে গাড়ি কাল রাত্রেই নাকি শিলিগুড়ি চলে গেছে।

'আসলে কী জানিস, জিপটা নতুন বলে সকলেরই ওটার উপর চোখ। ওটা তাই আর বসে থাকে না।'

'তা হলে আমরা কী করব ?'

'দাঁড়া, একটু ভাবতে দে। সব গণ্ডগোল হয়ে যাচ্ছে।'

জিপ-স্ট্যান্ড থেকে হোটেলে ফিরে এলাম। ডাইনিং রুমে বসে বেয়ারাকে ডেকে কোল্ড ড্রিঙ্কের অর্ডার দিলাম। ফেলুদার চোখ লাল, চুল উসকো-খুসকো, মুঠো করা ডান হাত দিয়ে বাঁ হাতের তেলোতে বার বার ব্যর্থ ঘুঁষি মারছে।

'কবে পৌঁছেছি আমরা এখানে ?' সে হঠাৎ প্রশ্ন করল।

'চোদ্দোই এপ্রিল।'

'চোদ্দোই না পনেরোই ?'

'চোদ্দোই। তুমি ভুলে যাচ্ছ ফেলুদা—সেদিন ছিল পয়লা বৈশাখ—'

'ইয়েস ইয়েস। আর খুন হয়েছে কবে ?'

'এগারোই।'

'সেদিন গ্যাংটকে ছিল শেলভাঙ্কার, নিশিকান্ত, হেলমুট আর ডক্টর বৈদ্য।'

'আর বীরেন্দ্র।'

'ধরে নিচ্ছি বীরেন্দ্রও ছিল। ধরে নিচ্ছি প্রাইটেক্স ভুল করেনি। আচ্ছা...নিশিকান্তবাবুর জানালা দিয়ে কবে কাগজ ফেলল ?'

'যেদিন আমরা এসেছি, সেদিনই রাত্রে।'

'চোদ্দোই রাত্রে। গুড। সে সময় কে কে ছিল শহরে ?'

'হেলমুট, শশধর, ধরে নিচ্ছি বীরেন্দ্র, আর...আর...'

'নিশিকান্ত।'

'নিশিকান্ত তো থাকবেই !'

'শুধু থাকবেই না। ও যদি কোনও গোলমাল করে থাকে, তা হলে নিজের উপর থেকে সন্দেহ হটিয়ে দেবার জন্য নিজেই নিজের ঘরে কাগজ ফেলতে পারে, নিজেই খাদের মধ্যে লাফিয়ে পড়ে 'হেল্প' বলে চিৎকার করতে পারে।'

'কী গোলমাল করতে পারেন নিশিকান্তবাবু ?'

'সেটা এখনও জানি না। খুন করার সাহস ওর আছে বলে মনে হয় না। লোকটা নেহাতই ভিতু, আর সেটা অভিনয় নয়।'

'তা হলে আর কেউ বাকি রইল কি ?'

'ডক্টর বৈদ্য ! ডক্টর বৈদ্যকে বাদ দিবি না ! তিনি কবে কালিম্পং গেছেন, বা অ্যাট অল গেছেন কি না—সেটা তো আমরা জানি না ! ডাকবাংলো থেকে যে অন্য জায়গায় গিয়ে ঘাপটি মেরে বসে থাকেননি তার গ্যারান্টি কী ?'

ফেলুদা এক চুমুকে এক গেলাস সিকিম অরেঞ্জ শেষ করে বলল, 'একমাত্র শশধরবাবুর গতিবিধি সম্বন্ধে সন্দেহের কোনও কারণ নেই—কারণ তিনি আমাদের সঙ্গে একই প্লেনে একই জিপে গ্যাংটক এসেছেন, এবং পরদিন বম্বে ফিরে গেছেন। ফিরে যে গেছেন সেটা

তাঁর বাড়ির লোকে টেলিফোনে কনফার্ম করেছে। অবিশ্যি এখন তিনি বম্বেতে নেই। একটা চান্স আছে, হি ইজ অন হিজ ওয়ে হিয়ার। মনে হচ্ছে পেমিয়াংচিটা—'

ফেলুদা কথা থামাল। বাইরে থেকে একজন লোক এসে হোটেলের ভিতর ঢুকে ম্যানেজারের টেবিলের দিকে এগিয়ে গেল। লোকটা আমাদের জার্মান হিপি হেলমুট উঙ্গার। ম্যানেজারকে কী জিজ্ঞেস করাতে তিনি আমাদের দিকে আঙুল দেখিয়ে দিলেন।

'ওঃ—তোমরা এখানেই আছ? আমি দেখতেই পাইনি।'

আমরা চেয়ার ছেড়ে উঠে দাঁড়ালাম। হেলমুটের যেন একটু কিন্তু কিন্তু ভাব। বলল, 'একটা জরুরি আলোচনা ছিল। তোমাদের ঘরে যাওয়া যায় কি?'

১০

ঘরে এসে ঢোকার পর হেলমুট বলল, 'মে আই ক্লোজ দ্য ডোর?' তারপর নিজেই গিয়ে ঘরের দরজাটা বন্ধ করে দিল।

আমার বুকের ভিতরে ঢিপ ঢিপ। বিরাট লম্বা লোক—ফেলুদার চেয়েও এক ইঞ্চি বেশি। তার উপর জার্মান। তার উপরে শুনেছি হিপিরা নানারকম নেশা করে। আর বিদেশিদের সঙ্গে বন্দুক-পিস্তল গোছের জিনিস থাকাটা কিছুই আশ্চর্য নয়। যদি কোনও বদ মতলবে এসে থাকে লোকটা?

ফেলুদা হেলমুটের দিকে একটা চেয়ার এগিয়ে দিল।

'কোল্ড ড্রিঙ্ক বা চা-কফি কিছু চলবে?'

'নো, থ্যাঙ্কস।'

হেলমুট কাঁধ থেকে ক্যামেরা নামিয়ে বিছানার উপর রেখে বগলদাবা করা আগ্‌ফা কোম্পানির একটা বড় লাল খামের ভিতর হাত ঢুকিয়ে বলল, 'তোমাদের কয়েকটা ছবি দেখাতে এনেছি। এগুলো কালার নেগেটিভে তোলা। এখানে প্রিন্ট হয় না, তাই দার্জিলিং-এ পাঠিয়েছিলাম। আজই সকালে এনলার্জমেন্টগুলো হয়ে এসেছে।'

হেলমুট একটা ছবি বার করল।

'এটা নর্থ সিকিম হাইওয়েতে তোলা। অ্যাক্সিডেন্টটা যেখানে হয়, সেখান থেকে রাস্তাটা পাহাড়ের গা দিয়ে গা দিয়ে একেবারে উলটোদিকের পাহাড়ে চলে গেছে। সরু ফিতের মতো রাস্তাটাকে অ্যাক্সিডেন্টের জায়গা থেকে দেখা যায়। আমি ছবিটা তুলেছি ওই উলটোদিকের রাস্তা থেকেই। গ্রাম, নদী আর দশ কিলোমিটার দূরে সিকিমের খানিকটা অংশ মিলিয়ে একটা চমৎকার ভিউ পাওয়া যায় ওখান থেকে। কথা ছিল শেলভাঙ্কার গুম্‌ফা যাবার পথে আমাকে ওখান থেকে তুলে নিয়ে যাবে। কিন্তু তার গাড়ি আমার কাছ অবধি পৌঁছায়নি। ছবি তুলতে তুলতে একটা শব্দ পেয়ে সেদিকে মুখ ঘুরিয়ে আমি এই দৃশ্যটা পাই, যেটা আমি আমার টেলিফটো লেন্‌স দিয়ে তুলে রাখি।'

আশ্চর্য ছবি। এত দূর থেকে তোলা সত্ত্বেও মোটামুটি সবই বেশ বোঝা যাচ্ছে। একটা জিপ পাহাড়ের গা দিয়ে গড়িয়ে পড়ছে। তার কিছু উপরে রাস্তায় একটা লোক দাঁড়িয়ে পড়ন্ত জিপটার দিকে দেখছে। এটা বোধহয় ড্রাইভারটা। মুখ চেনার উপায় নেই, কিন্তু সে যে নীল রঙের জামা পরা রয়েছে সেটা বোঝা যাচ্ছে। এ ছাড়া আর কোনও লোক ছবিটাতে নেই।

এবার হেলমুট আরেকটা ছবি বার করল। এটা আগেরটার কয়েক সেকেন্ড পরে তোলা। এটা আরও অদ্ভুত ছবি। এটার তলার দিকে দেখা যাচ্ছে জিপটা পাহাড়ের গায়ে ভাঙা

অবস্থায় কাত হয়ে পড়ে আছে। আর ডান পাশে কিছু উপরে একটা ঝোপের পিছনে একটা কালো স্যুটপরা লোকের খানিকটা অংশ মাটিতে শোওয়া অবস্থায় দেখা যাচ্ছে। ছবির উপর দিকে রাস্তায় ড্রাইভারটা। এবার কোমরে হাত দিয়ে দাঁড়িয়ে আমাদের দিকে পিছন করে মাথা উঁচু করে উপর দিকে দেখছে। ছবির একেবারে উপরের অংশে পাহাড়ের গায়ে এবার আরেকজন নতুন লোককে দেখা যাচ্ছে ; তারও মুখ চেনার কোনও উপায় নেই, কিন্তু গায়ের জামার রং লালচে। সে একটা বড় পাথরের পিছনে উপুড় হয়ে রয়েছে।

তৃতীয় ছবিতে লাল পোশাক পরা লোকটাকে আর দেখা যাচ্ছে না ; নীল জামা পরা লোকটা দৌড়নোর ভঙ্গিতে ছবি থেকে প্রায় বেরিয়ে চলে গেছে ; গাড়ি আর কালো স্যুটপরা লোকটা যেমন ছিল তেমনই আছে। আর পাহাড়ের গায়ে যে পাথরটা ছিল, সেটা পড়ে আছে রাস্তার উপর, একটা গাছের পাশে।

'রিমার্কেবল', ফেলুদা বলে উঠল, 'অদ্ভুত ছবি। এ রকম ছবি আমি কমই দেখেছি।'

'এ রকম সুযোগও কমই পাওয়া যায়', হেলমুট বলল।

'তুমি ছবিগুলো তোলার পর কী করলে ?'

'গ্যাংটকে ফিরে এলাম। হেঁটেই গিয়েছিলাম—হেঁটেই ফিরলাম। অ্যাক্সিডেন্টের জায়গায় পৌঁছনোর আগেই শেলভাঙ্কারকে তুলে নিয়ে যাওয়া হয়েছে। আমি গিয়ে শুধু পাথর আর ভাঙা জিপ দেখেছি। গ্যাংটকে ঢুকতেই অ্যাক্সিডেন্টের খবর পেয়েছি, আর পেয়েই সোজা হাসপাতালে চলে গেছি। আমি যাবার পরেও শেলভাঙ্কার ঘণ্টা দু-এক বেঁচে ছিলেন।'

'তোমার ছবি তোলার ব্যাপারটা তুমি কাউকে বলোনি ?'

'বলে কী লাভ ? যতক্ষণ না সে-ছবি প্রিন্ট হয়ে আসছে, ততক্ষণ তো সেটাকে প্রমাণ হিসাবে ব্যবহার করা যায় না। মুখের কথা কে বিশ্বাস করবে ! অথচ আমি সেই মুহূর্ত থেকেই জানি ঘটনাটা কীভাবে ঘটেছিল, জানি যে জিনিসটা অ্যাক্সিডেন্ট নয়, খুন। আরও কাছ থেকে তুললে অবিশ্যি খুনির চেহারাটাও বোঝা যেত। কিন্তু বুঝতেই পারছ সেটা সম্ভব ছিল না।'

ফেলুদা ম্যাগ্‌নিফাইং গ্লাস দিয়ে ছবিগুলো দেখতে দেখতে বলল, 'ওই লাল পোশাক পরা লোকটা কি তা হলে বীরেন্দ্র ?'

'ইম্‌পসিবল।' দৃঢ় গলায় বলে উঠল হেলমুট।

আমরা দুজনেই রীতিমতো অবাক হয়ে তার দিকে চাইলাম।

'মানে ?' ফেলুদা বলল। 'তুমি অত শিওর হচ্ছ কী করে ?'

'কারণ আমিই হচ্ছি বীরেন্দ্র শেলভাঙ্কার।'

ফেলুদার চোখ ছানাবড়া হতে এই প্রথম দেখলাম।

'তুমি বীরেন্দ্র মানে ? তোমার চুল কটা, তোমার চোখ নীল, তোমার ইংরিজিতে জার্মান টান...'

'ভেরি সিম্পল।' হেলমুট চেয়ার ছেড়ে উঠে পড়ল। 'আমার বাবা দু বার বিয়ে করেন। আমি প্রথম স্ত্রীর সন্তান। আমার মা ছিলেন জার্মান। বাবা যখন হাইডেলবার্গে ছাত্র ছিলেন, তখনই আলাপ, আর বিদেশে থাকতেই বাবা বিয়ে করেন। মা-র নাম ছিল হেল্‌গা। বিয়ের আগের পদবি ছিল উঙ্গার। আমি যখন ভারতবর্ষ ছেড়ে জার্মানি গিয়ে সেট্‌ল করি, তখন বীরেন্দ্র নামটা ছেড়ে হেলমুট নামটা নিই, আর মা-র পদবিটা নিই।'

আমার মাথা ভোঁ ভোঁ করছে। সত্যিই তো—জার্মান স্ত্রী হলে ছেলের চেহারা সাহেবের মতো হওয়া কিছুই আশ্চর্য নয়।

'বাড়ি ছেড়ে চলে গেলে কেন ?' ফেলুদা জিজ্ঞেস করল।

'মা মারা যাবার পাঁচ বছর পর বাবা যখন দ্বিতীয়বার বিয়ে করলেন, তখন মনটা ভেঙে গেল। মাকে আমি ভীষণ ভালবাসতাম। বাবার উপরেও টান ছিল, কিন্তু ঘটনাটার পর মনটা কেমন জানি বিগড়ে গেল। বাবার উপর একটা ঘৃণার ভাব এল মনে। তাই সব ছেড়েছুড়ে চলে গেলাম। বহু কষ্ট করে, বহুবার নিজের জীবন বিপন্ন করে অবশেষে আমি ইউরোপে পৌঁছই। গোড়ায় কয়েক বছর কুলিগিরি থেকে এমন কোনও কাজ নেই যা করিনি। প্রায় সাত-আট বছর এইভাবে কষ্টে কাটে। তারপর ছবি তুলতে শিখি। ভাল ফটোগ্রাফার হিসাবে নামও হয়। অনেক পত্রিকায় আমার তোলা ইউরোপের অনেক দেশের ছবি ছাপা হয়। বছর চারেক আগে ফ্লোরেন্সে ছবি তুলছিলাম, সেখানে হঠাৎ বাবার এক বন্ধুর সামনে পড়ে যাই। তিনি আমাকে চিনে ফেলেন, আর তিনিই বাবাকে আমার সম্বন্ধে লিখে জানান। তারপর বাবা ডিটেকটিভ লাগান আমাকে খুঁজে বার করার জন্য। সেই থেকে দাড়ি রাখতে শুরু করি, আর আমার চোখের মণির রংটাও বদলে ফেলি।'

'কনট্যাকট লেন্স ?' ফেলুদা বলে উঠল।

হেলমুট একটু হেসে তার দুই চোখের ভিতর আঙুল ঢুকিয়ে দুটো পাতলা লেন্স খুলে বার করে আমাদের দিকে তাকাল। অবাক হয়ে দেখলাম যে তার চোখ আমাদেরই মতো কালো হয়ে গেছে। পরমুহূর্তেই আবার লেন্স দুটো পরে নিয়ে হেলমুট বলে চলল—

'বছর খানেক আগে এক হিপির দলের সঙ্গে ভিড়ে ভারতবর্ষে আসি। দেশের উপর থেকে টান আমার কোনওদিনও যায়নি। আমার পিছনে তখনও লোক লেগে ছিল। বাবা অনেক পয়সা খরচ করেছেন এই খোঁজার ব্যাপারে। কাঠমাণ্ডুতে গিয়ে একটা মনাস্টেরিতে ছিলাম। যখন দেখলাম সেখানেও পিছনে টিকটিকি ঘুরছে, তখন সিকিমে চলে এলাম।'

ফেলুদা বলল, 'তোমাকে.ফিরে পেয়ে তোমার বাবা খুশি হননি ?'

'আমাকে চিনতেই পারেননি ! আমি আগের চেয়ে রোগা হয়ে গেছি অনেক। তার উপরে আমার লম্বা চুল, আমার গোঁফ-দাড়ি, আমার চোখের নীল রং—এই সব কারণেই বোধহয় তিনি নিজের ছেলেকে চিনতেই পারলেন না। আমার কাছে বসে তিনি বীরেন্দ্র সম্বন্ধে আক্ষেপ প্রকাশ করলেন। ভারতবর্ষে ফিরে আসার আগেই বাবার উপর থেকে আমার বিরূপ ভাবটা অনেকটা চলে গিয়েছিল ; বয়সের সঙ্গে সঙ্গে মানুষ অনেক জিনিস মেনে নিতে শেখে। কিন্তু যখন দেখলাম তিনি আমাকে চিনলেন না, তখন আর নিজের পরিচয়টা দিলাম না। শেষ পর্যন্ত হয়তো দিতাম, কিন্তু তার আর সুযোগ হল কই ?'

'খুনি কে, এ-সম্বন্ধে তোমার কোনও ধারণা আছে ?'

'ফ্র্যাঙ্কলি বলব ?'

'নিশ্চয়ই।'

'আমার মতে ডক্টর বৈদ্যকে কোনও মতেই পালাতে দেওয়া উচিত নয়।'

ফেলুদা সম্মতির ভঙ্গিতে মাথা নেড়ে প্রায় ফিসফিস করে বলল, 'আমি এ-ব্যাপারে তোমার সঙ্গে একমত।'

হেলমুট (নাকি বীরেন্দ্র বলা উচিত ?) বলল, 'ও তো জানে না আমিই বীরেন্দ্র, তাই ফস করে আমার সামনেই কালকে ওই নামটাই করে দিল। আর যে মুহূর্তে নামটা করল, সেই মুহূর্তেই আমার লোকটা সম্বন্ধে ধারণা সম্পূর্ণ পালটে গেল। আমার মতে লোকটা এক নম্বরের ভণ্ড শয়তান। ও-ই খুন করেছে। এবং ও-ই মূর্তিটা নিয়েছে।'

ফেলুদা বলল, 'সেদিন শেলভাঙ্কার যখন গুম্ফাটা দেখতে যান, উনি কি একাই যান ?'

'সেটা বলতে পারি না। আমি তো অনেক সকালে বেরিয়ে পড়েছিলাম। অবিশ্যি ডক্টর বৈদ্য তাঁকে মাঝপথে থামিয়ে গাড়িতে উঠে থাকতে পারেন। সন্দেহ বাতিকটা বাবার

একেবারেই ছিল না। এমনিতে অত্যন্ত সরল প্রকৃতির মানুষ ছিলেন তিনি।'

ফেলুদা বিছানা ছেড়ে উঠে গম্ভীরভাবে কিছুক্ষণ পায়চারি করে বলল, 'আমাদের সঙ্গে পেমিয়াংচি যাবে ?'

হেলমুট দৃঢ়স্বরে বলল, 'বাবাকে যে খুন করেছে, তার হাতে হাতকড়া পরানোর জন্য আমি যে-কোনও জায়গায় যেতে প্রস্তুত আছি।'

'এখান থেকে কত দূর জানো জায়গাটা ?'

'একশো মাইলের কাছাকাছি বলে শুনেছি। হয়তো সামান্য বেশিও হতে পারে।'

'তার মানে ছ-সাত ঘণ্টা ধাক্কা।'

'রাস্তা খারাপ না হলে আরও তাড়াতাড়ি পৌঁছানো যেতে পারে। আমার মতে আজই যত তাড়াতাড়ি সম্ভব বেরিয়ে পড়া উচিত।'

ফেলুদা বলল, 'আমারও তাই মত। আমি একটা জিপের ব্যবস্থা দেখছি। জিনিসপত্র সঙ্গে বেশি না নেওয়াই ভাল।'

'তুমি জিপ দেখো, আমি ডাকবাংলোর বুকিংটা সেরে রাখছি। বাই দ্য ওয়ে—' হেলমুট ঘর থেকে বেরোতে গিয়ে থেমে ফেলুদার দিকে ঘুরে বলল, 'লোকটা যে-পরিমাণে ডেঞ্জারাস বলে মনে হচ্ছে, ওর কাছে বন্দুক-টন্দুক থাকা কিছুই আশ্চর্য নয়। এদিকে আমার কাছে তো ফ্ল্যাশ-গান ছাড়া আর কিছুই নেই ! তোমাদের কাছে—'

হেলমুটের কথা শেষ হবার আগেই ফেলুদা তার সুটকেসের ভিতর হাত ঢুকিয়ে রিভলবারটা বার করে হেলমুটকে দেখিয়ে দিল।

'আর এই যে আমার কার্ড।'

ফেলুদা তার 'প্রাইভেট ইনভেস্টিগেটর' লেখা ভিজিটিং কার্ডের একটা হেলমুটের দিকে এগিয়ে দিল।

কিন্তু দুঃখের বিষয়, সেদিন আর কোনও জিপ ভাড়া পাওয়া গেল না। যে ক'টা ছিল, সবগুলো আমেরিকান টুরিস্টরা নিয়ে সারাদিনের জন্য রুমটেক চলে গেছে। আগামীকাল সকালের জন্য জিপের ব্যবস্থা করে বেশির ভাগ দিনটাই হেঁটে গ্যাংটক শহর দেখে কাটিয়ে দিলাম। দুপুরে বাজারের দিকটায় নিশিকান্তবাবুর সঙ্গে দেখা হল। তাঁকে পেমিয়াংচির কথা বলতে তিনি অবিশ্যি লাফিয়ে উঠলেন।

সন্ধের দিকে ভদ্রলোক একটা অদ্ভুত জিনিস এনে আমাদের দেখালেন। হাতখানেক লম্বা একটা লাঠি, তার ডগায় বাঁধা ছোট্ট একটা কাপড়ের থলি।

'কী জিনিস বলুন তো এটা', একগাল হেসে জিজ্ঞেস করলেন নিশিকান্তবাবু। 'জানেন না তো ? এই থলের ভিতর আছে নুন আর তামাকপাতা। পায়ে যদি জোঁক ধরে, এই থলির একটা ঘষাতেই বাবাজি খসে পড়বেন।'

ফেলুদা জিজ্ঞেস করল, 'নাইলনের মোজা ভেদ করেও জোঁক ঢোকে নাকি ?'

'কিছুই বিশ্বাস নেই মশাই। গেঞ্জি, শার্ট আর ডবল পুলওভার ভেদ করেও বুকের রক্ত খেতে দেখেছি জোঁককে। আর মজা কী জানেন তো ? ধরুন, লাইন করে একদল লোক চলেছে জোঁকের জায়গা দিয়ে। এখন, জোঁকের তো চোখ নেই—জোঁক দেখতে পায় না—মাটির ভাইব্রেশনে বুঝতে পারে কোনও প্রাণী আসছে। লাইনের মাথায় যে লোক থাকবে, তাকে জোঁক অ্যাটাক করবে না—কিন্তু তার ভাইব্রেশনে তারা সজাগ হবে। দ্বিতীয় লোকের বেলা তারা মাথা উঁচিয়ে উঠবে, আর থার্ড যিনি রয়েছেন, তাঁর আর নিস্তার নেই—তাঁকে ধরবেই।'

ঠিক হল আমরা প্রত্যেকেই একটা করে জোঁক-ছাড়ানো লাঠি সঙ্গে নিয়ে নেব।

শুতে যাবার আগে ফেলুদা বলল, 'দুদিন বাদেই বুদ্ধ-পূর্ণিমা—এখানে উৎসব হবে।'

'সে উৎসব কি আমরা দেখতে পাব?' আমি ধরা গলায় জিজ্ঞেস করলাম।

'জানি না। তবে তার চেয়েও অনেক বড় পুণ্য কাজ হবে যদি আমরা শেলভাঙ্কারের হত্যাকারীকে কব্জা করতে পারি।'

সারারাত আকাশ পরিষ্কার ছিল, আর আমাদের জানালা দিয়ে ত্রয়োদশীর চাঁদের আলোয় কাঞ্চনজঙ্ঘা দেখা যাচ্ছিল।

পরদিন ভোর পাঁচটায় আমি, ফেলুদা, হেলমুট আর নিশিকান্ত সরকার সামান্য জিনিসপত্র, চারটে কাগজের বাক্সে হোটেলের তৈরি দুপুরের লাঞ্চ আর চারখানা জোঁক-ছাড়ানো লাঠি নিয়ে দুগ্‌গা বলে পেমিয়াংচির উদ্দেশে বেরিয়ে পড়লাম।

১১

গ্যাংটক থেকে পেমিয়াংচি যাবার দুটো রাস্তা আছে—একটা কিউশিং হয়ে, আরেকটা নামচি দিয়ে নয়াবাজার হয়ে। কিউশিং-এর রাস্তা দিয়ে গেলে দূরটা কম হয়, কিন্তু গত ক'দিনের বৃষ্টিতে সে রাস্তা নাকি খারাপ হয়ে গেছে, তাই আমাদের নয়াবাজার দিয়েই যেতে হবে। একশো সাতাশ মাইল পথ। এমনিতে হয়তো দুপুরের খাওয়াটা সারার জন্য নামচিতে থামতে হত, কিন্তু আমরা হোটেল থেকে লুচি, আলুর তরকারি আর মাংসের কাটলেট নিয়ে নিয়েছি। তা ছাড়া দুটো ফ্লাস্কে রয়েছে জল, আর দুটোতে গরম কফি; কাজেই পথে আর খাওয়ার জন্য থামতে হবে না। সাবধানে গেলেও ঘণ্টা আষ্টেকের বেশি সময় লাগা উচিত নয়। তাই মনে হয়, বিকেলের আগেই আমরা পেমিয়াংচি পৌঁছে যাব। হেলমুট দেখলাম একটার বেশি ক্যামেরা সঙ্গে নেয়নি, আর নিশিকান্তবাবু দেখি কোত্থেকে একজোড়া চামড়ার গোলোস জুতো সঙ্গে নিয়ে নিয়েছেন। বললেন, 'ভেবে দেখলাম, জোঁক যদি পায়ের পিছন দিকে ধরে, তা হলে তো আর দেখতে পাব না! নুনের থলি কোন কাজটা দেবে মশাই? তার চেয়ে এই গামবুটই ভাল—সেন্ট পারসেন্ট সেফসাইড।'

'যদি গাছ থেকে মাথায় পড়ে জোঁক?' ফেলুদা জিজ্ঞেস করল।

নিশিকান্তবাবু মাথা নাড়লেন। 'ম্যাক্—মানে ম্যাক্সিমাম জোঁকের টাইম এটা নয়। সেটা আরও পরে—জুলাই অগাস্টে। এখন বাবাজিরা সব মাটিতেই থাকেন।'

নিশিকান্তবাবুকে বলা হয়নি যে আমরা খুনির সন্ধানে চলেছি। উনি জানেন আমরা ফুর্তি করতে যাচ্ছি, তাই দিব্যি নিশ্চিন্তে আছেন। ওখানে গোলাগুলি চললে যে ওঁর কী দশা হবে তা জানি না।

সোয়া ছ'টার সময়ে আমরা সিংথাম পৌঁছে গেলাম। এ জায়গাটা গ্যাংটক আসার সময়ও পড়েছিল। বাজারের মধ্যে দিয়ে রাস্তা গেছে। বেশ গিজগিজে ছোট শহর, তিস্তার পাশেই। আমরা বাঁ দিকে ঘুরে তিস্তার উপর দিয়ে একটা ব্রিজ পেরিয়ে উলটোদিকের পাহাড়ে উঠলাম। এখান থেকে শুরু করে বাকি রাস্তাটা হবে আমাদের কাছে নতুন।

আমাদের জিপটা নতুন না হলেও খুব বেশি পুরনো নয়। স্পিডোমিটার, মাইলোমিটার, দুটোই এখনও কাজ করছে, সিটের চামড়া-টামড়াও বিশেষ ছেঁড়েনি। ড্রাইভারের চেহারাটা দেখবার মতো। লোকটা বোধহয় নেপালি নয়, কারণ নেপালিরা সাধারণত বেঁটে হয়—এ রীতিমতো লম্বা। কালো প্যান্ট, কালো চামড়ার জার্কিন, আর কালো শার্ট পরেছে। শার্টের বোতাম গলা অবধি লাগানো। মাথায় একটা ক্যাপ পরেছে যেটার রংও প্রায় কালোই।

আমেরিকান গ্যাংস্টার ছবিতে মাঝে মাঝে এ রকম চেহারার লোক দেখা যায়। ফেলুদা ওর নাম জিজ্ঞেস করতে বলল 'থোণ্ডুপ।' নিশিকান্তবাবু বিজ্ঞের মতো বললেন, 'তিব্বতি নাম'।

ব্রিজ পেরিয়ে পাহাড়ের গা দিয়ে উঠতে উঠতে বুঝলাম, এদিকের দৃশ্য একেবারে অন্য রকম। গাছপালা অনেক কম, আর মাটিটা লালচে আর শুকনো। হঠাৎ দেখলে মনে হয় যেন বিহারের কোনও পাহাড়ে জায়গা দিয়ে চলেছি। এক-এক জায়গায় রাস্তা খুবই খারাপ—আর তার মানেই সেখানে রাস্তা সারানোর কাজ হচ্ছে। নেপালি ছেলে-মেয়ের দল হয় পাথর সরাচ্ছে, না হয় পাথর ভাঙছে, না হয় মাটি ফেলছে। এই দু দিনে নেপালি মেয়েদের দেখে কী করে চিনতে হয়, সেটা ফেলুদার কাছে শিখে নিয়েছি। এদের কানে মাকড়ি, নাকে নথ আর গলায় মোটা হাঁসুলি। সিকিমের মেয়েরা প্রায় গয়না পরে না বললেই চলে। অবিশ্যি পোশাকেও তফাত আছে।

গ্যাংটক থেকে নামচি হল চৌষট্টি মাইল। আমি মাইল পোস্টের দিকে চোখ রাখছিলাম। বাইশ মাইল পেরোনোর কিছু পরেই কানে একটা শব্দ এল। পিছন থেকে একটা জিপ বার বার হর্ন দিচ্ছে। থোণ্ডুপ কিন্তু পাশ দেবার কোনও আগ্রহ না দেখিয়ে কেবল আমাদের গাড়ির স্পিডটা একটু বাড়িয়ে দিল। ফেলুদা বলল, 'ও গাড়ির এত তাড়া কীসের ?'

থোণ্ডুপ বলল, 'হর্ন দিক ও। ওকে এগোতে দিলে আপনাদের ধুলো খেতে হবে।'

সেদিনের মতোই ফেলুদা আর আমি সামনে বসেছিলাম, আর পিছনে হেলমুট আর নিশিকান্ত। আমরা স্পিড বাড়ানো সত্ত্বেও পিছনের জিপটা বার বার এগিয়ে আসছে আর হর্ন দিচ্ছে, এমন সময় নিশিকান্তবাবু চেঁচিয়ে উঠলেন,—'আরে, এ যে সেই ভদ্রলোক !'

'কোন ভদ্রলোক ?' বলে ফেলুদা পিছনে ফিরল, আর সেই সঙ্গে আমিও।

ও মা—এ যে শশধরবাবু ! আমাদের পিছনে ফিরতে দেখে আবার গ্যাঁ গ্যাঁ করে হর্ন, আর শশধরবাবুর মরিয়া হয়ে হাত নাড়া।

ফেলুদা বলল, 'জারা রোক দিজিয়ে থোণ্ডুপজি—পিছনে চেনা লোক।'

আমাদের গাড়ি থামার সঙ্গে সঙ্গেই পিছনেরটাও থামল, আর শশধরবাবু নেমে আমাদের দিকে দৌড়ে এলেন।

'আপনারা তো আচ্ছা লোক মশাই—সিংথামে এত চেঁচালুম আর শুনতেই পেলেন না !'

ফেলুদা অপ্রস্তুত। বলল, 'আরে আপনি আসছেন জানলে কি আর আপনাকে ছেড়ে আসি ?'

'তা আপনি যেরকম টেলিগ্রাম করলেন তাতে কি আর ওখানে বসে থাকা যায় ? আমি সেই তখন থেকে ফলো করছি আপনাদের।'

পিছনে থাকলে যে কী রকম ধুলো খেতে হয়, সেটা শশধরবাবুর চেহারা দেখেই বুঝতে পারছিলাম। আর কিছুক্ষণ এইভাবে চললে ভদ্রলোক একেবারে ভস্মমাখা সাধুবাবা হয়ে যেতেন।

'কিন্তু ব্যাপার কী ? এই বললেন সন্দেহজনক ব্যাপার, আর সেসব ছেড়েছুড়ে এখন এ দিকে কোথায় চলেছেন ?'

ফেলুদা এ কথার কোনও জবাব না দিয়ে বলল, 'আপনার সঙ্গে মালপত্তর কি অনেক ?'

'মোটেই না। কেবল একটা সুটকেস।'

'তা হলে এক কাজ করা যাক। আপনার গাড়িটা সঙ্গে সঙ্গে চলুক ; ওতে বরং আমাদের মালগুলো চাপিয়ে দিই। আপনি আমাদের এটার পেছনে বসে আসতে পারবেন তো ?'

'নিশ্চয়ই !'

জিপ চলতে চলতে ফেলুদা গত দুদিনের ঘটনাগুলো শশধরবাবুকে বলল। এমনকী হেলমুটের আসল পরিচয়টাও দিয়ে দিল। সব শুনেটুনে শশধরবাবু ভুরু কুঁচকে বললেন, 'বাট হু ইজ দিস ডক্টর বৈদ্য ? শুনেই তো ভণ্ড বলে মনে হচ্ছে। আজকের দিনে এ সব বুজরুকির প্রশ্রয় দেওয়ার কোনও মানে হয় না। আপনাদের ওর হাবভাব দেখেই ওকে সোজাসুজি হুমকি দেওয়া উচিত ছিল। সেটা না করে আপনারা ওকে পেমিয়াংচি পালাতে দিলেন ? সত্যি, আপনাদের কাছ থেকে—'

ফেলুদা বাধা দিয়ে বলল, 'হেলমুটের আসল পরিচয়টা পাওয়াতেই তো ওর উপর সন্দেহটা গেল। আর আপনার দিক থেকেও খানিকটা গলতি হয়েছে শশধরবাবু। আপনি তো একবারও বলেননি, শেলভাঙ্কারের প্রথম স্ত্রী জার্মান ছিলেন।'

শশধরবাবু বললেন, 'আরে সে কি আজকের কথা মশাই ? তাও জার্মান বলে জানতুমই না। বিদেশি, এইটুকুই শুনেছি। শেলভাঙ্কার প্রথম বিয়ে করে আজ থেকে প্রায় পঁয়ত্রিশ বছর আগে।... আই হোপ, বৈদ্য ব্যাটা সেখান থেকে সটকে পড়েনি। না হলে এই এতখানি পথ যাওয়াটাই বৃথা হবে।'

নামচি পৌঁছালাম ন'টার কিছু পরে। আকাশে মেঘ জমতে শুরু করেছে ; তবে নামচিতে নাকি বৃষ্টি হয় না বললেই চলে। এটা নাকি সিকিমের সবচেয়ে শুকনো আর সবচেয়ে স্বাস্থ্যকর জায়গা। তা ছাড়া সুন্দরও বটে, আর আশ্চর্য রকম পরিচ্ছন্ন। তা সত্ত্বেও আমরা মিনিট দশেকের বেশি থামলাম না। যেটুকু থামা, সেটুকু শুধু গাড়ির পেটে একটু ঠাণ্ডা জল, আর আমাদের পেটে একটু গরম কফি ঢালার জন্য। হেলমুট এর ফাঁকেই কয়েকটা ছবি তুলে নিল। লক্ষ করলাম, সে কথা-টথা বিশেষ বলছে না। ছবিটা তোলা যেন অভ্যাসের বশে। শশধরবাবুও চিন্তিত ও গম্ভীর। নিশিকান্তবাবু ফেলুদার মুখে সমস্ত ঘটনা শুনে একটু ঘাবড়েছেন বটেই, তবে ভিতরে ভিতরে মনে হল অ্যাডভেঞ্চারের গন্ধটা পেয়ে তিনি বেশ একটা রোমাঞ্চ বোধ করছেন। নামচির বাজার থেকে একটা কমলালেবু কিনে খোসা ছাড়াতে ছাড়াতে বললেন, 'বিপদ যাই আসুক না কেন মশাই, একদিকে প্রদোষবাবু আর একদিকে জার্মান বীরেনবাবুকে নিয়ে ডরাবার কোনও কারণ দেখছি না।'

নামচি থেকে রাস্তা নামতে নামতে একেবারে নদীর লেভেলে পৌঁছে যায়। এই নদীর ধারেই নয়াবাজার। সেখান থেকে আবার একটা ব্রিজ পেরিয়ে অনেকখানি পথ এই নদীর ধার দিয়ে উঠে ন' হাজার ফুটের উপর পেমিয়াংচি। এ নদী তিস্তা নয়। এর জল তিস্তার মতো ঘোলা নয়। এর জল স্বচ্ছ সবুজ। মাঝে মাঝে জলের স্রোত পাথরে বাধা পেয়ে ফেনিয়ে ফেনিয়ে উঠছে। এ নদীর নাম রঙ্গিত। এত সুন্দর পাহাড়ে নদী এর আগে আমি কখনও দেখিনি।

রঙ্গিতের পাশ দিয়ে পাক খেয়ে পাক খেয়ে আমরা যে পাহাড়ের উপর উঠছি, তাতে গাছপালা অনেক বেশি। এখানে মাটি লাল নয়, আর শুকনো নয়। এ যে বিহারের কোনও পাহাড় নয়, এ যে হিমালয়, তাতে কোনও ভুল নেই। শশধরবাবু বলেছিলেন ইয়াং মাউনটেনস—তাই ধস নামে। সেই ধসের যে কত চিহ্ন আশেপাশে পাহাড়ের গায়ে ছড়িয়ে রয়েছে, তার কোনও ঠিক-ঠিকানা নেই। সবুজ পাহাড়ের গায়ে এখানে-ওখানে ছাই রঙের সব ক্ষতচিহ্ন—ঠিক মনে হয় পাহাড়ের পায়ে বুঝি শ্বেতি হয়েছে। অজস্র গাছপালা বনবাদাড় সমেত পাহাড়ের এক-একটা অংশ ধসে পড়েছে একেবারে নদীর কিনারে। এই সব ন্যাড়া অংশ নতুন করে গাছপালা হয়ে আবার কবে পাশের সবুজের সঙ্গে মিশে যাবে তা কে জানে।

একটা গুম্ফার পাশ দিয়ে যেতে যেতে দেখি সেই ভূত-তাড়ানো নিশানের ঝাড়। সবগুলো নিশানই তকতকে নতুন বলে মনে হচ্ছে। শশধরবাবু বললেন, 'সামনে বুদ্ধ পূর্ণিমা—তারই তোড়জোড় চলছে।'

ফেলুদা প্রথমে বোধহয় কথাটা শোনেনি। প্রায় মিনিট খানেক পরে বলল, 'কত তারিখে পড়ছে বুদ্ধ পূর্ণিমা ?'

শশধরবাবু বললেন, 'কালই বোধহয় পূর্ণিমা। কাল হল ১৭ই এপ্রিল।'

'সতেরোই এপ্রিল...তার মানে হল চৌঠা বৈশাখ...চৌঠা বৈশাখ...'

ফেলুদার বিড়বিড়ানি জিপের শব্দে আর কেউ বোধহয় শোনেনি। তারিখ নিয়ে এত কী চিন্তা করছে ফেলুদা ? আর ও এত গম্ভীর কেন ? আর হাতের আঙুল মটকাচ্ছে কেন ?

পেমিয়াংচির আগের শহরের নাম গেজিং। এখানেও দেখি নিশানের ছড়াছড়ি। এখান থেকে পেমিয়াংচি তিন মাইল। জিপ ক্রমশ উপরে উঠছে। রাস্তা রীতিমতো খাড়াই। এখানে গাছ কম, তবে উপরের দিকে চাইলেই দেখতে পাচ্ছি কালচে সবুজ রঙের ঘন বন। খানিকটা রাস্তা রীতিমতো খারাপ। জিপকে খুব সাবধানে চলতে হচ্ছে। মনে হল এ দিকে বৃষ্টিটা গ্যাংটকের চেয়ে বেশি হয়েছে। জিপ ফোর-হুইলে অতি সন্তর্পণে একটা গোলমেলে এবড়ো-খেবড়ো রাস্তা পেরোল। ঝাঁকুনির চোটে নিশিকান্তবাবুর মাথাটা জিপের উপরের লোহার রডের সঙ্গে ঠকাং করে লাগায় ভদ্রলোক 'উরেশ্শা' বলে উঠলেন।

একটু পরেই ক্রমে আলো কমে এল। এটা শুধু মেঘের জন্যে নয়। আমাদের জিপের এক পাশে এখন একটা গাঢ় সবুজ পাতা আর সাদা ডালপালাওয়ালা গাছের বন। হেলমুট বলল, 'ওগুলো বার্চ গাছ—বিলেতে খুব দেখা যায়।'

এখন আমাদের জিপ এই বনের মধ্যেই রাস্তা দিয়ে চলেছে। আমাদের দু পাশে বন। তার মধ্যে দিয়ে আমরা চড়াই উঠছি সাপের মতো প্যাঁচালো রাস্তা দিয়ে।

এবার আরও গভীর বন, আরও বড় বড় গাছ। ঠাণ্ডা স্যাঁতসেঁতে হাওয়া। জিপের আওয়াজ ছাপিয়ে বনের ভিতর থেকে অচেনা পাখির তীক্ষ্ণ শিস। নিশিকান্তবাবু বললেন, 'বেশ থ্রি—মানে থ্রিলিং লাগছে।'

রাস্তা ফাঁকা হয়ে গেল।

সামনে একটা সবুজ ঢিপি। উপরে খোলা মেঘলা আকাশ।

ক্রমে একটা বাংলোর টালিওয়ালা ছাদ দেখা গেল। তারপর পুরো বাংলোটা। এই সেই ব্রিটিশ আমলের বিখ্যাত বাংলো। পিছন দিকে আকাশের নীচে সবুজ থেকে আবছা নীল হয়ে যাওয়া থরে থরে সাজানো পাহাড়।

জিপ থামল। আমরা নামলাম। চৌকিদার বেরিয়ে এল। আমাদের জন্য ঘর ঠিক করা আছে।

'আউর কোই হ্যায় হঁিহা ?' শশধরবাবু জিজ্ঞেস করলেন।

'নেহি সাব—বাংলা খালি হ্যায়।'

'আর কেউ নেই ?' এবার ফেলুদা জিজ্ঞেস করল। 'আর কেউ আসেনি ?'

'এসেছিল। তিনি কাল রাত্রেই চলে গেছেন। দাড়িওয়ালা চশমাপরা বাবু।'

চৌকিদারের কথা শুনে হেলমুটই সবচেয়ে বেশি হতাশ হয়েছে বলে মনে হল। সে কাঁধ থেকে ক্যামেরা নামিয়ে ঘাসের উপর বসে পড়ল।

শশধরবাবু বললেন, 'যা বুঝছি—ইমিডিয়েটলি কিছু করার নেই। একটা বাজে। অন্তত ডান হাতের ব্যাপারটা সেরে নেওয়া যাক।'

আমরা মালপত্র সমেত বাংলোর ভিতরে গিয়ে ঢুকলাম। দেখেই বোঝা যায় আদ্যিকালের বাংলো। কাঠের ছাত, কাঠের মেঝে, সামনের দিকে কাঠের রেলিংওয়ালা বারান্দা, তাতে পুরনো ধরনের বেতের টেবিল-চেয়ার পাতা। বারান্দা থেকে সামনের দৃশ্য অদ্ভুত সুন্দর। এখন মেঘ করে আছে, তা না হলে নাকি বাইশ মাইলের মধ্যে কাঞ্চনজঙ্ঘা দেখা যায়। এক পাখির ডাক ছাড়া চারিদিকে কোনও আওয়াজ নেই। সব নিঝুম নিস্তব্ধ।

বারান্দা দিয়ে ঢুকে সামনের ঘরটা হল ডাইনিং রুম। টেবিলের চারিদিকে চেয়ার পাতা রয়েছে। এক পাশে আবার দুটো আরাম কেদারা। শশধরবাবু তার একটায় বসে পড়ে ফেলুদাকে উদ্দেশ করে বললেন, 'আপনি ডিটেকটিভ হলেও আপনার অনুমান ঠিক কি না সে বিষয়ে সন্দেহ হচ্ছিল। কিন্তু বৈদ্য লোকটা এভাবে পালানোতে এখন আমি কন্‌ভিন্‌স্‌ড। এস. এস. তার এমন একটা দামি জিনিস যাকে-তাকে দেখিয়ে খুব ভুল করেছে।'

হেলমুট বারান্দাতেই রয়ে গেল। নিশিকান্তবাবু বোধহয় বাথরুমের খোঁজে ভেতরের ঘরে ঢুকে গেলেন। ফেলুদা বাংলোর অন্য ঘরগুলো ঘুরে ঘুরে দেখতে লাগল। আমি আর কী করি—খাবার টেবিলের পাশেই একটা চেয়ারে বসে পড়লাম। এত দূর আসা বৃথা হবে, শেলভাঙ্কারের আততায়ী অল্পের জন্য হাত থেকে ফস্‌কে বেরিয়ে যাবে, আমরা বোকার মতো দৃশ্য দেখে গ্যাংটকে ফিরে যাব—এসব কথা ভাবতেও খারাপ লাগছিল।

ডাইনিং রুমের পিছন দিকের দুটো দরজা দিয়ে দুটো বেডরুমে যাওয়া যায়। ডান দিকের দরজাটা দিয়ে ফেলুদা বেরিয়ে এল, হাতে একটা লাঠি।

এই লাঠিটাই ডক্টর বৈদ্যর হাতে দেখছিলাম না?

'ভদ্রলোক এসেছিলেন ঠিকই', ফেলুদার গলার স্বর শুকনো আর ভারী, 'কারণ তিনি চিহ্নস্বরূপ তাঁর লাঠিটা ফেলে গেছেন। ভেরি স্ট্রেঞ্জ!'

নিশিকান্তবাবু রুমাল দিয়ে মুখ মুছতে মুছতে ঘরে ঢুকলেন। তারপর 'অদ্ভুত জায়গা' বলে আমার পাশের চেয়ারটায় বসে বিশ্রী শব্দ করে হাই তুললেন।

ফেলুদা বসল না। ফায়ারপ্লেসের সামনে দাঁড়িয়ে ডক্টর বৈদ্যর লাঠিটা ডান হাতে নিয়ে বাঁ হাতের তেলোয় ঠক্ ঠক্ করে অন্যমনস্ক ভাবে ঠুকতে লাগল।

শশধরবাবু বললেন, 'কই, মিস্টার সরকার—আপনাদের ওই খাবারের বাক্সগুলো খুলুন! মিথ্যে খিদে বাড়িয়ে লাভটা কী?'

'খাওয়া পরে হবে।'

কথাটা বলল ফেলুদা। আর যেভাবে বলল তাতে আমার হাত-পা ঠাণ্ডা হয়ে গেল। নিশিকান্তবাবু উঠতে গিয়ে থতমত খেয়ে থপ করে আবার চেয়ারে বসে পড়লেন। শশধরবাবুও অবাক হয়ে ফেলুদার দিকে চাইলেন। কিন্তু ফেলুদা আবার যেই কে সেই।

সে চেয়ারে বসল। লাঠিটা টেবিলের উপর শুইয়ে রেখে পকেট থেকে একটা চারমিনার বার করে ধরিয়ে দুটো টান দিয়ে বলল, 'ঘাটশিলায় আমার এক পুরনো বন্ধু রয়েছে। আপনি এখানে আসার আগে তো ঘাটশিলায় গিয়েছিলেন—তাই না, শশধরবাবু?'

শশধরবাবুর জবাব দিতে দেরি হল না।

'হ্যাঁ—এক ভাগনের বিয়ে ছিল।'

'আপনি তো হিন্দু ?'

হঠাৎ এ-প্রশ্ন করল কেন ফেলুদা ?

'তার মানে ?' শশধরবাবু ভুরু কুঁচকে তাকালেন ফেলুদার দিকে।

'নাকি বৌদ্ধ—না খ্রিস্টান—না ব্রাহ্ম—না মুসলমান ?'

'হোয়াট ডু ইউ মিন ?'

'বলুন না।'

'হিন্দু—ন্যাচারেলি।'

'হুঁ!' ফেলুদা গম্ভীরভাবে সিগারেটে টান দিয়ে দুটো রিং ছাড়ল। তার একটা বড় হতে হতে শশধরবাবুর মুখের কাছে গিয়ে মিলিয়ে গেল।

'কিন্তু—' ফেলুদার চোখে ভ্রূকুটি, দৃষ্টি সোজা শশধরবাবুর দিকে, '—আপনি আর আমরা তো এক দিনে এক সঙ্গে প্লেনে এলাম। আপনি তখন সবে ঘাটশিলা থেকে বিয়ে সেরে ফিরছেন, তাই না ?'

'এতে আপনি গোলমালটা কোথায় দেখছেন মিস্টার মিত্তির ? আপনার কথার কোনও মাথামুণ্ডু আমি খুঁজে পাচ্ছি না। ঘাটশিলার বিয়ের সঙ্গে আজকের ঘটনার কী সম্পর্ক ?'

'সম্পর্ক এই যে, চৈত্র মাসে তো হিন্দুদের বিয়ে হয় না শশধরবাবু! ওটা যে নিষিদ্ধ মাস! ও মাসে কোনও লগ্ন নেই—শাস্ত্রের বারণ! আপনি সেই চৈত্র মাসেই আপনার ভাগনের বিয়ে দিলেন ?'

শশধরবাবু সিগারেট ধরাতে গিয়ে থেমে গেলেন। কিংবা পারলেন না। তাঁর হাত দুটো কাঁপছে।

'আপনি কী ইম্‌প্লাই করছেন ? কী বলতে চাইছেন আপনি ?'

ফেলুদা নিরুদ্বেগ। সে চেয়ে রয়েছে সোজা শশধরবাবুর দিকে, তার চোখের পাতা পড়ছে না।

প্রায় পুরো এক মিনিট এইভাবে তাকিয়ে থেকে সে বলল, 'ইম্‌প্লাই করছি অনেক কিছু। এক নম্বর—আপনি মিথ্যেবাদী। আপনি ঘাটশিলায় যাননি। দু নম্বর—আপনি বিশ্বাসঘাতক—'

'মানে ?' শশধরবাবু চেঁচিয়ে উঠলেন।

'আমরা জানি শেলভাঙ্কার কোনও একটা কারণে ভীষণ মুষড়ে পড়েছিলেন। সেকথা তিনি বীরেন্দ্রকে বলেছিলেন—যদিও কারণ বলেননি। অনেক সময় খুব কাছের কোনও লোকের দ্বারা প্রতারিত হলে এ-জিনিসটা হয়। আমার বিশ্বাস সে-লোক হলেন আপনি। আপনি ছিলেন তাঁর পার্টনার। তিনি ছিলেন সরল, বিশ্বাসী মানুষ। তাঁর সন্দেহ-বাতিকটা ছিল না একেবারেই। সুতরাং তাঁকে ঠকাবার অনেক সুযোগ ছিল। আপনি সে-সুযোগ নিয়েছিলেন। কিন্তু তিনি সে ব্যাপারটা জেনে ফেলেছিলেন—এবং জানতে পেরে তাঁর মন ভেঙে গিয়েছিল। তাঁর জানার ব্যাপারটা আপনি জানতে পারেন—আর জানার পর থেকেই তাঁকে সরাবার পথ খুঁজছিলেন। বম্বেতে সেটার সুবিধে হয়নি। তিনি সিকিমে এলেন। আপনার আসার কথা ছিল না। আপনিও এলেন। হয়তো তিনি আসার পরের দিনই। আপনি মানে নট শশধর বোস, বাট ডক্টর বৈদ্য—অর্থাৎ ছদ্মবেশী শশধর বোস। বৈদ্য শেলভাঙ্কারের সঙ্গে আলাপ করল, গণৎকার সেজে তাঁর বিষয় জানা কথাগুলোই তাঁকে বলল, তাঁকে ইম্প্রেস্ করল। দুজনে একসঙ্গে গুম্‌ফায় গেলেন বীরেন্দ্রর খোঁজ করতে। আপনি নিশ্চয়ই গাড়ির ব্যবস্থা করেছিলেন। পথে পিছন দিক থেকে মাথায় লাঠির বাড়ি মেরে তাঁকে

অজ্ঞান করলেন। ড্রাইভারকে আগেই হাত করেছিলেন—পয়সায় কী না হয়! তারপর গাড়ি ফেলা। তারপর পাথর ফেলা—আপনার ওই লাঠির সাহায্যে। তখনও শেলভাঙ্কার মরেননি। হয়তো তিনি শেষ মুহূর্তে আপনাকে চিনে ফেলেছিলেন, এবং সেই কারণেই মরবার আগে আপনার নাম করেন।'

'ননসেন্স!' শশধরবাবু চিৎকার করে উঠলেন, 'কী আবোল-তাবোল বকছেন আপনি! কী প্রমাণ আছে যে আমি ডক্টর বৈদ্য?'

ফেলুদা এবার একটা অদ্ভুত প্রশ্ন করে বসল।

'আপনার আংটিটা কোথায় গেল শশধরবাবু?'

শশধরবাবু কী রকম ভ্যাবাচ্যাকা খেয়ে গেলেন।

'আমার...'

'হ্যাঁ, আপনার। আপনার 'মা' লেখা সোনার আংটি। আঙুলে দাগ রয়েছে, অথচ আংটি নেই কেন?'

'ও—ওটা...' শশধরবাবু ঢোক গিললেন, '—ওটা আঙুলে টাইট হচ্ছিল, তাই—' ভদ্রলোক কোটের পকেট থেকে আংটি বার করে দেখালেন।

'মেক-আপ চেঞ্জ করে পরতে ভুলে গেছিলেন—তাই না? ওই একই আঙুলের দাগ সেদিন মোমবাতির আলোয় দেখেছিলাম শশধরবাবু। তখনই একটা খট্‌কা লেগেছিল, কিন্তু কেন তা বুঝতে পারিনি।'

শশধরবাবু চেয়ার ছেড়ে উঠতে যাচ্ছিলেন—ফেলুদা গর্জন করে উঠল—'বসুন! আরও আছে!'

শশধরবাবু বসলেন, ঘাম মুছলেন। ফেলুদা বলে চলল—

'শেলভাঙ্কার খুন হল। ডক্টর বৈদ্য তার পরের দিন বললেন কালিম্পং যাচ্ছেন লামার সঙ্গে দেখা করতে। আসলে কিন্তু তা নয়! আসলে ডক্টর বৈদ্য ওরফে শশধর বোস চলে এলেন কলকাতায়। এদিকে শশধর বোস আগেই টেলিগ্রাম করেছিলেন 'অ্যারাইভিং ফোর্টিন্‌থ'। সেটা পেয়ে শেলভাঙ্কার বিস্মিত ও বিচলিত হন—কারণ আপনার সিকিমে আসার কোনও কথা ছিল না—এবং শেলভাঙ্কার আপনাকে অ্যাভয়েড করতেই চাইছিলেন। যাই হোক—আপনি ফোর্টিন্‌থ এলেন—কারণ এই আসাটাই হবে আপনার অ্যালিবাই। চোদ্দোই এসে শেলভাঙ্কারের মৃত্যুতে আক্ষেপের ভাণ করে আপনি পনেরোই বললেন বম্বে ফিরছেন। আসলে আপনি বম্বে যাননি, গ্যাংটকের আশেপাশেই কোথাও রয়ে গেছিলেন গা-ঢাকা দিয়ে। সেদিনই সন্ধ্যায় ডক্টর বৈদ্যর বেশে আপনিই আমাদের ভেলকি দেখালেন। আপনি জেনেছিলেন আমি ডিটেকটিভ—তাই আপনিই পেমিয়াংচি রওনা হবার আগে পাথর গড়িয়ে আমাকে সাবাড় করার চেষ্টা করেছিলেন। এবং আপনিই রুমটেকে আমাদের ফলো করে গিয়ে—'

ঘরের মধ্যে একজন বিকট হু হু হু শব্দ করে উঠল—কান্না আর ভয়ের মাঝামাঝি। ইনি নিশিকান্ত সরকার।

'বসুন নিশিকান্তবাবু।' ফেলুদা বলল, 'আর লুকিয়ে লাভ নেই। আপনি খুনের জায়গায় গিয়েছিলেন কেন? আর কাকে দেখেছিলেন সেখানে?'

নিশিকান্তবাবু হাত দুটোকে হ্যান্ডস্ আপের মতো করে মাথার উপর তুলে আবার সেই কোঁকানির সুরে বললেন, 'মশাই, জানতুম না ওই মূর্তিটা এত ভ্যা—মানে ভ্যালুয়েব্‌ল। তারপর যখন জানলুম—'

'টিবেটান ইনস্টিটিউটে আপনিই গেসলেন?'

'হ্যাঁ স্যার—আমিই। চাইতেই অন দি স্পট হাজার টাকা দিয়ে দিলেন। তাই সন্দেহ হল। তাই গেলাম—তা বলে কিনা ইউ—মানে ইউনিক জিনিস। তাই মানে—'

'ভাবলেন মরা লোকের পকেট মারতে ক্ষতি কী ? বিশেষ করে এককালে সে জিনিসটা যখন আপনারই ছিল !'

'সেই—মানে, সেই আর কী !'

'কিন্তু আপনি সেদিন খুনের জায়গায় কাউকে দেখেননি ?'

'না স্যার !'

'আপনি না দেখলেও, সে আপনাকে নিশ্চয়ই দেখেছিল—এবং ভেবেছিল আপনি তাকে দেখে ফেলেছেন। নইলে আর আপনাকে শাসাবে কেন ?'

'তা হবে !'

'মূর্তিটা কোথায় ?'

'মূর্তি ?' নিশিকান্তবাবু যেন আকাশ থেকে পড়লেন। ফেলুদাও অবাক।

'সে কী !... আপনি তা হলে—'

হঠাৎ একটা হুড়মুড় শব্দ আর তার সঙ্গে একটা কেলেঙ্কারি। শশধরবাবু তার চেয়ার ছেড়ে উঠে একটা প্রচণ্ড লাফ দিয়ে দরজার মুখে দাঁড়ানো হেলমুটকে এক ধাক্কায় ধরাশায়ী করে বাংলো থেকে বেরিয়ে গেলেন। দরজা একটাই, আর তার সামনে হেলমুটের গড়িয়ে পড়া শরীর—তাই ফেলুদার বেরোতে দশ সেকেন্ডের মতো দেরি হয়ে গেল।

সবাই যখন বাইরে পৌঁছেছি তখন জিপের ইঞ্জিন গর্জন করে উঠেছে। এই ড্রাইভারটাকেও নিশ্চয়ই হাত করা ছিল, আর সে সেই ধরনের বিপদের জন্য তৈরিই ছিল। শশধরবাবুকে নিয়ে জিপ প্রচণ্ড বেগে ঢাল নেমে বনের দিকে এগিয়ে গেল।

এদিকে আমাদের জিপটাও গর্জিয়ে উঠেছে, কারণ থোণ্ডুপ বুঝেছে যে আমরা নিশ্চয়ই ফলো করব। কিন্তু তার আর দরকার হল না। গাড়ি অদৃশ্য হবার আগেই ফেলুদার রিভলভারের দুটো অব্যর্থ গুলি তার পিছনের দুটো টায়ারকে ফাঁসিয়ে দিল।

জিপটা রাস্তার একদিকে কেদ্‌রে গিয়ে একটা গাছের গায়ে ধাক্কা লেগে থেমে গেল। দেখলাম শশধরবাবু লাফিয়ে পড়ে ঊর্ধ্বশ্বাসে বনের দিকে ছুটলেন। ড্রাইভারটা উলটো দিক দিয়ে বেরিয়ে জিপের স্টার্টিং হ্যান্ডেলটা উঁচিয়ে এগিয়ে এল। ফেলুদা তাকে অগ্রাহ্য করে ছুটল বনের দিকে—আমরা তিনজন তার পিছনে। ড্রাইভারকে নিয়ে মাথা ঘামানোর কোনও প্রয়োজন নেই, কারণ আমাদের থোণ্ডুপও তার জিপের হ্যান্ডেলটা হাতে নিয়ে তার প্রতিদ্বন্দ্বীর দিকে এগিয়ে চলেছে।

আমরা চারজন অন্ধকার বনের ভিতর ঢুকে চারদিকে ছড়িয়ে পড়ে প্রায় দশ মিনিট খোঁজার পর হেলমুটের একটা হাঁক শুনে তার দিকে গিয়ে দেখি, শশধরবাবু একটা প্রকাণ্ড বুড়ো গাছের পাশে দাঁড়িয়ে অদ্ভুত মুখ করে অদ্ভুত ভাবে লাফাচ্ছেন আর ছটফট করছেন।

আরও কাছে যেতে বুঝলাম যে তাঁকে জোঁকে ধরেছে—একটা নয়—অন্তত দুশো-তিনশো লক্‌লকে জোঁক তাঁর দুই পায়ের হাঁটু অবধি, আর কাঁধে, ঘাড়ে আর কনুইয়ের কাছটায় কিলবিল করছে। হেলমুট বলল, 'ভদ্রলোক বোধহয় এই আলগা শেকড়টায় হোঁচট খেয়ে মাটিতে পড়েছিলেন, তাতেই এই দশা।'

ফেলুদা শশধরবাবুর কোটের কলার ধরে টেনে-হিঁচড়ে তাকে বনের বার করল। তারপর আমাকে বলল, 'দৌড়ে গিয়ে জোঁক-ছাড়ানো কাঠিগুলো নিয়ে আয়।'

আমাদের খাওয়া হয়ে গেছে। আমরা ডাকবাংলোর বারান্দায় বসে আছি। হেলমুট

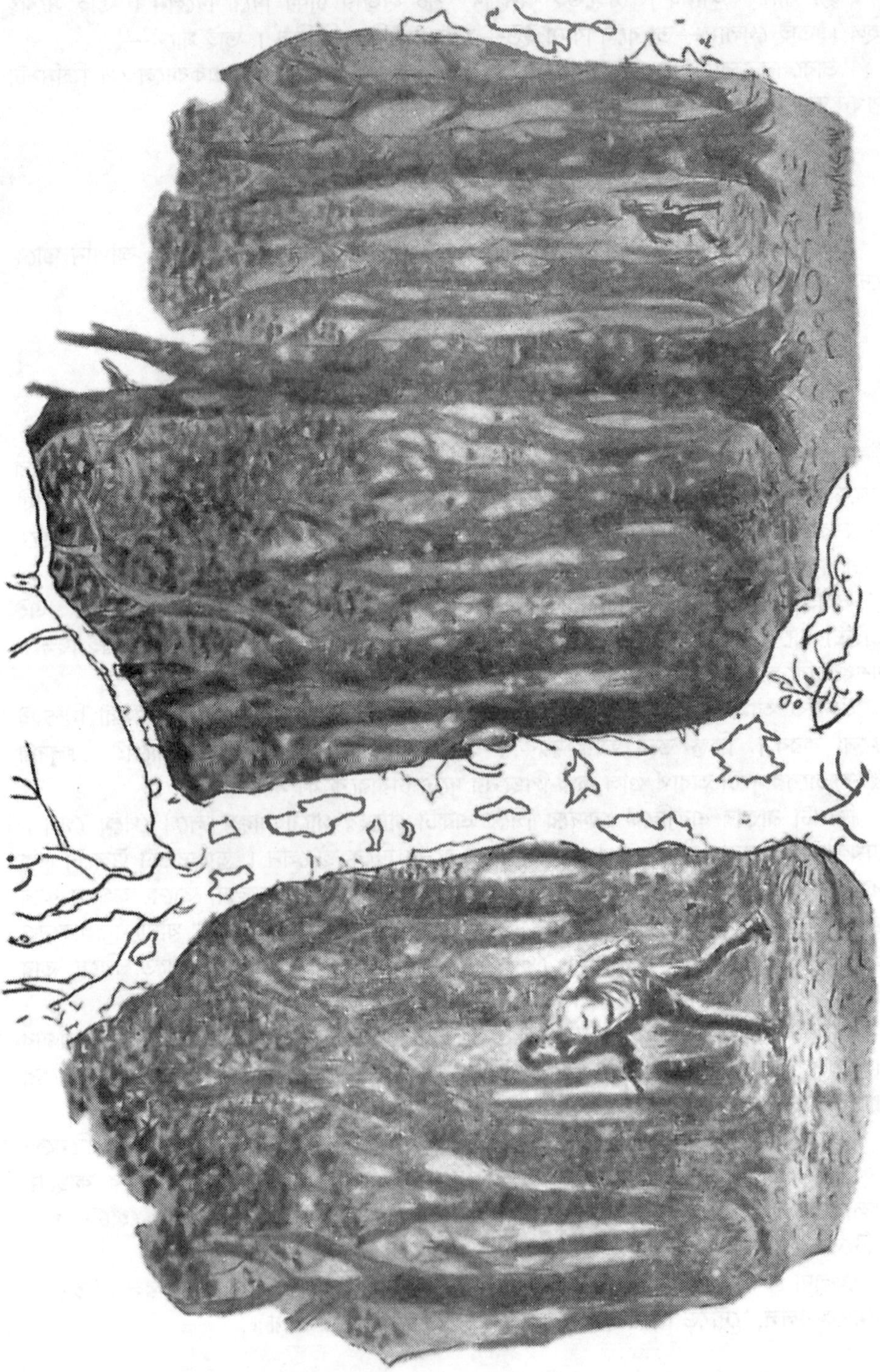

বাইরে দাঁড়িয়ে অকির্ডের ছবি তুলছে। থোণ্ডুপ গেজিং থেকে পুলিশ নিয়ে এসেছে। মূর্তিটা শশধরবাবুর কাছেই পাওয়া গেছে। খুনের সময় মূর্তিটা নেবার কথা তাঁর খেয়াল হয়নি। পরের দিন সেটার কথা মনে পড়ায় লোভ সামলাতে না পেরে খুনের জায়গায় ফিরে গিয়ে সেটা একটা ঝোপের পাশ থেকে খুঁজে বার করেন। উনি যখন মূর্তি নিয়ে উঠে আসছেন, তখন নিশিকান্তবাবু একই উদ্দেশ্যে নামছেন। নিশিকান্ত শশধরকে দেখেনি, কিন্তু শশধর নিশিকান্তকে দেখেছে, আর সেই থেকে তাকে শাসাতে শুরু করেছে।

আরও একটা ব্যাপার—বম্বেতে নাকি শশধরবাবুর একটি সাকরেদ ছিল—তার সঙ্গে গ্যাংটক থেকে শশধরবাবুর টেলিফোনে যোগাযোগ ছিল। সেই সাকরেদই নাকি ফেলুদার টেলিফোন ধরে, এবং ফেলুদার টেলিগ্রামের খবরটা সে-ই নাকি গ্যাংটকে শশধরবাবুকে জানায়।

ফেলুদা সঙ্গে পান এনেছিল ; চিবোতে চিবোতে নিশিকান্তবাবুকে বলল, 'আপনিও যে একটি ছোটখাটো ক্রিমিন্যাল সে বিষয়ে কোনও সন্দেহ নেই। নেহাত আপনার ভাগ্য ভাল তাই আপনি যমন্তকটা ফিরে পাননি। পেলে আপনার জন্যে একটা শাস্তির ব্যবস্থা করতে হত।'

নিশিকান্তবাবু কাঁচুমাচু ভাব করে বললেন, 'পানিশমেন্ট তো হয়েছেই স্যার ! তিন-তিনখানা জোঁক বেরিয়েছে আমার ডান পায়ের মোজার ভিতর থেকে। অনেক রক্ত খেয়েছে ব্যাটারা। ফলে বেশ উইক বোধ করছি।'

'যাই হোক—ঠাকুরদাদার সংগ্রহ করা কোনও তিব্বতি জিনিস আশা করি ভবিষ্যতে বিক্রি করবেন না। এই নিন আপনার বোতাম।'

এই প্রথম লক্ষ করলাম ভদ্রলোকের শার্টের গলার সবচেয়ে নীচের বোতামটা নেই।

নিশিকান্তবাবু বোতামটা ফেরত নিয়ে তাঁর চারকোনা গোঁফের নীচে সেই পুরনো হাসিটা হেসে বললেন, 'থ্যা—মানে থ্যাঙ্কস !'

সোনার কেল্লা

১

ফেলুদা হাতের বইটা সশব্দে বন্ধ করে টক্ টক্ করে দুটো তুড়ি মেরে বিরাট হাই তুলে বলল, 'জিয়োমেট্রি।'

আমি জিজ্ঞেস করলাম, 'এতক্ষণ কি তুমি জিয়োমেট্রির বই পড়ছিলে ?'

বইটায় একটা খবরের কাগজের মলাট দেওয়া, তাই নামটা পড়তে পারিনি। এটা জানি যে, ওটা সিধু জ্যাঠার কাছ থেকে ধার করে আনা। সিধু জ্যাঠার খুব বই কেনার বাতিক, আর বইয়ের খুব যত্ন। সবাইকে বই ধার দেন না, তবে ফেলুদাকে দেন। ফেলুদাও সিধু জ্যাঠার বই বাড়িতে এনেই আগে সেটায় একটা মলাট দিয়ে নেয়।

একটা চারমিনার ধরিয়ে পর পর দুটো ধোঁয়ার রিং ছেড়ে ফেলুদা বলল, 'জিয়োমেট্রির বই বলে আলাদা কিছু নেই। যে-কোনও বই-ই জিয়োমেট্রির বই হতে পারে, কারণ সমস্ত জীবনটাই জিয়োমেট্রি। লক্ষ করলি নিশ্চয়ই—ধোঁয়ার রিংটা যখন আমার মুখ থেকে বেরোল, তখন ওটা ছিল পার্ফেক্ট সার্কল। এই সার্কল জিনিসটা কী ভাবে ছড়িয়ে আছে

বিশ্বব্রহ্মাণ্ডে সেটা একবার ভেবে দ্যাখ। তোর নিজের শরীরে দ্যাখ। তোর চোখের মণিটা একটা সার্কল। এই সার্কলের সাহায্যে তুই দেখতে পাচ্ছিস আকাশের চাঁদ তারা সূর্য। এগুলোকে ফ্ল্যাটভাবে কল্পনা করলে সার্কল, আসলে গোলক—এক-একটা সলিড বুদ্বুদ, অর্থাৎ জিয়োমেট্রি। সৌরজগতের গ্রহগুলো আবার সূর্যকে প্রদক্ষিণ করছে এলিপটিভ কার্ভে। এখানেও জিয়োমেট্রি। তুই যে একটু আগে জানালা দিয়ে থুক করে রাস্তায় থুতু ফেললি—অবিশ্যি ফেলা উচিত নয়—ওটা আনহাইজিনিক—নেক্সট টাইম ফেললে গাঁট্টা খাবি—ওই থুতুটা গেল কিন্তু একটা প্যারাবোলিক কার্ভে—জিয়োমেট্রি। মাকড়সার জাল জিনিসটা ভাল করে দেখেছিস কখনও। কী জটিল জিয়োমেট্রি রয়েছে তাতে জানিস? একটা সরল চতুষ্কোণ দিয়ে শুরু হয় জাল বোনা। তারপর সেটাকে দুটো ডায়াগন্যাল টেনে চারটে ত্রিকোণে ভাগ করা হয়। তারপর সেই ডায়াগন্যাল দুটোর ইন্টারসেক্টিং পয়েন্ট থেকে শুরু হয় স্পাইর‍্যাল জাল; আর সেটাই ক্রমশ বাড়তে বাড়তে পুরো চতুষ্কোণটাকে ছেয়ে ফেলে। ব্যাপারটা এমন তাজ্জব যে ভাবলে কূলকিনারা পাবি না।...'

রবিবারের সকাল। আমরা দুজনে আমাদের বাড়ির একতলার বৈঠকখানায় বসে আছি। বাবা তাঁর রবিবারের নিয়ম মতো ছেলেবেলার বন্ধু সুবিমল কাকার বাড়িতে আড্ডা মারতে গেছেন। ফেলুদা সোফায় বসে তার পা দুটো সামনের নিচু টেবিলটার উপর তুলে দিয়েছে। আমি বসেছি তক্তপোশে, দেয়ালের সঙ্গে তাকিয়াটা লাগিয়ে তাতে ঠেস দিয়ে। আমার হাতে রয়েছে প্লাস্টিকের তৈরি একটা গোলকধাঁধার ভিতর তিনটে ছোট্ট লোহার দানা। প্রায় আধ ঘণ্টা ধরে সেই দানাগুলোকে ঘুরিয়ে ঘুরিয়ে গোলকধাঁধার মাঝখানে আনবার চেষ্টা করছি। বুঝলাম যে, এ-ও একটা কঠিন জিয়োমেট্রির ব্যাপার।

কাছেই নীহার-পিন্টুদের বাড়িতে পুজোর প্যান্ডেলে 'কাটি পতঙ্গ' ছবির 'ইয়ে জো মহব্বৎ হ্যায়' গানটা বাজছে। গোল গ্রামাফোন রেকর্ডে মিহি স্পাইর‍্যাল প্যাঁচ। অর্থাৎ জিয়োমেট্রি।

'কেবল চোখে দেখা যায় এমন জিনিস না,' ফেলুদা বলে চলল, 'মানুষের মনের ব্যাপারটাও জিয়োমেট্রির সাহায্যে বোঝানো যায়। সাদাসিধে মানুষের মন স্ট্রেট লাইনে চলে; প্যাঁচালো মন সাপের মতো এঁকেবেঁকে চলে, আবার পাগলের মন যে কখন কোন দিকে চলবে তা কেউ বলতে পারে না—একেবারে জটিল জিয়োমেট্রি।'

ফেলুদার দৌলতে অবিশ্যি আমার সোজা-বাঁকা পাগল-ছাগল অনেক রকম লোকের সঙ্গেই আলাপ হবার সুযোগ হয়েছে। ফেলুদা নিজে কীরকম জ্যামিতিক নকশার মধ্যে পড়ে, সেটাই এখন ভাবছিলাম। ওকে জিজ্ঞেস করাতে বলল, 'একটা মেনি-পয়েন্টেড স্টার বা জ্যোতিষ্ক বলতে পারিস।'

'আর আমি কি সেই জ্যোতিষ্কের স্যাটিলাইট?'

'তুই একটা বিন্দু, যেটাকে অভিধানে বলে পরিমাণহীন স্থাননির্দেশক চিহ্ন।'

আমার নিজেকে স্যাটিলাইট বলে ভাবতে ভালই লাগে। তবে সব সময় স্যাটিলাইট থাকা সম্ভব হয় না এই যা আফশোস। গ্যাংটকে গণ্ডগোলের ব্যাপারে অবিশ্যি ওর সঙ্গেই ছিলাম, কারণ তখন আমার ছুটি ছিল। তার পরের দুটো তদন্তের ব্যাপারে—একটা ধলভূমগড়ে খুন, আরেকটা পাটনায় একটা জাল উইলের ব্যাপার—এই দুটোতে আমি বাদ পড়ে গেছি। এখন পুজোর ছুটি। কদিন থেকেই ভাবছি এই সময় একটা কেস এলে মন্দ হয় না, কিন্তু সেটা যে সত্যিই এসে পড়বে তা ভাবতে পারিনি। ফেলুদা অবিশ্যি বলে, যে-কোনও জিনিস মনে মনে খুব জোর দিয়ে চাইলে অনেক সময় আপনা থেকেই এসে পড়ে। মোট কথা আজ যেটা ঘটল সেটা আমার এই চাওয়ার ফল বলে ভেবে নিতে আমার কোনও আপত্তি নেই।

পিন্টুদের বাড়ির লাউডস্পিকারে সবেমাত্র 'জনি মেরা নাম'-এর একটা গান দিয়েছে, ফেলুদা অ্যাশ-ট্রেতে ছাই ফেলে হিন্দুস্থান স্ট্যান্ডার্ড কাগজটা হাতে নিয়েছে, আমি একবার রাস্তায় বেরোব কি না ভাবছি, এমন সময় আমাদের বাইরের দরজার কড়াটা কে যেন সজোরে নেড়ে উঠল। বাবা বারোটার আগে ফিরবেন না, তাই বুঝলাম এ অন্য লোক। দরজা খুলে দেখি, ধুতি আর নীল শার্ট পরা একজন নিরীহ গোছের ভদ্রলোক দাঁড়িয়ে আছেন।

'এ বাড়িতে প্রদোষ মিত্তির বলে কেউ থাকেন ?'

লাউডস্পিকারের জন্য প্রশ্নটা করতে ভদ্রলোককে বেশ চেঁচাতে হল। নিজের নাম শুনে ফেলুদা সোফা ছেড়ে দরজার দিকে এগিয়ে এল।

'কোত্থেকে আসছেন ?'

'আজ্ঞে, আমি আসছি সেই শ্যামবাজার থেকে।'

'ভেতরে আসুন।'

ভদ্রলোক ঘরে ঢুকে এলেন।

'বসুন। আমিই প্রদোষ মিত্তির।'

'ওঃ! আপনি এত ইয়ং সেটা আমি ঠিক...'

ভদ্রলোক গদগদ ভাব করে সোফার পাশের চেয়ারটায় বসে পড়লেন। তাঁর হাসি কিন্তু বসার পরেই মিলিয়ে গেল।

'কী ব্যাপার ?' ফেলুদা জিজ্ঞেস করল।

ভদ্রলোক গলা খাকরিয়ে বললেন, 'কৈলাস চৌধুরী মশায়ের কাছ থেকে আপনার অনেক সুখ্যাতি শুনেছি। তিনি, মানে, আমার একজন খদ্দের আর কী। আমার নাম সুধীর ধর। আমার একটা বইয়ের দোকান আছে কলেজ স্ট্রিটে—ধর অ্যান্ড কোম্পানি—দেখে থাকতে পারেন হয়তো।'

ফেলুদা ছোট্ট করে মাথা নেড়ে 'হ্যাঁ' বুঝিয়ে দিল। তারপর আমায় বলল, 'তোপ্সে—জানলাটা বন্ধ করে দে তো।'

রাস্তার দিকের জানালাটা বন্ধ করতে গানের আওয়াজটা একটু কমল আর তার ফলে ভদ্রলোকও আরেকটু স্বাভাবিকভাবে বাকি কথাগুলো বলতে পারলেন।

'দিন সাতেক আগে খবরের কাগজে একটা খবর বেরিয়েছিল আমার ছেলের বিষয়ে—আপনি কি... ?'

'কী খবর বলুন তো ?'

'ওই জাতিস্মর...মানে...'

'ওই মুকুল বলে ছেলেটি ?'

'আজ্ঞে হ্যাঁ।'

'খবরটা তা হলে সত্যি ?'

'মানে, ও আপনার যে ধরনের কথাবার্তা বলে তাতে তো...'

জাতিস্মর ব্যাপারটা আমি জানতাম। এক-একজন থাকে, তাদের নাকি হঠাৎ পূর্বজন্মের কথা মনে পড়ে যায়। তাদের বলে জাতিস্মর।

অবিশ্যি পূর্বজন্ম বলে কিছু আছে কি না সেটা ফেলুদাও নাকি জানে না।

ফেলুদা চারমিনারের প্যাকেটটা খুলে ভদ্রলোকের দিকে এগিয়ে দিল। ভদ্রলোক একটু হেসে মাথা নেড়ে বুঝিয়ে দিলেন তিনি খান না। তারপর বললেন, 'বোধহয় মনে থাকবে, আমার এই ছেলেটি—আট বছর মাত্র বয়স—একটা জায়গার বর্ণনা দেয়, সেখানে নাকি সে গেছে। অথচ তেমন জায়গায়—আমার ছেলে তো দূরের কথা—আমার বা আমার

পূর্বপুরুষদের কারুর কখনও যাবার সৌভাগ্য হয়নি। ছা-পোষা লোক, বুঝতেই তো পারছেন। দোকান দেখি, এদিকে বইয়ের বাজার দিনে দিনে—'

'একটা দুর্গের কথা বলে না আপনার ছেলে?' ফেলুদা ভদ্রলোককে কতকটা বাধা দিয়েই বলল।

'আজ্ঞে হ্যাঁ। বলে—সোনার কেল্লা। তার মাথায় কামান বসানো আছে, যুদ্ধ হচ্ছে, লোক মরছে—সে সব নাকি সে দেখেছে। সে নিজে পাগড়ি পরে উটের পিঠে চড়ে বালির উপর বেড়াত। বালির কথা খুব বলে। হাতি ঘোড়া এ সব অনেক কিছু বলে। আবার ময়ূরের কথা বলে। ওর হাতে একটা দাগ আছে কনুইয়ের কাছে। সেটা জন্মে অবধি আছে। আমরা তো জন্মদাগ বলেই জানতাম। ও বলে যে একবার নাকি একটা ময়ূর ওকে ঠোকর মেরেছিল, এটা নাকি সেই ঠোকরের দাগ।'

'কোথায় থাকত সেটা পরিষ্কার ভাবে বলে?'

'না—তবে তার বাড়ি থেকে নাকি সোনার কেল্লা দেখা যেত। মাঝে মাঝে কাগজে হিজিবিজি কাটে পেনসিল দিয়ে। বলে—এই দ্যাখো আমার বাড়ি। দেখে তো বাড়ির মতোই মনে হয়।'

'বই-টইয়ের মধ্যে এমন কোনও জায়গার ছবি সে দেখে থাকতে পারে না? আপনার তো বইয়ের দোকান আছে...'

'তা অবিশ্যি পারে। কিন্তু ছবির বই তো অনেক ছেলেই দেখে—তাই বলে কি তারা অষ্টপ্রহর এইভাবে কথা বলে? আপনি আমার ছেলেকে দেখেননি তাই। সত্যি বলতে কী—তার মনটাই যেন পড়ে আছে অন্য কোথাও। নিজের বাড়ি, নিজের ভাই-বোন বাপ-মা আত্মীয়স্বজন—এর কোনওটাই যেন তার আপন নয়। আমাদের মুখের দিকে তাকিয়ে কথাই বলে না সে ছেলে।'

'কবে থেকে এই সব বলতে শুরু করেছে?' ফেলুদা জিজ্ঞেস করল।

'তা মাস দুয়েক। ওই ছবি আঁকা দিয়েই শুরু, জানেন। সেদিন খুব জল হয়েছে, আমি দোকান থেকে সবে ফিরিচি, আর সে আমায় এসে ছবি দেখাচ্ছে। গোড়ায় গা করিনি। ছেলেবয়সে তো কত রকম পাগলামিই থাকে! কানের কাছে ভ্যানর ভ্যানর করেছে, কান পাতিনি। আমার গিন্নিই প্রথম খেয়াল করে। তারপর কদ্দিন ধরে তার কথা শুনে-টুনে, তার হাবভাব দেখে, আমার আরেক খদ্দের আছে—নাম শুনেছেন কি?—ডাক্তার হেমাঙ্গ হাজরা...'

'হ্যাঁ হ্যাঁ। প্যারাসাইকলজিস্ট। শুনেছি বইকী। তা তিনি তো আপনার ছেলেকে নিয়ে বাইরে কোথায় যাবেন বলে কাগজে বেরিয়েছে।'

'যাবেন না, চলে গেছেন অলরেডি। তিনদিন এলেন আমার বাড়িতে। বললেন, এ তো রাজপুতানার কথা বলছে বলে মনে হচ্ছে। আমি বললুম হতে পারে। শেষটায় বলেন কী, তোমার ছেলে জাতিস্মর; এই জাতিস্মর নিয়ে আমি রিসার্চ করছি। আমি তোমার ছেলেকে সঙ্গে নিয়ে রাজপুতানায় যাব। ঠিক জায়গায় গিয়ে ফেলতে পারলে তোমার ছেলের নিশ্চয়ই আরও অনেক কথা মনে পড়বে। তাতে আমার খুব সুবিধে হবে। ওর খরচাও আমি দেব, খুব যত্নে রাখব, তোমার কিছু ভাবতে হবে না।'

'তারপর?' ফেলুদার গলার স্বর আর তার এগিয়ে বসার ভঙ্গিতে বুঝলাম সে বেশ ইন্টারেস্ট পেয়েছে।

'তারপর আর কী—মুকুলকে নিয়ে চলে গেলেন!'

'ছেলে আপত্তি করেনি?'

ভদ্রলোক একটা শুকনো হাসি হেসে বললেন, 'কোথায় আছেন আপনি ? যেই বললে সোনার কেল্লা দেখাবে অমনি এক কথায় রাজি হয়ে গেল। আপনি তো দেখেননি আমার ছেলেকে। ও, মানে, ঠিক আর পাঁচটা ছেলের মতো নয়। একেবারেই নয়। রাত তিনটের সময় উঠে বসে আছে। গুন-গুন করে গান গাইছে। ফিলিমের গানটান নয় মশাই—গেঁয়ো গেঁয়ো সুর—তবে বাংলাদেশের গাঁ নয় এটা জানি। আমি আবার একটু হারমোনিয়াম-টারমোনিয়াম বাজাই, বুঝেছেন...'

ভদ্রলোক এত কথা বললেন, কিন্তু ফেলুদার কাছে কেন এলেন, গোয়েন্দার কেন প্রয়োজন হতে পারে তাঁর, সেটা এখনও পর্যন্ত কিছুই বললেন না। হঠাৎ ফেলুদার একটা কথাতেই যেন ব্যাপারটা একটা অন্য চেহারা নিয়ে নিল।

'আপনার ছেলে তো কী সব গুপ্তধনের কথা বলেছে না ?'

ভদ্রলোক হঠাৎ কেমন যেন মুষড়ে পড়ে একটা দীর্ঘশ্বাস ফেলে বললেন, 'সেইখানেই তো গণ্ডগোল মশাই। আমায় বলেছে বলেছে, কিন্তু কাগজের রিপোর্টারের সামনে কথাটা বলেই তো সর্বনাশ করেছে।'

'কেন, সর্বনাশ বলছেন কেন ?' প্রশ্নটা করেই ফেলুদা আমাদের চাকর শ্রীনাথকে হাঁক দিয়ে চা আনতে বলল।

ভদ্রলোক বললেন, 'কেন, সেটা বুঝতেই পারবেন। গতকাল সকালে তুফান এক্সপ্রেসে হেমাঙ্গবাবু আমার ছেলেকে নিয়ে রাজস্থান রওনা দিয়েছেন, আর—'

ফেলুদা বাধা দিয়ে বলল, 'রাজস্থানের কোন জায়গায় গেছেন সেটা জানেন ?'

সুধীরবাবু বললেন, 'যোধপুর বলেই তো বললেন। বললেন, 'যখন বালির কথা বলছে, তখন উত্তর-পশ্চিম দিকটা দিয়ে শুরু করব। তা, সে যাক গে—এখন কথা হচ্ছে কী, কালই

সন্ধ্যায় আমাদের পাড়া থেকে একটি মুকুলের বয়সী ছেলেকে কে বা কারা যেন ধরে নিয়ে যায়।'

'আপনার ধারণা তাকে আপনার ছেলে বলে ভুল করে?'

'সে বিষয়ে কোনও সন্দেহই নেই। দুজনের চেহারাতেও বেশ মিল আছে। শিবরতন মুখুজ্যে সলিসিটরের বাড়ি আছে আমাদের পাড়ায়, এটি সে বাড়িরই ছেলে, নাম নীলু, মুখুজ্যে মশায়ের নাতি। তাদের বাড়িতে, বুঝতেই পারছেন, কান্নাকাটি পড়ে গেস্‌ল। পুলিশ-টুলিস অনেক হাঙ্গামা। এখন অবিশ্যি তাকে ফিরে পেয়ে সব ঠাণ্ডা।'

'এর মধ্যেই ফেরত দিয়ে দিল?'

'আজই ভোরে। কিন্তু তাতে কী হল মশাই! আমার তো এদিকে মাথা খারাপ হয়ে গিয়েছে। যারা কিডন্যাপ করেছিল তারা তো বুঝেছে ভুল ছেলে এনেছে। কিন্তু সে ছেলে যে এদিকে তাদের বলে দিয়েছে যে মুকুল যোধপুর গেছে। এখন ধরুন যদি সে গুণ্ডারা গুপ্তধনের লোভে রাজস্থান ধাওয়া করে তা হলে তো বুঝতেই পারছেন...'

ফেলুদা চুপ করে ভাবছে। তার কপালে চারটে ঢেউ-খেলানো দাগ। আমার বুকের ভিতর টিপটিপানি। সেটা আর কিছু নয়—এই সুযোগে যদি পুজোয় রাজস্থানটা ঘুরে আসা যায়, সেই আশায় আর কী। যোধপুর, চিতোর, উদয়পুর—নামগুলো শুনেছি কেবল, আর ইতিহাসে পড়েছি। আর অবন ঠাকুরের রাজকাহিনীতে—যেটা আমার নরেশ কাকা আমাকে জন্মদিনে দেয়।

শ্রীনাথ চা এনে রাখল টেবিলের উপর। ফেলুদা সুধীরবাবুর দিকে একটা পেয়ালা এগিয়ে দিলেন। ভদ্রলোক এবার একটা কিন্তু-কিন্তু ভাব করে বললেন, 'আপনার বিষয় কৈলাসবাবু যা বলেছিলেন, তাতে তো আপনাকে খুবই ইয়ে বলে মনে হয়। তাই ভাবছিলুম, যদি ধরুন, আপনি যদি রাজস্থানটা যেতে পারতেন! অবিশ্যি গিয়ে যদি দেখেন ওরা নিরাপদে আছে, তা হলে তো কথাই নেই। কিন্তু যদি ধরুন গিয়ে কিছু গোলমাল দেখেন! মানে, আপনার সাহসের কথাও অনেক শুনিচি। অবিশ্যি আমি নেহাত ছা-পোষা লোক। আপনার কাছে আসাটাই আমার পক্ষে একটা ধৃষ্টতা। কিন্তু যদি ধরুন আপনি যেতে রাজিই হন, তা হলে আপনার, মানে, যাতায়াতের খরচটা আমি আপনাকে নিশ্চয়ই দেব।'

ফেলুদা কপালে ভ্রূকুটি নিয়ে আরও অন্তত মিনিট খানেক ওইভাবে চুপ করে বসে রইল। তারপর বলল, 'আমি কী স্থির করি, সেটা আপনাকে কাল জানাব। আপনার ছেলের একটা ছবি বাড়িতে আছে নিশ্চয়ই? কাগজে যেটা বেরিয়েছিল সেটা তেমন স্পষ্ট নয়।'

সুধীরবাবু চায়ে একটা বড় রকম চুমুক দিয়ে বললেন, 'আমার খুড়তুতো ভাই ছবি-টবি তোলে—সে একটা তুলেছিল মুকুলের ছবি। আমার গিন্নির কাছে আছে।'

'ঠিক আছে।'

ভদ্রলোক বাকি চা-টা শেষ করে হাত থেকে কাপ রেখে উঠে পড়লেন।

'আমার দোকানে অবিশ্যি টেলিফোন আছে—৩৪-৫১১৬। দশটা থেকে আমি দোকানে থাকি।'

'আপনি এমনিতে থাকেন কোথায়?'

'মেছোবাজার। সাত নম্বর মেছোবাজার স্ট্রিট। মেন রোডের উপরেই।'

ভদ্রলোক চলে যাবার পর দরজাটা বন্ধ করে দিয়ে ফেলুদাকে বললাম, 'আচ্ছা, একটা কথার কিন্তু মানে বুঝতে পারলাম না!'

'প্যারাসাইকলজিস্ট তো?'

আমি বললাম, 'হ্যাঁ।'

ফেলুদা বলল, 'মানুষের মনের কতগুলো বিশেষ ধরনের ধোঁয়াটে দিক নিয়ে যারা চর্চা করে তাদের বলে প্যারাসাইকলজিস্ট। যেমন টেলিপ্যাথি। একজন লোক আরেকজন লোকের মনের কথা জেনে ফেলল। কিংবা নিজের মনের জোরে আরেকজনের চিন্তার মোড় ঘুরিয়ে দিল। অনেক সময় এমন হয় যে, তুই ঘরে বসে আছিস, হঠাৎ একজন পুরনো বন্ধুর কথা মনে পড়ল—আর ঠিক সেই মুহূর্তেই সে বন্ধু তোকে টেলিফোন করল। প্যারাসাইকলজিস্টরা বলে যে ব্যাপারটা আকস্মিক নয়। এর পেছনে আছে টেলিপ্যাথি। আরও আছে। যেমন এক্সট্রা সেন্সরি-পারসেপশন—যাকে সংক্ষেপে বলে ই এস্ পি। ভবিষ্যতে কী ঘটতে যাচ্ছে সেটা আগে থেকে জেনে ফেলা। বা এই যে জাতিস্মর—পূর্বজন্মের কথা মনে পড়ে যাওয়া। এগুলো সবই হচ্ছে প্যারাসাইকলজিস্টদের গবেষণার বিষয়।'

'এই হেমাঙ্গ হাজরা বুঝি খুব বড় প্যারাসাইকলজিস্ট?'

'যে কটি আছেন, তাদের মধ্যে তো বেশ নামকরা বলেই জানি। বিদেশে-টিদেশে গেছে, লেকচার-টেকচার দিয়েছে, বোধহয় একটা সোসাইটিও করেছে।'

'তোমার এ সব জিনিসে বিশ্বাস হয় বুঝি?'

'আমি যেটা বিশ্বাস করি সেটা হল এই যে, প্রমাণ ছাড়া কোনও জিনিস বিশ্বাস বা অবিশ্বাস করাটা বোকামো। মনটা খোলা না রাখলে যে মানুষকে বোকা বনতে হয়, তার প্রমাণ ইতিহাসে অজস্র আছে। এককালে লোকে পৃথিবীটা ফ্ল্যাট বলে মনে করত জানিস? আর ভাবত যে একটা জায়গায় গিয়ে পৃথিবীটা ফুরিয়ে গেছে, যার পর আর যাওয়া যায় না। কিন্তু ভূপর্যটক ম্যাগেলান যখন এক জায়গা থেকে রওনা হয়ে ভূপ্রদক্ষিণ করে আবার সেই জায়গাতেই ফিরে এলেন, তখন ফ্ল্যাট-ওয়ালারা সব মাথা চুলকোতে লাগলেন। আবার লোকে এটাও বিশ্বাস করেছে যে, পৃথিবীটাই স্থির, গ্রহ-নক্ষত্র-সূর্য তাকে প্রদক্ষিণ করছে। এক সময় একদল আবার ভাবত যে, আকাশটা বুঝি একটা বিরাট উপুড়-করা বাটি, যার গায়ে তারাগুলো সব মণিমুক্তোর মতো বসানো আছে। কোপারনিকাস প্রমাণ করল যে সূর্যই স্থির, আর সূর্যকে ঘিরেই পৃথিবী সমেত সৌরজগতের সব কিছু ঘুরছে। কিন্তু কোপারনিকাস ভেবেছিল যে, এই ঘোরাটা বুঝি বৃত্তাকারে। কেপলার এসে প্রমাণ করল, ঘোরাটা আসলে এলিপটিক কক্ষে। তারপর আবার গ্যালিলিও...যাক গে, তোকে এত জ্ঞান দিয়ে লাভ নেই। তোর নাবালক মস্তিষ্কে এ সব ঢুকবে না।'

ফেলুদা এত বড় গোয়েন্দা হয়েও বুঝতে পারল না যে আমাকে এখন খোঁচা-টোঁচা দিয়ে আমার ফুর্তিটা মাটি করা সহজ হবে না, কারণ আমার মন অলরেডি বলছে যে এবার ছুটিটা রাজস্থানেই কাটবে, আর নতুন দেশ দেখার সঙ্গে সঙ্গে চলবে নতুন রহস্যের জট ছাড়ানো। দেখা যাক আমার টেলিপ্যাথির দৌড় কদ্দুর!

২

ফেলুদা যদিও একদিন সময় চেয়েছিল, সুধীরবাবু চলে যাওয়ার এক ঘণ্টার মধ্যেই ও রাজস্থান যাওয়া ঠিক করে ফেলল। কথাটা আমাকে বলতে আমি বললাম, 'আমিও যাচ্ছি তো?'

ফেলুদা বলল, 'এক মিনিটের মধ্যে রাজস্থানের পাঁচটা কেল্লাওয়ালা শহরের নাম করতে পারলে চান্স আছে।'

'যোধপুর, জয়পুর, চিতোর, বিকানির আর...আর...বুঁদির কেল্লা!'

রিস্টওয়াচের দিকে এক ঝলক তাকিয়ে নিয়ে তড়াক করে সোফা থেকে উঠে পড়ে সাড়ে

তিন মিনিটের মধ্যে পায়জামা পাঞ্জাবি ছেড়ে প্যান্ট-শার্ট পরে নিয়ে ফেলুদা বলল, 'আজ রোববার—দুটো পর্যন্ত ফেয়ারলি প্লেস খোলা—চট করে রিজার্ভেশনটা করে আসি।'

একটার মধ্যে ফেলুদা কাজ সেরে বাড়ি ফিরে এসে প্রথমেই ডিরেক্টরি খুলে নম্বর বার করে ডক্টর হেমাঙ্গ হাজরার বাড়িতে একটা টেলিফোন করল। যে লোকটা নেই, তাকে ফোন করা হচ্ছে কেন জিজ্ঞেস করাতে বলল, 'সুধীরবাবু লোকটা সত্যি কথা বলেছে কি না সেটার প্রমাণের দরকার ছিল।'

'পেলে প্রমাণ?'

'হ্যাঁ।'

দুপুরবেলাটা ফেলুদা বুকের তলায় বালিশ নিয়ে উপুড় হয়ে তার খাটে শুয়ে এক সঙ্গে পাঁচখানা বই ঘাঁটাঘাঁটি করল। দুটো বই পেলিক্যানের—সেগুলো প্যারাসাইকলজি সম্বন্ধে। এগুলো নাকি ফেলুদা তার কলেজের পুরনো বন্ধু অনুতোষ বটব্যালের কাছ থেকে ধার করে এনেছে। অন্য তিনটের মধ্যে একটা হল টড সাহেবের লেখা রাজস্থানের বই, আরেকটা হল গাইড টু ইন্ডিয়া, পাকিস্তান, বার্মা অ্যান্ড সিলোন, আর আরেকটা হল ভারতবর্ষের ইতিহাস, কার লেখা ভুলে গেছি।

বিকেলে চা খাবার পর ফেলুদা বলল, 'তৈরি হয়ে নে। একবার সুধীরবাবুর বাড়ি যাওয়া দরকার।'

এখানে বলে রাখি যে, বাবাকে রাজস্থান যাচ্ছি বলাতে উনি খুব খুশি হলেন। উনি নিজে দাদুর সঙ্গে ছেলেবেলায় দুবার রাজস্থান ঘুরে এসেছেন। বললেন, 'চিতোরটা মিস করিস না। চিতোরের কেল্লা দেখলে গায়ে কাঁটা দেয়। রাজপুতরা যে কত বড় বীর যোদ্ধা ছিল সেটা তাঁদের দুর্গের চেহারা দেখলেই বোঝা যায়।'

সন্ধ্যা সাড়ে ছটা নাগাত আমরা সাত নম্বর মেছোবাজার স্ট্রিটে গিয়ে হাজির হলাম। ফেলুদা যেতে রাজি হয়েছে শুনে সুধীরবাবুর মুখে আবার সেই গদগদ ভাব ফুটে উঠল।

'কী বলে যে কৃতজ্ঞতা জানাব আপনাকে তা বুঝতে পারছি না।'

ফেলুদা বলল, 'এখনও সেটার প্রয়োজন আসেনি সুধীরবাবু। এখন ধরে নিন আমরা এমনি বেড়াতে যাচ্ছি, আপনার অনুরোধে যাচ্ছি না!'

'যাই হোক, একটু চা খাবেন তো?'

'সময় খুব কম। আমরা কালই রওনা হচ্ছি। কিন্তু তার আগে দুটো কাজ আছে। এক হচ্ছে—আপনার ছেলের একটা ছবি চাই। আর দুই—যদি সম্ভব হয়, তা হলে সেই নীলু ছেলেটির সঙ্গে একবার দেখা করব—সেই যাকে কিডন্যাপ করেছিল।'

সুধীরবাবু বললেন, 'এমনিতে সে ছেলে বিকেলে বাড়িতে থাকে না। তা ছাড়া পুজোর বাজার, বুঝতেই তো পারছেন। তবে আজ বোধহয় তাকে আর বেরোতে দেবে না। দাঁড়ান, আগে ছবিটা এনে দিই আপনাকে।'

সুধীরবাবুর বাড়ির তিনটে বাড়ি পরে একই ফুটপাথে হল সলিসিটর শিবরতন মুখার্জির বাড়ি। ভদ্রলোক বাড়িতেই ছিলেন; সামনের বৈঠকখানায় তক্তপোশে একজন মুখে শ্বেতির দাগওয়ালা লোকের সঙ্গে বসে চা খাচ্ছিলেন। সুধীরবাবুর কথা শুনে বললেন, 'আপনার ছেলের দৌলতে আমার নাতিরও যে খ্যাতি বেড়ে যাচ্ছে দেখতে পাচ্ছি।—বসুন আপনারা। মনোহর!'

চাকর এলে পর শিবরতনবাবু বললেন, 'এঁদের তিনজনের জন্য চা কর। আর দেখ তো নীলু আছে কি না—বল আমি ডাকছি।'

আমরা একটা বড় টেবিলের পাশে তিনটে চেয়ারে বসেছিলাম। আমাদের দু পাশের

দেয়ালের সামনে সিলিং পর্যন্ত উঁচু আলমারি মোটা মোটা বইয়ে ঠাসা। ফেলুদা বলে যে আইনের ব্যাপারে যত বই লাগে, অন্য কিছুতেই নাকি তত লাগে না।

আমি এই ফাঁকে একবার মুকুলের ফোটোটা ভাল করে দেখে নিলাম। বাড়ির ছাতে তোলা ছবি। ছেলেটি রোদে ভুরু কুঁচকে গম্ভীর মুখ করে সোজা ক্যামেরার দিকে তাকিয়ে রয়েছে।

শিবরতনবাবু বললেন, 'নীলুকে আমরাও অনেক কিছু জিজ্ঞেস-টিজ্ঞেস করেছি। গোড়ার দিকে তো কথাই বলছিল না ; নার্ভাস শকে গুম মেরে গিয়েছিল। বিকেলের দিক থেকে একটু নরম্যাল মনে হচ্ছে।'

'পুলিশে খবর দেওয়া হয়নি ?' ফেলুদা জিজ্ঞেস করল।

'ধরে নিয়ে যাবার পর দেওয়া হয়েছিল। তবে তারা কিছু করবার আগেই তো দেখছি ফেরত এসে গেল।'

এইবার নীলু ছেলেটি এসে চাকরের সঙ্গে ঘরে ঢুকল। সত্যিই, ছবিতে মুকুলের যে চেহারা দেখছি, তার সঙ্গে বেশ মিল আছে। দেখে বেশ বোঝা যাচ্ছে ছেলেটির এখনও ভয় কাটেনি। সে সন্দেহের ভাব করে আমাদের দিকে চেয়ে রয়েছে।

ফেলুদা হঠাৎ প্রশ্ন করে বসল, 'তোমার হাতে বুঝি ব্যথা পেয়েছ, নীলু ?'

শিবরতন কী জানি একটা বলতে যাচ্ছিলেন, কিন্তু ফেলুদা তাঁকে ইশারা করে থামিয়ে দিল। নীলু নিজেই প্রশ্নটার জবাব দিল—

'ওরা যখন আমার হাত ধরে টানল, তখন আমার হাতে ভীষণ জ্বালা করল।'

কবজির কিছু ওপরে কাটা দাগটা স্পষ্ট বোঝা যাচ্ছে।

ফেলুদা বলল, 'ওরা বলছ—তার মানে একজনের বেশি লোক ছিল বুঝি ?'

'একজন লোক আমার চোখটা আর মুখটা চেপে ধরলে, আর কোলে তুলে নিয়ে গাড়িতে উঠল। আর আরেকজন তো গাড়ি চালাল। আমার খুব ভয় করছিল।'

'আমারও ভয় করত,' ফেলুদা বলল, 'তোমার চেয়েও বেশি। তুমি খুব সাহসী। তো তোমাকে যখন ধরল, তখন তুমি কী করছিলে ?'

'আমি ঠাকুর দেখতে যাচ্ছিলাম। মতিদের বাড়িতে পুজো হয়। মতি আমার ক্লাসে পড়ে।'

'রাস্তায় তখন বেশি লোকজন ছিল না বুঝি ?'

শিবরতনবাবু বললেন, 'এ দিকটায় পরশু একটা গোলমাল হয়ে গেছে। বোমা-টোমা পড়েছিল। তাই কাল সন্ধের দিকে লোক চলাচলটা একটু কমেছে।'

ফেলুদা মাথা নেড়ে একটা হুঁ শব্দ করে আবার নীলুর দিকে ফিরে বলল, 'তোমাকে ওরা কোথায় নিয়ে গেল ?'

'জানি না। আমার চোখ বেঁধে দিয়েছিল। অনেকক্ষণ গাড়ি চলল।'

'তারপর ?'

'তারপর একটা চেয়ারে বসাল। তারপর বসিয়ে একজন বলল, তুমি কোন ইস্কুলে পড় ? আমি ইস্কুলের নাম বললাম। তারপর বলল, তোমাকে যা জিজ্ঞেস করছি তার ঠিক ঠিক উত্তর দাও, তা হলে তোমার ইস্কুলের সামনে নামিয়ে দেব, আর তা হলে তুমি বাড়ি যেতে পারবে তো ? আমি বললাম, হ্যাঁ পারব। তারপর আমি বললাম, কী জিজ্ঞেস করবে তাড়াতাড়ি করো, দেরি হলে মা বকবে। তখন লোকটা বলল, সোনার কেল্লা কোথায় ? তখন আমি বললাম, আমি জানি না, আর মুকুলও জানে না ; ও খালি সোনার কেল্লা জানে। তখন ওরা সব কী ইংরিজিতে বলল, মিসটেক। তারপর বলল, তোমার নাম কী ? আমি বললাম, মুকুল আমার বন্ধু কিন্তু সে রাজস্থানে চলে গেছে। তখন বলল, জায়গাটার নাম তুমি জান ? আমি বললাম, জয়পুর।'

'জয়পুর বললে ?' ফেলুদা জিজ্ঞেস করল।

'না না, যোধপুর। হ্যাঁ, যোধপুর বললাম।'

নীলু একটু থামল। আমরাও সকলে চুপ। চাকর চা আর মিষ্টি এনে রেখে গেছে, কিন্তু কারুরই সে দিকে দৃষ্টি নেই। ফেলুদা বলল, 'আর কিছু মনে পড়ছে ?'

নীলু একটু ভেবে বলল, 'একজন লোক সিগারেট খাচ্ছিল। না না, চুরুট।'

'তুমি চুরুটের গন্ধ জান ?'

'আমার মেসোমশাই খায় যে।'

'সেই রাত্রে তুমি ঘুমোলে কোথায় ?' ফেলুদা প্রশ্ন করল।

নীলু বলল, 'জানি না তো।'

'জান না ? জান না মানে ?'

'আমাকে একবার বলল, দুধ খাও। তারপর একটা খুব ভারী গেলাসে দুধ দিল আর আমি খেলাম। আর তারপর তো আমি ঘুমিয়ে পড়লাম বসে বসেই।'

'তারপর ? ঘুম ভাঙল কখন ?'

নীলু একটু বেচারা-বেচারা ভাব করে শিবরতনবাবুর দিকে তাকাল। শিবরতনবাবু হেসে বললেন, 'ওর ঘুম ভাঙে বাড়িতে আসার পর। ওকে ওর স্কুলের সামনে ফেলে দিয়ে গিয়েছিল। তখন ও ঘুমন্ত। বোধহয় ভোর রাত্রের দিকে। তারপর আমাদের বাড়িতে যে লোকটা খবরের কাগজ দেয়, সে ভোরে সাইকেল করে ওখান দিয়ে যাবার সময় দেখতে পায়। ও-ই এসে আমাদের বাড়িতে খবর দেয়। তারপর আমি আর আমার ছেলে গিয়ে ওকে নিয়ে আসি। ডাক্তার বললে যে, কোনও ঘুমের ওষুধ একটু হেভি ডোজে খাইয়ে দিয়েছিল আর কী।'

ফেলুদা গম্ভীর। চায়ের পেয়ালাটা তুলে নিয়ে চাপা গলায় একবার শুধু বলল, 'স্কাউন্ড্রেলস্ !' তারপর নীলুকে পিঠ চাপড়িয়ে দিয়ে বলল, 'থ্যাঙ্ক ইউ নীলুবাবু। এবার তুমি যেতে পারো।'

শিবরতনবাবুর কাছ থেকে বিদায় নিয়ে রাস্তায় বেরোবার পর সুধীরবাবু বললেন, 'চিন্তার কারণ আছে বলে মনে করছেন কি ?'

ফেলুদা বলল, 'কয়েকজন অত্যন্ত লোভী এবং বেপরোয়া লোক যে আপনার ছেলের ব্যাপারে একটু বেশি মাত্রায় কৌতূহলী হয়ে পড়েছে সে তো দেখতেই পাচ্ছি। তবে তারা রাজস্থান পর্যন্ত যাবে কিনা সেটা বলা মুশকিল। ভাল কথা, আপনি বরং আমাকে একটা চিঠি দিয়ে দিন। ডক্টর হাজরা তো আর আমাকে চেনেন না। আপনি আমাকে ইনট্রোডিউস করে দিলে সুবিধে হবে।'

চিঠিটা দেবার পর সুধীরবাবু আরেকবার ফেলুদাকে রাজস্থানের ভাড়াটা অফার করলেন। ফেলুদা তাতে কানই দিল না। বাসস্টপের কাছাকাছি এসে ভদ্রলোক বললেন, 'গিয়ে অন্তত একটা খবর দেবেন স্যার। বড্ড চিন্তায় থাকব। অবিশ্যি ডাক্তারবাবু লিখবেন চিঠি, নিজেই কথা দিয়েছেন। কিন্তু যদি নাও লেখেন, আপনি অন্তত একখানা...'

বাড়িতে ফিরে এসে গোছগাছ করার আগে ফেলুদা তার বিখ্যাত নীল খাতা ভলিউম সিক্স খুলে খাটে বসে বলল, 'কতগুলো তারিখের হিসেব বল তো দেখি—লিখে নি। ডক্টর হাজরা মুকুলকে নিয়ে রাজস্থান রওনা হয়েছেন কবে ?'

'গতকাল ৯ই অক্টোবর।'

'নীলুকে কিডন্যাপ করেছিল কবে ?'

'কালই। সন্ধেবেলা।'

'ফেরত দিয়েছে আজ সকালে, অর্থাৎ ১০ই। আমরা রওনা হচ্ছি কাল ১১ই সকালে। আগ্রা পৌঁছাব ১২ই। সেদিনই বিকেলে ট্রেনে চড়ে সেদিনই রাত্রে পৌঁছাব বান্দিকুই। বান্দিকুই থেকে রাত ১২টায় গাড়ি, মাড়ওয়ার পৌঁছাব পরদিন ১৩ই দুপুরে। সেখান থেকে আবার গাড়ি বদল করে যোধপুর পৌঁছাব সেদিনই—অর্থাৎ ১৩ই—সন্ধ্যাবেলা, ১৩ই...১৩ই...'

এইভাবে ফেলুদা কিছুক্ষণ আপন মনে বিড়বিড় করে কী জানি ক্যালকুলেট করল। তারপর বলল, 'জিয়োমেট্রি। এখানেও জিয়োমেট্রি। একটা বিন্দু—সেই বিন্দুর দিকে কনভার্জ করছে কতগুলো লাইন। জিয়োমেট্রি...'

৩

আমরা আধ ঘণ্টা হল আগ্রা ফোর্ট স্টেশন থেকে বান্দিকুইয়ের ট্রেনে চেপেছি। আগ্রায় হাতে তিন ঘণ্টা সময় ছিল। সেই ফাঁকে দশ বছর বাদে আরেকবার তাজমহলটা দেখে নিলাম, আর ফেলুদাও আমাকে তাজের জিয়োমেট্রি সম্পর্কে একটা ছোটখাটো লেকচার দিয়ে দিল।

গতকাল কলকাতা ছাড়ার আগে একটা জরুরি কাজ সেরে নিয়েছিলাম—সেটার কথা এখানে বলে রাখি। তুফান এক্সপ্রেস ছাড়বে সকাল সাড়ে নটায়, তাই আমরা ঘুম থেকে উঠেছিলাম খুব ভোরে। ছটা নাগাত চা খাবার পর ফেলুদা বলল, 'একবার তোর সিধু জ্যাঠার ওখানে ঢুঁ মারতে হচ্ছে। ভদ্রলোকের কাছ থেকে কিছু তথ্য জোগাড় করতে পারলে সুবিধে হবে।'

সিধু জ্যাঠা থাকেন সর্দার শঙ্কর রোডে। আমাদের তারা রোড থেকে হেঁটে যেতে লাগে

পাঁচ মিনিট। এখানে বলে রাখি, সিধু জ্যাঠা জীবনে নানারকম ব্যবসা করে অনেক টাকা রোজগারও করেছেন, আবার অনেক টাকা খুইয়েওছেন। আজকাল আর কাজকর্ম করেন না। বইয়ের ভীষণ শখ, তাই গুচ্ছের বই কেনেন, কিছুটা সময় সেগুলো পড়েন, বাকি সময়টা একা একা বই দেখে দাবা খেলেন, আর খাওয়া নিয়ে এক্সপেরিমেন্ট করেন। এক্সপেরিমেন্টটা হচ্ছে এক খাবারের সঙ্গে আরেক খাবার মিশিয়ে খাওয়া। উনি বলেন দইয়ের সঙ্গে অমলেট মেখে খেতে নাকি অমৃতের মতো লাগে। আসলে সম্পর্কে আমাদের কিছুই হন না উনি। আমাদের যে পৈতৃক গ্রাম (আমি যাইনি কক্ষনও) উনি সে গ্রামেরই লোক, আর আমাদের বাড়ির পাশেই ওঁর বাড়ি ছিল। উনি তাই আমার বাবার দাদা আর আমার জ্যাঠামশাই।

ওঁর বাড়িতে পৌঁছে দেখি সিধু জ্যাঠা দরজার ঠিক মুখটায় একটা মোড়ার উপর বসে নাপিতকে দিয়ে চুল ছাঁটাচ্ছেন, যদিও মাথার পিছন দিকে ছাড়া আর কোথাও চুল নেই তাঁর। আমাদের দেখে মোড়াটা পাশ করে বললেন, 'বোসো। নারায়ণকে হাঁক দিয়ে বলো চা দেবে।'

একটা তক্তপোশ, দুটো চেয়ার, আর ইয়া বড় বড় তিনটে বইয়ের আলমারি ছাড়া ঘরে আর কিছু নেই। তক্তপোশটারও অর্ধেকটা বইয়ে বোঝাই। আমরা জানতাম ওই খালি জায়গাটাই সিধু জ্যাঠার জায়গা, তাই আমরা চেয়ার দুটোতে বসলাম। ফেলুদা তার ধার-করা মলাট দেওয়া বইটা সঙ্গে এনেছিল, সেটা একটা আলমারির একটা তাকের ফাঁকে গুঁজে দিল।

চুল কাটতে কাটতেই সিধু জ্যাঠা বললেন, 'ফেলু যে গোয়েন্দাগিরি করছ, ক্রিমিন্যাল ইনভেস্টিগেশনের ইতিহাসটা একবার ভাল করে পড়ে নিয়েছ তো? যে কাজেই স্পেশালাইজ করো না কেন, তার ইতিহাসটা জানা থাকলে কাজে আনন্দ আর কনফিডেন্স দুটোই পাবে বেশি।'

ফেলুদা নরম সুরে বলল, 'আজ্ঞে হ্যাঁ, তা তো বটেই।'

'এই যে আঙুলের ছাপ দেখে ক্রিমিন্যাল ধরার পদ্ধতি, এটার আবিষ্কর্তা কে জানো?'

ফেলুদা আমার দিকে চোখ টিপে বলল, 'ঠিক মনে পড়ছে না; পড়েছিলাম বোধহয়।'

আমি বুঝলাম ফেলুদার দিব্যি মনে আছে, কিন্তু সে সিধু জ্যাঠাকে খুশি করার জন্য ভুলে যাওয়ার ভান করছে।

'হুঁ! জিজ্ঞেস করলে অনেকেই দেখবে ফস করে বলে বসবে আলফোঁস বোর্তিয়োঁ। কিন্তু সেটা ভুল। কারেক্ট নামটা হচ্ছে হুয়ান ভুকেটিচ। মনে রেখো। আর্জেন্টিনার লোক। বুড়ো আঙুলের ছাপের ওপর ইনিই প্রথম জোরটা দেন। আর সে ছাপকে চারটে ক্যাটেগরিতে ভাগ করেন উনিই। অবিশ্যি তার কয়েক বছর পরে ইংল্যান্ডের হেনরি সাহেব আরও মজবুত করেন এই সিস্টেমকে।'

ফেলুদা আর বেশি সময় নষ্ট না করে ঘড়ি দেখে বলল, 'আপনি ডক্টর হেমাঙ্গ হাজরার নাম শুনেছেন বোধহয়। যিনি প্যারাসাইকলজি নিয়ে—'

'পাড়া-ছাই-চলো-যাই?'

এটা সিধু জ্যাঠার একটা বাতিক। একেকটা ইংরিজি কথাকে উনি এইভাবেই বেঁকিয়ে বাংলা করে বলেন। Exhibition হল ইস্-কী ভীষণ, Impossible হল আম-পচে-বেল, Dictionary হল দ্যাখস-নাড়ী, Governor হল গোবর-নাড়ু—এই রকম আর কী।

'শুনেছি বইকী!' বললেন সিধু জ্যাঠা। 'এই তো সেদিনও কাগজে নাম দেখলাম ওর। কেন—তাকে নিয়ে আবার কী? কিছু গোলমাল করেছে নাকি? ও তো গোলমাল করার লোক নয়। বরং উলটো। অন্যদের বুজরুকি ধরে দিয়েছে ও।'

'তাই বুঝি ?' ফেলুদা বুঝেছে যে একটা ইন্টারেস্টিং খবরের সম্ভাবনা দেখা দিয়েছে।

'সে জানো না বুঝি ? বছর চারেক আগের ব্যাপার। কাগজে বেরিয়েছিল তো। শিকাগোতে এক বাঙালি ভদ্রলোক—ভদ্র আর বলি কী করে, চরম ছোটলোক—এক আধ্যাত্মিক চিকিৎসালয় খুলে বসেছিল। খাস শিকাগো শহরে। তরতর করে আমেরিকান খদ্দের জুটে যায়, বুঝেছ। হুজুগে জাত তো, আর পয়সা অঢেল। হিপ্‌নটিজম অ্যাপ্লাই করে দুরারোগ্য ব্যাধি সারিয়ে দেব বলে ক্লেম করেছিল। এইটিনথ্ সেঞ্চুরিতে ইউরোপে আনটন মেসমার যা করে। এর বেলা দু-একটা ছুটছাট লেগেও গিয়েছিল বোধ হয়—যেমন হয় আর কী। সেই সময় হাজরা শিকাগোতে বক্তৃতা দিয়ে যায়। সে জানতে পেরে ব্যাপারটা চাক্ষুষ করতে যায় ; গিয়ে ভণ্ডামি ধরে ফেলে। সে এক স্ক্যান্ডাল। শেষ পর্যন্ত লোকটাকে দেশছাড়া করে ছেড়েছিল আমেরিকান সরকার। হ্যাঁ হ্যাঁ—নাম নিয়েছিল ভবানন্দ।...হাজরা খুব সলিড লোক। অন্তত লেখাটেখা পড়ে তো তাই মনে হয়। খান দুয়েক লেখা তো আমার কাছেই রয়েছে। বাঁদিকের আলমারির তলার তাকে ডান কোণে দেখো তো। প্যারাসাইকলজিক্যাল সোসাইটির তিনখানা জার্নাল পাবে...'

ফেলুদা ম্যাগাজিন তিনটে ধার করে নেয়। এখন ট্রেনে বসে ও সেগুলোই উলটে-পালটে দেখছে। আমি জানালা দিয়ে বাইরের দৃশ্য দেখছি। উত্তরপ্রদেশ পেরিয়ে রাজস্থানে ঢুকেছি কিছুক্ষণ আগেই।

'এখানে রোদের তেজই আলাদা। সাধে কি আর লোকগুলো এত পাওয়ারফুল !'

কথাটা এল আমাদের সামনের বেঞ্চি থেকে। ফোর-বার্থ কম্পার্টমেন্ট, আর যাত্রীও আছি সবসুদ্ধ চারজন। যিনি কথাটা বললেন তিনি দেখতে অত্যন্ত নিরীহ, রীতিমতো রোগা, আর হাইটে নির্ঘাত আমার চেয়েও অন্তত দু ইঞ্চি কম। আমার তো তাও বয়স মাত্র পনেরো, তাই বাড়ার বয়স যায়নি। ইনি কমপক্ষে পঁয়ত্রিশ, কাজেই যেমন আছেন তেমনই থাকবেন। ইনি যে বাঙালি সেটা এতক্ষণ বুঝতে পারিনি, কারণ বুশ শার্ট আর প্যান্ট থেকে বোঝা খুব শক্ত। ভদ্রলোক ফেলুদার দিকে তাকিয়ে মুচকি হেসে বললেন, 'অনেকক্ষণ থেকে আপনাদের কথা শুনচি। দূর দেশে এসে জাতভাইয়ের সাক্ষাৎ পাওয়া কি কম সৌভাগ্যের কথা ? আমি তো ধরেই নিয়েছিলুম এই একটা মাস মাতৃভাষাটাকে একরকম বাধ্য হয়েই বয়কট করতে হবে।'

ফেলুদা হয়তো খানিকটা ভদ্রতার খাতিরেই জিজ্ঞেস করল, 'কদ্দূর যাবেন ?'

'যোধপুরটা তো পৌঁছই, তারপর দেখা যাবে। আপনারা ?'

'আমরাও আপাতত যোধপুর।'

'বাঃ—চমৎকার হল। আপনিও কি লেখেন-টেখেন নাকি ?'

'আজ্ঞে না।' ফেলুদা হাসল। 'আমি পড়ি। আপনি লেখেন ?'

'জটায়ু নামটা চেনা চেনা লাগচে কি ?'

জটায়ু ? সেই যে সব রোমহর্ষক অ্যাডভেঞ্চার উপন্যাস লেখেন ? আমি তো পড়েওছি তার দু-একটা বই—'সাহারায় শিহরণ', 'দুর্ধর্ষ দুষমণ'—আমাদের স্কুলের লাইব্রেরি থেকে নিয়ে।

'আপনিই জটায়ু ?' ফেলুদা জিজ্ঞেস করল।

'আজ্ঞে হ্যাঁ'—ভদ্রলোকের দাঁত বেরিয়ে গেল, ঘাড় নুয়ে পড়ল—'এই অধমের ছদ্মনামই জটায়ু। নমস্কার।'

'নমস্কার। আমার নাম প্রদোষ মিত্তির। ইনি শ্রীমান তপেশরঞ্জন।'

ফেলুদা হাসি চেপে রেখেছে কী করে ? আমার তো সেই যাকে বলে পেট থেকে

ভসভসিয়ে সোডার মতো হাসি গলা অবধি উঠে এসেছে। ইনিই জটায়ু! আর আমি ভাবতাম, যে রকম গল্প লেখে, চেহারা নিশ্চয়ই হবে একেবারে জেম্‌স বন্ডের বাবা।

'আমার আসল নাম লালমোহন গাঙ্গুলী। অবিশ্যি বলবেন না কাউকে। ছদ্মনামটা, মানে, ছদ্মবেশের মতোই—ধরা পড়ে গেলে তার আর কোনও ইয়ে থাকে না।'

আমরা আগ্রা থেকে কিছু গুলাবি রেউড়ি নিয়ে এসেছিলাম, ফেলুদা ঠোঙাটা ভদ্রলোকের দিকে এগিয়ে দিয়ে বললেন, 'আপনি তো বেশ কিছু দিন থেকেই ঘুরছেন বলে মনে হচ্ছে।'

ভদ্রলোক 'হ্যাঁ, তা—' বলে একটা রেউড়ি তুলে নিয়েই কেমন যেন থতমত খেয়ে গেলেন। ফেলুদার দিকে অবাক হয়ে চেয়ে বললেন, 'আপনি জানলেন কী করে?'

ফেলুদা হেসে বললেন, 'আপনার ঘড়ির ব্যান্ডের তলা দিয়ে আপনার গায়ের চামড়ার রোদে-না-পোড়া আসল রংটা মাঝে মাঝে বেরিয়ে পড়ছে।'

ভদ্রলোক চোখ গোল গোল করে বললেন, 'ওরেব্বাস্‌রে, আপনার তো ভয়ঙ্কর অবজারভেশন মশাই। ঠিকই ধরেছেন। দিল্লি, আগ্রা, ফতেপুর সিক্রি—এই সব একটু ঘুরে দেখলুম আর কী। দিন দশেক হল বেরিয়েচি। অ্যাদ্দিন স্রেফ বাড়িতে বসে বসে দেশ-বিদেশের গপ্পো লিখিচি। থাকি ভদ্রেশ্বরে। এবার তাই ভাবলুম—একটু ঘুরে দেখা যাক, লেখার সুবিধে হবে। আর অ্যাডভেঞ্চারের গপ্পো এই সব দিকেই জমে ভাল, বলুন! দেখুন না কী রকম সব রুক্ষ পাহাড়, বাইসেপ-ট্রাইসেপের মতো ফুলে ফুলে রয়েছে! বাংলাদেশের—এক হিমালয় ছাড়া—মাস্‌ল নেই মশাই। সমতলভূমিতে কি অ্যাডভেঞ্চার জমে?'

আমরা তিনজনে রেউড়ি খেতে লাগলাম। জটায়ু দেখি মাঝে মাঝে আড়চোখে ফেলুদার দিকে দেখছেন। শেষটায় বললেন, 'আপনার হাইট কত মশাই? কিছু মনে করবেন না।'

'প্রায় ছয়', ফেলুদা বলল।

'ওঃ, দারুণ হাইট। আমার হিরোকেও আমি ছয় করিচি। প্রখর রুদ্র—জানেন তো? রাশিয়ান নাম—প্রখর, কিন্তু বাঙালিকেও কী রকম মানিয়ে গেছে বলুন! আসলে নিজে যা হতে পারলুম না, বুঝেছেন, হিরোদের মধ্যে দিয়ে সেই সব আশ মিটিয়ে নিচ্চি। কম চেষ্টা করিচি মশাই হবার জন্যে? সেই কলেজে থাকতে চার্লস অ্যাটলাসের বিজ্ঞাপন দেখতুম বিলিতি ম্যাগাজিনে। বুক চিতিয়ে মাস্‌ল ফুলিয়ে কোমরে হাত দিয়ে দাঁড়িয়ে আছে। কী হাতের গুলি, কী বুকের ছাতি, কোমরখানা একেবারে সিংহের মতো। চর্বি নেই এক ফোঁটা সারা শরীরে। মাথা থেকে পা অবধি ঢেউ খেলে গেছে মাস্‌লের। বলছে—এক মাসের মধ্যে আমার মতো চেহারা হয়ে যাবে, আমার সিস্টেম ফলো করে। ওদের দেশে হতে পারে মশাই। বাংলাদেশে ইমপসিবল্‌। বাপের পয়সা ছিল, কিছু নষ্ট করলুম, লেসন আনালুম, ফলো করলুম—কিস্যু হল না। যেই কে সেই। মামা বললেন—পর্দার রড ধরে ঝুলবি রোজ, দেখবি একমাসের মধ্যে হাইট বেড়ে যাবে। কোথায় একমাস! ঝুলতে ঝুলতে একদিন মশাই রড সুদ্ধু খসে মাটিতে পড়ে হাঁটুর হাড় ডিসলোকেট হয়ে গেল, অথচ আমি সেই পাঁচ সাড়ে তিন—সেই পাঁচ সাড়ে তিনই রয়ে গেলাম। বুঝলুম, টাগ অফ ওয়ারের দড়ির বদলে আমাকে ধরে টানলেও লম্বা আমি হব না। শেষটায় ভাবলুম—দুত্তোরি, গায়ের মাস্‌লের কথা আর ভাবব না, তার চেয়ে ব্রেনের মাস্‌লের দিকে অ্যাটেনশন দেওয়া যাক। আর মেনটাল হাইট। শুরু করলাম রোমাঞ্চ উপন্যাস লেখা। লালমোহন গাঙ্গুলী নাম তো আর চলে না, তাই নিলুম ছদ্মনাম—জটায়ু। ফাইটার। কী ফাইটটা দিয়েছিল রাবণকে বলুন তো!'

ট্রেনটাকে ফাস্ট প্যাসেঞ্জার বললেও কাছাকাছির মধ্যে এত স্টেশন পড়ছে যে

পনেরো-কুড়ি মিনিটের বেশি একটানা গাড়ি চলতেই পারছে না। ফেলুদা প্যারাসাইকলজিক্যাল পত্রিকা ছেড়ে এখন রাজস্থানের বিষয় একটা বই পড়তে শুরু করেছে। রাজস্থানের কেল্লার সব ছবি রয়েছে এ বইতে। সেগুলো সে খুব খুঁটিয়ে দেখছে আর মন দিয়ে তাদের বর্ণনা পড়ছে। আমাদের সামনে আপার বার্থে আরেকজন ভদ্রলোক রয়েছেন, তার গোঁফ আর পোশাক দেখলেই বোঝা যায় তিনি বাঙালি নন। ভদ্রলোক একটার পর একটা কমলালেবু খেয়ে চলেছেন, আর তার খোসা আর ছিবড়ে ফেলছেন সামনে পাতা একটা উর্দু খবরের কাগজের উপর।

ফেলুদা পকেট থেকে একটা নীল পেনসিল বার করে হাতের বইটাতে দাগ দিচ্ছিল, এমন সময় লালমোহনবাবু বললেন, 'কিছু মনে করবেন না—আপনি কি মশাই গোয়েন্দা জাতীয় কিছু?'

'কেন বলুন তো?'

'না, মানে, যেভাবে ফস করে তখন আমার ব্যাপারটা বলে দিলেন...'

'আমার ও ব্যাপারে ইন্টারেস্ট আছে।'

'বাঃ! তা আপনারাও তো যোধপুরেই যাচ্ছেন বলে বললেন।'

'আপাতত।'

'কোনও রহস্য আছে নাকি? যদি থাকে তো আমি কিন্তু আপনাদের সঙ্গে ঝুলে পড়ব—ইফ ইউ ডোন্ট মাইন্ড। এমন সুযোগ আর আসবে না।'

'আপনার উটের পিঠে চড়তে আপত্তি নেই তো?'

'আরেব্বাস, উট!' ভদ্রলোকের চোখ জ্বলজ্বল করে উঠল। 'শিপ অফ দি ডেজার্ট! এ তো আমার স্বপ্ন মশাই। আমার 'আরক্ত আরব' উপন্যাসে আমি বেদুইনের কথা লিখেছি যে! তা ছাড়া 'সাহারায় শিহরণ'-এও আছে। অদ্ভুত জীব। নিজের ওয়াটার সাপ্লাই নিজের পাকস্থলীর মধ্যে নিয়ে বালির সমুদ্র দিয়ে সার বেঁধে চলেছে। কী রোমান্টিক—ওঃ!'

ফেলুদা বলল, 'পাকস্থলীর ব্যাপারটা কি আপনার বইয়ে লিখেছেন নাকি?'

লালমোহনবাবু থতমত খেয়ে বললেন, 'ওটা ঠিক নয় বুঝি?'

ফেলুদা মাথা নেড়ে বলল, 'জল আসে উটের কুঁজ থেকে। কুঁজটা আসলে চর্বি। ওই চর্বিকে অক্সিডাইজ করে উট জল করে নেয়। এক নাগাড়ে দশ পনেরো দিন ওই চর্বির জোরে জল না খেয়ে থাকতে পারে। অবিশ্যি একবার জলের সন্ধান পেলে দশ মিনিটে পঁচিশ গ্যালনও খেয়ে নেয় বলে শোনা গেছে।'

লালমোহনবাবু বললেন, 'ভাগ্যিস বললেন। নেক্সট এডিশনে ওটা কারেক্ট করে দেব।'

৪

এখানকার ট্রেন ঢিমে হলেও, বেশি যে লেট করছে না এটাই ভাগ্যি। গাড়ি বদল করার ব্যাপার যেখানে থাকে, সেখানে লেট করলে অনেক সময় ভারী মুশকিল হয়।

ভরতপুর স্টেশনে এসে আমরা প্রথম ময়ূর দেখলাম। প্ল্যাটফর্মের উলটো দিকে তিনটে ময়ূর দিব্যি লাইনের উপর ঘুরে বেড়াচ্ছে। ফেলুদা বলল, 'কলকাতায় যেমন কাক-চড়ুই দেখিস সর্বত্র, এখানে তেমনি দেখবি ময়ূর আর টিয়া।'

লোকজন যা দেখা যাচ্ছে, তাদের মধ্যে পাগড়ি আর গালপাট্টার সাইজ ক্রমেই বেড়ে চলেছে। এরা সবাই রাজস্থানি। এদের পরনে খাটো ধুতি হাঁটু অবধি তোলা, আর এক পাশে বোতামওয়ালা জামা। এ ছাড়া পায়ে আছে ভারী নাগরা, আর অনেকের হাতেই একটা করে

লাঠি।

বান্দিকুই স্টেশনের রিফ্রেশমেন্ট রুমে বসে রুটি আর মাংসের ঝোল খেতে খেতে লালমোহনবাবু বললেন, 'এই যে সব লোক দেখছেন, এদের মধ্যে এক-আধটা ডাকাত থাকার সম্ভাবনা কিন্তু খুব বেশি। আরাবল্লী পাহাড় হল গিয়ে ডাকাতদের আস্তানা, জানেন তো? আর এ সব ডাকাত কী রকম পাওয়ারফুল হয়, সেটা নিশ্চয়ই আপনাকে বলে দিতে হবে না। জানালার লোহার শিক দু হাতে দু দিকে টেনে ফাঁক করে জেলখানা থেকে পালায় মশাই এরা।'

ফেলুদা বলল, 'জানি। আর কারুর উপর খেপে গেলে এরা কীভাবে শাস্তি দেয় বলুন তো?'

'মেরে ফেলে নিশ্চয়ই?'

'উঁহু। ওইখানেই তো মজা। সে লোক যেখানেই থাকুক না কেন, তাকে খুঁজে বের করে তলোয়ার দিয়ে নাকটা কেটে ছেড়ে দেয়।'

লালমোহনবাবুর হাতের মাংসের টুকরোটা আর মুখে পোরা হল না।

'নাক কেটে?'

'তাই তো শুনেছি।'

'এ যে সেই পৌরাণিক যুগের সাজার মতো মনে হচ্ছে মশাই। কী সাংঘাতিক!'

মাঝরাত্তিরে মাড়ওয়ারের ট্রেনে ওঠার সময় অন্ধকারে একটু হ্যাঁচোড় প্যাঁচোড় করতে হলেও, জায়গা পেতে অসুবিধা হল না। রাত্রে ঘুমও হল ভাল। সকালে ঘুম থেকে উঠে চলন্ত ট্রেনের জানালা দিয়ে একটা পাহাড়ের মাথায় একটা পুরনো কেল্লা দেখতে পেলাম। তার এক মিনিটের মধ্যেই গাড়ি কিষণগড় স্টেশনে এসে থামল। ফেলুদা বলল, 'জায়গার নামে গড় আছে দেখলেই বুঝবি কাছাকাছির মধ্যে কোথাও এ রকম একটা পাহাড়ের উপর একটা কেল্লা আছে।'

কিষণগড় স্টেশনে প্ল্যাটফর্মে নেমে চা খেলাম। এখানকার চায়ের ভাঁড়গুলো দেখলাম বাংলাদেশের ভাঁড়ের চেয়ে অনেক বেশি বড় আর মজবুত। চায়ের স্বাদও একটু অন্য রকম। ফেলুদা বলল যে, উটের দুধ দিয়ে তৈরি। সেটা শুনেই বোধহয় লালমোহনবাবু পর পর দু ভাঁড় চা খেলেন।

চা খেয়ে প্ল্যাটফর্মের কলে চট করে দাঁতটা মেজে চোখেমুখে জলের ঝাপটা দিয়ে গাড়িতে ফিরে এসে দেখি, বিরাট পাগড়ি মাথায় একটা রাজস্থানি লোক নাক অবধি চাদরে ঢেকে বেঞ্চির উপর পা তুলে হাঁটুর উপর থুতনি ভর করে লালমোহনবাবুর বেঞ্চির একটা পাশ দখল করে বসে আছে। চাদরের ফাঁক দিয়ে ভেতরের জামার রংটা দেখলাম টকটকে লাল।

লালমোহনবাবু কামরায় ঢুকে তাকে দেখেই সটান নিজের জায়গা ছেড়ে আমাদের বেঞ্চির একটা কোণে বসে পড়লেন। ফেলুদা 'তোরা আরাম করে বোস' বলে একেবারে সেই রাজস্থানিটার পাশেই বসে পড়ল।

আমি লোকটার পাগড়িটা লক্ষ করছিলাম। কত অজস্র প্যাঁচ আছে ওই পাগড়িতে সেটা ভেবে কূলকিনারা পাচ্ছিলাম না। লালমোহনবাবু চাপা গলায় ফেলুদাকে উদ্দেশ করে বলল, 'পাওয়ারফুল সাস্‌পিশাস্‌। এ রকম চাষাভুষোর মতো পোশাক অথচ দিব্যি প্রথম শ্রেণীতে উঠে বসে আছে। কত হিরে-জহরত আছে ওই পুঁটলিটার মধ্যে কে জানে!'

পুঁটলিটা পাশেই রাখা ছিল। ফেলুদা খালি একটু হাসল, মুখে কিছু বলল না।

গাড়ি ছেড়ে দিল। ফেলুদা তার ঝোলার ভিতর থেকে রাজস্থানের বইটা বার করে নিল। আমি নিউম্যানের ব্র্যাড্‌শ টাইম-টেবলটা খুলে সামনে কী কী স্টেশন পড়বে দেখতে

লাগলাম। অদ্ভুত নাম এখানকার সব স্টেশনের—গালোটা, তিলাওনিয়া, মাক্রেরা, ভেসানা, সেন্দ্রা। কোত্থেকে এল এ সব নাম কে জানে। ফেলুদা বলে জায়গার নামের মধ্যে নাকি অনেক ইতিহাস লুকোনো থাকে। কিন্তু সে সব ইতিহাস খুঁজে বার করবে কে?

গাড়ি ঘটর ঘটর করে চলেছে, আমি রাজকাহিনীর শিলাদিত্য বাপ্পাদিত্যের কথা ভাবছি, এমন সময় বুঝতে পারলাম আমার শার্টের পাশটায় একটা টান পড়ছে। পাশ ফিরে দেখি লালমোহনবাবুর মুখ ফ্যাকাশে হয়ে গেছে। চোখাচোখি হতেই তিনি ঢোক গিলে শুকনো গলায় ফিস ফিস করে বললেন, 'ব্লাড।'

ব্লাড? লোকটা বলে কী?

তারপর তার দৃষ্টি ঘুরে গেল সামনের রাজস্থানি লোকটার দিকে। লোকটা মাথা পিছন দিকে হেলিয়ে মুখ হাঁ করে ঘুমিয়ে আছে। এবার তার বেঞ্চির উপরে তোলা পা দুটোর দিকে চোখ গেল। দেখলাম, বুড়ো আঙুলের পাশটা ছাল উঠে রক্ত জমে রয়েছে। তারপর বুঝলাম এতক্ষণ কাপড়ে যেগুলোকে মাটির দাগ বলে মনে হচ্ছিল, সেগুলো আসলে শুকনো লালচে রক্ত।

ফেলুদার দিকে চেয়ে দেখি, ও দিব্যি একমনে বই পড়ে চলেছে।

লালমোহনবাবুর পক্ষে বোধহয় ফেলুদার নিশ্চিন্ত ভাবটা সহ্য হল না। তিনি হঠাৎ সেই শুকনো গলাতেই বলে উঠলেন, 'মিস্টার মিটার, সাস্‌পিশাস্‌ ব্লাড-মার্কস্‌ অন আওয়ার নিউ কো-প্যাসেঞ্জার।'

ফেলুদা বই থেকে চোখ তুলে একবার ঘুমন্ত লোকটার দিকে দেখে নিয়ে বলল, 'প্রব্যাব্‌লি কজ্‌ড বাই বাগ্‌স।'

রক্তের কারণ ছারপোকা হতে পারে জেনে জটায়ু কেমন জানি মুষড়ে পড়লেন। কিন্তু তা সত্ত্বেও তার ভয় যে কাটল না সেটা তার জড়োসড়ো ভাব আর বার বার ভুরু কুঁচকে আড়চোখে ঘুমন্ত লোকটার দিকে চাওয়া থেকে বুঝতে পারছিলাম।

দুপুর আড়াইটার সময় গাড়ি মাড়ওয়ার জংশনে পৌঁছাল। খাওয়াটা স্টেশনের রিফ্রেশমেন্ট রুমে সেরে ঘণ্টাখানেক প্ল্যাটফর্মে পায়চারি করে সাড়ে তিনটেয় যোধপুরের গাড়িতে ওঠার সময় আর সেই লাল জামা-পরা লোকটাকে দেখতে পেলাম না।

আড়াই ঘণ্টার জার্নির মধ্যে ঘন ঘন উটের দল চোখে পড়ায় লালমোহনবাবু বার বার

উত্তেজিত হয়ে পড়ছিলেন। যোধপুরে পৌঁছালাম ছটা বেজে দশ মিনিটে। ট্রেনটি কুড়ি মিনিট লেট করেছে। কলকাতা হলে এতক্ষণে সূর্য ডুবে যেত, কিন্তু এ দিকটা পশ্চিমে বলে এখনও দিব্যি রোদ রয়েছে।

আমাদের বুকিং ছিল সার্কিট হাউসে। লালমোহনবাবু বললেন তিনি নিউ বম্বে লজে থাকছেন। 'কাল সকাল সকাল এসে পড়ব, একসঙ্গে ফোর্টে যাওয়া যাবে' বলে ভদ্রলোক টাঙ্গার লাইনের দিকে এগিয়ে গেলেন।

আমরা একটা ট্যাক্সি নিয়ে স্টেশন থেকে বেরিয়ে পড়লাম। শুনলাম সার্কিট হাউসটা খুব কাছেই। যেতে যেতে বাড়ির ফাঁক দিয়ে ফাঁক দিয়ে লক্ষ করছিলাম একটা বিরাট পাথরের পাঁচিল—প্রায় একটা দোতলা বাড়ির সমান উঁচু। ফেলুদা বলল, এককালে পুরো যোধপুর শহরটাই নাকি ওই পাঁচিলটা দিয়ে ঘেরা ছিল। ওটার সাত জায়গায় নাকি সাতটা ফটক আছে। বাইরে থেকে সৈন্য আক্রমণ করতে আসছে জানলে ওই ফটকগুলো বন্ধ করে দেওয়া হত।

আরেকটা রাস্তার মোড় ঘুরতেই ফেলুদা বলল, 'ওই দ্যাখ বাঁদিকে।'

চেয়ে দেখি শহরের বাড়ির মাথার উপর দিয়ে দূরে দেখা যাচ্ছে বিরাট থম্‌থমে এক কেল্লা। বুঝলাম ওটাই হল বিখ্যাত যোধপুর ফোর্ট। আমি জানতাম এখানকার রাজারা মোগলদের হয়ে লড়াই করেছে।

কখন কেল্লাটা কাছ থেকে দেখতে পাব সেটা ভাবতে ভাবতেই সার্কিট হাউসে পৌঁছে গেলাম। গেটের ভিতর দিয়ে ঢুকে একটা বাগানের পাশ দিয়ে গিয়ে একটা পোর্টিকোর তলায় আমাদের ট্যাক্সি দাঁড়াল। মালপত্তর নামিয়ে ট্যাক্সির ভাড়া চুকিয়ে দিয়ে আমরা ভিতরে ঢুকলাম। একজন ভদ্রলোক এগিয়ে এসে ইংরেজিতে জিজ্ঞেস করলেন আমরা কলকাতা থেকে আসছি কি না আর ফেলুদার নাম মিস্টার মিটার কি না। ফেলুদা 'হ্যাঁ' বলাতে ভদ্রলোক বললেন—আপনাদের জন্য একতলায় একটা ডাবল রুম বুক করা আছে। খাতায় নাম সই করার সময় আমাদের নামের কয়েক লাইন উপরেই পর পর দুটো নাম চোখে পড়ল—ডক্টর এইচ বি হাজরা আর মাস্টার এম ধর।

সার্কিট হাউসের প্ল্যানটা খুব সহজ। ঢুকেই একটা বড় খোলা জায়গা, বাঁ দিকে রিসেপশন কাউন্টার আর ম্যানেজারের ঘর, সামনে দোতলার সিঁড়ি, ডাইনে আর বাঁয়ে দু দিকে লম্বা বারান্দার পাশে পর পর লাইন করে ঘর। বারান্দায় বেতের চেয়ার পাতা রয়েছে। একজন বেয়ারা এসে আমাদের মাল তুলে নিল, আমরা তার পিছন পিছন ডানদিকের বারান্দা দিয়ে রওনা দিলাম তিন নম্বর ঘরের দিকে। একজন সরু গোঁফওয়ালা মাঝবয়সী ভদ্রলোক একটা বেতের চেয়ারে বসে, একজন মাড়ওয়ারি টুপি পরা ভদ্রলোকের সঙ্গে কথা বলছিলেন ; আমরা তাঁর পাশ দিয়ে যাবার সময় পরিষ্কার বাংলায় বললেন, 'বাঙালি মনে হচ্ছে ?' ফেলুদা হেসে 'হ্যাঁ' বলল। আমরা তিন নম্বর ঘরে গিয়ে ঢুকলাম।

বেশ বড় ঘর। দুটো পাশাপাশি খাট, তাতে আবার মশারির ব্যবস্থা রয়েছে। এক পাশে একটা দুজন-বসার আর দুটো একজন-বসার সোফা, আর একটা গোল টেবিলের উপর একটা অ্যাশ-ট্রে। এ ছাড়া ড্রেসিং টেবিল, আলমারি আর খাটের পাশে দুটো ছোট টেবিলে জলের ফ্লাস্ক, গেলাস আর বেড-সাইড ল্যাম্প। ঘরের সঙ্গে লাগা বাথরুমের দরজাটা বাঁ দিকে।

ফেলুদা বেয়ারাকে চা আনতে বলে পাখাটা খুলে দিয়ে সোফায় বসে বলল, 'খাতায় নাম দুটো দেখলি ?'

আমি বললাম, 'হ্যাঁ। কিন্তু ওই চাড়া-দেওয়া গোঁফওয়ালা লোকটা আশা করি ডক্টর হাজরা নন।'

'কেন ? হলে ক্ষতি কী ?'

ক্ষতি যে কী সেটা অবিশ্যি আমি চট করে ভেবে বলতে পারলাম না। ফেলুদা আমার ইতস্তত ভাব দেখে বলল, 'তোর আসলে লোকটাকে দেখে ভাল লাগেনি। তুই মনে মনে চাইছিস যে ডক্টর হাজরা লোকটা খুব শান্তশিষ্ট হাসিখুশি অমায়িক হন—এই তো ?'

ফেলুদা ঠিকই ধরেছে। এ লোকটাকে দেখলে বেশ সেয়ানা বলেই মনে হয়। তা ছাড়া বোধহয় বেশ লম্বা আর জাঁদরেল। ডাক্তার বলতে যা বোঝায় তা মোটেই নয়।

ফেলুদা একটা সিগারেট শেষ করতে না করতেই চা এসে গেল, আর বেয়ারা ঘর থেকে বেরোতে না বেরোতেই দরজায় টোকা পড়ল। ফেলুদা ভীষণ বিলিতি কায়দায় বলে উঠল, 'কাম ইন !' পর্দা ফাঁক করে ভেতরে ঢুকলেন মিলিটারি গোঁফ।

'ডিসটার্ব করছি না তো ?'

'মোটেই না। বসুন। চা খাবেন ?'

'নাঃ। এই অল্পক্ষণ আগেই খেয়েছি। আর ফ্র্যাংকলি স্পিকিং—চা-টা এখানে তেমন সুবিধের নয়। শুধু এখানে বলছি কেন, ভারতবর্ষ হল খাস চায়ের দেশ, অথচ কটা হোটেলে কটা ডাকবাংলোয় কটা সার্কিট হাউসে ভাল চা খেয়েছেন আপনি বলুন তো ? অথচ বাইরে যান, বিদেশে যান—অ্যালবেনিয়ার মতো জায়গায় গিয়ে ভাল চা খেয়েছি জানেন ? ফার্স্ট ক্লাস দার্জিলিং টি। আর ইওরোপের অন্য বড় শহরে তো কথাই নেই। একমাত্র খারাপ যেটা লাগে সেটা হল কাপড়ের থলিতে চায়ের পাতার ব্যাপারটা—যাকে টি-ব্যাগস বলে। কাপে থাকবে গরম জল, আর একটা সুতো বাঁধা কাপড়ের থলিতে থাকবে চায়ের পাতা। সেইটে জলে ডুবিয়ে লিকার তৈরি করে নিতে হবে আপনাকে। তারপর তাতে আপনি দুধ দিন কি লেবু কচলে দিন সেটা আপনার রুচি। লেমন টি-টাই আমি বেশি প্রেফার করি। তবে তার জন্যে চাই ভাল লিকার। এখানকার চা খুব অর্ডিনারি।'

'আপনার তো অনেক দেশ-টেশ ঘোরা আছে বুঝি ?' ফেলুদা জিজ্ঞেস করল।

'ওইটেই তো করেছি সারা জীবন ধরে', ভদ্রলোক বললেন। 'আমি হলাম যাকে বলে গ্লোব-ট্রটার। তার সঙ্গে আবার শিকারের শখও আছে। সেটা অবিশ্যি আফ্রিকা থাকতেই হয়েছিল। আমার নাম মন্দার বোস।'

গ্লোব-ট্রটার উমেশ ভট্টাচার্যের নাম শুনেছি, কিন্তু এঁর নাম তো শুনিনি। ভদ্রলোক যেন আমার মনের কথাটা আন্দাজ করেই বললেন, 'অবিশ্যি আমার নাম আপনাদের শোনার কথা নয়। যখন প্রথম বেরিয়েছিলাম, তখন কাগজে নাম-টাম বেরিয়েছিল। তারপর এই ছত্রিশ বছর পরে মাস তিনেক হল সবে দেশে ফিরেছি।'

'সে অনুপাতে আপনার বাংলার উপর দখলটা তো ভালই আছে বলতে হবে।'

'দেখুন মশাই, সেটা এন্টায়ারলি আপনার নিজের ইচ্ছে-অনিচ্ছের ওপর নির্ভর করে। আপনি যদি বিদেশে বাংলা ভুলবেন বলে ইচ্ছে করেন, তা হলে তিন মাসে ভুলে যেতে পারেন। আর তা যদি ইচ্ছে না করেন, তা হলে ত্রিশ বছরেও ভোলবার কোনও চান্স নেই। অবিশ্যি আমি আবার বাঙালির সঙ্গও পেয়েছি যথেষ্ট। কিনিয়াতে একবার হাতির দাঁতের ব্যবসা শুরু করেছিলাম, তখন আমার সঙ্গে একটি বাঙালি ছিলেন। আমরা এক সঙ্গে ছিলাম প্রায় সাত বচ্ছর।'

'সার্কিট হাউসে আপনি ছাড়া আর কেউ বাঙালি আছেন কি ?'

এটা অনেকবার লক্ষ করেছি, বাজে কথায় সময় নষ্ট করার লোক ফেলুদা নয় !

ভদ্রলোক বললেন, 'আছে বইকী। সেটাই তো আশ্চর্য লাগছে আমার। আসলে কলকাতায় বাঙালিদের আর সোয়াস্তি নেই সেটা বেশ বুঝতে পারছি। তাই সুযোগ পেলেই

এদিকে ওদিকে গিয়ে ঘুরে আসছে। অবিশ্যি দিস ম্যান হ্যাজ কাম উইথ এ পারপাস্। ভদ্রলোক সাইকলজিস্ট। তবে গোলমেলে ব্যাপার বলে মনে হয়। সঙ্গে একটি ছেলে আছে বছর আষ্টেকের, সে নাকি জাতিস্মর। পূর্বজন্মে রাজস্থানে কোন কেল্লার কাছে নাকি জন্মেছিল। ভদ্রলোক ছেলেটিকে সঙ্গে নিয়ে সেই কেল্লা খুঁজে বেড়াচ্ছেন। ডাক্তারটি বুজরুক না ছেলেটি ধাপ্পা দিচ্ছে বোঝা শক্ত। এমনিতেও ছেলেটির হাবভাব সাস্‌পিশাস্। কারুর সঙ্গে ভাল করে কথা বলে না। কিছু জিজ্ঞেস করলে জবাব দেয় না। ভেরি ফিশি। অনেক তো দেখলুম ভণ্ডামি এই ত্রিশ বছরে, আবার এখানে এসেও যে সেই একই জিনিস দেখতে হবে তা ভাবিনি।'

'আপনি কি এখানেও ট্রটিং করতে এসেছেন নাকি?'

ভদ্রলোক হেসে সোফা ছেড়ে উঠে পড়ে বললেন, 'টু টেল ইউ দ্য ট্রুথ—নিজের দেশটা ভাল করে দেখাই হয়নি এখনও। বাই দ্য ওয়ে—আপনার পরিচয়টা তো পাওয়া গেল না!'

ফেলুদা নিজের আর আমার পরিচয় দিয়ে বলল, 'আমি আবার আমার দেশের বাইরে কোথাওই যাইনি।'

'আই সি। ওয়েল—সাড়ে আটটা নাগাদ যদি ডাইনিং রুমে আসেন তো আবার দেখা হবে। আমার আবার আর্লি টু বেড, আর্লি টু রাইজ...'

ভদ্রলোকের সঙ্গে আমরাও দুজনে বাইরের বারান্দায় এলাম। এসে দেখলাম, গেট দিয়ে একটা ট্যাক্সি ঢুকছে। সেটা এসে সার্কিট হাউসের সামনে থামল, আর সেটা থেকে নামল একটি বছর চল্লিশের মাঝারি হাইটের ভদ্রলোক আর একটা রোগা ফরসা বাচ্চা ছেলে। বোঝাই গেল যে, এরাই হচ্ছে ডক্টর হেমাঙ্গ হাজরা এবং জাতিস্মর শ্রীমান মুকুল ধর।

৫

মিস্টার বোস ডক্টর হাজরাকে 'গুড ইভনিং' বলে নিজের ঘরের দিকে চলে গেলেন। ডক্টর হাজরা ছেলেটির হাত ধরে বারান্দা দিয়ে আমাদের দিকেই এগিয়ে এসে, বোধহয় হঠাৎ দুজন অচেনা বাঙালিকে দেখে কেমন যেন একটু থতমত খেয়ে গেলেন। ফেলুদা হেসে নমস্কার করে বলল, 'আপনিই বোধহয় ডক্টর হাজরা?'

'হ্যাঁ—কিন্তু আপনাকে তো—?'

ফেলুদা পকেট থেকে তার একটা কার্ড বার করে ডক্টর হাজরাকে দিয়ে বলল, 'আপনার সঙ্গে একটু কথা ছিল। সত্যি বলতে কী, আমরা আপনার খোঁজেই এসেছি। সুধীরবাবুর অনুরোধে। সুধীরবাবু একটা চিঠিও দিয়ে দিয়েছেন আপনার নামে।'

'ও। আই সি। মুকুল, তুমি ঘরে যাও, আমি এঁদের সঙ্গে একটু কথা বলে আসছি, কেমন?'

'আমি বাগানে যাব।'

ছেলেটির গলা বাঁশির মতো মিষ্টি, যদিও কথাটা বলল একেবারে ন্যাড়াভাবে, এক সুরে। প্রায় যেন একটা যন্ত্রের মানুষের ভেতর থেকে কথা বেরোচ্ছে। ডক্টর হাজরা বললেন, 'ঠিক আছে, বাগানে যাও, তবে লক্ষ্মী হয়ে থেকো, গেটের বাইরে যেয়ো না, কেমন?'

ছেলেটি আর কিছু না বলে বারান্দা থেকে এক লাফে নুড়ি-ফেলা জায়গাটায় নামল। তারপর একটা ফুলের লাইন টপকে বাগানের ঘাসের উপর পৌঁছে চুপ করে এক জায়গায় দাঁড়িয়ে রইল। ডক্টর হাজরা আমাদের দিকে ফিরে কেমন যেন একটা অপ্রস্তুত হাসি হেসে বললেন, 'কোথায় বসবেন?'

'আসুন আমাদের ঘরে।'

ডক্টর হাজরার কানের চুলে পাক ধরেছে। চোখ দুটোয় বেশ একটা তীক্ষ্ণ বুদ্ধির ছাপ আছে। কাছ থেকে দেখে মনে হল বয়স প্রায় পঞ্চাশের কাছাকাছি। আমরা তিনজনে সোফায় বসলাম। ফেলুদা ডক্টর হাজরাকে সুধীরবাবুর চিঠিটা দিয়ে তাঁকে একটা চারমিনার অফার করল। ভদ্রলোক একটু হেসে 'ও রসে বঞ্চিত' বলে চিঠিটা পড়তে লাগলেন।

পড়া হলে পর ডক্টর হাজরা চিঠিটা ভাঁজ করে খামে পুরে রাখলেন।

ফেলুদা এবার নীলুকে কিডন্যাপ করার ঘটনা বলে বলল, 'সুধীরবাবু ভয় পাচ্ছিলেন যে ওই লোকগুলো হয়তো মুকুলকে ধাওয়া করে একেবারে যোধপুর পর্যন্ত চলে এসেছে। সেই কারণেই উনি বিশেষ চিন্তিত হয়ে আমার কাছে এসেছিলেন। আমি খানিকটা তাঁর অনুরোধে পড়েই এসেছি। অবিশ্যি দুর্ঘটনা যদি কোনও না ঘটে তা হলেও আমাদের আসাটা যে একেবারে ব্যর্থ হবে তা নয়, কারণ রাজস্থান দেখার শখটা অনেক দিনের।'

ডক্টর হাজরা একটুক্ষণ ভেবে বললেন, 'দুশ্চিন্তার কারণ যাকে বলে সে রকম অবিশ্যি এখনও পর্যন্ত কিছু ঘটেনি। তবে ব্যাপারটা কী জানেন, খবরের কাগজের রিপোর্টারদের অতগুলো কথা না বললেও চলত। আমি সুধীরবাবুকে বলেছিলাম যে ইনভেস্টিগেশনটা সেরে নিই, তারপর আপনি যত ইচ্ছা রিপোর্টার ডাকতে চান ডাকতে পারেন। বিশেষ করে যেখানে গুপ্তধনের কথাটা বলছে। আমি না হয় জানি যে কোনও কথাটারই হয়তো ভিত্তি নেই, কিন্তু কিছু লোক থাকে যারা সহজেই প্রলুব্ধ হয়ে পড়ে।'

'জাতিস্মর ব্যাপারটা সম্বন্ধে আপনি কী মনে করেন?'

'মনে যা করি সেটাকে তো এখনও পর্যন্ত অন্ধকারে ঢিল মারা ছাড়া আর কিছুই বলা চলে না। অথচ ঢিল না মেরেই বা কী করি বলুন। জাতিস্মর যে আগেও এক-আধটা বেরোয়নি তা তো নয়। আর তাদের অনেক কথাই তো হুবহু মিলে গেছে। সেই জন্যেই যখন এই মুকুল ছেলেটির খবর পাই, তখনই ঠিক করি যে একে নিয়ে একটা থরো ইনভেস্টিগেশন করব। যদি দেখি যে এর কথার সঙ্গে সব ডিটেল মিলে যাচ্ছে, তখন সেটাকে একটা প্রামাণ্য ঘটনা হিসেবে ধরে তার উপর গবেষণা চালাব।'

'কিছু দূর এগিয়েছেন কি?' ফেলুদা জিজ্ঞেস করল।

'এইটে অন্তত বুঝেছি যে, রাজস্থান সম্বন্ধে কোনও ভুল করিনি। এখানকার মাটিতে পা দেওয়ার পর থেকে মুকুলের হাবভাব বদলে গেছে। বুঝতেই তো পারছেন, বাপ-মা-ভাই-বোনকে এই প্রথম ছেড়ে একজন অচেনা লোকের সঙ্গে চলে এল, অথচ এই কদিনে একটিবার তাদের নাম পর্যন্ত করল না।'

'আপনার সঙ্গে সম্পর্ক কেমন?'

'কোনও গোলমাল নেই। কারণ, বুঝতেই তো পারছেন, আমি ওকে ওর স্বপ্নরাজ্যে নিয়ে চলেছি। ওর সমস্ত মনটাই তো পড়ে আছে ওর সোনার কেল্লার দেশে, আর এখানে এসে কেল্লা দেখলেই ও লাফিয়ে উঠছে।'

'কিন্তু সোনার কেল্লা দেখেছে কি?'

ডক্টর হাজরা মাথা নাড়লেন।

'না। তা দেখেনি। আসবার পথে কিষণগড় দেখিয়ে এনেছি। গতকাল সন্ধ্যায় এখানকার ফোর্টটা দেখেছে বাইরে থেকে। আজ বারমের নিয়ে গিয়েছিলাম। প্রতিবারই বলে—এটা নয়—আরেকটা দেখবে চলো। এ ব্যাপারে ধৈর্য লাগে মশাই। অথচ চিতোর-উদয়পুরের দিকটা গিয়ে কোনও লাভ নেই, কারণ ওদিকে বালি নেই। বালির কথা ও বার বার বলে, আর বালি বলতে এদিকটাতেই আছে, আর আগেও তাই ছিল। কাল তাই

ভাবছি বিকানিরটা দেখিয়ে আনব।'

'আমরা আপনার সঙ্গে গেলে আপত্তি নেই তো?'

'মোটেই না। আর শুধু তাই না। আপনি সঙ্গে থাকলে কিছুটা নিশ্চিন্ত হতে পারব, কারণ...একটা ঘটনা...'

ভদ্রলোক চুপ করলেন। ফেলুদা সিগারেটের প্যাকেটটা পকেট থেকে বার করেছিল, কিন্তু সেটা আর খুলল না।

'কাল সন্ধ্যায় একটা টেলিফোন এসেছিল', ডক্টর হাজরা বললেন।

'কোথায়?' ফেলুদা জিজ্ঞেস করল।

'এই সার্কিট হাউসে। আমি তখন কেল্লা দেখতে গেছি। কেউ একজন ফোন করে জানতে চেয়েছিল, কলকাতা থেকে একজন ভদ্রলোক একটি ছেলেকে সঙ্গে নিয়ে এসেছে কি না। ম্যানেজার ন্যাচারেলি হ্যাঁ বলে দিয়েছে।'

ফেলুদা বলল, 'কিন্তু এমনও তো হতে পারে যে কলকাতার কাগজের খবরটা এখানে কেউ কেউ হয়তো জানে, এবং সেই জন্যেই সেটাকে ভেরিফাই করার জন্য এখানে ফোন করেছে। যোধপুরে তো বাঙালির অভাব নেই। এ সব ব্যাপারে কৌতূহল জিনিসটা স্বাভাবিক নয় কি?'

'বুঝলাম। কিন্তু সে লোক আমি এসেছি জেনেও আর খোঁজ করল না কেন? বা এখানে এল না কেন?'

'হুঁ...' ফেলুদা গম্ভীরভাবে মাথা নাড়ল। 'আমার মনে হয় আমি আপনার সঙ্গে থাকাটাই ভাল। আর মুকুলকেও একা ছাড়বেন না বেশি।'

'পাগল!'

ডক্টর হাজরা উঠে পড়লেন।

'কালকের জন্যে একটা ট্যাক্সির বন্দোবস্ত করা আছে। আপনারা তো মাত্র দুজন, তাই একটা ট্যাক্সিতেই হয়ে যাবে।'

ভদ্রলোক যখন দরজার দিকে এগোচ্ছেন তখন ফেলুদা হঠাৎ একটা প্রশ্ন করে বসল—

'ভাল কথা—শিকাগোতে আপনাকে জড়িয়ে একবার কোনও ঘটনা ঘটেছিল কি? এই বছর চারেক আগে?'

ডক্টর হাজরা ভুরু কুঁচকোলেন।

'ঘটনা? শিকাগোতে আমি গেছি বটে...'

'একটা আধ্যাত্মিক চিকিৎসালয় সংক্রান্ত ব্যাপার...?'

ডক্টর হাজরা হো হো করে হেসে উঠলেন—'ওহো—সেই স্বামী ভবানন্দের ব্যাপার? যাকে আমেরিকানরা বলত ব্যাব্যানাভা? ঘটেছিল বটে, কিন্তু কাগজে যেটা বেরিয়েছিল সেটা অতিরঞ্জিত। লোকটা ভণ্ড ঠিকই, কিন্তু সে রকম ভণ্ড অনেক হাতুড়ে, অনেক টোটকাওয়ালাদের মধ্যে পাওয়া যায়। তার চেয়ে বেশি কিছু না। ওর বুজরুকি আসলে ধরে ফেলে ওর পেশেন্টরাই। খবরটা রটে যায়। প্রেস থেকে আমার কাছে আসে ওপিনিয়নের জন্য। আমি বরং ওর সম্বন্ধে খানিকটা মোলায়েম করেই বলেছিলাম। কাগজে তিলটাকে তাল করে ছাপায়। তারপর আমার ভদ্রলোকের সঙ্গে পরিচয়ও হয়েছিল। আমি নিজেই ওর সঙ্গে দেখা করে ব্যাপারটা ক্লিয়ার করে নিই—অ্যান্ড উই পার্টেড অ্যাজ ফ্রেন্ডস্।'

'ধন্যবাদ। কাগজের রিপোর্ট দেখে আমার ধারণা অন্যরকম হয়েছিল।'

ডক্টর হাজরার সঙ্গে সঙ্গে আমরাও ঘর থেকে বেরোলাম। সন্ধ্যা হয়ে গেছে। পশ্চিমের আকাশটা এখনও লাল, তবে রাস্তার বাতি জ্বলে গেছে। কিন্তু মুকুল কোথায়? বাগানে ছিল

সে, কিন্তু এখন দেখছি নেই। ডক্টর হাজরা চট করে একবার নিজের ঘরে খুঁজে ব্যস্তভাবে বেরিয়ে এলেন।

'ছেলেটা গেল কোথায়' বলে ভদ্রলোক বারান্দা থেকে বাইরে নামলেন। আমরা তার পিছন পিছন গেলাম বাগানে। বাগানে যে নেই সে ছেলে তাতে কোনও সন্দেহ নেই।

'মুকুল !' ডক্টর হাজরা ডাক দিলেন। 'মুকুল !'

'ও আপনার ডাক শুনেছে', ফেলুদা বলল। 'ও আসছে।'

আবছা অন্ধকারে দেখলাম মুকুল রাস্তা থেকে গেট দিয়ে ঢুকল। আর সেই সঙ্গে দেখলাম উলটোদিকের ফুটপাথ দিয়ে একটা লোক দ্রুত হেঁটে পুবদিকে নতুন প্যালেসের দিকটায় চলে গেল। লোকটার মুখ দেখতে পারলাম না বটে, কিন্তু তার গায়ের জামার টকটকে লাল রংটা এই অন্ধকারেও স্পষ্ট বুঝতে পারলাম। ফেলুদা দেখেছে কি লোকটাকে ?

মুকুল এগিয়ে এল আমাদের দিকে। ডক্টর হাজরা হাসিমুখে হাত বাড়িয়ে এগিয়ে গেলেন। তারপর খুব নরম গলায় বললেন—

'ওরকমভাবে বাইরে বেরোতে হয় না মুকুল !'

'কেন ?' মুকুল ঠাণ্ডা গলায় জিজ্ঞেস করল।

'অচেনা জায়গা—কতরকম দুষ্ট লোক আছে এখানে।'

'আমি তো চিনি।'

'কাকে চেন ?'

মুকুল হাত বাড়িয়ে রাস্তার দিকে দেখাল—

'ওই যে, যে লোকটা এসেছিল।'

হেমাঙ্গবাবু মুকুলের কাঁধে হাত দিয়ে ফেলুদার দিকে তাকিয়ে বললেন, 'দ্যাটস্ দা ট্রাবল। কাকে যে সত্যি করে চেনে আর কাকে যে পূর্বজন্মে চিনত তা বলা মুশকিল।'

লক্ষ করলাম মুকুলের হাতে কী জানি একটা কাগজের টুকরো চক চক করছে। ফেলুদাও দেখেছিল সেটা। বলল, 'তোমার হাতের কাগজটা একবার দেখব ?'

মুকুল কাগজটা দিল। একটা দু ইঞ্চি লম্বা আধ ইঞ্চি চওড়া সোনালি রাংতা।

'এটা কোথায় পেলে মুকুল ?' ফেলুদা জিজ্ঞেস করল।

'এইখানে', বলে মুকুল ঘাসের দিকে আঙুল দেখাল।

'এটা আমি রাখতে পারি ?' ফেলুদা জিজ্ঞেস করল।

'না। ওটা আমি পেয়েছি।' সেই একই সুর। একই ঠাণ্ডা গলার স্বর। অগত্যা ফেলুদা কাগজটা ফেরত দিয়ে দিল।

ডক্টর হাজরা বললেন, 'চলো মুকুল, ঘরে যাই। হাত-মুখ ধুয়ে তারপর খেতে যাব আমরা। চলি মিস্টার মিত্তির। কাল ঠিক সাড়ে সাতটায় আর্লি ব্রেকফাস্ট করে বেরোচ্ছি আমরা।'

খেতে যাবার আগেই ফেলুদা সুধীরবাবুকে পৌঁছ-খবর আর মুকুলের খবর দিয়ে একটা পোস্টকার্ড লিখে দিয়েছিল। স্নানটান সেরে যখন ডাইনিং রুমে পৌঁছেছি ততক্ষণে ডক্টর হাজরা আর মুকুল ঘরে চলে গেছেন। মন্দারবাবুকে দেখলাম উলটোদিকের কোনায় সেই অবাঙালি ভদ্রলোকের সঙ্গে বসে পুডিং খাচ্ছেন। আমাদের সুপ আসতে আসতে তাঁরা উঠে পড়লেন। দরজার দিকে যাবার পথে মন্দার বোস হাত তুলে গুডনাইট জানিয়ে গেলেন।

দুদিন ট্রেনে পথ চলে বেশ ক্লান্ত লাগছিল। ইচ্ছে ছিল, খেয়ে এসেই ঘুমিয়ে পড়ব, কিন্তু ফেলুদার জন্য একটুক্ষণ জেগে থাকতে হল। ফেলুদা তার নীল খাতা নিয়ে সিগারেট ধরিয়ে

সোফায় বসেছে, আর আমি খাটে গিয়ে শুয়েছি। সঙ্গে অ্যান্টি-মশা মলম ছিল বলে আর মশারি টাঙাতে দিইনি।

ফেলুদা ডট পেনের পেছনটা টিপে নিবটা বার করে নিয়ে বলল, 'কার কার সঙ্গে আলাপ হল বল।'

বললাম, 'কবে থেকে শুরু করব?'

'সুধীর ধরের আসা থেকে।'

'তা হলে প্রথমে সুধীরবাবু। তারপর শিবরতন। তারপর নীলু। তারপর শিবরতনবাবুর চাকর—'

'নাম কী?'

'মনে নেই।'

'মনোহর। তারপর?'

'তারপর জটায়ু।'

'আসল নাম কী?'

'লালমোহন।'

'পদবি?'

'পদবি...পদবি...গাঙ্গুলী।'

'গুড।'

ফেলুদা লিখে চলেছে। আমিও বলে চললাম।

'তারপর সেই লাল জামা পরা লোকটা।'

আলাপ হয়েছিল তার সঙ্গে?'

'না—তা হয়নি—'

'ঠিক আছে। নেক্সট?'

'মন্দার বোস। আর তার সঙ্গে যে লোকটা ছিল।'

'আর মুকুল ধর, ডক্টর—'

'ফেলুদা!'

আমার চিৎকারে ফেলুদার কথা থেমে গেল। আমার চোখ পড়েছে ফেলুদার বিছানার উপর। কী যেন একটা বিশ্রী জিনিস বালিশের তলা থেকে বেরোতে চেষ্টা করছে। আমি সেদিকে আঙুল দেখালাম।

ফেলুদা তড়াক করে লাফিয়ে উঠে এসে বালিশটাকে সরিয়ে ফেলতেই একটা কাঁকড়া বিছে বেরিয়ে পড়ল। ফেলুদা বিছানার চাদরটা ধরে একটা ঝটকা টান দিয়ে বিছেটাকে মাটিতে ফেলে দিয়ে চটি দিয়ে তিনটে প্রচণ্ড চাপড় মেরে সেটাকে সাবাড় করল। তারপর একটা খবরের কাগজের টুকরো ছিঁড়ে নিয়ে থেঁতলানো বিছেটাকে তার মধ্যে তুলে বাথরুমে গিয়ে পিছনের দরজাটা খুলে কাগজটাকে পুঁটলি পাকিয়ে বাইরে ফেলে দিল। তারপর ফিরে এসে বলল, 'জমাদারের আসার দরজাটা খোলা ছিল, তাই এ ব্যাটা ঢুকতে পেরেছে। নে, তুই এবার ঘুমিয়ে পড়। কাল ভোরে ওঠা আছে।'

আমার কিন্তু মোটেই অতটা নিশ্চিন্ত লাগছিল না। আমার মনে হচ্ছিল—নাঃ, থাক। যদি আমার টেলিপ্যাথির জোর থাকে, তা হলে হয়তো বিপদের কথা বেশি ভাবলেই বিপদ এসে পড়বে। তার চেয়ে ঘুমোনোর চেষ্টা করে দেখি।

পরদিন সকালে উঠে দাঁত-টাত মেজে যেই ঘর থেকে বেরিয়েছি অমনি একটা চেনা গলায় শুনলাম, 'গুড মর্নিং !' বুঝলাম জটায়ু হাজির। ফেলুদা আগেই বারান্দায় বেরিয়ে বেতের চেয়ারে বসে চায়ের অপেক্ষা করছিল। লালমোহনবাবু চোখ গোল গোল করে বললেন, 'ওঃ—কী থ্রিলিং জায়গা মশাই ! ফুল অফ পাওয়ারফুল সাস্‌পিশাস্‌ ক্যারেকটারস্‌ !'

'আপনি সক্ষত আছেন তো ?' ফেলুদা জিজ্ঞেস করল।

'কী বলচেন মশাই ! এখানে এসে দারুণ ফিট লাগছে। আজ আমাদের লজের ম্যানেজারকে পাঞ্জায় চ্যালেঞ্জ করেছিলুম। ভদ্রলোক রাজি হলেন না।' তারপর এগিয়ে এসে ফিসফিস করে বললেন, 'আমার কাছে একটি অস্ত্র আছে সুটকেসে—'

'গুলতি ?' ফেলুদা জিজ্ঞেস করল।

'নো স্যার ! একটি নেপালি ভোজালি। খাস কাটমাণ্ডুর জিনিস। কেউ অ্যাটাক করলে জয় মা বলে চালিয়ে দেব পেটের মধ্যে, তারপর যা থাকে কপালে। অনেকদিনের শখ একটা ওয়েপনের কালেকশন করব, বুঝেছেন।'

আমার আবার হাসি পেল, কিন্তু ক্রমেই সংযম অভ্যেস হয়ে আসছে, তাই সামলে গেলাম। লালমোহনবাবু ফেলুদার পাশের চেয়ারে বসে বললেন, 'আজকের প্ল্যান কী আমাদের ? ফোর্ট দেখতে যাচ্ছেন না ?'

ফেলুদা বলল, 'যাচ্ছি বটে, তবে এখানে নয়, বিকানির।'

'হঠাৎ আগেভাগে বিকানির ? কী ব্যাপার ?'

'সঙ্গী পাওয়া গেছে। গাড়ি যাচ্ছে একটা।'

বারান্দার পশ্চিমদিক থেকে আরেকটা 'গুড মর্নিং' শোনা গেল। গ্লোবট্রটার আসছেন। 'ঘুম হল ভাল ?'

লালমোহনবাবু দেখলাম মন্দার বোসের মিলিটারি গোঁফ আর জাঁদরেল চেহারার দিকে বেশ প্রশংসার দৃষ্টিতে দেখছেন। ফেলুদা দুজনের আলাপ করিয়ে দিলেন।

'আরেব্বাস ! গ্লোব-ট্রটার ?' লালমোহনবাবুর চোখ ছানাবড়া। 'আপনাকে তো তা হলে কালটিভেট করতে হচ্ছে মশাই। অনেক লোমহর্ষক অভিজ্ঞতা আছে নিশ্চয়ই আপনার !'

'কোন রকমটা চাই আপনার ?' মন্দার বোস হেসে বললেন, 'এক ক্যানিবলের হাঁড়িতে সেদ্ধ হওয়াটাই বাদ ছিল, বাকি প্রায় সব রকমই হয়েছে।'

মুকুল যে কখন বারান্দায় এসে দাঁড়িয়েছে তা টেরই পাইনি। এখন দেখলাম সে চুপচাপ এক ধারে দাঁড়িয়ে বাগানের দিকে তাকিয়ে রয়েছে।

এবার ডক্টর হাজরাও তৈরি হয়ে বেরিয়ে এলেন। তাঁর এক কাঁধে একটা ফ্লাস্ক, আরেকটায় একটা বাইনোকুলার, আর গলায় ঝুলছে একটা ক্যামেরা। বললেন, 'প্রায় সাড়ে চার ঘণ্টার পথ। আপনাদের ফ্লাস্ক থাকলে সঙ্গে নিয়ে নেবেন। পথে কী পাওয়া যাবে ঠিক নেই। আমি হোটেলে বলে দিয়েছি—চারটে প্যাক্‌ড লাঞ্চ দিয়ে দেবে।'

মন্দার বোস বললেন, 'কোথায় চললেন আপনারা সব ?'

বিকানিরের কথা শুনে ভদ্রলোক মেতে উঠলেন—

'যাওয়াই যদি হয়, তা হলে সব এক সঙ্গে গেলেই হয় !'

'দি আইডিয়া !' বললেন জটায়ু।

ডক্টর হাজরা একটু কাঁচুমাচু ভাব করে বললেন, 'সবসুদ্ধ তা হলে ক জন যাচ্ছি আমরা ?'

মন্দার বোস বললেন, 'এক গাড়িতে সবাই যাবার প্রশ্নই ওঠে না। আই উইল অ্যারেঞ্জ

ফর অ্যানাদার ট্যাক্সি। আমার সঙ্গে মিস্টার মাহেশ্বরীও যাবেন বোধহয়।'

'আপনি যাবেন কি ?' লালমোহনবাবুকে জিজ্ঞেস করলেন ডক্টর হাজরা।'

'গেলে শেয়ারে যাব। কারুর স্কন্ধে চাপতে রাজি নই। আপনারা চারজন একটাতে যান। আমি মিস্টার গ্লোব-ট্রটারের সঙ্গে আছি।'

বুঝলাম, ভদ্রলোক মন্দারবাবুর কাছ থেকে গল্প শুনে ওঁর প্লটের স্টক বাড়াতে চাচ্ছেন। অলরেডি উনি কম করে পঁচিশখানা অ্যাডভেঞ্চার উপন্যাস লিখেছেন। ভালই হল ; এক গাড়িতে পাঁচজন হলে একটু বেশি ঠাসাঠাসি হত। মন্দারবাবু ম্যানেজারকে বলে আরেকটা ট্যাক্সির বন্দোবস্ত করে ফেললেন। লালমোহনবাবু নিউ বম্বে লজে তৈরি হতে চলে গেলেন। যাবার সময় বলে গেলেন, 'আমাকে কাইন্ডলি পিক আপ করে নেবেন। আমি হাফ অ্যান আওয়ারের মধ্যে রেডি হয়ে থাকছি।'

আগেই বলে রাখি—বিকানিরের কেল্লাও মুকুল একবার দেখেই বাতিল করে দিয়েছিল। কিন্তু সেটাই আজকের দিনের আসল ঘটনা নয়। আসল ঘটনা ঘটল দেবীকুণ্ডে, আর সেটা থেকেই বুঝতে পারলাম যে, আমরা সত্যিই দুর্ধর্ষ দুশমনের পাল্লায় পড়েছি।

বিকানির যাবার পথে বিশেষ কিছু ঘটেনি, কেবল মাইল ষাটেক যাবার পর একটা বেদের দলকে দেখতে পেলাম রাস্তার ধারে সংসার পেতে বসেছে। মুকুল গাড়ি থামাতে বলে তাদের মধ্যে কিছুক্ষণ ঘোরাঘুরি করে এসে বলল যে, তাদের চেনে।

এর পরে ফেলুদার সঙ্গে ডক্টর হাজরার কিছু কথাবার্তা হয়েছিল মুকুলকে নিয়ে, সেটা এখানে বলে রাখি। এই সব কথা মুকুল ড্রাইভারের পাশে বসে শুনতে পেয়েছিল কি না জানি না ; কিন্তু পেলেও তার হাবভাবে সেটা কিছুই বোঝা যায়নি।

ফেলুদা বলল, 'আচ্ছা ডক্টর হাজরা, মুকুল তার পূর্বজন্মের কী কী ঘটনা বা জিনিসের কথা বলে সেটা একবার বলবেন ?'

হাজরা বললেন, 'যে জিনিসটার কথা বার বারই বলে সেটা হচ্ছে সোনার কেল্লা। সেই কেল্লার কাছেই নাকি ওর বাড়ি ছিল। সেই বাড়ির মেঝের তলায় নাকি ধনরত্ন পোঁতা ছিল। যেরকমভাবে বলে তাতে মনে হয় যে এই ধনরত্ন লুকিয়ে রাখার ব্যাপারটা ওর সামনেই ঘটেছিল। এ ছাড়া যুদ্ধের কথা বলে। বলে, অনেক হাতি, অনেক ঘোড়া, সেপাই, কামান, ভীষণ শব্দ, ভীষণ চিৎকার। আর বলে উটের কথা। উটের পিঠে সে চড়েছে। আর ময়ূর। ময়ূরে নাকি ওর হাতে ঠোকর মেরেছিল। রক্ত বার করে দিয়েছিল। আর বলে বালির কথা। বালি দেখলেই কী রকম চঞ্চল হয়ে উঠছে সেটা লক্ষ করেননি ?'

বিকানির পৌঁছলাম পৌনে বারোটায়। শহরে পৌঁছবার কিছু আগে থেকেই রাস্তা ক্রমে চড়াই উঠেছে ; এই চড়াইয়ের উপরেই পাঁচিল দিয়ে ঘেরা শহর। আর শহরের মধ্যে সবচেয়ে চোখে পড়ার মতো জিনিস হচ্ছে লালচে রঙের পাথরের তৈরি প্রকাণ্ড দুর্গ।

আমাদের গাড়ি একেবারে সোজা দুর্গের দিকে নিয়ে যাওয়া হল। লক্ষ করলাম যতই কাছে যাচ্ছি ততই যেন দুর্গটাকে আরও বড় বলে মনে হচ্ছে। বাবা ঠিকই বলেছিলেন। রাজপুতরা যে দারুণ শক্তিশালী জাত ছিল সেটা তাদের দুর্গের চেহারা দেখলেই বোঝা যায়।

দুর্গের গেটের সামনে গিয়ে ট্যাক্সি থামার সঙ্গে সঙ্গেই মুকুল বলে উঠল, 'এখানে কেন থামলে ?'

ডক্টর হাজরা বললেন, 'কেল্লাটা কি চিনতে পারছ মুকুল ?'

মুকুল গম্ভীর গলায় বলল, 'না। এটা বিচ্ছিরি কেল্লা। এটা সোনার কেল্লা না।'

আমরা সবাই গাড়ি থেকে নেমে বাইরে দাঁড়িয়েছিলাম। মুকুলের কথাটা শেষ হবার সঙ্গে সঙ্গেই কোত্থেকে জানি একটা কর্কশ আওয়াজ শোনা গেল আর তৎক্ষণাৎ মুকুল দৌড়ে এসে

ডক্টর হাজরাকে দু হাতে জড়িয়ে ধরল। আওয়াজটা এল কেল্লার উলটোদিকের পার্কটা থেকে।

ফেলুদা বলল, 'ময়ূরের ডাক। এ রকম আগেও হয়েছে কি ?'

ডক্টর হাজরা মুকুলের মাথায় হাত বুলোতে বুলোতে বললেন, 'কাল যোধপুরেই হয়েছিল। হি কান্ট স্ট্যান্ড পিকক্স।'

মুকুল দেখলাম ফ্যাকাশে হয়ে গেছে। সে আবার সেই গম্ভীর অথচ মিষ্টি গলায় বলল, 'এখানে থাকব না।'

ডক্টর হাজরা ফেলুদাকে উদ্দেশ করে বললেন, 'আমি বরং গাড়িটা নিয়ে এখানকার সার্কিট হাউসে গিয়ে অপেক্ষা করছি। আপনারা অ্যাদ্দূর এসেছেন, একটু ঘুরেটুরে দেখে নিন। আমি গিয়ে গাড়িটা ফেরত পাঠিয়ে দিচ্ছি। আপনাদের দেখা হলে সার্কিট হাউসে চলে আসবেন। তবে দুটোর বেশি দেরি করবেন না কিন্তু, তা হলে ওদিকে ফিরতে রাত হয়ে যাবে।'

ডক্টর হাজরার উদ্দেশ্য সফল হয়নি ঠিকই, কিন্তু আমার তাতে বিশেষ দুঃখ নেই। এই প্রথম একটা রাজপুত কেল্লার ভিতরটা দেখতে পাব ভেবেই আমার গায়ে কাঁটা দিচ্ছিল।

কেল্লার গেটের দিকে যখন এগোচ্ছি তখন ফেলুদা আচমকা থমকে দাঁড়িয়ে আমার কাঁধে একটা চাপ দিয়ে বলল, 'দেখলি ?'

বললাম, 'কী জিনিস ?'

'সেই লোকটা।'

বুঝলাম ফেলুদা সেই লাল জামা-পরা লোকটার কথা বলছে। কিন্তু ও যেদিকে তাকিয়ে রয়েছে, সেদিকে কোনও লাল জামা দেখতে পেলাম না। অবিশ্যি লোকজন অনেক রয়েছে কারণ কেল্লার গেটের বাইরেটা একটা ছোটখাটো বাজার। বললাম, 'কোথায় লোকটা ?'

'ইডিয়ট। তুই বুঝি লাল জামা খুঁজছিস ?'

'তবে কোন লোকের কথা বলছ তুমি ?'

'তোর মতো বোকচন্দর দুনিয়ায় নেই। তুই শুধু জামাই দেখেছিস, আর কিছুই দেখিসনি। ইট ওয়াজ দ্য সেম ম্যান, চাদর দিয়ে নাক অবধি ঢাকা। কেবল আজ পরেছিল নীল জামা। আমরা যখন বেদেদের দেখতে নেমেছিলাম, সেই সময় একটা ট্যাক্সি যেতে দেখি বিকানিরের দিকে। তাতে দেখেছিলাম এই নীল জামা।'

'কিন্তু এখানে কী করছে লোকটা ?'

'সেটা জানলে তো অর্ধেক বাজি মাত হয়ে যেত।'

লোকটা উধাও। মনে একটা উত্তেজনার ভাব নিয়ে কেল্লার বিশাল ফটক দিয়ে ভিতরে ঢুকলাম। ঢুকেই একটা বিরাট চাতাল, সেটার ডানদিকে বুকের ছাতি ফুলিয়ে কেল্লাটা দাঁড়িয়ে আছে। দেয়ালের খোপরে খোপরে পায়রার বাসা। বিকানির নাকি হাজার বছর আগে একটা সমৃদ্ধ শহর ছিল, যেটা বহুকাল হল বালির তলায় তলিয়ে গেছে। ফেলুদা বলল যে, কেল্লাটা চারশো বছর আগে রাজা রায় সিং প্রথম তৈরি করতে শুরু করেন। ইনি নাকি আকবরের একজন বিখ্যাত সেনাপতি ছিলেন।

আমার মনের ভিতরটা কিছুক্ষণ থেকে খচখচ করছে একটা কথা ভেবে। লালমোহনবাবুরা এখনও এলেন না কেন ? তাদের কি তা হলে রওনা হতে দেরি হয়েছে ? নাকি রাস্তায় গাড়ি খারাপ হয়ে গেছে ? যাক গে। ওদের কথা ভেবে আশ্চর্য ঐতিহাসিক জিনিস দেখার আনন্দ নষ্ট করব না।

যে জিনিসটা সবচেয়ে অদ্ভুত লাগল সেটা হল কেল্লার অস্ত্রাগার। এখানে যে শুধু অস্ত্রই

রয়েছে তা নয়, আশ্চর্য সুন্দর একটা রুপোর সিংহাসনও রয়েছে, যার নাম 'আলম আম্বালি'। এটা নাকি মোগল বাদশাহদের উপহার। এ ছাড়া রয়েছে যুদ্ধের বর্ম শিরস্ত্রাণ ঢাল তলোয়ার বল্লম ছোরা—আরও কত কী ! এক-একটা তলোয়ার এত বিরাট আর এত তাগড়াই যে দেখলে বিশ্বাসই হয় না সেগুলো মানুষে হাতে নিয়ে চালাতে পারে। এগুলো দেখে জটায়ুর কথা যেই মনে পড়েছে, অমনি দেখি আমার টেলিপ্যাথির জোরে ভদ্রলোক হাজির। বিরাট কেল্লার বিরাট ঘরের বিরাট দরজার সামনে তাকে আরও খুদে আর আরও হাস্যকর মনে হচ্ছে।

লালমোহনবাবু আমাদের দেখতে পেয়ে এক গাল হেসে চারিদিকে চেয়ে শুধু বললেন, 'রাজপুতরা কি জায়েন্ট ছিল নাকি মশাই। এ জিনিস তো মানুষের হাতে ব্যবহার করার জিনিস নয় !'

যা ভেবেছিলাম তাই। সত্তর কিলোমিটারের মাথায় ওদের ট্যাক্সির একটা টায়ার পাংচার হয়। ফেলুদা বলল, 'আপনার সঙ্গের আর দুজন কোথায় ?'

'ওরা বাজারে কী সব কিনতে লেগেছে। আমি আর থাকতে না পেরে ঢুকে পড়লুম।'

আমরা ফুলমহল, গজমন্দির, শিশমহল আর গঙ্গানিবাস দেখে যখন চিনি বুর্জে পৌঁছেছি, তখন মন্দার বোস আর মিস্টার মাহেশ্বরীর সঙ্গে দেখা হয়ে গেল। তাঁদের হাতে খবরের কাগজের মোড়ক দেখে বুঝলাম তাঁরা কেনাকাটা করেছেন। মন্দার বোস বললেন, 'ইউরোপে মধ্যযুগের দুর্গ-টুর্গগুলোতে যে অস্ত্র দেখেছি, আর এখানেও যা দেখলাম, তাতে একটা জিনিসই প্রমাণ করে : মানুষ জাতটা দিনে দিনে দুর্বল হয়ে আসছে, আর আমার বিশ্বাস সেই সঙ্গে তারা আয়তনেও ছোট হয়ে আসছে।'

'এই আমার মতো বলছেন ?' লালমোহনবাবু হেসে বললেন।

'হ্যাঁ। ঠিক আপনারই মতো', মন্দার বোস বললেন, 'আমার বিশ্বাস আপনার ডাইমেনশনের লোক ষোড়শ শতাব্দীর রাজস্থানে একটিও ছিল না। ওহো—বাই দ্য ওয়ে—' মন্দারবাবু ফেলুদার দিকে ফিরলেন, 'আপনার জন্য এইটে এসে পড়েছিল সার্কিট হাউসে রিসেপশন ডেস্কে।'

ভদ্রলোক পকেট থেকে একটা খাম বার করে ফেলুদাকে দিলেন। তাতে টিকিট নেই। বোঝাই যায় কোনও স্থানীয় লোক সেটা দিয়ে গেছে।

ফেলুদা চিঠি খুলতে খুলতে বলল, 'আপনাকে কে দিল ?'

'আমরা যখন বেরোচ্ছি, তখন বাগ্‌রি বলে যে ছোকরাটা রিসেপশনে বসে, সেই দিল। বললে কে কখন রেখে গেছে জানে না।'

ফেলুদা 'এক্সকিউজ মি' বলে চিঠিটা পড়ে আবার খামে পুরে পকেটে রেখে দিল। তাতে কী লেখা আছে কিছুই বুঝতে পারলাম না, জিজ্ঞেসও করতে পারলাম না।

আরও আধঘন্টা ঘোরার পর ফেলুদা ঘড়ি দেখে বলল, 'এবার সার্কিট হাউসে যেতে হয়।' কেল্লাটা ছেড়ে যেতে ইচ্ছে করছিল না, কিন্তু উপায় নেই।

কেল্লার বাইরে দুটো ট্যাক্সিই দাঁড়িয়ে রয়েছে। ঠিক হল যে এবার আমরা এক সঙ্গেই ফিরব। যখন ট্যাক্সিতে উঠছি, তখন ড্রাইভার বলল ডক্টর হাজরারা নাকি সার্কিট হাউসে যাননি। উয়ো যো লেড়কা থা—ও নাকি বলেছে সার্কিট হাউসে যাবে না।

'তবে কোথায় গেছে ওরা ?' ফেলুদা জিজ্ঞেস করল।

তাতে ড্রাইভার বলল, ওরা গেছে দেবীকুণ্ডে। সেটা আবার কী জায়গা ? ফেলুদা বলল, ওখানে নাকি রাজপুত যোদ্ধাদের স্মৃতিস্তম্ভ আছে।

পাঁচ মাইল পথ, যেতে লাগল দশ মিনিট। জায়গাটা সত্যিই সুন্দর, আর তেমনি সুন্দর

স্মৃতিস্তম্ভগুলো। পাথরের বেদির উপর পাথরের থাম, তার উপর পাথরের ছাউনি, আর মাথা থেকে পা অবধি সুন্দর কারুকার্য। এই রকম স্মৃতিস্তম্ভ চারদিকে ছড়ানো রয়েছে কমপক্ষে পঞ্চাশটা। সমস্ত জায়গাটা গাছপালায় ভর্তি, সেই সব গাছে টিয়ার দল জটলা করছে, এ-গাছ থেকে ও-গাছ ফুরুৎ ফুরুৎ করে উড়ে বেড়াচ্ছে আর ট্যাঁ ট্যাঁ করে ডাকছে। এত টিয়া একসঙ্গে আমি কখনও দেখিনি।

কিন্তু ডক্টর হাজরা কোথায়? আর কোথায়ই বা মুকুল?

লালমোহনবাবুর দিকে চেয়ে দেখি, উনি উশখুশ করছেন। বললেন, 'ভেরি সাস্‌পিশাস্ অ্যান্ড মিস্টিরিয়াস্।'

'ডক্টর হাজরা!' মন্দার বোস হঠাৎ এক হাঁক দিয়ে উঠলেন। তাঁর ভারী গলার চিৎকারে এক ঝাঁক টিয়া উড়ে পালাল, কিন্তু ডাকের কোনও সাড়া পাওয়া গেল না।

আমরা কজনে খুঁজতে আরম্ভ করে দিলাম। স্মৃতিস্তম্ভে স্মৃতিস্তম্ভে জায়গাটা প্রায় একটা গোলকধাঁধার মতো হয়ে রয়েছে। তারই মধ্যে ঘুরতে ঘুরতে ফেলুদাকে দেখলাম ঘাস থেকে একটা দেশলাইয়ের বাক্স কুড়িয়ে নিয়ে পকেটে পুরল।

শেষকালে কিন্তু লালমোহনবাবুই আবিষ্কার করলেন ডক্টর হাজরাকে। তাঁর চিৎকার শুনে আমরা দৌড়ে গিয়ে দেখি, একটা আমগাছের ছায়ায় শেওলা-ধরা বেদির সামনে মুখ আর হাত পিছন দিকে বাঁধা অবস্থায় মাটিতে কুঁকড়ে পড়ে আছেন ডক্টর হাজরা। তাঁর মুখ দিয়ে একটা অদ্ভুত অসহায় গোঁ গোঁ শব্দ বেরোচ্ছে।

ফেলুদা হুমড়ি খেয়ে ভদ্রলোকের উপর পড়ে তাঁর হাতের বাঁধন আর মুখের গ্যাগ খুলে দিল। দেখেই মনে হল যেটা দিয়ে বাঁধা হয়েছে সেটা একটা পাগড়ি থেকে ছেঁড়া কাপড়।

মন্দার বোস বললেন, 'ব্যাপার কী মশাই, এমন দশা হল কী করে?'

সৌভাগ্যক্রমে ডক্টর হাজরা জখম হননি। তিনি মাটিতে ঘাসের উপরে বসে কিছুক্ষণ

হাঁপালেন। তারপর বললেন, 'মুকুল বলল, সার্কিট হাউসে যাবে না। অগত্যা গাড়ি করে ঘুরতে লাগলাম। এখানে এসে তার জায়গাটা ভাল লেগে গেল। বলল—এগুলো ছত্রী। এগুলো আমি জানি। আমি নেবে দেখব।—নামলাম। ও এদিক ওদিক ঘুরছিল, আমি একটু গাছের ছায়ায় দাঁড়িয়েছিলাম। এমন সময় পেছন থেকে আক্রমণ। হাত দিয়ে মুখটা চেপে মাটিতে উপুড় করে ফেলে হাঁটুটা দিয়ে মাথাটা চেপে রেখে হাত দুটো পিছনে বেঁধে ফেলল। তারপর মুখে ব্যান্ডেজ।'

'মুকুল কোথায় ?' ফেলুদা জিজ্ঞেস করল। তার গলার স্বরে উৎকণ্ঠা।

'জানি না। একটা গাড়ির আওয়াজ পেয়েছিলাম বটে আমাকে বাঁধবার কিছুক্ষণ পরেই।'

'লোকটার চেহারাটা দেখেননি ?' ফেলুদা প্রশ্ন করল।

ডক্টর হাজরা মাথা নাড়লেন। 'তবে স্ট্রাগ্‌ল-এর সময় তার পোশাকের একটা আন্দাজ পেয়েছিলাম। স্থানীয় লোকের পোশাক। প্যান্ট-শার্ট নয়।'

'দেয়ার হি ইজ !' হঠাৎ চেঁচিয়ে উঠলেন মন্দার বোস।

অবাক হয়ে দেখলাম, একটা ছত্রীর পাশ থেকে মুকুল আপনমনে ঘাস চিবোতে চিবোতে আমাদের দিকে এগিয়ে আসছে। ডক্টর হাজরা একটা হাঁপ ছাড়ার শব্দ করে 'থ্যাঙ্ক গড' বলে মুকুলের দিকে এগিয়ে গেল।

'কোথায় গিয়েছিলে মুকুল ?'

কোনও উত্তর নেই।

'কোথায় ছিলে তুমি এতক্ষণ ?'

'ওইটার পিছনে।' মুকুল আঙুল দিয়ে একটা ছত্রীর দিকে দেখাল।

'ও রকম বাড়ি আমি দেখেছি।'

ফেলুদা বলল, 'যে লোকটা এসেছিল তাকে তুমি দেখেছিলে ?'

'কোন লোকটা ?'

ডক্টর হাজরা বললেন, 'ওর দেখার কথা নয়। এখানে এসেই ও দৌড়ে এক্সপ্লোর করতে চলে গেছে। বিকানিরে এসে এ রকম যে একটা কিছু ঘটতে পারে সেটাও ভাবিনি, তাই আমিও ওর জন্য চিন্তা করিনি।'

তা সত্ত্বেও ফেলুদা আবার প্রশ্ন করল, 'তুমি দেখোনি লোকটাকে—যে ডক্টর হাজরার হাত-মুখ বাঁধল ?'

'আমি সোনার কেল্লা দেখব।'

বুঝলাম মুকুলকে কোনও প্রশ্ন করা বৃথা।

ফেলুদা হঠাৎ বলল, 'আর টাইম্ ওয়েস্ট করে লাভ নেই। একদিক দিয়ে ভালই যে মুকুল আপনার সঙ্গে বা আপনার কাছাকাছি ছিল না। থাকলে হয়তো তাকে নিয়েই উধাও হত লোকটা। যদি সে লোক যোধপুর ফিরে গিয়ে থাকে তা হলে যথেষ্ট স্পিডে গাড়ি চালালে হয়তো এখনও তাকে ধরা যাবে।'

দু মিনিটের মধ্যে আমরা গাড়িতে উঠে রওনা হয়ে গেলাম। লালমোহনবাবু এবার আমাদের সঙ্গে এলেন। বললেন, 'ও লোকগুলো বড্ড ড্রিংক করে। আমার আবার মদের গন্ধ সহ্য হয় না।'

পাঞ্জাবি ড্রাইভার হরমিত সিং ষাট মাইল পর্যন্ত স্পিড তুলল গাড়িতে। এক জায়গায় রাস্তার মাঝখানে একটা ঘুঘু বসেছিল, সেটা উড়ে পালাতে গিয়ে আমাদের গাড়ির উইন্ডস্ক্রিনে ধাক্কা খেয়ে মরে গেল। আমি আর মুকুল সামনে বসেছিলাম। একবার পিছন ফিরে দেখলাম, লালমোহনবাবু ফেলুদা আর ডক্টর হাজরার মাঝখানে কুঁকড়ে চোখ বন্ধ করে বসে

আছেন। তাঁর মুখ ফ্যাকাশে হলেও ঠোঁটের কোণে একটা হাসি দেখে বুঝলাম, তিনি অ্যাডভেঞ্চারের গন্ধ পেয়েছেন ; হয়তো তাঁর সামনের গল্পের প্লটও মাথায় এসে গেছে।

শ'খানেক মাইল আসার পর বুঝতে পারলাম যে, শয়তানের গাড়ি ধরতে পারার কোনও সম্ভাবনা নেই। সে গাড়িটাও যে নতুন নয়, আর তাতেও যে স্পিড ওঠে না, এ কথা ভাবলে চলবে কেন !

যোধপুর যখন পৌঁছলাম, তখন শহরের বাতি জ্বলে উঠেছে। ফেলুদা বলল, 'লালমোহনবাবু, আপনাকে নিউ বোম্বে লজে নামিয়ে দেব তো ?'

ভদ্রলোক মিহি গলায় বললেন, 'তা তো বটেই—আমার জিনিসপত্তর তো সব সেখানেই রয়েছে ; কিন্তু ভাবছিলুম খাওয়াদাওয়া করে যদি আপনাদের ওখানে...মানে...'

'বেশ তো', ফেলুদা আশ্বাসের সুরে বলল, 'জিজ্ঞেস করে দেখব, সার্কিট হাউসে ঘর খালি আছে কি না। আপনি বরং ন'টা নাগাদ একটা টেলিফোন করে জেনে নেবেন।'

আমি ভাবছি আজকের ঘটনার কথা। শক্ত লোকের পাল্লায় পড়েছি আমরা, সে কথা বেশ বুঝতে পারছি। এ লোকই কি সেই লাল জামা পরা লোক ? যে আজ বিকানির গিয়েছিল নীল জামা পরে ? জানি না। এখন পর্যন্ত কিছুই বুঝতে পারছি না। আমার মনে হয় ফেলুদাও পারছে না। যদি পারত তা হলে ওর মুখের ভাবই অন্য রকম হয়ে যেত। অ্যাদ্দিন ওর সঙ্গে থেকে আর ওর তদন্তের কায়দাটা দেখে আমি এটা খুব ভাল করেই জেনেছি।

সার্কিট হাউসে পৌঁছে যে যার ঘরের দিকে গেলাম। তিন নম্বরে ঢোকার আগে ফেলুদা ডক্টর হাজরাকে বলল, 'কিছু মনে করবেন না, আমি এই কাপড়টা আমার কাছে রাখছি।' ডক্টর হাজরাকে যে কাপড়টা দিয়ে বাঁধা হয়েছিল সেটা ফেলুদা সঙ্গে নিয়ে নিয়েছিল।

হাজরা বললেন, 'স্বচ্ছন্দে।' তারপর ফেলুদার দিকে এগিয়ে এসে গলা নামিয়ে বললেন, 'বুঝতেই তো পারছেন প্রদোষবাবু, ব্যাপার গুরুতর। যেটা আশঙ্কা করা গিয়েছিল, সেটাই হতে চলেছে। আমি কিন্তু এতটা গোলমাল হবে সেটা অনুমান করিনি।'

ফেলুদা বলল, 'আপনি ভাবছেন কেন ? আমি তো রয়েছি। আপনি নির্ভয়ে নিজের কাজ চালিয়ে যান। আমার বিশ্বাস, আপনি যদি আজ দেবীকুণ্ডে না গিয়ে সার্কিট হাউসে যেতেন, তা হলে আপনাকে এতটা নাজেহাল হতে হত না। অবিশ্যি মুকুলকে যে কিডন্যাপ করতে পারেনি লোকটা এটাই ভাগ্য। এবার থেকে আমাদের কাছাকাছি থাকবেন, তা হলে দুর্যোগের ভয়টা অনেক কমবে।'

ডক্টর হাজরার মুখ থেকে দুশ্চিন্তার ভাবটা গেল না। বললেন, 'আমি কিন্তু আমার নিজের জন্য ভাবছি না। বৈজ্ঞানিকদের গবেষণার ব্যাপারে অনেক রিস্ক নিতে হয়। ভাবছি আপনাদের দুজনের জন্য। আপনারা তো একেবারে বাইরের লোক।'

ফেলুদা একটু হেসে বলল, 'ধরে নিন আমিও একজন বৈজ্ঞানিক, আমিও গবেষণা করছি, আর সেই কারণে আমিও রিস্ক নিচ্ছি।'

মুকুল এতক্ষণ বারান্দার এ-মাথা থেকে ও-মাথা পায়চারি করছিল, ডক্টর হাজরা এবার তাকে ডেকে নিয়ে আমাদের গুড নাইট জানিয়ে অন্যমনস্কভাবে তার ঘরে চলে গেলেন। আমরাও আমাদের ঘরে ঢুকলাম। বেয়ারাকে ডেকে ঠাণ্ডা কোকাকোলা আনতে বলে ফেলুদা সোফায় বসে পকেট থেকে সিগারেট আর লাইটার বার করে চিন্তিতভাবে সেগুলোকে টেবিলের উপর রাখল। তারপর অন্য পকেট থেকে বের করল একটা দেশলাই—যেটা দেবীকুণ্ডে কুড়িয়ে পেয়েছিল। টেক্কা-মার্কা দেশলাই। বাক্স খালি। সেটার দিকে কিছুক্ষণ তাকিয়ে থেকে বলল, 'এই যে রেলে আসতে এতগুলো স্টেশনে এতগুলো

পান-সিগারেটওয়ালাকে দেখলি, তাদের কারুর কাছে টেক্কা দেশলাই ছিল কি না লক্ষ করেছিলি ?'

আমি সত্যি কথাটা বললাম। 'না ফেলুদা, লক্ষ করিনি।'

ফেলুদা বলল, 'পশ্চিম অঞ্চলের কোনও দোকানে টেক্কা দেশলাই থাকার কথা নয়। রাজস্থানে টেক্কা বিক্রি হয় না। এ দেশলাই রাজস্থানের বাইরে থেকে আনা।'

'তার মানে এটা সেই লাল জামা-পরা লোকটার নয় ?'

'তোর প্রশ্নটা খুবই কাঁচা হল। প্রথমত, রাজস্থানি পোশাক পরলেই একটা লোক রাজস্থানি হয় না। ওটা যে-কেউ পরতে পারে। আর দ্বিতীয়ত, ওই লোক ছাড়াও আরও অনেকেই আজ দেবীকুণ্ডে গিয়ে কুকীর্তিটা করার সুযোগ পেয়েছে।'

'তা তো বটেই ! কিন্তু তাদের তো কাউকেই আমরা চিনি না, কাজেই ও নিয়ে ভেবে কী লাভ ?'

'এটাও খুব কাঁচা কথা হল। মাথা খাটাতে শিখলি না এখনও তুই। লালমোহন, মন্দার বোস এবং মাহেশ্বরী—এরা কত দেরিতে কেল্লায় পৌঁছেছে সেটা ভেবে দ্যাখ। আর তারপর ভেবে দ্যাখ—'

'বুঝেছি, বুঝেছি।'

সত্যিই তো ! এটা তো আমার মাথাতেই আসেনি। ওদের আসতে প্রায় পঁয়তাল্লিশ মিনিট দেরি হয়েছিল। লালমোহনবাবু বললেন, গাড়ির টায়ার পাংচার হয়েছিল। যদি না হয়ে থাকে ? যদি তিনি মিথ্যে কথা বলে থাকেন ? কিংবা সেটা যদি সত্যি হয়ে থাকে, আর লালমোহনবাবু যদি নির্দোষ হয়ে থাকেন, মন্দার বোস আর মাহেশ্বরী তো বাজার না করে দেবীকুণ্ডে গিয়ে থাকতে পারেন।

ফেলুদা এবার একটা দীর্ঘনিশ্বাস ফেলে পকেট থেকে আরেকটা জিনিস বার করল। সেটা দেখেই হঠাৎ বুকটা ধড়াস করে উঠল। এটার কথা এতক্ষণ মনেই ছিল না। এটা সেই মন্দার বোসের দেওয়া চিঠিটা।

'ওটা কার চিঠি ফেলুদা ?' কাঁপা গলায় জিজ্ঞেস করলাম আমি।

'জানি না,' বলে ফেলুদা চিঠিটা আমার দিকে এগিয়ে দিল। হাতে নিয়ে দেখি, সেটা ইংরেজিতে লেখা চিঠি। মাত্র একটা লাইন—বড় হাতের অক্ষরে ডট পেন দিয়ে লেখা—

'ইফ ইউ ভ্যালু ইয়োর লাইফ—গো ব্যাক টু ক্যালকাটা ইমিডিয়েটলি।'

অর্থাৎ তোমার জীবনের প্রতি যদি তোমার মায়া থাকে, তা হলে এক্ষুনি কলকাতায় ফিরে যাও।

আমার হাতে চিঠিটা কাঁপতে লাগল। আমি চট করে সেটা টেবিলের উপর রেখে হাত দুটোকে কোলের উপর জড়ো করে নিজেকে স্টেডি করার চেষ্টা করলাম।

'কী করবে ফেলুদা ?'

সিলিং-এর ঘুরন্ত পাখাটার দিক থেকে দৃষ্টি না সরিয়ে ফেলুদা প্রায় আপন মনেই বলল, 'মাকড়সার জাল...জিয়োমেট্রি...। এখন অন্ধকার...দেখা যাচ্ছে না...রোদ উঠলে জালে আলো পড়বে—চিক্ চিক্ করবে...তখন ধরা পড়বে জালের নকশা !...এখন শুধু আলোর অপেক্ষা...'

কাল মাঝরাত্তিরে ঘুম ভেঙে গিয়েছিল একবার, তখন সময় কটা জানি না, দেখলাম ফেলুদা বেড-সাইড ল্যাম্পটা জ্বালিয়ে তার নীল খাতায় কী যেন লিখছে। ও কত রাত পর্যন্ত কাজ করেছিল জানি না। কিন্তু সকাল সাড়ে ছটায় উঠে দেখলাম, ও তার আগেই উঠে দাড়ি-টাড়ি কামিয়ে রেডি। ও বলে, মানুষের ব্রেন যখন খুব বেশি কাজ করে, তখন ঘুম আপনা থেকেই কমে যায় ; কিন্তু তাতে নাকি শরীর খারাপ হয় না। অন্তত ওর তো তাই ধারণা, আর ওর শরীর গত দশ বছরে এক দিনের জন্যেও খারাপ হয়েছে বলে তো মনে পড়ে না। আমি জানতাম যে যোধপুরে এসেও ও যোগব্যায়াম বন্ধ করেনি। আজকেও জানি, আমার ঘুম ভাঙার আগেই ওর সে-কাজটা সারা হয়ে গেছে।

ডাইনিং রুমে ব্রেকফাস্ট খেতে গিয়ে সকলের সঙ্গেই দেখা হল। লালমোহনবাবু কাল রাত্রেই সার্কিট হাউসে চলে এসেছিলেন। তিনি বারান্দার পশ্চিম অংশটাতে মন্দার বোসের দুটো ঘর পরেই রয়েছেন। ভদ্রলোক ডিমের অমলেট খেতে খেতে বললেন, তাঁর নাকি চমৎকার একটা প্লট মাথায় এসেছে। ডক্টর হাজরা একদম মুষড়ে পড়েছেন ; বললেন যে, রাত্রে নাকি তার ভাল ঘুম হয়নি। একমাত্র মুকুলই দেখলাম নির্বিকার।

মন্দার বোস আজ প্রথম সরাসরি ডক্টর হাজরার সঙ্গে কথা বললেন—

'কিছু মনে করবেন না মশাই, আপনি যে উদ্ভট জিনিস নিয়ে রিসার্চ করছেন, তাতে এ ধরনের গণ্ডগোল হবেই। যে দেশে কুসংস্কারের এত ছড়াছড়ি, সে দেশে এ সব জিনিস বেশি না ঘাঁটানোই ভাল। শেষকালে দেখবেন, ঘরে ঘরে-সব কচি ছোকরারা নিজেদের জাতিস্মর বলে ক্লেম করছে। তলিয়ে দেখলে দেখবেন, ব্যাপারটা আর কিছুই না, তাদের বাপেরা একটু পাবলিসিটি চাইছে, ব্যস। তখন আপনি ঠ্যালা সামলাবেন কী করে ? কটা ছেলেকে সঙ্গে নিয়ে বিদেশে বিভুঁইয়ে চরে বেড়াবেন ?'

ডক্টর হাজরা কোনও মন্তব্য করলেন না। লালমোহনবাবু এর-ওর মুখের দিকে চাইলেন, কারণ জাতিস্মর ব্যাপারটা উনি এখনও কিছু জানেন না।

ফেলুদা আগেই বলেছিল যে, ব্রেকফাস্ট সেরে একটু বাজারের দিকে যাবে। আমি জানতাম, সেটা নিশ্চয়ই শুধু শহর দেখার উদ্দেশ্যে নয়। পৌনে আটটার সময় আমরা বেরিয়ে পড়লাম। দুজন নয়, তিনজন। লালমোহনবাবুও আমাদের সঙ্গ নিলেন। আমি এর মধ্যে দু-একবার ভদ্রলোককে দুশমন হিসেবে কল্পনা করার চেষ্টা করেছিলাম, কিন্তু প্রতিবারই এত হাসি পেল যে বাধ্য হয়ে সেটা মন থেকে দূর করতে হল।

সার্কিট হাউসের দিকটা নিরিবিলি আর খোলামেলা হলেও শহরটা গিজগিজে। প্রায় সব জায়গা থেকেই পুরনো পাঁচিলটা দেখা যায়। সেই পাঁচিলের গায়ে দোকানের সারি, টাঙ্গার লাইন, লোকের থাকবার বাড়ি আর আরও কত কী। পাঁচশো বছর আগেকার শহরের চিহ্ন আজকের শহরের সঙ্গে মিশে একাকার হয়ে গেছে।

আমরা এ-দোকান সে-দোকান দেখতে দেখতে হেঁটে চলেছি। ফেলুদা কিছু একটা খুঁজছে সেটা বুঝতে পারলাম, কিন্তু সেটা যে কী সেটা বুঝলাম না। লালমোহনবাবু হঠাৎ জিজ্ঞেস করলেন, 'হাজরা কীসের ডাক্তার বলুন তো ? আজ আবার টেবিলে মিস্টার ট্রটার কী-সব বলছিলেন....'

ফেলুদা বলল, 'হাজরা একজন প্যারাসাইকলজিস্ট।'

'প্যারাসাইকলজিস্ট ?' লালমোহনবাবুর ভুরু কুঁচকে গেল। 'সাইকলজির আগে যে আবার প্যারা বসে সেটা তো জানতুম না মশাই। টাইফয়েডের আগে বসে সেটা জানি। তার মানে

কি হাফ-সাইকলজি—প্যারা-টাইফয়েড যেমন হাফ-টাইফয়েড ?'

ফেলুদা বলল, 'হাফ নয়, প্যারা মানে হচ্ছে অ্যাবনরম্যাল। মনস্তত্ত্ব ব্যাপারটা এমনই ধোঁয়াটে ; তার মধ্যেও আবার যে দিকটা বেশি ধোঁয়াটে, সেটা প্যারাসাইকলজির আন্ডারে পড়ে।'

'আর জাতিস্মরের কথা কী যেন বলছিলেন !'

'মুকুল ইজ এ জাতিস্মর। অন্তত তাই বলা হয় তাকে।'

লালমোহনবাবুর মুখ হাঁ হয়ে গেল।

'আপনি প্লটের অনেক খোরাক পাবেন', ফেলুদা বলল, 'ছেলেটি পূর্ব জন্মে দেখা একটা সোনার কেল্লার কথা বলে। আর সে নাকি একটা বাড়িতে থাকত যার মাটিতে গুপ্তধন পোঁতা ছিল।'

'আমরা কি সেই সবের খোঁজে যাচ্ছি নাকি মশাই ?' লালমোহনবাবুর গলা ঘড়ঘড়ে হয়ে গেছে।

'আপনি যাচ্ছেন কি না জানি না, তবে আমরা যাচ্ছি।'

লালমোহনবাবু রাস্তার মাঝখানে দু হাত দিয়ে খপ করে ফেলুদার হাত ধরে ফেলল।

'মশাই—চানস্ অফ এ লাইফটাইম ! আমায় ফেলে ফস্ করে কোথাও চলে যাবেন না—এইটেই আমার রিকোয়েস্ট।'

'এর পরে কোথায় যাব এখনও কিছুই ঠিক হয়নি।'

লালমোহনবাবু কী জানি ভেবে বললেন, 'মিস্টার ট্রটার কি আপনাদের সঙ্গে যাবেন নাকি ?'

'কেন ? আপনার আপত্তি আছে ?'

'লোকটা পাওয়ারফুলি সাসপিশাস্ !'

রাস্তার একধারে একটা জুতোওয়ালা বসেছে, তার চারিদিকে ঘিরে নাগরার ছড়াছড়ি। এখানকার লোকেরা এই ধরনের নাগরাই পরে। ফেলুদা জুতোগুলোর সামনে দাঁড়াল।

'পাওয়ারফুল তো জানি। সাস্‌পিশাস্ কেন ?' ফেলুদা জিজ্ঞেস করল।

'কাল গাড়িতে যেতে যেতে খুব বাক্‌তাল্লা মারছিল। বলে—ট্যাঙ্গানিকায় নাকি নেকড়ে মেরেছে নিজে বন্দুক দিয়ে। অথচ আমি জানি যে, সারা আফ্রিকার কোনও তল্লাটে নেকড়ে জানোয়ারটাই নেই। মার্টিন জনসনের বই পড়েছি আমি—আমার কাছে ধাপ্পা !'

'আপনি কী বললেন ?'

'কী আর বলব ? ফস্ করে মুখের ওপর তো লায়ার বলা যায় না ! দুজনের মাঝখানে স্যান্ডউইচ হয়ে বসে আছি। আর লোকটার ছাতি দেখেছেন তো ? কমপক্ষে ফর্টিফাইভ ইঞ্চেজ। আর রাস্তার দু ধারে দেখছি ইয়া ইয়া মনসার ঝোপ্‌ড়া—কনট্র্যাডিক্ট করলুম, আর অমনি কোলপাঁজা করে তুলে নিয়ে যদি ওই একটা ঝোপ্‌ড়ার পেছনে ফেলে দিয়ে চলে যায়—ইন নো টাইম মশাই শকুনির স্কোয়াড্রন এসে ল্যান্ড করে ফিস্টি লাগিয়ে দেবে।'

'আপনার লাশে কটা শকুনের পেট ভরবে বলুন তো।'

'হেঃ হেঃ হেঃ হেঃ...'

ফেলুদা ইতিমধ্যে পায়ের স্যান্ডেল খুলে নাগরা পরে পায়চারি শুরু করে দিয়েছে। লালমোহনবাবু বললেন, 'ভেরি পাওয়ারফুল শুজ—কিনছেন নাকি ?'

'একটা পরে দেখুন না', ফেলুদা বলল।

ভদ্রলোকের পায়ের মাপের মতো ছোট জুতো অবিশ্যি দোকানে ছিল না, তাও তার মধ্যে যে জোড়াটা সবচেয়ে ছোট, সেটা পরে তিনি প্রায় আঁতকে উঠলেন। 'এ যে গণ্ডারের চামড়া

মশাই ! এ তো গণ্ডার ছাড়া আর কারুর পায়ে সুট করবে না !'

'তা হলে ধরে নিন রাজস্থানের শতকরা নব্বই ভাগ লোক আসলে গণ্ডার।'

দুজনেই নাগরা খুলে যে যার জুতো পরে নিল। দোকানদারও হাসছিল। সে বুঝেছে, শহরের বাবুরা ছোটলোকদের জুতো পায়ে দিয়ে একটু রসিকতা করছে।

আমরা এগিয়ে চললাম। একটা পানের দোকান থেকে বেদম জোরে রেডিয়োতে ফিল্মের গানের আওয়াজ বেরোচ্ছে। মনে পড়ে গেল কলকাতার পুজো-প্যান্ডেলের কথা। এখানে পুজো নেই, আছে দশেরা। কিন্তু তার এখনও অনেক দেরি।

আরও কিছু দূর এগিয়ে ফেলুদা একটা পাথরের তৈরি জিনিসের দোকানের সামনে দাঁড়িয়ে গেল। দোকানটার চেহারা বেশ ভদ্র, নাম সোলাঙ্কি স্টোর্স। বাইরে কাচের জানালার পিছনে সুন্দর সুন্দর পাথরের ঘটি বাটি গেলাস পাত্র সাজানো রয়েছে। ফেলুদা একদৃষ্টে সেগুলোর দিকে চেয়ে আছে। দোকানদার দরজার মুখটাতে এগিয়ে এসে আমাদের ভিতরে আসতে অনুরোধ করল।

ফেলুদা জানালার দিকে দেখিয়ে বলল, 'ওই বাটিটা একবার দেখতে পারি ?'

দোকানদার জানালার বাটিটা না বার করে ভিতরের একটা আলমারি থেকে ঠিক সেই রকমই একটা বাটি বার করে দিল। সুন্দর হলদে রঙের পাথরের বাটি। আগে কখনও এ রকম জিনিস দেখেছি বলে মনে পড়ে না।

'এটা কি এখানকার তৈরি ?' ফেলুদা জিজ্ঞেস করল।

দোকানদার বলল, 'রাজস্থানেরই জিনিস, তবে যোধপুরের নয়।'

'তবে কোথাকার ?'

'জয়সলমীর। এই হলদে পাথর শুধু ওখানেই পাওয়া যায়।'

'আই সি...'

জয়সলমীর নামটা আমি আবছা শুনেছি। জায়গাটা যে রাজস্থানের ঠিক কোনখানে সেটা আমার জানা ছিল না। ফেলুদা বাটিটা কিনে নিল। সাড়ে নটা নাগাত টাঙ্গার ঝাঁকুনি খেয়ে সকালের ডিম-রুটি হজম করে আমরা সার্কিট হাউসে ফিরলাম।

মন্দার বোস বারান্দায় বসে খবরের কাগজ পড়ছিলেন। আমাদের হাতে প্যাকেট দেখে বললেন, 'কী কিনলেন ?'

ফেলুদা বলল, 'একটা বাটি। রাজস্থানের একটা মেমেন্টো রাখতে হবে তো।'

'আপনার বন্ধু তো বেরোলেন দেখলাম।'

'কে, ডক্টর হাজরা ?'

'নটা নাগাত বেরিয়ে যেতে দেখলাম একটা ট্যাক্সি করে।'

'আর মুকুল ?'

'সঙ্গেই গেছে। বোধ হয় পুলিশে রিপোর্ট করতে গেছেন। কালকের ঘটনার পর হি মাস্ট বি কোয়াইট শেক্‌ন।'

লালমোহনবাবু 'প্লটটা একটু চেঞ্জ করতে হবে' বলে তাঁর ঘরে চলে গেলেন।

ঘরে গিয়ে ফেলুদাকে জিজ্ঞেস করলাম, 'হঠাৎ বাটিটা কিনলে কেন ফেলুদা !'

ফেলুদা সোফায় বসে বাটিটা মোড়ক থেকে খুলে টেবিলের উপর রেখে বলল, 'এটার একটা বিশেষত্ব আছে।'

'কী বিশেষত্ব ?'

'জীবনে এই প্রথম একটা বাটি দেখলাম যেটাকে সোনার পাথরবাটি বললে খুব ভুল বলা হয় না।'

এর পরে আর কোনও কথা না বলে সে ব্র্যাড্‌শ-র পাতা উলটোতে আরম্ভ করল। আমি আর কী করি। জানি এখন ঘণ্টাখানেক ফেলুদার মুখ দিয়ে কোনও কথা বেরোবে না, বা তাকে কিছু জিজ্ঞেস করলে তার উত্তর পাওয়া যাবে না, তাই অগত্যা বাইরে বেরোলাম।

লম্বা বারান্দাটা এখন খালি। মন্দারবাবু উঠে গেছেন। দূরে একজন মেমসাহেব বসেছিলেন, তিনিও উঠে গেছেন। একটা ঢোলকের আওয়াজ ভেসে আসছে। এবার তার সঙ্গে একটা গান শুরু হল। গেটের দিকে চেয়ে দেখলাম, দুটো ভিখিরি গোছের লোক—একটা পুরুষ আর একটা মেয়ে—গেট দিয়ে ঢুকে আমাদের বারান্দার দিকে এগিয়ে আসছে। ছেলেটা ঢোলক বাজাচ্ছে আর মেয়েটা গান গাইছে। আমি বারান্দা দিয়ে এগিয়ে গেলাম।

মাঝখানের খোলা জায়গাটায় গিয়ে ইচ্ছে হল একবার দোতলায় যাই। সিঁড়িটা প্রথম দিন থেকেই দেখছি, আর জানি যে উপরে ছাত আছে। উঠে গেলাম সিঁড়ি দিয়ে।

দোতলার মাঝখানে পাশাপাশি খান চারেক ঘর। সেগুলোর দু দিকে পুবে আর পশ্চিমে খোলা ছাত। ঘরগুলোতে লোকজন নেই বলেই মনে হল। কিংবা হয়তো যারা আছে তারা বেরিয়েছে।

পশ্চিম দিকের ছাতটায় গিয়ে দেখি যোধপুরের কেল্লাটা দারুণ দেখাচ্ছে সেখান থেকে।

নীচে ভিখিরির গান হয়ে চলেছে। সুরটা চেনা চেনা লাগছে। কোথায় শুনেছি এ সুর ? হঠাৎ বুঝতে পারলাম, মুকুল যে সুরে গুনগুন করে, তার সঙ্গে এর খুব মিল আছে। বার বার একই সুর ঘুরে ঘুরে আসছে, কিন্তু শুনতে একঘেয়ে লাগছে না। আমি ছাতের নিচু

পাঁচিলটার দিকে এগিয়ে গেলাম। এদিকটা হচ্ছে সার্কিট হাউসের পিছন দিক।

ও মা, পিছনেও যে বাগান আছে তা তো জানতাম না! আমাদের ঘরের পিছন দিকের জানালা দিয়ে একটা ঝাউ গাছ দেখা যায় বটে, কিন্তু এতখানি জায়গা জুড়ে এত রকম গাছ আছে এদিকটায়, সেটা বুঝতে পারিনি।

ঝলমলে নীল ওটা কী নড়ছে গাছপালার পিছনে? ওহো—একটা ময়ূর। গাছের পিছনে লুকোনো ছিল শরীরের খানিকটা, তাই বুঝতে পারিনি। এবারে পুরো শরীরটা দেখা যাচ্ছে। মাটি থেকে খুঁটে খুঁটে কী যেন খাচ্ছে। পোকাটোকা বোধ হয়; ময়ূর তো পোকা খায় বলেই জানি। হঠাৎ মনে পড়ল কোথায় যেন পড়েছিলাম যে, ময়ূরের বাসা খুঁজে পাওয়া খুব মুশকিল। তারা বেছে বেছে নাকি অদ্ভুত সব গোপন জায়গা বার করে বাসা তৈরি করে।

আস্তে আস্তে পা ফেলে ময়ূরটা এগোচ্ছে, লম্বা গলাটাকে বেঁকিয়ে এদিক ওদিক ঘুরে দেখছে, শরীরটা ঘুরলে সমস্ত লেজটা সঙ্গে সঙ্গে ঘুরে যাচ্ছে।

হঠাৎ ময়ূরটা দাঁড়াল। গলাটা ডান দিকে ঘোরাল। কী দেখছে ময়ূরটা? নাকি কোনও শব্দ শুনেছে?

ময়ূরটা সরে গেল। কী জানি দেখে ময়ূরটা সরে যাচ্ছে।

একজন লোক। আমি যেখানে দাঁড়িয়েছি, তার ঠিক নীচে। গাছের ফাঁক দিয়ে ফাঁক দিয়ে দেখা যাচ্ছে। লোকটার মাথায় পাগড়ি। খুব বেশি বড় না—মাঝারি। গায়ে সাদা চাদর জড়ানো। একেবারে ওপর থেকে দেখছি বলে লোকটার মুখ দেখা যাচ্ছে না। খালি পাগড়ি আর কাঁধ। হাত দুটো চাদরের তলায়।

লোকটা পা টিপে টিপে এগোচ্ছে। পশ্চিম দিক থেকে পুব দিকে। আমি রয়েছি পশ্চিমের ছাতে। পুব দিকে একতলায় আমাদের ঘর।

হঠাৎ ইচ্ছে করল লোকটা কোথায় যায় দেখি।

মাঝের ঘরগুলো দৌড়ে পেরিয়ে গিয়ে উলটো দিকের ছাতের পিছনের পাঁচিলের কাছে গিয়ে সামনে ঝুঁকে পড়লাম।

লোকটা এখন আবার আমার ঠিক নীচে। ছাতের দিকে চাইলে আমাকে দেখতে পাবে, কিন্তু দেখল না।

এগিয়ে আসছে সামনের দিকে লোকটা। আমাদের ঘরের জানালার দিকে এগিয়ে আসছে। হাতটা চাদরের ভিতর থেকে বার করল। কবজির কাছটায় চকচকে ওটা কী?

লোকটা থেমেছে। আমার গলা শুকিয়ে গেছে। লোকটা আরেক পা এগোল—

'ক্যাঁ ও য়্যাঁ!'

লোকটা চমকে পিছিয়ে গেল। ময়ূরটা কর্কশ স্বরে ডেকে উঠেছে। আর সেই সঙ্গে সঙ্গেই আমিও চেঁচিয়ে উঠলাম—

'ফেলুদা!'

পাগড়ি পরা লোকটা ঊর্ধ্বশ্বাসে দৌড়ে যে দিক দিয়ে এসেছিল, সেদিকে অদৃশ্য হয়ে গেল, আর আমিও দুড়দাড় করে সিঁড়ি দিয়ে নেমে বারান্দা দিয়ে এক নিশ্বাসে দৌড়ে গিয়ে আমাদের ঘরের দরজার মুখে ফেলুদার সঙ্গে দড়াম করে কলিশন খেয়ে ভ্যাবাচ্যাকা চুপ!

আমাকে ঘরে টেনে নিয়ে গিয়ে ফেলুদা বলল, 'কী ব্যাপার বল তো?'

'ছাত থেকে দেখলাম, একটা লোক...পাগড়ি পরে...তোমার জানালার দিকে আসছে...'

'দেখতে কী রকম? লম্বা?'

'জানি না...উপর থেকে দেখছিলাম তো!...হাতে একটা...'

'হাতে কী?'

'ঘড়ি...'

আমি ভেবেছিলাম ফেলুদা ব্যাপারটা হেসে উড়িয়ে দেবে কিংবা আমাকে বোকা আর ভিতু বলে ঠাট্টা করবে। কিন্তু তার কোনওটাই না করে ও গম্ভীরভাবে জানালাটার দিকে গিয়ে বাইরে মুখ বাড়িয়ে এদিক ওদিক দেখে নিল।

দরজায় একটা টোকা পড়ল।

'কাম ইন।'

বেয়ারা কফি নিয়ে ঢুকল।

'সেলাম সা'ব!'

টেবিলের উপর কফির ট্রে-টা রেখে পকেট থেকে একটা ভাঁজ করা চিঠি বার করে ফেলুদাকে দিল।

'মৈনেজার সা'বনে দিয়া।'

বেয়ারা চলে গেল। ফেলুদা চিঠিটা পড়ে একটা হতাশার ভাব করে ধপ করে সোফার উপর বসে পড়ল।

'কার চিঠি ফেলুদা?'

'পড়ে দ্যাখ্।'

ডক্টর হাজরার চিঠি। ডক্টর হাজরার নাম লেখা প্যাডের কাগজে ইংরিজিতে লেখা ছোট্ট চার লাইনের চিঠি—'আমার বিশ্বাস আমাদের পক্ষে আর যোধপুরে থাকা নিরাপদ নয়। আমি অন্য আরেকটা জায়গায় চললাম, সেখানে কিছুটা সাফল্যের আশা আছে মনে হয়। আপনি আর আপনার ভাইটি কেন আর মিথ্যা বিপদের মধ্যে জড়াবেন; তাই আপনাদের কাছে বিদায় না নিয়েই চললাম। আপনাদের মঙ্গল কামনা করি।—ইতি এইচ. এম. হাজরা।'

ফেলুদা দাঁতে দাঁত চেপে বলল, 'অত্যন্ত হেস্টি কাজ করেছেন ভদ্রলোক।' তারপর কফি না খেয়েই সোজা চলে গেল রিসেপশন কাউন্টারে। আজ একটি নতুন ভদ্রলোক বসে আছেন সেখানে। ফেলুদা জিজ্ঞেস করল, 'ডক্টর হাজরা কি ফিরবেন বলে গেছেন?'

'না তো। উনি ভাড়া চুকিয়ে দিয়ে গেছেন। ফেরার কথা তো কিছু বলেননি।'

'কোথায় গেছেন, সেটা আপনি জানেন?'

'স্টেশনে গেছেন এটাই শুধু জানি।'

ফেলুদা একটুক্ষণ ভেবে বলল, 'জয়সলমীর তো এখান থেকে ট্রেনে যাওয়া যায়, তাই না?'

'আজ্ঞে হ্যাঁ। বছর দুয়েক হল ডিরেক্ট লাইন হয়েছে।'

'কখন ট্রেন?'

'রাত দশটা।'

'সকালের দিকে কোনও ট্রেন নেই?'

'যেটা আছে সেটা অর্ধেক পথ যায়, পোকরান পর্যন্ত। সেটা এই আধ ঘণ্টা হল ছেড়ে গেছে। পোকরান থেকে যদি গাড়ির ব্যবস্থা থাকে, তা হলে অবিশ্যি এ ট্রেনটাতেও জয়সলমীর যাওয়া যায়।'

'কতটা রাস্তা পোকরান থেকে?'

'সত্তর মাইল।'

'সকালে যোধপুর থেকে অন্য কী ট্রেন আছে?'

ভদ্রলোক একটা বইয়ের পাতা উলটে-পালটে দেখে বললেন, 'আটটায় একটা প্যাসেঞ্জার

আছে, সেটা বারমের যায়। নটায় আছে রেওয়ারি প্যাসেঞ্জার। দ্যাট্‌স অল।'

ফেলুদা কাউন্টারের উপর ডান হাতের আঙুলের ডগা দিয়ে কয়েকবার অসহিষ্ণুভাবে টোকা দিয়ে বলল, 'জয়সলমীর তো এখান থেকে প্রায় দুশো মাইল, তাই না?'

'আজ্ঞে হ্যাঁ।'

'আপনি অনুগ্রহ করে একটা ট্যাক্সির বন্দোবস্ত করে দেবেন? আমরা সাড়ে এগারোটা নাগাত বেরোতে চাই।'

ভদ্রলোক সম্মতি জানিয়ে টেলিফোন তুললেন।

'কোথায় চললেন আপনারা?'

মন্দার বোস। স্নানটান করে ফিটফাট হয়ে হাতে সুটকেস নিয়ে বেরিয়েছেন ঘর থেকে।

ফেলুদা বলল, 'একটু থর মরুভূমিটা দেখার ইচ্ছে আছে।'

'ও, তার মানে নর্থ-ওয়েস্ট। আমি যাচ্ছি একটু ইস্টে।'

'আপনিও চললেন?'

'মাই ট্যাক্সি শুড বি হিয়ার এনি মিনিট নাউ। বেশি দিন এক জায়গায় মন টেকে না মশাই। আর আপনারাও যদি চলে যান, তা হলে তো সার্কিট হাউস খালি হয়ে যাচ্ছে এমনিতেও।'

কাউন্টারের ভদ্রলোক কথা শেষ করে টেলিফোনটা নামিয়ে রেখে বললেন, 'ইট্‌স অ্যারেঞ্জড্‌।'

ফেলুদা একবার আমাকে বলল, 'দ্যাখ তো লালমোহনবাবুর দেখা পাস কিনা। বল যে, আমার এগারোটায় জয়সলমীর যাচ্ছি। যদি উনি আসতে চান আমাদের সঙ্গে, তা হলে যেন ইমিডিয়েটলি তৈরি হয়ে নেন।'

আমি ছুটলাম দশ নম্বর ঘরের দিকে। কী উদ্দেশ্যে যে জয়সলমীর যাচ্ছি, জানি না। ফেলুদা অন্য সব জায়গা ফেলে এ জায়গাটা বাছল কেন? বোধ হয় মরুভূমির কাছে বলে! ডক্টর হাজরাও কি জয়সলমীর গেছেন? এই কি আমাদের বিপদের শেষ? না এই সবে শুরু?

৮

যোধপুর থেকে পোকরান প্রায় একশো কুড়ি মাইল রাস্তা। সেখান থেকে জয়সলমীর আবার সত্তর মাইল। সবসুদ্ধ এই দুশো মাইল যেতে আন্দাজ সাড়ে ছ সাত ঘণ্টা লাগা উচিত। অন্তত আমাদের ড্রাইভার গুরুবচন সিং তাই বলল। বেশ গোলগাল হাসিখুশি শিখ ড্রাইভারটিকে লক্ষ করছিলাম মাঝে মাঝে স্টিয়ারিং থেকে হাত দুটো সরিয়ে নিয়ে মাথার পিছনে দিয়ে শরীরটা পিছন দিকে হেলিয়ে বিশ্রাম নিচ্ছে। গাড়ি অবশ্য তখনও চলছে, আর স্টিয়ারিং ঘোরানোর কাজটা সেরে নিচ্ছে ভুঁড়িটাকে এগিয়ে দিয়ে। কাজটা অবিশ্যি শুনতে যত কঠিন মনে হয় ততটা নয়, কারণ প্রথমত গাড়ি চলাচল এ রাস্তায় প্রায় নেই বললেই চলে, আর দ্বিতীয়ত পাঁচ ছ মাইল ধরে একটানা সোজা রাস্তা এর মধ্যে অনেকবারই লক্ষ করলাম। পথে কোনও গোলমাল না হলে মনে হয় সন্ধ্যা ছটা নাগাদ জয়সলমীর পৌঁছে যাব।

যোধপুর ছাড়িয়ে মাইল দশেক পর থেকেই এমন সব দৃশ্য আরম্ভ হয়েছে, যেমন আমি এর আগে কখনও দেখিনি। যোধপুরের আশেপাশে অনেক পাহাড় আছে, যে সব পাহাড়ের লালচে রঙের পাথর দিয়েই যোধপুরের কেল্লা তৈরি। কিন্তু কিছুক্ষণ থেকেই মনে হচ্ছে যেন

পাহাড় ফুরিয়ে গেছে। তার বদলে আরম্ভ হয়েছে দিগন্ত অবধি গড়িয়ে যাওয়া ঢেউ খেলানো জমি। এই জমির কিছুটা ঘাস, কিছুটা লালচে মাটি, কিছুটা বালি আর কিছুটা কাঁকর। সাধারণ গাছপালাও ক্রমশ কমে গিয়ে তার বদলে চোখে পড়ছে বাবলা গাছ, আর নাম-না-জানা সব কাঁটা গাছ আর কাঁটা ঝোপ।

আর দেখছি বুনো উট। গোরু ছাগলের মতো উট চরে বেড়াচ্ছে যেখানে সেখানে। তার কোনওটার রং দুধ-দেওয়া চায়ের মতো, আর কোনওটা আবার ব্ল্যাক কফির কাছাকাছি। একটা উটকে দেখলাম ওই শুকনো কাঁটা গাছই চিবিয়ে খাচ্ছে। ফেলুদা বলল, কাঁটা গাছ খেয়ে নাকি অনেক সময় ওদের মুখের ভিতরটা ক্ষতবিক্ষত হয়ে যায়। কিন্তু এ সব অঞ্চলে এটাই ওদের খাদ্য বলে ওরা নাকি সেটা গ্রাহ্যই করে না।

জয়সলমীরের কথাও ফেলুদা বলছিল। দ্বাদশ শতাব্দীতে তৈরি এই শহর নাকি ভাটি রাজপুতদের রাজধানী ছিল। ওখান থেকে মাত্র চৌষট্টি মাইল দূরে পাকিস্তানের বর্ডার। দশ বছর আগেও নাকি জয়সলমীরে যাওয়া খুব মুশকিল ছিল। ট্রেন তো ছিলই না, রাস্তাও যা ছিল, তা অনেক সময়ই বালিতে ঢাকা পড়ে হারিয়ে যেত। জায়গাটা নাকি এত শুকনো যে ওখানে বছরে একদিন বৃষ্টি হলেও লোকেরা সেটাকে সৌভাগ্য বলে মনে করে। যুদ্ধের কথা জিজ্ঞেস করতে ফেলুদা বলল যে আলাউদ্দীন খিলজি নাকি একবার জয়সলমীর আক্রমণ করেছিল।

নব্বুই কিলোমিটার বা ছাপান্ন মাইলের কাছাকাছি এসে হঠাৎ আমাদের ট্যাক্সির একটি টায়ার পাংচার হয়ে গাড়িটা একটা বিশ্রী শব্দ করে রাস্তার একপাশে কেতরে থেমে গেল। গুরুবচন সিং-এর উপর মনে মনে বেশ রাগ হল। ও বলেছিল টায়ার চেক্ করে নিয়েছে, হাওয়া দেখে নিয়েছে ইত্যাদি। সত্যি বলতে কী, গাড়িটা বেশ নতুনই।

সর্দারজির সঙ্গে সঙ্গে আমরাও বাইরে বেরোলাম। টায়ার চেঞ্জ করার হ্যাঙ্গাম আছে, অন্তত পনেরো মিনিটের ধাক্কা।

চ্যাপটা টায়ারের দিকে চোখ যাওয়ার প্রায় সঙ্গে সঙ্গেই আমরা পাংচারের কারণটা বুঝতে পারলাম।

রাস্তার অনেকখানি জুড়ে ছড়িয়ে পড়ে আছে অজস্র পেরেক। সেগুলো দেখেই বোঝা যায় যে, সদ্য কেনা হয়েছে।

আমরা এ-ওর মুখ চাওয়াচাওয়ি করলাম। সিং সাহেব দাঁতের ফাঁক দিয়ে একটা কথা বলল, যেটা অবিশ্যি বইয়ে লেখা যায় না। ফেলুদা কিছুই বলল না, শুধু কোমরে হাত দিয়ে রাস্তার দিকে তাকিয়ে ভুরু কুঁচকে ভাবতে লাগল। লালমোহনবাবু একটা পুরনো জাপান এয়ার লাইনসের ব্যাগ থেকে একটা ডায়েরি ধরনের সবুজ খাতা বার করে তাতে খসখস করে পেনসিল দিয়ে কী জানি লিখলেন।

নতুন টায়ার পরিয়ে, ফেলুদার কথামতো রাস্তা থেকে পেরেক সরিয়ে, যখন আবার রওনা হচ্ছি, তখন ঘড়িতে পৌনে দুটো। ফেলুদা ড্রাইভারকে বলল—একটু রাস্তার দিকে নজর রেখে চালাবেন সর্দারজি—আমাদের পেছনে যে দুশমন লেগেছে সে তো বুঝতেই পারছেন।

এদিকে বেশি আস্তে গেলে পৌঁছতে রাত হয়ে যাবে, কাজেই গুরুবচন সিং ষাট থেকে নামিয়ে চল্লিশে রাখলেন স্পিডোমিটার। সত্যি বলতে কী, রাস্তার উপর চোখ রাখতে গেলে ঘণ্টায় দশ-পনেরো মাইলের বেশি স্পিড তোলা চলে না।

প্রায় একশো ষাট কিলোমিটার অর্থাৎ একশো মাইলের কাছাকাছি এসে সর্বনাশটা আর এড়ানো গেল না।

এবার কিন্তু পেরেক না, এবার পিতলের বোর্ড পিন। আন্দাজে মনে হয় প্রায় হাজার দশেক পিন বিশ-পঁচিশ হাত জায়গা জুড়ে ছড়ানো রয়েছে। বুঝতেই পারলাম যে, টায়ার ফাঁসানেওয়ালারা কোনও রিস্ক নিতে চাননি।

আর এটাও জানি, গুরুবচন সিং-এর ক্যারিয়ারে আর স্পেয়ার নেই।

চারজনেই আবার গাড়ি থেকে নামলাম। সিং সাহেবের ভাব দেখে মনে হল, মাথায় পাগড়ি না থাকলে তিনি নিশ্চয়ই মাথা চুলকোতেন।

ফেলুদা জিজ্ঞেস করল, 'পোকরান টাউন হ্যায় ইয়া গাঁও হ্যায় ?'

'টাউন হ্যায় বাবু।'

'কিতনি দূর ইঁহাসে ?'

'পঁচিশ মিল হোগা।'

'সর্বনাশ !...তব্ আভি হোগা কেয়া ?'

গুরুবচন বুঝিয়ে দিল যে, এ লাইনে যে ট্যাক্সিই যাক না কেন, সেটা তার চেনা হবেই। এখানে অপেক্ষা করে যদি সেরকম ট্যাক্সি একটা ধরা যায়, তা হলে তাদের কাছ থেকে স্পেয়ার চেয়ে নিয়ে তারপর পোকরানে গিয়ে পাংচার সারিয়ে নেওয়া যাবে। কিন্তু কথা হচ্ছে, সে রকম ট্যাক্সি যাবে কি না, আর গেলেও, সেটা কখন যাবে ! কতক্ষণ আমাদের এই ধু-ধু প্রান্তরের মধ্যে হাঁ করে দাঁড়িয়ে থাকতে হবে !

পাঁচটা উট আর তার সঙ্গে তিনটি লোকের একটা দল আমাদের পাশ দিয়ে যোধপুরের দিকে চলে গেল। লোকগুলোর প্রত্যেকটার রং একেবারে মিশকালো। তার মধ্যে আবার একজনের ধবধবে সাদা দাড়ি আর গালপাট্টা। তারা আমাদের দিকে দেখতে দেখতে চলেছে দেখেই বোধহয় লালমোহনবাবু একটু ফেলুদার দিক ঘেঁষে দাঁড়ালেন।

'সব্‌সে নজ্‌দিক কোন্ রেল স্টেশন হ্যায় ?' ফেলুদা বোর্ড পিন তুলতে তুলতে জিজ্ঞেস করল। আমরাও অন্য গাড়ির কথা ভেবে এই সৎকার্যটায় হাত লাগিয়েছিলাম।

'সাত-আট মিল হোগা রামদেওরা।'

'রামদেওরা...'

রাস্তা থেকে বোর্ড পিন সরানো হলে পর, ফেলুদা তার ঝোলা থেকে ব্র্যাড্‌শ টাইম টেবল বার করল। একটা বিশেষ পাতা ভাঁজ করা ছিল, সেখানটা খুলে চোখ বুলিয়ে নিয়ে বলল, 'লাভ নেই। তিনটে পঁয়তাল্লিশে যোধপুর থেকে সকালের ট্রেনটা রামদেওরা পৌঁছনোর কথা। অর্থাৎ সে গাড়ি নিশ্চয়ই এতক্ষণে আমাদের ছাড়িয়ে চলে গেছে।'

আমি বললাম, 'কিন্তু রাত্রের দিকে আর একটা ট্রেন যায় না জয়সলমীর ?'

'হুঁ। কিন্তু সেটা রামদেওরা পৌঁছবে ভোর রাত্তিরে—তিনটে তিপান্ন। এখান থেকে এখন হাঁটা দিলে রামদেওরা পৌঁছতে ঝাড়া দু ঘণ্টা। সকালের ট্রেনটা ধরার যদি আশা থাকত, তা হলে হেঁটে যাওয়াতে একটা লাভ ছিল। অন্তত পোকরানটা পৌঁছনো যেত। এই মাঠের মাঝখানে...'

লালমোহনবাবু এই অবস্থার মধ্যেও হেসে একটু কাঁপা কাঁপা গলায় বললেন, 'যাই বলুন মশাই, এ সব সিচুয়েশন কিন্তু উপন্যাসেই পাওয়া যায়। রিয়েল লাইফেও যে এ রকমটা—'

ফেলুদা হঠাৎ হাত বাড়িয়ে ভদ্রলোককে থামতে বললেন। চারিদিকে একটাও শব্দ নেই, সারা পৃথিবী যেন এখানে এসে বোবা হয়ে গেছে। এই নিস্তব্ধতার মধ্যে স্পষ্ট শুনতে পেলাম একটা ক্ষীণ আওয়াজ—ঝুক্-ঝুক্ ঝুক-ঝুক্ ঝুক্-ঝুক্ ঝুক্-ঝুক্...

ট্রেন আসছে। পোকরানের ট্রেন। কিন্তু লাইন কোথায় ?

শব্দের দিকে একদৃষ্টে চেয়ে থেকে হঠাৎ দূরে চোখে পড়ল ধোঁয়া। আর তার সঙ্গে সঙ্গেই

দেখতে পেলাম টেলিগ্রাফের পোল। জমিটা ঢালু হয়ে গেছে তাই বোঝাই যায় না। পিছনের লাল মাটির সঙ্গে লাল টেলিগ্রাফ-পোল মিশে প্রায় অদৃশ্য হয়ে আছে। আকাশে মাথা উঁচিয়ে থাকলে আগেই চোখে পড়ত।

'দৌড়ো!'

ফেলুদা চিৎকারটা দিয়েই ধোঁয়া লক্ষ্য করে ছুট দিল। সঙ্গে সঙ্গে আমিও। আর আমার পিছনে জটায়ু। আশ্চর্য! ভদ্রলোক ওই লিক্‌পিকে শরীর নিয়ে এমন ছুটতে পারেন, তা আমি ভাবতে পারিনি। আমাকে ছাড়িয়ে প্রায় ফেলুদাকে ধরে ফেলেন আর কী!

পায়ের তলায় ঘাস, কিন্তু সে ঘাসের রং সবুজ নয়—একেবারে তুলোর মতো সাদা। তার উপর দিয়ে পড়ি-কি-মরি ছুট দিয়ে আমরা ঢালুর নীচে লাইনের ধারে পৌঁছে দেখি, ট্রেনটা আমাদের একশো গজের মধ্যে এসে পড়েছে।

ফেলুদা এক মুহূর্ত ইতস্তত না করে এক লাফে একেবারে লাইনের মাঝখানে দাঁড়িয়ে পড়ে দুটো হাত মাথার উপর তুলে হই-হই করে নাড়তে আরম্ভ করে দিল। ট্রেন এদিকে হুইসল্ দিতে আরম্ভ করেছে, আর সেই হুইসল্ ছাপিয়ে শোনা যাচ্ছে জটায়ুর চিৎকার—'রোক্‌কে, রোক্‌কে, হল্ট, হল্ট, রোক্‌কে!...'

কিন্তু কে কার কথা শোনে। এ ট্রেন যদিও ছোট, কিন্তু মার্টিন কোম্পানির ট্রেনের মতো নয় যে, মাঝ-রাস্তায় দাঁড়িয়ে হাত দেখালে বাসের মতো থেমে যাবে। প্রচণ্ড হুইসল্ মারতে মারতে স্পিড বিন্দুমাত্র না কমিয়ে ট্রেনটা একেবারে হই-হই করে আমাদের সামনে এসে পড়ল। ফলে ফেলুদাকে বাধ্য হয়ে লাইন থেকে বাইরে চলে আসতে হল, আর ট্রেনও দিব্যি আমাদের সামনে দিয়ে ঘ্যাচাং ঘ্যাচাং শব্দ করতে করতে কুচকুচে কালো ধোঁয়ায় সূর্যের তেজ কিছুক্ষণের জন্য কমিয়ে দিয়ে দূরে অদৃশ্য হয়ে গেল। এই দুঃসময়েও মনে হল যে, এমন অদ্ভুত ট্রেন একমাত্র হলিউডের 'ওয়েস্টার্ন' ছবিতেই দেখেছি, এ দেশে কোনওদিন দেখিনি, দেখব ভাবিওনি।

'শুঁয়োপোকার রোয়াবটা দেখলেন?' মন্তব্য করলেন লালমোহন গাঙ্গুলী।

ফেলুদা বলল, 'ব্যাড লাক্। ট্রেনটা লেট ছিল। অথচ সেটার সুযোগ নিতে পারলাম না। পোকরানে হয়তো একটা ট্যাক্সিও পাওয়া যেতে পারত।'

গুরুবচন সিং বুদ্ধি করে আমাদের মালগুলো সব হাতে করে নিয়ে আসছিল, কিন্তু এখন আর তার প্রয়োজন হবে না। লাইনের দিকে চেয়ে দেখলাম, এখন আর ধোঁয়া ছাড়া কিছুই

দেখা যাচ্ছে না।

'বাট হোয়াট অ্যাবাউট ক্যামেলস্ ?' উত্তেজিত স্বরে হঠাৎ বলে উঠলেন জটায়ু।

'ক্যামেলস্ ?' ফেলুদা জিজ্ঞেস করল।

'ওই তো !'

সত্যিই দেখি, আরেকটা উটের দল আসছে যোধপুরের দিক থেকে।

'গুড আইডিয়া। চলুন !'

ফেলুদার কথায় আবার দৌড়।

'সে রকম খেপে উঠলে নাকি উট টোয়েন্টি মাইলস্ পার আওয়ার ছুটতে পারে'—ছুটতে ছুটতেই বললেন লালমোহনবাবু।

উটের দলকে থামানো হল। এবারে দুজন লোক আর সাতখানা উট। ফেলুদা প্রস্তাব করল—রামদেওরা যাব, তিনটে উট কত লাগবে বলো। এদের ভাষা আবার হিন্দি নয়; স্থানীয় কোনও একটা ভাষায় কথা বলে। তবে হিন্দি বোঝে, আর ভাঙা ভাঙা বলতেও পারে। গুরুবচন সিং এসে আমাদের হয়ে কিছুটা কথাবার্তা বলে দিল। দশ টাকায় রাজি হয়ে গেল উট ভাড়া দিতে।

'দৌড়ানে সেকেগা আপকা উট ?' লালমোহনবাবু জিজ্ঞেস করলেন। 'ট্রেন ধরনে হোগা।'

ফেলুদা হেসে বলল, 'আগে তো উঠুন। দৌড়ের কথা পরে।'

'উঠব ?'

এই প্রথম বোধহয় লালমোহনবাবু উটের সামনে পড়ে তার পিঠে ওঠার ব্যাপারটা তলিয়ে দেখলেন। আমি জানোয়ারগুলোকে ভাল করে দেখছিলাম। কী বিদঘুটে চেহারা, কিন্তু কী

বাহারের সাজ পরিয়েছে তাদের। হাতির পিঠে যেমন ঝালরওয়ালা জাজিম দেখেছি ছবিতে, এদের পিঠেও তাই। একটা কাঠের বসবার ব্যবস্থা রয়েছে, তার নীচে জাজিম। জাজিমে আবার লাল-নীল-হলদে সবুজ জ্যামিতিক নকশা। উটের গলাও দেখলাম লাল চাদর দিয়ে ঢাকা, আর তাতে আবার কড়ি দিয়ে কাজ করা। বুঝলাম, যতই কুশ্রী হোক, জানোয়ারগুলোকে এরা ভালবাসে।

তিনটে উট আমাদের জন্য মাটিতে হাঁটু গেড়ে বসেছে। আমাদের দুটো সুটকেস্, দুটো হোল্ড-অল আর ছোটখাটো যা জিনিস ছিল, সবই গুরুবচন সিং এনে জড়ো করেছে। সে বলে দিল, ট্রেন ধরতে পারলে আমরা যেন পোকরানে অপেক্ষা করি ; আজ রাত্রের মধ্যে সে অবশ্যই পৌঁছে যাবে। মালগুলো অন্য দুটো উটের পিঠে চাপিয়ে বেঁধে দেওয়া হল।

ফেলুদা লালমোহনবাবুকে বলল, 'উটের বসাটা লক্ষ করলেন তো ? সামনের পা দুটো প্রথমে দুমড়ে শরীরের সামনের দিকটা আগে মাটিতে বসছে। তারপর পেছন। আর ওঠার সময় কিন্তু হবে ঠিক উলটোটা। আগে উঠবে পিছন দিকটা, তারপর সামনেটা। এই হিসেবটা মাথায় রেখে শরীরটা আগু-পিছু করে নেবেন, তা হলে আর কোনও কেলেঙ্কারি হবে না।'

'কেলেঙ্কারি ?' জটায়ুর গলা কাঠ।

'দেখুন', ফেলুদা বলল, 'আমি আগে উঠছি।'

ফেলুদা উটের পিঠে চাপল। উটওয়ালাদের মধ্যে একজন মুখ দিয়ে একটা আওয়াজ করতেই ঠিক যে রকমভাবে ফেলুদা বলেছিল, সেইভাবে উটটা তেরেবেঁকে ভীষণ একটা ল্যাগব্যাগে ভঙ্গিতে উঠে দাঁড়াল। এটা বুঝতে পারলাম যে, ফেলুদার বেলা কোনও কেলেঙ্কারি হল না।

'তোপ্‌সে ওঠ। তোরা হালকা মানুষ, তোদের ঝামেলা অনেক কম।'

উটওয়ালারা দেখি বাবুদের কাণ্ড দেখে দাঁত বার করে হাসছে। আমিও সাহস করে উঠে পড়লাম, আর সেই সঙ্গে উটটাও উঠে দাঁড়াল। বুঝলাম যে আসল গোলমালটা হচ্ছে এই যে, পিছনের পা-টা যখন খাড়া হয়, সওয়ারির শরীরটা তখন এক ঝটকায় সামনের দিকে অনেকখানি এগিয়ে যায়। মনে মনে ঠিক করলাম যে, এর পরে যদি কখনও উঠি তা হলে প্রথম দিকে শরীরটাকে পিছনে হেলিয়ে টান করে রাখব, তা হলে ব্যালেন্সটা ঠিক হবে।

'জয় ম্যা—'

লালমোহনবাবুর মা-টা 'ম্যা' হয়ে গেল এই কারণেই যে, তিনি কথাটা বলার সঙ্গে সঙ্গেই উটের পিছন দিকটা এক ঝটকায় উঁচু হয়ে গেল, যার ফলে তিনি খেলেন এক রাম-হুমড়ি। আর তারপরেই উলটো হ্যাঁচকায় 'হেঁইক' করে এক বিকট শব্দ করেই ভদ্রলোক একেবারে পারপেন্ডিকুলার।

গুরুবচন সিং-এর কাছে বিদায় নিয়ে আমরা তিন বেদুইন রামদেওরা স্টেশনের উদ্দেশে যাত্রা করলাম।

'আধা ঘণ্টে মে আট মিল যানা হ্যায়, টিরেন পাকড়না হ্যায়', ফেলুদা উটওয়ালাদের উদ্দেশ করে হাঁক দিল। কথাটা শুনে একজন উটওয়ালা আরেকটা উটের পিঠে চড়ে খচ্‌মচ্ খচ্‌মচ্ করে সামনে এগিয়ে গেল। তারপর অন্য লোকটার মুখ দিয়ে হেঁই হেঁই করে কয়েকটা শব্দ বেরোতেই শুরু হল উটের দৌড়।

নড়বড়ে জানোয়ার, দৌড়ের সঙ্গে সঙ্গে শরীরটা ঝাঁকুনিও খায় রীতিমতো, কিন্তু তাও ব্যাপারটা আমার মোটেই খারাপ লাগছিল না। আর তা ছাড়া বালি আর সাদা ঝলসানো ঘাসের ওপর দিয়ে ছুটে চলেছি, জায়গাটাও রাজস্থান—সব মিলিয়ে বেশ একটা রোমাঞ্চই

লাগছিল।

ফেলুদা আমার চেয়ে খানিকটা এগিয়ে গিয়েছিল। লালমোহনবাবু আমার পিছনে। ফেলুদা এক বার ঘাড়টা পিছনে ফিরিয়ে হাঁক দিল—

'শিপ অফ দ্য ডেজার্ট কী রকম বুঝছেন মিস্টার গাঙ্গুলী ?'

আমিও এক বার মাথা ঘুরিয়ে দেখে নিলাম লালমোহনবাবুর অবস্থাটা। খুব শীত লাগলে লোকে যেমন মুখ করে—তলার ঠোঁট ফাঁক হয়ে দেখা যায় দাঁতে দাঁত লেগে রয়েছে, আর গলার শিরাগুলো সব বেরিয়ে আসে—লালমোহনবাবুর দেখি সেই রকম অবস্থা।

'কী মশাই ?' ফেলুদা হাঁকল, 'কিছু বলছেন না যে ?'

পিছন থেকে এবার পাঁচটা ইনস্টলমেন্টে পাঁচটা কথা বেরোল—'শিপ...অলরাইট...বাট...টকিং...ইম্‌পসিব্‌ল...'

কোনও রকমে হাসি চেপে সওয়ারির দিকে মন দিলাম। আমরা এখন রেল লাইনের ধার দিয়ে চলেছি। একবার মনে হল, দূরে যেন ট্রেনের ধোঁয়াটা দেখতে পেলাম, তারপর আবার সেটা মিলিয়ে গেল। সূর্য নেমে আসছে। দৃশ্যও বদলে আসছে। আবার আবছা পাহাড়ের লাইন দেখতে পাচ্ছি বহু দূরে। ডান দিকে একটা প্রকাণ্ড বালির স্তূপ পড়ল। দেখে বুঝলাম, তার উপরে মানুষের পায়ের ছাপ পড়েনি। সমস্ত বালির গায়ে ঢেউয়ের মতো লাইন।

উটগুলোর বোধহয় একটানা এত দৌড়ে অভ্যেস নেই, তাই মাঝে মাঝে তাদের স্পিড কমে যাচ্ছিল, তারপর পিছন থেকে হেঁই হেঁই শব্দে তারা আবার দৌড়তে শুরু করছিল।

সোয়া চারটে নাগাদ আমরা দূরে লাইনের ধারে চৌকো ঘরের মতো একটা কিছু দেখতে পেলাম। এটা স্টেশন ছাড়া আর কী হতে পারে ?

আরও কাছে এলে পর বুঝলাম, আমাদের আন্দাজ ঠিকই। একটা সিগন্যালও দেখা যাচ্ছে। এটা একটা রেলওয়ে স্টেশন, এবং নিশ্চয়ই রামদেওরা স্টেশন।

আমাদের উটের দৌড় ঢিমে হয়ে এসেছে। কিন্তু আর হেঁই হেঁই করার প্রয়োজন হবে না, কারণ ট্রেন এসে চলে গেছে। কতক্ষণের জন্য ট্রেনটা ফসকে গেল জানি না, তবে ফসকে যে গেছে, সে বিষয়ে কোনও সন্দেহ নেই।

তার মানে এখন থেকে রাত তিনটে পর্যন্ত আমাদের এই জনমানবশূন্য প্রান্তরে এক অজানা জায়গায় একটা নাম-কা-ওয়াস্তে রেল স্টেশনের প্ল্যাটফর্মে বসে কাটাতে হবে।

৯

স্টেশন বলতে একটা প্ল্যাটফর্ম, আর একটা ছোট্ট কাজ চালাবার মতো টিকিট ঘর। আসলে স্টেশন তৈরির কাজ এখনও চলছে ; কবে শেষ হবে তার কোনও ঠিক নেই। আমরা টিকিট ঘরের কাছেই একটা জায়গা বেছে নিয়ে সুটকেস আর হোল্ড-অল মাটিতে পেতে তার উপরে বসেছি। এখানে বসার একটা কারণ এই যে, কাছেই একটা কাঠের পোস্টে একটা কেরোসিনের বাতি ঝুলছে, কাজেই অন্ধকার হলেও সেই আলোতে আমরা অন্তত পরস্পরের মুখটা দেখতে পাব।

স্টেশনের কাছে একটা ছোটখাটো গ্রাম জাতীয় ব্যাপার আছে। ফেলুদা একবার সে দিকটায় ঘুরে এসে জানিয়েছে যে, খাবারের দোকান বলে কিছুই নাকি সেখানে নেই। খাবার বলতে আমাদের এখন যা সম্বল দাঁড়িয়েছে, সেটা হচ্ছে ফ্লাস্কের মধ্যে সামান্য জল আর লালমোহনবাবুর কাছে এক টিন জিভেগজা। বুঝতে পারছি, আজ রাতটা এই গজা খেয়েই থাকতে হবে। মিনিট দশেক হল সূর্য ডুবেছে। কিছুক্ষণের মধ্যেই অন্ধকার ঘনিয়ে আসবে।

গুরুবচন সিং আসবে বলে বিশেষ ভরসা হয় না, কারণ আমরা এই যে তিন ঘণ্টা হল এসেছি, তার মধ্যে একটা গাড়িও যায়নি রাস্তা দিয়ে—না যোধপুরের দিকে, না জয়সলমীরের দিকে। রাত তিনটে পর্যন্ত এই প্ল্যাটফর্মে বসে থাকা ছাড়া আর কোনও উপায় আছে বলে মনে হয় না।

ফেলুদা ওর সুটকেসটার উপর বসে রেলের লাইনের দিকে চেয়ে আছে একদৃষ্টে। ওকে এর মধ্যে বার দু-তিন দেখেছি বাঁ হাতের তেলোর চাপে ডান হাতের আঙুল মটকাতে। বেশ বুঝছি ওর ভেতর একটা চাপা উত্তেজনার ভাব রয়েছে, আর তাই ও কথাও বলছে না বেশি।

দালদার টিনটা খুলে একটা জিভেগজা বার করে তাতে একটা কামড় দিয়ে লালমোহনবাবু বললেন, 'কী থেকে কী হয়ে যায় মশাই। আগ্রা থেকে যদি এক কামরায় সিট না পড়ত, তা হলে কি আর এভাবে আমার হলিডের চেহারাটা পালটে যেত ?'

'আপনার কি আপশোস হচ্ছে ?' ফেলুদা জিজ্ঞেস করল।

'বলেন কী মশাই!' ফেলুদার প্রশ্নটা ভদ্রলোক হেসেই উড়িয়ে দিলেন। 'তবে কী জানেন, ব্যাপারটা যদি আমার কাছে আর একটু ক্লিয়ার হত, তা হলে মজাটা আরও জমত।'

'কোন ব্যাপারটা ?'

'কিছুই তো জানি না মশাই। খালি শাট্‌ল্‌ককের মতো এ দিকে থাপ্পড় খেয়ে ও দিকে যাচ্ছি, আর ও দিকে থাপ্পড় খেয়ে এ দিকে আসছি। এমনকী আপনি যে আসলে কে—হিরো না ভিলেন—তাই তো বুঝতে পারছি না, হে হে।'

'কী হবে জেনে ?' ফেলুদা মুচকি হেসে বলল। 'আপনি যখন উপন্যাস লেখেন, সব জিনিস কি আগে থেকে বলে দেন ? এই রাজস্থানের অভিজ্ঞতাটাকে একটা উপন্যাস বলে ধরে নিন না। গল্পের শেষে দেখবেন সব রহস্য পরিষ্কার হয়ে গেছে।'

'আমি আস্ত থাকব তো গল্পের শেষে ? জ্যান্ত থাকব তো ?'

'ঠেকায় পড়লে আপনি যে দৌড়িয়ে খরগোশকেও হার মানাতে পারেন, সেটা তো চোখেই দেখলাম। এটা কি কম ভরসার কথা ?'

একটা লোক এসে কখন জানি কেরোসিনের বাতিটা জ্বালিয়ে দিয়ে গেছে। সেই আলোয় দেখতে পেলাম স্থানীয় পোশাক পরা দুটো পাগড়িধারী লাঠি ঠক্ ঠক্ করতে করতে আমাদের দিকে এগিয়ে আসছে। তারা এসে আমাদের ঠিক চার-পাঁচ হাত দূরে মাটিতে উবু হয়ে বসে নিজেদের মধ্যে দুর্বোধ্য ভাষায় কথাবার্তা আরম্ভ করে দিল। লোক দুটোর একটা ব্যাপার দেখে আমার মুখ হাঁ হয়ে গেল। তাদের দুজনেরই গোঁফ জোড়া অন্তত চার বার পাক খেয়ে গালের দু পাশে দুটো ঘড়ির স্প্রিং-এর মতো হয়ে রয়েছে। মনে হয়, টেনে সোজা করলে এক এক দিকে অন্তত হাত দেড়েক লম্বা হবে। লালমোহনবাবুরও দেখি চক্ষুস্থির।

ফেলুদা চাপা গলায় বলল, 'ব্যান্ডিটস্।'

'বলেন কী!' লালমোহনবাবু ফ্লাস্ক থেকে জল ঢেলে খেলেন।

'নিঃসন্দেহে।'

লালমোহনবাবু এবার দালদার টিনটা বন্ধ করতে গিয়ে ঢাকনাটা হাত থেকে ফসকে ফেলে একটা বিশ্রী খ্যানখেনে শব্দ করে নিজেই আরও বেশি নার্ভাস হয়ে পড়লেন।

লোকগুলোর গায়ের রং একেবারে সদ্য কালি দিয়ে বুরুশ করা নতুন জুতোর মতো চকচকে। দুটোর মধ্যে একটা লোক এবার একটা সিগারেট বার করে মুখে পুরল, তারপর পকেট থাবড়ে-থুবড়ে একটা দেশলাইয়ের বাক্স বার করে সেটা খালি দেখে ট্রেনের লাইনের দিকে ছুঁড়ে ফেলে দিল। খচ করে একটা শব্দ শুনে ফেলুদার দিকে চেয়ে দেখি, সে তার লাইটারটা জ্বালিয়ে লোকটার দিকে এগিয়ে দিয়েছে। লোকটা প্রথমে একটু অবাক, তারপর

মুখ বাড়িয়ে সিগারেটটা ধরিয়ে ফেলুদার কাছ থেকে লাইটারটা নিয়ে নেড়েচেড়ে দেখে এখানে-সেখানে টিপে ফস করে সেটাকে জ্বালাল। লালমোহনবাবু কী জানি বলতে গেলেন, কিন্তু গলা দিয়ে পরিষ্কার আওয়াজ বেরোল না। লোকটা আরও তিনবার লাইটারটা জ্বালিয়ে-নিভিয়ে সেটা ফেলুদাকে ফেরত দিয়ে দিল। লালমোহনবাবু এবার ঢাকনা লাগানো টিনটা সুটকেসে ভরতে গিয়ে পুরো টিনটাই হাত থেকে ফেলে গতবারের চেয়ে আরও চারগুণ বেশি শব্দ করে বসলেন। ফেলুদা সে দিকে কোনও ভ্রূক্ষেপ না করে তার থলি থেকে নীল খাতাটা বার করে এই টিমটিমে আলোতেই সেটা উলটে-পালটে দেখতে লাগল।

হঠাৎ লক্ষ করলাম, টিকিট ঘরের পিছনে কিছুটা দূরে একটা কাঁটা ঝোপের উপর কোত্থেকে জানি একটা আলো এসে পড়েছে।

আলোটা বাড়ছে। এবার একটা গাড়ির আওয়াজ পেলাম। জয়সলমীরের দিক থেকে আসছে গাড়িটা। যাক্ বাবা! মনে হচ্ছে গুরুবচনের সমস্যার সমাধান হলেও হতে পারে।

গাড়িটা হুশ করে নাকের সামনে দিয়ে যোধপুরের দিকে চলে গেল। ঘড়িতে দেখলাম সাড়ে সাতটা।

ফেলুদা খাতা থেকে মুখ তুলে লালমোহনবাবুর দিকে চাইল। তারপর বলল, 'আচ্ছা লালমোহনবাবু, আপনি তো গল্প-টল্প লেখেন, বলুন তো ফোসকা জিনিসটা কী এবং ফোসকা কেন পড়ে!'

'ফোসকা?...ফোসকা?...' লালমোহনবাবু থতমত খেয়ে গেছেন। 'কেন পড়ে মানে, এই ধরুন আপনি সিগারেট ধরাতে গিয়ে হাতে ছ্যাঁকা লাগল—'

'সে তো বুঝলাম—কিন্তু ফোসকা পড়বে কেন?'

'কেন? ও—আই সি—কেন...'

'ঠিক আছে। এবার বলুন তো একটা লোককে মাথার উপর থেকে দেখলে তাকে বেঁটে মনে হয় কেন?'

লালমোহনবাবু চুপ করে হাঁ করে চেয়ে রইলেন। আবছা আলোয় দেখলাম তিনি হাত কচলাচ্ছেন। পাশের লোক দুটো এক সুরে একভাবে গল্প করে চলেছে। ফেলুদা একদৃষ্টে লালমোহনবাবুর দিকে তাকিয়ে রয়েছে।

লালমোহনবাবু জিভ দিয়ে ঠোঁট চেটে বললেন, 'আমাকে এ সব, মানে, কোশ্চেন—'

'আরেকটা প্রশ্ন আছে লালমোহনবাবু—এটার উত্তর আপনি নিশ্চয় জানেন।'

লালমোহনবাবু নির্বাক। ফেলুদা যেন তাঁকে হিপ্‌নোটাইজ করে ফেলেছে।

'আজ সকালে আপনি সার্কিট হাউসের পিছনের বাগানে আমার জানালার কাছে কী করছিলেন?'

লালমোহনবাবু এক মুহূর্ত পাথর। তারপরেই তিনি একেবারে হাত-পা ছুঁড়ে হাউমাউ করে উঠলেন।

'আরে মশাই—আপনার কাছেই তো যাচ্ছিলুম! আপনারই কাছে! এমন সময় ময়ূরটা এমন চেঁচিয়ে উঠল—আর তারপর একটা চিৎকার শুনলাম—কেমন জানি নার্ভাস-টার্ভাস হয়ে...'

'আমার ঘরে যাবার কি অন্য রাস্তা ছিল না? আর আমার কাছে আসার জন্য মাথায় পাগড়ি আর গায়ে চাদর দিতে হয়?'

'আরে মশাই, গায়ের চাদর তো বিছানার চাদর, আর পাগড়ি তো সার্কিট হাউসের তোয়ালে। একটা ডিজগাইজ না হলে লোকটার উপর স্পাইং করব কী করে?'

'কোন্ লোকটা?'

'মিস্টার ট্রটার ! ভেরি সাস্‌পিশাস্‌ ! ভাগ্যে গেসলুম। কী পেলুম দেখুন না, ওর জানলার বাইরে ঘাসের উপর। সিক্রেট কোড ! এইটেই তো আপনাকে দিতে যাচ্ছিলুম, আর ঠিক সেই সময় ময়ূরটা চেঁচামেচি লাগিয়ে সব ভণ্ডুল করে দিলে।'

আমি লক্ষ করছিলাম লালমোহনবাবুর ঘড়িটা। সত্যি, এই ঘড়িটাই তো দেখেছিলাম ছাত থেকে।

লালমোহনবাবু সুটকেস খুলে তার খাপ থেকে একটা কোঁকড়ানো কাগজের টুকরো বার করে ফেলুদাকে দিল। বুঝলাম কাগজটাকে দলা পাকানো হয়েছিল, সেটা আবার সোজা করা হয়েছে।

ফেলুদার পাশে গিয়ে কেরোসিনের আলোতে দেখলাম কাগজটায় পেনসিল দিয়ে লেখা আছে—

IP 1625 + U

U—M

ফেলুদা ভীষণভাবে ভুরু কুঁচকে কাগজটার দিকে চেয়ে রইল। আমি এই অ্যালজেব্রার মাথামুণ্ডু কিছুই বুঝলাম না, যদিও লালমোহনবাবু দু বার ফিস্‌ ফিস্‌ করে বললেন, 'হাইলি সাস্‌পিশাস্‌।'

ফেলুদা ভাবছে, আর ভাবতে ভাবতে আপন মনে বিড়বিড় করছে—

'ষোল শ' পঁচিশ...ষোল শ' পঁচিশ...এই সংখ্যাটা কোথায় যেন দেখেছি রিসেন্টলি ?....'

'ট্যাক্সির নম্বর ?' আমি জিজ্ঞেস করলাম।

'উঁহু...ষোল শ' পঁচিশ...সিক্সটিন টোয়েন্টি ফা—'

ফেলুদা কথাটা শেষ না করে এক ঝটকায় থলে থেকে ব্র্যাড্‌শ টাইম টেবলটা বার করল। পাতা ভাঁজ করা জায়গাটায় খুলে পাতার উপর থেকে নীচের দিকে আঙুল চালিয়ে এক জায়গায় এসে থামল।

'ইয়েস। সিক্সটিন টোয়েন্টি ফাইভ হচ্ছে অ্যারাইভ্যাল।'

'কোথায় ?' জিজ্ঞেস করলাম।

'পোকরানে।'

বললাম, 'তা হলে তো P-টা পোকরান হতে পারে। পোকরানে সিক্সটিন টোয়েন্টি ফাইভ। আর বাকিটা ?'

'বাকিটা...বাকিটা...আই পি—আবার প্লাস ইউ।'

'তলার Mটা কিন্তু ভাল লাগছে না মশাই', লালমোহনবাবু বললেন। M বললেই কিন্তু মার্ডারি মনে পড়ে।'

'দাঁড়ান মশাই—আগে ওপরেরটার পাঠোদ্ধার করি।'

লালমোহনবাবু বিড়বিড় করে বললেন, 'মার্ডার...মিসট্রি... ম্যাসাকার...মনস্টার...'

ফেলুদা কোলের উপর কাগজটা খোলা রেখে ভাবতে লাগল।

লালমোহনবাবু গজার টিনটা বার করে আমাদের আবার অফার করলেন। আমি একটা নেবার পর ফেলুদার দিকে টিনটা এগিয়ে দিয়ে ভদ্রলোক বললেন, 'ভাল কথা—আমিই যে আপনার জানালার কাছে গিয়েছিলুম, সেটা কী করে বুঝলেন স্যার ? আপনি কি আমায় দেখে ফেলেছিলেন নাকি ?'

ফেলুদা একটা গজা তুলে নিয়ে বলল, 'পাগড়িটা খোলার পর বোধহয় চুলটা আঁচড়াননি। ঘটনাটার কিছুক্ষণ পর যখন আপনার সঙ্গে দেখা হয়, তখন আপনার চুলের অবস্থাটা দেখেই সন্দেহ হয়েছিল।'

ভদ্রলোক হেসে বললেন, 'কিছু মনে করবেন না স্যার—আপনাকে কিন্তু সেন্ট-পারসেন্ট গোয়েন্দা বলেই মনে হচ্ছে।'

ফেলুদা এবার তার একটা কার্ড বার করে লালমোহনবাবুকে দিল। লালমোহনবাবুর দৃষ্টি উদ্ভাসিত হয়ে উঠল।

'ওঃ!—প্রদোষ সি মিটার! এটা কি আপনার রিয়্যাল নাম?'

'আজ্ঞে হ্যাঁ। সন্দেহের কোনও কারণ আছে কি?'

'না, মানে ভাবছিলাম কী অদ্ভুত নাম!'

'অদ্ভুত?'

'অদ্ভুত নয়? দেখুন না কেমন মিলে যাচ্ছে।—প্রদোষ—প্র হচ্ছে প্রফেসন্যাল, দোষ হচ্ছে ক্রাইম আর সি হচ্ছে—টু সি—অর্থাৎ দেখা—অর্থাৎ ইনভেস্টিগেট। অর্থাৎ প্রদোষ সি ইজ ইকুয়্যাল টু প্রফেসন্যাল ক্রাইম ইনভেস্টিগেটর!'

'সাধু সাধু!'—আর মিটার?'

'মিটারটা একটু ভেবে দেখতে হবে', লালমোহনবাবু মাথা চুলকে বললেন।

'কিস্যু ভাবার দরকার নেই। আমি বলে দিচ্ছি। ট্যাক্সি মিটার জানেন তো? সেই মিটার—অর্থাৎ ইন্ডিকেটর। তার মানে শুধু ইনভেস্টিগেশন নয়, অল্‌সো ইনডিকেশন। ক্রাইমের তদন্তই শুধু নয়, ক্রিমিন্যাল বার করে তার দিকে অঙ্গুলি নির্দেশ। হল তো?'

লালমোহনবাবু 'ব্রাভো' বলে হাততালি দিয়ে উঠলেন। ফেলুদা কিন্তু আবার সিরিয়াস। আরেকবার হাতের কাগজটার দিকে দেখে সেটাকে শার্টের বুক-পকেটে গুঁজে রেখে সিগারেটটা বার করে বলল, 'I এবং U-এর অবিশ্যি খুব সহজ মানে হতে পারে। I অর্থাৎ আমি এবং U অর্থাৎ তুমি, কিন্তু প্লাস ইউ-টা গোলমেলে। আর দ্বিতীয় লাইনটার কোনও কিনারাই করা যাচ্ছে না।...তোপ্‌সে, তুই বরং হোল্ড-অলটা বিছিয়ে শুয়ে পড়। আপনিও—লালমোহনবাবু। এখনও তো সাড়ে সাত ঘণ্টা দেরি ট্রেন আসতে। আমি আপনাদের ঠিক সময়ে তুলে দেব।'

কথাটা মন্দ বলেনি ফেলুদা। শুধু স্ট্র্যাপ দুটো খুলে হোল্ড-অলটাকে বিছিয়ে প্ল্যাটফর্মের উপর শুয়ে পড়লাম। চিত হওয়ামাত্র আকাশের দিকে চোখ গেল, আর তক্ষুনি বুঝতে পারলাম যে, একসঙ্গে এত তারা আমি জীবনে কখনও দেখিনি। মরুভূমিতে কি আকাশটা তা হলে একটু বেশি পরিষ্কার থাকে? তাই হবে।

আকাশ দেখতে দেখতে ক্রমে চোখটা ঘুমে বুজে এল। একবার শুনলাম লালমোহনবাবু বলছেন, 'উটে চড়লে গাঁটে বেশ ব্যথা হয় মশাই।' আর একবার যেন বললেন, 'এম্ ইজ মার্ডার।' এর পর আর কিছু মনে নেই।

ঘুম ভাঙল ফেলুদার ঝাঁকানিতে।

'তোপ্‌সে—উঠে পড়—গাড়ি আসছে।'

তড়াক করে উঠে হোল্ড-অল বেঁধে ফেলতে ফেলতে ট্রেনের হেড-লাইট দেখা গেল।

১০

মিটার গেজের প্যাসেঞ্জার গাড়ি। কামরাগুলো তাই খুবই ছোট। যাত্রীও বেশি নেই, তাই একটা খালি ফার্স্ট ক্লাস পাওয়াতে খুব একটা অবাক লাগল না।

কামরা অন্ধকার; হাতড়িয়ে সুইচ বার করে টিপে কোনও ফল হল না। লালমোহনবাবু বললেন, 'সভ্য দেশেই রেলের বাল্‌ব লোপাট হয়ে যায়, ডাকাতের দেশে তো ওটা আশা

করাই ভুল।'

ফেলুদা বলল, 'তোরা দুজন দু দিকের বেঞ্চিতে শুয়ে পড়। আমি মাঝখানের মেঝেতে শতরঞ্চি পেতে ম্যানেজ করছি। ঝাড়া ছ ঘণ্টা সময় আছে হাতে, দিব্যি গড়িয়ে নেওয়া যাবে।'

লালমোহনবাবু একবার একটু আপত্তি করেছিলেন—'আপনি আবার ফ্লোরে কেন মশাই, আমাকে দিন না'—কিন্তু ফেলুদা একটু কড়া করে 'মোটেই না' বলাতে ভদ্রলোক বোধহয় গাঁটের ব্যথার কথা ভেবেই বেঞ্চিতে হোল্ড-অল খুলে পেতে নিলেন।

গাড়ি ছেড়ে প্ল্যাটফর্ম পেরনোর এক মিনিটের মধ্যেই কে একজন আমাদের দরজার পা-দানিতে লাফিয়ে উঠল। লালমোহনবাবু হেসে বলে উঠলেন, 'আরে বাবা, গাড়ি রিজার্ভ হ্যায়। জেনানা কামরা হ্যায়!'

এবারে ঝড়াক্ করে আমাদের দরজাটা খুলে গেল, আরেকটা উজ্জ্বল টর্চের আলো জ্বলে উঠে কয়েক মুহূর্তের জন্য আমার চোখ ধাঁধিয়ে দিল।

সেই আলোতেই দেখলাম, একটা হাত আমাদের দিকে এগিয়ে এসেছে, আর সে হাতে চকচক করছে একটা লোহার নলওয়ালা জিনিস।

আমাদের তিনজনেরই হাত মাথার উপর উঠে গেল।

'এবার উঠুন তো বাবুরা! দরজা খোলা আছে, একে একে নেমে পড়ুন তো বাইরে!'

এ যে মন্দার বোসের গলা!

'গাড়ি যে চলছে!'—কাঁপা গলায় বলে উঠলেন লালমোহনবাবু।

'শাট্ আপ!' মন্দার বোস গর্জন করে দু পা এগিয়ে এলেন। টর্চের আলোটা অনবরত আমাদের তিনজনের উপর ঘোরাফেরা করছে। 'ন্যাকামো হচ্ছে! কলকাতায় চলন্ত ট্রাম-বাস থেকে ওঠানামা করা হয় না? উঠুন উঠুন—'

কথাটা শেষ হতে না হতে এমন একটা ব্যাপার ঘটে গেল, যেটা আমি জীবনে কোনও দিন ভুলব না। ফেলুদার ডান হাতটা একটা বিদ্যুতের শিখার মতো নেমে এসে তার নিজের শতরঞ্চির সামনের দিকটা খাম্‌চে ধরে মারল একটা প্রচণ্ড হ্যাঁচকা টান—আর তার ফলে মন্দার বোসের পা দুটো সামনের দিকে হড়কে ছটকে শূন্যে উঠে গিয়ে উপরের শরীরটা এক ঝটকায় চিতিয়ে দড়াম করে লাগল কামরার দেয়ালে। আর সেই সঙ্গে তার ডান হাত থেকে রিভলভারটা ছিটকে বেরিয়ে গিয়ে পড়ল লালমোহনবাবুর বেঞ্চিতে, আর বাঁ হাত থেকে জ্বলন্ত টর্চটা ফসকে গিয়ে পড়ল মেঝেতে।

মন্দার বোসের পুরো শরীরটা মাটিতে পড়বার আগেই লাফ দিয়ে উঠে দাঁড়িয়েছে ফেলুদা—তার হাতে কোটের ভিতর থেকে বার করা তার নিজের রিভলভার।

'গেট আপ!' ফেলুদা মন্দার বোসকে উদ্দেশ করে গর্জিয়ে উঠল।

মিটার গেজের গাড়ি, প্রচণ্ড শব্দ করে দুলে দুলে এগিয়ে চলেছে মরুভূমির মধ্যে দিয়ে। লালমোহনবাবু ইতিমধ্যে মন্দারবাবুর রিভলভারটা তার জাপান এয়ার লাইনস্-এর ব্যাগের মধ্যে ঢুকিয়ে দিয়েছেন।

'উঠুন বলছি!' ফেলুদা আবার গর্জিয়ে উঠল।

টর্চটা মাটিতে গড়াগড়ি যাচ্ছে, অথচ বুঝতে পারছি সেটা মন্দার বোসের উপর ফেলা উচিত—নইলে লোকটা অন্ধকারের সুযোগ নিয়ে একটা গোলমাল করতে পারে। এই কথাটা ভেবে টর্চটা তুলতে গিয়েই হয়ে গেল সর্বনাশ; আর সেটা এমনই সর্বনাশ যে, সেটার কথা ভাবতে এখনও আমার রক্ত ঠাণ্ডা হয়ে যায়। মন্দার বোসের শরীরের উপর দিকটা ছিল আমার বেঞ্চির দিকে। আমি যেই টর্চটা তুলতে নিচু হয়েছি, ভদ্রলোক তৎক্ষণাৎ একটা

আচমকা ঝাঁপ দিয়ে আমাকে জাপটে ধরে আমাকে সুদ্ধ উঠে দাঁড়ালেন। তার ফলে মন্দার বোস আর ফেলুদার মাঝখানে পড়ে গেলাম আমি। এই চরম বিপদের সময়েও মনে মনে লোকটার শয়তানি বুদ্ধির তারিফ না করে পারলাম না। বুঝতে পারলাম, ফেলুদা প্রথম রাউন্ডে আশ্চর্য ভাবে জিতলেও, দ্বিতীয় রাউন্ডে বেকায়দায় পড়ে গেছে। এটাও বুঝলাম যে, এই অবস্থাটার জন্য দায়ী একমাত্র আমি।

মন্দার বোস আমাকে পিছন থেকে আঁকড়ে ধরে সামনের দিকে রেখে, খোলা দরজাটার দিকে পিছোতে লাগলেন। কাঁধের কাছটায় কী যেন একটা ফুটছে। বুঝলাম, সেটা মন্দার বোসের হাতের একটা নখ। নীলুর হাতের যন্ত্রণার কথা মনে পড়ে গেল।

ক্রমে বুঝলাম, দরজার খুব কাছে এসে গেছি। কারণ বাইরে থেকে কনকনে ঠাণ্ডা হাওয়া এসে আমার বাঁ কাঁধটায় লাগছে।

আরও এক পা পিছোলেন মন্দার বোস। ফেলুদা রিভলভার উঁচিয়ে রয়েছে কিন্তু কিছু

করতে পারছে না। জ্বলন্ত টর্চটা এখনও ট্রেনের দোলার সঙ্গে সঙ্গে মেঝের এদিকে-ওদিকে গড়াচ্ছে।

হঠাৎ পিছন থেকে একটা প্রচণ্ড ধাক্কা খেয়ে আমি ফেলুদার উপর হুমড়ি খেয়ে পড়লাম। আর তার পরেই একটা শব্দ পেলাম যাতে বুঝলাম যে, মন্দার বোস চলন্ত ট্রেন থেকে লাফিয়ে পড়েছেন। তিনি বাঁচলেন কি মরলেন, সেটা বোঝার কোনও উপায় নেই।

ফেলুদা দরজা দিয়ে গলা বাড়িয়ে কিছুক্ষণ দেখে ফিরে এল। তারপর যথাস্থানে রিভলভারটাকে চালান দিয়ে নিজের জায়গায় বসে পড়ে বলল, 'দু-একটা হাড়গোড় অন্তত না ভাঙলে খুব আক্ষেপের কারণ হবে।'

লালমোহনবাবু যেন একটু অতিরিক্ত জোরেই হেসে উঠে বললেন, 'বলেছিলাম না মশাই, লোকটা সাস্‌পিশাস্‌।'

আমি এর মধ্যে ফ্লাস্ক থেকে খানিকটা জল খেয়ে নিয়েছি। বুকের ধড়ফড়ানিটা আস্তে আস্তে কমছিল, নিশ্বাস-প্রশ্বাস স্বাভাবিক হয়ে আসছিল। কী ভীষণ একটা ঘটনা কয়েক মুহূর্তের মধ্যে ঘটে গেল, সেটা যেন এখনও ঠিক বিশ্বাস করে উঠতে পারছিলাম না।

ফেলুদা বলল, 'শ্রীমান তপেশ ছিলেন বলে লোকটা এ-যাত্রা পার পেয়ে গেল, নইলে বন্দুকটা নাকের সামনে ধরে ওর পেট থেকে সব বার করে নিতাম। অবিশ্যি—'

ফেলুদা থামল। তারপর বলল, 'খুব বড় বিপদের সামনে পড়লেই দেখেছি, আমার মাথাটা বিশেষ রকম পরিষ্কার হয়ে যায়। ওই সংকেতের মানেটা এখন স্পষ্ট বুঝতে পারছি।'

'বলেন কী!' বললেন লালমোহনবাবু।

ফেলুদা বলল, 'আসলে খুবই সহজ। আই হচ্ছে আমি, পি হচ্ছে পোকরান, ইউ হচ্ছে তুমি, আর এম্‌ হচ্ছে মিত্তির—প্রদোষ মিত্তির।'

'আর প্লাস-মাইনাস?'

'আই পি ১৬২৫ + ইউ। অর্থাৎ আমি পোকরান পৌঁচচ্ছি বিকেল চারটে পঁচিশে, তুমি আমার সঙ্গে এসে যোগ দিয়ো।'

'আর ইউ মাইনাস এম্‌?'

'আরও সহজ—তুমি মিত্তিরকে কাটাও।'

'কাটাও!' ধরা গলায় বললেন লালমোহনবাবু। 'তার মানে মাইনাস হচ্ছে মার্ডার?'

'মার্ডারের প্রয়োজন কী? মাঝপথে চলন্ত ট্রেন থেকে নামিয়ে দিলে এক তো জখম হবার সম্ভাবনা ছিলই, তার উপর চব্বিশ ঘণ্টা অপেক্ষা করতে হত পরের ট্রেনের জন্য। তার মধ্যে ওদের কার্যসিদ্ধি হয়ে যেত। দরকারটা ছিল আমাদের জয়সলমীর থেকে মাইনাস করা। সেই জন্যেই তো রাস্তায় এত পেরেকের ছড়াছড়ি। সেটায় কাজ হয়নি বুঝতে পেরে শেষটায় ট্রেন থেকে নামানোর চেষ্টা।'

এতক্ষণে হঠাৎ একটা জিনিস খেয়াল করলাম। ফেলুদাকে বললাম, 'চুরুটের গন্ধ পাচ্ছি ফেলুদা।'

ফেলুদা বলল, 'সেটা লোকটা কামরায় ঢোকামাত্র পেয়েছি। সার্কিট হাউসেও কোনও ব্যক্তি যে চুরুট খাচ্ছেন, সেটা আগেই বুঝেছি। মুকুলের হাতের সেই রাংতাটা চুরুটেই জড়ানো থাকে।'

'আর ভদ্রলোকের একটা নখ ভীষণ বড়। আমার কাঁধটা বোধহয় নীলুর হাতের মতোই ছড়ে গেছে।'

'কিন্তু যিনি ইন্‌স্ট্রাকশন দিচ্ছেন, সেই আই-টি কিনি?' জিজ্ঞেস করলেন লালমোহনবাবু।

ফেলুদা গম্ভীর গলায় বলল, 'সার্কিট হাউসে পাওয়া ইংরিজিতে লেখা হুমকি-চিঠির সঙ্গে

এই সংকেতের লেখা মিলিয়ে তো একটা লোকের কথাই মনে হয়।'

'কে ?' আমরা দুজনে এক সঙ্গে জিজ্ঞেস করলাম।

'ডক্টর হেমাঙ্গমোহন হাজরা।'

রাত্রে সবসুদ্ধ বোধ হয় ঘণ্টা তিনেক ঘুমিয়েছি। যখন ঘুম ভাঙল তখন বাইরে রোদ। ফেলুদাকে দেখলাম মেঝে থেকে উঠে আমার বেঞ্চির এক কোণে বসে বাইরের দিকে চেয়ে রয়েছে। তার কোলে রয়েছে সেই নীল খাতা, আর হাতে রয়েছে দুখানা চিঠি—একটা সেই ইংরিজিতে হুমকি আর অন্যটা ডক্টর হাজরার লেখা চিঠি। ঘড়িতে দেখি পৌনে সাতটা। লালমোহনবাবু এখনও দিব্যি ঘুমোচ্ছেন। খিদে পাচ্ছিল ভীষণ, কিন্তু গজা খেতে আর মন চাইছিল না। জয়সলমীর পৌঁছবে প্রায় নটায়। বুঝলাম এই দু ঘণ্টা সময় খিদেটাকে কোনওরকমে চেপে রাখতে হবে।

বাইরের দৃশ্য অদ্ভুত। মাইলের পর মাইল অল্প ঢেউ-খেলানো জমি দেখা যাচ্ছে দু দিকে—তার মধ্যে একটা বাড়ি নেই, একটা লোক নেই, একটা গাছ পর্যন্ত নেই। অথচ মরুভূমি বলা যায় না, কারণ, বালি মাঝে মাঝে থাকলেও, বেশির ভাগটাই শুকনো সাদা ঘাস, লালচে মাটি আর লাল-কালো পাথরের কুচি। এর পরেও যে আবার একটা শহর থাকতে পারে সেটা ভাবলে বিশ্বাস হতে চায় না।

একটা স্টেশন এল—জেঠা চন্দন। আমি ব্র্যাড্‌শ খুলে দেখলাম এটার পর থাইয়ৎ হামিরা, আর তারপরেই জয়সলমীর। স্টেশনে দোকান-টোকান নেই, লোকজন নেই, কুলি নেই, ফেরিওয়ালা নেই। সব মিলিয়ে মনে হয় যেন পৃথিবীর কোনও একটা অনাবিষ্কৃত জায়গায় এই ট্রেনটা কেমন করে জানি এসে পড়েছে—ঠিক যেমনি করে রকেট গিয়ে হাজির হয় চাঁদে।

এবার গাড়ি ছাড়ার মিনিটখানেক পরেই লালমোহনবাবু উঠে পড়ে বিরাট একটা হাই তুলে বললেন, 'ফ্যান্ট্যাস্‌টিক স্বপ্ন দেখলুম মশাই। একদল ডাকাত, তাদের গোঁফগুলো সব ভেড়ার শিঙের মতো প্যাঁচানো—তাদের আমি হিপ্‌নোটাইজ করে নিয়ে চলেছি একটা কেল্লার ভিতর দিয়ে। সেই কেল্লায় একটা সুড়ঙ্গ। তাই দিয়ে একটা আন্ডারগ্রাউন্ড চেম্বারে পৌঁছলুম। জানি সেখানে গুপ্তধন আছে, কিন্তু গিয়ে দেখি একটা উট মেঝেতে বসে জিভেগজা খাচ্ছে।'

'গজা খাচ্ছে সেটা জানলেন কী করে ?' ফেলুদা জিজ্ঞেস করল। 'হাঁ করে দেখাল ?'

'আরে না মশাই। স্পষ্ট দেখলুম আমার দালদার টিনটা খোলা পড়ে আছে উটের ঠিক সামনে।'

থাইয়ৎ হামিরা স্টেশন পেরনোর কিছুক্ষণ পরেই দূরে আবছা একটা পাহাড় চোখে পড়ল। এ-ও সেই রাজস্থানি চ্যাপটা টেব্‌ল মাউন্টেন। আমাদের ট্রেনটা মনে হল সেই পাহাড়ের দিকে যাচ্ছে।

আটটা নাগাত মনে হল পাহাড়টার উপর একটা কিছু রয়েছে।

ক্রমে বুঝতে পারলাম, সেটা একটা কেল্লা। সমস্ত পাহাড়ের উপরটা জুড়ে মুকুটের মতো বসে আছে কেল্লাটা—তার উপর সোজা গিয়ে পড়েছে ঝকঝকে পরিষ্কার সকালের ঝলমলে রোদ। আমার মুখ থেকে একটা কথা আপনা থেকেই বেরিয়ে পড়ল—

'সোনার কেল্লা !'

ফেলুদা বলল, 'ঠিক বলেছিস। এটাই হল রাজস্থানের একমাত্র সোনার কেল্লা। বাটিটা দেখেই সন্দেহ হয়েছিল। তারপর গাইডবুক দেখে কন্‌ফার্মড হলাম। বাটিটা যে পাথরের

তৈরি, কেল্লাও সেই পাথরেরেই তৈরি—ইয়েলো স্যান্ডস্টোন। মুকুল যদি সত্যি করেই জাতিস্মর হয়ে থাকে, আর পূর্বজন্ম বলে যদি সত্যিই কিছু থেকে থাকে, তা হলে মনে হয় ও এখানেই জন্মেছিল।'

আমি বললাম, 'কিন্তু ডক্টর হাজরা কি সেটা জানেন ?'

ফেলুদা এ কথার কোনও উত্তর না দিয়ে একদৃষ্টে কেল্লার দিকে চেয়ে থেকে বলল, 'জানিস তোপ্‌সে—অদ্ভুত এই সোনালি আলো। মাকড়সার জালের নকশাটা চোখের সামনে স্পষ্ট দেখতে পাচ্ছি এই আলোয়।'

১১

জয়সলমীর স্টেশনে নেমে প্রথমেই যেটা করলাম, সেটা হচ্ছে একটা খাবারের দোকানে গিয়ে চা আর একটা নতুন রকমের মিষ্টি খেয়ে খিদেটাকে মিটিয়ে নিলাম। ফেলুদা বলল—মিষ্টি জিনিসটা নাকি দরকার—ওতে গ্লুকোজ থাকে—সামনে পরিশ্রম আছে—গ্লুকোজে এনার্জি দেবে।

স্টেশনের বাইরে এসে দেখলাম গাড়ি টাড়ির কোনও বালাই নেই। একটা জিপ আছে দাঁড়িয়ে, তবে সেটা যে ভাড়ার নয়, সেটা দেখেই বোঝা যায়। টাঙ্গা এক্কা সাইক্‌ল-রিক্‌শা ট্যাক্সি কিচ্ছু নেই। আমরা যখন ট্রেন থেকে নেমেছিলাম, তখন একটা কালো অ্যাম্বাসাডর দাঁড়িয়ে থাকতে দেখেছিলাম ; এখন দেখছি সে গাড়িটাও নেই। ফেলুদা বলল, 'জায়গাটা ছোট সেটা বোঝাই যাচ্ছে। কাজেই এক জায়গা থেকে আরেক জায়গার দূরত্ব বেশি নয় নিশ্চয়ই। ডাকবাংলো একটা আছে সেটা গাইড-বুকে লিখেছে। আপাতত সেটার খোঁজ করা যাক।'

যে যার মালপত্তর হাতে নিয়ে স্টেশন থেকে বেরিয়ে পড়লাম। কাছেই একটা পেট্রোল স্টেশনে একটা লোককে জিজ্ঞেস করতেই সে রাস্তা বাতলে দিল। বুঝলাম, যে ডাকবাংলোয় যাবার জন্য পাহাড়ে উঠতে হবে না, সেটা পাহাড়ের দক্ষিণ দিকে সমতল জমির উপরেই। হাঁটতে হাঁটতে রাস্তার বালির উপর টায়ারের দাগ দেখে ফেলুদা বলল 'অ্যাম্বাসাডরটাও এই রাস্তাতেই গেছে বলে মনে হচ্ছে।'

প্রায় মিনিট পনেরো হাঁটার পর একটা একতলা বাড়ির সামনে কাঠের ফলকে লেখা দেখে বুঝলাম, আমরা ডাকবাংলোয় এসে গেছি। বাংলোর সামনেই দেখি কালো অ্যাম্বাসাডরটা দাঁড়িয়ে আছে।

আমাদের দেখতে পেয়েই বোধ হয় একটা খাকি শার্ট খাটো ধুতি আর পাকানো পাগড়ি পরা বুড়ো লোক পাশের একটা আউট-হাউস থেকে বেরিয়ে আমাদের দিকে এগিয়ে এল। ফেলুদা তাকে হিন্দিতে জিজ্ঞেস করল সে চৌকিদার কি না। লোকটা মাথা নেড়ে হ্যাঁ বুঝিয়ে দিল। তার চাউনি দেখে বুঝলাম যে আমাদের আসাটা তার কাছে অপ্রত্যাশিত, আর ব্যাপারটা সে একটু সন্দেহের চোখে দেখছে, কারণ পারমিশন ছাড়া বাংলোয় থাকতে দেয় না এটা আমি জানি।

ফেলুদা বাংলোয় থাকার প্রশ্নটাই তুলল না। সে বলল যে আপাতত সে শুধু মালগুলো রেখে যেতে চায়, তারপর পারমিশনের চেষ্টা করে দেখবে। চৌকিদার বলল সেটার জন্য রাজার সেক্রেটারির কাছে যেতে হবে। রাজবাড়ি কোন দিকে সেটাও সে হাত তুলে দেখিয়ে দিল। দূরে গাছপালার মাথার উপর দিয়ে হলদে পাথরের তৈরি প্যালেসের খানিকটা অংশও দেখতে পেলাম।

চৌকিদার মালগুলো রাখতে দিতে কোনও আপত্তি করল না। তার একটা কারণ অবিশ্যি এই যে, ফেলুদা ইতিমধ্যে তার হাতে একটা কড়কড়ে দু টাকার নোট গুঁজে দিয়েছে।

একটা ঘরের মধ্যে সুটকেস বিছানা রেখে ফ্লাস্কগুলোতে জল ভরে কাঁধে ঝুলিয়ে নিয়ে চৌকিদারকে জিজ্ঞেস করা হল কেল্লায় যেতে হলে কোন রাস্তা দিয়ে যেতে হবে।

'ইউ ওয়ান্ট টু গো টু দ্য ফোর্ট ?'

প্রশ্নটা এল বারান্দার ও-মাথা থেকে। একটি ভদ্রলোক ও দিকের একটা ঘর থেকে সবেমাত্র বেরিয়েছেন। ফরসা রং, বয়স চল্লিশের বেশি নয়, খুব মন দিয়ে ছাঁটা সরু একটা গোঁফ চোখা নাকের নীচে। এবার আরেকটু বেশি বয়সের আর একটি ভদ্রলোক ঘর থেকে বেরিয়ে প্রথম ভদ্রলোকটির পাশে দাঁড়ালেন। এঁর হাতে একটা লাঠি—যেমন লাঠি আমরা যোধপুরের বাজারে দেখেছি—আর গায়ে কেমন যেন একটা বেখাপ্পা কালো স্যুট। এরা দুজনে কোন দেশি সেটা বোঝা গেল না। লক্ষ করলাম দ্বিতীয় ভদ্রলোকটি একটু যেন খোঁড়াচ্ছেন, আর সেই জন্যেই বোধহয় তার লাঠির দরকার হচ্ছে।

ফেলুদা বলল, 'ফোর্টটা একবার দেখতে পারলে মন্দ হত না।'

'কাম অ্যালং উইথ আস্—উই আর গোয়িং দ্যাট ওয়ে।'

ফেলুদা কয়েক সেকেন্ডের জন্য কী যেন ভেবে যেতে রাজি হয়ে গেল।

'থ্যাঙ্ক ইউ ভেরি মাচ্। দ্যাট ইজ ভেরি কাইন্ড অফ ইউ।'

আমরা গাড়ির দিকে যাবার সময় লালমোহনবাবু ফিসফিস করে বললেন, 'এরা আবার চলন্ত মোটরগাড়ি থেকে নামিয়ে দিতে চাইবে না তো ?'

গাড়ি কেল্লার দিকে রওনা দিল। লাঠিওয়ালা ভদ্রলোক জিজ্ঞেস করলেন, 'আর ইউ ফ্রম ক্যালকাটা ?

ফেলুদা বলল, 'হ্যাঁ।'

বাঁ দিকে বালির উপর দূরে দেখলাম দেবীকুণ্ডের মতো কতগুলো স্মৃতিস্তম্ভ রয়েছে। ফেলুদা বলল ও জিনিসটা নাকি রাজস্থানের সব শহরেই রয়েছে।

আমাদের গাড়ি ক্রমে পাহাড়ের গা বেয়ে চড়াই উঠতে আরম্ভ করল।

মিনিটখানেক ওঠার পর পিছন থেকে আরেকটা গাড়ির শব্দ পেলাম। গাড়িটা ক্রমাগত হর্ন দিচ্ছে। অথচ আমরা যে খুব আস্তে চলছিলাম তাও নয়। তা হলে লোকটা বার বার হর্ন দিচ্ছে কেন ?

ফেলুদা দুই ভদ্রলোকের সঙ্গে পিছনে বসেছিল। সে হঠাৎ ঘাড় ফিরিয়ে কাচের মধ্য দিয়ে দেখে নিয়ে আমাদের গাড়ির ড্রাইভারকে উদ্দেশ করে বলে উঠল, 'রোক্‌কে, রোক্‌কে !'

আমাদের গাড়ি রাস্তার এক পাশে থামতেই আমাদের ডান পাশে এসে দাঁড়াল একটা ট্যাক্সি—তার স্টিয়ারিং ধরে হাসিমুখে বসে আমাদের সেলাম জানাচ্ছেন গুরুবচন সিং।

আমরা তিনজনেই নেমে পড়লাম। ফেলুদা ভদ্রলোক দুজনকে ইংরিজিতে বলল—আপনাদের অনেক ধন্যবাদ। আমাদের নিজেদের ট্যাক্সিটা পথে খারাপ হয়ে গিয়েছিল—সেটা এসে পড়েছে।

গুরুবচন বলল ভোর সাড়ে ছটায় নাকি একটা চেনা ট্যাক্সি জয়সলমীর থেকে ফিরছিল—তার কাছ থেকে স্পেয়ার চেয়ে নিয়েছে। নব্বই মাইল রাস্তা নাকি সে দু ঘণ্টায় এসেছে। এখানে এসে পেট্রোল স্টেশনটায় দাঁড়িয়ে ছিল, হঠাৎ কালো অ্যাম্বাসাডরটার ভিতর আমাদের দেখতে পায়।

আরও খানিকটা পথ যেতেই আমরা একটা বাজারের মধ্যে এসে পড়লাম। চারদিকে দোকানপাট গিজগিজ করছে, লাউডস্পিকারে হিন্দি ফিল্মের গান হচ্ছে, একটা ছোট্ট সিনেমা

হাউসের বাইরে আবার হিন্দি ছবির বিজ্ঞাপনও রয়েছে।

'আপলোগ কিল্লা দেখনে মাংতা ?' গুরুবচন সিং জিজ্ঞেস করল। ফেলুদা 'হ্যাঁ' বলতে গুরুবচন সিং ট্যাক্সি থামাল। 'ইয়ে হ্যায় কিল্লেকা গেট।'

ডান দিকে চেয়ে দেখি এক পেল্লায় ফটক—তারপর পাথরে বাঁধানো রাস্তা চড়াই উঠে গেছে আরেকটা ফটকের দিকে। বুঝলাম, এটা বাইরের গেট আর ভেতরেরটা আসল গেট। দ্বিতীয় গেটের পিছন থেকেই খাড়াই উঠে গেছে জয়সলমীরের সোনার কেল্লা।

গেটের বাইরে একটা লোক দাঁড়িয়ে আছে। তাকে দেখলেই প্রহরী বলে বোঝা যায়। ফেলুদা তাকে গিয়ে জিজ্ঞেস করল, সকালের দিকে কোনও বাঙালি ভদ্রলোক একটি ছোট ছেলেকে সঙ্গে করে কেল্লা দেখতে এসেছিলে কি না। ফেলুদা হাত দিয়ে মুকুলের হাইটটাও বুঝিয়ে দিল।

—আয়া থা, কিন্তু এখন নেই, চলে গেছে।

—কখন ?

—আধ ঘণ্টা হবে।

—গাড়িতে এসেছিল ?

—হাঁ—এক টেক্সি থা।

—কোন দিকে গেছে বলতে পার ?

প্রহরী পশ্চিম দিকের রাস্তাটা দেখিয়ে দিল। আমরা সেই রাস্তা ধরে অলিগলি দোকানপাটের মধ্যে দিয়ে চলতে লাগলাম। লালমোহনবাবু সামনে বসেছেন গুরুবচনের পাশে, আমি আর ফেলুদা পিছনে। কিছুক্ষণ চলার পর ফেলুদা হঠাৎ প্রশ্ন করল, 'আপনার অস্ত্রটা আনেননি তো সঙ্গে ?'

লালমোহনবাবু অন্যমনস্কতার মধ্যে হঠাৎ প্রশ্ন শুনে চমকে বললেন, 'ভোপালি ? ইয়ে-মানে-গিয়ে-আপনার—ভোজালি ?'

'হ্যাঁ আপনার নেপালি ভোজালি।'

'সে তো সুটকেসে স্যার।'

'তা হলে আপনার পাশে রাখা জাপান এয়ার লাইন্সের ব্যাগ থেকে মন্দার বোসের রিভলভারটা বার করে কোটের তলায় বেল্টের মধ্যে গুঁজুন—যাতে বাইরে থেকে বোঝা না যায়।'

লালমোহনবাবুর নড়াচড়া থেকে বুঝলাম তিনি ফেলুদার আদেশ পালন করছেন। এই সময় তার মুখটা দেখতে ভীষণ ইচ্ছে করছিল।

'কিচ্ছু না', ফেলুদা বলল, 'গোলমাল দেখলে স্রেফ ট্যাঁক থেকে ওটি বার করে সামনের দিকে পয়েন্ট করে দাঁড়িয়ে থাকবেন।'

'আর পে-পেছন দিয়ে যদি—'

'পেছনে কিছু হচ্ছে বুঝলে আপনি নিজে ঘুরে যাবেন, তখনই সেটা সামনে হয়ে যাবে।'

'আর আপনি ? আপনি বুঝি আজ, মানে, নন-ভায়োলেন্ট ?'

'সেটা প্রয়োজন বুঝে।'

ট্যাক্সিটা বাজার ছাড়িয়ে একটা খোলা জায়গায় এসে পড়ল। আমরা এর মধ্যে আরও দু একজনকে জিজ্ঞেস করে অন্য ট্যাক্সিটা কোন পথে গেছে জেনে নিয়েছি। তা ছাড়া রাস্তায় বালির উপর মাঝে মাঝে টায়ারের দাগ দেখতে পাচ্ছি আর তাতেই বুঝতে পারছি যে আমরা হেমাঙ্গ হাজরার রাস্তাতেই চলেছি।

গুরুবচন সিং বলল, 'ইয়ে হ্যায় মোহনগড় যানেকা রাস্তা। আউর এক মিল যানা

সেক্‌তা। উস্‌কে বাদ রাস্তা বহুৎ খারাপ হ্যায়। জিপ ছোড়কে দুস্‌রা গাড়ি নেহি যাতা।'

এক মাইলও অবিশ্যি যেতে হল না। কিছু দূর গিয়েই দেখতে পেলাম রাস্তার এক ধারে একটা ট্যাক্সি দাঁড়িয়ে আছে। রাস্তার ডান দিকে খানিকটা দূরে রয়েছে একসঙ্গে অনেকগুলো পরিত্যক্ত একতলা ছাত-ছাড়া খুপরির মতো পাথরের বাড়ি। বুঝলাম, এটাও হচ্ছে একটা প্রাচীন গ্রাম, যেমন গ্রাম আমরা এর আগে আরও দু-একটা দেখেছি। এ সব গ্রাম থেকে লোকজন নাকি বহুকাল আগে চলে গেছে; শুধু দেয়ালগুলো পাথরের তৈরি বলে এখনও দাঁড়িয়ে আছে।

গুরুবচন সিংকে অপেক্ষা করতে বলে আমরা বাড়িগুলোর দিকে এগোলাম। সর্দারজি দেখলাম গাড়ি থেকে নেমে অন্য ট্যাক্সির দিকে এগিয়ে গেল—বোধহয় জাতভাইয়ের সঙ্গে আড্ডা মারতে।

চারিদিক থমথম করছে। পিছন দিকে চাইলে দূরে দেখা যাচ্ছে পাহাড়ের মাথায় জয়সলমীরের কেল্লা। রাস্তার উলটো দিকে খাড়াই উঠে গেছে পাহাড়। তার ঠিক পায়ের কাছে একটা প্রকাণ্ড খোলা জায়গা জুড়ে মাটিতে পোঁতা শিল-নোড়ার মতো হলদে পাথরের সারি। ফেলুদা ফিসফিস করে বলল, 'যোদ্ধাদের কবর।'

লালমোহনবাবু খসখসে মিহি গলায় বললেন, 'আমার কিন্তু আবার লো ব্লাড প্রেশার।'

'কিচ্ছু ভাববেন না', ফেলুদা বলল, 'দেখতে দেখতে হাই হয়ে যেমনটি চাই তেমনটি হয়ে যাবে।'

বাড়িগুলোর কাছে এসে পড়েছি। সারি সারি বাড়ির মাঝখান দিয়ে চলে গেছে সোজা রাস্তা। বেশ বুঝলাম, এ গ্রাম বাংলাদেশের গ্রামের মতো নয়। এর মধ্যে একটা সহজ জ্যামিতিক প্ল্যান আছে।

কিন্তু ট্যাক্সির যাত্রীরা কোথায়? মুকুল কোথায়? ডক্টর হেমাঙ্গ হাজরা কোথায়?

মুকুলের কিছু হয়নি তো?

হঠাৎ খেয়াল হল কানে একটা শব্দ আসছে—এখনও খুবই আস্তে—কিন্তু কান পাতলে শোনা যায়। খট্—খট্—খট্....

অত্যন্ত সাবধানে একটুও শব্দ না করে আরও কয়েক পা এগিয়ে দেখলাম, একটা চৌরাস্তায় এসে পড়েছি। আমরা এখনও দুটো রাস্তার ক্রসের মাঝখানে দাঁড়িয়ে আছি। ডান দিক দিয়ে শব্দটা আসছে। রাস্তার দু দিকে দশ-বারোটা বাড়ির সারি—তাদের দেয়াল আর দরজার ফাঁকগুলো শুধু দাঁড়িয়ে আছে।

আমরা ডান দিকের রাস্তাটা ধরেই পা টিপে টিপে এগোতে লাগলাম।

ফেলুদা দাঁতের ফাঁক দিয়ে প্রায় শোনা যায় না এমনভাবে বলল, 'রিভলভার'—আর সেই সঙ্গে তার নিজের হাতটাও চলে গেল কোটের ভিতর। আড়চোখে দেখলাম লালমোহনবাবুর হাতেও রিভলভার এসে গেছে, আর সেটা অসম্ভব কাঁপছে।

হঠাৎ একটা খচমচ আওয়াজ শুনে আমরা থমকে দাঁড়ালাম, আর তার পরমুহূর্তেই দেখলাম রাস্তার শেষ মাথায় বাঁ দিকের একটা বাড়ির দরজা দিয়ে মুকুল দৌড়ে বেরিয়ে এল—তারপর আমাদের দেখতে পেয়ে আরও দ্বিগুণ জোরে ছুটে এসে ফেলুদার বুকের উপর ঝাঁপিয়ে পড়ল। সে হাঁপাচ্ছে, তার মুখ রক্তহীন ফ্যাকাশে।

আমি জিজ্ঞেস করতে যাচ্ছিলাম কী হয়েছে, কিন্তু ফেলুদা ঠোঁটে আঙুল দিয়ে আমার কথা বন্ধ করে দিল।

ফিসফিস করে 'একে একটু দেখুন' বলে মুকুলকে লালমোহনবাবুর জিম্মায় রেখে ফেলুদা নিঃশব্দে এগিয়ে চলল যেখান থেকে মুকুল বেরিয়েছে সেই দিকে। আমিও চললাম তার পিছন পিছন।

এগোনোর সঙ্গে সঙ্গে শব্দটা বাড়ছে। মনে হল কে যেন পাথর নিয়ে নাড়াচাড়া করছে—খট্—খটাং—খুট্—খুট...

বাড়িটার কাছে পৌঁছে দেয়ালের দিকটায় ঘেঁষে গেল ফেলুদা।

আর তিন পা বাড়াতেই দরজার হাঁ করা ফাঁকটা দিয়ে দেখলাম ডক্টর হাজরাকে। ঘরের এক কোণে দাঁড়িয়ে আমাদের দিকে পিঠ করে পাগলের মতো একটা ভাঙা পাথরের স্তূপ থেকে একটার পর একটা পাথর তুলে এক পাশে ফেলছেন। আমরা যে এসে দরজার মুখে দাঁড়িয়ে তাকে দেখছি, সেটা তাঁর খেয়ালই নেই।

আরেক পা সামনে এগোল ফেলুদা—তার হাতে রিভলভার ডক্টর হাজরার দিকে উঁচোনো।

হঠাৎ উপর দিক থেকে একটা ঝটপট শব্দ।

একটা ময়ূর পাঁচিলের উপর থেকে লাফিয়ে পড়েছে।

মাটিতে পড়েই তীরবেগে ছুটে গিয়ে ময়ূরটা উপুড় হওয়া ডক্টর হাজরার বাঁ কানের ঠিক

নীচে একটা সাংঘাতিক ঠোকর মারল। ডক্টর হাজরা যন্ত্রণায় আর্তনাদ করে হাত দিয়ে ঠোকরানোর জায়গাটা চেপে ধরতেই তার সাদা শার্টের আস্তিনটা লাল হয়ে উঠল।

এদিকে ময়ূরটা ঠোকর মেরেই চলেছে। তার মধ্যেই ডক্টর হাজরা পালাতে গিয়ে আমাদের সামনে দেখে ভূত দেখার মতো ভাব করলেন। আমরা দরজা ছেড়ে পিছিয়ে দাঁড়ালাম, আর ময়ূর তাকে ঠুকরে ঘর থেকে বার করে দিল।

'গুপ্তধনের জায়গায় যে ময়ূরের বাসা থাকবে, আর তার মধ্যে যে ডিম থাকবে—এটা বোধ হয় আপনি ভাবতে পারেননি—তাই না ?'

ফেলুদার গলার স্বর ইস্পাত, তার রিভলভার ডক্টর হাজরার দিকে তাগ করা। বেশ বুঝতে পারছিলাম যে ডক্টর হাজরাই শয়তান, আর তার শাস্তিও হয়েছে চমৎকার, কিন্তু অন্য অনেক কিছুই এখনও এত ধোঁয়াটে রয়েছে যে, মাথাটা কেমন জানি গোলমাল হয়ে যাচ্ছিল।

একটা গাড়ির শব্দ পাওয়া গেল। ডক্টর হাজরা মাটিতে উপুড় হয়ে আছেন। তার ঘাড়টা আস্তে আস্তে ফেলুদার দিকে ফিরল, তাঁর বাঁ হাতটা এখন একটা রক্তাক্ত রুমাল সমেত ক্ষতের উপর চাপা।

ফেলুদা বলল, 'আর কোনও আশা নেই, জানেন। এবার আপনার দু দিকের রাস্তার বন্ধ।'

ফেলুদার কথা শেষ হবার আগেই ডক্টর হাজরা হঠাৎ চোখের পলকে দাঁড়িয়ে উঠে একটা উন্মাদ দৌড় দিলেন উলটো দিকে। ফেলুদা রিভলভারটা নামিয়ে নিল—কারণ সত্যিই পালাবার কোনও পথ নেই। উলটো দিক থেকে আমাদের দুজন চেনা ভদ্রলোক এগিয়ে আসছেন। যার হাতে লাঠি নেই, তিনি খপ করে ক্রিকেট বল লোফার মতো ডক্টর হাজরাকে বগলদাবা করে নিলেন।

এবারে লাঠিওয়ালা ভদ্রলোকটি ফেলুদার দিকে এগিয়ে এলেন। ফেলুদা রিভলভারটা বাঁ হাতে চালান দিয়ে ডান হাতটা ভদ্রলোকের দিকে বাড়িয়ে দিয়ে বললেন, 'আসুন ডক্টর হাজরা।'

অ্যাঁ ! ইনিই ডক্টর হাজরা ?

ভদ্রলোক ফেলুদার সঙ্গে হ্যান্ডশেক করে বললেন, 'আপনিই তো বোধ হয় প্রদোষ মিত্তির ?'

'আজ্ঞে হ্যাঁ। আপনার নাগরা পরার দরুন ফোসকাটা এখনও সারেনি বলে মনে হচ্ছে...'

আসল ডক্টর হাজরা হেসে বললেন, 'পরশু সুধীরবাবুকে ট্রাঙ্ক কল করেছিলাম। উনিই বললেন আপনি এসেছেন। যা বর্ণনা দিলেন, তা থেকে চিনতে কোনও অসুবিধা হয়নি। আলাপ করিয়ে দিই—ইনি হলেন ইনস্পেক্টর রাঠোর।'

'আর উনি ?' ফেলুদা হাত-কড়া পরা, মাথা হেঁট-করা ময়ূরের ঠোকর-খাওয়া ভদ্রলোকটির দিকে দেখাল। 'উনিই বুঝি ভবানন্দ ?'

'ইয়েস', বললেন ডক্টর হাজরা, 'ওরফে অমিয়নাথ বর্মন, ওরফে দ্য গ্রেট বারম্যান—উইজার্ড অফ দ্য ইস্ট।'

১২

ভবানন্দ এখন রাজস্থানি পুলিশের জিম্মায়। তার বিরুদ্ধে অভিযোগ—ডক্টর হেমাঙ্গ হাজরাকে খুন করার চেষ্টা, তার জিনিসপত্র নিয়ে সটকে পড়া, নিজের নাম ভাঁড়িয়ে হেমাঙ্গ হাজরার ভূমিকা গ্রহণ করা ইত্যাদি। আমরা ডাকবাংলোর বারান্দায় বসে উটের দুধ-দেওয়া কফি

খাচ্ছি। মুকুল সামনের বাগানে দিব্যি ফুর্তিতে খেলে বেড়াচ্ছে, কারণ সে জানে আজই সে কলকাতা রওনা হবে। সোনার কেল্লা দেখার পর তার আর রাজস্থানে থাকার ইচ্ছে নেই।

ফেলুদা আসল ডক্টর হাজরার দিকে ফিরে বলল, 'ভবানন্দ শিকাগোতে সত্যিই ভণ্ডামি করছিল তো ? কাগজে যা বেরিয়েছিল তা সত্যি তো ?'

হাজরা বললেন, 'ষোলো আনা সত্যি। ভবানন্দ আর তার সহকারী মিলে যে কত দেশে কত কুকীর্তি করেছে, তার ইয়ত্তা নেই। তা ছাড়া শিকাগোয় আরও ব্যাপার আছে। নিজের ভণ্ডামির সঙ্গে সঙ্গে আমার মিথ্যে বদনাম রটাচ্ছিল, আমার কাজের বিস্তর অসুবিধা করছিল। কাজেই শেষটায় বাধ্য হয়ে স্টেপ নিতে হল। অবিশ্যি এ হল চার বছর আগের কথা। ওরা কবে দেশে ফিরেছে জানি না। আমি ফিরেছি মাত্র তিন মাস হল। সুধীরবাবুর দোকানে গিয়েছিলাম, সেখানে তার ছেলের কথা শুনে তাকে দেখতে যাই। তার পরের ব্যাপার তো আপনি জানেনই। আমি যখন মুকুলকে নিয়ে রাজস্থানে আসা স্থির করলাম, তখন কিন্তু ভাবতেই পারিনি যে আমার পিছনে লোক লাগবে।'

'এক ঢিলে দুই পাখি কে না মারতে চায় বলুন !' ফেলুদা বলল। 'একে গুপ্তধনের আশা, তার উপর আপনার উপর প্রতিশোধ। ...তা, এদের সঙ্গে কলকাতায় দেখা হয়নি আপনার ?'

'মোটেই না। প্রথম দেখা হয় একেবারে বান্দিকুই স্টেশনের রিফ্রেশমেন্ট রুমে। আমি আগ্রায় একদিন থেকে না গেলে ট্রেনে ওদের সঙ্গে দেখা হত না। ভদ্রলোকেরা নিজে থেকে এসে আমার সঙ্গে আলাপ করলেন।'

'আপনি চিনতে পারলেন না ?'

'কী করে চিনব ? শিকাগোতে তো এরা ছিলেন একেবারে শ্মশ্রুগুম্ফ সম্বলিত মহাঋষি

মহেশ !'

'তারপর ?'

'তারপর আমাদের সঙ্গে এক টেবিলে বসে খেল, ম্যাজিক দেখিয়ে মুকুলের সঙ্গে ভাব জমাল, একই ট্রেনে একই কামরায় উঠল। কিষণগড়ে নেমে মুকুলকে কেল্লা দেখাব সেটা আগেই ঠিক করেছিলাম, কিন্তু এরাও যে আমার পিছু পিছু নেমেছে সেটা জানতে পারিনি। আমি কেল্লায় যাবার কিছু পরেই এরাও পৌঁছেছে। জনমানবশূন্য জায়গা, চোরের মতো এসেছে, আড়ালে আড়ালে তাকে তাকে থেকেছে, সুযোগ পেয়ে পাহাড়ের উপর থেকে ঠেলে ফেলে দিয়েছে। গড়াতে গড়াতে শ' খানেক ফুট নীচে গিয়ে একটা ঝোপড়ায় আটকে পড়ে বেঁচে গেলাম। জামা খুললে দেখবেন সর্বাঙ্গ ছড়ে গেছে। যাই হোক—এই ঝোপড়ার পাশে ঘণ্টাখানেক ওইভাবেই রয়ে গেলাম। আমি চাইছিলাম যে ওরা আপদ গেছে ভেবে নিশ্চিন্তে মুকুলকে নিয়ে চলে যায়। যখন স্টেশনে পৌঁছলাম ততক্ষণে আটটার মাড়োয়ারের ট্রেন চলে গেছে। আর তাতে করেই চলে গেছে মুকুল, এবং আমার যাবতীয় মালপত্র সমেত ওই দুই ধুরন্ধর। তার মানে লোকের কাছে আমার সঠিক পরিচয়টা দেবার রাস্তাটাও তারা বন্ধ করে দিয়ে গেছে।'

'মুকুল ওদের সঙ্গে যেতে আপত্তি করল না ?'

ডক্টর হাজরা হাসলেন। 'মুকুলকে চিনতে পারেননি এখনও ? নিজের বাপ-মায়ের ওপরই

যখন ওর টান নেই, তখন দুজন অচেনা লোকের মধ্যে ও পার্থক্য করবে কেন ? ভবানন্দ বলেছে ওকে সোনার কেল্লা দেখাবে—ব্যস, ফুরিয়ে গেল। যাই হোক—হাল তো ছাড়লামই না, বরং জিদ চেপে গেল। মানিব্যাগটা সঙ্গেই ছিল। নিজের ছেঁড়া জামাকাপড় পুঁটলির মধ্যে নিয়ে নতুন পোশাক কিনে রাজস্থানি সাজলাম। নাগরা পরা অভ্যেস নেই, পায়ে ফোসকা পড়ে গেল। পরদিন কিষণগড়ে আপনাদের কামরায় উঠলাম। মারওয়াড় থেকেও একই ট্রেনে যোধপুর এলাম। রঘুনাথ সরাইয়ে উঠলাম। চেনা লোক ছিল শহরে—প্রফেসর ত্রিবেদী—তাকে গোড়ায় কিচ্ছু জানালাম না। বেশি হই-হল্লা হলে ওরা পালাতে পারে, কিংবা মুকুল ভয় পেয়ে বেঁকে বসতে পারে। আমি নিজে আঁচ করেছিলাম জয়সলমীরই আসল জায়গা, এখন খালি অপেক্ষা—কবে ভবানন্দও মুকুলকে নিয়ে জয়সলমীরে পাড়ি দেয়। তার আগে পর্যন্ত আমার কাজ হবে ভবানন্দ ও মুকুলকে চোখে চোখে রাখা।'

'সেদিন সার্কিট হাউসের বাইরে তো আপনিই ঘুরছিলেন ?'

'হ্যাঁ। আর তাতেও তো এক ফ্যাসাদ ! মুকুল দেখি আমাকে চিনে ফেলেছে। অন্তত সেরকম একটা ভাব করেই গেট থেকে বেরিয়ে সোজা আমার দিকে চলে আসছিল।'

'তারপর আপনি ভবানন্দকে ফলো করে পোকরানের গাড়িতে উঠলেন ?'

'হ্যাঁ। আর সবচেয়ে মজা—ট্রেন থেকে দেখতে পেলাম আপনারা গাড়ি থামাতে চেষ্টা করছেন।'

'সেটা নিশ্চয় ভবানন্দও দেখেছিল, আর তাই জেনে গিয়েছিল রামদেওরাতেই হয়তো আমরা ট্রেন ধরব।'

ডক্টর হাজরা বলে চললেন, 'ট্রেনে ওঠার আগে ত্রিবেদীকে ফোন করে জয়সলমীরে পুলিশকে খবর দিতে বলে দিয়েছিলাম। তার আগেই অবশ্য ওর বাড়ি থেকেই কলকাতায় ফোন করে আপনার আসার খবর পেয়েছি, আর ত্রিবেদীর কাছ থেকে একটি স্যুট ধার করে ভদ্রলোক সেজেছি।'

ফেলুদা বলল, 'পোকরানে গিয়ে বোধহয় দেখলেন ভবানন্দর অ্যাসিস্ট্যান্ট ট্যাক্সি নিয়ে হাজির, তাই না ?'

'ওইখানেই তো গণ্ডগোল হয়ে গেল। আই লস্ট দেম। দশ ঘণ্টা অপেক্ষা করে আবার রাত্রের ট্রেন ধরতে হল। সে গাড়িতে যে আপনি আছেন, তা তো জানি না। আপনাদের প্রথম দেখলুম এই ডাকবাংলোতে। এখন আমার প্রশ্ন হচ্ছে—আপনি কখন প্রথম ভবানন্দকে সন্দেহ করলেন ?'

ফেলুদা হেসে বলল, 'ভবানন্দকে সন্দেহ করেছিলাম বললে ভুল বলা হবে। করেছিলাম ডক্টর হাজরাকে। যোধপুরে নয়, বিকানিরে। দেবীকুণ্ডে গিয়ে দেখি ভদ্রলোক হাত-মুখ বাঁধা অবস্থায় পড়ে আছেন। তার ঠিক আগেই একটা দেশলাই কুড়িয়ে পাই—টেক্কা মার্কা। এটা রাজস্থানে বিক্রি হয় না। তারপর ভদ্রলোককে ওই বেগতিক অবস্থায় দেখে মনে হল, যে-লোক এই কুকর্মটি করেছে তারই হয়তো দেশলাই। কিন্তু তারপর দেখলাম বাঁধনেও গণ্ডগোল। একজন লোকের হাত-পা এক সঙ্গে বেঁধে দিলে সে লোক অসহায় হয়ে পড়তে পারে, কিন্তু যেখানে শুধু হাত দুটো পেছনে বেঁধে দেওয়া হয়েছে, সেখানে একটু বুদ্ধি থাকলেই পা দুটোকে ভাঁজ করে তার তলা দিয়ে হাত দুটো সামনে এনে বাঁধন খুলে ফেলা যায়। বুঝতে পারলাম ভদ্রলোক নিজেই নিজেকে বেঁধেছেন। এটা বুঝেও কিন্তু ভাবছি, ডক্টর হাজরাই আসল কালপ্রিট। শেষটায় চোখ খুলে গেল আজ সকালে ট্রেনে—আপনার প্যাডে লেখা ভবানন্দর একটা চিঠির দিকে চেয়ে থাকতে থাকতে।'

'কীরকম ?'

'কাগজের ওপরে আপনার নাম ছাপা হয়েছে, তাতে J দিয়ে হাজরা লেখা। আর ইনি নাম সই করেছেন চিঠির নীচে, তাতে দেখি Z। তখনই বুঝলাম এ হাজরা আসলে হাজরাই নন। কিন্তু ইনি তা হলে কে ? নিশ্চয় যারা কলকাতায় নীলু ছেলেটিকে ধরে নিয়ে গিয়েছিল তাদেরই একজন। আর অন্যটি হচ্ছেন মন্দার বোস—যার ডান হাতের একটা নখ বড়, আর যার মুখে সিগারের গন্ধ আমিও পেয়েছি, নীলুও পেয়েছে। কিন্তু তা হলে আসল হাজরা কোন ব্যক্তি এবং তিনি এখন কোথায় ? এর উত্তর একটাই হতে পারে—হাজরা হলেন তিনিই, যিনি নাগরা পরে পায়ে ফোসকা করেছিলেন, কিষণগড়ে আমাদের কামরায় উঠেছিলেন, সার্কিট হাউসের এবং বিকানির কেল্লার আশেপাশে ঘোরাঘুরি করছিলেন, এবং জয়সলমীরের ডাকবাংলোয় লাঠি হাতে খুঁড়িয়ে হাঁটছিলেন।'

ডক্টর হাজরা বললেন, 'সুধীরবাবু আপনাকে খবর দিয়ে খুবই বুদ্ধিমানের কাজ করেছিলেন, কারণ আমি একা বোধহয় জুত করে উঠতে পারতাম না। ভবানন্দর অ্যাসিস্ট্যান্টকে তো আপনারাই জব্দ করেছেন। এবারে তাঁর হাতেও হাতকড়াটি পড়লেই ষোলো কলা পূর্ণ হয়।'

ফেলুদা লালমোহনবাবুর দিকে দেখিয়ে বলল, 'মন্দার বোসকে প্রথম সন্দেহ করার পিছনে কিন্তু এনার যথেষ্ট কনট্রিবিউশন আছে।'

লালমোহনবাবু এর মধ্যে অনেকবার একটা কথা বলতে চেষ্টা করেছেন, কিন্তু পারেননি। এবার তিনি সেটা বলে ফেললেন—

'আচ্ছা স্যার, তা হলে গুপ্তধনের ব্যাপারটা কী হচ্ছে ?'

'ওটা ময়ূরে পাহারা দিচ্ছে দিক না !' বললেন ডক্টর হাজরা। 'ওদের বেশি ঘাঁটালে কী ফল হয়, সেটা তো দেখলেন !'

ফেলুদা বলল, 'আপাতত আপনার কাছে যে গুপ্তধনটা রয়েছে সেটা তো ফেরত দিন মশাই। অবিশ্যি যেভাবে উঁচিয়ে রয়েছে, আপনার কোটটা কোমরের কাছে তাতে গুপ্ত আর বলা চলে না।'

লালমোহনবাবু বেশ একটু মন-মরা ভাবেই মন্দার বোসের রিভলভারটা বার করে ফেলুদাকে দিয়ে দিলেন।

সেটা হাতে নিয়ে 'থ্যাঙ্ক ইউ' বলেই ফেলুদা হঠাৎ কেমন জানি গম্ভীর হয়ে গেল। তারপর রিভলভারটা নেড়েচেড়ে দেখল। তারপর বিড়বিড় করে বলল, 'বলিহারি মিস্টার ট্রটার—এভাবে ভাঁওতা দিলেন প্রদোষ মিত্তিরকে ?'

'কী ব্যাপার ? কী হল ?'—আমরা সমস্বরে বলে উঠলাম।

'আরে এ যে একেবারেই ফাঁকি—মেড ইন জাপান—ম্যাজিশিয়ানরা স্টেজে ব্যবহার করে এই রিভলভার !'

সকলে হেসে ফেটে পড়ার ঠিক আগে ফেলুদার হাত থেকে রিভলভারটা নিয়ে দাঁত বার করে জটায়ু বললেন, 'ফর মাই কালেকশন—অ্যান্ড অ্যাজ এ স্মৃতিচিহ্ন অফ আওয়ার পাওয়ারফুল অ্যাডভেঞ্চার ইন রাজস্থান ! থ্যাঙ্ক ইউ স্যার।'

বাক্স রহস্য

১

ক্যাপ্টেন স্কটের মেরু অভিযানের বিষয়ে একটা দারুণ লোমখাড়া-করা বই এই সবে শেষ করেছি, আর তার এত অল্প দিনের মধ্যেই যে বরফের দেশে গিয়ে পড়তে হবে সেটা ভাবতেই পারিনি। অবিশ্যি বরফের দেশ বলতে কেউ যেন আবার নর্থ পোল সাউথ পোল ভেবে না বসে। ওসব দেশে কোনও মামলার তদন্ত বা রহস্যের সমাধান করতে ফেলুদাকে কোনওদিন যেতে হবে বলে মনে হয় না। আমরা যেখানে গিয়েছিলাম সেটা আমাদেরই দেশের ভিতর; কিন্তু যে সময়টায় গিয়েছিলাম তখন সেখানে বরফ, আর সে বরফ আকাশ থেকে মিহি তুলোর মতো ভাসতে ভাসতে নীচে নেমে এসে মাটিতে পুরু হয়ে জমে, আর রোদ্দুরে সে বরফের দিকে চাইলে চোখ ঝলসে যায়, আর সে বরফ মাটি থেকে মুঠো করে তুলে নিয়ে বল পাকিয়ে ছোঁড়া যায়।

আমাদের এই অ্যাডভেঞ্চারের শুরু হয় গত মার্চ মাসের এক বিষ্যুদবারের সকালে। ফেলুদার এখন গোয়েন্দা হিসাবে বেশ নাম হয়েছে, তাই ওর কাছে মক্কেলও আসে মাঝে মাঝে। তবে ভাল কেস না হলে ও নেয় না। ভাল মানে যাতে ওর আশ্চর্য বুদ্ধিটা শানিয়ে নেওয়ার সুযোগ হয় এমন কেস। এবারের কেসটা প্রথমে শুনে তেমন আহামরি কিছু মনে হয়নি। কিন্তু ফেলুদার বোধহয় একটা আশ্চর্য ক্ষমতা আছে যার ফলে ও সেটার মধ্যে কীসের জানি গন্ধ পেয়ে নিতে রাজি হয়ে গেল। অবিশ্যি এও হতে পারে যে মক্কেল ছিলেন বেশ হোমরা-চোমরা লোক, আর তাই ফেলুদা হয়তো একটা মোটা রকম দাঁও মারার সুযোগ দেখে থাকতে পারে। পরে ফেলুদাকে কথাটা জিজ্ঞেস করতে ও এমন কটমট করে আমার দিকে চাইল যে আমি একেবারে বেমালুম চুপ মেরে গেলাম।

মক্কেলের নাম দীননাথ লাহিড়ী। বুধবার সন্ধ্যাবেলা ফোন করে পরদিন সকালে সাড়ে আটটায় আসবেন বলেছিলেন, আর ঠিক ঘড়ির কাঁটায় কাঁটায় একটা গাড়ি এসে থামার আওয়াজ পেলাম আমাদের তারা রোডের বাড়ির সামনে। গাড়ির হর্নটা অদ্ভুত ধরনের, আর সেটা শোনামাত্র আমি দরজার দিকে এগিয়ে গিয়েছিলাম। ফেলুদা একটা ইশারা করে আমায় থামিয়ে দিয়ে চাপা গলায় বলল, 'অত আদেখ্‌লামো কেন? বেলটা বাজুক।'

বেল বাজার পর দরজা খুলে দিতে ভদ্রলোকের সঙ্গে সঙ্গে চোখ পড়ল তার গাড়িটার দিকে। এমন পেল্লায় গাড়ি আমি এক রোল্‌স রয়েস ছাড়া আর কখনও দেখিনি। ভদ্রলোকের নিজের চেহারাটাও বেশ চোখে পড়ার মতো, যদিও সেটা তার সাইজের জন্য নয়। টক্‌টকে ফরসা গায়ের রং, বয়স আন্দাজ পঞ্চান্নর কাছাকাছি, পরনে কোঁচানো ফিন্‌ফিনে ধুতি আর গিলে করা আদ্দির পাঞ্জাবি, আর পায়ে সাদা শুঁড় তোলা নাগরা। এ ছাড়া বাঁ হাতে রয়েছে হাতির দাঁত দিয়ে বাঁধানো হাতলওয়ালা ছড়ি আর ডান হাতে রয়েছে একটা নীল চৌকো অ্যাটাচি কেস। এ রকম বাক্স আমি ঢের দেখেছি। আমাদের বাড়িতেই দুটো আছে—একটা বাবার, একটা ফেলুদার। এয়ার ইন্ডিয়া তাদের যাত্রীদের এই বাক্স বিনি পয়সায় দেয়।

ভদ্রলোককে আমাদের ঘরের সবচেয়ে ভাল আর্ম চেয়ারটায় বসতে দিয়ে ফেলুদা তার উলটোমুখে সাধারণ চেয়ারটায় বসল। ভদ্রলোক বললেন, 'আমিই কাল টেলিফোন করেছিলাম। আমার নাম দীননাথ লাহিড়ী।'

ফেলুদা গলা খাকরিয়ে বলল, 'আপনি আর কিছু বলার আগে আপনাকে দুটো প্রশ্ন করতে পারি কি?'

'নিশ্চয়ই।'

'এক নম্বর—আপনার চায়ে আপত্তি আছে?'

ভদ্রলোক দুহাত জোড় করে মাথা নুইয়ে বললেন, 'কিছু মনে করবেন না মিস্টার মিত্তির, অসময়ে কিছু খাওয়ার অভ্যাসটা আমার একেবারেই নেই। তবে আপনি নিজে খেতে চাইলে স্বচ্ছন্দে খেতে পারেন।'

'ঠিক আছে। দ্বিতীয় প্রশ্ন—আপনার গাড়িটা কি হিস্‌পানো সুইজা?'

'ঠিক ধরেছেন। এ জাতের গাড়ি বেশি নেই এদেশে। থার্টি ফোরে কিনেছিলেন আমার বাবা। আপনি গাড়িতে ইন্টারেস্টেড?'

ফেলুদা একটু হেসে বলল, 'আমি অনেক ব্যাপারেই ইন্টারেস্টেড। অবিশ্যি সেটা খানিকটা আমার পেশার খাতিরেই।'

'আই সি। তা যাই হোক্—যে জন্য আপনার কাছে আসা। আপনার কাছে ব্যাপারটা হয়তো তুচ্ছ বলে মনে হবে। আপনার রেপুটেশন আমি জানি, সুতরাং আপনাকে আমি জোর করতে পারি না, কেবলমাত্র অনুরোধ করতে পারি যে, কেসটা আপনি নিন।'

ভদ্রলোকের গলার স্বর আর কথা বলার ঢঙে বনেদি ভাব থাকলেও, হামবড়া ভাব একটুও নেই। বরঞ্চ রীতিমতো ঠাণ্ডা আর ভদ্র।

'আপনার কেসটা কী সেটা যদি বলেন...'

মিস্টার লাহিড়ী মৃদু হেসে সামনে টেবিলের ওপর রাখা বাক্সটার দিকে দেখিয়ে বললেন, 'কেসও বলতে পারেন, আবার অ্যাটাচি কেসও বলতে পারেন...হেঁহেঁ। এই বাক্সটাকে নিয়েই ঘটনা।'

ফেলুদা বাক্সটার দিকে একবার চোখ বুলিয়ে নিয়ে বলল, 'এটা বার কয়েক বিদেশে গেছে বলে মনে হচ্ছে। ট্যাগগুলো ছেঁড়া হলেও, ইলাস্টিক ব্যান্ডগুলো এখনও দেখছি হাতলে লেগে রয়েছে। এক, দুই, তিন...'

ভদ্রলোক বললেন, 'আমারটার হাতলেও ঠিক ওইরকম রয়েছে।'

'আপনারটার...? তার মানে এই বাক্সটা আপনার নয়?'

'আজ্ঞে না,' মিস্টার লাহিড়ী বললেন, 'এটা আরেকজনের। আমারটার সঙ্গে বদল হয়ে গেছে।'

'আই সি...তা কীভাবে হল বদল? ট্রেনে না প্লেনে?'

'ট্রেনে। কালকা মেলে। দিল্লি থেকে ফিরছিলাম। একটা ফার্স্ট ক্লাস কমপার্টমেন্টে চারজন যাত্রী ছিলাম। তার মধ্যে একজনের সঙ্গে বদল হয়ে গেছে।'

'কার সঙ্গে হয়েছে সেটা জানা নেই বোধহয়?' ফেলুদা প্রশ্ন করল।

'আজ্ঞে না। সেটা জানা থাকলে বোধহয় আপনার কাছে আসার প্রয়োজন হত না।'

'বাকি তিনজনের নামও অবশ্যই জানা নেই?'

'একজন ছিলেন বাঙালি। নাম পাকড়াশী। দিল্লি থেকে আমারই সঙ্গে উঠলেন।'

'নামটা জানলেন কী করে?'

'অন্য আরেকটি যাত্রীর সঙ্গে তাঁর চেনা বেরিয়ে গেল। তিনি, হ্যালো মিস্টার পাকড়াশী বলে, তাঁর সঙ্গে আলাপ জুড়লেন। কথাবার্তায় দুজনকেই বিজনেসম্যান বলে মনে হল। কনট্রাক্ট, টেন্ডার ইত্যাদি কথা কানে আসছিল।'

'যার সঙ্গে কথা হচ্ছিল তার নামটা জানতে পারেননি?'

'আজ্ঞে না। তবে তিনি অবাঙালি, যদিও বাংলা জানেন, আর মোটামুটি ভালই বলেন। কথায় বুঝলাম তিনি সিমলা থেকে আসছেন।'

'আর তৃতীয় ব্যক্তি?'

'তিনি বেশির ভাগ সময় বাঙ্কের উপরেই ছিলেন, কেবল লাঞ্চ আর ডিনারের সময় নেমেছিলেন। তিনিও বাঙালি নন। দিল্লি থেকে ট্রেন ছাড়ার কিছুক্ষণ পর তিনি আমায় একটা আপেল অফার করে বলেছিলেন সেটা নিজের বাগানের। আন্দাজে মনে হয় তিনিও হয়তো সিমলাতেই থাকেন, আর সেখানেই তাঁর অরচার্ড।'

'আপনি খেয়েছিলেন আপেলটা?'

'হ্যাঁ, কেন খাব না। দিব্যি সুস্বাদু আপেল।'

'তা হলে ট্রেনে আপনি আপনার অসময়ের নিয়মটা মানেন না বলুন!' ফেলুদার ঠোঁটের কোণে মিচকি হাসি।

ভদ্রলোক হো হো করে হেসে বললেন, 'সর্বনাশ! আপনার দৃষ্টি এড়ানো তো ভারী কঠিন দেখছি। তবে আপনি ঠিকই বলেছেন। চলন্ত ট্রেনে সময়ের নিয়মগুলো মন সব সময় মানতে চায় না।'

'এক্সকিউজ মি', ফেলুদা বলল, 'আপনারা কে কোথায় বসে ছিলেন সেটা জানতে পারলে ভাল হত।'

'আমি ছিলাম একটা লোয়ার বার্থে। আমার উপরের বার্থে ছিলেন মিস্টার পাকড়াশী; উলটোদিকের আপার বার্থে ছিলেন আপেলওয়ালা, আর নীচে ছিলেন অবাঙালি বিজনেসম্যানটি।'

ফেলুদা কয়েক মুহূর্ত চুপ। তারপর হাত কচলে আঙুল মটকে বলল, 'ইফ ইউ ডোন্ট মাইন্ড—আমি একটু চা বলছি। ইচ্ছে হলে খাবেন, না হয় না। তোপ্‌সে, তুই যা তো চট করে।'

আমি এক দৌড়ে ভেতরে গিয়ে শ্রীনাথকে চায়ের কথা বলে আবার বৈঠকখানায় এসে দেখি, ফেলুদা অ্যাটাচি কেসটা খুলেছে।

'চাবি দেওয়া ছিল না বুঝি?' ফেলুদা জিজ্ঞেস করল।

'না। আমারটাতেও ছিল না। কাজেই যে নিয়েছে সে অনায়াসে খুলে দেখতে পারে ভেতরে কী আছে। এটার মধ্যে অবিশ্যি সব মামুলি জিনিস।'

সত্যিই তাই। সাবান চিরুনি বুরুশ টুথব্রাশ টুথপেস্ট, দাড়ি কামানোর সরঞ্জাম, দুটো ভাঁজ করা খবরের কাগজ, একটা পেপার ব্যাক বই—এই সব ছাড়া বিশেষ কিছুই চোখে পড়ল না।

'আপনার বাক্সে কোনও মূল্যবান জিনিস ছিল কি?' ফেলুদা প্রশ্ন করল।

দীননাথবাবু বললেন, 'নাথিং। এ বাক্সে যা দেখছেন, তার চেয়েও কম মূল্যবান। কেবল একটা লেখা ছিল—একটা হাতের লেখা রচনা—ভ্রমণকাহিনী—সেটা ট্রেনে পড়ব বলে সঙ্গে নিয়েছিলাম। বেশ লাগছিল পড়তে। তিব্বতের ঘটনা।'

'তিব্বতের ঘটনা?' ফেলুদার যেন খানিকটা কৌতূহল বাড়ল।

'হ্যাঁ। ১৯১৭ সালের লেখা। লেখকের নাম শম্ভুচরণ বোস। যা বুঝছি, লেখাটা আসে আমার জ্যাঠামশাইয়ের সঙ্গে। কারণ ওটা আমার জ্যাঠামশাইকে উৎসর্গ করা। আমার জ্যাঠামশাই হলেন সতীনাথ লাহিড়ী, কাঠমুণ্ডুতে থাকতেন। রাণাদের ফ্যামিলিতে প্রাইভেট টিউটরি করতেন। উনি অত্যন্ত অসুস্থ হয়ে প্রায় অথর্ব অবস্থায় দেশে ফেরেন—পঁয়তাল্লিশ বছর আগে। তার কিছুদিন পরেই মারা যান। ওর সঙ্গেই জিনিসপত্তরের মধ্যে একটা নেপালি বাক্স ছিল। আমাদের বাড়ির বক্সরুমের একটা তাকের কোনায় পড়ে থাকত। ওটার অস্তিত্বই জানতাম না। সম্প্রতি বাড়িতে আরশোলা আর ইঁদুরের উপদ্রব বড্ড বেড়েছিল বলে পেস্ট কন্ট্রোলের লোক

ডাকা হয়। তাদের জন্যই বাক্সটা নামাতে হয় আর এই বাক্সটা থেকেই লেখাটা বেরোয়।

'কবে?'

'এই তো—আমি দিল্লি যাবার আগের দিন।'

ফেলুদা অন্যমনস্ক। বিড় বিড় করে বলল, 'শম্ভুচরণ...শম্ভুচরণ...'

'যাই হোক', মিস্টার লাহিড়ী বললেন, 'ওই লেখার মূল্য আমার কাছে তেমন কিছু নয়। সত্যি বলতে কী, আমি বাক্সটা ফেরত পাবার ব্যাপারে কোনও আগ্রহ বোধ করছিলাম না। আর এই যে বাক্সটা দেখছেন, এটারও মালিককে পাওয়া যাবে এমন কোনও ভরসা না দেখে এটা আমার ভাইপোকে দিয়ে দিয়েছিলাম। তারপর কাল রাত থেকে হঠাৎ মনে হতে লাগল—এসব জিনিস দেখতে তেমন জরুরি মনে না হলেও, এর মালিকের কাছে এর কোনও কোনওটার হয়তো মূল্য থাকতেও পারে। যেমন ধরুন এই রুমাল। এতে নকশা করে G লেখা রয়েছে। কে জানে কার সূচিকর্ম এই G? হয়তো মালিকের স্ত্রীর। হয়তো স্ত্রী আর জীবিত নেই! এই সব ভেবে মনটা খুঁতখুঁত করতে লাগল, তাই আজ আমার ভাইপোর ঘর থেকে বাক্সটা তুলে আপনার কাছে নিয়ে এলাম। সত্যি বলতে কী, আমারটা ফেরত পাই না-পাই তাতে আমার কিছু এসে যায় না, কিন্তু এ বাক্স মালিকের কাছে পৌঁছে দিলে আমি মনে শান্তি পাব।'

চা এল। ফেলুদা আজকাল চায়ের ব্যাপারে ভীষণ খুঁতখুঁতে হয়ে পড়েছে। এ চা আসে কার্শিয়ঙের মকাইবাড়ি টি এস্টেট থেকে। পেয়ালা সামনে এনে রাখলেই ভুর ভুর করে সুগন্ধ বেরোয়। চায়ে একটা নিঃশব্দ চুমুক দিয়ে ফেলুদা বলল, 'বাক্সটা কি অনেকবার খোলার দরকার হয়েছিল ট্রেনে?'

'মাত্র দুবার। সকালে দিল্লিতে ওঠার কিছুক্ষণের মধ্যেই লেখাটা বার করে নিই, আর রাত্রে ঘুমোবার আগে আবার ওটা ভেতরে ঢুকিয়ে রাখি।'

ফেলুদা একটা চারমিনার ধরাল। দীননাথবাবু সিগারেট খান না। দুটো ধোঁয়ার রিং ছেড়ে ফেলুদা বলল, 'আপনি চাইছেন—এ বাক্স যার তাকে ফেরত দিয়ে আপনার বাক্সটা আপনার কাছে এনে হাজির করি—এই তো?'

'হতাশ হলেন নাকি? ব্যাপারটা বড্ড নিরামিষ বলে মনে হচ্ছে?'

ফেলুদা তার ডান হাতের আঙুলগুলো চুলের মধ্যে দিয়ে চালিয়ে দিয়ে বলল, 'না। আপনার সেন্টিমেন্ট আমি বুঝতে পেরেছি। যে ধরনের সব কেস আমার কাছে আসে সেগুলোর তুলনায় এই কেসটার যে একটা বৈশিষ্ট্য আছে সেটাও তো অস্বীকার করা যায় না।'

দীননাথবাবু যেন অনেকটা আশ্বস্ত হলেন। একটা লম্বা হাঁপ ছেড়ে বললেন, 'আপনার রাজি হওয়াটা আমার কাছে অনেকখানি।'

ফেলুদা বলল, 'আমার যথাসাধ্য আমি চেষ্টা করব। তবে বুঝতেই পারছেন, এ অবস্থায় গ্যারান্টি দেওয়া সম্ভব নয়। যাই হোক, এবার আপনার কাছ থেকে কিছু তথ্য জেনে নিতে চাই।'

'বলুন।'

ফেলুদা চট করে উঠে পাশেই তার শোবার ঘর থেকে তার বিখ্যাত সবুজ নোটবইটা নিয়ে এল। তারপর হাতে পেনসিল নিয়ে তার প্রশ্ন আরম্ভ করল।

'কোন তারিখে রওনা হন দিল্লি থেকে?'

'পাঁচই মার্চ রবিবার সকাল সাড়ে ছটায় দিল্লি ছেড়েছি। কলকাতায় পৌঁছেছি পরদিন সকাল সাড়ে নটায়।'

'আজ হল ৯ই। অর্থাৎ গত তরশু। আর কাল রাত্রে আপনি আমাকে টেলিফোন করেছেন।'

ফেলুদা অ্যাটাচি কেসটার ভেতর থেকে একটা হলদে রঙের কোডাক ফিল্মের কৌটো বার করে তার ঢাকনার প্যাঁচটা খুলতেই তার থেকে কয়েকটা সুপুরি বেরিয়ে টেবিলের উপর পড়ল।

তার একটা মুখে পুরে চিবোতে চিবোতে ফেলুদা বলল, 'আপনার ব্যাগে এমন কিছু ছিল যা থেকে আপনার নাম-ঠিকানা পাওয়া যেতে পারে?'

'যতদূর মনে পড়ে, কিছুই ছিল না।'

'হুঁ... এবার আপনার তিনজন সহযাত্রীর মোটামুটি বর্ণনা লিখে নিতে চাই। আপনি যদি একটু হেল্প করেন।'

দীননাথবাবু মাথাটাকে চিতিয়ে সিলিং-এর দিকে কিছুক্ষণ তাকিয়ে থেকে বললেন, 'পাকড়াশীর বয়স আমার চেয়ে বেশি। ষাট-পঁয়ষট্টি হবে। গায়ের রং মাঝারি। ব্যাকব্রাশ করা কাঁচাপাকা চুল, চোখে চশমা, কণ্ঠস্বর কর্কশ।'

'বেশ।'

'যিনি আপেল দিলেন তাঁর রং ফরসা। রোগা একহারা চেহারা, টিকোলো নাক, চোখে সোনার চশমা, দাড়ি গোঁফ কামানো, মাথায় টাক, কেবল কানের পাশে সামান্য কাঁচা চুল। ইংরেজি উচ্চারণ প্রায় সাহেবদের মতো। সর্দি হয়েছিল। বার বার টিসুতে নাক ঝাড়ছিল।'

'বাবা, খাঁটি সাহেব! আর তৃতীয় ভদ্রলোক?'

'আদৌ মনে রাখার মতো চেহারা নয়। তবে হ্যাঁ—নিরামিষাশী। উনিই একমাত্র ব্যক্তি যিনি ভেজিটেবল থালি নিলেন ডিনার এবং লাঞ্চে।'

ফেলুদা সব ব্যাপারটা খাতায় নোট করে চলেছে। শেষ হলে পর খাতা থেকে মুখ তুলে বলল, 'আর কিছু?'

দীননাথবাবু মাথা নেড়ে বললেন, 'আর তো কিছু বলার মতো দেখছি না। দিনের বেলা বেশির ভাগ সময়ই আমার মন ছিল ওই লেখাটার দিকে। রাত্রে ডিনার খাবার কিছুক্ষণের মধ্যেই ঘুমিয়ে পড়েছি। ট্রেনে সচরাচর এত ভাল ঘুম হয় না। ঘুম ভেঙেছে একেবারে হাওড়ায় এসে, আর তাও মিস্টার পাকড়াশী তুলে দিলেন বলে।'

'তার মানে আপনিই বোধহয় সব শেষে কামরা ছেড়েছেন?'

'আজ্ঞে হ্যাঁ।'

'আর তার আগেই অবিশ্যি আপনার ব্যাগ অন্যের হাতে চলে গেছে।'

'তা তো বটেই।'

'ভেরি গুড।' ফেলুদা খাতা বন্ধ করে পেনসিলটা শার্টের পকেটে গুঁজে দিয়ে বলল, 'দেখি আমি কী করতে পারি!'

দীননাথবাবু চেয়ার থেকে উঠে পড়ে বললেন, 'এ ব্যাপারে আপনার যা পারিশ্রমিক তা তো দেবই, তা ছাড়া আপনার কিছু ঘোরাঘুরি আছে, তদন্তের ব্যাপারে আরও এদিক ওদিক খরচ আছে, সেই বাবদ আমি কিছু ক্যাশ টাকা আপনার জন্য নিয়ে এসেছি।'

ভদ্রলোক তাঁর পাঞ্জাবির পকেট থেকে একটা সাদা খাম বার করে ফেলুদার দিকে এগিয়ে দিলেন, আর ফেলুদাও দেখলাম বিলিতি কায়দায় 'ওঃ—থ্যাঙ্কস' বলে সেটা দিব্যি পেনসিলের পিছনে পকেটে গুঁজে দিল।

দরজা খুলে গাড়ির দিকে এগোতে এগোতে ভদ্রলোক বললেন, 'আমার টেলিফোন নম্বর ডিরেক্টরিতেই পাবেন। কিছু খবর পেলেই কাইন্ডলি জানাবেন; এমনকী সটান আমার বাড়িতে চলেও আসতে পারেন। সন্ধে নাগাদ এলে নিশ্চয়ই দেখা পাবেন।'

হলুদ রঙের হিস্পানো সুইজা তার গম্ভীর শাঁখের মতো হর্ন বাজিয়ে রাস্তায় জমা হওয়া লোকদের অবাক করে দিয়ে রাসবিহারী অ্যাভিনিউয়ের দিকে চলে গেল। আমরা দুজনে বৈঠকখানায় ফিরে এলাম। যে চেয়ারে ভদ্রলোক বসেছিলেন, সেটায় বসে ফেলুদা পায়ের উপর পা তুলে দিয়ে আড় ভেঙে বলল, 'এই ধরনের বনেদি মেজাজের লোক আজ থেকে পঁচিশ বছর

পরে আর থাকবে না।'

বাক্সটা টেবিলের উপরই রাখা ছিল। ফেলুদা তার ভিতর থেকে একটা একটা করে সমস্ত জিনিস বার করে বাইরে ছড়িয়ে রাখল। অতি সাধারণ সব জিনিস। সব মিলিয়ে পঞ্চাশ টাকার মাল হবে কি না সন্দেহ। ফেলুদা বলল, 'তুই একে একে বলে যা, আমি খাতায় নোট করে নিচ্ছি।' আমি একটা একটা করে জিনিস টেবিলের উপর থেকে তুলে তার নাম বলে আবার বাক্সে রেখে দিতে লাগলাম, আর ফেলুদা লিখে যেতে লাগল। সব শেষে লিস্টটা দাঁড়াল এই রকম—

১। দু ভাঁজ করা দুটো দিল্লির ইংরিজি খবরের কাগজ—একটা Sunday Statesman আর একটা Sunday Hindusthan Times.

২। একটা প্রায় অর্ধেক খরচ হওয়া বিনাকা টুথপেস্ট। টিউবের তলার খালি অংশটা পেঁচিয়ে উপর দিকে তুলে দেওয়া হয়েছে

৩। একটা সবুজ রঙের বিনাকা টুথব্রাশ

৪। একটা গিলেট সেফটি রেজার

৫। একটা প্যাকেটে তিনটে থিন গিলেট ব্লেড

৬। একটা প্রায় শেষ-হয়ে-যাওয়া ওল্‌ড স্পাইস শেভিং ক্রিম

৭। একটা শেভিং ব্রাশ

৮। একটা নেল্‌ক্লিপ—বেশ পুরনো

৯। একটা সেলোফেনের পাতের মধ্যে তিনটে অ্যাসপ্রোর বড়ি

১০। একটা ভাঁজ করা কলকাতা শহরের ম্যাপ—খুললে প্রায় চার ফুট বাই পাঁচ ফুট

১১। একটা কোডাক ফিল্মের কৌটোর মধ্যে সুপুরি

১২। একটা টেক্কা মার্কা দেশলাই—আনকোরা নতুন

১৩। একটা ভেনাস মার্কা লাল-নীল পেনসিল

১৪। একটা ভাঁজ করা রুমাল, তার এককোণে সেলাই করা নকশায় লেখা G

১৫। একটা মোরাদাবাদি ছুরি বা পেন নাইফ

১৬। একটা মুখ-মোছা ছোট তোয়ালে

১৭। একটা সেফটি পিন, মর্চে ধরা

১৮। তিনটে জেম ক্লিপ, মর্চে ধরা

১৯। একটা শার্টের বোতাম

২০। একটা ডিটেকটিভ উপন্যাস—এলেরি কুইনের 'দ্য ডোর বিটউইন'

লিস্ট তৈরি হলে পর ফেলুদা উপন্যাসটা হাতে নিয়ে নেড়েচেড়ে বলল, 'হুইলার কোম্পানির নাম রয়েছে, কিন্তু যিনি কিনেছেন তাঁর নাম নেই। পাতা ভাঁজ করে পড়ার অভ্যাস আছে ভদ্রলোকের। দুশো ছত্রিশ পাতার বই, শেষ ভাঁজের দাগ রয়েছে দুশো বারো পাতায়। আন্দাজে মনে হয় ভদ্রলোক বইটা পড়ে শেষ করেছিলেন।'

ফেলুদা বই রেখে রুমালের দিকে মন দিল।

'ভদ্রলোকের নাম কিংবা পদবির প্রথম অক্ষর হল G। সম্ভবত নাম, কারণ সেটাই আরও স্বাভাবিক।'

এবার ফেলুদা কলকাতার ম্যাপটা খুলে টেবিলের উপর পাতল। ম্যাপটার দিকে দেখতে দেখতে ওর দৃষ্টি হঠাৎ এক জায়গায় থেমে গেল। 'লাল পেনসিলের দাগ...হুঁ...এক, দুই, তিন, চার...পাঁচ জায়গায়...হুঁ...চৌরঙ্গি...চৌরঙ্গি.... পার্ক স্ট্রিট...হুঁ...ঠিক আছে। তোপ্‌সে একবার টেলিফোন ডিরেক্টরিটা দে তো আমায়।'

ম্যাপটা আবার ভাঁজ করে বাক্সে রেখে টেলিফোন ডিরেক্টরির পাতা উলটাতে উলটাতে ফেলুদা বলল, 'ভাগ্য ভাল যে নামটা পাকড়াশী।' তারপর 'পি' অক্ষরে এসে একটা পাতায় একটুক্ষণ চোখ বুলিয়ে নিয়ে বলল, 'সবসুদ্ধ মাত্র ষোলটা পাকড়াশীর বাড়িতে টেলিফোন—তার মধ্যে আবার দুজনে ডাক্তার। সে দুটো অবশ্যই বাদ দেওয়া যেতে পারে।'

'কেন?'

'ট্রেনে তার পরিচিত লোকটি পাকড়াশীকে মিস্টার বলে সম্বোধন করেছিল, ডক্টর নয়।'

'ও হ্যাঁ, ঠিক ঠিক।'

ফেলুদা টেলিফোন তুলে ডায়ালিং শুরু করে দিল। প্রতিবারই নম্বর পাবার পর ও প্রশ্ন করল, 'মিস্টার পাকড়াশী কি দিল্লি থেকে ফিরেছেন?' পর পর পাঁচবার উত্তর শুনে 'সরি' বলে ফোনটা রেখে দিয়ে আবার অন্য নম্বর ডায়াল করল। ছ' বারের বার বোধহয় ঠিক লোককে পাওয়া গেল, কারণ কথাবার্তা বেশ কিছুক্ষণ চলল। তারপর 'ধন্যবাদ' বলে ফোন রেখে ফেলুদা বলল, 'পাওয়া গেছে। এন সি পাকড়াশী। নিজেই কথা বলল। পরশু সকালে দিল্লি থেকে ফিরেছেন কালকা মেলে। সব কিছু মিলে যাচ্ছে, তবে এঁর কোনও বাক্স বদল হয়নি।'

'তা হলে আবার বিকেলে অ্যাপয়েন্টমেন্ট করলে কেন?'

'অন্য যাত্রীদের সম্পর্কে ইনফরমেশন দিতে পারে তো। লোকটার মেজাজ অত্যন্ত রুক্ষ, যদিও ফেলু মিত্তির তাতে ঘাবড়াবার পাত্র নন। তোপ্‌সে, চ' বেরিয়ে পড়ি।'

'সে কী, বিকেলে তো অ্যাপয়েন্টমেন্ট।'

'তার আগে একবার সিধু জ্যাঠার কাছে যাওয়া দরকার।'

২

সিধু জ্যাঠার সঙ্গে আসলে আমাদের কোনও আত্মীয়তা নেই। বাবা যখন দেশের বাড়িতে থাকতেন—আমার জন্মের আগে—তখন পাশের বাড়িতে এই সিধু জ্যাঠা থাকতেন। তাই উনি বাবার দাদা আর আমার জ্যাঠা। ফেলুদা বলে, সিধু জ্যাঠার মতো এত বিষয়ে এত জ্ঞান, আর এমন আশ্চর্য স্মরণশক্তি, খুব কম লোকের থাকে।

ফেলুদা যে কেন এসেছে সিধু জ্যাঠার কাছে সেটা তার প্রশ্ন শুনে প্রথম জানতে পারলাম—

'আচ্ছা, শম্ভুচরণ বোস বলে বছর ষাটেক আগের কোনও ভ্রমণ-কাহিনী লেখকের কথা আপনি জানেন? ইংরিজিতে লিখতেন তিনি।'

সিধু জ্যাঠা চোখ কপালে তুলে বললেন, 'বলো কী হে ফেলু—তার লেখা তেরাইয়ের কাহিনী পড়নি?'

'ঠিক ঠিক', ফেলুদা বলল, 'এখন মনে পড়ছে। ভদ্রলোকের নামটা চেনাচেনা লাগছিল। কিন্তু বইটা হাতে আসেনি কখনও।'

'Terrors of Terai' ছিল বইয়ের নাম। ১৯১৫ সালে লন্ডনের কীগ্যান পল কোম্পানি সে বই ছেপে বার করেছিল। দুর্দান্ত শিকারি ও পর্যটক ছিলেন শম্ভুচরণ। তবে পেশা ছিল ডাক্তারি। কাঠমুণ্ডুতে প্র্যাকটিশ করত। ওখানে তখন রাজা-টাজা হয়নি। রাণারাই ছিল সর্বেসর্বা। রাণা ফ্যামিলির অনেকের কঠিন রোগ সারিয়ে দিয়েছিল শম্ভুচরণ। ওর বইয়ে এক রাণার কথা আছে। বিজয়েন্দ্র শমশের জঙ্গ বাহাদুর। শিকারের খুব শখ, অথচ ঘোর মদ্যপ। এক হাতে বন্দুক, আর এক হাতে মদের বোতল নিয়ে মাচায় বসত। অথচ জানোয়ার সামনে পড়লেই হাত স্টেডি হয়ে যেত। কিন্তু একবার হয়নি। গুলি বাঘের গায়ে লাগেনি। বাঘ লাফিয়ে পড়েছিল মাচার উপর। পাশের মাচায় ছিলেন শম্ভুচরণ। তারই বন্দুকের অব্যর্থ গুলি শেষটায় রাণাকে নিশ্চিত মৃত্যুর

হাত থেকে বাঁচিয়েছিল। অবিশ্যি রাণাও তাকে কৃতজ্ঞতা জানিয়েছিল একটি মহামূল্য রত্ন উপহার দিয়ে। থ্রিলিং গল্প। ন্যাশনাল লাইব্রেরি থেকে এনে পড়ে দেখো। বাজারে চট করে পাবে না।'

'আচ্ছা উনি কি তিব্বতও গিয়েছিলেন?' ফেলুদা জিজ্ঞেস করল।

'গিয়েছিল বইকী। মারা যায় টোয়েন্টিওয়ানে। আমি তখন সবে বি-এ পরীক্ষা দিয়েছি। কাগজে একটা অবিচুয়ারি বেরিয়েছিল। তাতে লিখেছিল, শম্ভুচরণ রিটায়ার করবার পর তিব্বত যায়। তবে মারা যায় কাঠমুণ্ডুতে।'

'হুঁ...'

ফেলুদা কিছুক্ষণ চুপ। তারপর কথাগুলো খুব স্পষ্ট উচ্চারণ করে ধীরে ধীরে বলল, 'আচ্ছা ধরুন, আজ যদি হঠাৎ জানা যায় যে, তিব্বত ভ্রমণ সম্পর্কে তার একটা অপ্রকাশিত বড় লেখা রয়েছে, ইংরিজিতে, তা হলে সেটা দামি জিনিস হবে না কি?'

'ওরেব্বাবা!' সিধু জ্যাঠার চকচকে টাক উত্তেজনায় নেচে উঠল। 'কী বলছ ফেলু—টেরাই পড়ে লন্ডন টাইমস কী উচ্ছ্বাস করেছিল সে তো মনে আছে আমার! আর শুধু কাহিনী নয়, শম্ভুচরণের ইংরেজি ছিল যেমন স্বচ্ছ, তেমনি রংদার। একেবারে স্ফটিকের মতো। ম্যানুস্ক্রিপ্ট আছে নাকি?'

'হয়তো আছে।'

'যদি তোমার হাতে আসে, আমাকে একবারটি দেখিয়ো, আর যদি অকশনে বিক্রি-টিক্রি হচ্ছে বলে খবর পাও, তা হলেও জানিয়ো। আমি হাজার পাঁচেক পর্যন্ত বিড করতে রাজি আছি।...'

সিধু জ্যাঠার বাড়িতে গরম কোকো খেয়ে রাস্তায় বেরিয়ে এসে ফেলুদাকে বললাম, 'মিস্টার লাহিড়ীর বাক্সে যে একটা এত দামি জিনিস রয়েছে সেটা তো উনি জানেনই না। ওকে জানাবে না?'

ফেলুদা বলল, 'অত তাড়া কীসের? আগে দেখি না কোথাকার জল কোথায় গড়ায়। আর কাজের ভারটা তো আমি এমনিতেই নিয়েছি, কেবল উৎসাহটা একটু বেশি পাচ্ছি, এই যা।'

নরেশচন্দ্র পাকড়াশীর বাড়িটা হল ল্যান্সডাউন রোডে। দেখলেই বোঝা যায় অন্তত চল্লিশ বছরের পুরনো বাড়ি। ফেলুদা আমাকে শিখিয়ে দিয়েছে একটা বাড়ির কোন কোন জিনিস থেকে তার বয়সটা আন্দাজ করা যায়। যেমন, পঞ্চাশ বছর আগে একরকম জানালা ছিল যেটা চল্লিশ বছর আগের বাড়িতে আর দেখা যায় না। তা ছাড়া বারান্দার রেলিং-এর প্যাটার্ন, ছাতের পাঁচিল, গেটের নকশা, গাড়িবারান্দার থাম—এই সব থেকেও বাড়ির বয়স আন্দাজ করা যায়। এ বাড়িটা নির্ঘাত উনিশশো কুড়ি থেকে ত্রিশের মধ্যে তৈরি।

ট্যাক্সি থেকে নেমে বাড়ির সামনে প্রথমেই চোখে পড়ল গেটের উপর লটকানো কাঠের ফলক, 'কুকুর হইতে সাবধান।' ফেলুদা বলল, 'কুকুরের মালিক হইতে সাবধান কথাটাও লেখা উচিত ছিল।' গেট দিয়ে ঢুকে এগিয়ে গিয়ে গাড়িবারান্দার নীচে পৌঁছতেই দারোয়ানের দেখা পেলাম, আর ফেলুদা তার হাতে দিয়ে দিল তার ভিজিটিং কার্ড, যাতে লেখা আছে Pradosh C. Mitter, Private Investigator. মিনিট খানেকের মধ্যেই দারোয়ান ফিরে এসে বলল, মালিক আমাদের ভিতরে ডাকছেন।

মার্বেল পাথরে বাঁধানো ল্যান্ডিং পেরিয়ে প্রায় দশ ফুট উঁচু দরজার পর্দা ফাঁক করে আমরা যে ঘরটায় ঢুকলাম সেটা বৈঠকখানা। প্রকাণ্ড ঘরের তিনদিকে উঁচু উঁচু বইয়ের আলমারিতে ঠাসা বই। এ ছাড়া ফার্নিচার, কার্পেট, দেয়ালে ছবি, আর মাথার উপরে ঝাড় লণ্ঠন—এসবও আছে। কিন্তু তার সঙ্গে রয়েছে একটা অগোছালো অপরিষ্কার ভাব। এ বাড়িতে ঝাড়পোঁছ

জিনিসটার যে বিশেষ বালাই নেই সেটা সহজেই বোঝা যায়।

মিস্টার পাকড়াশীকে পেলাম বৈঠকখানার পিছন দিকের ঘরটায়। দেখে বুঝলাম এটা তাঁর আপিস—বা যাকে বলে স্টাডি। টাইপ করার শব্দ আগেই পেয়েছিলাম, ঢুকে দেখলাম ভদ্রলোক একটা সবুজ রেক্সিনে ঢাকা প্রকাণ্ড টেবিলের পিছনে একটা মান্ধাতার আমলের প্রকাণ্ড টাইপরাইটার সামনে নিয়ে বসে আছেন। টেবিলটা রয়েছে ঘরের ডান দিকে। বাঁ দিকে রয়েছে একটা আলাদা বসবার জায়গা। তিনটে কৌচ, আর তার সামনে একটা নিচু গোল টেবিল। এই টেবিলের উপর আবার রয়েছে ঘুটি সাজানো একটা দাবার বোর্ড, আর তার পাশেই একটা দাবার বই। সব শেষে যেটা চোখে পড়ল সেটা হল টেবিলের পিছন দিকে কার্পেটের উপর কুণ্ডলী পাকিয়ে শোয়া একটা জাঁদরেল কুকুর।

ভদ্রলোকের নিজের চেহারা দীননাথবাবুর বর্ণনার সঙ্গে মিলে যাচ্ছে, কেবল একটা নতুন জিনিস হচ্ছে তার মুখে বাঁকানো পাইপটা।

আমরা ঘরে ঢুকতে টাইপিং বন্ধ করে ভদ্রলোক আমাদের দিকে একবার চোখ বুলিয়ে নিয়ে ফেলুদাকে উদ্দেশ করে বললেন, 'কোনটি মিস্টার মিত্তির, আপনি না ইনি?'

প্রশ্নটা হয়তো মিস্টার পাকড়াশী ঠাট্টা করেই করেছিলেন, কিন্তু ফেলুদা হাসল না। সে বেশ স্বাভাবিক ভাবেই বলল, 'আজ্ঞে আমি। এটি আমার কাজিন।'

পাকড়াশী বললেন, 'কী করে জানব? গানবাজনা অ্যাকটিং ছবি-আঁকা মায় গুরুগিরিতে পর্যন্ত যদি বালকদের এত ট্যালেন্ট থাকতে পারে, তা হলে গোয়েন্দাগিরিতেই বা থাকবে না কেন? যাকগে, এবারে বলুন—এই সাতে-নেই-পাঁচে-নেই মানুষটিকে এভাবে জ্বালাতে এলেন কেন।'

ফেলুদা টেলিফোনে কথা বলে বলেছিল লোকটার মেজাজ রুক্ষ। আমার মনে হল, খিটখিটেমোর জন্য কম্পিটিশন থাকলে ইনি ওয়ার্লড চ্যাম্পিয়ন হতেন।

'কে আপনাকে পাঠিয়েছে বললেন?' মিস্টার পাকড়াশী প্রশ্ন করলেন।

'মিস্টার লাহিড়ীর কাছ থেকে আপনার নামটা জানি। দিল্লি থেকে আপনার সঙ্গে একই কম্পার্টমেন্টে কলকাতায় এসেছেন তিনদিন আগে।'

'অ। তারই বাক্স হারিয়েছে বলছে?'

'আরেকজনের সঙ্গে বদল হয়ে গেছে।'

'কেয়ারলেস ফুল। তা সেই বাক্স উদ্ধারের জন্য ডিটেকটিভ লাগাতে হল কেন? কী এমন ধনদৌলত ছিল তার মধ্যে শুনি?'

'বিশেষ কিছু না। একটা পুরনো ম্যানুস্ক্রিপ্ট ছিল। ভ্রমণ-কাহিনী। সেটার আর কপি নেই।'

আসল কারণটা বললে পাকড়াশী মশাই মোটেই ইমপ্রেসড হতেন না বলেই বোধহয় ফেলুদা লেখার কথাটা বলল।

'ম্যানুস্ক্রিপ্ট?' পাকড়াশীর যেন কথাটা বিশ্বাস হল না।

'হ্যাঁ। শম্ভুচরণ বোসের লেখা একটা ভ্রমণকাহিনী। ট্রেনে উনি লেখাটা পড়ছিলেন। সেটা ওই বাক্সতেই ছিল।'

'শুধু ফুল নয়—হি সীমস টু বি এ লায়ার টু। খবরের কাগজ আর বাংলা মাসিক পত্রিকা ছাড়া আর কিস্যু পড়েনি লোকটা। আমার সিট যদিও ছিল ওর ওপরের বাঙ্কে, দিনের বেলাটা আমি নীচেই বসেছিলাম, ওর সিটেরই একটা পাশে। উনি কী পড়ছিলেন না-পড়ছিলেন সে বিষয়ে আমার যথেষ্ট খেয়াল আছে।'

ফেলুদা চুপ। ভদ্রলোক একটু দম নিয়ে বললেন, 'আপনি গোয়েন্দা হয়ে কী বুঝছেন জানি না; আপনার মুখে সামান্য যা শুনলাম তাতে ব্যাপারটা বেশ সাসপিশাস বলে মনে হচ্ছে। এনিওয়ে আপনি বুনো হাঁস ধাওয়া করতে চান করুন, কিন্তু আমার কাছ থেকে কোনও হেলপ পাবেন না। আপনাকে তো টেলিফোনেই বললুম, ওরকম এয়ার ইন্ডিয়ার ব্যাগ আমার বাড়িতে গোটা তিনেক পড়ে আছে কিন্তু এবারে সঙ্গে সে ব্যাগ ছিল না—সো আই কান্ট হেল্প ইউ।'

'যাত্রী চারজনের মধ্যে একজনের সঙ্গে বোধহয় আপনার চেনা বেরিয়ে গেসল— তাই না?'

'কে—বৃজমোহন? হ্যাঁ। তেজারতির কারবার আছে। আমার সঙ্গে এক কালে কিছু ডিলিংস হয়েছে।'

তেজারতির কারবার মানে সুদে টাকা খাটানোর ব্যবসা, সেটা ফেলুদা আমাকে পরে বলে দিয়েছিল।

ফেলুদা বলল, 'এই বৃজমোহনের কাছে কি ওইরকম একটা ব্যাগ থেকে থাকতে পারে?'

'সেটা আমি কী করে জানব, হ্যাঁ?'

এর পর থেকে ভদ্রলোক ফেলুদাকে আপনি বলা বন্ধ করে তুমিতে চলে গেলেন। ফেলুদা বলল, 'এই ভদ্রলোকের হদিসটা দিতে পারেন?'

'ডিরেক্টরি দেখে নিয়ো', মিস্টার পাকড়াশী বললেন, 'এস এম কেদিয়া এন্ড কোম্পানি। এস এম হল বৃজমোহনের বাবা। ধরমতলায়—থুড়ি, লেনিন সরণিতে আপিস। তবে তুমি যে বলছ একজনের সঙ্গে আলাপ ছিল, তা নয়; আসলে তিনজনের মধ্যে দুজনকে চিনতুম আমি।'

ফেলুদা যেন একটু অবাক হয়েই প্রশ্ন করল, 'অন্যজনটি কে?'

'দীননাথ লাহিড়ী। এককালে রেসের মাঠে দেখতুম ওকে। আলাপ হয়েছিল একবার। আগে খুব লায়েক ছিল। ইদানীং নাকি সভ্যভব্য হয়েছে। দিল্লিতে নাকি এক গুরু বাগিয়েছে। সত্যি কি মিথ্যে জানি না।'

'আর অন্য যে যাত্রীটি ছিলেন?'

বুঝতে পারলাম ফেলুদা যতদূর পারে ইনফরমেশন সংগ্রহ করে নিচ্ছে ভদ্রলোকের কাছে।

'এটা কি জেরা হচ্ছে?' ভদ্রলোক পাইপ কামড়ানো অবস্থাতেই তাঁর বাত্রিশ পাটি দাঁত খিঁচিয়ে

প্রশ্ন করলেন।

'আজ্ঞে না', ফেলুদা বলল, 'আপনি বাড়িতে বসে একা একা দাবা খেলেন, আপনার মাথা পরিষ্কার, আপনার স্মরণশক্তি ভাল—এই সব ভেবেই আপনাকে জিজ্ঞেস করছি।'

পাকড়াশী মশাই বোধহয় একটু নরম হলেন। গলাটা একবার খাকরে নিয়ে বললেন, 'চেস্‌টা আমার একটা অদম্য নেশা। খেলার যে সঙ্গীটি ছিলেন তিনি গত হয়েছেন, তাই এখন একাই খেলি।'

'রোজ?'

'ডেইলি। তার আরেকটা কারণ আমার ইনসম্‌নিয়া। রাত তিনটে পর্যন্ত চলবে এই খেলা।'

'ঘুমের বড়ি খান না?'

'খাই—তবে বিশেষ কাজ দেয় না। তাতে যে শরীর কিছু খারাপ হচ্ছে তা নয়। তিনটেয় ঘুমোই, আটটায় উঠি। এ বয়সে পাঁচঘণ্টা ইজ এনাফ।'

'টাইপিংটাও কি আপনার একটা নেশা?' ফেলুদা তার এক-পেশে হাসি হেসে বলল।

'না। ওটা মাঝে মাঝে করি। সেক্রেটারি রেখে দেখেছি—এক ধার থেকে সব ফাঁকিবাজ। যাই হোক—আপনি অন্য যাত্রীটির কথা জিজ্ঞেস করছিলেন না?—শার্প চেহারা, মাথায় টাক, বাঙালি নয়, ইংরিজি উচ্চারণ ভাল, আমায় একটা আপেল অফার করেছিলেন, খাইনি। আর কিছু? আমার বয়স তিপ্পান্ন, আমার কুকুরের বয়স সাড়ে তিন। ওটা জাতে বক্সার হাউন্ড। বাইরের লোক আমার ঘরে এসে আধঘণ্টার বেশি থাকে সেটা ও পছন্দ করে না। কাজেই—'

'ইন্টারেস্টিং লোক', ফেলুদা মন্তব্য করল।

আমরা ল্যানসডাউন রোডে বেরিয়ে এসে দক্ষিণে না গিয়ে উত্তর দিকে কেন চলেছি, আর পাশ দিয়ে দুটো খালি ট্যাক্সি বেরিয়ে যাওয়া সত্ত্বেও ফেলুদা কেন সেগুলোকে ডাকল না, তা আমি জানি না। আমার একটা কথা মনে হচ্ছিল, সেটা ফেলুদাকে না বলে পারলাম না—

'আচ্ছা, দীননাথবাবু যে বলেছিলেন পাকড়াশীর বয়স ষাটের উপর, অথচ পাকড়াশী নিজে বললেন তিপ্পান্ন। আর ভদ্রলোককে দেখেও পঞ্চাশের খুব বেশি বলে মনে হয় না। এটা কীরকম হল?'

ফেলুদা বলল, 'তাতে শুধু এইটেই প্রমাণ হয় যে, দীননাথবাবুর পর্যবেক্ষণ ক্ষমতা খুব তীক্ষ্ণ নয়।'

আরও মিনিট দুয়েক হাঁটতেই আমরা লোয়ার সারকুলার রোডে পড়লাম। ফেলুদা বাঁ দিকে ঘুরল। আমি বললাম, 'সেই ডাকাতির ব্যাপারে তদন্ত করতে যাচ্ছ বুঝি?' তিনদিন আগেই খবরের কাগজে বেরিয়েছে যে, লোয়ার সারকুলার রোডে হিন্দুস্থান ইন্টারন্যাশনাল হোটেলের কাছেই একটা গয়নার দোকানে তিনজন মুখোশ-পরা রিভলভারধারী লোক ঢুকে বেশ কিছু দামি পাথরটাথর নিয়ে বেয়াড়াভাবে দুমদাম রিভলভার ছুঁড়তে ছুঁড়তে একটা কালো অ্যাম্বাসাডার করে পালিয়েছে। ফেলুদা খবরটা পড়ে বলেছিল, 'এই ধরনের একটা বেপরোয়া ক্রাইমের তদন্ত করতে পারলে মন্দ হত না।' কিন্তু দুঃখের বিষয় কেসটা ফেলুদার কাছে আসেনি। তাই আমি ভাবলাম, ও হয়তো নিজেই একটু খোঁজখবর করতে যাচ্ছে।

ফেলুদা কিন্তু আমার প্রশ্নটায় কানই দিল না। ওর ভাব দেখে মনে হল, ও যেন ওয়াকিং এক্সারসাইজ করতে বেরিয়েছে, তাই হাঁটা ছাড়া কোনওদিকে মন নেই। কিন্তু মিনিটখানেক হাঁটার পরে ও হঠাৎ রাস্তা থেকে বাঁয়ে ঘুরে সোজা গিয়ে ঢুকল হিন্দুস্থান ইন্টারন্যাশনাল হোটেলের গেটের ভিতর, আর আমিও ঢুকলাম তার পেছন পেছন।

সটান রিসেপশন কাউন্টারে গিয়ে ফেলুদা জিজ্ঞেস করল, 'আপনার এখানে ৬ই মার্চ সকালে সিমলা থেকে কোনও গেস্ট এসেছিলেন কি—যার নামের প্রথম অক্ষর G?

প্রশ্নটা শুনে আমার এই প্রথম খেয়াল হল যে বৃজমোহন বা নরেশ পাকড়াশী কারুরই নামের প্রথম অক্ষর G নয়। কাজেই এখন বাকি রয়েছেন শুধু আপেলওয়ালা।

রিসেপশনের লোক খাতা দেখে বলল, 'দুজন সাহেবের নাম পাচ্ছি G দিয়ে—জেরাল্ড প্রাট্‌লি এবং জি আর হোমস। দুজনেই ভারতবর্ষের বাইরে থেকে এসেছিলেন।'

'থ্যাঙ্ক ইউ', বলে ফেলুদা বিদায় নিল।

বাইরে বেরিয়ে এসে একটা ট্যাক্সি নেওয়া হল। 'পার্ক হোটেল চলিয়ে' বলে ড্রাইভারকে একটা হুকুম দিয়ে একটা চারমিনার ধরিয়ে ফেলুদা বলল, 'ম্যাপের উপর লাল দাগগুলো ভাল করে লক্ষ করলে-দেখতিস যে সেগুলো সব একেকটা হোটেলের জায়গায় দেওয়া হয়েছে। সুতরাং কলকাতায় এসে ভদ্রলোকের হোটেলে ওঠাই স্বাভাবিক। ভাল হোটেল বলতে এখন গ্র্যান্ড, হিন্দুস্থান ইনটারন্যাশনাল, পার্ক, গ্রেট ইস্টার্ন আর রিটজ কনটিনেন্টাল। দাগও ছিল ঠিক এই পাঁচ জায়গায়। আমাদের রাস্তায় প্রথম পড়ছে পার্ক হোটেল, কাজেই সেটা হবে আমাদের গন্তব্যস্থল।'

পার্ক হোটেলে ছ' তারিখে নামের প্রথম অক্ষর G দিয়ে কেউ আসেনি, কিন্তু গ্র্যান্ড হোটেলে গিয়ে ভাল খবর পাওয়া গেল। একজন বাঙালি রিসেপ্‌শনিস্টের সঙ্গে দেখলাম ফেলুদার চেনাও রয়েছে। এই ভদ্রলোক—নাম দাশগুপ্ত—খাতা খুলে দেখিয়ে দিলেন যে ৬ই মার্চ সকালে পাঁচজন এ হোটেলে এসে উঠেছিলেন, তাঁদের মধ্যে একজনই ভারতীয়, আর তিনি সিমলা থেকে এসেছিলেন, আর তাঁর নাম জি সি ধমীজা।

'এখনও আছেন কি ভদ্রলোক?' ফেলুদা প্রশ্ন করল।

'নো স্যার। গতকাল সকালে তিনি চেক-আউট করে গেছেন।'

আমার মনে একটা আশার আলো জ্বলেছিল, সেটা আবার দপ্‌ করে নিভে গেল।

ফেলুদার ভুরু কুঁচকে গেছে। কিন্তু সে তবু প্রশ্ন করতে ছাড়ল না।

'কত নম্বর ঘরে ছিলেন?'

'দুশো যোলো।'

'সে ঘর কি এখন খালি?'

'আজ্ঞে হ্যাঁ। আজ সন্ধ্যায় একজন গেস্ট আসছেন, তবে এখন খালি।'

'সেই ঘরের বেয়ারার সঙ্গে একটু কথা বলতে পারি?'

'সার্টেনলি। আমি সঙ্গে লোক দিয়ে দিচ্ছি, ও-ই আপনাকে রুম-বয়ের সঙ্গে দেখা করিয়ে দেবে।'

লিফট দিয়ে দোতলায় উঠে লম্বা বারান্দা দিয়ে বেশ খানিকটা হেঁটে গিয়ে তারপর দুশো যোলো নম্বর ঘর। রুম-বয়ের দেখা পেয়ে তাকে নিয়ে ঘরে ঢুকল ফেলুদা। তারপর এদিক ওদিক দু-একবার পায়চারি করে, প্রশ্ন করল—

'গতকাল সকালে যে ভদ্রলোক চলে গেছেন তাকে মনে পড়ছে?'

'হাঁ সাহাব।'

'ভাল করে মনে করে দেখ তো—তার সঙ্গে জিনিসপত্তর কী কী ছিল।'

'একঠো বড়া সুটকেশ থা, কালা, আউর এক ছোটা ব্যাগ।'

'নীল রঙের ব্যাগ কি?'

'হাঁ সাহাব। হাম্‌ যব্‌ ফিলাস্‌কমে পানি লেকর্‌ কামরেমে আয়া, তব্‌ সাহাবকো দেখা উয়ো ছোট ব্যাগ খোলকর্‌ সব চিজ বাহার নিকালকে বিস্তারে-পর রাখখা। মেরা মালুম হুয়া সাহাব

কুছ্ ঢুঁড় রাহা।'

'ভেরি গুড। বাবুর সঙ্গে আপেল ছিল কি না মনে আছে?'

'হাঁ বাবু। তিন আপিল থা; বাহার নিকালকে পিলেটমে রাখ্খা।'

এর পরে বাবুর চেহারা কীরকম ছিল জিজ্ঞেস করাতে বয় যা বলল, সেরকম চেহারার লোক কলকাতায় অন্তত লাখখানেক আছে।

যাই হোক—গ্র্যান্ড হোটেলে এসে মস্ত কাজ হয়েছে। দীননাথবাবুর বাক্স যার সঙ্গে বদল হয়েছে তার নাম ঠিকানা দুটোই পাওয়া গেছে। ঠিকানাটা মিস্টার দাশগুপ্ত একটা কাগজে লিখে রেখেছিলেন। যাবার সময় সেটা ফেলুদার হাতে দিয়ে দিলেন। ফেলুদার সঙ্গে সঙ্গে আমিও পড়ে দেখলাম তাতে লেখা রয়েছে—

G. C. Dhameeja,
'The Nook,'
Wild Flower Hall,
Simla.

৩

'কাকা একটু বেরিয়েছেন। সাতটা নাগাত ফিরবেন।'

ইনিই তা হলে দীননাথবাবুর ভাইপো।

গ্র্যান্ড হোটেল থেকে বেরিয়ে নিউ এম্পায়ারের সামনের দোকান থেকে মিঠে পান কিনে আমরা সোজা চলে এসেছি রডন স্ট্রিটে দীননাথবাবুর বাড়িতে। কারণটা হল আজকের ঘটনার রিপোর্ট দেওয়া। বাড়ির গেটের ভিতর দিয়ে ঢুকে বাঁ দিকে পর পর চারটে গ্যারাজ, তার তিনটে খালি, আর একটাতে রয়েছে আরেকটা অদ্ভুত ধরনের পুরনো গাড়ি। ফেলুদা বলল ওটা নাকি ইটালিয়ান গাড়ি, নাম লাগন্ডা।

দারোয়ানের হাতে কার্ড দেবার এক মিনিটের মধ্যেই এই ইয়াং ভদ্রলোকটি বেরিয়ে এলেন। বয়স মনে হয় ত্রিশের নীচে, মাঝারি হাইট, দীননাথবাবুর মতোই ফরসা রং, উসকোখুসকো চুলের পিছন দিক বেশ লম্বা, আর কানের দুপাশে লম্বা ঝুলপি, যে রকম ঝুলপি আজকাল অনেকেই রাখছে। ভদ্রলোক একদৃষ্টে ফেলুদার দিকে চেয়ে আছেন।

ফেলুদা বলল, 'আমরা একটু বসতে পারি কি? একটু দরকার ছিল ওঁর সঙ্গে।'

'আসুন...'

ভদ্রলোক আমাদের ভিতরে বৈঠকখানায় নিয়ে গিয়ে বসালেন। দেয়ালে আর মেঝেতে বাঘ ভাল্লুকের ছালের ছড়াছড়ি, সামনের দরজার উপরে একটা প্রকাণ্ড বাইসনের মাথা। দীননাথবাবুর জ্যাঠামশাইও কি তা হলে শিকারি ছিলেন? হয়তো শিকারের সূত্রেই শম্ভুচরণের সঙ্গে এত বন্ধুত্ব।

'কাকা বিকেলে একটু বেড়াতে বেরোন। এইবার আসবেন।'

ভদ্রলোকের গলার স্বর একটু বেশি রকম পাতলা। একেই কি দীননাথবাবু ধমীজার বাক্সটা দিয়েছিলেন?

'আপনিই কি ফেলু মিত্তির—যিনি সোনার কেল্লার রহস্য সলভ্ করেছিলেন?' ভদ্রলোক জিজ্ঞেস করলেন।

ফেলুদা হ্যাঁ বলে বেশ মেজাজের সঙ্গে পায়ের উপর পা তুলে দিয়ে একটু পিছন দিকে হেলে আরাম করে বসল। আমার কেন জানি ভদ্রলোকের মুখটা চেনা চেনা লাগছিল, যদিও কারণটা

বুঝতে পারছিলাম না। শেষটায় ভাবলাম একটা চান্স নিয়ে দেখতে ক্ষতি কী? জিজ্ঞেস করলাম—

'আপনি কি কোনও ফিল্মে অ্যাকটিং করেছেন?'

ভদ্রলোক একটা গলা খাকরানি দিয়ে বললেন, 'হ্যাঁ। "অশরীরী"। থ্রিলার। ভিলেনের পার্ট করেছি। অবিশ্যি ছবিটা এখনও রিলিজ হয়নি।'

'কী নাম বলুন তো আপনার?'

'আসল নাম প্রবীর লাহিড়ী। ফিল্মের নাম অমরকুমার।'

'হ্যাঁ হ্যাঁ—অমরকুমার—মনে পড়েছে।'

কোনও একটা ফিল্মের পত্রিকায় ভদ্রলোকের ছবি দেখেছি। এত পাতলা গলার স্বরে কীরকম ভিলেন হবে কে জানে!

'অ্যাকটিং কি আপনার পেশা?'

এবার প্রশ্নটা ফেলুদার। ভদ্রলোক চেয়ারে না বসে কেন যে দাঁড়িয়ে আছেন জানি না।

'কাকার প্লাস্টিকের কারখানায় বসতে হয়। কিন্তু আমার আসল ঝোঁক অ্যাকটিং-এর দিকে।'

'কাকা কী বলেন?'

'কাকার...উৎসাহ নেই।'

'কেন?'

'কাকা ওইরকমই।'

অমরকুমারের মুখ গোমড়া। বুঝলাম কাকার সঙ্গে ফিল্মের ব্যাপারে কথা কাটাকাটি হয়েছে।

'একটা কথা আমার জিজ্ঞেস করার আছে।' লোকটার মধ্যে একটা রাগী রাগী ভাব আছে বলেই ফেলুদা বোধহয় এত নরম করে কথা বলছে।

অমরকুমার বললেন, 'আপনার কথার জবাব দিতে আমার আপত্তি নেই, কিন্তু কাকার কনস্ট্যান্ট খোঁচানোটা...'

'আপনার কাকা আপনাকে একটা এয়ার ইন্ডিয়ার ব্যাগ দিয়েছিলেন কি?'

'হ্যাঁ। কিন্তু সেটা দেখছি কে যেন ঝেড়ে দিয়েছে। আমাদের একটা নতুন চাকর— '

ফেলুদা হেসে হাত তুলে প্রবীরবাবুকে থামিয়ে দিয়ে বলল, 'না, কোনও নতুন চাকর আপনার ব্যাগ ঝেড়ে দেয়নি। ওটা রয়েছে আমার কাছে।'

'আপনার কাছে?' প্রবীরবাবু অবাক।

'হ্যাঁ। আপনার কাকাই হঠাৎ ডিসাইড করেন ওটা যার ব্যাগ তাকে ফেরত দেওয়া উচিত। সে কাজের ভারটা আমাকে দিয়েছেন। এখন কথা হচ্ছে, ওর ভেতর থেকে আপনি কোনও জিনিস বার করে নিয়েছেন কি?'

'ন্যাচারেলি। এই তো—'

প্রবীরবাবু পকেট থেকে একটা ডট পেন বার করে দেখালেন। তারপর বললেন, 'ব্লেড আর শেভিং ক্রিমটাও ইউজ করার ইচ্ছে ছিল, কিন্তু সে তো চান্সই হল না।'

'কিন্তু বুঝতেই পারছেন প্রবীরবাবু, বাক্সটা ফেরত দিতে হলে সব জিনিসপত্তর সমেত ফেরত দিতে হবে তো—একেবারে ইনট্যাক্ট!'

'ন্যাচারেলি!'

প্রবীরবাবু ডট পেনটা ফেলুদার দিকে এগিয়ে দিলেন। ফেলুদা ধন্যবাদ দিয়ে সেটা পকেটে পুরে নিল। কিন্তু কাকার উপরে প্রবীরবাবুর রাগটা এখনও পড়েনি। বললেন, 'জিনিসটা যখন দিয়েই দিয়েছিলেন তখন সেটা নেবার সময় একবার—'

প্রবীরবাবুর কথা শেষ হল না। দীননাথের গাড়ির গম্ভীর হর্নের আওয়াজ পাওয়া মাত্র

ফিল্মের ভিলেন অমরকুমার সুড়সুড় করে ঘর থেকে বেরিয়ে গেলেন।

'এহে—আপনারা এসে বসে আছেন?'

দীননাথবাবু ঘরে ঢুকে অত্যন্ত লজ্জিত ভাবে ঘাড় বেঁকিয়ে হাত দুটো নমস্কারের ভঙ্গিতে জড়ো করে আমাদের দিকে এগিয়ে এলেন। আমরা দুজনেই উঠে দাঁড়িয়েছিলাম, ভদ্রলোক ব্যস্তভাবে বললেন, 'বসুন বসুন—প্লিজ।...আপনাদের অসময়ে চা খেতে আপত্তি নেই নিশ্চয়ই। ওরে—কে আছিস—'

চাকরকে চায়ের অর্ডার দিয়ে ভদ্রলোক আমাদের পাশের সোফায় বসে বললেন, 'বলুন, কী খবর।'

ফেলুদা বলল, 'আপনার ব্যাগ বদল হয়েছে আপেলওয়ালার সঙ্গে—নাম জি সি ধমীজা।'

দীননাথবাবু চোখ গোল গোল করে বললেন, 'আপনি এর মধ্যে এই একদিনেই নামটা বের করে ফেললেন? এ কি ম্যাজিক নাকি মশাই!'

ফেলুদা তার ছোট্ট একপেশে হাসিটা হেসে তার রিপোর্ট দিয়ে চলল, 'ভদ্রলোক থাকেন সিমলায়, ঠিকানাও জোগাড় হয়েছে। গ্র্যান্ড হোটেলে এসে ছিলেন, তিনদিন থাকার কথা ছিল, দুদিন থেকে চলে গেছেন।'

'চলে গেছেন?' দীননাথবাবু যেন একটু হতাশভাবেই প্রশ্নটা করলেন।

'আজ্ঞে হ্যাঁ। হোটেল থেকে চলে গেছেন, তবে সিমলা গেছেন কি না বলতে পারি না। সেটা অবিশ্যি ওঁর সিমলার ঠিকানায় একটা টেলিগ্রাম করলেই জানতে পারবেন।'

দীননাথবাবু কিছুক্ষণ চিন্তিতভাবে চুপ করে থেকে বললেন, 'আপনি এক কাজ করুন। টেলিগ্রাম অবিশ্যি আমি আজই করছি, কিন্তু ধরুন জানতে পারলাম তিনি সিমলা ফিরেছেন এবং তাঁর কাছে আমার বাক্সটা রয়েছে—তা হলেই তো আর কাজটা ফুরিয়ে যাচ্ছে না। তাঁর ব্যাগটা তো তাঁকে ফেরত দিতে হবে।'

'হ্যাঁ—হ্যাঁ—তা তো বটেই। তা ছাড়া ওই ভ্রমণকাহিনীটা সম্পর্কে আমার একটা কৌতূহলও রয়েছে, কাজেই আপনার বাক্সটাও ফেরত আনতে হবে।'

'ভেরি গুড। আমার প্রস্তাব হচ্ছে—আমি আপনাকে সব খরচ দিচ্ছি, আপনি চট করে সিমলাটা ঘুরে আসুন। আমি বলি কী, আপনার এই ভাইটিকেও নিয়ে যান। সিমলায় এ সময় বরফ—জানেন তো? হাতের কাছে বরফ দেখেছ কখনও খোকা?'

অন্য সময়ে হলে খোকা বলাতে আমার রাগই হত, কিন্তু সিমলায় যাবার চান্স আছে বুঝতে পেরে ওটা আর গায়েই করলাম না। আমার বুকের ভেতর ঘোড়দৌড় শুরু হয়ে গিয়েছে।

ফেলুদার পরের কথাটা শুনে কিন্তু আমার বেশ বিরক্তই লাগল। ও বলল, 'একটা জিনিস ভেবে দেখুন মিস্টার লাহিড়ী—আপনি কিন্তু ইচ্ছে করলে এখন যে-কোনও লোককেই সিমলা পাঠিয়ে দিতে পারেন। ওঁর বাক্সটা ফেরত দিয়ে আপনারটা নিয়ে আসা—এ ছাড়া তো কোনও কাজ নেই! কাজেই—'

'না না না', লাহিড়ী মশাই বেশ জোরের সঙ্গে প্রতিবাদ করলেন। 'আপনার মতো রিলায়েবল লোক আর পাচ্ছি কোথায়? আর শুরুটা যখন আপনাকে দিয়ে হয়েছে, শেষটাও আপনিই করুন।'

'কেন, আপনার ভাইপো—'

দীননাথবাবু মুষড়ে পড়লেন। 'ওর কথা আর বলবেন না। ওর দায়িত্বজ্ঞানটা বড়ই কম। কোথায় যেন এক বাংলা সিনেমায় নাম লিখিয়ে অ্যাকটিং করে এসেছে। ভাবুন তো দিকি! ওর কোনও মতিস্থির নেই। না না—ও ভাইপো-টাইপো দিয়ে হবে না। আপনিই যান। আমার চেনা ট্র্যাভেল এজেন্ট আছে—আপনাদের টিকিটপত্তর সব করে দেবে। দিল্লি পর্যন্ত প্লেন, তারপর

ট্রেন। যান—গিয়ে কাজটা সেরে, দিন চারেক থেকে আরাম করে আসুন। আপনার মতো গুণী লোককে এই সুযোগটুকু দিতে পারলে আমারই আনন্দ। এই কয়েক ঘণ্টার মধ্যে যা করলেন—সত্যিই রিমার্কেবল্।'

চা এসে গিয়েছিল, আর তার সঙ্গে কিছু খাবার জিনিসও। ফেলুদা এক টুকরো চকোলেট কেক তুলে নিয়ে বলল, 'একটা জিনিস দেখার ভারী কৌতূহল হচ্ছে। যে নেপালি বাক্সটার মধ্যে লেখাটা পেয়েছিলেন, সেই বাক্সটা। হাতের কাছে আছে কি?'

'সে তো খুব সহজ। আমি বলে দিচ্ছি।'

যে চাকর চা এনেছিল, সে-ই নেপালি বাক্সটা এনে দিল। এক হাত লম্বা, ইঞ্চি দশেক উঁচু প্রায়-চৌকো কাঠের বাক্সের গায়ে তামার পাত আর লাল-নীল-হলদে পাথরের কাজ করা। ডালাটা খুলতেই একটা গন্ধ পেলাম যেটা আজই আরেকবার পেয়েছি, এই কিছুক্ষণ আগেই। নরেশ পাকড়াশীর আপিসঘরের ধুলো, পুরনো ফার্নিচার আর পুরনো পর্দার কাপড় মিলিয়ে ঠিক এই একই গন্ধ।

দীননাথবাবু বললেন, 'এই যে দুটো তাক দেখছেন, এর উপরটাতেই ছিল খাতাটা—একটা নেপালি কাগজের মোড়কের ভেতর।'

'বাক্স যে দেখছি জিনিসে ঠাসা', ফেলুদা মন্তব্য করল।

দীননাথবাবু হেসে বললেন, 'হ্যাঁ, একটা ছোটখাটো কিউরিও শপ বলতে পারেন। যা নোংরা, ঘেঁটে দেখার প্রবৃত্তি হয়নি আমার।'

ফেলুদা উপরের তাকটা বাইরে বার করে ভিতরের জিনিসগুলো দেখছিল। পাথরের মালা, তামা ও পিতলের কাজ করা চাকতি, রোল করা তেলচিটে তাখো, কয়েকটা অচেনা ওষুধের খালি বোতল, দুটো মোমবাতি, একটা ছোট ঘণ্টা, একটা কীসের জানি হাড়, ছোট ছোট দু-তিনটে বাটি, কিছু শিকড় বাকল জাতীয় জিনিস, একটা শুকনো ফুল—সব মিলিয়ে সত্যিই একটা কিউরিওর দোকান।

ফেলুদা বলল, 'এ বাক্স আপনার জ্যাঠামশাইয়ের কি?'

'ওঁর সঙ্গেই তো এসেছিল, কাজেই...'

'কাঠমুণ্ডু থেকে কবে আসেন আপনার জ্যাঠামশাই?'

'টোয়েন্টিথ্রিতে। সে বছরই মারা যান। আমার বয়স তখন সাত।'

'ভেরি ইন্টারেস্টিং' বলে চায়ে চুমুক দিয়ে ফেলুদা উঠে পড়ে বলল, 'আপনি যখন বলছেন তখন আমরা সিমলা যাওয়াই স্থির করলাম। কাল হবে না, কারণ আমাদের দুজনেরই গরম কাপড় লন্ড্রি থেকে আনতে হবে। পরশু কালকা মেলে বেরোনো যেতে পারে। তবে আপনি ধমীজাকে কাল টেলিগ্রাম করতে ভুলবেন না।'

প্রায় সাড়ে আটটার সময় দীননাথবাবুর বাড়ি থেকে ফিরে এসে বৈঠকখানায় ঢুকেই দেখি জটায়ু বসে আছেন, তাঁর হাতে একটা ব্রাউন কাগজের প্যাকেট। আমাদের দেখেই একগাল হেসে বললেন, 'বায়স্কোপ দেখে ফিরলেন বুঝি?'

৪

জটায়ু হল স্বনামধন্য রহস্য রোমাঞ্চ কাহিনী লেখক লালমোহন গাঙ্গুলীর ছদ্মনাম। সোনার কেল্লা অভিযানে এঁর সঙ্গে আলাপ হয়েছিল। এক ধরনের লোক থাকে যারা চুপচাপ বসে থাকলেও তাদের দেখে হাসি পায়। লালমোহনবাবু হলেন সেই ধরনের লোক। হাইটে ফেলুদার কাঁধের কাছে, পায়ে পাঁচ নম্বরের জুতো, শরীরটা চিমড়ে হওয়া সত্ত্বেও মাঝে মাঝে অন্যমনস্ক ভাবে ডান হাতটা কনুইয়ের কাছে ভাঁজ করে বাঁ হাত দিয়ে কোটের আস্তিনের ভেতর বাইসেপ টিপে দেখেন, আবার পরমুহূর্তেই পাশের ঘর থেকে আচমকা হাঁচির শব্দ শুনে আঁতকে ওঠেন।

'আপনার আর শ্রীমান তপেশের জন্য আমার লেটেস্ট বইটা নিয়ে এলুম।'

ভদ্রলোক প্যাকেটটা ফেলুদার দিকে এগিয়ে দিলেন। সোনার কেল্লার ঘটনার পর থেকে ভদ্রলোক মাসে অন্তত তিনবার করে আমাদের বাড়িতে আসেন।

'এটা কোন দেশ নিয়ে লেখা?' ফেলুদা প্যাকেট খুলতে খুলতে প্রশ্ন করল।

'এটা প্রায় গোটা ওয়ার্লডটা কভার করিচি। ফ্রম সুমাত্রা টু সুমেরু।'

'এবারে আর কোনও তথ্যের গণ্ডগোল নেই তো?' ফেলুদা বইটা উলটেপালটে দেখে আমার হাতে দিয়ে দিল। এর আগে ওঁর 'সাহারায় শিহরণ' বইতে উটের জল খাওয়া নিয়ে একটা আজগুবি কথা লিখে বসেছিলেন লালমোহনবাবু, পরে ফেলুদা সেটা শুধরে দিয়েছিল।

ভদ্রলোক বললেন, 'নো স্যার! আমাদের গড়পার রোডে বদন বাঁড়ুজ্যের বাড়িতে ফুল সেট এনসাইক্লোপিডিয়া ব্রিটানিয়া রয়েছে। প্রত্যেকটি ফ্যাক্ট দেখে মিলিয়ে নিয়েছি।'

ফেলুদার ‘ব্রিটানিয়া না দেখে ব্রিটানিকা দেখলে আরও নিশ্চিন্ত হতাম’—কথাটায় কান না দিয়ে লালমোহনবাবু বলে চললেন, ‘একটা ক্লাইমেক্স আছে পড়ে দেখবেন—আমার হিরো প্রখর রুদ্রের সঙ্গে জলহস্তীর ফাইট।’

‘জলহস্তী?’

‘কীরকম থ্রিলিং ব্যাপার পড়ে দেখবেন।’

‘কোথায় হচ্ছে ফাইটটা?’

‘কেন, নর্থ পোলে! জলহস্তী বলচি না?’

‘নর্থ পোলে জলহস্তী?’

‘সে কী মশাই—ছবি দেখেননি? খ্যাংরা কাঠির মতো লম্বা লম্বা খোঁচা খোঁচা গোঁফ, দুটো করে বাইরে বেরিয়ে আসা মুলোর মতো দাঁত, থ্যাপ থ্যাপ করে বরফের ওপর দিয়ে—’

‘সে তো সিন্ধুঘোটক। যাকে ইংরিজিতে বলে ওয়লরাস। জলহস্তী তো হিপোপটেমাস—আফ্রিকার জন্তু।’

জটায়ুর জিভ লজ্জায় লাল হয়ে দু ইঞ্চি বেরিয়ে এল।

‘এঃ—ছ্যা ছ্যা ছ্যা ছ্যা। ব্যাড মিসটেক। ঘোড়া আর হাতিতে গণ্ডগোল হয়ে গেছে। জল আর সিন্ধু তো প্রায় একই জিনিস হল কিনা। ইংরিজিটা কারেক্ট জানা ছিল, জানেন। এবার থেকে গল্পগুলো ছাপার আগে একবার আপনাকে দেখিয়ে নেব।’

‘আমি আসছি’ বলে ফেলুদা তার ঘরে চলে যাবার পর আমাকে একা পেয়ে ভদ্রলোক বললেন, ‘তোমার দাদাকে একটু গম্ভীর দেখছি। কোনও কেস-টেস এসেছে নাকি?’

আমি বললাম, ‘সেরকম কিছু নয়, তবে একটা ব্যাপারে আমাদের সিমলা যেতে হচ্ছে।’

‘সিমলা? কবে?’

‘বোধহয় পরশু।’

‘লং টুর?’

‘না। দিন চারেক।’

‘ইস, ওদিকটা দেখা হয়নি,’ বলে ভদ্রলোক একটু অন্যমনস্ক হয়ে পড়লেন।

ফেলুদা ফিরে এলে পর ভদ্রলোক আবার নড়েচড়ে বসলেন। ‘আপনারা সিমলা যাচ্ছেন শুনলাম। কোনও তদন্ত আছে নাকি?’

‘ঠিক তদন্ত নয়। রাম-শ্যামের বাক্স অদল-বদল হয়ে গেছে। শ্যামের বাক্স রামের কাছ থেকে নিয়ে শ্যামকে ফেরত দিয়ে, শ্যামের কাছ থেকে রামের বাক্স নিয়ে রামকে ফেরত দিতে হবে।’

‘আরেব্বাস রে—বাক্স-রহস্য?’

‘রহস্য কি না এখনও বলতে পারি না, তবে সামান্য দু-একটা খটকার ব্যাপার—’

‘দেখুন স্যার’, জটায়ু বাধা দিয়ে বললেন, ‘এই কমাসে আপনাকে আমি খুব থরোলি চিনেছি। আমার ধারণা, একটা কিছু ইয়ে না থাকলে আপনি কক্ষনও কেসটা নিতেন না। ঠিক করে বলুন তো ব্যাপারটা কী।’

ফেলুদার কথায় বুঝলাম সে এই স্টেজে লালমোহনবাবুকে তেমন খোলাখুলি কিছু বলতে চাইছে না। বলল, ‘কে সত্যি কথা বলছে, আর কে সত্য গোপন করছে, আর কে মিথ্যে বলছে—এগুলো পরিষ্কার না-জানা অবধি কিছু খুলে বলা সম্ভব নয়। তবে গণ্ডগোল যে একটা রয়েছে সেটা—’

‘ব্যাস ব্যাস—এনাফ!’ জটায়ুর চোখ জ্বলজ্বল করে উঠেছে। ‘তা হলে বলুন—আপনার অনুমতি পেলেই আপনাদের সঙ্গে লটকে পড়ি।’

‘ঠাণ্ডা সয় ধাতে?’ ফেলুদা প্রশ্ন করল।

'ঠাণ্ডা? দার্জিলিং গেছি লাস্ট ইয়ারে।'

'কোন মাসে?'

'মে।'

'সিমলায় এখন বরফ পড়ছে।'

জটায়ু উত্তেজনায় চেয়ার ছেড়ে উঠে দাঁড়ালেন।

'বলেন কী, বর—ফ? গতবার ডেজার্ট আর এবার স্নো? ফ্রম দি ফ্রাইং প্যান টু দি ফ্রিজিডেয়ার? এ তো ভাবাই যাচ্ছে না মশাই।'

'মোটা খরচের ধাক্কা কিন্তু।'

ফেলুদা যদিও এসব কথা বলে জটায়ুকে নিরুৎসাহ করার চেষ্টা করছিল, ভদ্রলোক সহজে দমবার পাত্র নন। খ্যাক খ্যাক করে ভিলেনের মতো একটা হাসি হেসে বললেন, 'খরচের ভয় কী দেখাচ্ছেন মশাই—একুশখানা রোমাঞ্চ উপন্যাস, প্রত্যেকটা কমপক্ষে পাঁচটা করে এডিশন, তিনখানা বাড়ি হয়ে গেছে কলকেতা শহরে আপনাদের আশীর্বাদে। এসব ব্যাপারে খরচকে কেয়ার করি না মশাই। যত দেখব, তত প্লট আসবে মাথায়, তত বইয়ের সংখ্যা বাড়বে। আর সবাই তো ফেলু মিত্তির নয় যে জলহস্তী আর সিন্ধুঘোটকের তফাত ধরবে। যা লিখব তাই গিলবে, আর যত গিলবে ততই আমার লাভ। আমার লাভের রাস্তা আটকায় এমন কার সাধ্যি আছে মশাই? অবিশ্যি আপনি যদি সোজাসুজি নিষেধ করেন, তা হলে অবিশ্যি...'

ফেলুদা নিষেধ করল না। লালমোহনবাবু যাবার আগে আমরা কবে যাচ্ছি, কদিনের জন্য যাচ্ছি, কী ভাবে যাচ্ছি ইত্যাদি জেনে নিয়ে একটা খাতায় নোট করে নিয়ে বললেন, 'একটা গরম গেঞ্জি, দুটো পুলোভার, একটা তুলোর কোট আর তার উপর একটা ওভার কোট চাপালে শীত মানবে না বলচেন, অ্যাঁ?'

ফেলুদা বলল, 'তার সঙ্গে এক জোড়া দস্তানা, একটা মাঙ্কি ক্যাপ, এক জোড়া গোলোস জুতো, গরম মোজা আর ফ্রস্ট-বাইটের ওষুধ নিলে খানিকটা নিশ্চিন্ত হতে পারেন।'

ইস্কুলে পরীক্ষা দিতে মোটেই ভাল লাগে না, কিন্তু ফেলুদার কাছে যে পরীক্ষাটা দিতে হয় তাতে আমার কোনওই আপত্তি নেই। সত্যি বলতে কী, তার মধ্যে বেশ একটা মজা আছে, আর সেই মজার সঙ্গে মাথাটাও বেশ পরিষ্কার হয়ে যায়।

রাত্রে খাবার পরে ফেলুদা তার খাটে উপুড় হয়ে বুকে বালিশ নিয়ে শুয়েছে, আর আমি তার পাশে বসে পরীক্ষা দিচ্ছি। অর্থাৎ, এই নতুন কেসটার বিষয়ে ওর নানা রকম প্রশ্নের জবাব দিচ্ছি।

প্রথম প্রশ্ন হল—'এই বাক্স বদলের ব্যাপারে কার কার সঙ্গে আলাপ হল বল।'

'প্রথম দীননাথ লাহিড়ী।'

'বেশ। লোকটাকে কেমন মনে হয়!'

'ভালই তো। তবে বই-টই সম্বন্ধে বিশেষ খবর রাখে না। আর, এই যে এতগুলো টাকা খরচ করে আমাদের সিমলা পাঠাচ্ছেন, এই ব্যাপারে যেন একটু খটকা...'

'যে লোক দু-দুটো ওরকম ডাকসাইটে গাড়ি মেনটেন করতে পারে, তার আর যাই হোক, টাকার অভাব নেই। তা ছাড়া ফেলু মিত্তিরকে এমপ্লয় করা তো একটা প্রেসটিজের ব্যাপার—সেটা ভুললেও তো চলবে না।'

'তাই যদি হয় তা হলে আর খটকার কিছু নেই। দ্বিতীয় আলাপ—নরেশচন্দ্র পাকড়াশী। তিরিক্ষি মেজাজ।'

'কিন্তু স্পষ্টবক্তা। সেটা একটা গুণ। সকলের থাকে না।'

'কিন্তু সব কথা সত্যি বলেন কি? দীননাথবাবু কি সত্যিই এককালে লায়েক ছিলেন? মানে, রেসের মাঠে-টাঠে যেতেন?'

'এক কালে কেন, এখনও আছেন। তবে তার মানেই যে লোকটা খারাপ, এমন কোনও কথা নেই।'

'তারপর অমরকুমার। মানে প্রবীর লাহিড়ী। কাকাকে পছন্দ করেন না।'

'স্বাভাবিক। কাকা তার অ্যাম্বিশনে বাধা দিচ্ছে, তাকে একটা বাক্স দিয়ে আবার নিয়ে নিচ্ছে, রাগ হওয়াটা স্বাভাবিক।'

'প্রবীরবাবুর শরীরটা বেশ মজবুত বলে মনে হল।'

'হ্যাঁ। হাতের কবজি চওড়া। তাই গলার আওয়াজটা আরও বেমানান লাগে।...এবার বল কালকা মেলের ফার্স্ট ক্লাসের ডি কম্পার্টমেন্টের বাকি দুজন যাত্রীর কী নাম।'

'একজন হল বৃজমোহন। পদবি...পদবি...'

'কেদিয়া। মাড়োয়ারি।'

'হ্যাঁ। সুদের ব্যবসা। সাধারণ চেহারা। নরেশ পাকড়াশীর সঙ্গে আগেই চেনা।'

'ভদ্রলোকের লেনিন সরণিতে সত্যিই আপিস আছে। টেলিফোন ডিরেক্টরিতে নাম দেখেছি।'

'অন্যজন জি সি ধমীজা। সিমলায় থাকে। আপেলের চাষ আছে।'

'সেটার কোনও প্রমাণ নেই; সুতরাং বলা যেতে পারে যে থাকতেও পারে, নাও থাকতে পারে।'

'কিন্তু ধমীজার সঙ্গেই যে দীননাথবাবুর বাক্সটা বদল হয়ে গেছে সেটা তো ঠিক?

বাক্সটা ফেলুদার পাশেই খাটের উপর রাখা ছিল। সেটার ঢাকনা খুলে ভিতরের জিনিসপত্তরের দিকে একদৃষ্টে তাকিয়ে থেকে ফেলুদা প্রায় বিড় বিড় করে বলল, 'হুঁ...ওই একমাত্র ব্যাপার যেটা সম্বন্ধে বোধহয়...'

বাক্সের ভিতরে যে ভাঁজ করা দুটো দিল্লির খবরের কাগজ ছিল, সেগুলো হাতে নিয়ে নাড়াচাড়া করতে করতে ফেলুদা ঠিক সেই ভাবেই বিড় বিড় করে বলল, 'এই কাগজগুলো নিয়েই, বুঝেচিস, কী রকম যেন...মনের মধ্যে একটা...'

ফেলুদার বিড়বিড়োনি থামাতে হল, কারণ টেলিফোন বেজে উঠেছে। আগে টেলিফোনটা বৈঠকখানায় থাকত। এখনও থাকে, কিন্তু ফেলুদা সুবিধের জন্য একটা এক্সটেনশন টেলিফোন নিজের খাটের পাশে বসিয়ে নিয়েছে।

'হ্যালো—'

'কে—মিস্টার মিত্তির?'

ফেলুদার হাতে টেলিফোন থাকা সত্ত্বেও, রাত্তির বলেই বোধহয় অন্য দিকের কথা পরিষ্কার শোনা যাচ্ছিল।

'বলুন মিস্টার লাহিড়ী—'

'শুনুন, মিস্টার ধমীজার কাছ থেকে একটা খবর আছে।'

'এর মধ্যেই টেলিগ্রামের—?'

'না না। টেলিগ্রাম নয়। টেলিগ্রামের উত্তর কালকের আগে আসবে না। একটা টেলিফোন পেয়েছি এই মিনিট পাঁচেক আগে। ব্যাপারটা বলছি। ধমীজা নাকি রেলওয়ে আপিসে খোঁজ নিয়ে রিজার্ভেশন লিস্ট দেখে আমার নাম-ঠিকানা সংগ্রহ করেছিল। হঠাৎ চলে যেতে হয় বলে আমার সঙ্গে যোগাযোগ করতে পারেনি, কিন্তু ওঁর এক চেনা লোকের কাছে আমার বাক্সটা

রেখে গেছেন। তার কাছে ধমীজার বাক্সটা নিয়ে গিয়ে ফেরত দিলেই উনি আমার বাক্সটা দিয়ে দেবেন। এই লোকটিই আমাকে ফোন করেছিল। অতএব, বুঝতেই পারছেন।...'

'ম্যানুস্ক্রিপ্টটা রয়েছে কি না জিজ্ঞেস করেছেন?'

'হ্যাঁ হ্যাঁ। সব ঠিক আছে।'

'বাঃ, এ তো ভাল খবর। আপনার সমস্ত ল্যাঠা চুকে গেল।'

'আজ্ঞে হ্যাঁ। খুব অপ্রত্যাশিতভাবে। আমি মিনিট পাঁচেকে বেরিয়ে পড়ছি। আপনার বাড়ি থেকে ধমীজার বাক্সটা পিকআপ করে নিয়ে প্রিটোরিয়া স্ট্রিটে চলে যাব।'

'আপনাকে একটা অনুরোধ করতে পারি মিস্টার লাহিড়ী?'

'বলুন।'

'আপনি আর কষ্ট করে আসবেন কেন? সিমলাই যখন যাচ্ছিলাম, তখন প্রিটোরিয়া স্ট্রিটেই বা যেতে অসুবিধে কী? আমি বলি কী, বাক্সটা আমিই নিয়ে আসি। ওটা আজকের রাতটা আমার কাছে থাক; আমি একবার শম্ভুচরণের লেখাটায় চোখ বুলিয়ে নিই। এটাই হবে আমার পারিশ্রমিক। কাল সকালে গিয়ে লেখা সমেত বাক্স আপনাকে ফেরত দিয়ে আসব, কেমন?'

'ভেরি গুড। আমার তাতে কোনওই আপত্তি নেই। ভদ্রলোকের নাম মিস্টার পুরি, ঠিকানা ফোর বাই টু প্রিটোরিয়া স্ট্রিট।'

'ধন্যবাদ!—অলসস্ ওয়েল দ্যাট এন্ডস ওয়েল!'

ফেলুদা টেলিফোন রেখে কিছুক্ষণ ভুরু কুঁচকে বসে রইল। আমার যে কী মনের অবস্থা তা আর বলে লাভ কী? সিমলা যাওয়া ফসকে গেল, ফসকে গেল, ফসকে গেল—মাথার মধ্যে এই কথাটাই খালি বার বার ঘুরছে, আর বুকের ভিতরটা কীরকম খালি খালি লাগছে, আর বরফের দেশে যেতে যেতে যাওয়া হল না বলে মার্চ মাসের কলকাতাটা অসহ্য গরম লাগছে। কী আর করি? অন্তত এই শেষ ঘটনার সময় ফেলুদার সঙ্গে থাকা উচিত। তাই বললাম, 'আমি তৈরি হয়ে নিই ফেলুদা? দু মিনিট লাগবে।'

'যা, চট করে যা।'

জামা ছেড়ে তৈরি হয়ে মিস্টার ধমীজার ব্যাগ সঙ্গে নিয়ে ট্যাক্সিতে উঠে প্রিটোরিয়া স্ট্রিটে পৌঁছতে লাগল কুড়ি মিনিটের কিছু বেশি। প্রিটোরিয়া স্ট্রিটটা লোয়ার সারকুলার রোড থেকে বেরিয়ে খানিক দূর গিয়ে রাইট অ্যাঙ্গেলে ডাইনে গিয়ে আবার রাইট অ্যাঙ্গেলে বাঁয়ে ঘুরে থিয়েটার রোডে—থুড়ি, শেক্সপিয়ার সরণিতে গিয়ে পড়েছে। এমনিতেই রাস্তাটা নির্জন, রাতও হয়েছে প্রায় সাড়ে এগারোটা, তার উপরে আজ বোধহয় অমাবস্যা-টমাবস্যা হবে। আমরা লোয়ার সার্কুলার রোড দিয়ে ঢুকে রাস্তার এ মাথা থেকে ও মাথা ট্যাক্সি চালিয়ে বুঝলাম গাড়ি থেকে বাড়ির নম্বর খুঁজে পাওয়া অসম্ভব। শেক্সপিয়র সরণির কাছাকাছি গিয়ে ট্যাক্সি থামিয়ে ফেলুদা পাঞ্জাবি ড্রাইভারকে বলল, 'নম্বরটা খুঁজে বার করতে হবে সর্দারজি—আপনি একটু দাঁড়ান; এই বাক্সটা একটা বাড়িতে পৌঁছে দিয়ে আসছি।'

সর্দারজি বেশ অমায়িক লোক, কোনও আপত্তি করল না। আমরা রাস্তায় নেমে দক্ষিণ দিকে হাঁটতে শুরু করলাম। বাঁ দিকে পাঁচিলের ওপাশে বাইশতলা বিড়লা বিল্ডিং বুক চিতিয়ে মাথা উঁচিয়ে আছে। ফেলুদা বলে, রাত্তির বেলা কলকাতার সবচেয়ে থমথমে জিনিস হচ্ছে এই আকাশ-ছোঁয়া আপিসের বিল্ডিংগুলো। কেবল ধড় আছে, প্রাণ নেই। 'দাঁড়িয়ে থাকা মৃতদেহ দেখেছিস কখনও? ওই বিল্ডিংগুলো হচ্ছে তাই।'

খানিক দূর হাঁটার পর রাস্তার ডান দিকে একটা গেট পড়ল যার গায়ে লেখা আছে চার। আরও এগিয়ে গিয়ে দেখি পরের বাড়ির নম্বর পাঁচ। তা হলে দুই বাড়ির মধ্যে যে গলিটা রয়েছে তাতেই হবে চারের দুই। কী নিঝুম রাস্তা রে বাবা। টিমটিম করে দু-একটা আলো জ্বলছে, সে

আলো শুধু ল্যাম্প পোস্টের তলাটুকু আলো করেছে, বাকি রাস্তা অন্ধকার থেকে গেছে। আমরা গলিটা ধরে এগোতে লাগলাম।

খানিকটা গিয়েই আরেকটা গেট চোখে পড়ল। এটা নিশ্চয়ই চারের এক। চারের দুই কি তা হলে আরও ভেতরে ওই অন্ধকারের মধ্যে রয়েছে? ওদিকে তো কোনও বাড়ি আছে বলে মনে হচ্ছে না। আর থাকলেও, সে বাড়িতে যে একটাও আলো জ্বলছে না তাতে কোনও সন্দেহ নেই।

গলির দুদিকে পাঁচিল; পাঁচিলের পিছনে বাড়ির বাগান থেকে গাছের ডালপালা রাস্তার উপর এসে পড়েছে। একটা ক্ষীণ গাড়ি চলাচলের শব্দ বোধহয় লোয়ার সার্কুলার রোড থেকে আসছে। একটা গির্জার ঘড়ি বেজে উঠল দূর থেকে। সেন্ট পলসের ঘড়ি। সাড়ে এগারোটা বাজল। কিন্তু এসব শব্দে প্রিটোরিয়া স্ট্রিটের অস্বাভাবিক থমথমে ভাব বাড়ছে বই কমছে না। কাছাকাছি কোথায় একটা কুকুর ডেকে উঠল। আর ঠিক সেই মুহূর্তে—

'ট্যাক্সি! সর্দারজি! সর্দারজি!'

চিৎকারটা আপনা থেকেই আমার গলা দিয়ে বেরিয়ে পড়ল।

একটা লোক ডান দিকের পাঁচিল থেকে লাফিয়ে ফেলুদার উপর পড়েছে। সঙ্গে সঙ্গে আরেকটা। ফেলুদার হাতের বাক্সটা আর হাতে নেই। সে হাত খালি করে এক ঝটকায় ঘাড় থেকে প্রথম লোকটাকে ফেলে তার উপর হুমড়ি খেয়ে পড়েছে। এটা বুঝতে পারছি একটা প্রচণ্ড ধস্তাধস্তি হাতাহাতি চলেছে, কিন্তু অন্ধকারে ঠিক কী যে হচ্ছে সেটা বোঝার উপায় নেই। বাক্সটা চোখের সামনে রাস্তায় পড়ে আছে। আমি সেটার দিকে হাত বাড়িয়েছি, আর ঠিক সেই সময় দ্বিতীয় লোকটা মুহূর্তের মধ্যে বাক্সটা ছিনিয়ে নিয়ে আমাকে এক ধাক্কায় রাস্তায় ফেলে দিয়ে ঊর্ধ্বশ্বাসে গলির মুখটার দিকে দৌড় দিল। এদিকে বাঁ পাশে অন্ধকারে হুটোপাটি চলেছে, কিন্তু লোকটাকে ফেলুদা কেন যে ঠিক কবজা করতে পারছে না সেটা বুঝতে পারছি না।

'ওঁক!'

এটা আমাদের পাঞ্জাবি ড্রাইভারের পেটে-গুঁতো-খাওয়া গলার শব্দ। সে আমার চিৎকার শুনে গাড়ি ছেড়ে দৌড়ে গলির মুখটায় এসেছিল, কিন্তু ব্যাগ-চোর তাকে ঘায়েল করে পালিয়েছে। দূরে আবছা ল্যাম্প পোস্টের আলোয় দেখছি সর্দারজি ধরাশায়ী।

ইতিমধ্যে প্রথম লোকটাও পাঁচিল টপকে উধাও। ফেলুদা পকেট থেকে রুমাল বার করে হাত মুছতে মুছতে বলল, 'অন্তত সের খানেক সরষের তেল মেখে এসেছিল—পাড়াগাঁয়ে সিঁদেল চোর যেরকম করে।'

এই তেলের গন্ধটা অবিশ্যি লোকগুলো আসার সঙ্গে সঙ্গে পেয়েছিলাম, কিন্তু গন্ধের কারণটা ঠিক বুঝতে পারিনি।

'ভাগ্যিস!'

ফেলুদা এই কথাটা যে কেন বলল, তা বুঝতে পারলাম না। এত বড় একটা দুর্ঘটনার পরেও সে বলছে—ভাগ্যিস?

আমি বললাম, 'তার মানে?'

ট্যাক্সির দিকে হাঁটতে হাঁটতে ফেলুদা বলল, 'তুই কি ভাবছিস জি সি ধমীজার বাক্স চুরি করে নিয়ে গেল ওই শয়তানগুলো?'

'তবে?'—আমি তো অবাক!

'যেটা গেল সেটা ছিল দ্য প্রপার্টি অফ প্রদোষ সি মিটার। ওর মধ্যে তিনখানা ছেঁড়া গেঞ্জি, পাঁচখানা ধুধধুড়ে রুমাল, গুচ্ছের ন্যাকড়া আর খান পাঁচেক পুরনো ছেঁড়া আনন্দবাজার। তুই যখন জামা বদলাচ্ছিলি তখন ওয়ান-নাইন-সেভনে টেলিফোন করে জেনেছি যে চারের দুই প্রিটোরিয়া স্ট্রিটের কোনও টেলিফোন নেই। অবিশ্যি ওই নম্বরে যে কোনও বাড়িই নেই সেটা

সত্যজিৎ রায়

এখানে না এলে বুঝতে পারতাম না।'

আমার বুকে আবার ঘোড়দৌড় শুরু হয়ে গিয়েছে।

মন বলছে, হয়তো শেষ পর্যন্ত সিমলাটা যেতেই হবে।

৫

কাল রাত্রে বাড়ি ফিরেই দীননাথবাবুকে ঘটনাটা টেলিফোনে জানিয়ে দেওয়া হয়েছিল। উনি তো শুনে একেবারে থ। বললেন, 'এরকম একটা ব্যাপার যে ঘটতে পারে সেটা আমি স্বপ্নেও ভাবতে পারিনি। এক যদি হয় যে এমনি ছ্যাঁচড়া চোর, ব্যাগটায় কিছু আছে মনে করে আপনাকে আক্রমণ করে সেটা ছিনিয়ে নিয়ে পালিয়েছে—যেমন কলকাতায় প্রায়ই ঘটে। কিন্তু তাও তো একটা ব্যাপার রয়েই যাচ্ছে— চারের দুই বলে তো কোনও বাড়িই নেই প্রিটোরিয়া স্ট্রিটে। অর্থাৎ মিস্টার পুরি ব্যক্তিটি সম্পূর্ণ কাল্পনিক। অর্থাৎ মিস্টার ধমীজার রেলওয়েতে খোঁজ করার ব্যাপারটা সম্পূর্ণ ধাপ্পা। টেলিফোনটা তা হলে করল কে?'

ফেলুদা বলল, 'সেটা জানতে পারলে তো তদন্ত ফুরিয়ে যেত মিস্টার লাহিড়ী।'

'কিন্তু আপনারই বা সন্দেহটা হল কী করে বলুন তো?'

'আসল খটকা লাগল লোকটার এত রাত্রে আপনাকে টেলিফোন করা থেকে। ধমীজা গেছেন কালকে। তা হলে পুরি কাল কিংবা আজ দিনের বেলা ফোন করল না কেন?'

'হুঁ!...তা হলে তো সেই সিমলা যাবার প্ল্যানটাই রাখতে হয়। কিন্তু ব্যাপারটা যে দিকে টার্ন নিচ্ছে, তাতে তো আপনাকে পাঠাতে আমার ভয়ই করছে।'

ফেলুদা হেসে বলল, 'আপনি চিন্তা করবেন না মিস্টার লাহিড়ী। কেসটাকে এখন আর নিরামিষ বলা চলে না—বেশ পেঁয়াজ রসুনের গন্ধ পাওয়া যাচ্ছে। ফলে আমিও এখন অনেকটা আশ্বস্ত বোধ করছি। নইলে আপনার টাকাগুলো নিতে রীতিমতো লজ্জা করত। যাই হোক, আপনি এখন একটা কাজ করতে পারলে ভাল হয়।'

'বলুন।'

'আপনার বাক্সে কী কী জিনিস ছিল সেটার একটা ফর্দ করে যদি আমায় পাঠিয়ে দেন তা হলে বাক্স ফেরত নেবার সময় মিলিয়ে নিতে সুবিধে হবে।'

'কিছুই বিশেষ ছিল না, কাজেই কাজটা খুবই সহজ। যখন আপনাদের যাবার টিকিট ইত্যাদি পাঠাব, তার সঙ্গেই লিস্টটাও দিয়ে দেব।'

কাল চলে যাচ্ছি বলে আজ সারাটা দিন ফেলুদাকে বেশ ব্যস্ত থাকতে হল। এই একদিনেই ওর হাবভাব একেবারে বদলে গেছে। ওর মনটা যে অস্থির হয়ে আছে, সেটা ওর ঘন ঘন আঙুল মটকানো থেকেই বুঝতে পারছি। আরও বুঝতে পারছি এই যে, যে বাক্সের মধ্যে দামি কিছু নেই, তার পিছনে শয়তানের দৃষ্টি কেন যাবে—এই রহস্যের কিনারা আমারই মতো ও-ও এখনও করে উঠতে পারেনি। ব্যাপারটা বোঝার চেষ্টায় কাল ও আবার বাক্স থেকে প্রত্যেকটা জিনিস বার করে খুঁটিয়ে দেখেছে। এমনকী টুথপেস্ট আর শেভিং ক্রিমের টিউব টিপে টিপে দেখেছে, ব্লেডগুলো খাপ থেকে বার করে দেখেছে, খবরের কাগজের ভাঁজ খুলে দেখেছে। এত করেও সন্দেহজনক কিছুই খুঁজে পায়নি।

ফেলুদা বেরিয়ে গেল আটটার মধ্যে। কী আর করি—কোনও রকমে কয়েক ঘণ্টা একা বাড়িতে বসে কাটানোর জন্য মনটা তৈরি করে নিলাম। বাবা ম্যাসানজোর গেছেন দিন পনেরোর জন্য। ওঁকে একটা চিঠি লিখে সিমলা যাবার কথাটা জানিয়ে দিতে হবে। ফেলুদা যাবার সময় বলে গেছে, 'তিন ঘণ্টার মধ্যে যদি কেউ কলিং বেল টেপে তা হলে তুই নিজে দরজা খুলবি না,

শ্রীনাথকে বলবি। আমি এগারোটার মধ্যে ফিরে আসব।'

বাবাকে চিঠি লিখে হাতে একটা গল্পের বই নিয়ে বৈঠকখানার সোফায় লম্বা হয়ে শুয়ে বাক্সের ব্যাপারটা সম্বন্ধে ভাবতে ভাবতে সমস্ত ঘটনাগুলো ক্রমেই আরও ধোঁয়াটে হয়ে আসতে লাগল। দীননাথবাবু, তাঁর সেই ফিল্মে অ্যাকটিং করা ভাইপো, খিটখিটে নরেশ পাকড়াশী, আপেলওয়ালা, সিমলাবাসী মিস্টার ধমীজা, সুদের কারবারি বৃজমোহন, সবাই—যেন মনে হল মুখোশ পরা মানুষ। এমনকী, এয়ার ইন্ডিয়ার বাক্স আর তার ভিতরের প্রত্যেকটা জিনিসও যেন মুখোশ পরে বসে আছে। আর তার উপরে কাল রাত্রে প্রিটোরিয়া স্ট্রিটের সেই ভয়াবহ অভিজ্ঞতা...

শেষটায় ভাবা বন্ধ করে তাক থেকে একটা পত্রিকা নিয়ে পাতা উলটাতে লাগলাম। সিনেমা পত্রিকা—নাম 'তারাবাজি'। এই তো সেই পত্রিকা—যাতে অমরকুমারের ছবি দেখেছিলাম। এই তো—'শ্রীগুরু পিকচার্সের নির্মীয়মাণ "অশরীরী" ছায়াচিত্রে নবাগত অমরকুমার।' মাথায় দেব আনন্দের জুয়েল থিফের ধাঁচের টুপি, গলায় মাফলার, সরু গোঁফের নীচে ঠোঁটের কোণে যাকে বলে ক্রূর হাসি। হাতে আবার একটা রিভলভার—সেটা দেখেই বোঝা যাচ্ছে ফাঁকি। নিশ্চয়ই কাঠের তৈরি।

হঠাৎ কী মনে হল, টেলিফোন ডিরেক্টরিটা খুলে একটা নাম বার করলাম। শ্রীগুরু পিকচার্স। তিপ্পান্ন নম্বর বেনটিঙ্ক স্ট্রিট। টু ফোর ফাইভ ফাইভ ফোর।

নম্বর ডায়াল করলাম। ওদিকে রিং হচ্ছে। এইবার টেলিফোন তুলল।

'হ্যালো—'

'শ্রীগুরু পিকচার্স?'

আমার গলাটা মাস ছয়েক হল ভেঙে মোটার দিকে যেতে শুরু করেছে, তাই আমার বয়স যে মাত্র সাড়ে পনেরো, সেটা নিশ্চয়ই এরা বুঝতে পারবে না।

'হ্যাঁ, শ্রীগুরু পিকচার্স।'

'আপনাদের অশরীরী ছবিতে যে নবাগত অমরকুমার কাজ করছেন, তাঁর সম্বন্ধে একটু—'

'আপনি মিস্টার মল্লিকের সঙ্গে কথা বলুন।'

লাইনটা বোধহয় মিস্টার মল্লিককে দেওয়া হল।

'হ্যালো।'

'মিস্টার মল্লিক?'

'কথা বলছি।'

'আপনাদের একটা ছবিতে অমরকুমার বলে একজন নবাগত অ্যাকটিং করছেন কি?'

'তিনি তো বাদ হয়ে গেছেন—'

'বাদ হয়ে গেছেন?'

'আপনি কে কথা বলছেন?'

'আমি—' কী নাম বলব কিছু ভেবে না পেয়ে বোকার মতো খট করে টেলিফোনটা নামিয়ে রেখে দিলাম। অমরকুমার বাদ হয়ে গেছে! নিশ্চয়ই ওর গলার আওয়াজের জন্য। কাগজে ছবি-টবি বেরিয়ে যাবার পরে বাদ। অথচ ভদ্রলোক কি সে-খবরটা জানেন না? নাকি জেনেও আমাদের কাছে বেমালুম চেপে গেলেন?

বসে বসে এই সব ভাবছি এমন সময় টেলিফোনটা হঠাৎ বেজে উঠে আমাকে বেশ খানিকটা চমকে দিল। আমি হন্তদন্ত রিসিভারটা তুলে হ্যালো বলার পর বেশ কয়েক সেকেন্ড কোনও কথা নেই। তারপর একটা খট করে শব্দ পেলাম। বুঝেছি। পাবলিক টেলিফোন থেকে কলটা আসছে। আমি আবার বললাম, 'হ্যালো।' এবারে কথা এল—চাপা কিন্তু স্পষ্ট।

'সিমলা যাওয়া হচ্ছে?'

একটা অচেনা গলায় হঠাৎ কেউ এ প্রশ্ন করতে পারে এটা ভাবতেই পারিনি। তাই আমি ভ্যাবাচাকা খেয়ে ঢোক গিলে চুপ করে রইলাম।

আবার কথা এল। খসখসে গলায় রক্ত-জল-করা-কথা—

'গেলে বিপদ। বুঝেছ? বিপদ।'

আবার খট্। এবার টেলিফোন রেখে দেওয়া হল। আর কথা শুনব না। কিন্তু যেটুকু শুনেছি তাতেই আমার হয়ে গেছে। সেই নেশাখোর রাণার হাতে বাঘ-মারা বন্দুক যেভাবে কাঁপত, ঠিক সেইভাবে কাঁপা হাতে আমি টেলিফোনটা রেখে দিয়ে চেয়ারের উপর কাঠ হয়ে বসে রইলাম।

প্রায় আধ ঘণ্টা পরে চেয়ারে বসা অবস্থাতেই আবার ক্রিং শুনে বুকটা ধড়াস করে উঠেছিল, কিন্তু তারপরেই বুঝলাম এটা টেলিফোন নয়, কলিং বেল। তিন ঘণ্টা হয়ে গেছে দেখে নিজেই দরজা খুলতে ফেলুদা ঢুকল। তার হাতে পেল্লায় প্যাকেটটা দেখে বুঝলাম লন্ড্রি থেকে আনা আমাদের দুজনের গরম কাপড়। ফেলুদা আমার দিকে একবার আড়চোখে দেখে নিয়ে বলল, 'ঠোঁট চাটছিস কেন? কোনও গোলমেলে টেলিফোন এসেছিল নাকি?'

আমি তো অবাক। 'কী করে বুঝলে?'

'রিসিভারটা যেভাবে রেখেছিস তাতেই বোঝা যাচ্ছে। তা ছাড়া জটপাকানো কেস—ও রকম দু-একটা টেলিফোন না এলেই ভাবনার কারণ হত। কে করেছিল? কী বলল?'

'কে করেছিল জানি না। বলল, সিমলা গেলে বিপদ আছে।'

ফেলুদা পাখাটা ফুল স্পিডে করে তক্তপোশের ওপর গা এলিয়ে দিয়ে বলল, 'তুই কী বললি?'

'কিচ্ছু না।'

'ইডিয়ট। তোর বলা উচিত ছিল যে আজকাল কলকাতার রাস্তাঘাটে চলতে গেলে যে বিপদ, তেমন বিপদ এক যুদ্ধক্ষেত্র ছাড়া আর কোথাও নেই—সিমলা তো কোন ছার।'

ফেলুদা হুমকিটা এমনভাবে উড়িয়ে দিল যে আমিও আর ও বিষয়ে কোনও উচ্চবাচ্য না করে বললাম, 'লন্ড্রি ছাড়া আর কোথায় গেলে?'

'এস এম কেদিয়ার আপিসে।'

'কিছু জানতে পারলে?'

'বৃজমোহন বাইরে মাইডিয়ার লোক। পরিষ্কার বাংলা বলে, তিন পুরুষ কলকাতায় আছে। নরেশ পাকড়াশীর সঙ্গে সত্যিই ওর লেনদেনের সম্পর্ক ছিল। মনে হল পাকড়াশী এখনও কিছু টাকা ধারে। ধমীজার আপেল বৃজমোহনও খেয়েছিল। নীল এয়ার ইন্ডিয়ার ব্যাগ ওর নেই। ট্রেনে বেশির ভাগ সময়টাই হয় ঘুমিয়ে না হয় চোখ বুজে শুয়ে কাটিয়েছে।'

আমার দিক থেকেও একটা খবর দেবার ছিল—তাই অমরকুমারের বাদ হয়ে যাওয়ার কথাটা ওকে বললাম। তাতে ফেলুদা বলল, 'তা হলে মনে হয় ছেলেটা হয়তো সত্যিই ভাল অভিনয় করে।'

সারাদিন আমরা আমাদের গোছগাছটা সেরে ফেললাম। কাল আর সময় পাব না কারণ ভোর সাড়ে চারটায় উঠতে হবে। মাত্র চারদিনের জন্য যাচ্ছি বলে খুব বেশি জামাকাপড় নিলাম না। সন্ধ্যা সাড়ে ছটার সময় জটায়ু অর্থাৎ লালমোহনবাবুর কাছ থেকে একটা টেলিফোন এল। বললেন, 'একটা নতুন রকমের অস্ত্র নিয়েছি—দিল্লি গিয়ে দেখাব।' লালমোহনবাবুর আবার অস্ত্রশস্ত্র জমানোর শখ। রাজস্থানে একটা ভুজালি সঙ্গে নিয়ে গিয়েছিলেন—যদিও সেটা কাজে লাগেনি। ভদ্রলোকের টিকিট কেনা হয়ে গেছে, বললেন, 'কাল সকালে সেই দমদমে দেখা হবে।'

রাত আটটার কিছু পরে দীননাথবাবুর ড্রাইভার এসে আমাদের দিল্লির প্লেন ও সিমলার ট্রেনের টিকিট, আর দীননাথবাবুর কাছ থেকে একটা চিঠি দিয়ে গেল। চিঠিটায় লেখা আছে—

প্রিয় মিস্টার মিত্তির,

দিল্লিতে জনপথ হোটেলে একদিন ও সিমলায় ক্লার্কস হোটেলে চার দিনের রিজার্ভেশন হয়ে গেছে। আপনার কথা মতো সিমলাতে মিঃ ধমীজার নামে একটা টেলিগ্রাম করেছিলাম, এইমাত্র তার জবাব এসেছে। তিনি জানিয়েছেন আমার বাক্স তাঁর কাছে সযত্নে রাখা আছে। তিনি পরশু বিকালে চারটার সময় আপনাকে তাঁর বাড়িতে যেতে বলেছেন। ঠিকানা আপনার কাছে আছে, তাই আর দিলাম না। আপনি আমার বাক্সের জিনিসপত্রের একটা তালিকা চেয়েছিলেন, কিন্তু এখন ভেবে দেখছি যে ওতে একটিমাত্র জিনিসই ছিল যেটা আমার কাছে কিছুটা মূল্যবান। সেটি হল বিলাতে তৈরি এক শিশি এনটারোভয়োফর্ম ট্যাবলেট। দিশির চেয়ে অনেক বেশি কার্যকরী। আপনাদের যাত্রা নিরাপদ ও সফল হোক এই প্রার্থনা করি। ইতি ভবদীয়—

দীননাথ লাহিড়ী

কাল খুব ভোরে উঠতে হবে বলে তাড়াতাড়ি খাওয়াদাওয়া সেরে দশটার মধ্যে শুয়ে পড়ব ভেবেছিলাম, কিন্তু পৌনে দশটায় আমাদের দরজায় কে যেন বেল টিপল। দরজা খুলে যাকে দেখলাম, তিনি যে কোনও দিন আমাদের বাড়িতে আসবেন সেটা ভাবতেই পারিনি। ফেলুদা ভিতরে ভিতরে অবাক হলেও, বাইরে একটুও সেরকম ভাব না দেখিয়ে বলল, 'গুড ইভনিং মিস্টার পাকড়াশী—আসুন ভেতরে।'

ভদ্রলোকের খিটখিটে ভাবটা তো আর নেই দেখছি। ঠোঁটের কোণে একটা অপ্রস্তুত হাসি, একটা কিন্তু কিন্তু ভাব, একদিনের মধ্যেই একেবারে আশ্চর্য পরিবর্তন। এত রাত্রে কী বলতে এসেছেন উনি?

নরেশবাবু কৌচের বদলে চেয়ারটাতে বসে বললেন, 'অনেক রাত হয়ে গেছে—ফোন করেছিলাম বার পাঁচেক—কানেকশন হচ্ছিল না—তাই ভাবলাম চলেই আসি। অপরাধ নেবেন না—'

'মোটেই না। কী ব্যাপার বলুন।'

'একটা অনুরোধ—একটা বিশেষ রকম অনুরোধ—বলতে পারেন একটা বেয়াড়া অনুরোধ নিয়ে এসেছি আমি।'

'বলুন—'

'দীননাথের বাক্সে যে লেখাটার কথা বলছিলেন, সেটা কি তেরাই-রচয়িতা শম্ভুচরণের কোনও রচনা?'

'আজ্ঞে হ্যাঁ। তাঁর তিব্বত ভ্রমণের কাহিনী।'

'মাই গড!'

ফেলুদা চুপ। নরেশ পাকড়াশীও কয়েক মুহূর্তের জন্য চুপ। দেখেই বোঝা যায় তার মধ্যে একটা চাপা উত্তেজনার ভাব। তারপর মুখ খুললেন—

'আপনি জানেন কি যে ভ্রমণ-কাহিনীর বই আমার সংগ্রহে যত আছে তেমন আর কলকাতায় কারুর কাছে নেই?'

ফেলুদা বলল, 'সেটা বিশ্বাস করা কঠিন নয়। আপনার বইয়ের আলমারির দিকে যে আমার দৃষ্টি যায়নি তা নয়। সোনার জলে লেখা কতকগুলো নামও চোখে পড়েছে—স্বেন হেদিন, ইবন বাতুতা, তাভেরনিয়ে, হুকার...'

'আশ্চর্য দৃষ্টি তো আপনার।'

'ওইটেই তো ভরসা।'

নরেশবাবু তাঁর বাঁকানো পাইপটা ঠোঁট থেকে নামিয়ে একদৃষ্টে ফেলুদার দিকে তাকিয়ে বললেন, 'আপনি সিমলা যাচ্ছেন তো?'

এবার ফেলুদার অবাক হবার পালা। 'কী করে জানলেন' প্রশ্নটা মুখে না বললেও তার চাহনিতে বোঝা যাচ্ছিল। নরেশবাবু একটু হেসে বললেন, 'দীনু লাহিড়ীর বাক্স যে ধমীজার সঙ্গে বদল হয়ে গেছে সেটা আপনার মতো তুখোড় লোকের পক্ষে বের করা নিশ্চয়ই অসম্ভব নয়। ধমীজার নামটা তার সুটকেসে লেখা ছিল, আর এয়ার ইন্ডিয়ার ব্যাগটা তাকে আমি নিজে ব্যবহার করতে দেখেছি। সেই বাক্স থেকে শেভিং-এর সরঞ্জাম বার করে দাড়ি কামিয়েছেন ভদ্রলোক।'

'কিন্তু কাল সে কথাটা বললেন না কেন?'

'আমি বলে দেওয়ার চেয়ে নিজের বুদ্ধি খাটিয়ে বার করার মধ্যে অনেক বেশি আনন্দ নয় কি? কেসটা তো আপনার। আপনি মাথা খাটাবেন এবং তার জন্য আপনি পারিশ্রমিক পাবেন। গায়ে পড়ে আমি কেন হেল্‌প করব বলুন?'

ফেলুদার ভাব দেখে বুঝলাম সে নরেশবাবুর কথাটা অস্বীকার করছে না। সে বলল, 'কিন্তু আপনার বেয়াড়া অনুরোধটা কী সেটা তো বললেন না।'

'সেটা আর কিছুই না। লাহিড়ীর বাক্স আপনি উদ্ধার করতে পারবেন নিশ্চয়ই। আর সেই সঙ্গে সেই লেখাটাও। আমার অনুরোধ আপনি ওটা ওকে ফেরত দেবেন না।'

'সে কী!' ফেলুদা অবাক। আমিও।

'তার বদলে ওটা আমাকে দিন।'

'আপনাকে?' ফেলুদার গলার আওয়াজ তিন ধাপ চড়ে গেছে।

'বললাম তো অনুরোধটা একটু বেয়াড়া। কিন্তু এ অনুরোধ আপনাকে রাখতেই হবে।' ভদ্রলোক তার কনুই দুটো হাঁটুর উপর রেখে সামনের দিকে ঝুঁকে পড়ে বললেন, 'তার প্রথম কারণ হচ্ছে—ওই লেখার মূল্য দীননাথ লাহিড়ীর পক্ষে বোঝা সম্ভব নয়। তার বাড়ির আলমারিতে একটাও ভাল বই দেখেছেন? দেখেননি। দ্বিতীয়ত, কাজটা আমি আপনাকে বিনা কম্পেনসেশনে করতে বলছি না। এর জন্যে আমি আপনাকে—'

ভদ্রলোক কথা থামিয়ে তাঁর কোটের বুক-পকেট থেকে একটা নীল রঙের খাম টেনে বার করলেন। তারপর খামের ঢাকনা খুলে সেটা ফেলুদার দিকে এগিয়ে ধরলেন। ঢাকনা খুলতেই একটা চেনা গন্ধ আমার নাকে এসেছিল। সেটা হল করকরে নতুন নোটের গন্ধ। এখন দেখলাম খামের মধ্যে একশো টাকার নোটের তাড়া।

'এতে দু হাজার আছে', নরেশবাবু বললেন, 'এটা আগাম। লেখাটা হাতে এলে আরও টু দেব আপনাকে।'

ফেলুদা খামটা যেন দেখেও দেখল না। পকেটে হাত দিয়ে চারমিনারের প্যাকেট বার করে দিব্যি একটা সিগারেট ধরিয়ে ধোঁয়া ছেড়ে বলল, 'আমার মনে হয় দীননাথ লাহিড়ী ও-লেখার কদর করেন কি না করেন সেটা এখানে অবান্তর। আমি যে কাজের ভারটা নিয়েছি সেটা হল তাঁর বাক্সটা সিমলা থেকে এনে তাঁর হাতে তুলে দেওয়া—সমস্ত জিনিসপত্র সমেত। ব্যাস্—ফুরিয়ে গেল।'

নরেশবাবু বোধহয় কথাটার কোনও জুতসই জবাব পেলেন না।

বললেন, 'বেশ—ওসব না হয় ছেড়েই দিলাম। আমার অনুরোধের কথাটাতেই ফিরে আসছি। লেখাটা আপনি আমায় এনে দিন। দীনু লাহিড়ীকে বলবেন সেটা মিসিং। ধমীজা বলছে

লেখাটা বাক্সে ছিল না।'

ফেলুদা বলল, 'তাতে ধমীজার পোজিশনটা কী হচ্ছে সেটা ভেবে দেখেছেন কি? একটা সম্পূর্ণ নির্দোষ লোকের ঘাড়ে আমি এভাবে অপরাধের বোঝা চাপাতে রাজি হব—এটা আপনি কী করে ভাবলেন? মাপ করবেন মিস্টার পাকড়াশী, আপনার এ অনুরোধ রক্ষা করা আমার পক্ষে সম্ভব নয়।'

ফেলুদা সোফা ছেড়ে উঠে দাঁড়িয়ে বেশ ভদ্র ভাবেই বলল, 'গুড নাইট, মিস্টার পাকড়াশী। আশা করি আপনি আমাকে ভুল বুঝবেন না।'

নরেশবাবু কয়েক মুহূর্ত থুম হয়ে বসে থেকে টাকা সমেত খামটা পকেটে পুরে ফেলুদার দিকে তাকিয়ে একটা শুকনো হাসি হেসে ঘর থেকে বেরিয়ে চলে গেলেন। তিনি রাগ করেছেন, না

হতাশ হয়েছেন, না অপমানিত হয়েছেন, সেটা তাঁর মুখ দেখে কিছুই বোঝা গেল না।

আমি মনে মনে বললাম, ফেলুদা ছাড়া অন্য কোনও গোয়েন্দা যদি অতগুলো করকরে নোটের সামনে পড়ত, তা হলে কি সে এভাবে লোভ সামলাতে পারত? বোধহয় না।

৬

ইন্ডিয়ান এয়ার লাইনসের দুশো তেষট্টি নম্বর ফ্লাইটে আমরা তিনজনে দিল্লি চলেছি— আমি, ফেলুদা আর জটায়ু। সাড়ে সাতটার সময় প্লেন দমদম ছেড়েছে। দমদমে ওয়েটিং রুমে থাকতেই ফেলুদা বাক্স বদলের ঘটনাটা মোটামুটি লালমোহনবাবুকে বলে দিয়েছিল। শোনার সময় ভদ্রলোক বারবার উত্তেজিত হয়ে 'থ্রিলিং' 'হাইলি সাসপিশাস' ইত্যাদি বলতে লাগলেন, আর সরষের তেল গায়ে মেখে অ্যাটাক করার ব্যাপারটা একটা ছোট্ট খাতায় নোট করে নিলেন। ওয়েটিং রুমে থাকতেই ওঁকে জিজ্ঞেস করেছিলাম উনি আগে প্লেনে চড়েছেন কি না। তাতে উনি বললেন, 'কল্পনার দৌড় থাকলে মানুষ কোনও কিছু না করেও সব কিছুই করে ফেলতে পারে। প্লেনে আমি চড়িনি। যদি জিজ্ঞেস করো নার্ভাস লাগছে কি না তা হলে বলব—নট এ বিট, কারণ আমি কল্পনায় শুধু প্লেনে নয়—রকেটে চড়ে মুনে পর্যন্ত ঘুরে এসেছি।'

এত বলার পরেও দেখলাম প্লেনটা যখন তীরবেগে রানওয়ের ওপর দিয়ে গিয়ে হঠাৎ সাই করে মাটি ছেড়ে কোনাকুনি উপর দিকে উঠল, তখন লালমোহনবাবু দুহাতে তাঁর সিটের হাতল দুটো এমন জোরসে মুঠো করে ধরলেন যে, তাঁর আঙুলের গাঁটিগুলো সব ফ্যাকাসে হয়ে গেল, আর তাঁর ঠোঁটের কোণ দুটো নীচের দিকে নেমে এসে তলার দাঁতের পাটি বেরিয়ে গেল, আর মুখটা হয়ে গেল হলদে ব্লটিং পেপারের মতো।

পরে জিজ্ঞেস করাতে ভদ্রলোক বললেন, 'ওরকম হবেই। রকেট যখন পৃথিবী ছেড়ে শূন্যে ওঠে, তখন অ্যাস্ট্রোনটদের মুখও ওরকম বেঁকে যায়। আসলে ওপরে ওঠার সময় মানুষের সঙ্গে মাধ্যাকর্ষণের একটা লড়াই চলতে থাকে, আর সে লড়াইয়ের ছাপ পড়ে মানুষের মুখের ওপর। তাই মুখ বেঁকে যায়।'

আমার বলার ইচ্ছে ছিল, মাধ্যাকর্ষণের জন্য মুখ বেঁকলে সকলেরই বেঁকা উচিত, শুধু লালমোহনবাবুর বেঁকবে কেন, কিন্তু ভদ্রলোক এখন সামলে নিয়ে দিব্যি ফুর্তিতে আছেন দেখে আর কিছু বললাম না।

ব্রেকফাস্টে কফি, ডিমের অমলেট, বেকড বিনস, রুটি মাখন মারমালেড, কমলালেবু আর নুন গোলমরিচের খুদে কৌটোর সঙ্গে ট্রেতে ছিল প্লাস্টিকের থলির ভিতর একগাদা কাঁটা-চামচ আর ছুরি। লালমোহনবাবু কফির চামচ দিয়ে অমলেট কেটে খেলেন, ছুরিটাকে চামচের মতো ব্যবহার করে শুধু শুধু মারমালেড খেলেন, আর কাঁটা দিয়ে কমলালেবুর খোসা ছাড়াতে গিয়ে শেষটায় না পেরে হাত দিয়ে কাজটা সারলেন। খাবার পর ফেলুদাকে বললেন, 'আপনাকে তখন সুপুরি খেতে দেখলুম—আর আছে নাকি?' ফেলুদা তার দুটো পায়ের মাঝখানে ধমীজার বাক্সটা রেখেছিল, সেটা থেকে কোডাকের কৌটোটা বার করে লালমোহনবাবুকে দিল । বাক্সটার দিকে চোখ পড়লেই কেন জানি আমার বুকের ভেতরটা ছ্যাঁৎ করে উঠছিল। এই বাক্সটা ফেরত দিয়ে তার বদলে ঠিক ওই রকমই একটা বাক্স আনার জন্য আমরা কলকাতা থেকে বারো শো মাইল দূরে সাত হাজার ফুট হাইটে বরফের দেশ সিমলা শহরে চলেছি!

ফেলুদা প্লেনে ওঠার পর থেকেই বিখ্যাত সবুজ খাতা (ভল্যুম সেভন) বার করে তার মধ্যে নানারকম হিজিবিজি নোট করে চলেছে, আর মাঝে মাঝে কলমের পিছনটা দাঁতের ফাঁকে দিয়ে পাশের জানলা দিয়ে নীচের দিকে তাকিয়ে সাদা সাদা তুলোর মতো মেঘের সমুদ্রের দিকে চেয়ে

কী যেন ভাবছে। আমি অবিশ্যি ব্যাপারটা নিয়ে ভাবা ছেড়ে দিয়েছি, কারণ রহস্যটা যে ঠিক কোনখানে সেটাই এখনও বুঝে উঠতে পারিনি।

দিল্লিতে নামার পর প্লেন থেকে বেরিয়ে এসে দেখি বেশ শীত। ফেলুদা বলল, তার মানে সিমলায় টাটকা স্নো-ফল হয়েছে; উত্তর দিক থেকে সেই বরফের কনকনে হাওয়া বয়ে এসে দিল্লির শীত বাড়িয়েছে। ধমীজার ব্যাগটা ফেলুদা নিজের হাতেই রেখেছিল, আর এক মুহূর্তের জন্যও সেটাকে হাতছাড়া করেনি। লালমোহনবাবু বললেন আগ্রা হোটেলে উঠবেন। 'বারোটা নাগাত চানটান করে আপনাদের হোটেলে এসে মিট করব। তারপর এক সঙ্গে লাঞ্চ সেরে একটু ঘুরে বেড়ানো যাবে। ট্রেন তো সেই রাত আটটায়।'

জনপথ হোটেলটা একটা পেল্লায় ব্যাপার। ছ'তলা হোটেলের পাঁচতলার পাঁচশো বত্রিশ নম্বর ডাবল রুমে জিনিসপত্র যথাস্থানে রেখে ফেলুদা তার খাটে শুয়ে পড়ল। একটা প্রশ্ন আমার মাথার মধ্যে ঘুরছিল, সেটা এই সুযোগে ফেলুদাকে বলে ফেললাম—

'এই বাক্স বদলের ব্যাপারে কোন জিনিসটা তোমার সবচেয়ে বেশি রহস্যজনক বলে মনে হয়?'

ফেলুদা বলল, 'খবরের কাগজ।'

'একটু খুলে বলবে কি?' আমি ভয়ে ভয়ে জিজ্ঞেস করলাম।

'মিস্টার ধমীজা দু দুটো দিল্লির কাগজ সযত্নে ভাঁজ করে তার বাক্সে পুরেছিলেন কেন—আপাতত এইটেই আমার কাছে সবচেয়ে রহস্যজনক। ট্রেনে যে কাগজ কেনা হয়, শতকরা নিরানব্বুইজন লোক সে কাগজ ট্রেনেই পড়া শেষ করে ট্রেনেই ফেলে আসে। অথচ...'

এটা হল ফেলুদার কায়দা। হঠাৎ এমন একটা ব্যাপার নিয়ে ভাবতে শুরু করবে, যেটা নিয়ে ভাবার কথা আর কারুর মাথাতেই আসবে না।

দিল্লিতে আমরা যেটুকু সময় ছিলাম তার মধ্যে লেখার মতো দুটো ঘটনা ঘটেছিল। প্রথমটা তেমন কিছু নয়, দ্বিতীয়টা সাংঘাতিক।

সাড়ে বারোটার সময় লালমোহনবাবু এলে পর আমরা ঠিক করলাম লাঞ্চ সেরে যন্তর মন্তর দেখতে যাব। আড়াইশো বছর আগে রাজা মানসিংহের তৈরি এই আশ্চর্য অবজারভেটরিটা জনপথে হোটেল থেকে মাত্র দশ মিনিটের হাঁটা পথ। ফেলুদা বলল ও ঘরেই থাকবে, বাক্সটা পাহারা দেবে, আর কেসটা নিয়ে চিন্তা করবে। কাজেই আমি আর লালমোহনবাবু চলে গেলাম মানসিংহের কীর্তি দেখতে, আর সেখানেই ঘটল প্রথম ঘটনাটা।

মিনিট দশেক ঘোরাঘুরির পর লালমোহনবাবু হঠাৎ আমার কোটের আস্তিনটা ধরে বলল, 'একজন সাসপিশাস ক্যারেকটার বোধহয় আমাদের ফলো করছে।'

উনি যাকে চোখের ইশারায় দেখালেন, তিনি একজন বুড়ো ভদ্রলোক। তার মাথায় একটা নেপালি টুপি, চোখে কালো চশমা আর কানে তুলো। সত্যিই মনে হল লোকটা সুযোগ পেলেই যেন এখান থেকে ওখান থেকে উঁকি মেরে আমাদের গতিবিধি লক্ষ করছে।

'লোকটাকে আমি চিনি,' লালমোহনবাবু ফিসফিস করে বললেন।

'সে কী, চেনেন মানে?'

'প্লেনে আমার পাশে এসেছে। আমার সেফটি বেল্ট বাঁধতে সাহায্য করেছিল।'

'কোনও কথা হয়েছিল আপনার সঙ্গে?'

'না। আমি থ্যাঙ্কস দিলুম, উনি কিচ্ছু বললেন না। ভেরি সাসপিশাস।'

আমরা ওর বিষয় কথা বলছি সেটা বোধহয় বুড়োটা বুঝতে পেরেছিল, কারণ কিছুক্ষণ পরে আর তাকে দেখতে পেলাম না।

হোটেলে ফিরতে ফিরতে প্রায় সাড়ে তিনটে হল। রিসেপশনে গিয়ে পাঁচশো বত্রিশ নম্বর

ঘরের চাবি চাইতে লোকটা বলল চাবি তো নেই। আমি একটু ঘাবড়ে গিয়েছিলাম, কিন্তু তার পরেই খেয়াল হল চাবিটা রিসেপশনে দেওয়াই হয়নি—ওটা আমার পকেটেই রয়ে গেছে। তারপর আবার খেয়াল হল, ফেলুদা যখন ঘরেই রয়েছে, তখন চাবির দরকার কী? হোটেলে থেকে তো অভ্যেস নেই, তাই মাথা গুলিয়ে গেছে।

পাঁচ তলায় লম্বা খোলা বারান্দা দিয়ে প্রায় চল্লিশ-পঞ্চাশ হাত হেঁটে গিয়ে ডান দিকে আমাদের ঘর। দরজায় টোকা দিয়ে দেখি কোনও সাড়া নেই।

জটায়ু বললেন, 'তোমার দাদা বোধহয় ন্যাপ নিচ্ছেন।'

আবার টোকা মারলাম, তাও কোনও জবাব নেই।

শেষটায় দরজার হাতল ঘুরিয়ে দেখি সেটা খোলা। ফেলুদা কিন্তু ভিতর থেকে ছিটকিনি লাগিয়ে দিয়েছিল।

কিন্তু খোলা হলে কী হবে—দরজার পিছনে কী জানি একটা রয়েছে যার ফলে সেটা অল্প খুলে আর খুলছে না।

এবার দরজার ফাঁক দিয়ে মাথাটা খানিকটা গলাতেই একটা দৃশ্য দেখে আমার রক্ত জল হয়ে গেল।

দরজার ঠিক পিছনটায় ফেলুদা উপুড় হয়ে মাটিতে পড়ে আছে, তার ডান হাতের কনুইটা রয়েছে সামনের দিকে, আর সেটাতেই আটকাচ্ছে আমাদের দরজা।

আমার ভয়ে দম বন্ধ হয়ে গিয়েছিল, কিন্তু তাও লালমোহনবাবুর সঙ্গে একজোটে খুব সাবধানে দরজাটাকে আরেকটু ফাঁক করে কোনওরকমে শরীরটা গলিয়ে ঘরের মধ্যে ঢুকলাম।

ফেলুদা অজ্ঞান হয়ে ছিল; হয়তো আমাদের ঠেলাঠেলির ফলেই এখন একটু ওপাশ এপাশ করছে, আর মুখ দিয়ে একটা গোঙানোর মতো শব্দ করছে। লালমোহনবাবু দেখলাম দরকারে বেশ কাজের মানুষ; মাথায় আর চোখে জল দিয়ে ফেলুদার জ্ঞান ফিরিয়ে আনলেন।

ফেলুদা আরেকটা গোঙানির শব্দ করে মাথাটার উপর আলতো করে নিজের হাতটা ঠেকিয়ে মুখটা বেঁকিয়ে বলল, 'ওটা নেই নিশ্চয়ই।'

আমি এর মধ্যে পাশের ঘরে গিয়ে দেখে এসেছি। বললাম, 'না ফেলুদা। বাক্স লোপাট।'

'ন্যাচারেলি!'

ফেলুদা উঠতে যাবে, আমরা দুজনে তার দিকে হাত বাড়িয়েছি, তাতে ও বলল, 'ঠিক আছে, আই ক্যান ম্যানেজ। চোট শুধু ব্রহ্মতালুতে।'

মিনিট দু-এক বিশ্রাম করে হাত-পা এদিক ওদিক চালিয়ে নিয়ে, টেলিফোনে চা অর্ডার দিয়ে, অবশেষে ফেলুদা আমাদের ঘটনাটা খুলে বলল।

'তোরা যাবার পর আধঘণ্টা খানেক আমি খাতাটা নিয়ে বিছানায় শুয়ে কিছু কাজকর্ম করলাম। কাল রাত্রে তো ঘণ্টা দু-একের বেশি ঘুমোইনি, তাই সবে ভাবছি একটু চোখটা বুজে জিরিয়ে নেব, এমন সময় টেলিফোনটা বাজল।'

'টেলিফোন?'

'শোন না ব্যাপারটা!—টেলিফোন ধরতে রিসেপশনের লোকটার গলা পেলাম। বলল, 'মিস্টার মিত্তির, একটি ভদ্রলোক নীচে দাঁড়িয়ে আছেন, তিনি আপনাকে বিখ্যাত ডিটেকটিভ বলে চিনেছেন। তিনি আপনার একটা অটোগ্রাফ চাইছেন—আপনার কাছে পাঠিয়ে দেব কি?'

ফেলুদা একটু থেমে আমার দিকে ফিরে বলল, 'একটা জিনিস তোকে বলছি তোপ্‌সে—অটোগ্রাফ নেবার লোভের চেয়ে অটোগ্রাফ দেবার লোভটা মানুষের মধ্যে কিছু কম প্রবল নয়। অবিশ্যি ভবিষ্যতে সাবধান হয়ে যাব, কিন্তু এই লেসনটা না পেলে হতাম কিনা সন্দেহ।'

'তার মানে—?'

'তার মানে কিছুই না। বললাম, পাঠিয়ে দাও আমার ঘরে। লোকটা এল, নক করল, দরজা খুললাম, আর খুলতেই নক পড়ল আমার মাথায়, আর তার পরেই অমাবস্যা। মুখে রুমাল বেঁধে এসেছিল, তাই চেহারাটাও...'

আমার ইচ্ছে করছিল মাথার চুল ছিঁড়ি। কেন যে গেলাম মরতে যন্তর মন্তর দেখতে! লালমোহনবাবু বললেন, 'দিল্লিতে রয়েছি যখন, প্রাইম মিনিস্টারকে একটা ফোন করলে হয় না?'

ফেলুদা একটা শুকনো হাসি হেসে বলল, 'বাক্স নিয়ে সে লোকের কী লাভ হল জানি না, কিন্তু আমাদের একেবারে চরম বিপদে ফেলে দিয়ে গেল। কী বেপরোয়া শয়তান রে বাবা!'

এরপর মিনিট পাঁচেক ধরে আমাদের তিনজনের নিশ্বাস ছাড়া আর কোনও শব্দ শোনা গেল না ঘরে। তারপর ফেলুদা বলল, 'রাস্তা আছে। ঠিক সিধে নয়, তবে একমাত্র রাস্তা। আর সেটা নিতেই হবে, কারণ খালি হাতে সিমলা যাওয়া চলে না।'

এবার ফেলুদা টেবিলের উপর থেকে তার সবুজ নোট বুকটা নিল। তারপর ধমীজার বাক্সের জিনিসের লিস্টটা বার করে একবার চোখ বুলিয়ে নিয়ে বলল, 'এতে এমন জিনিস একটাও নেই যেটা দিল্লি শহরে কিনতে যাওয়া যাবে না। এই লিস্ট দেখে মিলিয়ে মিলিয়ে প্রত্যেকটা জিনিস নিতে হবে আমাদের। জিনিসগুলোর অবস্থা কীরকম ছিল সেটা পরিষ্কার মনে আছে আমার।

হয়তো ধমীজার চেয়ে বেশি ভাল করেই মনে আছে। কাজেই সেখানে কোনও চিন্তা নেই। এমনকী টুথপেস্ট আর শেভিং ক্রিম যতটা খরচ হয়েছিল ঠিক ততটা পর্যন্ত বার করে ফেলে দিয়ে সেই অবধি টিউবটাকে পাকিয়ে দেব। সাদা রুমাল কিনে তাতে G লেখানোও আজকের মধ্যেই সম্ভব, নকশাটা আমার মনে আছে। খবরের কাগজ দুটোর তারিখ অবিশ্যি মিলবে না, কিন্তু সেটা ধমীজা নোটিশ করবে বলে মনে হয় না। এক খরচের মধ্যে হল এক রোল কোডাক ফিল্ম—'

'ওই যাঃ!' জটায়ু চেঁচিয়ে উঠলেন, 'এটা সেই যে আপনি প্লেনে আমাকে দিলেন, তারপর আর ফেরতই দেওয়া হয়নি।' এই বলে তিনি পকেট থেকে সুপুরি রাখা কোডাকের কৌটোটা বার করে ফেলুদাকে দেখালেন।

'ঠিক আছে। একটা ঝামেলা কমল।...কিন্তু ওটা আবার কী বেরোল আপনার পকেট থেকে?'

কোডাকের কৌটোর সঙ্গে একটা কাগজের টুকরোও বেরিয়ে এসেছে লালমোহনবাবুর কোটের পকেট থেকে। কাগজটায় লাল পেনসিলে লেখা—

'প্রাণের ভয় থাকে তো সিমলা যেয়ো না—'

৭

এখন রাত সাড়ে ন'টা। আমরা ট্রেনে করে অন্ধকারের মধ্যে দিয়ে কালকার দিকে ছুটে চলেছি। কালকা থেকে কাল ভোরে সিমলার ট্রেন ধরব। দিল্লি থেকে খেয়ে বেরিয়েছিলাম, তাই আর ট্রেনে ডিনার নিইনি। আমাদের কামরায় আমরা তিনজনেই রয়েছি, তাই একটা আপার বার্থ খালি। অন্য দুজনের কথা জানি না, আমার মনের মধ্যে খুশি ভয় কৌতূহল উত্তেজনা সব মিলিয়ে এমন একটা ভাব হয়েছে যে কেউ যদি জিজ্ঞেস করে আমার কীরকম লাগছে, তা হলে আমি বলতেই পারব না।

আমার তিনজনেই চুপচাপ যে যার নিজের ভাবনা নিয়ে বসেছিলাম, এমন সময় লালমোহনবাবু বললেন, 'আচ্ছা মিস্টার মিত্তির, খুব ভাল গোয়েন্দা আর খুব ভাল ক্রিমিন্যাল—এই দুটোর মধ্যে বোধহয় খুব একটা তফাত নেই, তাই না?'

ফেলুদা এত অন্যমনস্ক ছিল যে কোনও উত্তরই দিল না, কিন্তু আমি বেশ বুঝতে পারলাম লালমোহনবাবু কেন কথাটা বললেন। ওটার সঙ্গে আজ বিকেলের একটা ঘটনার সম্পর্ক রয়েছে। সেটা এখানে বলা দরকার, কারণ ফেলুদার একটা বিশেষ ক্ষমতা এতে আশ্চর্যভাবে প্রকাশ পেয়েছিল।

ধমীজাকে ভাঁওতা দেবার জন্য লিস্ট অনুযায়ী বাক্সের জিনিসগুলো জোগাড় করতে লাগল মাত্র আধঘণ্টা। শুধু একটা ব্যাপারে এসে ঠেকে গেলাম—বাক্সের ভিতরের জিনিস জোগাড় হলেও আসল বাক্সটা নিয়েই হয়ে গেল মুশকিল।

নীল রঙের এয়ার ইন্ডিয়ার ব্যাগ পাওয়া যাবে কোত্থেকে? দিল্লিতে আমাদের চেনা এমন একজনও লোক নেই যার কাছে ওরকম একটা ব্যাগের সন্ধান করা যেতে পারে। বাজারে ঠিক ওইরকমই দেখতে ব্যাগ পাওয়া যায় বটে, কিন্তু তাতে এয়ার ইন্ডিয়ার লেবেল নেই, আর লেবেল না থাকলে ধমীজা নির্ঘাত আমাদের বুজরুকি ধরে ফেলবেন। শেষটায় ফেলুদা দেখি একেবারে এয়ার ইন্ডিয়ার আপিসে গিয়ে হাজির হল। ঢুকেই আমাদের দৃষ্টি গেল কাউন্টারের সামনে চেয়ারে বসা পার্শি টুপি পরা এক ফরসা বুড়ো ভদ্রলোকের দিকে। ভদ্রলোকের বাঁ দিকে তার চেয়ারের গা ঘেঁষে মাটিতে দাঁড় করানো রয়েছে একটা ঝকঝকে নতুন নীল রঙের এয়ার ইন্ডিয়ার বাক্স। ঠিক যেরকমটি দরকার সেরকম। ইতিমধ্যে অবিশ্যি আমরা একটা নীল রঙের

বাজারের ব্যাগ কিনে নিয়েছিলাম।

ফেলুদা সেটা হাতে নিয়ে কাউন্টারের সামনে গিয়ে বুড়ো ভদ্রলোকের বাক্সের ঠিক পাশেই হাতের বাক্সটা রেখে, কাউন্টারের পিছনের লোকটাকে ওর সব চেয়ে চোস্ত ইংরিজি উচ্চারণে জিজ্ঞেস করল—'আপনাদের দিল্লি থেকে কোনও ফ্লাইট ফ্রাঙ্কফুর্টে যায় কি?' লোকটা অবিশ্যি তখুনি ফেলুদাকে খবরটা দিয়ে দিল, আর ফেলুদাও তক্ষুনি থ্যাঙ্ক ইউ বলে যাবার সময় এমন কায়দা করে বুড়োর ব্যাগটা তুলে নিয়ে সেই সঙ্গে পা দিয়ে আস্তে ঠেলা দিয়ে নিজের ব্যাগটা বুড়োর ব্যাগের জায়গায় রেখে দিল যে, আমার মনে হল ফেলুদার হাত সাফাইটাও তার বুদ্ধির মতোই ঝকঝকে পরিষ্কার। এটাও বলা দরকার যে বাক্স হাতে পাওয়ার ঘণ্টা খানেকের মধ্যেই ফেলুদার কারসাজির ফলে সেই বাক্স আর তার ভিতরের জিনিসপত্রের যা চেহারা হল, তা দেখে ধমীজার চোদ্দোপুরুষও সন্দেহ করবে না যে তার মধ্যে কোনও ফাঁকি আছে।

ফেলুদা এতক্ষণ খাতা খুলে বসেছিল, এবার সেটা বন্ধ করে আমাদের এই ছোট্ট কামরার ভেতরেই পায়চারি শুরু করে আপন মনেই বলে উঠল, 'ঠিক এই রকম একটা কম্পার্টমেন্টেই ছিলেন ওঁরা চারজন...'

কখন যে কোন জিনিসটা ফেলুদার দৃষ্টি আকর্ষণ করবে সেটা বলা শক্ত। অনেক সময় কেন যে করে সেটা বলা আরও শক্ত। যেমন জলের গেলাসগুলো। কামরার দেয়ালে জানালা ও দরজার দুদিকে আংটা লাগানো আছে, আর তার মধ্যে বসানো আছে চারটে জলের গেলাস। ফেলুদা একদৃষ্টে চেয়ে আছে তারই একটা গেলাসের দিকে।

'ট্রেনে উঠলে আপনার ঘুম হয়, না হয় না?' হঠাৎ ফেলুদা প্রশ্ন করল জটায়ুকে। জটায়ু একটা জলহস্তীর মতো বিশাল হাই তুলতে গিয়ে মাঝপথে থেমে হেসে বললেন, 'ঝাঁকুনিটা মন্দ লাগে না।'

ফেলুদা বলল, 'জানি। কিন্তু সকলের পক্ষেই এই ঝাঁকুনিটা ঘুমপাড়ানির কাজ করে না। আমার এক মেসোমশাই সারারাত জেগে বসে থাকতেন ট্রেনে। অথচ বাড়িতে খেয়েদেয়ে বালিশে মাথা দিলেই অঘোর নিদ্রা।'

হঠাৎ দেখি ফেলুদা এক লাফে বাঙ্কে উঠে গেছে। উঠেই প্রথমে রিডিং লাইটটা জ্বালল। তারপর সেটার সামনে এলেরি কুইনের বইটা (যেটা দিল্লি স্টেশন থেকে ধমীজার বাক্সে রাখার জন্য কিনতে হয়েছে) খুলে ধরে কিছুক্ষণ পাতা উলটে দেখল। তারপর কিছুক্ষণ একেবারে চুপ করে শবাসনের ভঙ্গিতে শুয়ে সিলিংয়ের আলোর দিকে চেয়ে রইল। ট্রেন অন্ধকারের মধ্যে দিয়ে ছুটে চলেছে, বাইরে মাঝে মাঝে দু-একটা বাতি ছাড়া আর কিচ্ছু দেখা যায় না। লালমোহনবাবুকে জিজ্ঞেস করতে যাচ্ছিলাম, তিনি যে অস্ত্রটার কথা বলেছিলেন সেটা কখন আমাদের দেখাবেন, এমন সময় ভদ্রলোক বললেন, 'একটা ভুল হয়ে গেছে। ডাইনিং কারের লোকটাকে জিজ্ঞেস করে দেখতে হবে ওদের কাছে সুপুরি আছে কি না। না থাকলে কোনও স্টেশন থেকে কিনে নিতে হবে। ধমীজার কৌটোর মাল মাত্র একটিতে এসে ঠেকেছে।'

লালমোহনবাবু পকেট থেকে কোডাকের কৌটোটা বার করে ঢাকনা খুলে হাতের উপর কাত করলেন। কিন্তু তা থেকে সুপুরি বেরোল না।

'আচ্ছা আপদ তো! স্পষ্ট দেখতে পাচ্ছি ভেতরে রয়েছে, অথচ বেরোচ্ছে না।'

এবার লালমোহনবাবু কৌটোটা হাতের তেলোর উপর ঝাঁকাতে শুরু করলেন, আর প্রত্যেক ঝাঁকুনির সঙ্গে সঙ্গে একটা করে শালা বলতে লাগলেন। কিন্তু তাও সুপুরি বেরোল না।

'দিন তো মশাই!'

কথাটা বলার সঙ্গে সঙ্গেই ফেলুদা এক লাফে বাঙ্ক থেকে নেমে এক ছোবলে লালমোহনবাবুর হাত থেকে হলদে কৌটোটা ছিনিয়ে নিল। জটায়ু এই আচমকা আক্রমণে থ।

ফেলুদা নিজে কৌটোটাকে একবার ঝাঁকিয়ে কোনও ফল হল না দেখে তার ডান হাতের কড়ে আঙুলটা কৌটোর ভিতরে ঢুকিয়ে চাড় দিতেই একটা খচ শব্দ করে সুপুরিটা আলগা হয়ে বাইরে বেরিয়ে পড়ল।

এবার ফেলুদা কৌটোর মুখে নাক লাগিয়ে বলল—'কৌটোর তলায় আঠা লাগানো ছিল। সম্ভবত অ্যারালডাইট।'

বাইরে করিডরে পায়ের আওয়াজ।

'তোপ্সে, শাট দ্য ডোর!'

আমি দরজাটা এক পাশে ঠেলে বন্ধ করার সময় এক মুহূর্তের জন্য দেখতে পেলাম আমাদের দরজার সামনে দিয়ে বাথরুমের দিকে চলে গেল যন্তর মন্তরের সেই কালো চশমা পরা আর কানে তুলো গোঁজা বুড়ো।

'স স স স...'

ফেলুদার মুখ দিয়ে একটা তীক্ষ্ণ শিসের মতো শব্দ বেরোল।

সে সুপুরিটা হাতের তেলোয় নিয়ে একদৃষ্টে সেটার দিকে চেয়ে আছে।

আমি এগিয়ে গেলাম ফেলুদার দিকে।

স্পষ্ট বোঝা যাচ্ছে জিনিসটা আসলে সুপুরি নয়। একটা অন্য কিছুর গায়ে ব্রাউন রং লাগিয়ে তাকে কতকটা সুপুরির মতো দেখতে করা হয়েছে।

'বোঝা উচিত ছিল রে তোপ্সে!' ফেলুদা চাপা গলায় বলে উঠল। 'আমার অনেক আগেই বোঝা উচিত ছিল। আই হ্যাভ বিন এ ফুল!'

এবার ফেলুদা তার হাতের কাছের জলের গেলাসটা আংটা থেকে বার করে নিয়ে তার মধ্যে সুপুরিটাকে ডুবিয়ে আঙুল দিয়ে ঘষতে লাগল। দেখতে দেখতে জলের রং খয়েরি হয়ে গেল। ধোয়া শেষ হলে পর জিনিসটাকে জল থেকে তুলে রুমাল দিয়ে মুছে ফেলুদা সেটাকে আবার হাতের উপর রাখল।

এতক্ষণে বুঝতে পারলাম, যেটাকে সুপুরি বলে মনে হচ্ছিল সেটা আসলে একটা নিখুঁতভাবে পলকাটা ঝলমলে পাথর। চলন্ত ট্রেনের ঝাঁকুনিতে সেটা ফেলুদার ডান হাতের উপর এপাশ ওপাশ করছে, আর তার ফলে কামরার এই আধা আলোতেই তার থেকে যা ঝলকানি বেরোচ্ছে, তাতে মনে হয় বুঝি হিরে।

আর সত্যিই যদি তাই হয়, তা হলে বলব এত বড় হিরে আমি জীবনে কখনও দেখিনি, আর লালমোহনবাবুও দেখেননি, আর ফেলুদাও দেখেছে কি না সন্দেহ।

'এ-এটা কি ডা-ডাই-ডাই...'

লালমোহনবাবুর মাথাটা যে গণ্ডগোল হয়ে গেছে সেটা তাঁর কথা বলার ঢং থেকেই বুঝতে পারলাম। ফেলুদা পাথরটা হাতের মুঠোয় নিয়ে এক লাফে উঠে গিয়ে দরজাটা লক করে দিয়ে আবার জায়গায় ফিরে এসে চাপা গলায় বলল, 'এমনিতেই তো মৃত্যুভয় দেখাচ্ছে আপনি আবার তার মধ্যে ডাই ডাই করছেন?'

'না—মানে—'

'যে রেটে এই বাক্সের পিছনে লোক লেগেছে, তাতে হিরে হওয়া কিছুই আশ্চর্য না। তবে আমি তো আর জহুরি নই।'

'তা হলে এর ভ্যা-ভ্যা—'

'হিরের ভ্যালু সম্বন্ধে আমার খুব পরিষ্কার জ্ঞান নেই। ক্যারেটের একটা আন্দাজ আছে—কোহিনুরের ছবি অ্যাকচুয়েল সাইজে দেখেছি। আন্দাজে মনে হয় এটা পঞ্চাশ ক্যারেটের কাছাকাছি হবে। দাম লাখ-টাখ ছাড়িয়ে অনেকদূর চলে যাবার কথা।'

ফেলুদা এখনও ঘুরিয়ে ফিরিয়ে পাথরটাকে দেখছে। আমি চাপা গলায় জিজ্ঞেস করলাম, ধমীজার কাছে এ জিনিস গেল কী করে?'

ফেলুদা বলল, 'লোকটা আপেলের চাষ করে, আর ট্রেনে ডিটেকটিভ বই পড়ে—এ ছাড়া যখন আর বিশেষ কিছুই জানা যায়নি, তখন প্রশ্নটার জবাব আর কী করে দিই বল।'

এতক্ষণে লালমোহনবাবু মোটামুটি গুছিয়ে কথা বলতে পারলেন—'তা হলে এই পাথর কি সেই ধমীজার কাছেই ফেরত চলে যাবে?'

'যদি মনে হয় এটা তারই পাথর, তা হলে যাবে বই কী।'

'তার মানে আপনার কি ধারণা এটা তার নাও হতে পারে?'

'সেটারও আগে একটা প্রশ্ন আছে। সেটা হল, বাংলাদেশের বাইরে এই ভাবে টুকরো করে এই ধরনের সুপুরি খাওয়ার রেওয়াজটা আদৌ আছে কি না!'

'কিন্তু তা হলে—'

'আর কোনও প্রশ্ন নয়, তোপ্‌সে। এখন কেসটা মোড় ঘুরে নতুন রাস্তা নিয়েছে। এখন কেবল চারিদিকে দৃষ্টি রেখে অতি সন্তর্পণে গভীর চিন্তা করে এগোতে হবে। এখন কথা বলার সময় নয়।'

ফেলুদা বুক পকেট থেকে ওয়ালেট বার করে একটা zip-ওয়ালা অংশ খুলে তার মধ্যে পাথরটা ভরে ওয়ালেটটা আবার পকেটে পুরে উপরের বাঙ্কে উঠে গেল। আমি জানি এখন আর তাকে বিরক্ত করা চলবে না। লালমোহনবাবু কী যেন একটা বলতে যাচ্ছিলেন, আমি তাঁকে ঠোঁটে আঙুল দিয়ে থামিয়ে দিলাম। ভদ্রলোক তখন আমাকেই বললেন, 'জানো ভাই—রহস্য গল্প লেখা ছেড়ে দেব ভাবছি।'

আমি বললাম, 'কেন? কী হল?'

'গত দুদিনের মধ্যে যেসব ঘটনা ঘটল, সে সব কি আর বানিয়ে লেখা যায়, না ভেবে বার করা যায়? কথায় বলে না—ট্রুথ ইজ স্ট্রঙ্গার দ্যান ফিকশন।'

'স্ট্রঙ্গার না, কথাটা বোধহয় স্ট্রেঞ্জার।'

'স্ট্রেঞ্জার?'

'হ্যাঁ। মানে আরও বিস্ময়কর।'

'কিন্তু স্ট্রেঞ্জার মানে তো আগন্তুক। ও, না না—স্ট্রেঞ্জ, স্ট্রেঞ্জার, স্ট্রেঞ্জেস্ট...'

আমি একটা কথা ভদ্রলোককে না বলে পারলাম না। জানতাম এটা বললে উনি খুশি হবেন। 'আপনার জন্যেই কিন্তু হিরেটা পাওয়া গেল। আপনি সুপুরি খেয়ে কৌটো খালি করে দিয়েছিলেন বলেই তো তলা থেকে ওই নকল সুপুরিটা বেরোল।'

লালমোহনবাবু কান অবধি হেসে ফেললেন।

'তা হলে আমারও কিছু কনট্রিবিউশন আছে বলছ, অ্যাঁ? হেঃ হেঃ হেঃ হেঃ—'

তারপর আরেকটু ভেবে বললেন, 'আমার কী বিশ্বাস জানো তো? আমার বিশ্বাস তোমার দাদা এই হিরের ব্যাপারটা গোড়া থেকেই বুঝতে পেরেছিলেন, আর তাই কেসটা নিলেন। নইলে ভেবে দেখ—দুবার দুবার বাক্স চুরি হল, কিন্তু দুবারই আসল জিনিসটা আমাদের কাছেই রয়ে গেল। আগে থেকে জানা না থাকলে কি এটা হয়?'

সত্যিই তো! লালমোহনবাবু ভালই বলেছেন। ওই সুপুরির কৌটো এখনও চোরেরা নিতে পারেনি। দিল্লিতে হোটেলের ঘরে ঢুকে বাক্স চুরির গোঁয়ার্তুমিও মাঠে মারা গেছে। হিরেটা এখনও আমাদের হাতে, মানে ফেলুদার পকেটে।

তার মানে শয়তানদের হাত থেকে এখনও রেহাই নেই।

হয়তো সিমলায় গিয়েও নেই...

এই সব ভাবতে ভাবতে কখন যে ঘুমিয়ে পড়েছিলাম জানি না। ঘুমটা যখন ভাঙল তখন বোধহয় মাঝরাত্তির। ট্রেন ছুটে চলেছে কালকার দিকে। বাইরে এখনও অন্ধকার। আমাদের কামরার ভিতরেও অন্ধকার। তার মানে ফেলুদাও ঘুমোচ্ছে। উলটোদিকে লোয়ার বার্থে জটায়ু। রিডিং ল্যাম্পটা জ্বালিয়ে হাতের ঘড়িটা দেখব, এমন সময় চোখ পড়ল দরজার দিকে। দরজার ঘষা কাচের উপর আমাদের দিক থেকে পর্দা টানা রয়েছে। সেই পর্দার বাঁ পাশে একটা ফাঁক দিয়ে কাচের খানিকটা অংশ দেখা যাচ্ছে। সেই কাচের উপর পড়েছে একটা মানুষের ছায়া।

মানুষটা দরজার বাইরে দাঁড়িয়ে কী যেন করছে।

একটুক্ষণ চেয়ে থাকার পর বুঝলাম, সে হাতলটা ধরে ঠেলে দরজাটাকে খোলার চেষ্টা করছে। জানি দরজা লক করা আছে, খুলতে পারে না, কিন্তু তাও আমার নিশ্বাস বন্ধ হয়ে এল।

কতক্ষণ এইভাবে চলত জানি না, হঠাৎ পাশের সিট থেকে লালমোহনবাবু ঘুমের মধ্যে 'বুমেরাং' বলে চেঁচিয়ে ওঠাতে লোকটার ছায়াটা কাচের উপর থেকে সরে গেল।

বেশ বুঝতে পারছিলাম যে এত শীতের মধ্যেও আমি দস্তুর মতো ঘেমে গেছি।

৮

আমি দার্জিলিং থেকে কাঞ্চনজঙ্ঘা দেখেছি, এবারে প্লেনে দিল্লি আসার সময় দিন পরিষ্কার ছিল বলে দূরে বরফে ঢাকা অন্নপূর্ণা দেখেছি, সিনেমাতে শীতের দেশের ছবিতে অনেক বরফ দেখেছি, কিন্তু সিমলাতে এসে চোখের সামনে বরফ দেখতে পেয়ে যেরকম অবাক হয়েছি সেরকম আর কখনও হইনি। রাস্তায় যদি আমাদের দেশের লোক না দেখতাম, তা হলে ভারতবর্ষে আছি বলে মনেই হত না। অবিশ্যি শহরটার চেহারাতে এমনিতেই একটা বিদেশি ভাব রয়েছে। তার কারণ, ফেলুদা বলল, দার্জিলিং-এর মতো সিমলাও নাকি সাহেবদেরই তৈরি। ১৮১৯ খ্রিস্টাব্দে লেফটেনান্ট রস বলে একজন সাহেব নাকি সিমলায় এসে নিজের থাকার জন্য একটা কাঠের বাড়ি তৈরি করে। সেই থেকে শুরু হয় সিমলায় সাহেবদের বসবাস। ভাগ্যিস সাহেবরা গরমে কষ্ট পেত, আর তাই গরমকালে ঠাণ্ডা ভোগ করার জন্য পাহাড়ের উপর নিজেদের থাকার জন্য শহর তৈরি করে নিত!

কালকা থেকে মিটার গেজের ছোট ট্রেনে এখানে আসার পরে বিশেষ কোনও ঘটনা ঘটেনি। সেই কানে তুলো গোঁজা বুড়ো লোকটা কিন্তু একই গাড়িতে সিমলা এসেছে, আর আমাদের সঙ্গে একই ক্লার্কস হোটেলে উঠেছে। তবে লোকটা এখন আমাদের দিকে আর বিশেষ নজর দিচ্ছে না, আর আমারও মনে হচ্ছে ওকে সন্দেহ করে আমরা হয়তো ভুলই করেছিলাম। সত্যি বলতে কী, এখন লোকটাকে প্রায় নিরীহ গোবেচারা বলেই মনে হচ্ছে। লালমোহনবাবুও আমাদের সঙ্গে ক্লার্কসেই উঠেছেন। এই বরফের সময় খুব বেশি লোক বোধ হয় সিমলায় আসে না, তাই উনি আগে থেকেই রিজার্ভ না করেও একটা ঘর পেয়ে গেছেন।

ফেলুদা হোটেলে এসে ঘরে জিনিসপত্র তুলেই পোস্টাপিসের খোঁজে বেরিয়ে গেল। আমরাও যেতে চেয়েছিলাম, কিন্তু ও বলল বাক্সটাকে চোখে চোখে রাখা দরকার। তাই আমরা দুজনেই থেকে গেলাম। ফেলুদা কিন্তু এসে অবধি সিমলা বা তার বরফ সম্বন্ধে কোনও মন্তব্যই করেনি। আর ঠিক তার উলটোটা করছেন লালমোহনবাবু। যা কিছু দেখেন তাতেই বলেন, "ফ্যানাস্ট্যাটিক।" আমি যখন বললাম, যে কথাটা আসলে ফ্যান্টাস্টিক, তাতে ভদ্রলোক বললেন যে উনি নাকি ইংরিজি এত অসম্ভব তাড়াতাড়ি পড়েন যে প্রত্যেকটা কথা আলাদা করে লক্ষ করার সময় হয় না। এ ছাড়া সিমলায় পোলার বেয়ার আছে কি না, এখানেও আকাশে অরোরা বোরিয়ালিস দেখা যায় কি না, এই বরফ দিয়ে এস্কিমোদের বাড়ি ইলগু (আমি বললাম কথাটা

আসলে ইগলু) তৈরি করা যায় কি না—এই সব উদ্ভট প্রশ্ন করে চলেছেন অনবরত।

ক্লার্কস হোটেলটা পাহাড়ের ঢালু গায়ের উপর তৈরি। হোটেলের দোতলার সামনের দিকে একটা লম্বা বারান্দা, আর বারান্দা থেকে বেরোলেই রাস্তা। দোতলাতেই ম্যানেজারের ঘর, লাউঞ্জ বা বসবার ঘর, আমাদের ডাবল রুম আর লালমোহনবাবুর সিঙ্গল রুম। কাঠের সিঁড়ি দিয়ে নেমে একতলায় আরও থাকার ঘর রয়েছে, আর রয়েছে ডাইনিং রুম।

ফেলুদার ফিরতে দেরি হয়েছিল বলে আমাদের লাঞ্চ খেতে খেতে হয়ে গেল প্রায় দুটো। ডাইনিং রুমের এক কোণে ব্যান্ড বাজছে, লালমোহনবাবু সেটাকে বললেন কনসার্ট। আমরা তিনজন ছাড়া ঘরে রয়েছেন সেই কানে তুলো গোঁজা বৃদ্ধ—যার দিকে লালমোহনবাবু আর দেখছেন না—আর অন্য আরেকটা টেবিলে বসেছেন তিনজন বিদেশি—দুজন পুরুষ আর একজন মহিলা। আমরা যখন খেতে ঢুকছি তখন ঘর থেকে বেরিয়ে গেল একজন কালো চশমা পরা ছুঁচোলো দাড়িওয়ালা মাথায় 'বেরে' ক্যাপ পরা ভদ্রলোক। যতদূর মনে হয় সবসুদ্ধ এই আটজন ছাড়া হোটেলে আর কোনও লোক নেই।

সুপ খেতে খেতে ফেলুদাকে বললাম, 'ধমীজার কাছে তো আজকেই যাবার কথা?'

'চারটেয় অ্যাপয়েন্টমেন্ট। তিনটেয় বেরোলেই হবে।'

'বাড়িটা কোথায় জানো?'

'ওয়াইল্ডফ্লাওয়ার হল পড়ে কুফ্রি যাবার পথে। এখান থেকে আট মাইল।'

'তা হলে এক ঘণ্টা লাগবে কেন?'

'অনেকখানি রাস্তা বরফে ঢাকা। পাঁচ মাইলের বেশি স্পিড তুললে গাড়ি স্কিড করতে পারে।' তারপর লালমোহনবাবুর দিকে ফিরে বলল, 'আপনার সঙ্গে যা গরম আছে পরে নেবেন। যেখানে যাচ্ছি সেটা সিমলার চেয়ে এক হাজার ফুট বেশি হাইটে। বরফ আরও অনেক বেশি।'

লালমোহনবাবু চামচ থেকে সুড়ুত করে খানিকটা সুপ টেনে নিয়ে বললেন, 'শেরপা যাচ্ছে সঙ্গে?'

কথাটা শুনে প্রচণ্ড হাসি পেয়ে গিয়েছিল, কিন্তু ফেলুদা বেশ গম্ভীরভাবেই জবাব দিল, 'না। রাস্তা আছে। গাড়ি যাবে।'

সুপ শেষ করে যখন মাছের জন্য অপেক্ষা করছি তখন ফেলুদা হঠাৎ লালমোহনবাবুকে বলল, 'আপনি যে অস্ত্রের কথা বলছিলেন সেটা কী হল?'

লালমোহনবাবু একটা কাঠির মতো সরু লম্বা রুটির খানিকটা চিবোতে চিবোতে বললেন, 'সেটা আমার বাক্সে রয়েছে। এখনও দেখানোর ঠিক মওকা পাইনি।'

'ব্যাপারটা কী?'

'একটা বুমেরাং।'

ওরেব্বাস! এই কারণেই কাল রাত্রে ঘুমের মধ্যে ভদ্রলোক বুমেরাং বলে চেঁচিয়ে উঠেছিলেন!

'ও জিনিসটা আবার কোথায় পেলেন?' ফেলুদা জিজ্ঞেস করল।

'এক অস্ট্রেলিয়ান সাহেব বিজ্ঞাপন দিয়েছিল কাগজে। আরও পাঁচ রকম জিনিসের মধ্যে ওটাও ছিল। লোভ সামলাতে পারলুম না। শুনিচি ঠিক করে ছুঁড়তে পারলে নাকি শিকারকে ঘায়েল করে আবার শিকারির হাতেই ফিরে আসে।'

'একটু ভুল শুনেছেন। শিকার ঘায়েল হলে অস্ত্র শিকারের পাশেই পড়ে থাকে। লক্ষ্য যদি মিস করে তা হলেই আবার ফিরে আসে।'

'সে যাই হোক মশাই—ছোঁড়া খুব ডিফিকাল্ট। আমি আমাদের গড়পারের বাড়ির ছাদ থেকে ছুঁড়েছিলুম। তা সে বুমেরাং গিয়ে দীনেন্দ্র স্ট্রিটের এক বাড়ির তেতালার বারান্দায় ঝোলানো

ফুলের টব দিলে ভেঙে। ভাগ্যে চেনা বাড়ি ছিল—তাই ফেরত পেলুম।'

'ওটা আজ সঙ্গে নিয়ে নেবেন।'

লালমোহনবাবুর চোখ জ্বলজ্বল করে উঠল—'ডেঞ্জার এক্সপেক্ট করছেন নাকি?'

'পাথরটা তো পায়নি সে লোক এখনও!'

ফেলুদা যদিও কথাটা বেশ হালকাভাবেই বলল, আমি বুঝতে পারলাম যে কোনও রকম একটা গোলমালের আশঙ্কা সেও যে করছে না তা নয়।

তিনটে বাজতে পাঁচ মিনিটের সময় একটা নীল অ্যাম্বাসাডর ট্যাক্সি এসে আমাদের হোটেলের সামনে দাঁড়াল। আমরা তিনজনই সামনের বারান্দায় বেতের চেয়ারে বসে অপেক্ষা করছিলাম, গাড়িটা আসতেই ফেলুদা চেয়ার ছেড়ে উঠে পড়ল। ড্রাইভারটা এখানকারই লোক, বয়স অল্প, বেশ জোয়ান চেহারা। ফেলুদা সামনে ড্রাইভারের পাশে বসল, তার সঙ্গে ধমীজার (নকল) বাক্স, আর আমরা দুজন পিছনে। লালমোহনবাবু তার বুমেরাংটা ওভারকোটের ভিতর নিয়ে নিয়েছেন। কাঠের তৈরি জিনিসটা হাতে নিয়ে নেড়েচেড়ে দেখেছি। অনেকটা হকি স্টিকের তলার অংশটার মতো দেখতে, যদিও তার চেয়ে অনেক পাতলা আর মসৃণ।

আকাশে সাদা সাদা মেঘ জমেছে, তাই শীতটাও খানিকটা বেড়েছে। তবে মেঘ ঘন নয়, তাই বৃষ্টির সম্ভাবনা বিশেষ নেই।

কাঁটায় কাঁটায় তিনটের সময় আমাদের গাড়ি ওয়াইল্ডফ্লাওয়ার হলের উদ্দেশে রওনা দিল।

ক্লার্কস হোটেলটা শহরের ভিতরেই। এসে অবধি হোটেলের বাইরে যাওয়া হয়নি। গাড়ি যখন শহর ছেড়ে নির্জন পাহাড়ি পথ ধরল তখন প্রথম সিমলা পাহাড়ের বরফে ঢাকা ঠাণ্ডা থমথমে মেজাজটা ধরতে পারলাম। রাস্তার এক পাশ দিয়ে পাহাড় উঠে গেছে— কোনও সময় বাঁয়ে, কোনও সময় ডাইনে। একদিকে খাড়াই, একদিকে খাদ। রাস্তা বেশি চওড়া নয়, কোনও রকমে দুটো গাড়ি পাশাপাশি যেতে পারে। পাহাড়ের গায়ে চারিদিক ছেয়ে রয়েছে ঘন ঝাউ বন।

প্রথম চার মাইল রাস্তা দিব্যি কুড়ি-পঁচিশ মাইল স্পিডে যাওয়া সম্ভব হল, কারণ এই অংশটায় রাস্তার উপরে বরফ নেই বললেই চলে। বনের ফাঁক দিয়ে দূরের পাহাড়ে বরফ দেখা যায়, আর মাঝে মাঝে রাস্তার এক পাশে বা উপর দিকে চাইলে পাহাড়ের গায়ে বরফ দেখা যায়। কিন্তু এবার ক্রমে দেখছি বরফ বাড়ছে, আর সেই সঙ্গে আমাদের গাড়ির স্পিড কমে আসছে। পাঁচ মাইলের মাথায় শুরু হল রাস্তার উপর এক হাত পুরু বরফ। তার উপরে গভীর হয়ে পড়েছে গাড়ির চাকার দাগ, সেই দাগের উপর চাকা ফেলে অতি সাবধানে এগিয়ে চলেছে আমাদের ট্যাক্সি। মাটি এত পিছল যে মাঝে মাঝে গাড়ির চাকা ঘুরে যাচ্ছে, কিন্তু গাড়ি চলছে না।

নাকের ডগা আর কানের পাশটা ক্রমে ঠাণ্ডা হয়ে আসতে লাগল। লালমোহনবাবু একবার বললেন তাঁর কানে তালা লেগে গেছে, আরেকবার বললেন তাঁর নাক বন্ধ হয়ে আসছে। আমি অবিশ্যি নিজের শরীর নিয়ে একদম মাথা ঘামাচ্ছি না। আমি খালি ভাবছি, কী অদ্ভুত জগতে এসে পড়েছি আমরা! এ এমন একটা জায়গা যেখানে মানুষ থাকার কোনও মানেই হয় না। এখানে শুধু থাকবে বরফের দেশের রকমারি পাখি আর পোকামাকড়। কিন্তু তার পরেই আবার মনে হচ্ছে—এ রাস্তা মানুষের তৈরি, রাস্তার বরফের উপর গাড়ির চাকার দাগ রয়েছে, এ রাস্তা দিয়ে একটু আগেও গাড়ি গেছে, অনেকদিন থেকেই যাচ্ছে, অনেকদিন ধরেই যাবে। আর সত্যি বলতে কী, আমাদের অনেক আগেই এখানে মানুষ না এলে এমন আশ্চর্য দৃশ্য আমাদের দেখাই হত না।

এই অদ্ভুত তুষাররাজ্য দিয়ে আরও মিনিট কুড়ি চলার পর হঠাৎ রাস্তার ধারে একটা কালো কাঠের ফলকে সাদা অক্ষরে লেখা দেখলাম 'ওয়াইল্ডফ্লাওয়ার হল'। এমন নির্ঝঞ্ঝাটে আমাদের

জার্নিটা শেষ হয়ে যাবে সেটা ভাবতেই পারিনি।

আরও কিছুদূর যেতেই রাস্তার ধারে একটা ফটক পড়ল যার গায়ে ধমীজার বাড়ির নামটা লেখা রয়েছে—'দি নুক।' গাড়ি ডান দিকে ঘুরে গেটের মধ্যে দিয়ে কিছুদূর এগিয়ে যেতেই প্রকাণ্ড পুরনো বিলিতি ধরনের টাওয়ার-ওয়ালা বাড়িটা দেখা গেল। বাড়ির ছাদে আর কার্নিশে পুরু হয়ে বরফ জমে আছে। সাহেবি মেজাজের মানুষ না হলে এরকম সময় এরকম জায়গায় এরকম বাড়িতে কেউ থাকতে পারে না।

আমাদের ট্যাক্সি পোর্টিকোর নীচে গিয়ে থামল। আমরা নামতেই গরম উর্দিপরা বেয়ারা এসে ফেলুদার হাত থেকে কার্ড নিয়ে ভেতরে গেল, আর তার এক মিনিটের মধ্যেই বাড়ির মালিক নিজেই বেরিয়ে এলেন। 'গুড আফটারনুন মিস্টার মিটার। আপনার পাংচুয়ালিটি প্রশংসনীয়। ভেতরে আসুন, প্লিজ।'

ধমীজার ইংরিজি উচ্চারণ শুনলে সাহেব বলে ভুল হয়। বর্ণনা শুনে যে রকম কল্পনা করেছিলাম, চেহারা মোটামুটি সেইরকমই। ফেলুদা আমার আর লালমোহনবাবুর সঙ্গে ভদ্রলোকের পরিচয় করিয়ে দিলে পর আমরা সবাই একসঙ্গে ভেতরে ঢুকলাম। কাঠের মেঝে ও দেয়ালওয়ালা প্রকাণ্ড ড্রইংরুম, তার এক পাশে ফায়ারপ্লেসে আগুন জ্বলছে। সোফায় বসার আগেই ফেলুদা তার হাতের ব্যাগটা তার আসল মালিকের হাতে তুলে দিল। ধমীজার নিশ্চিন্ত ভাব দেখে বুঝলাম সে আমাদের ভাঁওতা একেবারেই ধরতে পারেনি।

'থ্যাঙ্ক ইউ সো মাচ! মিস্টার লাহিড়ীর ব্যাগটাও আমি হাতের কাছেই এনে রেখেছি।'

'একবার ঢাকনা খুলে ভেতরটায় চোখ বুলিয়ে নিন', ফেলুদা হালকাভাবে সাহেবি হাসি হেসে বলল।

ধমীজাও হেসে 'ওয়েল, ইফ ইউ সে সো,' বলে ঢাকনাটা খুলল। তারপর জিনিসপত্র আলতোভাবে ঘেঁটে বলল, 'সব ঠিক আছে—কেবল এই খবরের কাগজগুলো আমার নয়।'

'আপনার নয়?' ফেলুদা প্রশ্ন করল। সে ইতিমধ্যে কাগজগুলো ধমীজার হাত থেকে নিয়ে নিয়েছে।

'না। অ্যান্ড নাইদার ইজ দিস।' ধমীজা কালকা স্টেশন থেকে কেনা সুপুরি ভরা কোডাকের কৌটোটা ফেলুদাকে দিয়ে দিল। 'বাকি সব ঠিক আছে।'

'ওঃ হো', ফেলুদা বলল, 'ওগুলো বোধহয় ভুল করে আপনার বাক্সে চলে গেছে।'

যাক—তা হলে এটা বোঝা যাচ্ছে যে, ধমীজার সঙ্গে ওই পাথরের কোনও সম্পর্ক নেই। কিন্তু তা হলে ওই কৌটো কী করে গেল ওই বাক্সের মধ্যে?

'অ্যান্ড হিয়ার ইজ মিস্টার লাহিড়ীজ ব্যাগ।'

ঘরের এক পাশে একটা টেবিলের উপর থেকে দীননাথবাবুর ব্যাগটা ফেলুদার হাতে চলে এল। ধমীজা হেসে বললেন, 'আপনি যে কথাটা আমাকে বললেন, আমিও আপনাকে সেটা বলতে চাই—একবার ঢাকনা খুলে ভেতরটা দেখে নিন।'

ফেলুদা বলল, 'মিস্টার লাহিড়ী কেবল একটা জিনিসের জন্যেই একটু ভাবছিলেন—একটা এনটারো-ভায়োফর্মের শিশি—'

'ইটস দেয়ার। রয়েছে বাক্সের ভেতর', বললেন মিস্টার ধমীজা।

'—আর একটা ম্যানুস্ক্রিপ্ট ছিল কি?'

'ম্যানুস্ক্রিপ্ট?'

ফেলুদা বাক্সটা খুলেছে। ঘাঁটবার দরকার নেই, পাঁচ হাত দূর থেকেই বোঝা যাচ্ছে ওর মধ্যে কোনও খাতা জাতীয় কিচ্ছু নেই।

ফেলুদার ভুরু ভীষণভাবে কুঁচকে গেছে। সে খোলা বাক্সটার দিকে চেয়ে রয়েছে।

'কী ম্যানুস্ক্রিপ্টের কথা বলছেন আপনি?' ধমীজা প্রশ্ন করল।

ফেলুদা এখনও চুপ। আমি বুঝতে পারছিলাম তার মনের অবস্থাটা কী। হয় মিস্টার ধমীজাকে মুখের ওপর চোর বলতে হয়, আর না হয় সুড়সুড়িয়ে ওই খাতা ছাড়া বাক্স নিয়েই থ্যাঙ্ক ইউ বলে চলে আসতে হয়।

ধমীজাই কথা বলে চললেন—'আই অ্যাম ভেরি সরি মিস্টার মিটার, কিন্তু আমি প্রথম যখন গ্র্যান্ড হোটেলে আমার ঘরে বাক্সটা খুলি, তখন ওতে যা ছিল, এখনও ঠিক তাই আছে। খাতা তো ছিলই না, এক টুকরো কাগজও ছিল না। আমি বাক্সের মালিকের ঠিকানা পাবার আশায় তন্ন তন্ন করে বাক্সের ভিতর খুঁজেছি। সিমলায় এসে এ বাক্স আমার আলমারির ভেতর চাবি বন্ধ অবস্থায় ছিল। এক মুহূর্তের জন্যও অন্য কোনও লোকের হাতে পড়েনি—এ গ্যারান্টি আমি দিতে পারি।'

এ অবস্থায় আর কী করবে ফেলুদা? সে চেয়ার ছেড়ে উঠে লজ্জিত ভাব করে বলল, 'আমারই ভুল মিস্টার ধমীজা। কিছু মনে করবেন না।...আচ্ছা, থ্যাঙ্ক ইউ ভেরি মাচ।'

'একটু কফি...বা চা...'

'আজ্ঞে না। থ্যাঙ্ক ইউ। আজ আসি আমরা! গুড বাই—'

আমরা উঠে পড়লাম। লেখাটা কোথায় যেতে পারে, কেন সেটা বাক্সের মধ্যে থাকবে না, সেটা কিছুই বুঝতে পারলাম না। হঠাৎ মনে পড়ল, নরেশ পাকড়াশী বলেছিলেন, দীননাথবাবুকে ট্রেনে কোনও পাণ্ডুলিপি পড়তে দেখেননি। সেটাই কি তা হলে সত্যি কথা?

দীননাথবাবু কি তা হলে লেখার ব্যাপারটা একেবারে বানিয়ে বলেছেন?

৯

ফেরার পথে অল্পক্ষণের মধ্যেই আরও অন্ধকার হয়ে এল। অথচ বেলা যে খুব বেশি হয়েছে তা নয়। ঘড়িতে বলছে চারটে পঁচিশ। তা হলে আলো এত কম কেন?

গাড়ির জানালা দিয়ে মুখ বার করে আকাশের দিকে চাইতেই কারণটা বুঝতে পারলাম। সাদার বদলে এখন ছাই রঙের মেঘে আকাশ ছেয়ে গেছে। বৃষ্টি হবে কি? আশা করি না। এমনিতেই রাস্তা পিছল। যদিও আমরা নীচের দিকে নামছি, তার মানে এই নয় যে, আমাদের গাড়ি আরও জোরে চলবে। বরং উতরাইয়ের স্কিড করার ভয়টা আরও বেশি। ভরসা এই যে, এ সময়টা রাস্তায় গাড়ি চলাচল প্রায় নেই বললেই চলে।

ফেলুদা ড্রাইভারের পাশে চুপ করে বসে আছে, তার দৃষ্টি সামনের রাস্তার দিকে। যদিও তার মুখটা দেখতে পাচ্ছি না, তবুও কেন জানি মনে হচ্ছে তার ভুরুটা কুঁচকোনো। বেশ বুঝতে পারছিলাম ওর মাথার মধ্যে কী চিন্তা ঘুরছে। হয় দীননাথবাবু না হয় ধমীজা মিথ্যে কথা বলছেন। ধমীজার বৈঠকখানাতেও আলমারি বোঝাই বই দেখেছি। তার পক্ষে শম্ভুচরণের নামটা জানা কি সম্ভব নয়? পঞ্চাশ বছর আগে ইংরিজিতে লেখা তিব্বতের ভ্রমণকাহিনীর উপর কি তার লোভ থাকতে পারে না? কিন্তু ধমীজার কাছেই যদি লেখাটা থাকে তা হলে ফেলুদা সেটা উদ্ধার করবে কী করে?...

বেশ বুঝতে পারছিলাম যে রহস্য এখন একটার জায়গায় দুটো হয়ে গেছে—একটা হিরের, একটা শম্ভুচরণের লেখার। একা ফেলুদার পক্ষে এই দুটো জাঁদরেল রহস্যের জট ছাড়ানো কি সম্ভব?

শীত বাড়ছে। নিশ্বাসের সঙ্গে নাক দিয়ে ধোঁয়াও বেরোচ্ছে বেশ। লালমোহনবাবু ওভারকোটের একটা বোতাম খুলে ভিতরে হাত ঢুকিয়ে মুখ দিয়ে ভক ভক করে একরাশ ধোঁয়া

ছেড়ে বললেন, 'বুমেরাংটাও ঠাণ্ডা বরফ। অস্ট্রেলিয়ান জিনিস, শীতের দেশে কাজ করবে তো?' আমার বলার ইচ্ছে ছিল অস্ট্রেলিয়াতেও অনেক জায়গায় খুবই শীত পড়ে, এমনকী বরফও পড়ে, কিন্তু সেটা আর বলা হল না। সামনে, প্রায় একশো গজ দূরে, একটা গাড়ি উলটো দিক থেকে এসে টেরচাভাবে রাস্তার মাঝখানে দাঁড়িয়ে আছে। হয়তো চেষ্টা করলে কোনওরকমে কসরত করে পাশ কাটিয়ে বেরিয়ে যাওয়া যায়, কিন্তু সেটা বোধহয় বেশ বিপজ্জনক হবে।

আমাদের ড্রাইভার বার বার হর্ন দিয়েও যখন কোনও ফল হল না তখন বুঝলাম ব্যাপারটার মধ্যে কোনও গণ্ডগোল আছে।

ফেলুদা কথা না বলে স্টিয়ারিং-এর উপর হাত রেখে গাড়ি থামাতে বলল, আর ড্রাইভারও খুব সাবধানে গাড়িটাকে রাস্তার এক পাশে পাহাড়ের দিকটায় নিয়ে গিয়ে থামাল। আমরা চারজনই কাদা আর বরফে প্যাচপেচে রাস্তায় নামলাম।

চারিদিকে একটা নিঝুম ভাব। এত গাছ থাকা সত্ত্বেও একটা পাখির ডাক শোনা যাচ্ছে না। সবচেয়ে আশ্চর্য এই যে, সামনে একটা গাড়ি রয়েছে—আমাদেরই মতো একটা অ্যাম্বাসাডর—কিন্তু তার যাত্রী বা ড্রাইভার কাউকেই দেখা যাচ্ছে না, কারুরই কোনও সাড়াশব্দ পাওয়া যাচ্ছে না।

আমরা খুব হিসেব করে রাস্তার দিকে চোখ রেখে বরফের উপর যেখানে চাকার দাগ, সেই দাগের উপর পা ফেলে ফেলে এগোচ্ছি, এমন সময় লালমোহনবাবু হঠাৎ চমকে গিয়ে ছোট্ট একটা লাফ দিয়ে পা হড়কে একেবারে বরফের উপর মুখ থুবড়ে পড়লেন। একটা আচমকা 'ছপাৎ' শব্দই এই ভড়কানির কারণ। আমি জানি শব্দটা হয়েছে পাইন গাছের ডাল থেকে বরফের চাপড়া পিছলে মাটিতে পড়ার ফলে। এই অস্বাভাবিক নিস্তব্ধতার মধ্যে হঠাৎ শব্দটা শুনে সত্যিই চমকে উঠতে হয়।

লালমোহনবাবুকে কোনওরকমে হাত ধরে টেনে তুলে আমরা আবার এগোতে লাগলাম।

আরও খানিকটা এগোতেই বুঝলাম গাড়িটার মধ্যে একজন লোক বসে আছে। সামনে। ড্রাইভারের সিটে।

আমাদের ড্রাইভার বলল লোকটাকে চেনে। ট্যাক্সিটাও ওর জানা। লোকটা ওই ট্যাক্সিটার ড্রাইভার। নাম অরবিন্দ। 'উও মর গিয়া হোগা...ইয়া বেহুঁশ হো গিয়া'—আমাদের ড্রাইভার হরবিলাস মন্তব্য করল।

ফেলুদার হাত ওর কোটের ভিতরে চলে গেছে। আমি জানি এখানে আছে ওর রিভলবার।

ছপাৎ!

আবার এক চাপড়া বরফ মাটিতে পড়ল কাছেই কোনও একটা গাছ থেকে। লালমোহনবাবু চমকে উঠলেও এবার আর আছাড় খেলেন না। কিন্তু তার পরমুহূর্তেই যে ব্যাপারটা ঘটল তাতে আরেকবার তাকে বরফে গড়াগড়ি দিতে হল।

একটা কান-ফাটানো পিস্তলের শব্দের সঙ্গে সঙ্গে আমাদের সামনে ঠিক দু হাত দূরে রাস্তার খানিকটা বরফ তুবড়ির মতো ফিনকি দিয়ে উঠল, আর শব্দটা বেশ কিছুক্ষণ ধরে চারিদিকের পাহাড় থেকে প্রতিধ্বনিত হতে লাগল।

আমরা গাড়িটার বেশ কাছাকাছি এসে পড়েছিলাম। শব্দটা শোনা মাত্র ফেলুদা এক হ্যাচকায় আমাকে টেনে নিয়ে গাড়িটার পাশে বরফের উপর হুমড়ি খেয়ে পড়ল, আর তার পরমুহূর্তেই লালমোহনবাবু গড়াতে গড়াতে আমাদের ঠিক পাশেই হাজির হলেন। আমাদের ড্রাইভারও এক লাফে গাড়িটার পিছনে এসে আশ্রয় নিয়েছে। যদিও সে বেশ জোয়ান লোক, তাকে দেখেই বোঝা যাচ্ছে সে এর আগে কখনও এরকম অবস্থায় পড়েনি।

গুলিটা এসেছে আমাদের রাস্তার ধারের খাড়াই পাহাড়টার উপরের দিক থেকে। আন্দাজে

মনে হয় এখন আর আততায়ী আমাদের দেখতে পাচ্ছে না, কারণ এই কালো অ্যাম্বাসাডরটা আমাদের গার্ড করে রেখেছে।

আমি এই মাটিতে মুখ থুবড়োনো অবস্থাতেও বুঝতে পারলাম কী যেন একটা নতুন ঘটনা ঘটতে শুরু করেছে। আমার ঘাড়ে কী যেন একটা ঠাণ্ডা সুড়সুড়ি দিচ্ছে। ঘাড়টা ঘুরিয়ে পাশে তাকাতেই বুঝতে পারলাম ব্যাপারটা কী। চারিদিক ঘিরে আকাশ থেকে মিহি তুলোর মতো বরফ পড়তে শুরু করেছে। কী অদ্ভুত সুন্দর এই বরফের বৃষ্টি! এই প্রথম জানলাম যে বরফ পড়ার কোনও শব্দ নেই। লালমোহনবাবু কী যেন একটা বলতে যাচ্ছিলেন, কিন্তু ফেলুদা জিব দিয়ে একটা সাপের মতো শব্দ করে তাকে থামিয়ে দিল।

হঠাৎ চারিদিকের নিস্তব্ধতা আবার ভেঙে গেল। এবার বন্দুকের শব্দ নয়, গাছ থেকে বরফ পড়ার শব্দ নয়, বরফের উপর গাড়ির চাকার শব্দ নয়। এবার মানুষের গলা।

'শুনুন মিস্টার মিত্তির!'

এ কার গলা? এ গলা যে চেনা চেনা মনে হচ্ছে!

'শুনুন মিস্টার মিত্তির—আমি আপনাদের বাগে পেয়েছি সেটা নিশ্চয়ই বুঝতে পারছেন। কাজেই কোনও কারসাজি দেখাবেন না। ওতে কোনও ফল তো হবেই না, বরং আপনাদের প্রাণ নিয়ে টানাটানি হতে পারে।'

চেঁচিয়ে বলা এই কথাগুলো উলটো দিকের পাহাড়ের গা থেকে বার বার প্রতিধ্বনিত হয়ে ফিরে এসে ঠাণ্ডা নিস্তব্ধ পরিবেশটাকে গমগমিয়ে দিল। তারপর আবার কথা শুরু হল—

'আমি আপনার কাছে শুধু একটি জিনিস চাই।'

'কী জিনিস?'—ফেলুদা উপরে পাহাড়ের দিকে মুখ তুলে প্রশ্নটা করল।

'আপনি গাড়ির পিছন থেকে বেরিয়ে সামনে আসুন। আমি আপনাকে দেখতে চাই, যদিও আপনি আমাকে দেখতে পাবেন না। আপনি বেরিয়ে এলে তারপর আপনার প্রশ্নের জবাব পাবেন।'

আমার কানের কাছেই একটা অদ্ভুত শব্দ হচ্ছিল কিছুক্ষণ থেকে, আমি ভাবছিলাম সেটা গাড়ির ভেতর থেকে আসছে; এখন বুঝলাম সেটা হচ্ছে লালমোহনবাবুর দাঁতে দাঁত লাগার ফলে।

ফেলুদা বরফ থেকে উঠে গাড়ির উলটো দিকে গিয়ে দাঁড়াল। তার মুখে একটা কথা নেই। বোধহয় সে বুঝতে পেরেছে এ অবস্থায় আদেশ মানা ছাড়া আর কোনও রাস্তা নেই। ফেলুদাকে এমন বেগতিকে কখনও পড়তে হয়েছে বলে মনে পড়ল না।

'আপনার সঙ্গে যে তিনজন রয়েছে', আবার কথা এল, 'তারা যদি কোনও রকম চালাকি করে, তা হলে তৎক্ষণাৎ তাদের ফল ভোগ করতে হবে—এটা যেন তারা মনে রাখেন।'

'আপনি কী চাইছেন সেটা এবার বলবেন কী?' ফেলুদা জিজ্ঞেস করল। গাড়ির পিছনের চাকার পাশ দিয়ে ফেলুদাকে দেখতে পাচ্ছিলাম। সে উপরের দিকে চেয়ে আছে। তার সামনেই পাহাড়ের গায়ে অনেকখানি জায়গা জুড়ে শুধু বরফের ঢাল; তার উপরে রয়েছে ঝাউবন। সেই ঝাউবনের আড়াল থেকে আততায়ী কথা বলছে আর আমাদের দেখছে।

আবার কথা এল—

'আপনার রিভলভারটা বার করুন।'

ফেলুদা বার করল।

'ওটা ছুঁড়ে আপনার সামনে পাহাড়ের গায়ে বরফের ওপর ফেলে দিন।'

ফেলুদা ফেলল।

'আপনার কাছে কোডাকের কৌটোটা আছে?'

'আছে।'

'দেখান।'

ফেলুদা কোটের পকেট থেকে হলদে কৌটোটা বার করে তুলে ধরল।

'এবারে ওর ভেতরে যে পাথরটা ছিল সেটা দেখান।

ফেলুদার হাত এবার কোটের বুক পকেটে চলে গেল। পাথরটা পকেট থেকে বেরিয়ে এল। ফেলুদা সেটাকে দু আঙুলের ডগায় তুলে ধরল।

কয়েক সেকেন্ড কোনও কথা নেই। লোকটা নিশ্চয়ই পাথরটা দেখছে। বাইনোকুলার আছে কি ওর সঙ্গে?

'বেশ। এবার ওই কৌটোর মধ্যে ওটাকে পুরে আপনার ডান দিকে রাস্তার পাশের কালো পাথরটার উপর রেখে আপনারা সিমলা ফিরে যান। যদি মনে করেন—'

ভদ্রলোকের কথা শেষ হবার আগেই ফেলুদা বলে উঠল—'আপনার পাথরটা চাই তো?'

'সেটাও কি বলে দিতে হবে?' বরফের মতো ঠাণ্ডা গলায় উত্তর এল।

'তা হলে এই নিন!'

ব্যাপারটা এত হঠাৎ ঘটল যে আমি কয়েক সেকেন্ডের জন্য যেন চোখে অন্ধকার দেখলাম। ফেলুদা কথাটা বলেই তার হাতের পাথরটা সটান ছুঁড়ে দিল যেখান থেকে কথা আসছে সেইদিকে। আর তার পরেই হল এক রক্তজল-করা বীভৎস ব্যাপার। আমাদের অদৃশ্য দুশমন সেই হিরেটাকে লুফবার জন্য ঝাউগাছের আড়াল থেকে লাফিয়ে সামনে আলোয় এসে বরফের একটা বিরাট চাঁই পা দিয়ে ধ্বসিয়ে টাল হারিয়ে সেই বরফের সঙ্গে পাহাড়ের গা বেয়ে প্রায় পঞ্চাশ হাত উপর থেকে গড়িয়ে গড়িয়ে একেবারে রাস্তার পাশে বরফজমা নালাটার উপর এসে স্থির হলেন। গড়িয়ে আসার সময়ই অবিশ্যি তার হাত থেকে বাইনোকুলার আর রিভলভার, চোখ থেকে কালো চশমা আর থুঁতনি থেকে ছুঁচোলো নকল দাড়ি ছিটকে বেরিয়ে গিয়ে বরফের এদিকে-ওদিকে ছড়িয়ে পড়েছে।

এই ঘটনার পর আর লুকিয়ে থাকার কোনও মানে হয় না, তাই আমরা তিনজনেই দৌড়ে এগিয়ে গেলাম ফেলুদার কাছে। আমার ধারণা ছিল যে এতটা দূর থেকে গড়িয়ে পড়ায় লোকটা মরে না গেলেও, অজ্ঞান তো হবেই। কিন্তু অবাক হয়ে দেখলাম, সে বরফের উপর চিত অবস্থাতেই ফেলুদার দিকে জ্বলজ্বল কটা চোখে চেয়ে আছে, আর জোরে জোরে নিশ্বাস ফেলছে।

গলাটা যে চেনা চেনা মনে হয়েছিল তাতে আর আশ্চর্য কী? ইনি হলেন ব্যর্থ ফিল্ম অভিনেতা শ্রীঅমরকুমার, ওরফে শ্রীপ্রবীর কুমার লাহিড়ী, দীননাথ লাহিড়ীর ভাইপো।

ফেলুদা ঠাণ্ডা শুকনো গলায় বলল, 'বুঝতেই তো পারছেন প্রবীরবাবু, এখন কে কাকে বাগে পেয়েছে। কাজেই আর কিছু লুকিয়ে লাভ নেই। বলুন, আপনার কী বলার আছে।'

অমরকুমারের চিত হওয়া মুখের উপর বরফের গুঁড়ো এসে পড়ছে। সে এখনও একদৃষ্টে চেয়ে আছে ফেলুদার দিকে। আমার কাছে এখনও সব ধোঁয়াটে, কিন্তু আশা করছি প্রবীরবাবুর কথায় রহস্য দূর হবে।

ফেলুদা কিছুক্ষণ অপেক্ষা করে বলল, 'বেশ, আপনি না বলেন তো আমাকেই বলতে দিন। প্রতিবাদ করার হলে করবেন।—হিরেটা আপনি পেয়েছিলেন নেপালি বাক্সটা থেকে। খুব সম্ভবত এই মহামূল্য রত্নটাই নেপালের মাতাল রাজা কৃতজ্ঞতার নিদর্শন হিসেবে শম্ভুচরণকে দিয়েছিলেন। নেপালি বাক্সটা আসলে সম্ভবত শম্ভুচরণের। সেটা তিনি তাঁর মৃত্যুর আগে তাঁর বন্ধু সতীনাথ লাহিড়ীকে দিয়ে যান। সতীনাথের গুরুতর অসুখের জন্য সে হিরেটার কথা কাউকে বলতে পারেনি। এই ক'দিন মাত্র আগে হিরেটা আপনি বাক্স থেকে পান। তারপরে

সেটাতে রং মাখিয়ে সুপুরি বানিয়ে কোডাকের কৌটোর তলায় আঠা দিয়ে আটকে রাখেন, আর নিরাপদ জায়গা মনে করে কৌটোটা কাকার কাছ থেকে পাওয়া বাক্সটাতে রাখেন। কিন্তু সে বাক্স যে তার পরদিন আপনার ঘর থেকে আমার ঘরে চলে আসবে সেটা তো আর আপনি ভাবেননি! সেদিন আড়ি পেতে আমাদের কথা শোনার পর থেকেই আপনি বাক্সটা হাত করার তাল করেছেন। প্রথমে মিস্টার পুরির নাম দিয়ে ভাঁওতা টেলিফোন আর প্রিটোরিয়া স্ট্রিটে গুণ্ডা লাগানো। তাতে ফল হল না দেখে আমাদের ধাওয়া করে দিল্লি আসা। কিন্তু তাতেও হল না। জনপথ হোটেলে আপনার বেপরোয়া প্ল্যানটিও মাঠে মারা গেল। তাই বাধ্য হয়েই সিমলা আসতে হল। আর তারপর আজকের এই অবস্থা!...'

ফেলুদা থামল। আমরা সবাই ফেলুদাকে ঘিরে দাঁড়িয়ে আছি, এমনকী আমাদের ড্রাইভার পর্যন্ত।

'বলুন প্রবীরবাবু—আমি কি ভুল বলেছি?'

প্রবীরবাবুর উগ্র চোখে হঠাৎ একটা ঝিলিক খেলে গেল। অদ্ভুত ধূর্ত চাহনিতে ফেলুদার দিকে তাকিয়ে বললেন, 'কীসের কথা বলছেন আপনি? কোন হিরে? আমি তো কিছুই বুঝতে পারছি না।'

আমার বুকের ভিতরটা ধড়াস করে উঠল। হিরেটা তো বরফের তলায় তলিয়ে গেছে, আর তার উপরে আরও বরফ জমা হচ্ছে এখন।

'কেন, এটা কি আপনি চেনেন না?'

আবার চমক লাগার পালা। ফেলুদা এবার তার বুক পকেট থেকে আরেকটা পাথর বার করল। এই বরফ-পড়া মেঘলা বিকেলেও তার ঝলকানি দেখে তাক লেগে যায়।

'বরফের উপরে যেটা রয়েছে সেটার দাম কত জানেন? পাঁচ টাকা। আজই সকালে মিলার জেম কোম্পানি থেকে কেনা। আর এটাই হল—'

প্রবীরবাবু বাঘের মতো লাফ দিয়ে উঠে ফেলুদার উপর ঝাঁপিয়ে পড়ে তার হাত থেকে হিরেটা ছিনিয়ে নিয়েছে!

ঠকাং!

আচমকা একটা মোক্ষম অস্ত্র প্রচণ্ড জোরে প্রবীরবাবুর মাথায় বাড়ি মেরে তাকে অজ্ঞান করে দিল। তার শরীরটা আবার এলিয়ে পড়ল বরফের উপর। তার হাতের মুঠো খুলে গেল। তার হাত থেকে হিরে আবার ফিরে এল ফেলুদার হাতে।

'থ্যাঙ্ক ইউ, লালমোহনবাবু!'

ফেলুদার ধন্যবাদটা লালমোহনবাবুর কানে গেল কি না জানি না। তিনি এখনও তাঁর নিজেরই হাতে ধরা বুমেরাংটার দিকে অবাক দৃষ্টিতে চেয়ে আছেন।

১০

অমরকুমার এখন কেঁচো। সিমলা ফেরার পথে গাড়িতেই ও সব স্বীকার করেছে। ফেলুদা অবিশ্যি ওর নিজের রিভলভারটা উদ্ধার করে নিয়েছিল, আর সেটা হাতে থাকায় প্রবীরবাবুকে দিয়ে সত্যি কথা বলাতে সুবিধে হয়েছিল। ভদ্রলোকের মাথায় বুমেরাঙের বাড়ি মেরে আবার লালমোহনবাবুই রাস্তা থেকে খানিকটা বরফ তুলে সেখানটায় লাগিয়ে দিয়েছিলেন। অবিশ্যি ভদ্রলোকের তাতে উপকার হয়েছিল কি না জানি না। বেহুঁশ ড্রাইভারও এখন অনেকটা সুস্থ। তাকে টাকার লোভ দেখিয়ে দলে টানতে না পেরে শেষটায় গায়ের জোরে ঘায়েল করেন প্রবীরবাবু।

অশরীরী ছবি থেকে বাদ যাবার পর থেকেই প্রবীরবাবুর মাথাটা বিগড়ে যায়, কারণ ওর বিশ্বাস ছিল ফিল্মে অভিনয় করে ওর অনেক পয়সা ও নাম-ডাক হবে। ব্যাগড়া দিল ওর গলার স্বর। সিধে রাস্তায় কিছু হবে না জেনে বাঁকা রাস্তার কথা ভাবেন। সেই সময় বেরোয় নেপালি বাক্স। সেই বাক্স ঘেঁটে প্রবীরবাবু পেয়ে গেলেন একটা পলকাটা পাথর। যাচাই করে দাম জেনে চোখ কপালে উঠে যায়। এবার স্বপ্ন দেখেন নিজেই ছবি প্রডিউস করে নিজেই হবেন তার হিরো, কেউ তাকে বাদ দিতে পারবে না। তার পরের যে ঘটনা, সেটা তো আমাদের জানাই।

আপাতত প্রবীরবাবুকে রাখা হয়েছে সিমলায় হিমাচল প্রদেশ স্টেট পুলিশের জিম্মায়। হিরেটা পাবার পর থেকেই ফেলুদার প্রবীরবাবুকে সন্দেহ হয়েছিল, তাই সিমলায় এসেই দীননাথবাবুকে টেলিফোন করে চলে আসতে বলে—যদিও কারণটা বলেনি। উনি কাল এগারোটার গাড়িতে এসে ভাইপো সম্বন্ধে যা ভাল বোঝেন করবেন। হিরেটা বোধহয় দীননাথবাবুরই হাতে চলে যাবে, কারণ সেটা এসেছিল তাঁর জ্যাঠামশাইয়ের সঙ্গে।

আমি সব শুনেটুনে বললাম, 'হিরের ব্যাপারটা তো বুঝলাম, কিন্তু শম্ভুচরণ বোসের ভ্রমণকাহিনীটা কোথায় গেল?'

ফেলুদা বলল, 'ওটা হল দু নম্বর রহস্য। দোনলা বন্দুক হয় জানিস তো? সেইরকম আমাদের এই বাক্স-রহস্যটা হল দোনলা রহস্য।'

'এই দ্বিতীয় রহস্যটার কিছু কিনারা হল?' আমি জিজ্ঞেস করলাম।

'হয়েছে, থ্যাঙ্কস টু খবরের কাগজ অ্যান্ড জলের গেলাস।'

শম্ভুনাথের খাতার রহস্যের চেয়ে ফেলুদার এই কথার রহস্যটা আমার কাছে কিছু কম বলে মনে হল না।

বাকি রাস্তাটা ফেলুদা আর কোনও কথা বলেনি।

এখন আমরা ক্লার্কস হোটেলের উত্তর দিকের খোলা ছাদে রঙিন ছাতার তলায় বসে হট চকোলেট খাচ্ছি। সবসুদ্ধ আটটা টেবিলের মধ্যে একটাতে আমরা তিনজন বসেছি, আরেকটাতে দুজন জাপানি আর আরেকটা দূরের টেবিলে বসেছেন সেই কানে তুলোওয়ালা ভদ্রলোক (এখন অবিশ্যি তাঁর কানে আর তুলো নেই)। আকাশে মেঘ কেটে গেলেও সন্ধ্যা হয়ে এসেছে বলে আলো এমনিতেই কম। পুব দিকে পাহাড়ের গায়ে সিমলা শহর বিছিয়ে রয়েছে, শহরের রাস্তায় আর বাড়িগুলোতে একে একে আলো জ্বলে উঠছে।

লালমোহনবাবু এতক্ষণ চুপচাপ ছিলেন। দেখে বুঝতে পারছিলাম কী যেন ভাবছেন। অবশেষে চকোলেটে একটা বড় রকম চুমুক দিয়ে বললেন, 'সব মানুষের মনের মধ্যেই বোধহয় একটা হিংস্রতা বাস করে। তাই নয় কি ফেলুবাবু? বুমেরাঙের বাড়িটা মারতে ভদ্রলোক যখন পাক খেয়ে পড়ে গেলেন, তখন ভেতরে একটা উত্তেজনা ফিল করছিলুম যেটাকে উল্লাস বললেও ভুল হবে না। আশ্চর্য!'

ফেলুদা বলল, 'মানুষ যে বাঁদর থেকে এসেছে সেটা জানেন তো? আজকাল একটা থিয়োরি হয়েছে যে শুধু বাঁদর থেকে নয়, আফ্রিকার এক ধরনের বিশেষ জাতের খুনে বাঁদর থেকে। কাজেই প্রবীরবাবুর মাথায় বুমেরাঙের বাড়ি মেরে আপনার যে আনন্দ হয়েছে, সেটার জন্য আপনার পূর্বপুরুষরাই দায়ী।'

আমরা যতই বাঁদর আর বুমেরাং নিয়ে কথা বলি না কেন, আমার মন কেবল চলে যাচ্ছে শম্ভুচরণের ভ্রমণকাহিনীর দিকে। কোথায়, কার কাছে রয়েছে সেই লেখা? নাকি কারুর কাছে নেই, আর কোনওদিনও ছিল না?

শেষ পর্যন্ত আমি আর থাকতে না পেরে বললাম, 'ফেলুদা, ধমীজা মিথ্যে কথা বলছেন, না দীননাথবাবু?'

ফেলুদা বলল, 'দুজনের কেউই মিথ্যে বলছে না।'

'তার মানে লেখাটা আছে?'

'আছে।' ফেলুদা গম্ভীর। 'তবে সেটা ফেরত পাওয়া যাবে কি না সে বিষয়ে সন্দেহ।'

আমি ভয়ে ভয়ে জিজ্ঞেস করলাম, 'কার কাছে আছে জান?'

'জানি। এখন সব জানি, সবই বুঝতে পারছি। তবে সে লোককে দোষী প্রমাণ করা দুরূহ ব্যাপার। তুখোড় বুদ্ধি সে লোকের। আমাকেও প্রায় বোকা বানিয়ে দিয়েছিল।'

'প্রায়?'

প্রায় কথাটা শুনে আমার ভালই লাগল। ফেলুদা পুরোপুরি বোকা বনছে এটা ভাবাই আমার পক্ষে কষ্টকর।

'মিত্তির সাহাব—'

একজন বেয়ারা ছাদের দরজার মুখটাতে এসে দাঁড়িয়ে ফেলুদার নাম ধরে ডেকে এদিক-ওদিক দেখছে।

'এই যে এখানে'—ফেলুদা হাত তুলে বেয়ারাটাকে ডাকল। বেয়ারা এগিয়ে এসে ফেলুদার হাতে একটা বড় ব্রাউন খাম দিল।

'মৈনেজার সাহাবকে পাশ ছোড় গিয়ে আপকে লিয়ে।'

খামের উপর লাল পেনসিলে লেখা—মিস্টার পি সি মিটার, ক্লার্কস হোটেল।

খামটা হাতে নিয়েই ফেলুদার মুখের ভাব কেমন জানি হয়ে গিয়েছিল। সেটা খুলে ভিতরের জিনিসটা বার করতেই একটা চেনা গন্ধ পেলাম, আর ফেলুদার মুখ হয়ে গেল একেবারে হাঁ।

'এ কী—এ জিনিস—এখানে এল কী করে?'

যে জিনিসটা বেরোল সেটা একটা বহুকালের পুরনো খাতা। এরকম খাতা আমাদের দেশে আর কিনতে পাওয়া যায় না। খাতার প্রথম পাতায় খুদে খুদে মুক্তোর মতো অক্ষরে লেখা A Bengalee in lamaland, আর তার তলায় মাস ও সাল Shambhoo Churn Bose, June 1917

'এ যে সেই বিখ্যাত ম্যানুসপ্রিন্ট!' বলে উঠলেন লালমোহনবাবু। ভদ্রলোকের ইংরিজি শুধরে দেবার মতো মনের অবস্থা আমার নেই। আমি দেখছি ফেলুদার দিকে। ফেলুদার দৃষ্টি এখন আর খাতার উপর নেই। সে চেয়ে আছে তার সামনের দিকে। ফেলুদা কি তা হলে সত্যিই পুরোপুরি বোকা বনে গেল নাকি?

এবারে বুঝতে পারলাম ফেলুদা একটা বিশেষ কিছুর দিকে দেখছে। আমারও দৃষ্টি সেই দিকে গেল। জাপানিরা উঠে চলে গেছে। এখন আমরা ছাড়া শুধু একটি লোক ছাদে বসে আছে। সে হল এক কানে তুলোওয়ালা কালো চশমা পরা নেপালি টুপি পরা বুড়ো ভদ্রলোক।

ফেলুদা একদৃষ্টে ওই ভদ্রলোকটির দিকেই দেখছে।

ভদ্রলোক উঠে দাঁড়ালেন। তারপর ধীরে ধীরে আমাদের দিকে এগিয়ে এলেন। আমাদের টেবিল থেকে তিন হাত দূরে দাঁড়িয়ে প্রথমে চশমা, আর তারপর টুপিটা খুললেন। এ চেহারা এখন চেনা যাচ্ছে, কিন্তু তাও কোথায় যেন একটা খটকা রয়ে গেছে।

'ফলস টিথ পরবেন না?' ফেলুদা প্রশ্ন করল।

'সার্টনলি!'

পকেট থেকে এক জোড়া বাঁধানো দাঁত বার করে ভদ্রলোক উপর-নীচ দুপাটি ভরিয়ে দিলেন। সঙ্গে সঙ্গে তার গালের তোবড়ানো চলে গেল, চোয়াল শক্ত হয়ে গেল, বয়স দশ বছর কমে গেল। এখন আর চিনতে কোনও কষ্ট হয় না।

ইনি হলেন ল্যানসডাউন রোডের চ্যাম্পিয়ন খিটখিটে শ্রীনরেশচন্দ্র পাকড়াশী।

'কবে করিয়েছেন দাঁত?' ফেলুদা প্রশ্ন করল।

'অর্ডার দিয়েছিলাম বেশ কিছুদিন হল, হাতে এসেছে দিল্লি থেকে ফেরার পরের দিন।'

এখন বুঝতে পারলাম দীননাথবাবু কেন নরেশবাবুকে বুড়ো ভেবেছিলেন। ট্রেনে ওর ফলস টিথ ছিল না। অরপর আমরা যখন তাঁকে ল্যানসডাউন রোডে দেখেছি ততদিনে উনি দাঁত পরা শুরু করে দিয়েছেন।

ফেলুদা বলল, 'বাক্সটা যে আপনা থেকে বদলি হয়নি, ওটা যে কেউ প্ল্যান করে বদল করিয়েছে, এ সন্দেহ আমার অনেক আগে থেকেই হয়েছে। কিন্তু সেটা যে আপনার কীর্তি সেটা ভেবে বার করতে সময় লেগেছে।'

'সেটা স্বাভাবিক', নরেশবাবু বললেন, 'আমি ব্যক্তিটিও যে নেহাত মূর্খ নেই, সেটা নিশ্চয়ই আপনি স্বীকার করবেন।'

'একশোবার। কিন্তু আপনার গলদটা কোথায় হয়েছিল জানেন? ওই খবরের কাগজগুলো ধমীজার বাক্সে পোরাতে। এটা কেন করেছিলেন তা জানি। খাতাটা থাকায় দীননাথবাবুর বাক্সের যা ওজন ছিল, ধমীজার বাক্স ছিল তার চেয়ে হালকা। সে বাক্স হাতে নিলে দীননাথের খটকা লাগতে পারত। তাই সেটায় কাগজ পুরে ওজনটাকে একটু বাড়িয়ে দিয়েছিলেন। কিন্তু ট্রেনে পড়া কাগজ কে আর কষ্ট করে ভাঁজ করে বাক্সে পোরেন বলুন!'

'রাইট! কিন্তু সেইখানেই তো আপনার বাহাদুরি। অন্য কেউ হলে সন্দেহ করত না।'

'এবার একটা প্রশ্ন আছে,' ফেলুদা বলল, 'আপনি বাদে সকলেই সে রাত্রে বেশ ভাল ঘুমিয়েছিলেন, তাই না?'

'হুঁ—তা বলতে পারেন।'

'অথচ দীননাথ সচরাচর ট্রেনে মোটেই ভাল ঘুমোন না। তাকে কি ঘুমের ওযুধ খাইয়েছিলেন?'

'রাইট!'

'জলের গেলাসে ঘুমের বড়ি গুঁড়ো করে ঢেলে দিয়েছিলেন?'

'রাইট। সেকোনাল। ওটা সর্বদাই আমার সঙ্গে থাকে। ডিনারের আগে প্রত্যেককেই খাবার জল দিয়ে গিয়েছিল, এবং ধমীজা বাদে অন্য দুজনই বাথরুমে হাত ধুতে গিয়েছিল।'

'তার মানে ধমীজাকে খাওয়াতে পারেননি?'

'উহুঁ। তার ফলে রাতটা আমার মাঠে মারা যায়। ভোর ছটায় উঠে ধমীজা দাড়ি কামায়, তারপর তার জিনিসপত্র বাক্সে রেখে বাথরুমে যায়। সেই সুযোগে আমি আমার কাজ সারি। তখনও অন্য দুজন অঘোরে ঘুমোচ্ছেন।'

'তবে আপনার সবচেয়ে চালাকি কোনখানে জানেন? লেখাটা হাত করার পরেও আমার আছে এসে সেটার জন্য টাকা অফার করা।'

মিস্টার পাকড়াশী হো হো করে হেসে উঠলেন। ফেলুদা বলল, 'সিমলা যেতে বারণ করে টেলিফোন ও কাগজে লেখা হুমকি—এও তো আপনার কীর্তি?'

'ন্যাচারেলি। প্রথম দিকে তো আমি মোটেই চাইনি আপনি সিমলা আসেন । তখন তো আপনি আমার পরম শত্রু। আমি তো ভাবছি—ফেলু মিত্তির যখন বাক্সের ব্যাপারে জড়িয়ে পড়েছে, তখন আমার এমন পারফেক্ট ক্রাইমটা ফাঁস হয়ে যাবে। প্লেনে পর্যন্ত আমি আপনার ওই বন্ধুটির পকেটে হুমকি কাগজ গুঁজে দিয়েছি তারপর ক্রমে, এই সিমলায় এসে, মনে হল লেখাটা আপনাকে ফেরত দেওয়াই উচিত।'

'কেন?'

'কারণ খাতা ছাড়া বাক্স ফেরত দিলে আপনার ঘাড়েও তো খানিকটা সন্দেহ পড়ত। সেটা আমি চাইনি। আপনি-লোকটাকে তো এ ক'দিনে কিছুটা চিনেছি।'

'থ্যাঙ্ক ইউ, নরেশবাবু। এবারে আমি আপনাকে একটা প্রশ্ন করতে পারি কি?'

'নিশ্চয়ই।'

'লেখাটা যে ফেরত দিলেন—আপনি ইতিমধ্যে এর একটা কপি করে রেখেছেন, তাই না?'

নরেশবাবুর মুখ এক মুহূর্তে শুকিয়ে গেল। বুঝলাম ফেলুদা একটা ওস্তাদের চাল চেলেছে। ও বলে চলল, 'আমরা যখন আপনার বাড়ি গেলাম, তখনই আপনি এটা কপি করছিলেন টাইপ করে, তাই না?'

'কিন্তু আপনি...?'

'আপনার ঘরে একটা গন্ধ পেয়েছিলাম, সেটা শম্ভুচরণের নেপালি বাক্সে পেয়েছি, আর আজ পাচ্ছি এই খাতাটায়।'

'কপিটা কিন্তু—'

'আমাকে বলতে দিন, প্লিজ!—শম্ভুচরণ মারা গেছেন টোয়েন্টিওয়ানে। অর্থাৎ একান্ন বছর আগে। অর্থাৎ এক বছর আগে তার লেখার কপিরাইট ফুরিয়ে গেছে। অর্থাৎ সে লেখা আজ যে কেউ ছাপাতে পারে—তাই না?'

আলবত পারে!' নরেশবাবু উত্তেজিতভাবে বললেন। 'আপনি কি বলতে চান এটা করে আমি কিছু অন্যায় করেছি? এ তো অসাধারণ লেখা—দীননাথ কি এ লেখা কোনওদিন ছাপাত? এটা আমিই ছাপব, এবং আমার এ অধিকারে কেউ হস্তক্ষেপ করতে পারবে না।'

'হস্তক্ষেপ না করলেও, প্রতিদ্বন্দ্বিতা করতে পারে তো?'

'তার মানে? কে করবে প্রতিদ্বন্দ্বিতা? কে?'

ফেলুদার ঠোঁটের কোণে সেই হাসি। আরেকবার হ্যান্ডসেক করার জন্য নরেশবাবুর দিকে ডান হাতটা বাড়িয়ে দিয়ে বলল—

'মিট ইওর রাইভ্যাল, মিস্টার পাকড়াশী। এই বাক্স-রহস্যের ব্যাপারে আমি দীননাথবাবুর কাছে কেবল একটি পারিশ্রমিকই চাইব—সেটা হল এই খাতাটা।'

'বুমেরাং', বলে উঠলেন জটায়ু।

যদিও কেন বললেন সেটা এখনও ভেবে বের করতে পারিনি।

সমাদ্দারের চাবি

১

ফেলুদা বলল, 'এই যে গাছপালা মাঠবন দেখে দেখে চোখ জুড়িয়ে যাচ্ছে, এর বৈজ্ঞানিক কারণটা কী জানিস? কারণ, আদিম কাল থেকে হাজার হাজার বছর ধরে গাছপালার মধ্যে বসবাস করে সবুজের সঙ্গে মানুষের চোখের একটা স্বাভাবিক স্বাস্থ্যের সম্পর্ক গড়ে উঠেছিল। আজকাল গাছ জিনিসটা ক্রমে শহর থেকে লোপাট হতে চলেছে, তাই শহর ছেড়ে বেরোলেই চোখটা আরাম পায়, আর তার ফলে মনটাও হালকা হয়ে ওঠে। যত চোখের ব্যারাম দেখবি শহরে। পাড়াগাঁয়ে যা, কি পাহাড়ে যা, দেখবি চশমা খুঁজে পাওয়া ভার।'

আমি জানি ফেলুদার নিজের চোখ খুব ভাল, তার চশমা লাগে না, সে ঘড়ি ধরে তিন মিনিট পনেরো সেকেন্ড চোখের পাতা না ফেলে থাকতে পারে, যদিও সে কোনওদিন

গ্রামে-টামে থাকেনি। এটা ওকে বলতে পারতাম, কিন্তু যদি মেজাজ বিগড়ে যায় তাই আর বললাম না। আমাদের সঙ্গে মণিবাবু রয়েছেন, মণিমোহন সমাদ্দার, তাঁর চোখে পুরু মাইনাস পাওয়ারের চশমা। তিনিও অবিশ্যি শহরের লোক। বয়স পঞ্চাশ-টঞ্চাশ, বেশ ফরসা রং, নাকটা যাকে বলে টিকোলো, কানের কাছে চুলগুলো পাকা। মণিমোহনবাবুর ফিয়াট গাড়িতেই আমরা যশোর রোড দিয়ে চলেছি বামুনগাছি। কেন যাচ্ছি সেটা এই বেলা বলা দরকার।

গতকাল ছিল রবিবার। পুজোর ছুটি সবে আরম্ভ হয়েছে। আমরা দুজনে আমাদের বৈঠকখানায় বসে আছি। আমি খবরের কাগজ খুলে সিনেমার পাতায় বিজ্ঞাপন দেখছি, আর ফেলুদা একটা সংখ্যাতত্ত্ব সম্বন্ধে বই খুব মনোযোগের সঙ্গে পড়ছে। আমি লক্ষ করছি সে কখনও আপন মনে হেসে আর কখনও ভুরু দুটোকে ওপরে তুলে ভাল লাগা আর অবাক হওয়াটা বোঝাচ্ছে। বইটা ডক্টর ম্যাট্রিক্স সম্বন্ধে। ফেলুদা বলছিল এই ডক্টর ম্যাট্রিক্সের মতে মানুষের জীবনে সংখ্যা বা নম্বর জিনিসটা নাকি আশ্চর্য প্রভাব বিস্তার করে। অনেক সাধারণ বা অসাধারণ ঘটনার পিছনেই নাকি খুঁজলে নানারকম নম্বরের খেলা আবিষ্কার করা যায়। ব্যাপারটা আমার কাছে ঠিক পরিষ্কার হত না যদি না ফেলুদা বইটা থেকে একটা উদাহরণ দিয়ে বুঝিয়ে দিত। বলল, 'ডক্টর ম্যাট্রিক্সের একটা আশ্চর্য আবিষ্কারের কথা শোন। আমেরিকার দুজন বিখ্যাত প্রেসিডেন্ট খুন হয়েছিল জানিস তো?'

'লিঙ্কন আর কেনেডি?'

'হ্যাঁ। আচ্ছা এই দুজনের নামে ক'টা করে অক্ষর?'

'L-I-N-C-O-L-N — সাত। K-E-N-N-E-D-Y — সাত।'

'বেশ। এখন শোন — লিঙ্কন প্রেসিডেন্ট হন ১৮৬০ সালে, আর কেনেডি হন ১৯৬০ সালে — ঠিক একশো বছর পরে। দুজনেই খুন হয় শুক্রবার। খুনের সময় দুজনেরই স্ত্রী পাশে ছিল। লিঙ্কন খুন হন থিয়েটারে; সে থিয়েটারের নাম ছিল ফোর্ড। কেনেডি খুন হন মোটর গাড়িতে। সেটা ফোর্ড কোম্পানির তৈরি গাড়ি! গাড়িটার নাম ছিল লিঙ্কন। লিঙ্কনের পরে যিনি প্রেসিডেন্ট হন তাঁর নাম ছিল জনসন, অ্যানড্রু জনসন। কেনেডির পরে প্রেসিডেন্ট হন লিন্ডন জনসন। প্রথম জনের জন্ম ১৮০৮, দ্বিতীয় জনের জন্ম ১৯০৮ — ঠিক একশো বছর পর। লিঙ্কনকে যে খুন করে তার নাম জানিস?'

'জানতাম, ভুলে গেছি।'

'জন উইল্‌ক্‌স বুথ। তার জন্ম ১৮৩৯ সালে। আর কেনেডিকে খুন করে লী হারভি অসওয়াল্‌ড। তার জন্ম ঠিক একশো বছর পরে — ১৯৩৯। এইবারে নাম দুটো আরেকবার লক্ষ কর। John Wilkes Booth — Lee Harvey Oswald — ক'টা করে অক্ষর আছে নামে?'

অক্ষর গুনে থ' হয়ে গেলাম। ঢোক গিলে বললাম, 'দুটোতেই পনেরো!'

ফেলুদা হয়তো ডক্টর ম্যাট্রিক্সের তাজ্জব আবিষ্কারের বিষয়ে আরও কিছু বলত, কিন্তু ঠিক এই সময়ে বিনা অ্যাপয়েন্টমেন্টে এসে হাজির হল মণিমোহন সমাদ্দার। ভদ্রলোক নিজের পরিচয়-টরিচয় দিয়ে সোফায় বসে বললেন, 'আমি আপনাদের পাড়াতেই থাকি — লেক প্লেসে।'

ফেলুদা 'ও' বলে চুপ করে গেল। আমি ভদ্রলোককে আড়চোখে দেখছি। গায়ে একটা হালকা রঙের বুশশার্ট আর ব্রাউন প্যান্ট, পায়ে বাটার স্যান্ডাক জুতো। ভদ্রলোক একটু ইতস্তত করে গলা খাক্‌রিয়ে বললেন, 'আপনি হয়তো আমার কাকার নাম শুনে থাকবেন, রাধারমণ সমাদ্দার।'

'এই সেদিন যিনি মারা গেলেন ?' ফেলুদা প্রশ্ন করল। 'যাঁর খুব গান বাজনার শখ ছিল ?'

'আজ্ঞে হ্যাঁ।'

'অনেক বয়স হয়েছিল না ?'

'বিরাশি।'

'হ্যাঁ, হ্যাঁ, কাগজে পড়ছিলাম। অবিশ্যি মৃত্যু সংবাদটা পড়ার আগে তাঁর নাম শুনেছিলাম বললে মিথ্যে বলা হবে।'

'সেটা কিছুই আশ্চর্য না। উনি যখন গান বাজনা ছেড়েছেন তখন আপনি নেহাতই ছেলেমানুষ। প্রায় পনেরো বছর হল রিটায়ার করে বামুনগাছিতে বাড়ি করে সেখানেই চুপচাপ বসবাস করছিলেন। আঠারোই সেপ্টেম্বর সকালে হার্ট অ্যাটাক হয়। সেইদিন রাত্রে মারা যান।'

'আই সি।'

ভদ্রলোক কয়েক সেকেন্ড চুপ। ফেলুদা তার বাঁ পা-টা ডান পায়ের উপর তুলে বসেছিল, এই ফাঁকে ডান পা-টা বাঁ পায়ের উপরে তুলে দিল। মিস্টার সমাদ্দার একটু কিন্তু কিন্তু ভাব করে বললেন, 'আপনি হয়তো ভাবছেন লোকটা কী বলতে এল। আসলে ব্যাক-গ্রাউন্ডটা একটু না দিয়ে দিলে...।'

'নিশ্চয়, নিশ্চয়,' ফেলুদা বলে উঠল। 'আপনি তাড়াহুড়ো করবেন না। টেক ইওর টাইম।'

মণিমোহনবাবু বলতে লাগলেন, 'আমার কাকা ঠিক সাধারণ মানুষ ছিলেন না। ওঁর পেশা ছিল ওকালতি, এবং তাতে রোজগারও করেছেন যথেষ্ট। বছর পঞ্চাশেক বয়সে সেটা ছেড়ে দিয়ে একেবারে পুরোপুরি গান-বাজনার দিকে চলে যান। শুধু গাইতেন না, সাত-আট রকম দিশি বিলিতি যন্ত্র বাজাতে পারতেন। সেতার বেহালা পিয়ানো হারমোনিয়াম বাঁশি তবলা এবং এ ছাড়াও আরও কয়েকটা। তার উপরে সংগ্রহের বাতিক ছিল। ওঁর বাড়িতে বাদ্যযন্ত্রের একটা ছোটখাটো মিউজিয়াম করে ফেলেছিলেন।'

'কোন বাড়িতে ?' ফেলুদা প্রশ্ন করল।

'আমহার্স্ট স্ট্রিটে থাকতেই শুরু হয়, তারপর সে সব যন্ত্র বামুনগাছির বাড়িতে নিয়ে যান। যন্ত্রের সন্ধানে ভারতবর্ষের নানান জায়গায় গেছেন। বম্বেতে একবার এক ইটালিয়ান জাহাজির কাছ থেকে একটা বেহালা কেনেন, সেটা কলকাতায় এনে কিছুদিনের মধ্যেই বিক্রি করে দেন ত্রিশ হাজার টাকায়।'

ফেলুদা একবার আমাকে বলেছিল ইটালিতে প্রায় তিনশো বছর আগে দু-তিনজন লোক ছিল যাদের তৈরি বেহালার এমন কয়েকটা আশ্চর্য গুণ ছিল যে আজকের দিনে সেগুলোর দাম প্রায় লাখ টাকায় পৌঁছে গেছে।

সমাদ্দার মশাই বলে চললেন, 'এই সব গুণের পাশে কাকার একটা মস্ত দোষ ছিল। তিনি ছিলেন অত্যন্ত কৃপণ। এই যে শেষ বয়সে আত্মীয়স্বজনের কাছ থেকে দূরে সরে গেলেন, তার একটা প্রধান কারণ হল তাঁর কৃপণতা।'

'আত্মীয় বলতে আপনি ছাড়া আর কে আছে ?'

'এখন আর বিশেষ কেউ নেই। দূর সম্পর্কের আত্মীয় কিছু এদিকে ওদিকে ছড়িয়ে আছে। আমার কাকারা ছিলেন চার ভাই, দুই বোন। বোনেরা মারা গেছেন। ভাইয়ের মধ্যে কাকাকে নিয়ে তিনজন মারা গেছেন, আর একজন জীবিত কি মৃত জানা নেই। তিনি প্রায় ত্রিশ বছর আগে সংসার ছেড়ে চলে যান। রাধারমণ নিজে বিপত্নীক ছিলেন। একটি

ছেলে ছিল, মুরলীধর, তিনিও প্রায় পঁচিশ বছর হল মারা গেছেন। তাঁর ছেলে ধরণীধর হল কাকার একমাত্র নাতি। ছেলেবেলায় সে কাকার খুবই প্রিয় ছিল। শেষটায় পড়াশুনোয় জলাঞ্জলি দিয়ে যখন নাম বদলে থিয়েটারে ঢুকল, তখন থেকে কাকা আর তার মুখ দেখেননি। এই হল আত্মীয়।'

'ধরণীধর বেঁচে আছেন ?'

'হ্যাঁ। সে এখন থিয়েটার ছেড়ে যাত্রার দলে যোগ দিয়েছে। কাকার মৃত্যুর পর তার খোঁজ করেছিলাম, কিন্তু সে কলকাতায় নেই। দলের সঙ্গে কোনও অজ পাড়াগাঁয়ে ট্যুরে বেরিয়েছে। ওর বেশ নামটাম হয়েছে। গান বাজনাতেও ট্যালেন্ট ছিল, যে কারণে কাকা ওকে ভালবাসতেন।'

মণিমোহনবাবু হঠাৎ যেন খেই হারিয়ে কয়েক সেকেন্ড চুপ করলেন। তারপর আবার বলে চললেন—

'আমার সঙ্গে কাকার যে খুব একটা যোগাযোগ ছিল তা নয়। বড়জোর দুমাসে একবার দেখা হত। ইদানীং আরও কম। আসলে, আমার একটা ছাপাখানা আছে ভবানীপুরে, ইউরেকা প্রেস, তাতে এই গত ক'মাস লোডশেডিং নিয়ে খুব ভুগতে হচ্ছে। কাকার হার্ট অ্যাটাকটা হওয়াতে ওঁর প্রতিবেশী অবনীবাবু আমাকে টেলিফোন করে খবর দেন, আমি তৎক্ষণাৎ চিন্তামণি বোসকে নিয়ে চলে যাই। যখন পৌঁছই তখন জ্ঞান ছিল না। মারা যাবার ঠিক আগে জ্ঞান হয়। আমাকে দেখে মনে হল চিনলেন। দু-একটা ভাঙা ভাঙা কথাও বললেন — ব্যস্ — তারপরেই শেষ।'

'কী বললেন ?' ফেলুদা জিজ্ঞেস করল। সে এখন আর পায়ের উপর পা তুলে নেই ; চেয়ারের সামনের দিকে এগিয়ে বসেছে।

'প্রথমে বললেন — "আমার...নামে"। তারপর কিছুক্ষণ ঠোঁট নড়ছে, কথা নেই। শেষে অনেক কষ্টে দুবার বললেন—"চাবি...চাবি..."। ব্যস্।'

ফেলুদা ভুরু কুঁচকে চেয়ে রয়েছে মণিমোহনবাবুর দিকে। বলল, 'কী বলতে চাচ্ছিলেন সেটা আন্দাজ করতে পেরেছিলেন কি ?'

'প্রথম অংশ শুনে মনে হয় ওঁর নামে যে কৃপণ বলে অপবাদ রটেছিল সেটার বিষয় কিছু বলতে চাইছেন। আমার ধারণা ওঁর মনে একটা অনুশোচনার ভাব জেগেছিল। কিন্তু আসল কথাটা হচ্ছে ওই চাবি। কীসের চাবির কথা বলছেন কিছুই বোঝা গেল না। ঘরে একটা আলমারি আর একটা সিন্দুক ছিল। তার চাবি ওঁর খাটের পাশের টেবিলের দেরাজে থাকত। বাড়িতে ঘর মাত্র তিনটে, আর একটা বাথরুম, সেটা শোবার ঘরের সঙ্গে লাগা। আসবাবপত্র বলতে বিশেষ কিছুই নেই। অন্তত চাবি লাগে এমন জিনিস তো নেই বললেই চলে। দরজায় যে তালা ব্যবহার করতেন, সেটা একরকম জার্মান তালা, তাতে চাবির দরকার হয় না, নম্বরের কম্বিনেশনে খুলতে হয়।'

'সিন্দুক আর আলমারিতে কী ছিল ?'

'আলমারির তাকে কিছু জামা কাপড় ছিল, আর দেরাজে কিছু কাগজপত্র। দরকারি কিছুই না। আর সিন্দুক ছিল একেবারে খাঁ খাঁ খালি।'

'টাকা পয়সা ?'

'নাথিং। নট এ পাইস। টেবিলের দেরাজে কিছু খুচরো পয়সা ছিল, আর বালিশের নীচে একটা বটুয়াতে কিছু দুটাকা পাঁচ টাকার নোট। ব্যস্। বটুয়া থেকে নাকি সংসারের জন্য টাকা বার করে দিতেন। অন্তত চাকর অনুকূল তাই বলে।'

'কিন্তু সেও তো বলছেন সামান্য টাকা। সেটা ফুরিয়ে গেলে অন্য কোথাও থেকে বার

করতে হত নিশ্চয়ই।'

'নিশ্চয়ই।'

'আপনি কি বলতে চান উনি ব্যাঙ্কে টাকা রাখতেন না ?'

মণিমোহনবাবু হেসে বললেন, 'তাই যদি রাখবেন তা হলে আর সাধারণ মানুষের সঙ্গে তফাতটা হবে কোথায় ? এককালে রাখতেন, তবে বছর পঁচিশেক আগে একটা ব্যাঙ্ক ফেল পড়ায় উনি বেশ ক্ষতিগ্রস্ত হয়েছিলেন। তারপর থেকে আর ব্যাঙ্কের সঙ্গে কোনও সংশ্রব রাখেননি। অথচ — ' মণিবাবু গলার স্বর নামিয়ে নিলেন — 'আমি জানি ওঁর বিস্তর টাকা ছিল ! এবং সেটা যে বাড়ি তৈরি করার পরেও ছিল সেটা তাঁর দুষ্প্রাপ্য বাজনার কালেকশন দেখলেই বুঝতে পারবেন। তা ছাড়া উনি নিজের পিছনে বেশ ভালই খরচ করতেন। ভাল খেতেন, বাড়িতে ভাল বাগান করেছিলেন, একটা সেকেন্ড হ্যান্ড অস্টিন গাড়িও কিনেছিলেন ; মাঝে মাঝে বেরোতেন, শহরে আসতেন। কাজেই...'

ফেলুদা পকেট থেকে চারমিনার বার করেছে। মণিমোহনবাবুকে অফার করে দেশলাই ধরিয়ে দিল। ভদ্রলোক বেশ ভাল করে টান দিয়ে ধোঁয়া ছেড়ে বললেন, 'এতক্ষণে হয়তো আন্দাজ করেছেন কেন আপনার কাছে এসেছি। এতগুলো টাকা — সব গেল কোথায় ? কোন চাবির কথা বলছিলেন কাকা ? সে চাবি দিয়ে কোন জিনিসটা খুললে কী পাওয়া যাবে ? সেটা কি টাকা, না অন্য কিছু ? যদি উইল থেকে থাকে তা হলে সেটা তো পাওয়া দরকার। উইল না থাকলে অবিশ্যি টাকা নাতিই পাবে, কিন্তু তার আগে টাকাটা তো পেতে হবে। আপনার বুদ্ধির অনেক তারিফ শুনেছি। আপনি যদি এ ব্যাপারে আমাকে একটু হেল্প করতে পারেন !...'

মণিমোহনবাবুর সঙ্গে কথা বলে ঠিক হল যে পরদিনই সকালে আমরা বামুনগাছি যাব। ওঁর গাড়ি আছে, উনি নিজেই সকাল সাতটায় এসে আমাদের তুলে নিয়ে যাবেন। আমি বুঝেছি যে ফেলুদার কাছে এটা একটা নতুন ধরনের রহস্য। রহস্য না বলে হেঁয়ালিও বলা যেতে পারে।

অন্তত গোড়াতে তাই মনে হয়েছিল। শেষে দেখলাম হেঁয়ালির চেয়েও অনেক বেশি গোলমেলে প্যাঁচালো একটা কিছু।

২

বারাসত ছাড়িয়ে একটা রাস্তা যশোর রোড থেকে ডান দিকে মোড় নিয়ে বামুনগাছির দিকে গেছে। সেই মোড়ের মাথায় একটা খাবারের দোকান থেকে মণিমোহনবাবু আমাদের চা আর জিলিপি কিনে খাওয়ালেন। তাতে পনেরো মিনিট গেল, তা না হলে আমরা আটটার মধ্যেই বামুনগাছি পৌঁছে যেতাম।

গোলাপি রঙের পাঁচিল আর ইউক্যালিপটাস গাছে ঘেরা সাত বিঘে জমির উপর রাধারমণ সমাদ্দারের একতলা বাড়ি। যে লোকটা এসে গেট খুলে দিল সে বোধহয় মালী, কারণ তার হাতে একটা ঝুড়ি ছিল। গাড়ি গেট দিয়ে ঢুকে বাগানের পাশ দিয়ে কাঁকর বিছানো রাস্তার উপর দিয়ে একেবারে বাড়ির দরজার সামনে এসে দাঁড়াল। ডান দিকে খানিকটা দূরে একটা গ্যারেজের ভিতর একটা পুরনো কালো গাড়ি রয়েছে। সেটাই বুঝলাম রাধারমণ সমাদ্দারের অস্টিন।

গাড়ি থেকে নামতেই একটা ঠাঁই শব্দ শুনে বাগানের দিকে ফিরে দেখি নীল হাফপ্যান্ট পরা আট-দশ বছরের একটি ছেলে হাতে একটা এয়ারগান নিয়ে দাঁড়িয়ে আমাদের দিকে

দেখছে। মণিমোহনবাবু তাকে বললেন, 'তোমার বাবা বাড়িতে আছেন ? তাঁকে গিয়ে বলো তো যে মণিবাবু কলকাতা থেকে এসেছেন, একবার ডাকছেন।'

ছেলেটি বন্দুকে ছর্‌রা ভরতে ভরতে চলে গেল। ফেলুদা বলল, 'প্রতিবেশীর ছেলে বুঝি ?'

'আজ্ঞে হ্যাঁ। ওর বাবা অবনী সেনের একটা ফুলের দোকান আছে নিউ মার্কেটে। এখানে পাশেই ওঁর বাড়ি, তার সঙ্গে ওঁর নার্সারি। মাঝে মাঝে স্ত্রী আর ছেলেকে নিয়ে এসে থাকেন।'

ইতিমধ্যে একজন বুড়ো চাকর আমাদের দিকে এগিয়ে এসেছে। মণিবাবু তাকে দেখিয়ে বললেন, 'এ বাড়িটার যদ্দিন না একটা ব্যবস্থা হচ্ছে ততদিন অনুকূল এখানেই থাকছে। প্রায় ত্রিশ বছরের পুরনো চাকর। অনুকূল, এঁদের জন্য একটু সরবতের ব্যবস্থা করো তো।'

চাকর মাথা হেঁট করে 'হ্যাঁ' বলে চলে গেল, আমরা তিনজন বাড়ির ভিতর ঢুকলাম।

দরজা দিয়ে ঢুকেই একটা খোলা জায়গা। সেটাকে ঘর বলা মুশকিল, কারণ মাঝখানে

একটা গোল টেবিল আর দেয়ালে একটা ক্যালেন্ডার ছাড়া আর কিছুই নেই। বাতিটাতিও নেই কারণ এদিকটায় ইলেকট্রিসিটিই নেই। আমাদের সামনেই একটা দরজা রয়েছে, মণিবাবু সেটার দিকে এগিয়ে গিয়ে বললেন, 'দেখুন, এই হল সেই জার্মান তালা। দ্বিতীয় মহাযুদ্ধের আগে কলকাতা শহরেই কিনতে পাওয়া যেত। এর নাম হল এইট-টু-নাইন-ওয়ান।'

গোল তালা, তাতে চাবির গর্ত-টর্ত নেই, তার বদলে আছে চারটে খাঁজ। প্রত্যেকটা খাঁজের পাশে ১ থেকে ৯ পর্যন্ত নম্বর লেখা আছে, আর প্রত্যেকটার মধ্যে দিয়ে ছোট্ট হুকের মতো জিনিস বেরিয়ে আছে। এই হুকগুলোকে খাঁজের এ-মাথা থেকে ও-মাথা পর্যন্ত ঠেলে সরানো যায়, আর দরকার হলে যে-কোনও একটা নম্বরের পাশে বসিয়ে দেওয়া যায়। কোনটাকে কোন নম্বরে বসাতে হবে না জানলে তালা খোলা অসম্ভব।

মণিবাবু বাঁ দিকের খাঁজ থেকে শুরু করে হুকগুলোকে পর পর ৮, ২, ৯ আর ১ নম্বরে ঠেলে দিতেই খড়াৎ শব্দ করে ম্যাজিকের মতো তালাটা খুলে গেল। মণিবাবু বললেন, 'বন্ধ করাটা আরও সহজ। তালাটা লাগিয়ে যে-কোনও একটা হুক নম্বর থেকে একটু সরিয়ে দিলেই লক্।'

আমরা তিনজন রাধারমণ সমাদ্দারের ঘরে ঢুকলাম।

ঘরটা বেশ বড়। তাতে মণিবাবু যা যা বলেছিলেন সবই আছে, কিন্তু বাজনা যে এতরকম আছে সেটা ভাবতেই পারিনি। তার কিছু রয়েছে দক্ষিণ দিকের দেওয়ালের গায়ে একটা লম্বা শেল্‌ফের তিনটে তাকের উপর, কিছু পুবদিকের দেয়ালের সামনে একটা লম্বা বেঞ্চির উপর, কিছু ঝুলছে দেয়ালের হুক থেকে, আর কিছু রয়েছে ছোট ছোট টেবিলের উপর। এ ছাড়া ঘরে যা আছে তা হল খাট, খাটের পাশে একটা ছোট টেবিল, উত্তর দিকের দেয়ালের সামনে একটা আলমারি। আর এক কোণে একটা ছোট সিন্দুক। খাটের তলায় একটা ছোট ট্রাঙ্কও চোখে পড়ল।

ফেলুদা প্রথমে ঘরের মাঝখানে দাঁড়িয়ে একবার চারিদিকটা দেখে নিল। তারপর আলমারি আর সিন্দুক খুলে তার ভিতরে বেশ ভাল করে হাত আর চোখ বুলিয়ে নিল। তারপর দেরাজ সমেত টেবিলটাকে পরীক্ষা করল, খাটের তোষকের নীচে দেখল, খাটের নীচে দেখল, ট্রাঙ্কের ভিতর দেখল (তাতে একজোড়া পুরনো জুতো আর একটা ছেঁড়া ন্যাকড়া ছাড়া আর কিছু নেই)। তারপর প্রত্যেকটা বাজনা আলাদা করে হাতে তুলে ওজন পরীক্ষা করে নেড়ে চেড়ে এদিক ওদিক ঘুরিয়ে তার ফাঁপা বা ফোলা অংশে চাবির গর্ত আছে কি না দেখে আবার ঠিক যেমনভাবে রাখা ছিল তেমনিভাবে রেখে দিল। তারপর ঘরের মেঝে আর দেয়ালের প্রত্যেকটা জায়গা আঙুলের গাঁট দিয়ে ঠুকে ঠুকে দেখল। সমস্ত ব্যাপারটা করতে তার লাগল পনেরো মিনিট। তারপর আরও সাত মিনিট লাগল অন্য দুটো ঘর আর বাথরুম দেখতে। সবশেষে আবার রাধারমণবাবুর ঘরে ফিরে এসে বলল, 'মণিমোহনবাবু, আপনাদের মালীটিকে একবার ডাকুন তো।'

মালী এলে ফেলুদা তাকে দিয়ে ঘরের জানালায় রাখা দুটো ফুলের টব থেকে মাটি বার করিয়ে তাতে কিছু নেই দেখে আবার মাটি ভরিয়ে ফুল সমেত টব জানালায় রাখল।

এর মধ্যে অনুকূল বসবার ঘর থেকে চারটে চেয়ার এনে তার সামনে একটা গোল টেবিল পেতে তার উপর লেবুর সরবত রেখে গেছে। সরবতে চুমুক দিয়ে মণিবাবু বললেন, 'কিছু বুঝলেন?'

ফেলুদা মাথা নেড়ে বলল, 'এতগুলো বাজনা এক সঙ্গে না থাকলে এঘরে যে কোনও অবস্থাপন্ন লোক বাস করত সেটা বিশ্বাস করা কঠিন হত।'

'সেই তো বলছি', মণিবাবু বললেন, 'সাধে কি আপনাকে ডেকেছি! আমি তো একেবারে

বোকা বনে গেছি মশাই।'

আমি বাজনাগুলোর দিকে দেখছিলাম। তার মধ্যে সেতার সরোদ তানপুরা এসরাজ তবলা বাঁশি—এগুলো আমি চিনি। অন্যগুলো আমি কখনও চোখেই দেখিনি। ফেলুদাও দেখেছে কি না সন্দেহ। সে মণিবাবুকে প্রশ্ন করল, 'সব ক'টা বাজনার নাম জানেন? ওই যে দেয়াল থেকে তারের যন্ত্রটা ঝুলছে, ওটার কী নাম?'

মণিবাবু হেসে বললেন, 'আমি মশাই এক্কেবারে বেসুরো। আমাকে ও সব জিজ্ঞেস করলে কিন্তু ফাঁপরে পড়ব।'

একটা পায়ের শব্দ পেয়ে ঘুরে দেখি সেই বন্দুকওয়ালা ছেলেটির সঙ্গে বছর চল্লিশের একজন ফরসা ভদ্রলোক আমাদের ঘরে এসে ঢুকলেন। মণিবাবু আলাপ করিয়ে দিতে জানলাম ইনিই হলেন ফুলের দোকানের মালিক অবনী সেন। ছেলেটির নাম হল সাধন। অবনীবাবু প্রদোষ মিত্তিরের নাম শুনেছেন জেনে ফেলুদা একটা ছোট্ট একপেশে হাসির সঙ্গে একটা গলা খাক্‌রানি দিল। অবনীবাবু খালি চেয়ারটায় বসে মণিবাবুর দিকে ফিরে বললেন, 'ভাল কথা, আপনার কাকা কি কাউকে তাঁর কোনও বাজনা বিক্রি করার কথা বলেছিলেন?'

'কই না তো!' মণিবাবু অবাক।

'কাল একটি ভদ্রলোক এসেছিলেন। এখানে কাউকে না পেয়ে আমার বাড়িতে যান। আমি তাঁকে আজ আবার আসতে বলে দিয়েছি। আমি আন্দাজ করেছিলাম আপনি হয়তো আসতে পারেন। ভদ্রলোকের নাম সুরজিৎ দাশগুপ্ত। আপনার কাকার মতোই বাজনা সংগ্রহের বাতিক। রাধারমণবাবুর লেখা একটি চিঠি দেখালেন। মৃত্যুর কিছুদিন আগেই লেখা। সেই চিঠি পেয়ে ভদ্রলোক নাকি আগেই একবার দেখা করে গেছেন। আপনাদের চাকরও তাকে দেখেছে বলে বলল।'

'আমিও দেখেছি।'

কথাটা বলল সাধন। সে একটা টেবিলের উপর রাখা ছোট্ট হারমোনিয়ামের মতো একটা বাজনার সামনে দাঁড়িয়ে তার পর্দার উপর আস্তে আস্তে আঙুল টিপে টুং টাং সুর বার করছে।

অবনীবাবু ছেলের কথা শুনে হেসে বললেন, 'সাধন প্রায় সারাটা দিনই এই বাড়ির আশেপাশেই ঘোরাফেরা করে। দাদুর সঙ্গে তার খুব ভাব ছিল।'

'দাদুকে কেমন লাগত তোমার?' ফেলুদা জিজ্ঞেস করল।

'মাঝে মাঝে খারাপ।' সাধন আমাদের দিকে পিছন ফিরেই উত্তরটা দিল।

'খারাপ কেন?' ফেলুদা আবার প্রশ্ন করল।

'খালি খালি সারেগামা গাইতে বলতেন।'

'আর তুমি গাইতে না?'

'না। কিন্তু আমি গাইতে পারি।'

'যত রাজ্যের হিন্দি ফিল্মের গান,' হেসে বলে উঠলেন অবনীবাবু।

'দাদু জানতেন তুমি গান গাইতে পারো?' ফেলুদা জিজ্ঞেস করল।

'হ্যাঁ।'

'তার মানে তোমার গান শুনেছিলেন তিনি?'

'না।'

'তা হলে কী করে জানলেন?'

'দাদু বলতেন যার নামে সুর থাকে, তার গলায়ও সুর থাকে।'

কথাটা ঠিক পরিষ্কার হল না, তাই আমরা এ-ওর মুখ চাওয়া-চাওয়ি করলাম। ফেলুদা বলল, 'তার মানে?'

'জানি না।'

'তোমার দাদুর গান তুমি শুনেছ ?'

'না। বাজনা শুনেছি।'

এই কথাটায় মণিমোহনবাবু যেন বেশ হকচকিয়ে গিয়ে বললেন, 'সে কী, সাধনবাবু! তুমি ঠিক বলছ ? আমি তো জানি উনি বাজনা বাজানো ছেড়ে দিয়েছিলেন। তোমার সামনে বাজিয়েছেন কখনও ?'

'সামনে না। আমি বাইরে ছিলাম, বাগানে। বন্দুক দিয়ে নারকোল মারছিলাম। উনি তখন বাজালেন।'

'অন্য কোনও লোক বাজায়নি তো ?' মণিবাবু জিজ্ঞেস করলেন।

'আর কেউ ছিল না।'

ফেলুদা বলল, 'অনেকক্ষণ ধরে বাজনা শুনলে ?'

'না। বেশিক্ষণ না।'

ফেলুদা এবার মণিমোহনবাবুকে বলল, 'একবার আপনার অনুকূলকে ডাকুন তো।'

অনুকূল এসে হাত দুটোকে জড়ো করে দরজার মুখে দাঁড়াল। ফেলুদা বলল, 'তোমার মনিবকে সম্প্রতি কখনও বাজনা বাজাতে শুনেছ ?'

অনুকূল ভীষণ কাঁচুমাচু ভাব করে বলল, 'এজ্ঞে বাবু তো ঘরের ভিতরেই থাকতেন সর্বক্ষণ, তা সে কখন কী করতেন না করতেন...'

'তোমার সামনে বাজনা বাজাননি কখনও ?'

'এজ্ঞে না।'

'বাজনার আওয়াজ শুনেছ ?'

'এজ্ঞে তা যেন কয়েকবার...তবে কানে তো ভাল শুনি না...'

'মারা যাবার আগে একজন অপরিচিত লোক ওঁর সঙ্গে দেখা করতে এসেছিলেন কি ? যিনি কাল সকালেও এসেছিলেন ?'

'তা এসেছিলেন বটে। এই ঘরে বসেই কথা বললেন।'

'প্রথম কবে এসেছিলেন মনে আছে ?'

'এজ্ঞে হ্যাঁ। যেদিন তিনি চলে গেলেন সেদিন সকালে।'

'যেদিন কাকা মারা গেলেন ?' মণিবাবু চোখ বড় বড় করে জিজ্ঞেস করলেন।

'এজ্ঞে হ্যাঁ।'

অনুকূলের চোখে জল এসে গেছে। সে গামছা দিয়ে চোখ মুছে ধরা গলায় বলল, 'সে ভদ্দরলোক গেলেন চলে, আর তার কিছু পরেই আমি বাবুর চানের জল গরম করে নিয়ে তেনাকে বলতে গিয়ে দেখি কি তেনার যেন হুঁশ নেই। কয়েকবার "বাবু বাবু" করে ডেকে যখন সাড়া পেলাম না তখন এনার বাড়িতে গেলাম খবর দিতে।' অনুকূল অবনীবাবুর দিকে দেখিয়ে দিল। অবনীবাবু বললেন, 'আমি ব্যাপার দেখেই মণিবাবুকে টেলিফোন করে একজন ডাক্তার নিয়ে আসতে বলি। অবিশ্যি বিশেষ কিছু করার ছিল না।'

একটা গাড়ির আওয়াজ পাওয়া গেল। অনুকূল বাইরে চলে গেল। মিনিটখানেকের মধ্যেই ঘরে এসে ঢুকলেন লম্বা ঝুলপি, ঝাঁকড়া চুল, লম্বা গোঁফ আর পুরু ফ্রেমের চশমা পরা এক ভদ্রলোক। জানা গেল ইনিই সুরজিৎ দাশগুপ্ত। অবনীবাবু মণিমোহনবাবুকে দেখিয়ে বললেন, 'আপনি এঁর সঙ্গে কথা বলুন। ইনি রাধারমণবাবুর ভাইপো।'

'ও, আই সি। আপনার কাকার সঙ্গে আমার চিঠিতে আলাপ হয়। উনি আমাকে এসে দেখা করতে—'

মণিবাবু তার কথার উপরেই বললেন, 'কাকার চিঠিটা সঙ্গে আছে কি ?'

ভদ্রলোক তাঁর কোটের ভিতরের পকেট থেকে একটা পোস্টকার্ড বার করে মণিবাবুর হাতে দিলেন। মণিবাবুর পড়া হলে সে চিঠি ফেলুদার হাতে গেল। আমি ঝুঁকে পড়ে দেখলাম তাতে রাধারমণবাবু ভদ্রলোককে রবিবার ১৮ই সেপ্টেম্বর সকালে ন'টা থেকে দশটার মধ্যে তাঁর সঙ্গে দেখা করতে লিখেছেন। কারণটাও বলা আছে — 'বাদ্যযন্ত্র আমার যাহা আছে তাহা আমার নিকটেই আছে। আপনি আসিলেই দেখিতে পাইবেন।' উলটোদিকে ভদ্রলোকের ঠিকানাটাও ফেলুদা দেখে নিল — মিনার্ভা হোটেল, সেন্ট্রাল এভিনিউ, কলকাতা-১৩।

ফেলুদা চিঠিটা পড়ে খাটের পাশের টেবিলের উপর রাখা সুলেখা ব্লু-ব্ল্যাক কালিটার দিকে এক ঝলক দেখে নিল। চিঠিটা মনে হয় সেই কালিতেই লেখা।

সুরজিৎবাবু এতক্ষণ দাঁড়িয়ে ছিলেন, এবার যেন একটু অসহিষ্ণুভাবেই খাটের একটা কোণে গিয়ে বসলেন। পরের প্রশ্নটাও মণিমোহনবাবুই করলেন।

'আঠারো তারিখে আপনার সঙ্গে কী কথা হয় ?'

সুরজিৎবাবু বললেন, 'কিছুদিন আগে একটা পুরনো গীতভারতী পত্রিকায় বাদ্যযন্ত্র সম্বন্ধে ওঁর একটা লেখা পড়ে আমি রাধারমণবাবু সম্বন্ধে জানতে পারি। এখানে এসে ওঁর কালেকশন দেখে আমি তার থেকে দুটো যন্ত্র কেনার ইচ্ছা প্রকাশ করি। দাম নিয়ে কথা হয়। আমি দুটোর জন্যে দুহাজার টাকা অফার করি। উনি রাজি হন। আমি তখনই চেক লিখে দিচ্ছিলাম, উনি দুদিন পরে ক্যাশ নিয়ে আসতে বললেন। তাই বুধবার আবার অ্যাপয়েন্টমেন্ট হয়। মঙ্গলবার কাগজে দেখি উনি মারা গেছেন। তারপর আমি দেরাদুন চলে যাই। পরশু ফিরেছি।'

মণিবাবু বললেন, 'আপনি যেদিন দেখা করতে আসেন সেদিন ওঁর শরীর কেমন ছিল ?'

'ভালই তো। তবে ওঁর বোধহয় একটা ধারণা হয়েছিল উনি আর বেশিদিন বাঁচবেন না। দু-একটা কথায় সেরকম একটা ভাব প্রকাশ পাচ্ছিল।'

'আপনার সঙ্গে কোনও কথা কাটাকাটি হয়নি তো ?'

প্রশ্নটা শুনে সুরজিৎবাবুর মুখ কয়েক মুহূর্তের জন্য বেশ কালো হয়ে গেল। তারপর চাপা গলায় বললেন, 'আপনি কি ভদ্রলোকের হার্ট অ্যাটাকের জন্য আমাকে দায়ী করছেন ?'

মণিবাবুও যথাসম্ভব ঠাণ্ডাভাবেই বললেন, 'আপনি ইচ্ছে করে কিছু করেছেন বলছি না। তবে আপনি যাবার কিছুক্ষণ পরেই তো উনি অসুস্থ হয়ে পড়েন, তাই...'

'তা হতে পারে, তবে আমি যতক্ষণ ছিলাম ততক্ষণ তিনি সম্পূর্ণ সুস্থ ছিলেন। এনিওয়ে, আপনি আমার ব্যাপারে নিশ্চয় একটা ডিসিশন নিতে পারবেন। আমি ক্যাশ টাকা নিয়ে এসেছি — দুহাজার —' ভদ্রলোক পকেট থেকে মানিব্যাগ বার করলেন — 'যন্ত্র দুটো আজ পেলে ভাল হত। আমি কাল দেরাদুন ফিরে যাচ্ছি। আমি থাকি ওখানেই। ওখানেই মিউজিক নিয়ে রিসার্চ করি।'

'কোন দুটো যন্ত্রের কথা বলছেন আপনি ?'

সুরজিৎবাবু খাট থেকে উঠে দেয়ালের দিকে গিয়ে হুকে ঝোলানো একটা বাজনার দিকে দেখিয়ে বললেন, 'একটা হল এটা। এর নাম খামাঞ্চে — ইরানের যন্ত্র। এটার নাম জানতাম, কিন্তু দেখিনি কখনও। বেশ পুরনো যন্ত্র। আর অন্যটা হল —'

সুরজিৎবাবু ঘরের উলটো দিকে একটা নিচু টেবিলের উপর রাখা ছোট্ট হারমোনিয়ামের মতো দেখতে যন্ত্রটার সামনে গিয়ে দাঁড়ালেন। এটাই কিছুক্ষণ আগে সাধন বাজাচ্ছিল। ভদ্রলোক সেটার দিকে আঙুল দেখিয়ে বললেন, 'এটার নাম মেলোকর্ড। এটা বিলিতি যন্ত্র ;

আগে দেখিনি কখনও। আমার বিশ্বাস অল্প কয়েকদিনের জন্য ম্যানুফ্যাকচার হয়েছিল, তারপর বন্ধ হয়ে যায়। খুব সিম্‌প্‌ল যন্ত্র ; তবে আর পাওয়া যায় না বলে এক হাজার অফার করেছিলাম। উনি তখন রাজিই হয়েছিলেন —'

'ওগুলো এখন দেওয়া যাবে না মিস্টার দাশগুপ্ত।'

সুরজিৎবাবু থম্‌কে গেলেন। কথাটা বলেছে ফেলুদা, আর বলেছে বেশ জোরের সঙ্গে। 'তীক্ষ্ণ দৃষ্টিবাণ হানা'র কথাটা কোন বইয়ে যেন পড়েছি। সুরজিৎবাবু মণিবাবুর দিক থেকে বাঁই করে ঘুরে ফেলুদার দিকে সেই রকম একটা তীক্ষ্ণ দৃষ্টিবাণ হেনে শুকনো ভারী গলায় বললেন, 'আপনি কে ?'

উত্তর দিলেন মণিবাবু।

'উনি আমার বন্ধু। তবে উনি ঠিকই বলেছেন। ওগুলো এখন দেওয়া যাবে না। তার প্রধান কারণটা আপনার বোঝা উচিত। কাকা যে ওগুলো আপনাকে বিক্রি করতে রাজি ছিলেন তার কোনও প্রমাণ নেই।'

সুরজিৎ দাশগুপ্ত কয়েক মুহূর্ত পাথরের মতো দাঁড়িয়ে রইলেন। তারপর হঠাৎ কিছু না বলে গট্‌গট্‌ করে ঘর থেকে বেরিয়ে গেলেন।

ফেলুদাও দেখি চেয়ার ছেড়ে উঠে পড়েছে। সুরজিৎবাবুর ঘটনাটা যেন কিছুই না এই

রকম একটা ভাব করে সে দেয়ালের দিকে এগিয়ে গিয়ে প্রথমে খামাঞ্চে যন্ত্রটাকে মন দিয়ে দেখল। রাস্তায় যে খেলার বেহালা বিক্রি হয়, অনেকটা সেই রকম দেখতে। যদিও তার চেয়ে অনেক বড়, আর গোল অংশটায় খুব সুন্দর কাজ করা।

এবার খামাঞ্চে ছেড়ে ফেলুদা গেল মেলোকর্ড যন্ত্রটার কাছে। সাদা-কালো পর্দায় চাপ দিতেই আবার সেই পিয়ানো আর সেতার মেশানো টুং টাং শব্দ।

'এই বাজনার আওয়াজ শুনেছিলে কি ?' ফেলুদা সাধনকে জিজ্ঞেস করল।

'হতে পারে।'

সাধনের মতো এত অল্প বয়সে এত গম্ভীর ছেলে আমি খুব কম দেখেছি।

এবার ফেলুদা আলমারির দেরাজ থেকে এক তাড়া পুরনো কাগজ বার করে মণিবাবুকে বলল, 'এগুলো আমি একটু বাড়িতে নিয়ে যেতে পারি কি ?'

মণিবাবু বললেন, 'নিশ্চয়ই ! আরও যদি কিছু...'

'না, আর কিছু দরকার নেই।'

আমরা যখন ঘর থেকে বেরোচ্ছি তখন সাধন জানালা দিয়ে বাইরে আকাশের দিকে তাকিয়ে একটা অদ্ভুত সুর গুন গুন করছে।

সেটা কিন্তু কোনও ফিল্মের গানের সুর নয়।

৩

ফেলুদা মণিমোহনবাবুর কাছ থেকে দুদিন সময় চেয়ে নিয়েছিল। চাইতেই হবে, কারণ রাধারমণবাবুর বাড়ি তন্ন তন্ন করে খুঁজেও কোনও চাবি, বা চাবি দিয়ে খোলা যায় এমন কোনও বাক্স বা ওই ধরনের কিছু পাওয়া যায়নি। তাই ফেলুদা বলল, এক নম্বর, ওকে চুপচাপ বসে চিন্তা করতে হবে ; দুই নম্বর, রাধারমণবাবুর কাগজপত্র ঘেঁটে লোকটা সম্বন্ধে আরও কিছু জানা যায় কি না দেখতে হবে, আর তিন নম্বর, গান বাজনা সম্বন্ধে আরেকটু ওয়াকিবহাল হতে হবে।

বামুনগাছি থেকে ফেরার পথে মণিমোহনবাবু বললেন, 'কী রকম বুঝছেন মিস্টার মিত্তির ?'

ফেলুদা তার গম্ভীর ও অন্যমনস্ক ভাবটাকে ঝেড়ে ফেলে দিয়ে বলল, 'আপনাকে কতগুলো সন তারিখের ব্যাপারে একটু হেল্‌প করতে হবে।'

'বলুন।'

'আপনার খুড়তুতো দাদা -- অর্থাৎ রাধারমণবাবুর ছেলে মুরলীধর — কবে মারা গেছেন ?'

'ফর্টি ফাইভে। আটাশ বছর আগে।'

'তখন তাঁর ছেলের বয়স কত ছিল ?'

'ধরণীর ? ধরণীর বয়স ছিল সাত কিংবা আট।'

'ওরা কলকাতাতেই থাকত ?'

'না। দাদা ভাগলপুরে ডাক্তারি করতেন। উনি মারা যাবার পর বউদি ছেলেদের নিয়ে কলকাতায় এসে শ্বশুরবাড়িতে ওঠেন। তখন বাবা ছিলেন অ্যামহার্স্ট স্ট্রিটে। অ্যামহার্স্ট স্ট্রিটেই বউদি মারা যান। ধরণী তখন সিটি কলেজে পড়ছে। মা মারা যাবার পর থেকেই তার মতিগতি বদলে যায়। সে পড়াশুনো ছেড়ে থিয়েটারে ঢোকে। আর তার বছরখানেক পরে কাকাও চলে গেলেন বামুনগাছি। ওঁর বাড়িটা তৈরি হয়েছিল —'

'ফিফটি-নাইনে। গেটের গায়ে ডেট লেখা রয়েছে।'

রাধারমণবাবুর কাগজপত্রের মধ্যে ছিল কিছু পুরনো চিঠি, কিছু ক্যাশ মেমো, দুটো ওষুধের প্রেস্‌ক্রিপশন, স্পীগ্‌লার নামে একটা জার্মান কোম্পানির পুরনো ক্যাটালগ — তাতে নানারকম বাজনার ছবি ও দাম—খাতার কাগজে লেখা কয়েকটা বাংলা গানের স্বরলিপি, খবরের কাগজ থেকে নানান সময়ে কাটা পাঁচটা নাটকের সমালোচনা — সেগুলোতে সঞ্জয় লাহিড়ী বলে একজন অভিনেতার প্রশংসা নীল পেন্সিলে আন্ডারলাইন করা।

এর মধ্যে তিনটি জিনিস নিয়ে ফেলুদা মন্তব্য করল। স্বরলিপিগুলো দেখে বলল, 'সুরজিৎবাবু যে পোস্টকার্ডটা দেখালেন, তার হাতের লেখার সঙ্গে এ লেখা মিলে যাচ্ছে।' ক্যাটালগটা দেখে বলল, 'মেলোকর্ড বলে কোনও যন্ত্রের নাম এতে দেখছি না।' আর থিয়েটারের সমালোচনাগুলো দেখে বলল, 'যদ্দূর মনে হচ্ছে, এই সঞ্জয় লাহিড়ী আর ধরণীধর সমাদ্দার একই লোক। আর তাই যদি হয় তা হলে বলতে হবে নাতির মুখ না দেখলেও তার সম্বন্ধে খোঁজ-খবরটা রাখতেন রাধারমণবাবু।'

কাগজগুলো সযত্নে একটা প্লাস্টিকের ব্যাগে রেখে ফেলুদা থিয়েটারের পত্রিকা 'মঞ্চলোক'-এ টেলিফোন করে সঞ্জয় লাহিড়ী কোন যাত্রার দলে আছে জিজ্ঞেস করল। জানা গেল দলের নাম মডার্ন অপেরা। সেখানে সঞ্জয় লাহিড়ী হিরোর পার্ট করে। তারপর মডার্ন অপেরার অফিসে ফোন করে জানা গেল যাত্রার দল তিন সপ্তাহ হল জলপাইগুড়ি ট্যুরে বেরিয়ে গেছে। ফিরতে আরও দিন সাতেক। এ খবরটা অবিশ্যি মণিবাবু আগেই দিয়েছিলেন।

দুপুরে খাওয়া-দাওয়ার পরে আমরা বেরোলাম। একদিনে একসঙ্গে এতরকম জায়গায় অনেকদিন যাইনি। প্রথমে জাদুঘর। কেন যাচ্ছি আগে থেকে জানি না, কারণ ফেলুদার এখন মৌনীপর্ব। তার উপরে মাঝে মাঝে আঙুল মটকাচ্ছে। বোঝাচ্ছে সে ভীষণ মন দিয়ে ভাবছে, তাই ডিসটার্ব করা চলবে না। জাদুঘরে যে এরকম একটা বাজনার সংগ্রহ আছে সেটা জানতাম না। অবিশ্যি সবই দিশি বাজনা — একেবারে মহাভারতের যুগ থেকে আজকের যুগ পর্যন্ত। শুধু বীণাই যে এতরকম হতে পারে তা আমার ধারণা ছিল না।

এর পরে বিলিতি বাজনার দোকান। ফ্রি স্কুল স্ট্রিটের সাল্‌দান্‌হা কোম্পানি বলল মেলোকর্ডের নাম কখনও শোনেনি। সেখান থেকে গেলাম লালবাজারে। লালবাজারের মণ্ডল কোম্পানির একটা ক্যাশমেমো রাধারমণবাবুর কাগজপত্তরের মধ্যে ছিল, তাই বোধহয় ফেলুদা সেখানে গেল। দোকানের মালিক একেবারে জহর রায়ের মতো দেখতে। বললেন, 'সমাদ্দার মশাই আমাদের অনেকদিনের খদ্দের। সেই আমার ফাদারের টাইম থেকে।'

'মেলোকর্ড বলে কোনও যন্ত্রের নাম শুনেছেন ?' ফেলুদা জিজ্ঞেস করল।

'মেলোকর্ড ? কই, না তো। ক্ল্যারিয়োনেট টাইপের কিছু ? ফুঁ দেওয়া যন্ত্র ? উইন্ড ইনস্ট্রুমেন্ট ?'

ফেলুদা বলল, 'না। বলতে পারেন হারমোনিয়াম টাইপের। সাইজে অনেক ছোট। আওয়াজটা পিয়ানো আর সেতারের মাঝামাঝি।'

'ছোট সাইজের বাজনা ? তাতে ক'টা অকটেভ পাচ্ছেন আপনি ?'

আমি জানি যে সা-রে-গা-মা-পা-ধা-নি-সা — এই আটটা সুরে মিলে একটা অকটেভ হয়। মণ্ডলের দোকানেই একটা হারমোনিয়ামে দেখছি তিন অকটেভের বেশি পর্দা রয়েছে। মেলোকর্ডে মাত্র একটা অকটেভ রয়েছে শুনে মণ্ডল মাথা নেড়ে বললেন, 'না মশাই। এ শুনে মনে হচ্ছে খেলনা-টেলনা ধরনের কিছু হবে। আপনি বরঞ্চ নিউ মার্কেটে দেখুন।'

এর পরে ফেলুদা কলেজ স্ট্রিটের দাশগুপ্তের দোকান থেকে উনিশ টাকা দিয়ে তিনটে সংগীতের বই কিনল। তারপর সেখান থেকে বিধান সরণিতে মঞ্চলোকের অফিসে গিয়ে অনেক খুঁজে সঞ্জয় লাহিড়ীর একটা দুমড়ানো ছবি চেয়ে নিল। দাম দিতে হবে কি না জিজ্ঞেস করাতে সম্পাদক প্রতুল হাজরা জিভ কেটে বলল, 'দামের কথা কী বলছেন। আপনি ফেলু মিত্তির না ?'

রাস্তার মোড়ের একটা দোকান থেকে ঠাণ্ডা লস্যি খেয়ে ট্যাক্সি ধরে বাড়ি ফিরতে হয়ে গেল সাড়ে সাতটা। এসে দেখি পাড়া ঘুরঘুট্টি, লোড-শেডিং চলছে। ফেলুদা তার মধ্যেই মোমবাতি জ্বালিয়ে গানের বইগুলো উলটে-পালটে দেখতে লাগল। ন'টায় আলো আসার পর বলল, 'তোপ্‌সে — তুই শ্রীনাথকে নিয়ে চট করে একবারটি পটুদের বাড়ি চলে যা তো—গিয়ে বল ফেলুদা একদিনের জন্যে হারমোনিয়ামটা চেয়েছে।'

ঘুমোবার আগে পর্যন্ত শুনলাম ফেলুদা প্যাঁ প্যাঁ করে হারমোনিয়াম বাজাচ্ছে।

রাত্রে স্বপ্ন দেখলাম একটা প্রকাণ্ড ঘরে একটা প্রকাণ্ড লোহার দরজা, আর তাতে একটা প্রকাণ্ড ফুটো। ফুটোটা এত বড় যে তার মধ্যে দিয়ে অনায়াসে উলটো দিকে চলে যাওয়া যায়, কিন্তু তা না করে আমি, ফেলুদা আর মণিমোহনবাবু তিনজনে একসঙ্গে একটা প্রকাণ্ড চাবিকে আঁকড়ে ধরে সেটাকে ফুটোটার মধ্যে ঢোকাতে চেষ্টা করছি আর সুরজিৎ দাশগুপ্ত একটা আলখাল্লা পরে তিড়িং-বিড়িং লাফাচ্ছেন আর সুর করে বলছেন, 'এইট টু নাইন ওয়ান — এইট টু নাইন ওয়ান — এইট টু নাইট ওয়ান !'

৪

পরদিন মঙ্গলবার। মণিমোহনবাবু বলেছিলেন বুধবার আবার খবর নেবেন, কিন্তু সকাল সাতটায় তাঁর টেলিফোন এসে হাজির। ফোনটা আমিই ধরেছিলাম ; ফেলুদাকে ডেকে দিচ্ছি বলাতে বললেন, 'দরকার নেই। তুমি ওঁকে বলো আমি এক্ষুনি আসছি, জরুরি কথা আছে।'

পনেরো মিনিটের মধ্যেই ভদ্রলোক এসে গেলেন। বললেন, 'অবনীবাবু এই একটুক্ষণ আগে বামুনগাছি থেকে ফোন করছিলেন। কাকার শোবার ঘরে মাঝরাত্রে লোক ঢুকেছিল।'

'ওই জার্মান তালার সংকেত আর কে জানে ?' ফেলুদা তৎক্ষণাৎ প্রশ্ন করল।

'আমার ভাইপো জানত। অবনীবাবু জানেন কি না জানি না। বোধহয় না। তবে সামনের দরজা দিয়ে ঢোকেনি সে লোক।'

'তবে ?'

'বাথরুমে জমাদার ঢোকার দরজা দিয়ে।'

'কিন্তু কাল যখন বাথরুমে গেলাম তখন তো সে দরজা বন্ধ ছিল। আমি নিজে দেখেছি।'

'পরে হয়তো কেউ খুলেছিল। যাই হোক — কিছু নিতে পারেনি। ঢোকার সঙ্গে সঙ্গেই অনুকূল টের পেয়ে গেসল।...আপনি এখন ফ্রি আছেন ? একবার যেতে পারবেন ?'

'নিশ্চয়ই। তবে তার আগে একটা প্রশ্ন আছে। রাধারমণবাবুর নাতিকে — অর্থাৎ আপনার ভাইপো ধরণীধরকে — এখন দেখলে চিনতে পারবেন ?' মণিবাবু ভুরু কুঁচকে বললেন, 'অনেক কাল দেখা নেই ঠিকই, তবু হাজার হোক ভাইপো তো !'

ফেলুদা তার ঘর থেকে একটা ছবি এনে মণিমোহনবাবুকে দিল। মঞ্চলোকের অফিস

থেকে আনা সঞ্জয় লাহিড়ীর ছবি, তার উপর ফেলুদা কালি দিয়ে একজোড়া গোঁফ আর একটা মোটা ফ্রেমের চশমা এঁকে দিয়েছে।

মণিবাবু লাফিয়ে উঠে বললেন, 'আরে, এ যে দেখছি —'

'সুরজিৎ দাশগুপ্তের মতো মনে হচ্ছে কি ?'

'হ্যাঁ, হ্যাঁ, কেবল নাকের কাছটায় একটু...'

'যাই হোক, মিল একটা আছে। এটা আসলে আপনার ভাইপোরই ছবি, আমি কেবল একটু রং চড়িয়েছি।'

'আশ্চর্য।...আমারও কথাটা মনে হয়নি তা নয়। ইন ফ্যাক্ট, কাল রাত্রে একবার ভেবেছিলাম আপনাকে ফোন করে বলি। কিন্তু প্রেসে ওভারটাইম কাজ হচ্ছিল, ফিরতে অনেক রাত হল, তাই আর বলা হয়নি। অবিশ্যি নিশ্চিত হয়ে কিছু বলা সম্ভবও হত না। ধরণীকে গত পনেরো বছরে প্রায় দেখিনি বললেই চলে। থিয়েটারেও না, কারণ ও বাতিকটা আমার একদম নেই ; আর যাত্রা তো ছেড়েই দিলাম। অথচ আপনার অনুমান যদি সত্যি হয় তা হলে তো...

তা হলে দুটো ব্যাপার প্রমাণ করতে হয়। এক — সুরজিৎ দাশগুপ্ত বলে আসলে কেউ নেই, দুই — সঞ্জয় লাহিড়ী যাত্রার দল থেকে ছুটি নিয়ে চলে এসেছে, এবং সেটা এসেছে আপনার কাকার মৃত্যুর আগেই। তোপ্‌সে — মিনার্ভা হোটেলের নম্বরটা বার কর তো।'

হোটেলের সঙ্গে কথা বলে জানা গেল সুরজিৎ দাশগুপ্ত বলে একজন সেখানে এসেছিলেন বটে, কিন্তু গতকাল সন্ধ্যাবেলা তিনি হোটেল ছেড়ে চলে গেছেন।

মডার্ন অপেরায় ফোন করে লাভ নেই, কারণ কালকেই তাদের সঙ্গে কথা হয়েছে, আর তারা বলেছে যে সঞ্জয় লাহিড়ী ট্যুরে গেছে।

বামুনগাছি পৌঁছিয়ে ফেলুদা প্রথমে পাঁচিলের বাইরেটা ঘুরে দেখল। যেই আসুক, তাকে গাড়ি বা ট্যাক্সি করে আসতে হয়েছে। আর সে গাড়ি বাড়ি থেকে দূরে রেখে বাকি পথটা হেঁটে এসে পাঁচিল টপকাতে হয়েছে। শেষের কাজটা কঠিন নয়, কারণ তিন জায়গায় পাঁচিলের বাইরে গাছ রয়েছে, আর সে গাছের নিচু ডাল পাঁচিলের উপর দিয়ে কম্পাউন্ডের ভিতর ঢুকেছে। মুশকিল হচ্ছে কী, বর্ষার দিন হলে মাটিতে পায়ের ছাপ পড়ত, কিন্তু এ মাটি একেবারে খটখটে শুকনো।

অনুকূলের শরীর ভাল নয়। সে তার ঘরে বিছানায় শুয়ে কুঁই-কুঁই করে যা বলল তাতে বোঝা গেল যে মাথার যন্ত্রণায় আর মশার কামড়ে রাত্রে তার ভাল ঘুম হচ্ছিল না। সে যেখানে শোয় সেখান থেকে তার খাটের পাশের জানালা দিয়ে সোজা রাধারমণবাবুর ঘরের জানালা দেখা যায়। অন্ধকারের মধ্যে হঠাৎ সেই ঘরে একটা আলো দেখে সে ধড়মড়িয়ে উঠে 'কে কে' বলে হাঁক দিয়ে ছুটে যায়। কিন্তু সে পৌঁছবার আগেই দেখে একজন লোক রাধারমণবাবুর বাথরুমের দরজা দিয়ে দৌড়ে বেরিয়ে অন্ধকারে মিলিয়ে গেল। বাকি রাতটা নাকি অনুকূল রাধারমণবাবুর ঘরের মেঝেতে শুয়ে থাকে।

'অন্ধকারের মধ্যে সে লোককে চিনতে পারনি বোধহয় ?' মণিবাবু প্রশ্ন করলেন।

'না বাবু। আমি বুড়ো মানুষ, চোখে ভাল দেখি না, আর কাল আবার ছিল অমাবস্যা...'

রাধারমণবাবুর ঘরে গিয়ে দেখলাম জিনিসপত্তর যেমন ছিল তেমনই আছে। কিন্তু তাও ফেলুদার গম্ভীর গলার স্বরে বেশ ঘাবড়ে গেলাম।

'মণিবাবু, বারাসত থানায় খবর দিতে হবে। এ বাড়িতে আজ রাত থেকে পাহারার বন্দোবস্ত করতে হবে। সে লোক আবার আসতে পারে। আর সুরজিৎ দাশগুপ্ত যদি সঞ্জয় লাহিড়ী নাও হন, তা হলেও তাকে সন্দেহ করতে হবে, কারণ ওই দুটো যন্ত্রের উপর তার

যথেষ্ট লোভ। পয়সা দিয়ে কেনা সম্ভব না হলে অন্য উপায়ে ওগুলো হাত করার চেষ্টা অস্বাভাবিক নয়। এই সব কালেক্টরদের গোঁ বড় সাংঘাতিক।'

মণিবাবু বললেন, 'আমি অবনীবাবুর বাড়ি থেকে এক্ষুনি থানায় ফোন করে দিচ্ছি। ও-সির সঙ্গে আমার আলাপ আছে।'

ভদ্রলোক ব্যস্তভাবে ঘর থেকে বেরিয়ে গেলেন। ফেলুদা মেলোকর্ডটাকে নিয়ে খাটের ওপর বসে নেড়েচেড়ে দেখতে লাগল। দারুণ মজবুত তৈরি, দুপাশের কাঠে সুন্দর কাজ করা। জিনিসটাকে চিত করে আলোতে ধরতে একটা রং চটে যাওয়া লেবেল দেখা গেল। ফেলুদা চোখ কুঁচকে লেখাটা পড়ে বলল, 'স্পীগ্‌লার কোম্পানির তৈরি। মেড ইন জার্মানি।'

ফেলুদা হারমোনিয়াম বাজাতে জানে না ঠিকই, কিন্তু কাঁচা হাতে একটা একটা করে পর্দা টিপে যখন জনগণমন-র খানিকটা মেলোকর্ডে বাজাল, তখন যন্ত্রটার গুণে সেটা শুনতে বেশ ভালই লাগছিল। তারপর সেটাকে আবার টেবিলের উপর রেখে বলল, 'একবার ইচ্ছে করে জিনিসটাকে ভেঙে ভেতরে কী আছে দেখি ; কিন্তু যদি দেখি কিছু নেই তা হলে বাজনাটার জন্য আপশোস হবে। সুরজিৎ দাশগুপ্ত এক হাজার টাকা অফার করছিল এটার জন্যে।'

অনুকূল এই শরীর নিয়েও সরবত করে এনেছিল, সেটায় চুমুক দেবার সঙ্গে সঙ্গেই মণিমোহনবাবু ফিরে এসে বললেন, 'থানায় বলে দিয়েছি। দুজন লোক থাকবে সন্ধ্যা থেকে। অবনীবাবু বাড়ি ছিলেন না ; সাধনকে নিয়ে কলকাতা গেছেন। ফিরবেন বিকেলে।'

ফেলুদা বলল, 'রাধারমণবাবুর টাকা লুকিয়ে রাখার ব্যাপারটা আপনি ছাড়া আর কে জানতে পারে ?'

মণিবাবু গম্ভীরভাবে বললেন, 'আমি নিজে জেনেছি কাকার মৃত্যুর পরে। টাকা যে খোঁজাখুঁজি হচ্ছে সেটা অবিশ্যি অবনীবাবু জানেন, কিন্তু তার অ্যামাউন্টটা কত হতে পারে সেটা জানার কথা নয়। আর সুরজিৎ দাশগুপ্ত যদি আসলে ধরণীধর হয়ে থাকে, তা হলে সে যেদিন কাকার সঙ্গে এসে কথা বলেছিল সেদিন কিছু জেনে থাকতে পারে। আমার তো বিশ্বাস সে কাকার কাছে টাকাই চাইতে এসেছিল। তারপর কাকার সঙ্গে কথা কাটাকাটি হয়, তার ফলে...'

মণিবাবু কথাটা শেষ করলেন না।

ফেলুদা তাঁর দিকে একদৃষ্টে তাকিয়ে বলল, 'তার ফলে আপনার কাকার হার্ট অ্যাটাক হয়। আর সেই অবস্থাতেই ধরণীধর ঘরের মধ্যে টাকার অনুসন্ধান করে। আপনি এই ভাবছেন তো ?'

'হুঁ...কিন্তু আমি এটাও জানি যে সে টাকা খুঁজে পায়নি।'

'যদি পেত তা হলে সে বাজনা কেনার অজুহাতে আবার ফিরে আসত না — এই তো ?'

'ঠিক তাই। তার ধারণা ওই দুটো বাজনার একটার মধ্যে টাকাটা রয়েছে।'

'মেলোকর্ড।'

মণিবাবু ফেলুদার দিকে তীক্ষ্ণ দৃষ্টি দিলেন।

'আপনি তাই বলছেন ?'

'আমার মন তাই বলছে,' ফেলুদা বলল। 'তবে আমি আন্দাজে ঢিল মারা পছন্দ করি না। আর আপনার কাকার শেষ কথাগুলোও আমি ভুলতে পারছি না। আপনার শুনতে কোনও ভুল হয়নি তো ? উনি "চাবি" কথাটাই বলেছিলেন তো ?'

মণিবাবু হঠাৎ কেমন যেন অপ্রতিভ হয়ে পড়লেন। হাত কচলাতে কচলাতে বললেন,

‘কী জানি মশাই, চাবি বলেই তো মনে হল। অবিশ্যি...এমন হতে পারে যে কাকা আসলে প্রলাপ বকছিলেন। চাবি কথাটার হয়তো কোনও অর্থ নেই।’

কথাটা শুনে আমার মনটা বেশ দমে গিয়েছিল। কিন্তু ফেলুদার মধ্যে দমবার কোনও লক্ষণ দেখলাম না। ও বলল, ‘প্রলাপই হোক আর যাই হোক, এ ঘরে টাকা আছে। আমি যেন সে টাকার গন্ধ পাচ্ছি। চাবিটা আসল কথা নয়। আসল কথা টাকা।’

‘তা হলে আপাতত কী করবেন সেটা ঠিক করুন।’

‘করেছি। আপাতত বাড়ি ফিরব। দিনের বেলা কোনও ভয় নেই। অনুকূলকে বলে দেবেন চোখ রাখতে আর বাইরের কোনও লোককে যেন ঢুকতে না দেওয়া হয়। রাত্রে তো পাহারাই থাকবে। আমি বাড়ি গিয়ে আমার খাতা নিয়ে আমার ঘরে আমার খাটের উপর বালিশে বুক দিয়ে উপুড় হয়ে শুয়ে চিন্তা করব। একটা আবছা আলো দেখতে পাচ্ছি, সেটা আরও উজ্জ্বল হওয়া দরকার। তবে একটা কথা, তেমন বুঝলে আজ রাতটা আমি এখানে কাটাতে চাই। আপনার আপত্তি নেই তো?’

‘মোটেই না। আটটা নাগাদ আপনাকে তুলে নিতে পারি।’

‘ভাল কথা — আপনি সংখ্যাতত্ত্বে বিশ্বাস করেন!’

‘সংখ্যাতত্ত্ব?’ মণিমোহন ভ্যাবাচ্যাকা।

ফেলুদা তার একপেশে হাসি হেসে বলল, ‘আপনাদের সবাইয়ের নাম দেখছি পাঁচ অক্ষরের — রাধারমণ, মুরলীধর, ধরণীধর, মণিমোহন — তাই প্রশ্নটা মনে এল।’

৫

‘আগে লেখ— মৃত ব্যক্তির নাম কী ছিল।’

ফেলুদা তার খাটে বসে আছে, আমি তার পাশের চেয়ারে। আমার হাতে সে খাতা পেনসিল ধরিয়ে দিয়েছে। আমি লিখলাম—

‘রাধারমণ সমাদ্দার।’

‘তার নাতির নাম?’

‘ধরণীধর সমাদ্দার।’

‘নাতির থিয়েটারি নাম?’

‘সঞ্জয় লাহিড়ী।’

‘দেরাদুনের বাজনা সংগ্রাহকের নাম?’

‘সুরজিৎ দাশগুপ্ত।’

‘রাধারমণের প্রতিবেশীর নাম?’

‘অবনী সেন।’

‘তার ছেলের নাম?’

‘সাধন সেন।’

‘রাধারমণের শেষ কথা কী ছিল?’

‘আমার নামে...চাবি...চাবি...’

‘গানে একটা সা থেকে তার পরের সা পর্যন্ত ক’টা সুর থাকে?’

এর মধ্যে ফেলুদা তার কেনা সংগীত প্রবেশিকার প্রথম চ্যাপ্টারটা আমাকে দিয়ে পড়িয়ে নিয়েছে। গান নিয়ে সে কেন এত মেতে উঠেছে জানি না। যাই হোক, আমি লিখলাম—

‘বারোটা।’

'কী কী ?'

'সাতটা শুদ্ধ, চারটে কোমল, একটা কড়ি।'

'শুদ্ধ সুর কী কী ? কীভাবে লেখে ?'

'স র গ ম প ধ ন।'

'কোন-কোনটা কোমল হয় ?'

'র গ ধ ন।'

'কীভাবে লেখে ?'

'ঋ জ্ঞ দ ণ।'

'আর কড়ি ?'

'ম।'

'কীভাবে লেখে ?'

'হ্ম।'

'এবার দে কাগজটা।'

দিলাম।

'এবার বাইরে বৈঠকখানায় গিয়ে বোস। দরজাটা ভেজিয়ে দে। আমি কাজ করব।'

গেলাম বৈঠকখানায়। দরজা ভেজালাম। সোফায় বসলাম। চাঁদের পাহাড় বইটা তিনবার পড়েছি, আবার পড়তে শুরু করলাম।

প্রায় এক ঘণ্টা পরে ফেলুদার ঘরের এক্সটেনশন টেলিফোনে ডায়াল করার আওয়াজ পেলাম। কৌতূহল সামলাতে না পেরে দরজার কাছে গিয়ে কান লাগালাম। ফেলুদার গলা পেলাম, 'ডাক্তার বোস আছেন, চিন্তামণি বোস ?'

ফেলুদা সেই হার্ট স্পেশালিস্টকে ফোন করছে, যাকে মণিবাবু নিয়ে গিয়েছিলেন তাঁর কাকাকে দেখাতে।

ফোনটা কাকে করছে সেটাই জানতে চাইছিলাম, বাকি কথা শোনার দরকার নেই। আমি আবার জায়গায় এসে বসলাম।

দশ মিনিট পরে আবার কটর কটর শব্দ। ডায়ালিং-এর।

উঠে দরজায় গেলাম। কান লাগালাম।

'ইউরেকা প্রেস ? কে কথা বলছেন ?'

মণিমোহনবাবুর প্রেস। ব্যস্ — এইটুকুই যথেষ্ট। আমি আবার চাঁদের পাহাড় নিয়ে বসলাম।

চারটের সময় যখন শ্রীনাথ চা আনল, তখনও ফেলুদা ঘর থেকে বেরোল না। শেষে যখন দেয়াল ঘড়িতে দেখি চারটে পঁয়ত্রিশ, আর আমি ভাবছি আমার ওই ক'টা লেখা নিয়ে ফেলুদা অত কী ভাবছে, ঠিক সেই সময়ে ও দরজা খুলে হাতে একটা আধপোড়া চারমিনার নিয়ে বেরিয়ে এসে চাপা গলায় বলল, 'মাথা ভোঁ ভোঁ করছে রে তোপ্‌সে, একটা বিরাশি বছরের বুড়োর মরার মুখে বলা সামান্য তিনটে কথার মানে নিয়ে এত কেন ভাবতে হল সেটা ভেবে মাথা ভোঁ ভোঁ করছে। এর জন্যে অবিশ্যি দায়ী আমাদের বাংলা ভাষা...'

আমি অবিশ্যি ফেলুদার কথাবার্তা কিছুই বুঝতে না পেরে ওর দিকে চেয়ে কাঠ হয়ে বসে রইলাম। দেখতে পাচ্ছি ওর মুখের চেহারা বদলে গেছে, আর বুঝতে পারছি যে, যে আবছা আলোটার কথা ও বলছিল সেটা ওর কাছে আর আবছা নেই।

'সা ধা নি সা নি...সব ক'টা শুদ্ধ সুর। শুনে কিছু মনে পড়ছে ? কোনও মানে বুঝতে পারছিস ?'

আমার মাথা আরও গুলিয়ে গেল। ফেলুদা বলল, 'তোর বুঝতে পারার কথা নয়। পারলে তোতে আর ফেলু মিত্তিরে কোনও তফাত থাকত না।'

ভাগ্যিস তফাতটা আছে ! আমি ফেলুদার স্যাটিলাইটের বেশি আর কিছু হতে চাই না।

ফেলুদা এই প্রথম সিগারেটটা ছাইদানে না ফেলে ক্যারামের স্ট্রাইকার মারার মতো করে জানালা দিয়ে বাইরে রাস্তায় ফেলে দিয়ে বৈঠকখানার টেলিফোনে গিয়ে একটা নম্বর ডায়াল করল। দশ সেকেন্ড পরেই কথা।

'কে — মিস্টার সমাদ্দার ? চলে আসুন — এক্ষুনি — বামুনগাছি যেতে হবে — হ্যাঁ, হয়ে গেছে — সব পরিষ্কার...মেলোকর্ড...হ্যাঁ, মেলোকর্ডই আমাদের রহস্যের চাবিকাঠি।'

তারপর টেলিফোনটা রেখে গম্ভীর গলায় বলল, 'একটা রিস্ক আছে রে তোপ্‌সে, কিন্তু সেটা না নিলেই নয়।'

মণিবাবুর ড্রাইভার গুরুচরণ দেখতে বুড়ো হলেও ভি আই পি রোডে পঁচাশি কিলোমিটার পার আওয়ার স্পিড তুলল। ফেলুদার ভাব দেখে মনে হল হ্যান্ড্রেড-টান্ড্রেড হলে সে আরও খুশি হত। এয়ারপোর্টের পর খানিকটা রাস্তা লোকজনের ভিড়ে স্পিড অনেক কমল, কিন্তু পরের দিকে আবার ষাটে উঠল — যদিও রাস্তা তত চওড়া নয়, আর সন্ধেও হয়ে আসছে।

রাধারমণবাবুর গেটের কাছাকাছি এসে ফেলুদা বলল, 'পাহারার লোক আসার সময় হয়নি বোধহয় এখনও।'

গেট দিয়ে ঢুকতেই বাগানে দেখলাম বন্দুক হাতে সাধন দাঁড়িয়ে আছে। গাড়ি থেকে নেমে ফেলুদা বলল, 'কী সাধনবাবু, এই সন্ধের আলোতে কী শিকার হচ্ছে ?'

সাধন বলল, 'বাদুড়।'

রাধারমণবাবুর কম্পাউন্ডের ঠিক বাইরে একটা অশ্বত্থ গাছ থেকে কয়েকটা বাদুড় ঝুলছে সেটা গাড়ি থেকে নেমেই আমার চোখে পড়েছিল।

অনুকূল গাড়ির আওয়াজ পেয়ে তার ঘর থেকে বেরিয়ে এসেছিল ; মণিবাবু তাকে লণ্ঠন জ্বালতে বলে বাড়ির ভিতর ঢুকলেন, আর আমরাও ঢুকলাম তাঁর পিছন পিছন। এইট-টু-নাইন-ওয়ান তালাটা খুলতে খুলতে মণিবাবু বললেন, 'রহস্যের কীভাবে সমাধান হল সেটা জানতে খুব ইচ্ছে করছে।' আসলে ফেলুদা সারা রাস্তা কোনও কথা বলেনি, কাজেই মণিবাবুর যা অবস্থা, আমারও তাই।

অন্ধকার ঘরে ঢুকে ফেলুদা তার ভীষণ জোরালো টর্চটা ঘরে পশ্চিমের দেয়ালের নীচের দিকে ফেলল। আমার বুক ঢিপ ঢিপ করছে। আলোটা সোজা গিয়ে টেবিলে রাখা মেলোকর্ডের উপর পড়েছে। ঝক্‌ঝকে সাদা পর্দাগুলো দেখে মনে হচ্ছে বাজনাটা দাঁত বের করে হাসছে। ফেলুদা টর্চটা সেইভাবেই ধরে রেখে বলল —

'চাবি। ইংরিজিতে Key, বাংলায় চাবি। এই যে সাদা-কালো পর্দাগুলো দেখছিস, ওর আর একটা নাম হল চাবি, আর সেই চাবির কথাই—'

চোখের পলকে এমন একটা ব্যাপার ঘটে গেল যেটা ভাবতে এখনও আমার গায়ে কাঁটা দিচ্ছে। মণিবাবু হঠাৎ বাঘের মতো লাফিয়ে মেলোকর্ডটাকে তুলে নিয়ে সেটা দিয়ে ফেলুদার মাথায় একটা প্রকাণ্ড বাড়ি মেরে আমাকে এক ধাক্কায় মাটিতে ফেলে ঊর্ধ্বশ্বাসে দরজা দিয়ে বেরিয়ে গেলেন।

ফেলুদা মার খাবার ঠিক আগেই নিজেকে বাঁচানোর জন্য টর্চ সমেত হাত দুটো মাথার উপর তুলেছিল। তাই হয়তো তার মাথায় চোট লাগেনি। কিন্তু তা সত্ত্বেও হাতের যন্ত্রণাতেই সে দেখি খাটে বসে পড়েছে। আমি নিজে মেঝে থেকে উঠতে না উঠতেই বুঝলাম মণিবাবু

বাইরে থেকে এইট-টু-নাইন-ওয়ান বন্ধ করে দিয়েছেন।

আমি তাও দৌড়ে গিয়ে কাঁধ দিয়ে দরজায় একটা ধাক্কা মেরেছি, এমন সময় ফেলুদার গলা পেলাম — 'বাথরুম !'

বাইরে থেকে গাড়ি স্টার্ট দেবার একটা শব্দ, আর তারপরেই ঠাঁই করে একটা আওয়াজ।

আমরা দুজনে ঝড়ের মতো বাথরুমে ঢুকে জমাদারের দরজা খুলে বাইরে বেরোলাম। বাগানের দিক থেকে গোলমাল, অনুকূলের গলা, অবনীবাবুর গলা। মণিবাবুর গাড়িটা বাঁই করে গেট দিয়ে বেরিয়ে চলে গেল। আমরা সামনের দরজার কাছে পৌঁছে গেছি।

ওটা কে বসে আছে কাঁকর বিছানো রাস্তার উপর ? অবনীবাবু চেঁচাচ্ছেন — 'তুমি কী করলে, সাধন ! এটা কী করলে তুমি ! ছি-ছি-ছি !'

সাধন তার সরু অথচ গম্ভীর গলায় বেশ ঝাঁঝের সঙ্গে বলল, 'ও যে দাদুর বাজনা নিয়ে পালাচ্ছিল !'

এবার ফেলুদা বলল, 'ও ঠিকই করেছে, অবনীবাবু ! অপরাধীকে এয়ারগান দিয়ে পঙ্গু করে ও আমাদের সাহায্যই করেছে — যদিও ভবিষ্যতে ওকে একটু সাবধানে বন্দুক চালাতে হবে। ...আপনি এক্ষুনি থানায় ফোন করে দিন। গাড়িটাকেও যেন পালাতে না দেয় — ওর

নম্বর হল ডব্লু এম এ সিক্স ওয়ান সিক্স ফোর।'

অনুকূল আর ফেলুদা দুজনে মিলে মণিবাবুকে ধরে তুলল। তাঁর কপালের বাঁ দিক থেকে ছর্‌রার গুলি লেগে রক্ত পড়ছে। ভদ্রলোক একেবারে থুম মেরে গেছেন।

মেলোকর্ডটা মণিবাবুর পাশেই কাঁকরের উপর পড়ে ছিল, আমি সেটাকে খুব সাবধানে তুলে নিলাম।

আমরা চারজন রাধারমণবাবুর খাটের পাশে গোল হয়ে চেয়ারে বসে চা খাচ্ছি। চারজন মানে আমি, ফেলুদা, অবনীবাবু, আর বারাসত থানার দীনেশ গুঁই, ইনি বোধহয় ইনস্পেক্টর-টিনস্পেক্টর হবেন। ঘরের এক কোণে সিন্দুকটার সামনে আরও দুজন লোক রয়েছে। একজন দাঁড়িয়ে, সে বোধহয় কন্‌স্টেব্‌ল, আর আরেকজন চেয়ারে ঘাপটি মেরে বসে। ইনি হলেন অপরাধী মণিমোহন সমাদ্দার, যার কপালে এখন ব্যান্ডেজ বাঁধা। এ ছাড়া সাধনও রয়েছে। সে জানালার ধারে দাঁড়িয়ে বাইরের অন্ধকারের দিকে দেখছে। আমাদের পাঁচজনের মাঝখানে টেবিলের উপর রাখা রয়েছে মেলোকর্ড। এইবার বোধহয় ফেলুদা একটা রহস্য উদ্‌ঘাটন করবে। ফেলুদার ঘড়ির কাচ ভেঙে গেছে, আর বাঁ হাতের কবজির খানিকটা ছাল উঠে গেছে। রাধারমণবাবুর বাথরুম থেকে ডেটল নিয়ে লাগিয়ে সেখানে সে রুমাল বেঁধে রেখেছে।

হাত থেকে চায়ের কাপটা মাটিতে নামিয়ে রেখে ফেলুদা বলতে আরম্ভ করল — 'মণিমোহন সমাদ্দারকে আমি সন্দেহ করতে আরম্ভ করি আজ দুপুর থেকে। কিন্তু তিনি কোনও একটা বেচাল না চাললে তাঁকে বাগে আনা যাচ্ছিল না, কারণ তাঁর বিরুদ্ধে প্রমাণের অভাব। আমি তাই খানিকটা রিস্ক নিয়েই তাঁকে প্রশ্রয় দিচ্ছিলাম। আমাকে আচমকা আক্রমণ করে বাজনা নিয়ে পালানোটাই হল তাঁর ভুল চাল। শেষ পর্যন্ত তিনি পালাতে পারতেন না ঠিকই, কিন্তু তিনি যে এত তাড়াতাড়ি সায়েস্তা হলেন তার জন্য অবিশ্যি দায়ী সাধনের এয়ারগান।

'মণিমোহনবাবুর একটা কথায় প্রথম খটকা লাগে। কথাটা যখন বলেছিলেন তখন লাগেনি, পরে লাগে। উনি বলেছিলেন পরশু ওঁর প্রেসে ওভারটাইম কাজ হচ্ছিল, তাই ওঁর বাড়ি ফিরতে অনেক রাত হয়েছিল। পরশু ছিল সোমবার। আমি জানি যে-পাড়ায় মণিবাবুর প্রেস, সে-পাড়ায় সন্ধ্যায় নিয়মিত লোড-শেডিং হয়; আমার এক প্রোফেসর বন্ধু সেই একই পাড়ায় থাকে। আজ ইউরেকা প্রেসে ফোন করে জানতে পারি যে প্রথমত, সোমবার বিকেল থেকে লোড-শেডিং-এর জন্য কাজ বন্ধ ছিল, আর দ্বিতীয়ত, মণিমোহনবাবু দুপুরের পর আর সেদিন প্রেসেই যাননি। এই মিথ্যে কথাটাতেই আমার মনে ভীষণ খটকা লাগে। আর তার পরেই সন্দেহ হয় — উনি রাধারমণবাবুর শেষ কথা সম্বন্ধে যা বলেছিলেন সেটা সত্যি তো? রাধারমণের মৃত্যুর সময় মণিবাবু ছাড়াও একজন লোক সেখানে ছিলেন। তিনি হলেন ডাক্তার চিন্তামণি বোস। তাঁকে ফোন করে জানতে পারি যে মণিবাবু পুরোপুরি সত্যি কথা বলেননি — রাধারমণের একটা কথা তিনি গোপন করেছিলেন। রাধারমণ আসলে বলেছিলেন — "ধরণী...আমার নামে...চাবি...চাবি..."। ধরণী হল রাধারমণবাবুর নাতি। মৃত্যুর আগের মুহূর্তে তাঁর নাতিকেই কিছু বলার কথা মনে এসেছিল, ভাইপোকে নয়। ভাইপোকে হয়তো সেই অবস্থায় তিনি চিনতেই পারেননি। আসলে নাতির সঙ্গে তাঁর সরাসরি সম্পর্ক না থাকলেও তার উপর থেকে রাধারমণবাবুর স্নেহ যায়নি। তার অভিনয়ের প্রশংসা কাগজে বেরোলে তিনি তা কেটে রাখতেন। কিন্তু যে কথাটা তিনি নাতিকে বলতে চেয়েছিলেন সেটা শুনে ফেলল তাঁর ভাইপো। 'চাবি' কথাটা শুনে মণিমোহন বুঝলেন যে টাকা পয়সার কথা বলা হচ্ছে, কিন্তু শেষটায় চাবি দিয়ে কিছুই বেরোল না। তখন মণিবাবুকে

গোয়েন্দা ফেলু মিত্তিরের কাছে আসতে হল। মতলব এই যে আমি টাকার সন্ধান দেব, আর উনি সুযোগ বুঝে সেটি আত্মসাৎ করবেন। উইল আছে কি না জানা নেই। না থাকলে টাকা নাতি পাবে। আর থাকলেও মণিবাবুর পাবার সম্ভাবনা কম, কারণ আমার বিশ্বাস রাধারমণবাবু তাঁর ভাইপোকে পছন্দ করতেন না।

'এখন কথা হচ্ছে, আমার কাছ থেকে কিছু একটা লুকোবার জন্যই নিশ্চয়ই মণিবাবুর মিথ্যে কথা বলার দরকার হয়েছিল। তাঁর মাথায় কি সেদিন কোনও ক্রূর অভিসন্ধি খেলছিল, যে কারণে তাঁর পক্ষে প্রেসে যাওয়া সম্ভব হয়নি? সেইদিনই মাঝরাত্রে যে-লোক রাধারমণবাবুর ঘরে হানা দিয়েছিল সে কি তা হলে মণিমোহন সমাদ্দার? এটা আমার কাছে খুবই বিশ্বাসযোগ্য বলে মনে হয়, কারণ সেদিনই সকালে আমি যখন রাধারমণবাবুর বাথরুম পরীক্ষা করে দেখি, তখন জমাদারের দরজা ভিতর থেকে বন্ধ ছিল। সে দরজা খুলবে কে, এবং কেন? বাথরুমটা তো আর ব্যবহারই হচ্ছে না! আসলে যে লোক ঢুকেছে সে সামনের দরজা দিয়ে জার্মান তালা খুলে ঢুকেছে, সে তালার সংকেত তার জানা, ঘরে ঢুকে সে লোক জমাদারের দরজা খুলে বেরিয়ে এসে জার্মান তালা বন্ধ করে, আবার বাথরুম দিয়ে ঢুকেছে। এই লোক যে মণিমোহন সমাদ্দার তাতে কোনও সন্দেহ নেই। তিনি বোধহয় বাকি কথাটার মানে বুঝে ফেলে মেলোকর্ড নামক চাবিওয়ালা যন্ত্রটা নিতে এসেছিলেন, তাই না?'

আমাদের সকলের দৃষ্টি মণিবাবুর দিকে গেল। মাথা হেঁট অবস্থাতেই তিনি আবছা অন্ধকারে দুবার মাথা নেড়ে হ্যাঁ বললেন।

ফেলুদা বলল, 'চাবি যে বাজনার চাবি সেটা বুঝলেও মণিবাবু বোধহয় রাধারমণের বাকি সংকেতটা ধরতে পারেনি। কারণ অতটা বুদ্ধি ওঁর নেই। এই বাকি সংকেতটা আমি বুঝতে পারি আজ বিকেলে, আর সেটার জন্যেও দায়ী শ্রীমান সাধন।'

এবার আমরা সকলে অবাক হয়ে সাধনের দিকে চাইলাম। সেও দেখি বড় বড় চোখ করে ফেলুদার দিকে দেখছে। ফেলুদা বলল, 'তোমার দাদু সুরের বিষয় কী বলেছিলেন সেটা আরেকবার বলে দাও তো সাধন।'

সাধন প্রায় ফিস্ ফিস্ করে বলল, 'যার নামে সুর থাকে, তার গলাতেও সুর থাকে।'

ফেলুদা বলল, 'ভেরি গুড। এবার রাধারমণবাবুর আশ্চর্য বুদ্ধির দিকটা ক্রমে বোঝা যাবে। যার নামে সুর থাকে। বেশ। সাধনের নামটাই ধরা যাক। সাধন সেন। এবার অ-কার এ-কার বাদ দিয়ে কী দাঁড়ায় দেখা যাক। স, ধ, ন, স, ন। অর্থাৎ গানের সুরের ভাষায় সা ধা নি সা নি। এই আশ্চর্য ব্যাপারটা বোঝার সঙ্গে সঙ্গেই যেন একটা নতুন দিক খুলে গেল। "আমার নামে...চাবি।" রাধারমণবাবু কি এখানে নিজের নামের কথাটাই বোঝাতে চাচ্ছেন? রাধারমণ সমাদ্দার রে ধা রে মা নি সা মা দা দা রে! কী সহজ, অথচ কী ক্লেভার, কী চতুর! ধরণীধরও কিন্তু গাইতে পারত, আর তার নামেও দেখছি সুর — ধা রে ণি ধা রে সা মা দা দা রে!

'এইটে বোঝার সঙ্গে সঙ্গেই আমি নিশ্চিন্ত হয়ে গেলাম যে ওই মেলোকর্ডেই রাধারমণের ব্যাঙ্ক। যান্ত্রিক কলাকৌশলের দিকে রাধারমণবাবুর যে একটা ঝোঁক ছিল সেটা ওই জার্মান তালা থেকে বোঝা যায়। এই মেলোকর্ডও জার্মানিতেই তৈরি। স্পীগ্‌লার কোম্পানি নামে একটি বিখ্যাত বাজনা প্রস্তুতকারক রাধারমণবাবুর বিশেষ নির্দেশ অনুযায়ী এই মেলোকর্ড তৈরি করে। কী ভাগ্যিস এটি সুরজিৎ দাশগুপ্তের হাতে চলে যায়নি। অবিশ্যি যন্ত্র দেবার আগে রাধারমণ তার ভিতরের জিনিস নিশ্চয়ই বার করে নিতেন। বোধহয় ব্যাঙ্কের আর প্রয়োজন বোধ করছিলেন না তিনি। হয়তো তাঁর আর বেশিদিন বাঁচা হবে না এটা তিনি সত্যিই বুঝতে 'পেরেছিলেন। সুরজিৎ ভদ্রলোকটিকে আমরা মিছিমিছি সন্দেহ করছিলাম,

ভাবছিলাম উনি ছদ্মবেশী ধরণীধর। আসলে সুরজিৎবাবু সত্যিই একজন বাজনা পাগল সংগীতজ্ঞ লোক। তার উল্লেখ আমি গানের বইয়েতে পেয়েছি। আর ধরণীধর সত্যিই তার যাত্রার দলের সঙ্গে ট্যুরে বেরিয়েছে। এখন জানা দরকার যে তার ভাগ্যে সত্যিই কোনও অর্থপ্রাপ্তি আছে কি না। তার অনেক দিন থেকেই একটা নিজের যাত্রা দল করার ইচ্ছে; মঞ্চলোকের একটা ইন্টারভিউতে সে তাই বলেছে। তোপ্‌সে — লণ্ঠনটা কাছে এনে ধর তো।'

আমি লণ্ঠনটা খাটের পাশের টেবিল থেকে তুলে মেলোকর্ডের পাশে এনে ধরলাম।

ফেলুদা বলল, 'অনেক ধকল গেছে এটার উপর দিয়ে। তবে জার্মান জিনিস তো — দেখা যাক রাধারমণের বুদ্ধি আর স্পীগ্‌লার কোম্পানির কারিগরি মিলে কী জিনিস দাঁড়িয়েছে।'

রাধারমণ সমাদ্দারের নামের অক্ষর ধরে ধরে ফেলুদা চাবি টিপতে আরম্ভ করে দিল। টুং টাং টুং টাং করে একটা অদ্ভুত সুর বেরোচ্ছে মেলোকর্ড থেকে। শেষ সুরটা টেপার সঙ্গে সঙ্গে একটা চাবুকের মতো শব্দ করে সকলকে চমকে দিয়ে মেলোকর্ডের ডান পাশের কাঠটা দরজার মতো খুলে গেল। আমরা ঝুঁকে পড়ে দেখলাম সেই দরজাটার পিছনে রয়েছে লাল মখমলের লাইনিং দেওয়া একটা খুপরি, আর সেই খুপরিতে ঠাসা রয়েছে তাড়া তাড়া একশো টাকার নোট!

নোটগুলো টেনে বার করে ফেলুদা বলল, 'কমপক্ষে পঞ্চাশ হাজার। আসুন অবনীবাবু, গোনা যাক।'

ফেলুদার চোখ লণ্ঠনের আলোয় জ্বলজ্বল করছে। আমি জানি সেটা লোভ নয়। সেটা তার শান দেওয়া বুদ্ধির খানিকটা অংশ খাটিয়ে মনধাঁধানো জটিল রহস্য সমাধান করার আনন্দ।

কৈলাসে কেলেঙ্কারি

১

জুন মাসের মাঝামাঝি। স্কুল ফাইনাল দিয়ে বসে আছি, রেজাল্ট কবে বেরোবে জানি না। আজ সিনেমায় যাবার কথা ছিল, কিন্তু ঠিক দুটো বাজতে দশ মিনিটে এমন তেড়ে বৃষ্টি নামল যে সে আশা ত্যাগ করে একটা নতুন কেনা টিনটিনের বই নিয়ে বৈঠকখানায় তক্তাপোশে বসে বেশ মশগুল হয়ে পড়ছি। টুনটুনির বই না, টিনটিনের বই। টিনটিন ইন টিবেট। বেলজিয়াম থেকে ফরাসি ভাষায় বেরোয় এই আশ্চর্য কমিক বই। তারপর পৃথিবীর নানান ভাষায় অনুবাদ হয়। এখানে আসে ইংরিজিটা। আমার আর ফেলুদার দুজনেরই মতে রহস্য রোমাঞ্চ সাসপেন্স আর হাসিতে ভরা এর চেয়ে ভাল কমিক বই আর নেই। এর আগে আরও তিনটে কিনেছি, এটা নতুন, প্রথমে আমি পড়ব, তারপর ফেলুদা। ও এখন সোফায় কাত হয়ে শুয়ে দ্য চ্যারিয়ট অফ দ্য গড্‌স বলে একটা বই পড়ছে। পড়ছে মানে, একটু আগেও পড়ছিল, এখন শেষ করে সেটা বুকের ওপর রেখে সিলিঙে ঘুরন্ত পাখাটার দিকে চেয়ে আছে। মিনিটখানেক এইভাবে তাকিয়ে থেকে বলল, 'গিজার পিরামিডে ক'টা পাথরের ব্লক আছে জানিস? দুই লক্ষ।'

বেশ। জানলাম। কিন্তু ফেলুদা হঠাৎ কেন পিরামিড নিয়ে পড়েছে বুঝলাম না। ফেলুদা বলে চলল, 'এই ব্লকের এক একটার ওজন প্রায় পনেরো টন। সে যুগের এঞ্জিনিয়ারিং সম্বন্ধে যা আন্দাজ করা যায় তার সাহায্যে দিনে দশটার বেশি ব্লক নিখুঁতভাবে পালিশ করে ঠিক জায়গায় নিখুঁতভাবে বসানো মিশরীয়দের পক্ষে সম্ভব ছিল না। তা ছাড়া যেখানে পিরামিড, তার ত্রিসীমানায় ওই পাথর নেই। সে পাথর আসত নৌকো করে, নাইল নদীর ওপার থেকে। সাধারণ বুদ্ধিতেও হিসেব করলে ব্যাপারটা কী দাঁড়ায় জানিস ? ওই একটি পিরামিড তৈরি করতে সময় লেগেছিল কমপক্ষে ছ'শো বছর।'

ভাববার কথা বটে। বললাম, 'এটা কি ওই বইয়ে লিখেছে ?'

'শুধু এটা নয়। প্রাচীন কালের আরও অনেক আশ্চর্য কীর্তির কথা এতে আছে যেগুলো কী করে সম্ভব হয়েছিল তা প্রত্নতাত্ত্বিকরা বলেন না, বা বলার চেষ্টাও করেন না। আমাদের দেশেই দেখ না। দিল্লিতে কুতুবমিনারের পাশে যে লৌহস্তম্ভ আছে তাতে দু হাজার বছরেও মরচে ধরেনি কেন ? ইস্টার আইল্যান্ডের নাম শুনেছিস ? দক্ষিণ প্রশান্ত মহাসাগরের মধ্যে একটা ছোট্ট দ্বীপ। সেই দ্বীপে গেলে দেখা যায়, কোন আদ্যিকালে কারা জানি পেল্লায় সব মানুষের মাথা পাথরে খোদাই করে সমুদ্রের দিকে মুখ করিয়ে দাঁড় করিয়ে রেখেছে। পাথর আছে দ্বীপের মাঝামাঝি ; মাথাগুলো এনে রাখা হয়েছে সেখান থেকে পাঁচ-সাত মাইল দূরে। একেকটার ওজন প্রায় পঞ্চাশ টন। জংলি লোকে কী করে এ জিনিসটা করল ? লরি, ক্রেন, ট্রাকটর, বুলডোজার—এ সব তো তখন ছিল না !'

ফেলুদা এর মধ্যে একটা চারমিনার ধরিয়েছে। বইটা পড়ে ও যে বেশ উত্তেজিত সেটা বোঝা যাচ্ছিল। এবার সোজা হয়ে উঠে বসে বলল, 'পেরুতে একটা জায়গায় মাইলের পর মাইল জুড়ে মাটির উপর জ্যামিতিক রেখা আর নকশা কাটা আছে। আদ্যিকাল থেকে সেটার কথা লোকে জানে ; প্লেন থেকে পরিষ্কার দেখা যায়। অথচ কবে কেন কীভাবে সেগুলো কাটা হল তা কেউ জানে না। রহস্য এতই গভীর যে সেটা নিয়ে কেউ ভাবতেও চায় না।'

'যিনি ওই বইটা লিখেছেন তিনি ভেবেছেন বুঝি ?'

'প্রচুর ভেবেছেন ; আর ভেবে এই সিদ্ধান্তে পৌঁছেছেন যে, আজ থেকে বিশ-পঁচিশ হাজার বছর আগে নিশ্চয়ই অন্য কোনও গ্রহ থেকে মানুষের চেয়েও অনেক বেশি উন্নত কোনও প্রাণী পৃথিবীতে এসে মানুষকে তাদের জ্ঞানের খানিকটা অংশ দিয়ে অনেকখানি এগিয়ে দিয়ে গিয়েছিল। পিরামিড ইত্যাদি হচ্ছে এই অতিমানবীয় টেকনলজির নিদর্শন, যাকে আজকের মানুষও টেক্কা দিতে পারেনি। কুরুক্ষেত্রে যে সব মারাত্মক অস্ত্রশস্ত্রের কথা বলা হয়েছে তার সঙ্গে আজকের অ্যাটমিক মারণাস্ত্রের মিল তা জানিস তো ?'

'তার মানে কুরুক্ষেত্র যুদ্ধেও কি অন্য গ্রহের প্রাণীরা এসে—'

ব্যাপারটা জমে উঠেছিল, কিন্তু আমার কথা শেষ না হতেই বাধা পড়ল। এই বৃষ্টির মধ্যেই কে জানি এসে আমাদের কলিং বেলটায় পর পর তিনবার সজোরে চাপ দিয়েছে। দৌড়ে গিয়ে দরজা খুলতেই বৃষ্টির ছাঁটের সঙ্গে হুমড়ি দিয়ে ঘরে ঢুকলেন সিধুজ্যাঠা, আর তাঁর হাতের ছাতাটা ঝপাত করে বন্ধ করতেই আরও খানিকটা জল চারপাশে ছিটিয়ে পড়ল।

'কী দুর্যোগ কী দুর্যোগ একটু চা বলো তোমার ওই ভাল চা', এক নিশ্বাসে বলে ফেললেন সিধুজ্যাঠা। আমি এক দৌড়ে গিয়ে শ্রীনাথকে ঘুম ভাঙিয়ে তিন কাপ চা করতে বলে ফিরে এসে দেখি সিধুজ্যাঠা সোফায় বসে সাংঘাতিক ভ্রূকুটি করে টেবিলের উপরে রাখা চিনে মাটির অ্যাশট্রেটার দিকে চেয়ে আছেন। ফেলুদা বলল, 'আপনি এই বাদলায় রিকশা না নিয়ে—'

'মানুষ খুন তো আকছার হচ্ছে ; তার চেয়েও সাংঘাতিক খুন কী জান ?'

ফেলুদা থতমত, চুপ। আমি তো বটেই। যিনি প্রশ্নটা করেছেন তিনিই উত্তর দেবেন

সেটাও জানি। সিধুজ্যাঠা বললেন, 'এ কথা সবাই মানে যে, আজকে আমাদের দেশটা উচ্ছন্নে যেতে বসলেও, এককালে অনেক কিছুই এখানে ঘটেছিল যা নিয়ে আজও আমরা গর্ব করতে পারি। এর মধ্যে সবচেয়ে বেশি গর্ব করার বিষয়টা কী জানো তো? সেটা হল আমাদের শিল্পকলা, যার অনেক নমুনা আমরা আজও চোখের সামনে দেখতে পাই। কেমন, ঠিক কি না?'

'ঠিক।' ফেলুদা চোখ বুজে মাথা নেড়ে সায় দিল।

'এই আর্টের মধ্যেও যেটা সেরা, সেটা হল ভারতবর্ষের মন্দির, আর তার গায়ের কারুকার্য। ঠিক কি না?'

'ঠিক।'

সিধুজ্যাঠা জানেন না এমন বিষয় নেই। তবে তার মধ্যেও আর্টের বিষয়ে তাঁর জ্ঞান বোধহয় সবচেয়ে বেশি, কারণ, তাঁর তিন আলমারি বইয়ের মধ্যে দেড় আলমারিই হল আর্টের বই। কিন্তু খুনের কথা কী বলছিলেন সেটা এখনও বোঝা গেল না।

একটা মাদ্রাজি চুরুট ধরাবার জন্য খানিকটা সময় নিয়ে এক ঘর ধোঁয়া ছেড়ে দুবার কেশে একটু দম নিয়ে সিধুজ্যাঠা বললেন, 'এককালে কালাপাহাড় ধর্ম চেঞ্জ করে হিন্দু মন্দিরের কী সর্বনাশ করে গেছে সে তো জান। কিন্তু আজ এই উনিশশো তিয়াত্তরে আবার যে কালাপাহাড়ের আবির্ভাব হয়েছে সেটা জান কি?'

'আপনি কি মন্দিরের গা থেকে মূর্তি খুলে নিয়ে ব্যবসা করার কথা বলছেন?' ফেলুদা প্রশ্ন করল।

'এগজাক্টলি!' সিধুজ্যাঠা উত্তেজনায় চেঁচিয়ে উঠলেন। 'এটা যে কতবড় একটা ক্রাইম সেটা ভাবতে পার? দোহাইটা এখানে ধর্মেরও নয়, স্রেফ ব্যবসার। ধনী আমেরিকান টুরিস্টরা এইসব মূর্তি হাজার হাজার টাকা দিয়ে কিনে বিদেশে নিয়ে যাচ্ছে, অথচ ব্যাপারটা এমন গোপনে হচ্ছে যে ধরার কোনও উপায় নেই। তবে এইসব শিল্পহত্যাকারীদের সংখ্যা যে ক্রমেই বাড়ছে তাতে সন্দেহ নেই। আজ দেখলুম ভুবনেশ্বরের রাজারাণী মন্দিরের একটা যক্ষীর মাথা গ্র্যান্ড হোটেলে এক আমেরিকান টুরিস্টের কাছে।'

'বলেন কী!' ফেলুদা রীতিমতো অবাক। রাজারাণী যে ভুবনেশ্বরের একটা বিখ্যাত মন্দির সেটা আমিও জানতাম। ছেলেবেলা পুরী-ভুবনেশ্বরে বেড়াতে গিয়েছিলাম, বাবা দেখিয়ে দিয়েছিলেন। লাল পাথরের মন্দির, তার গায়ে অদ্ভুত সব মূর্তি আর নকশা।

সিধুজ্যাঠা বলে চললেন, 'আমার কাছে কিছু পুরনো রাজপুত পেন্টিং ছিল, থার্টি-ফোরে কিনেছিলুম কাশীতে, সেইগুলো নিয়ে গিয়েছিলুম নগরমলকে দেখাতে। নগরমলের দোকান আছে জান তো গ্র্যান্ড হোটেলের ভেতরে?—আমার অনেক দিনের চেনা। ছবিগুলো খুলে রেখেছি কাউন্টারের উপর, এমন সময় এই মার্কিন বাবুটি এলেন। মনে হল নগরমলের কাছ থেকে আগে কিছু জিনিসটিনিস কিনেছে। হাতে একটা কাগজের মোড়ক। বেশ ভারী জিনিস বলে মনে হল। মোড়কটি যখন খুললে না—বলব কী ফেলু—আমার হৃৎপিণ্ডটা একটা লাফ মেরে গলার কাছে চলে এল। একটা মূর্তির মাথা। লাল পাথরের তৈরি। আমার চেনা মুখ, শুধু তফাত এই যে সে মুখকে ধড়ের সঙ্গে লাগা অবস্থায় দেখেছি, আর এখন দেখছি সেটাকে ছেনি দিয়ে ধড় থেকে আলাদা করে নেওয়া হয়েছে। আমার তো মুখ দিয়ে কথাই বেরুচ্ছে না। নগরমল দেখে বললে জিনিসটা খাঁটি, ছাঁচ বা নকল নয়। সে মার্কিন ছোকরা বললে দু হাজার ডলার দিয়ে কিনেছে কোন প্রাইভেট ডিলারের কাছ থেকে। আমি মনে মনে বললুম—যা ভাবছি তাই যদি হয় তা হলে আরও দুটো শূন্য বাড়িয়ে দিলেও ন্যায্য দাম দেওয়া হত না। যাই হোক, সে ব্যাটা তো হোটেলে চলে গেল, আমি নিজেও

ষোলো আনা শিওর হতে পারছিলুম না, তাই সোজা বাড়ি এসে জিমারের বই খুলে দেখি কী—যা ভেবেছিলুম তাই। ও মুণ্ডু খাস রাজারাণীর গা থেকে ভেঙে আনা হয়েছে। অথচ এ সব মন্দিরে সরকারি পাহারা থাকে। ঘুষ খেয়েছে নিশ্চয়ই। আজকাল তো ওইটেই চাবিকাঠি কিনা। আমি অবিশ্যি এর মধ্যেই ভুবনেশ্বরের আর্কিয়লজিক্যাল ডিপার্টমেন্টে এক্সপ্রেস চিঠি লিখে দিয়েছি। কিন্তু তাতেই বা কী হবে। ওই পার্টিকুলার মাথাটাকে তো আর বাঁচানো গেল না। আর মন্দির যা জখম হবার তাও হয়ে গেল।'

আমারও মনে হচ্ছিল যে এইভাবে আমাদের মন্দিরের মূর্তি ভেঙে বিদেশের লোককে বিক্রি করাটা সত্যিই একটা ক্রাইম।

শ্রীনাথ চা এনে দিয়েছে, সিধুজ্যাঠা কাপ তুলে একটা চুমুক দিয়ে গম্ভীর গলায় বলল, 'ভাবছি কীভাবে এর প্রতিকার হয়। আমি বুড়ো হয়ে গেছি, আমি আর কী করতে পারি বলো। তাই, বুঝলে ফেলু, তোমার কথাটাই বার বার মনে হচ্ছিল। তুমি প্রাইভেট ইনভেস্টিগেটর, অপরাধী খুঁজে বেড়াও তুমি, এর চেয়ে বড় আর কী অপরাধ থাকতে পারে? এই নিয়ে কাগজে লেখালেখি করলে হয়তো পুলিশের দৃষ্টি আকর্ষণ করা যায়, কিন্তু তাতেই বা কী ভরসা? এ তো আর সোনা রুপো বা হিরেজহরত নয়, যার দামটা বাজারদর থেকে হিসেব করে নেওয়া যায়। আর্টের ভ্যালুটা অন্য রকম; সেটা সবাই বোঝে না। আমি এমনও শিক্ষিত লোক জানি যারা জোড়বাংলা মন্দির দেখে বলে ওর মধ্যে আর কী আছে, আর

কাংড়া ছবি দেখে বলে এর চেয়ে হেমেন মজুমদার ভাল।'

ফেলুদা এতক্ষণ চুপ করে ভাবছিল। এবার বলল, 'সেই আমেরিকান ভদ্রলোকের নামটা জেনেছিলেন কি?'

'জেনেছি বইকী। এই যে তার কার্ড।'

সিধুজ্যাঠা তার পাঞ্জাবির পকেট থেকে একটা ভিজিটিং কার্ড বার করে ফেলুদাকে দিল। উঠে গিয়ে দেখলাম তাতে নাম ছাপা রয়েছে—সল সিলভারস্টাইন—আর তার নীচে ঠিকানা।

'ইহুদি', সিধুজ্যাঠা বললেন।—'স্টাইন দেখলেই বুঝবে ইহুদি। লোকটা ডাকসাইটে ধনী তাতে সন্দেহ নেই। হাতে একটা ঘড়ি পরেছিল তেমন ঘড়ি বাপের জন্মে দেখিনি। তারই দাম বোধহয় হাজারখানেক ডলার।'

'ভদ্রলোক কদ্দিন থাকবেন কিছু বলেছিলেন?'

'কাল সকালেই কাঠমাণ্ডু চলে যাচ্ছে। অবিশ্যি এখন হয়তো তাকে ফোন করলে পেতে পার।'

ফেলুদা উঠে গিয়ে টেলিফোনের ডায়াল ঘোরাতে লাগল। কলকাতার বেশির ভাগ জরুরি টেলিফোনের নম্বর ওর মুখস্ত। তার মধ্যে অবিশ্যি হোটেলও বাদ পড়ে না।

ফোন করে জানা গেল মিস্টার সিলভারস্টাইন তাঁর ঘরে নেই, কখন ফিরবেন কোনও ঠিক নেই। ফেলুদা যেন একটু হতাশ হয়েই ফোনটা রেখে দিয়ে বলল, 'যে লোকটা মূর্তিটা বিক্রি করেছিল তার অন্তত চেহারার বর্ণনাটা পেলেও একটা রাস্তা পাওয়া যেত।'

'সেটা তো আমারই জিজ্ঞেস করা উচিত ছিল', সিধুজ্যাঠা একটা দীর্ঘশ্বাস ফেলে বললেন।—'কিন্তু কেমন জানি সব গণ্ডগোল হয়ে গেল। ভদ্রলোক আবার আমার ছবিগুলো দেখছিলেন। দেখে বললেন, তার তান্ত্রিক আর্ট সম্পর্কে ইন্টারেস্ট, আমি সন্ধান পেলে যেন তাকে জানাই। এই বলে তার একখানা কার্ড বের করে আমার হাতে দিলে।...সত্যি, তুমি যে কীভাবে প্রোসিড করবে তা তো আমার মাথায় আসছে না।'

'দেখি, ভুবনেশ্বর থেকে কোনও খবর আসে কি না। রাজারাণীর গা থেকে মূর্তি ভেঙে নিয়ে গেলে তো হই-চই পড়ে যাওয়া উচিত।'

সিধুজ্যাঠা এক চুমুকে চা-টা শেষ করে উঠে পড়ে বললেন, 'বছরখানিক থেকে এ বাঁদরামির কথাটা কানে আসছিল, তবে অ্যাদ্দিন এদের নজরটা ছিল ছোটখাটো অখ্যাত মন্দিরের উপর। এখন মনে হচ্ছে এদের সাহসটা হঠাৎ বেড়ে গেছে। আমার ধারণা অত্যন্ত বেপরোয়া ও শক্তিশালী কিছু লোক রয়েছে এই কেলেঙ্কারির পেছনে। ফেলু যদি এ ব্যাপারে কিছু করতে পার তো দেশ তোমাকে কৃতজ্ঞতার সঙ্গে মনে রাখবে এটা জোর দিয়ে বলতে পারি।'

সিধুজ্যাঠা চলে যাবার পর ফেলুদা গ্র্যান্ড হোটেলে রাত এগারোটা পর্যন্ত বার বার ফোন করেও সেই আমেরিকানকে ধরতে পারল না। শেষবারের বার ফোনটা রেখে দিয়ে গম্ভীর গলায় বলল, 'সিধুজ্যাঠা যা বলছে তা যদি সত্যি হয়—সত্যিই যদি ভুবনেশ্বরের যক্ষীর মাথা আমেরিকানদের হাতে চলে গিয়ে থাকে—তা হলে ব্যাপারটা অত্যন্ত অন্যায়; আর যে লোক এই পাচারের কাজটা করেছে সে নিঃসন্দেহে একটা পয়লা নম্বরের ক্রিমিন্যাল। খারাপ লাগে ভাবতে যে আমার পক্ষে এগোনোর কোনও রাস্তা নেই। কোনওই রাস্তা নেই।'

রাস্তা একটা বেরিয়ে গেল। পরদিনই। আর সেটা বেরোল এমন একটা দুর্ঘটনার মধ্যে দিয়ে যে ভাবলে মাথাটা ভোঁ ভোঁ করে।

দুর্ঘটনার কথা বলার আগে আরেকটা জরুরি কথা বলা দরকার। সিধুজ্যাঠার আন্দাজ যে ঠিক সেটা পরদিনের আনন্দবাজারেই জানা গেল। আমিই প্রথম পড়লাম খবরটা—

মস্তকহীন যক্ষী

ভারতীয় স্থাপত্যের অন্যতম শ্রেষ্ঠ নিদর্শন ভুবনেশ্বরের রাজারানী মন্দিরের গাত্র থেকে একটি যক্ষীমূর্তির মস্তকাংশ অপহৃত হয়েছে। সেই সঙ্গে মন্দিরের প্রহরীটিকেও পাওয়া যাচ্ছে না। ওড়িশার প্রত্নতাত্ত্বিক বিভাগ এ ব্যাপারে পুলিশি তদন্তের আয়োজন করেছে বলে জানা গেল।

খবরটা পড়ে ফেলুদাকে বললাম, 'তার মানে পাহারাদারই মাথাটা চুরি করেছে?'

ফেলুদা তার ফরহ্যানসের টিউবটা টিপে আধ ইঞ্চি পেস্ট বার করে ব্রাশের উপর চাপিয়ে বলল, 'এ চুরি কি আর পাহারাদারে করে? গরিব লোকের অত সাহস হয় না। চুরি করেছে ভদ্রলোকে। সে মোটা ঘুষ দিয়েছে প্রহরীকে, প্রহরী তাই আপাতত গা ঢাকা দিয়েছে।'

সিধুজ্যাঠা নিশ্চয়ই খবরটা পেয়েছে। আমার মন বলছিল যে তাঁর আন্দাজ ঠিক হয়েছে জেনে তিনি নিশ্চয়ই সদর্পে সেটা ঘোষণা করতে আসবেন। শেষ পর্যন্ত এলেন ঠিকই, কিন্তু সেটা চার ঘণ্টা পরে, সাড়ে দশটার সময়। আজ বিষ্যুদবার, নটা থেকে আমাদের বাড়ির বিজলি বন্ধ হয়ে গেছে, এদিকে আকাশে মেঘ করে গুমোট হয়ে রয়েছে, বৈঠকখানায় বসে ঘামছি, এমন সময় দরজায় প্রচণ্ড ধাক্কা। দরজা খুলতেই আবার সেই হুমড়ি দিয়ে ভেতরে ঢোকা, চায়ের হুকুম, আর পরক্ষণেই ধপ্‌ করে সোফায় বসা। ফেলুদা ভুবনেশ্বরের কথাটা উচ্চারণ করতেই তিনি এক দাবড়ানিতে তাকে থামিয়ে দিয়ে বললেন, 'ও সব ছাড়ো। ওগুলো ফালতু কথা। রেডিয়ো শুনেছ?'

'কই না তো। আসলে আজ—'

'জানি। বিষ্যুদবার। অথচ তাও একটা ট্রানজিস্টার কিনবে না। যাক্‌গে...সাংঘাতিক খবর। কাঠমাণ্ডুর প্লেন ক্র্যাশ করেছে। কলকাতার কাছেই। এক ঘণ্টা ডিলে ছিল। সাড়ে সাতটায় মাটি ছেড়েছে, ফিফ্‌টিন মিনিটসের মধ্যে ক্র্যাশ করেছে। ঝড়ে পড়েছিল। বোধহয় ফিরে আসবার চেষ্টা করছিল। কার সারারাত কীরকম ঝোড়ো বাতাস ছিল সে তো জানই। আটান্নজন যাত্রী, অল ডেড। মার্কিন ব্যাঙ্কার সল সিলভারস্টাইন তার মধ্যে ছিলেন সে কথা রেডিয়োতে বলেছে।'

খবরটা শুনে আমরা দুজনেই একেবারে থ। ফেলুদা বলল—'কোথায় ক্র্যাশ করেছে? জায়গার নাম বলেছে?'

'সিদিকপুর বলে একটা গ্রামের পাশে। হাসনাবাদের দিকে। ফেলু, মনে মনে প্রার্থনা করছিলুম সে মূর্তি যেন দেশ ছেড়ে না যায়। সে প্রার্থনা যে এমনভাবে মঞ্জুর হবে তা কি আর জানতাম?'

ফেলুদা হাতের রিস্টওয়াচের দিকে দেখল। সে কি সিদিকপুর যাওয়ার মতলব করছে না কি?

সিধুজ্যাঠারও কেমন যেন তটস্থভাব। বললেন, 'আমি যা ভাবছি, তুমিও নিশ্চয় সেই কথাই ভাবছ। প্লেন মাটিতে পড়ার সঙ্গে সঙ্গে একটা এক্সপ্লোশন হয়। যাত্রীর সঙ্গে তার

ভেতরের জিনিসপত্রও চারদিকে ছিটকে পড়ে। যেমন সব ক্র্যাশেই হয়। সেই জিনিসপত্রের মধ্যে যদি......'

ফেলুদা দু মিনিটের মধ্যে ঠিক করে ফেলল যে প্লেন যেখানে ক্র্যাশ করেছে সেখানে গিয়ে খোঁজ করবে যক্ষীর মাথাটা পাওয়া যায় কি না। তিন ঘণ্টা হল ক্র্যাশটা হয়েছে, যেতে লাগবে ঘণ্টা দেড়েক। এর মধ্যে নিশ্চয়ই এয়ারলাইনের লোক, দমকল, পুলিশ ইত্যাদি সেখানে গিয়ে তাদের কাজকর্ম খোঁজাখুঁজি আরম্ভ করে দিয়েছে। আমরা গিয়ে কী দেখতে পাব জানি না ; তবু যাওয়া দরকার। সুযোগ যখন আশ্চর্যভাবে এসে গেছে তখন সেটার সদ্ব্যবহার না করার কোনও মানে হয় না।

সিধুজ্যাঠা বললেন, 'ছবিগুলো বিক্রি করে আমার হাতে কিছু কাঁচা টাকা এসেছে। আমি তার থেকে কিছুটা তোমাকে দিতে চাই। আফটার অল, আমার কথাতেই তো তোমাকে এ ব্যাপারে জড়িয়ে পড়তে হচ্ছে, সুতরাং—'

'শুনুন, সিধুজ্যাঠা', ফেলুদা বাধা দিয়ে বলল, 'প্রস্তাবটা আপনার কাছ থেকে এসেছে ঠিকই, কিন্তু আমি যদি নিজে এ ব্যাপারে উৎসাহ বোধ না করতাম তা হলে এগোতাম না। আমি কাল রাত্রে এ নিয়ে অনেক ভেবেছি, আর যত ভেবেছি ততই মনে হয়েছে যে, আপনার কথাটা ষোলো আনা সত্যি। দেশের মন্দিরের গা থেকে মূর্তি ভেঙে নিয়ে যারা বিদেশিদের বিক্রি করে, তাদের অপরাধের কোনও ক্ষমা নেই।'

'ব্রাভো!' সিধুজ্যাঠা চেঁচিয়ে উঠলেন।—'তবে একটা কথা বলে রাখি। আর্থিক না হলেও, অন্যরকম হেলপ তোমার লাগতে পারে। হয়তো আর্টের ব্যাপারে কোনও তথ্য জানার দরকার হতে পারে। তার জন্য আমার কাছে আসতে দ্বিধা কোরো না। যদি সম্ভব হয়, তুমি নিজেও একটু আর্ট নিয়ে পড়াশুনা করে ফেলো—তা হলে উৎসাহটা আরও বেশি পাবে।'

ঠিক হল মাথাটা যদি পাওয়া যায় তা হলে সেটা সোজা আর্কিয়লজিক্যাল সার্ভের আপিসে গিয়ে জমা দিয়ে আসা হবে। কে চুরি করেছিল সেটা জানা না গেলেও, অন্তত চোরাই জিনিসটা তো উদ্ধার হবে।

ঝড়ের স্পিডে তৈরি হয়ে নিয়ে একটা হলদে ট্যাক্সিতে চেপে আমরা যখন সিদিকপুরের উদ্দেশে রওনা দিলাম তখন ঠিক এগারোটা বাজতে পাঁচ। ফিরতে হয়তো বেলা হবে, এদিকে খাবারের কোনও ব্যবস্থা নেই—আমাদের বাড়িতে একটার আগে খাওয়া হয় না—তাই ঠিক হল ফেরার পথে যশোহর রোডে কোনও একটা পাঞ্জাবি দোকানে খেয়ে নেওয়া যাবে। ওদিক দিয়ে লরি যাতায়াত করে। লরির লোকেরা এইসব দোকানে খায়। রুটি, মাংস, তড়কা—দেখেই জিভে জল আসে। ফেলুদাকে দেখেছি ও সবরকম খাওয়াতে অভ্যস্ত। ওর দেখাদেখি আমিও সেই অভ্যাসটা করে নিতে চেষ্টা করছি।

কলকাতার ভিড় ছাড়িয়ে ভি আই পি রোডে পড়ার প্রায় সঙ্গে সঙ্গেই এক পশলা বৃষ্টি হয়ে গেল। তারপর দমদম ছাড়াবার কিছু পরেই মেঘ সরে গিয়ে রোদ উঠল। হাসনাবাদ কলকাতা থেকে প্রায় চল্লিশ মাইল। যশোহর রোড দিয়েই যেতে হয়। আমাদের ড্রাইভার বললেন রাস্তা পিছল না থাকলে এক ঘণ্টার মধ্যে পৌঁছে দিতেন।—'ওদিকে একটা প্লেন ক্র্যাশ হয়েছে জানেন তো স্যার? রেডিয়োতে বলল।'

ফেলুদা যখন বলল যে ওই ক্র্যাশের জায়গাতেই আমরা যাচ্ছি, তখন ভদ্রলোক ভারী উত্তেজিত হয়ে বললেন, 'আপনার রিলেটিভ কেউ ছিল নাকি স্যার প্লেনে?'

'আজ্ঞে না।'

ফেলুদার পক্ষে ব্যাপারটা খুলে বলা মুশকিল, অথচ ড্রাইভারবাবুর কৌতূহল মেটে না।

'সব তো পুড়ে ঝামা হয়ে গেচে শুনলাম। কিছু কি আর দেখতে পাবেন গিয়ে?'

'দেখা যাক।'

'আপনি কোনও সাংবাদিক-টাংবাদিক বোধহয়?'

'আজ্ঞে না।'

'তবে?'

'গপ্পো-টপ্পো লিখি আর কী।'

'অ। দেখে-টেখে সব নোট-টোট করে পরে বইয়ে-টইয়ে লাগিয়ে দেবেন।'

বারাসত ছাড়িয়ে মাইল দশেক যাবার পর থেকেই আমরা মাঝে মাঝে থেমে রাস্তার লোকের কাছ থেকে সিদিকপুরের নির্দেশ নিচ্ছিলাম। শেষটায় একটা বাজার টাইপের জায়গায় এসে একটা সাইকেলের দোকানের সামনে দাঁড়ানো কয়েকজন লোককে জিজ্ঞেস করতেই তারা সবাই একসঙ্গে বলে উঠল যে আর দু মাইল গেলেই বাঁ দিকে একটা কাঁচা রাস্তা পড়বে, সেটা ধরে মাইল খানেক গেলেই সিদিকপুর। এদের হাবভাবে বোঝা গেল এরা অনেককেই আগে রাস্তা বাতলে দিয়েছে।

কাঁচা পথটা একেবারেই গেঁয়ো। মাঝে মাঝে জল জমেছে, আর নানারকম টায়ারের দাগ পড়েছে কাদার উপর। ভাগ্যে এটা জুন মাস, সবে বর্ষা পড়েছে। আর এক মাস পরে হলেই এ রাস্তা দিয়ে আর গাড়ি যেত না। আজ সকালের বৃষ্টিটা যে এদিকেও হয়েছে সেটা মাঠঘাটের চেহারা দেখেই বেশ বোঝা যাচ্ছে। এই শান্ত পাড়াগাঁয়ের মাঝখানে একটা ফকার ফ্রেন্ডশিপ জেট প্লেন ক্র্যাশ করেছে ভাবতেও অবাক লাগছিল। ইতিমধ্যে আমাদের পাশ দিয়ে পর পর তিনখানা অ্যাম্বাসাডর মেন রোডের দিকে চলে গেল। পায়ে হাঁটা লোকও কিছু পথে পড়ল—কেউ যাচ্ছে, কেউ ফিরছে।

সামনে একটা মোড়ের মাথায় একটা বটগাছের ধারে বেশ ভিড়। একটু এগিয়ে কয়েকটা গাড়ি ও একটা জিপ রাস্তার ধারে দাঁড় করানো রয়েছে। আমাদের ট্যাক্সি সেই গাড়িগুলোর পিছনে গিয়ে দাঁড়াল। ক্র্যাশের কোনও চিহ্ন নেই, তাও বুঝতে পারলাম এখানেই আমাদের নামতে হবে। ডান দিকে কিছু দূরে একটা গাছপালায় ভর্তি জায়গা, তারও কিছু দূরে বাঁ দিকে একটা গ্রামের ঘর বাড়ি দেখা যাচ্ছে। জিজ্ঞেস করে জানলাম সেটাই নাকি সিদিকপুর। ক্র্যাশের জায়গা, কোথায় জিজ্ঞেস করাতে বলল, 'ওই যে গাছগুলো দেখা যাচ্ছে, ওর পিছনে। একটু এগিয়ে গেলেই দেখতে পাবেন।'

আমাদের ড্রাইভার (নামটা জেনে গেছি—বলরাম ঘোষ) গাড়িতে চাবি দিয়ে চললেন আমাদের সঙ্গে ক্র্যাশ দেখতে। আমরা মাঠের মধ্যে হাঁটা পথ দিয়ে এগিয়ে গেলাম।

দূর থেকে যেটাকে বন বলে মনে হচ্ছিল, সেটা আসলে আট-দশটা বড় বড় আম কাঁঠাল তেঁতুল গাছ ছাড়া আর কিছুই না। সেগুলো পেরিয়েই একটা কলা বাগান, আর সেইখানেই যত কাণ্ড।

গাছের মধ্যে যেগুলো এখনও নেড়া অবস্থায় দাঁড়িয়ে আছে সেগুলো সব ঝলসে কালো হয়ে গেছে। ডান দিকে কিছু দূরে একটা নেড়া গাছ, ফেলুদা বলল সেটা শিমুল। তার বড় বড় ডালগুলো যেন তলোয়ারের কোপে কেটে ফেলা হয়েছে, আর যা দাঁড়িয়ে আছে তা পুড়ে ছাই। সমস্ত জায়গাটা লোকজন পুলিশ এয়ারপোর্টের কর্মচারীতে ভরে আছে, আর তাদের আশেপাশে প্রায় একশো গজ জায়গা জুড়ে ছড়িয়ে পড়ে আছে ফকার ফ্রেন্ডশিপের ভগ্নাবশেষ। এখানে ডানার একটা অংশ, ওখানে ল্যাজের টুকরো, ওইদিকে আবার থুবড়োনো

নাকের খানিকটা। তা ছাড়া ভাঙাছেঁড়া ফাটাফুটো দোমড়ানো মোচড়ানো পোড়া আধপোড়া সিকিপোড়া কত কী যে চারিদিকে ছড়িয়ে রয়েছে তার কোনও হিসেব নেই। একটা অদ্ভুত কড়া গন্ধে চারিদিকটা ছেয়ে রয়েছে যেটার জন্য আমার নাকে রুমাল দিতে হল। ফেলুদা জিভ দিয়ে ছিক করে একটা বিরক্তিসূচক শব্দ করে বলল, 'যদি আর ঘণ্টাখানেক আগেও আসতে পারতাম!'

আসলে, পুলিশ জায়গাটাকে ঘিরে ফেলেছে, তাই কাছে যাবার কোনও উপায় নেই।

আমরা অগত্যা ঘেরাও-করা জায়গাটার পাশ দিয়ে হাঁটতে আরম্ভ করলাম। পুলিশ মাটি থেকে জিনিস তুলে তুলে দেখছে। কোনওটাই আস্ত নেই, তবে ভাঙা বা আধপোড়া অবস্থাতেও অনেক জিনিস দিব্যি চেনা যাচ্ছে। একটা স্টেথোস্কোপের কানে দেবার অংশ, একটা ব্রিফ কেস, জলের ফ্লাস্ক, একটা বোধহয় হ্যান্ডব্যাগের আয়না—যেটা একটা পুলিশ হাতে নিয়ে এদিক ওদিক নাড়ার ফলে তার থেকে রোদের ঝিলিক বেরোচ্ছে।

আমাদের ডান দিকে ক্র্যাশের জায়গা, আমরা তার পাশ দিয়ে গোল হয়ে ঘুরে এগিয়ে যাচ্ছি, এমন সময় ফেলুদা হঠাৎ বাঁ দিকের একটা আমগাছের দিকে চেয়ে থেমে গেল।

একটা ছেলে গাছের একটা নিচু ডালের উপর উঠে বসেছে, তার হাতে একটা কালসিটে পড়া সু-জুতো, যেটা নিশ্চয়ই চামড়ার ছিল, আর যেটা নিশ্চয়ই ছেলেটা এই জঞ্জালের মধ্যে থেকেই পেয়েছে।

ফেলুদা ছেলেটার দিকে এগিয়ে গেল।

'তোরা অনেক জিনিস পেয়েছিস এই জঞ্জাল থেকে, না রে?'

ছেলেটা চুপ। সে একদৃষ্টে ফেলুদার দিকে চেয়ে আছে।

'কী হল? বোবা নাকি?'

ছেলেটা তাও চুপ। ফেলুদা 'হোপলেস' বলে এগিয়ে চলল ক্র্যাশের জায়গা ছেড়ে গ্রামের দিকে। বলরামবাবুর কৌতূহল আবার চাগিয়ে উঠেছে। বললেন, 'আপনি কিছু খুঁজছেন নাকি স্যার?'

'একটা লাল পাথরের মূর্তি', ফেলুদা জবাব দিল,—'শুধু মাথাটা।'

'শুধু মাথাটা......হুঁ......' বলে বলরামবাবু দেখি এদিক ওদিক ঘাসের উপর খোঁজা আরম্ভ করে দিয়েছেন।

আমরা একটা অশ্বত্থ গাছের দিকে এগিয়ে গেলাম। গাছের তলায় একটা বাঁশের মাচা; তার উপর তিনজন আধবুড়ো বসে তামাক খাচ্ছে। যে সবচেয়ে বুড়ো সে ফেলুদাকে জিজ্ঞেস করল, 'আপন্যারা কোত্থিকে আয়লেন?'

'কলকাতা। খুব জোর বেঁচে গেছে আপনাদের গ্রামটা!'

'হ্যাঁ তা গ্যাচে বাবু। আল্লার কৃপা ঘর-বাড়ি ভাঙেনি মানুষজন মরেনি—বাছুর একটা বাঁধা ছিল করিমুদ্দির সেডা মোরেচে আর আলম শ্যাখের—'

'আগুন লাগল কখন?'

'মাটিতে ষ্যামন পড়ল অমনি ষ্যামন বোম ফাটার শব্দ ত্যামন শব্দ আর দাউ দাউ করে আগুন আর ধোঁয়া গোটা গেরামটা ধোঁয়ায় ধোঁয়া। আর তারপর অ্যালো বৃষ্টি, দমকল অ্যালো—'

'দমকল আসা অবধি আগুন জ্বলছিল?'

'আগুন নেভেছে বৃষ্টির জলে।'

'আপনি কাছাকাছি গিয়েছিলেন আগুন নেভার পর?'

'আমি বুড়ো মানুষ আমার অতো কী গরজ...'

'ছেলে ছোকরারা যায়নি ? ওখান থেকে জিনিসপত্তর তুলে নেয়নি ?'

বুড়ো চুপ। অন্য দুজনও উসখুস করছে। ইতিমধ্যে আট দশজন ছেলে জড়ো হয়ে কাছাকাছি দাঁড়িয়ে আমাদের কথাবার্তা শুনছে। ফেলুদা তাদের একজনকে ডেকে জিজ্ঞেস করল, 'তোর নাম কী রে ?'

ছেলেটি ঘাড় কাত করে বলল, 'আলি।'

'এদিকে আয়।'

ফেলুদা নরম সুরে কথা বলছিল বলেই বোধহয় ছেলেটা এগিয়ে এল।

ফেলুদা তার কাঁধে হাত দিয়ে গলাটা আরও নামিয়ে বলল, 'ওই ভাঙা প্লেনটা থেকে অনেক জিনিস ছড়িয়ে বাইরে পড়েছিল, জানিস তো ?'

ছেলেটি চুপ করে দাঁড়িয়ে আছে।

'সেই সব জিনিসের মধ্যে একটা লাল পাথরের তৈরি মেয়েমানুষের মাথা ছিল। কুমোর যেমন মাথা গড়ে, সেইরকম মাথা !'

'এই ও জানে।'

আলি আরেকজন ছেলের দিকে দেখিয়ে দিল। ফেলুদা একেও জিজ্ঞেস করল, 'তোর নাম কী রে ?'

'পানু।'

ফেলুদা বলল, 'আর কী নিয়েচিস তা আমার জানার দরকার নেই ; মাথাটা ফেরত দিলে তোকে আমি বকশিশ দেব।'

পানুর মুখেও কথা নেই।

'বাবু জিজ্ঞেস করচে জবাব দে—', তিন বুড়োর এক বুড়ো ধমক দিয়ে উঠল ।

'ওর কাছে নেই ।'

কথাটা বলল পানুরই বয়সী, মুখে বসন্তের দাগওয়ালা আরেকটি ছেলে ।

'কোথায় গেল ?' চাবুকের মতো প্রশ্ন করল ফেলুদা ।

'আরেকজন বাবু এসেচিল, তিনি চাইলেন, তাকে দিয়ে দিয়েচে ।'

'সত্যি কথা ?' ফেলুদা পানুর কাঁধ ধরে প্রশ্ন করল । আমার বুক ঢিপঢিপ করছে । পেতে পেতেও ফসকে যাবে যক্ষীর মাথা ? পানু এবার মুখ খুলল ।

'একজন বাবু এলেন যে গাড়ি করে একটুক্ষণ আগে ।'

'কীরকম গাড়ি ?'

'নীল রঙের !'—তিন চারটি ছেলে একসঙ্গে বলে উঠল ।

'কীরকম দেখতে বাবু ? লম্বা ? রোগা ? মোটা ? চশমা পরা ?...'

ছেলেদের বর্ণনা থেকে বোঝা গেল মাঝারি হাইটের ভদ্রলোক, প্যান্ট শার্ট পরা, রোগাও না মোটাও না ফরসাও না কালোও না, বয়স ত্রিশ থেকে পঞ্চাশের মধ্যে ; আমরা এসে পৌঁছানোর আধ ঘণ্টা আগে এসে একে তাকে জিজ্ঞেস করে অবশেষে পানুর কাছ থেকে সামান্য কিছু বকশিশ দিয়ে একটা লাল পাথরের তৈরি মানুষের মাথা উদ্ধার করে নিয়ে গেছেন । তার নীল রঙের গাড়ি ।

আমরা যখন গ্রামের পথ দিয়ে গাড়িতে করে আসছিলাম তখন উলটো দিক থেকে একটা নীল রঙের অ্যাম্বাসাডরকে আমাদের গাড়ির পাশ দিয়ে বেরিয়ে যেতে দেখেছিলাম ।

'চল তোপ্‌সে—আসুন বলরামবাবু !'

খবরটা শুনে ফেলুদা যদি হতাশও হয়ে থাকে, সে ভাবটা যে সে এর মধ্যে কাটিয়ে উঠে আবার নতুন এনার্জি পেয়ে গেছে সেটা তার ট্যাক্সির উদ্দেশে দৌড় দেখেই বুঝলাম । আমরাও দুজনে ছুটলাম তার পিছনে । কী আছে কপালে কে জানে !

৩

যে পথে এসেছিলাম সেই পথেই আবার ফিরে চলেছি । দেড়টা বেজে গেছে, কিন্তু খাওয়ার কথা মনেই নেই । যশোহর রোডে পড়ে বলরামবাবু একবার বলেছিলেন, 'চা খাবেন নাকি স্যার ? গলাটা একটু ভিজিয়ে নিলে......' ফেলুদা সে কথায় কান দেয়নি । বলরামবাবুও বোধহয় ব্যাপারটায় একটা অ্যাডভেঞ্চারের গন্ধ পেয়ে আর চায়ের কথা বলেননি ।

গাড়ি পঁচাত্তর কিলোমিটার স্পিডে ছুটে চলেছে, আর আমি ভাবছি কী অল্পের জন্যেই না মাথাটা ফসকে গেল । সকালে যদি লোডশেডিংটা না হত, আর রেডিয়োর খবরটা যদি ঠিক সময়ে শুনতে পেতাম, তা হলে এতক্ষণে হয়তো আমরা মূর্তি সঙ্গে নিয়ে আর্কিয়লজিক্যাল সার্ভের আপিসে ছুটে চলেছি । কিংবা হয়তো সোজা ভুবনেশ্বর । মন্দিরের গায়ে ভাঙা মূর্তি আবার জোড়া লেগে যেত, আর ফেলুদা তার জোরে হয়তো পদ্মশ্রী-টদ্মশ্রী হয়ে যেত ।

এই এক ঘণ্টার রোদেই রাস্তা অনেকটা শুকিয়ে গেছে, মনে মনে ভাবছি বলরামবাবু আরেকটু স্পিড তুললে পারেন, এমন সময় হঠাৎ একটা জিনিস চোখে পড়ায় পালস রেট-টা ধাঁ করে বেড়ে গেল ।

একটা গাড়ি-মেরামতের দোকানের সামনে একটা নীল অ্যাম্বাসাডর দাঁড়িয়ে আছে ।

বলরামবাবু যে সিদিকপুরের কথাবার্তা মন দিয়ে শুনেছিলেন সেটা তার প্রশ্ন থেকে বুঝতে পারলাম ।—'গাড়ি থামাব স্যার ?'

'সামনের চায়ের দোকানটায়', ফেলুদা চাপা গলায় জবাব দিল।

বলরামবাবু স্টাইলের মাথায় মেরামতির দোকানের দুটো দোকানের পরে ট্যাক্সিটাকে রাস্তার ডান দিকে নিয়ে গিয়ে ঘ্যাঁ-ষ করে ব্রেক কষলেন। ফেলুদা গাড়ি থেকে নেমে গিয়ে তিন কাপ চা অর্ডার দিল। কাপ তো নয়, কাচের গেলাস।

'আর কী আছে ভাই ?'

'বিস্কুট খাবেন ? ভাল বিস্কুট আছে।'

কাচের বোয়ামের মধ্যে গোল গোল নানখাটাই-টাইপের বিস্কুট, ফেলুদা তারই দুটো করে দিতে বলল।

আমার চোখ নীল অ্যাম্বাসাডরের দিকে। পাংচার সারানো হচ্ছে। একটি ভদ্রলোক, মাঝারি হাইট, মাঝারি রং, বয়স চল্লিশ-টল্লিশ, ঘন ভুরু, ঘন হাতের লোম, কানের পাশ দিয়েও বোধহয় লোম বেরিয়েছে, মাথার চুল ব্যাকব্রাশ করে আঁচড়ানো। গাড়ির পাশে ছটফট ভাব করে পায়চারি করছেন আর ঘন ঘন টান দিচ্ছেন আধপোড়া সিগারেটে। বাঙালি কি ? কথা না বললে বোঝার উপায় নেই।

চা তৈরি হচ্ছে। ফেলুদা চারমিনার বার করে একটা মুখে পুরে পকেট চাপড়ে দেশলাই না-পাওয়ার ভান করে ভদ্রলোকের দিকে এগিয়ে গেল। আমি আমাদের ট্যাক্সির কাছেই রয়ে গেলাম। দুই গাড়ির মধ্যে তফাত বিশ-পঁচিশ হাত। বলরামবাবুর আড়চোখ নীল গাড়ির দিকে।

'এক্সকিউজ মি, আপনার কাছে কি...'

ভদ্রলোক পকেট থেকে একটা লাইটার বার করে জ্বালিয়ে ফেলুদার দিকে এগিয়ে দিলেন।

'থ্যাঙ্কস্ !' ফেলুদা ধোঁয়া ছাড়ল। 'টেরিবল ব্যাপার !'

ভদ্রলোক ফেলুদার দিকে চেয়ে আবার চোখ নামিয়ে নিলেন।

'আপনি তো ক্র্যাশের ওখানে গিয়েছিলেন', ফেলুদা বলল।—'আপনার গাড়িটা যেন আসতে দেখলাম...... ?'

'ক্র্যাশ ?'

'আপনি জানেন না ? কাঠমাণ্ডুর প্লেন......সিদিকপুরে......'

'আমি টাকি থেকে আসছি।'

টাকি হল হাসনাবাদের কাছেই একটা শহর।

আমরা কি তা হলে ভুল করলাম ? গাড়ির নম্বরটা যদি দেখে রাখতাম তা হলে খুব ভাল হত।

'আর কতক্ষণ লাগবে হে ?' ভদ্রলোক অধৈর্য হয়ে প্রশ্ন করলেন মেরামতির লোকটাকে।

'এই হয়ে গেল স্যার। পাঁচ মিনিট।'

চায়ের দোকান থেকে বলরামবাবু হাঁক দিয়ে জানালেন চা রেডি। ফেলুদা নীল গাড়ি ছেড়ে আমাদের হলদে গাড়ির দিকে এগিয়ে এল। হাতে গেলাস নিয়ে তিনজনে দোকানের সামনের বেঞ্চিতে বসার পর ফেলুদা চাপা গলায় বলল, 'ডিনাই করছে। ডাহা মিথ্যেবাদী।'

আমি বললাম, 'কিন্তু নীল অ্যাম্বাসাডর তো আরও অনেক আছে। এ রংটা তো খুব কমন, ফেলুদা।'

'লোকটার জুতোয় এখনও কালো ছাইয়ের দাগ লেগে আছে। তোর নিজের স্যান্ড্যালটার দিকে চেয়ে দেখেছিস একবার ?'

সত্যিই তো! স্যান্ড্যালের রংটাই বদলে গেছে ক্র্যাশের জায়গায় গিয়ে। আর ওই

ভদ্রলোকেরও তাই। ব্রাউন জুতোয় কালোর ছোপ।

ফেলুদা যে ইচ্ছে করেই ধীরে সুস্থে বিস্কুট খাচ্ছে সেটা বেশ বুঝতে পারছিলাম। পাঁচ মিনিটের জায়গায় পনেরো মিনিট পরে অন্য গাড়িটা সুস্থ অবস্থায় মেরামতির দোকান থেকে বেরিয়ে যশোহর রোড দিয়ে কলকাতার দিকে রওনা দিল। আর তার পরমুহূর্তেই আমাদের গাড়িও ধাওয়া করল তার পিছনে। দুটোর মাঝখানে বেশ অনেকখানি ফাঁক, কিন্তু ফেলুদা বলল সেই ভাল ; লোকটার সন্দেহ উদ্রেক করা বুদ্ধিমানের কাজ হবে না।

দমদমের কাছে এসে হঠাৎ আরেক পশলা বৃষ্টি নামল। সামনে সব ধোঁয়াটে হয়ে গেছে, ভাল দেখা যাচ্ছে না, তাই বলরামবাবুকে বাধ্য হয়েই স্পিড বাড়িয়ে নীল গাড়ির আরেকটু কাছাকাছি গিয়ে পড়তে হল। ভদ্রলোক বেশ রসিক ; বললেন, 'হিন্দি ফিল্মের মতন মনে হচ্ছে স্যার। সেদিন শত্রুঘনের একটা বইয়ে দেখলুম এইভাবে গাড়ির পেছনে গাড়ি ফলো করছে। অবিশ্যি সেখানে পেছনের গাড়িটা একটা পাহাড়ের গায়ে ক্র্যাশ করল।'

ফেলুদা বলল, 'একদিনে একটা ক্র্যাশই যথেষ্ট। আপনি স্টেডি থাকুন। কলকাতায় পাহাড় না থাকলেও—'

'কী বলচেন স্যার ! থার্টিন ইয়ারস গাড়ি চালাচ্ছি—এখনও পর্যন্ত একটিও নট এ সিঙ্গল অ্যাক্সিডেন্ট।'

'ডব্লু এম এ ফাইভ থ্রি ফোর নাইন', ফেলুদা বিড়বিড় করে বলল। আমিও নম্বরটা মাথায় রেখে দিলাম, আর বার বার 'পাঁতিচান...পাঁতিচান...পাঁতিচান' আওড়ে নিলাম। এটা আর কিছুই নয়—পাঁচ তিন চার আর ন'য়ের প্রথম অক্ষরগুলো দিয়ে তৈরি। নম্বর মনে রাখার দু-তিন রকম উপায় ফেলুদা শিখিয়ে দিয়েছে, তার মধ্যে এটা একটা।

বলরামবাবু সত্যিই বাহাদুর ড্রাইভার, কারণ কলকাতার ট্র্যাফিকে ভরা গিজগিজে রাস্তা দিয়েও ঠিক নীল গাড়িকে সামনে রেখে চলেছেন। কোথায় যাচ্ছে গাড়িটা কে জানে।

'মূর্তিটা নিয়ে কী করবে বলো তো লোকটা ?' শেষ পর্যন্ত জিজ্ঞেস করলাম ফেলুদাকে।

'ভুবনেশ্বরে ফেরত নিয়ে যাবে না নিশ্চয়ই। যে জাতের ধুরন্ধর, তাতে মনে হয় আবার আরেকজন বিদেশি খদ্দের জোগাড় করার চেষ্টা করবে। একই জিনিস উপরো-উপরি দুবার বিক্রি করার এমন সুযোগ তো চট করে আসে না।'

নীল গাড়ি শেষ পর্যন্ত দেখি আমাদের পার্ক স্ট্রিটে এনে ফেলেছে। পুরনো গোরস্থান ছাড়িয়ে, লাউডন স্ট্রিট, ক্যামাক স্ট্রিটের মোড় ছাড়িয়ে শেষে গাড়ি দেখি হঠাৎ বাঁ দিকে মোড় নিয়ে কুইন্‌স ম্যানসনের গেট দিয়ে ভেতরে ঢুকছে।

'যাব স্যার ?'

'আলবৎ।'

আমাদের ট্যাক্সিও গেট দিয়ে ভেতরে ঢুকল। একটা প্রকাণ্ড খোলা জায়গা ; তার মাঝখানে একটা পার্ক, আর চারদিকে ঘিরে রয়েছে পাঁচ-ছ'তলা উঁচু সব বাড়ি। পার্কের চারদিকে গাড়ি পার্ক করা রয়েছে, তার মধ্যে আবার দু-একটা স্কুটারও রয়েছে। আমাদের ডান দিকে কুইন্‌স ম্যানসন। আমরা ট্যাক্সি দাঁড় করালাম, নীল গাড়ি কিছু দূরে একেবারে শেষ মাথায় গিয়ে থামল। আমরা গাড়ির ভিতরে বসে আছি কী হয় দেখার জন্য।

ভদ্রলোক একটা কালো ব্যাগ হাতে নিয়ে নামলেন, দরজার কাচ তুললেন, দরজা লক করলেন, তারপর ডান দিকে গিয়ে একটা বড় দরজা দিয়ে কুইন্‌স ম্যানসনে ঢুকে গেলেন।

এক মিনিট অপেক্ষা করে ফেলুদাও ট্যাক্সি থেকে নামল আমি তার পিছনে। সোজা চলে গেলাম সেই দরজার দিকে। একটা ঘড় ঘড় শব্দ আগেই কানে এল ; গিয়ে দেখি দরজা দিয়ে ঢুকেই একটা আদ্যিকালের লিফ্‌ট, সেটা সবেমাত্র নীচে নেমেছে। ঝটপটাং শব্দ করে

লোহার কোলাপ্‌সিব্‌ল দরজা খুলে বুড়ো লিফটম্যান খাঁচা থেকে বেরিয়ে এল। ফেলুদা হঠাৎ একটা ব্যস্ততার ভাব করে তাকে জিজ্ঞেস করল, 'মিস্টার সেনগুপ্ত এইমাত্র ওপরে গেলেন না ?'

'সেনগুপ্ত কৌন ?'

'এইমাত্র যিনি ওপরে গেলেন ?'

'আভ্‌ভি গিয়া পাঁচ নম্বরকা মিস্টার মল্লিক। সেনগুপ্তা ইঁহা কোই নেহি রহ্‌তা।'

'ও। আমারই ভুল।'

পাঁচ নম্বর ফ্ল্যাট। মিস্টার মল্লিক। এগুলো মনে রাখতে হবে। ফেলুদা খাতা আনেনি ; বাড়ি গিয়ে নোট করে নেবে নিশ্চয়ই।

কিন্তু বাড়ি ফিরতে যে এখনও দেরি সেটা একটু পরেই বুঝলাম। ফেলুদা বলরামবাবুকে ভাড়া চুকিয়ে ছেড়ে দিল, ভদ্রলোক যাবার সময় একটা স্লিপ দিয়ে বলে গেলেন, 'এটা আমার পাশের বাড়ির টেলিফোন, আপনি বললে আমায় ডেকে দেবে। দরকার-টরকার পড়লে একটু খবর দেবেন স্যার। একঘেয়ে কাজের মধ্যে যদি মাঝে মাঝে... ।'

পার্ক স্ট্রিট থানার ও সি মিস্টার হরেন মুৎসুদ্দির সঙ্গে ফেলুদার আলাপ ছিল। দু বছর আগে হ্যাপি-গো-লাকি বলে একটা রেসের ঘোড়াকে বিষ খাইয়ে মারার রহস্য ফেলুদা আশ্চর্যভাবে সমাধান করেছিল ; তখনই মুৎসুদ্দির সঙ্গে আলাপ হয়। আমরা এখন তাঁর আপিসে। ভদ্রলোক মূর্তি চুরির খবরটা কাগজে পড়েছেন। ফেলুদা সেইখান থেকে শুরু করে আজকের পুরো ঘটনাটা তাঁকে বলে বলল, 'যদ্দূর মনে হয় এই মল্লিক চুরির ব্যাপারটা নিজে না করলেও, চোরাই মাল উদ্ধার করে সেটাকে পাচার করার ভারটা নিজেই নিয়েছে। তার সম্বন্ধে কিঞ্চিৎ ইনফরমেশন, আর একটি লোক তার পিছনে রাখা—এই দুটো অনুরোধ করতে আমি এসেছি। তার কার্যকলাপের দিকে একটু নজর রাখা দরকার। মিস্টার মল্লিক, পাঁচ নম্বর কুইন্‌স ম্যানসন, নীল অ্যাম্বাসাডর, নম্বর ডব্লু এম এ ফাইভ থ্রি ফোর নাইন।'

মুৎসুদ্দি এতক্ষণ একটা পেনসিল কানের মধ্যে গুঁজে বসেছিলেন, এবার সেটাকে টেবিলের উপর নামিয়ে রেখে বললেন, 'হবে। আপনি যখন বলছেন তখন হবে। একটা স্পেশাল কনস্টেব্‌ল লাগিয়ে দিচ্ছি, সে ওকে চোখে চোখে রাখবে। আর আমাদের ফাইলে যদি কিছু থাকে তাও দেখছি। থাকবেই যে এমন কোনও কথা নেই, যদি না লোকটা এর আগে কোনও গণ্ডগোল করে পুলিশের নজরে এসে থাকে।'

'ব্যাপারটা খুব আর্জেন্ট কিন্তু। মূর্তি আবার বেহাত হলেই মুশকিল।'

মুৎসুদ্দি মুচকি হেসে বললেন, 'কেন, মুশকিল কেন ? আমরা তো আর ঘোড়ার ঘাস কাটি না, মিস্টার মিত্তির। আপনি একা ম্যানেজ করতে না পারলে আমাদের সাহায্য চাইলে আমরা কি আর রিফিউজ করব ? আমরা আছি কীসের জন্য ? পাবলিককে হেলপ করার জন্যেই তো ? তবে একটা কথা বলি—একটা অ্যাডভাইস, অ্যাজ এ ফ্রেন্ড—এই সব র‍্যাকেটের পেছনে মাঝে মাঝে এক একটা দল থাকে—গ্যাং—এবং তারা বেশ পাওয়ারফুল হয়। গায়ের জোর বলছি না। পয়সার জোর। পোজিশনের জোর। শিক্ষিত অবস্থাপন্ন লোকেরা যখন নোংরা কাজে নামে, তখন সাধারণ ক্রিমিন্যালদের চেয়ে তাদের বাগে আনা অনেক বেশি শক্ত হয়, জানেন তো ? আপনি ইয়াং, ট্যালেন্টেড, তাই আপনাকে এগুলো বলছি—নইলে আর আমার কী মাথাব্যথা বলুন !......'

ওয়লডর্ফে চিনে খাবার অর্ডার দিয়ে ফেলুদা ম্যানেজারের ঘর থেকে কুইন্‌স ম্যানসন পাঁচ নম্বরে একটা টেলিফোন করে, হ্যালো শুনেই ফোনটা রেখে দিয়ে খানিকটা নিশ্চিন্ত হয়ে বলল, 'লোকটা এখনও ঘরেই আছে।'

আমরা বাড়ি ফিরলাম পৌনে তিনটেয়। চারটের কিছু পরে মিস্টার মুৎসুদ্দির টেলিফোন এল। প্রায় পাঁচ মিনিট কথা হল, সেটা সঙ্গে সঙ্গে ফেলুদা তার খাতায় নোট করে নিল। তারপর আমি না জিজ্ঞেস করতেই আমার কৌতূহল মিটিয়ে দিল। —

'লোকটার পুরো নাম জয়ন্ত মল্লিক। দিন পনেরো হল কুইন্‌স ম্যানসনে এসে রয়েছে। ফ্ল্যাটটা আসলে মিস্টার অধিকারী বলে একজন ভদ্রলোকের। ইনি ফ্রি স্কুল স্ট্রিটের এক রেস্টোরেন্টের মালিক। বোধহয় মল্লিকের বন্ধু। অধিকারী এখন দার্জিলিঙ-এ। তার

অবর্তমানে মল্লিক ফ্ল্যাটটা ব্যবহার করছে। গাড়িটাও অধিকারীর। সেই গাড়ি করেই মল্লিক আজ তিনটে নাগাদ গ্র্যান্ড হোটেলে গিয়েছিল। ভিতরে ঢুকে পাঁচ মিনিট পরে বেরিয়ে এসে বাইরে অপেক্ষা করতে থাকে। কুড়ি মিনিট অপেক্ষা করার পর আবার ভিতরে ঢোকে। দশ মিনিট পরে বেরিয়ে এসে গাড়িতে করে ডালহৌসি যায়। সেখানে কিছুক্ষণের জন্য মুৎসুদ্দির লোক ওকে হারিয়ে ফেলে, তারপর ফেয়ারলি প্লেসে রেলওয়ে বুকিং আপিসের বাইরে গাড়ি দেখে ভিতরে ঢুকে দেখে, মল্লিক কিউয়ে দাঁড়িয়ে টিকিট কিনছে। এখান থেকে মনমড, সেখান থেকে আওরঙ্গাবাদ। সেকেন্ড ক্লাসের রিজার্ভ টিকিট। আরও খবর থাকলে পরে টেলিফোন করবে।'

'আওরঙ্গাবাদ যাচ্ছে ?' আমি জায়গাটার নামই শুনিনি।

'আওরঙ্গাবাদ', ফেলুদা বলল। 'আর আমরা এখন যাচ্ছি সর্দার শঙ্কর রোড, শ্রীসিদ্ধেশ্বর বোসের বাড়ি। একটা কনসালটেশনের দরকার।'

৪

'আওরঙ্গাবাদ !'

সিধুজ্যাঠার চোখ কপালে উঠে গেল।—'এ যে সব্বোনাশের মাথায় বাড়ি ! জায়গাটার তাৎপর্য বুঝতে পারছ ফেলু ? আওরঙ্গাবাদ হল এলোরায় যাবার ঘাঁটি। মাত্র বিশ মাইলের পথ, চমৎকার রাস্তা। আর এলোরার মানে বুঝতে পারছ তো ? এলোরা হল ভারতের সেরা আর্টের ডিপো ! পাহাড়ের গা থেকে কেটে বার করা কৈলাসের মন্দির—যা দেখে মুখের কথা আপনা থেকেই বন্ধ হয়ে যায়। আর তা ছাড়া পাহাড়ের গায়ে লাইন করে দেড় মাইল জায়গা জুড়ে আরও তেত্রিশটা গুহা—হিন্দু, বৌদ্ধ, জৈন—তার প্রত্যেকটা মূর্তি আর কারুকার্যে ঠাসা। আমার তো ভাবতেই রক্ত হিম হয়ে যাচ্ছে !......কিন্তু প্লেন থাকতে ট্রেনে যাচ্ছে কেন লোকটা ?'

'যদ্দূর মনে হয়, মূর্তিটা ও হাতের কাছে রাখতে চাইছে। প্লেনে গেলে সিকিউরিটি চেক-এর ব্যাপার আছে। হাতের ব্যাগ খুলে দেখে পুলিশ। ট্রেনে সে ঝামেলা নেই।'

আওরঙ্গাবাদের ব্যাপারটা বুঝতে পেরে আমারও গলা শুকিয়ে গেল। ফেলুদা হাতের ঘড়ির দিকে দেখে তড়াক করে মোড়া ছেড়ে উঠে পড়ল।

'কী ঠিক করলে ?' সিধুজ্যাঠা জিজ্ঞেস করলেন।

'আমাদের প্লেনেই যেতে হবে।'

সিধুজ্যাঠা যে ভাবে ফেলুদার দিকে চাইলেন তাতে বুঝলাম গর্বে ওঁর বুকটা ভরে উঠেছে। মুখে কিছু না বলে তক্তপোশ থেকে উঠে গিয়ে আলমারি থেকে একটা চটি বই বার করে ফেলুদার হাতে দিয়ে বললেন, 'এটা তোমায় হেলপ করবে। ভাল করে একবারটি পড়ে নিয়ো।'

বইটার নাম 'এ গাইড টু দ্য কেভস অফ এলোরা।'

ফেলুদা বাড়ি এসেই জুপিটার ট্র্যাভলসের মিস্টার বকসীকে ফোন করে জিজ্ঞেস করল আগামীকাল সকালের বম্বে ফ্লাইটে টিকিট আছে কি না ; ওর তিনটে সিট দরকার। তিনটে শুনে আমি বেশ অবাক হয়ে গেলাম। সিধুজ্যাঠাও যাবেন নাকি সঙ্গে ? ফেলুদাকে জিজ্ঞেস করাতে ও শুধু বলল, 'দলে আরেকটু ভারী হলে সুবিধে হয়।'

বকসী বললেন, ‘এমনিতে জায়গা নেই, তবে ওয়েটিং লিস্টে ভাল পোজিশন। আমি টিকিট ইস্যু করে দিচ্ছি। আপনারা সকালে সাড়ে পাঁচটার মধ্যে এয়ারপোর্টে এসে যাবেন। মনে হয় হয়ে যাবে।’

সকালের ফ্লাইট নটার মধ্যে বম্বে পৌঁছে যাবে ; তারপর সেখান থেকে সাড়ে বারোটার সময় আরেকটা প্লেন ছেড়ে দেড়টায় আমাদের আওরঙ্গাবাদ পৌঁছে দেবে। এই পরের টিকিটটাও জুপিটার করে দেবে, আর করে দেবে আমাদের আওরঙ্গাবাদ ও এলোরায় থাকার ব্যবস্থা। আমরা পৌঁছে যাব কালই, মানে শনিবার, আর মল্লিক পৌঁছবেন রবিবার।

বুকিং-এর ঝামেলা মিটিয়ে ফেলুদা আরেকটা নম্বর ডায়াল করছে, এমন সময় কলিং বেল বেজে উঠল। দরজা খুলতেই দেখি নাম্বার ওয়ান জনপ্রিয় রহস্যরোমাঞ্চ উপন্যাস লেখক লালমোহন গাঙ্গুলী ওরফে জটায়ু। ফেলুদা যেন ভূত দেখেছে এমন ভাব করে রিসিভারটা রেখে দিয়ে বলল, ‘আশ্চর্য—এই মুহূর্তে আপনার নম্বর ডায়াল করছিলাম !’

জটায়ু তার ভাঁজ করা প্লাস্টিকের রেনকোটটা টেবিলের উপর রেখে সোফায় বসে পড়ে বললেন, ‘তা হলে আমার সঙ্গে আপনার একটা টেলিপ্যাথেটিক যোগ রয়েছে বলুন ! আমারও ক’দিন থেকেই আপনার কথা মনে হচ্ছে।’

কথাটা আসলে হবে টেলিপ্যাথিক, কিন্তু লালমোহনবাবুর ইংরিজি ওইরকমই। ভদ্রলোকের চেহারা বেশ খোলতাই হয়েছে ; দেখে মনে হল বই লিখে বেশ দু পয়সা রোজগার হচ্ছে।

‘বেশ করে একটু লেবুর সরবত করতে বলুন তো আপনার সারভেন্টটিকে—বড্ড গুমোট করেছে। আর ফ্রিডিজেয়ার থেকে যদি একটু বরফ দিয়ে দেয়...’

সরবতের অর্ডার দিয়ে ফেলুদা কাজের কথায় চলে গেল।

‘খুব ব্যস্ত নাকি ? নতুন উপন্যাসে হাত দিয়েছেন ?’

‘হাত দিলে কি আর এখানে আসতে পারি ? ছক কেটিচি। খুব জমবে বলে মনে হয়। ভাল ফিলিম হয়। অবিশ্যি হিন্দি প্যাটার্নের। পাঁচখানা ফাইট আছে। বেলুচিস্তানের ব্যাকগ্রাউন্ডে ফেলিচি আমার হিরো প্রখর রুদ্রকে। আচ্ছা—অর্জুন মেরহোত্রাকে কেমন মানায় বলুন তো হিরোর পার্টে ? অবিশ্যি আপনি যদি অ্যাকটিং করতে রাজি হন তা হলে তো—’

‘আমি হিন্দি জানি না। যাই হোক, আপাতত আমাদের সঙ্গে আসুন—কৈলাসটা ঘুরে আসি। ফিরে এসে না হয় বেলুচিস্তানের কথা ভাববেন।’

‘কৈলাস ! সে কী মশাই—আপনার কি তিব্বতে কেস পড়ল না কি ? সেখানে তো শুনিচি চিনেদের রাজত্ব।’

‘কৈলাস পাহাড় নয়। কৈলাস মন্দির। এলোরার নাম শুনেছেন ?’

‘ও হো হো, তাই বলুন। তা সে তো শুনিচি সব মন্দির আর মূর্তি-টূর্তির ব্যাপার। আপনি হঠাৎ পাথর নিয়ে পড়লেন কেন ? আপনার তো মানুষ নিয়ে কারবার।’

‘কারণ, কতগুলো মানুষ ওই পাথর নিয়ে একটা কারবার ফেঁদে বসেছে। বিশ্রী কারবার। সেটা বন্ধ করা দরকার।’

লালমোহনবাবু ফ্যাল ফ্যাল করে চেয়ে আছেন দেখে ফেলুদা ব্যাপারটা বুঝিয়ে দিল। সব শুনেটুনে লালমোহনবাবুর গোল চোখ আরও গোল হয়ে গেল। সঙ্গে সঙ্গে পকেট থেকে একটা ছোট্ট নোটবুক বার করে কী সব লিখেটিখে নিয়ে বললেন—

‘এ এক নতুন খবর দিলেন আপনি। এই সব পাথরের মূর্তির এত দাম ? আমি তো জানতুম হিরে পান্না চুনি—এই সব হল দামি পাথর। যাকে বলে প্রেশাস স্টোনস। কিন্তু

এও তো দেখছি কম প্রেশাস নয়।'

'আরও বেশি প্রেশাস। চুনি পান্না পৃথিবীতে হাজার হাজার আছে, ভবিষ্যতে সংখ্যায় আরও বাড়বে। কিন্তু কৈলাসের মন্দির বা সাঁচির স্তূপ বা এলিফ্যান্টার গুহা—এ সব একটা বই দুটো নেই। হাজার-দু হাজার বছর আগে আমাদের আর্ট যে হাইটে উঠেছিল সে হাইটে ওঠার কথা আজকের আর্টিস্ট ভাবতেই পারে না। সুতরাং সে যুগের আর্ট দেশে যা আছে তাকে বাঁচিয়ে রাখতে হবে। যারা তাকে নষ্ট করতে চায় তারা ক্রিমিন্যাল। আমার মতে ভুবনেশ্বরের যক্ষীকে হত্যা করা হয়েছে। যে করেছে তার কঠিন শাস্তি হওয়া দরকার।'

লালমোহনবাবুকে তাতাবার জন্য এ-ই যথেষ্ট। এমনিতেই ভদ্রলোকের নতুন দেশ দেখার শখ, তার উপর ফেলুদার সঙ্গে একজন অপরাধীর পিছনে ধাওয়া করা—সব মিলিয়ে ভদ্রলোক ভারী উত্তেজিত হয়ে পড়লেন। প্লেনের টাইম, জামা-কাপড় কী নিতে হবে, মশারি লাগবে কি না, সাপের ওষুধ লাগবে কি না ইত্যাদি জেনে নিয়ে উঠে পড়ে বললেন, 'আমার আরও এক্সাইটেড লাগছে কেন জানেন তো? কৈলাস নামটার জন্য। কৈলাস—কই লাশ! বুঝতে পারছেন তো?'

ক'দিনের জন্য যাচ্ছি জানা নেই, তবে দিন সাতেকের বেশি হবে না আন্দাজ করে প্যাকিং সেরে ফেলতে বেশি সময় লাগল না। ফেলুদাকে প্রায়ই তদন্তের ব্যাপারে বাইরে যেতে হয়, তাই ওর একটা আলাদা সুটকেসে কিছু জরুরি জিনিস আগে থেকেই প্যাক করে রেডি করা থাকে। তার মধ্যে ওষুধপত্র, ফার্স্ট-এড বক্স, মেক-আপ বক্স, বাইনোকুলার, ম্যাগনিফাইং গ্লাস, ক্যামেরা, ইস্পাতের তৈরি পঞ্চাশ ফুট টেপ, একটা অল-পারপাস নাইফ, নানারকম সরু সরু তার—যা দিয়ে দরকার হলে চাবি ছাড়াই তালা-টালা খোলা যায়, একটা নিউম্যান কোম্পানির ব্র্যাডশ—বা রেল-প্লেন-বাসের টাইম টেবল, একটা রোড ম্যাপ, একটা লম্বা দড়ি, এক জোড়া হান্টিং বুট। এতে জায়গা যে খুব একটা বেশি নেয় তা নয়; তাই একই সুটকেসে ওর বাকি জিনিসও ধরে যায়। জামা-কাপড় বেশি নেয় না। এককালে পোশাকের শখ ছিল, এখন কমে গেছে। সিগারেট খাওয়াও দিনে বিশটা থেকে দশে নেমে গেছে। স্বাস্থ্যের ব্যাপারে ওর চিরকালই যত্ন। যোগব্যায়াম করে, একগাদা খায় না, তবে নতুন গুড়ের সন্দেশ বা খুব ভাল মিহিদানা পেলে সংযমের তোয়াক্কা রাখে না।

ফেলুদার কাছে টুরিস্ট ডিপার্টমেন্টের অনেকগুলো চটি বই ছিল, তার মধ্যে এবার যেগুলো লাগতে পারে তার কয়েকটা নিয়ে আমি উলটেপালটে দেখে নিলাম। দশটা নাগাদ শোবার আগে ফেলুদা ঘড়িতে অ্যালার্ম দিল, আর যদি কোনও কারণে অ্যালার্ম না বাজে তাই ওয়ান সেভেন থ্রিতে টেলিফোন করে সকালে চারটের সময় ঘুম ভাঙিয়ে দেবার কথা বলে দিল।

তার ঠিক দশ মিনিট বাদে মিস্টার মুৎসুদ্দির কাছ থেকে ফোন এল। বললেন, মল্লিক বম্বে থেকে একটা ট্রাঙ্ক কল পেয়েছিল কিছুক্ষণ আগে। মল্লিক যে কথাগুলো বলে তা হল এই—'মেয়ে শ্বশুরবাড়ি থেকে বাপের বাড়ি এসে গেছে। বাপ তাকে সঙ্গে নিয়ে যাচ্ছে বিশ পঁচাত্তর।' তাতে বম্বের লোক ইংরিজিতে বলে, 'ক্যারি অন। বেস্ট অফ লাক।'

আমি কথাগুলোর মাথামুণ্ডু বুঝতে পারলাম না। সেটা ফেলুদাকে বলাতে ও বলল, 'তোর মধ্যমনারায়ণ তেলের দরকার হয়ে পড়েছে।'

ভাগ্যিস এই তেলের ব্যাপারটা আমার জানা ছিল, তা না হলে এটারও মানে ফেলুদাকে জিজ্ঞেস করতে হত। মধ্যমনারায়ণ তেল মাথায় লাগালে নাকি মাথা ঠাণ্ডা হয় আর বুদ্ধি বাড়ে।

বম্বের প্লেন সাড়ে ছটায় না ছেড়ে ছাড়ল প্রায় এক ঘণ্টা পরে। বেশ কয়েকটা ক্যানসেলেশন ছিল, তাই আমাদের জায়গা পেতে কোনও অসুবিধা হয়নি।

বাক্স-রহস্যের ব্যাপারে আমাদের সঙ্গে জীবনে প্রথম প্লেনে চড়েছিলেন লালমোহনবাবু। এটা বোধ হয় দ্বিতীয়বার। এবার দেখলাম টেক-অফের সময় দাঁত-টাঁত খিঁচিয়ে সেই বিশ্রী ব্যাপারটা আর করলেন না। কিন্তু প্রথম দিকটা যখন আমরা মেঘের মধ্যে দিয়ে যাচ্ছিলাম তখন প্লেনটা বেশ ধড়ফড় করছিল, আর লালমোহনবাবুর অবস্থা আরও অনেকেরই মতো বেশ শোচনীয় বলে মনে হচ্ছিল। একবার একটা বড় রকম ঝাঁকুনির পর ভদ্রলোক আর থাকতে না পেরে বললেন, 'এ যে মশাই চিৎপুর রোড দিয়ে ছ্যাকড়া গাড়িতে করে চলছি বলে মনে হচ্ছে! নাটবল্টু সব খুলে আসচে না তো?'

আমি আর ফেলুদা দুটো পাশাপাশি সিটে বসেছিলাম, আর লালমোহনবাবু বসেছিলেন প্যাসেজের ওদিকে ফেলুদার ঠিক পাশেই। ব্রেকফাস্ট খাবার কিছুক্ষণ পর ভদ্রলোক একবার ফেলুদার দিকে ফিরে বললেন, 'দাঁত-খড়কের ইংরিজি কী মশাই?' তারপর সেটা জেনে নিয়ে ভদ্রলোক নিজেই বোতাম টিপে এয়ার হোস্টেসকে ডাকিয়ে এনে, 'এক্সকিউজ, টুথপিক প্লিজ' বলে খড়কে আদায় করে নিলেন। তারপর ঘণ্টা খানেক পরে বম্বে সম্বন্ধে একটা বুকলেট পড়তে পড়তে বললেন, 'অ্যাপোলোটা আবার কীরকম বাঁদর মশাই?'

ফেলুদা এলোরার গাইড বুকটা চোখের সামনে থেকে নামিয়ে বলল, 'বাঁদর নয়, বন্দর। পোর্ট।'

'ও, পোর্ট! তা হলে ইংরিজিতে পোর্ট লিখলেই হয়, বান্দার লেখার কী দরকার? হুঁ!'

আমরা তিনজনের কেউই আগে বম্বে যাইনি। পশ্চিমে সবচেয়ে দূরে গেছি রাজস্থানের জয়সলমীর। এবার এমনিতে বম্বেতে থাকার কথা নয়, তবে ফেলুদা বলেছে এলোরায় সব ঠিক ভাবে উতরে গেলে ফিরবার পথে দু-তিনদিন বম্বে থেকে আসবে। ওর এক কলেজের বন্ধু ওখানে থাকে, গ্ল্যাক্সো কোম্পানিতে কাজ করে, সে অনেকদিন থেকেই নেমন্তন্ন করে রেখেছে।

প্লেন ল্যান্ড করার আগে যখন বেল্ট বাঁধতে বলছে, তখন আমি ফেলুদাকে একটা কথা জিজ্ঞেস না করে পারলাম না। বললাম, 'মল্লিকের কাল রাত্রের টেলিফোনের ব্যাপারটা একটু বুঝিয়ে দেবে?'

ফেলুদা যেন আকাশ থেকে পড়ল।

'সে কী রে—তুই ওটা সত্যিই বুঝিসনি?'

'উহুঁ।'

'মেয়ে শ্বশুরবাড়ি থেকে বাপের বাড়ি চলে এসেছে। মেয়ে হল যক্ষীর মাথা, শ্বশুরবাড়ি হল সিলভারস্টাইন—যে মাথাটি কিনেছিল, আর বাপের বাড়ি হল মল্লিক—যার কাছে মাথাটা ছিল।'

বুঝিয়ে দিলে সত্যিই জলের মতো সোজা। বললাম, 'আর বিশ-পঁচাত্তর?'

'ওটা ল্যাটিচিউড আর লঙ্গিচিউড। ম্যাপ খুলে দেখবি ওটা আওরঙ্গাবাদে পড়ছে।'

স্যান্টাক্রুজ এয়ারপোর্টে নামলাম দশটার সময়। আড়াই ঘণ্টা পরে আবার প্লেন ধরতে হবে, তাই শহরে যাবার কোনও মানে হয় না—যদিও আকাশ থেকে শহরের গম্‌গমে চেহারা দেখে চোখ ট্যারা হয়ে গেছে।

এয়ারপোর্টের বাথরুমে হাতমুখ ধুয়ে রেস্টোরান্টে ভাত আর মুরগির কারি খেয়ে আওরঙ্গাবাদ যাবার প্লেনে উঠলাম পৌনে একটায়। মাত্র এগারোজন যাত্রী। ফেলুদা বলল

এটা টুরিস্ট সিজন নয় তাই এত কম লোক। আওরঙ্গাবাদে যারা যায় তারা অনেকেই নাকি অজন্তা-এলোরা দেখতেই যায়।

এবার আমি আর লালমোহনবাবু পাশাপাশি, আর প্যাসেজের উলটো দিকে ফেলুদা, আর তার পাশে একজন মাঝবয়সী ভদ্রলোক—তার চোখে মোটা কালো চশমা, নাকটা খাঁড়ার মতো লম্বা আর ব্যাঁকা, আর চওড়া কপালের পিছন দিকে একরাশ কাঁচাপাকা ঢেউ খেলানো চুল ব্যাকব্রাশ করে আঁচড়ানো। আওরঙ্গাবাদের খুদে এয়ারপোর্টে নেমে ভদ্রলোকের সঙ্গে আলাপ হল। হত না, কিন্তু তাঁর নাকি গাড়ি আসার কথা ছিল, আসেনি, তাই উনি আমাদের সঙ্গে এয়ারলাইনসের বাসে শহরে এলেন। বাঙালি বলে মনে হয়নি, তাই যখন ফেলুদার সঙ্গে বাংলায় কথা বললেন তখন বেশ অবাক লাগল।

'কোথায় উঠছেন ?' ফেলুদাকে জিজ্ঞেস করলেন ভদ্রলোক।

'আওরঙ্গাবাদ হোটেল।'

'আমিও তাই। ...এদিকে কী? বেড়াতে?'

'হ্যাঁ, সেইরকমই। আপনি?'

'আমি এলোরা নিয়ে একটা বই লিখছি। আগে আরেকবার গেছি, এটা দ্বিতীয়বার। ইন্ডিয়ান আর্ট হিস্ট্রি পড়াই মিশিগানে।'

'ছাত্রদের উৎসাহ আছে?'

'আগের চেয়ে অনেক বেশি। আজকাল তো ইন্ডিয়ার দিকেই চেয়ে আছে ওরা। বিশেষত ইয়াং জেনারেশন।'

'বৈষ্ণব ধর্মের খুব প্রভাব শোনা যাচ্ছে?' ফেলুদা একটু ঠাট্টার সুরেই প্রশ্নটা করেছিল। ভদ্রলোক হেসে বললেন, 'হরেকৃষ্ণর কথা বলছেন তো? জানি। তবে ওরা কিন্তু খুব সিরিয়াস। মাথা মুড়িয়ে ফোঁটা কেটে ধুতির কোঁচাটা দুলিয়ে কেমন খোল করতাল বাজায় দেখেছেন তো? চোখে না দেখে দূর থেকে শুনলে খাঁটি কীর্তনের দল বলে ভুল হবে...'

এয়ারলাইনস আপিসের পাশেই আওরঙ্গাবাদ হোটেল, পৌঁছতে লাগল মাত্র পনেরো মিনিট। ছোট হোটেল, তবে থাকার ব্যবস্থা বেশ ভাল। খাতায় নামটাম লিখিয়ে আমরা দুজন গেলাম এগারো নম্বর ঘরে, লালমোহনবাবু চোদ্দোয়। ফেলুদা স্যান্টাক্রুজ থেকে একটা বম্বের কাগজ কিনেছিল, রেস্টোরান্টে খাবার সময় ওটা পড়তে দেখেছিলাম। এবার ঘরে এসে চেয়ারে বসে মাঝখানকার একটা পাতায় কাগজটা খুলে আমায় জিজ্ঞেস করল, 'ভ্যান্ডালিজম মানে জানিস?' পরিষ্কার না জানলেও, আবছা আবছা জানতাম। গুণ্ডামি ধরনের কোনও ব্যাপার কি? ফেলুদা বলল, 'পঞ্চম শতাব্দীতে যে বর্বর জাতি রোম শহরকে ধ্বংস করেছিল তাদের বলত ভ্যান্ডাল্‌স। সেই থেকে ভ্যান্ডালিজম বলতে বোঝায় কোনও সুন্দর জিনিসকে নির্মমভাবে ধ্বংস করা।'

কথাটা বলে ফেলুদা কাগজটা আমার হাতে দিল। তাতে খবর রয়েছে—'মোর ভ্যান্ডালিজম্‌'। তার নীচে বলছে—মধ্যপ্রদেশের খাজুরাহোতে ত্রিংশ শতাব্দীর কান্ডারিয়া মেহাদেও মন্দিরের গা থেকে একটা মেয়ের মূর্তির মাথা কে বা কারা যেন ভেঙে নিয়ে গেছে। বরোদার এক আর্ট স্কুলের চারজন ছাত্র মন্দিরটা দেখতে গিয়েছিল, তারাই নাকি প্রথম ব্যাপারটা লক্ষ করে। গত এক মাসে এই নিয়ে নাকি তিনবার এই ধরনের ভ্যান্ডালিজমের খবর জানা গেছে। স্পষ্টই বোঝা যাচ্ছে এই মূর্তির টুকরোগুলোকে নিয়ে ব্যবসা করা হচ্ছে।

আমি খবরটা হজম করার চেষ্টা করছি এমন সময় ফেলুদা গম্ভীর গলায় বলল, 'যদ্দূর মনে হয়—অক্টোপাস একটাই। তার শুঁড়গুলো ভারতবর্ষের এদিক-ওদিকে ছড়িয়ে এ-মন্দির ও-মন্দির থেকে মূর্তি সরাচ্ছে। যে-কোনও একটা শুঁড়কে জখম করতে পারলেই সমস্ত শরীরটা ধড়ফড় করে উঠবে। এই জখম করাটাই হবে আমাদের লক্ষ্য।'

৫

আওরঙ্গাবাদ ঐতিহাসিক শহর। আবিসিনিয়ার এক ক্রীতদাস—নাম মালিক অম্বর—ভারতবর্ষে এসে তাঁর ভাগ্য ফিরিয়ে ক্রমে আমেদনগরের রাজার প্রধানমন্ত্রী হয়ে ওঠেন। তিনিই খাড়কে নামে একটা শহরের পত্তন করেন, যেটা আওরঙ্গজেবের আমলে নাম পালটে হয়ে যায় আওরঙ্গাবাদ। মোগল আমলের চিহ্ন ছাড়াও এখানে রয়েছে প্রায় তেরোশো বছরের পুরনো আট-দশটা বৌদ্ধ গুহা—যার ভেতরে দেখবার মতো কিছু মূর্তি রয়েছে। যে

ভদ্রলোকটির সঙ্গে আজ আলাপ হল, তিনি বিকেলে আমাদের সঙ্গে আরেকটু বেশি ভাব জমাতে আমাদের ঘরে এসেছিলেন। একসঙ্গে চা খেতে খেতে ভদ্রলোক বললেন, এই সব গুহার মূর্তির সঙ্গে নাকি এলোরার মূর্তির খানিকটা মিল আছে। 'আপনারা কাল যদি সময় পান একবার দেখে আসবেন।' আজ অল্প অল্প বৃষ্টি পড়ছে ; কাল সকালে দিন ভাল থাকলে আমরা সেই গুহাগুলো, আর তার কাছেই আওরঙ্গজেবের রানির স্মৃতিস্তম্ভ বিবি-কা-মোকবারা দেখে আসব। আমাদের কাল দুপুরটা পর্যন্ত থাকতেই হবে, কারণ এগারোটার সময় জয়ন্ত মল্লিকের আসার কথা। আমাদের বিশ্বাস তিনি এলোরা যাবেন, এবং আমরা যাব তাঁকে ফলো করে।

রাত্রে খাবার পর ফেলুদা তার এলোরার গাইডবুক নিয়ে বসল। আমি কী করি তাই ভাবছি, এমন সময় জটায়ু এসে বললেন, 'কী করছ তপেশবাবু ? বাইরে বেশ চাঁদ উঠেছে, চলো একটু বেড়িয়ে আসি।'

হোটেল থেকে বেরিয়ে এসে দেখি বাইরে ফুটফুটে জ্যোৎস্না। দূরে দক্ষিণ দিকে নিচু পাহাড় দেখা যাচ্ছে, ওরই গায়ে বোধ হয় বৌদ্ধ গুহাগুলো। কাছেই একটা পানের দোকান থেকে ট্রানজিসটারে হিন্দি ফিল্মের গান বাজছে। রাস্তার উলটো দিকে একটা বন্ধ দোকানের সামনে দুটো লোক একটা বেঞ্চিতে বসে গলা উঁচিয়ে তর্ক করছে—কী নিয়ে সেটা বোঝার উপায় নেই, কারণ ভাষাটা বোধ হয় মারাঠি। দিনের বেলায় রাস্তাটায় বেশ লোকজন গাড়িটাড়ির চলাচল ছিল, এখন এই দশটার মধ্যেই সব কেমন যেন ঝিমিয়ে পড়েছে। দূর থেকে একটা ট্রেনের হুইসল শোনা গেল, একটা পাগড়ি পরা লোক সাইকেল করে বেল বাজাতে বাজাতে আমাদের সামনে দিয়ে চলে গেল, কোত্থেকে জানি একটা লোক 'এ মধুকর—এ মধুকর !' বলে চেঁচিয়ে উঠল—সবই যেন কেমন নতুন নতুন, সব কিছুর মধ্যেই যেন খানিকটা রহস্য, খানিকটা রোমাঞ্চ, খানিকটা অজানা ভয় মেশানো রয়েছে। আর তার মধ্যে লালমোহনবাবু আমার কানের কাছে মুখ এনে ফিসফিস করে বললেন, 'শুভঙ্কর বোসকে দেখে একটু সাস্‌পিশাস বলে মনে হচ্ছে না তোমার ?'

বলতে ভুলে গেছি ওই বাঙালি প্রফেসরটির নাম হল শুভঙ্কর বোস। আমি বললাম, 'কেন ?'

'ওর সুটকেসের মধ্যে কী আছে বলো তো ? পঁয়ত্রিশ কিলো ওজন হয় কী করে ?'

'পঁয়ত্রিশ কিলো !'—আমি তো অবাক।

'বম্বেতে প্লেনে ওঠার আগে মাল ওজন করছিল। আমার সামনেই উনি ছিলেন। আমি দেখেছি। পঁয়ত্রিশ কিলো। যেখানে তোমার দাদারটা বাইশ, তোমারটা চোদ্দো, আমারটা ষোলো। ভদ্রলোককে অতিরিক্ত মালের জন্য বেশ কিছু টাকা দিতে হল।'

এ খবরটা আমি জানতাম না। অথচ বাক্সটা বেশি বড় নয় ঠিকই। কী আছে ওটার মধ্যে ?

'পাথর !' লালমোহনবাবু নিজেই ফিসফিস করে নিজের প্রশ্নের উত্তর দিয়ে দিলেন।—'কিংবা পাথর ভাঙার জন্য লোহার সব যন্ত্রপাতি। তোমার দাদা বলছিলেন না—এইসব মূর্তি চুরির পেছনে একটা দল আছে ? আমি বলছি উনি সেই দলের একজন। ওর নাকটা দেখেছ ? ঠিক ঘনশ্যাম কর্কটের মতো।'

'ঘনশ্যাম কর্কট ? সে আবার কে ?'

'ও হো—তোমাকে বলা হয়নি। আমার নতুন গল্পের ভিলেন। তার নাকের বর্ণনা কীরকম দোব জান তো ? পাশ থেকে দেখলে মনে হয় ঠিক যেন জলের উপর বেরিয়ে থাকা হাঙরের ডানা।

জটায়ু আমার মাথাটা গণ্ডগোল করে দিলেন। আমার কিন্তু শুভঙ্কর বোসকে একটুও সন্দেহ হয়নি। কারণ যে লোক আর্ট সম্বন্ধে এত জানেন...... । অবিশ্যি এখন ভাবলে মনে হচ্ছে ভারতবর্ষের নাম-করা মন্দিরগুলো থেকে যারা মূর্তি চুরি করবে তাদেরও তো আর্ট সম্বন্ধে কিছুটা জানতেই হবে। ভদ্রলোকের চেহারার মধ্যে সত্যিই একটা ধারালো ভাব আছে।

'তোমায় বলে দিলুম', লালমোহনবাবু বললেন, 'এবার থেকে খালি একটু চোখে চোখে রেখো। আমাকে আজকে একটা ল্যাবেঞ্চুস অফার করেছিলেন, নিলুম না। যদি বিষ-টিষ মেশানো থাকে! তোমার দাদাকে বোলো ওঁর নিজের পরিচয়টা যেন গোপন রাখেন। উনি যে ডিটেকটিভ সেটা জানতে পারলে কিন্তু...'

রাত্রে ফেলুদাকে শুভঙ্কর বোসের বাক্সের ওজনের কথাটা বলাতে ও বলল, 'পঁয়ত্রিশ নয়, সাঁইত্রিশ কিলো। জটায়ুকে বলে দিস যে শুধু পাথরেরই ওজন হয় না, বইয়েরও হয়। আমার বিশ্বাস লোকটা পড়াশুনো করার জন্য সঙ্গে অনেক বই এনেছে।'

পরদিন সকালে সাড়ে ছটায় ট্যাক্সি করে বেরিয়ে আমরা প্রথমে এখানকার 'নকল তাজমহল' বিবি-কা-মোক্‌বারা দেখে তারপর বৌদ্ধ গুহা দেখতে গেলাম। গাড়ি থেকে নেমে পাহাড়ের গা দিয়ে অনেকগুলো সিঁড়ি উঠে তারপর গুহায় পৌঁছানো যায়। আমাদের সঙ্গে শুভঙ্কর বোসও রয়েছেন, সমানে আর্ট সম্বন্ধে জ্ঞান দিয়ে চলেছেন, তার অর্ধেক কথা আমার এ কান দিয়ে ঢুকে ও কান দিয়ে বেরিয়ে যাচ্ছে, বাকি কথা কোনও কানেই ঢুকছে না। লোকটাকে অনেক চেষ্টা করেও চোর-বদমাইস হিসাবে ভাবতে পারছি না, যদিও লালমোহনবাবু বার বার আড়চোখে তাকে দেখছেন, আর তার ফলে সিঁড়িতে হোঁচট খাচ্ছেন।

আমরা ছাড়া আরও দুজন লোক আমাদের আগেই সিঁড়ি দিয়ে উঠে গেছেন। তার মধ্যে একজন রংচঙে হাইওয়ান শার্ট পরা এক টেকো সাহেব, আর আরেকজন নিশ্চয়ই টুরিস্ট ডিপার্টমেন্টের মাইনে করা গাইড।

ফেলুদা তার নকশা করা ঝোলাটা থেকে তার পেনট্যাক্স ক্যামেরাটা বার করে মাঝে মাঝে ছবি তুলছে, কখনও পাহাড়ের উপর থেকে শহরের ছবি, কখনও বা আমাদের ছবি। আমাদের দিকে ক্যামেরা তাগ করলেই লালমোহনবাবু থেমে গিয়ে সোজা হয়ে দাঁড়িয়ে হাসি হাসি মুখ করে পোজ দিচ্ছেন। শেষটায় আমি বাধ্য হয়ে বললাম যে হাঁটা অবস্থাতেও ছবি ওঠে, আর না-হাসলে অনেক সময় ছবি আরও বেশি ভাল ওঠে।

গুহার মুখে পৌঁছে ফেলুদা বলল, 'তোরা দ্যাখ আমি ক'টা ছবি তুলে আসছি।' শুভঙ্করবাবু বললেন, 'দু নম্বর আর সাত নম্বরটা মিস করবেন না। এক থেকে পাঁচ এই কাছাকাছির মধ্যেই পাবেন, আর ছয় থেকে নয় হল এখান থেকে হাফ-এ-মাইল পুব দিকে। পাহাড়ের গা দিয়ে রাস্তা পাবেন।'

একে জুন মাস, তার উপর ঝলমলে রোদ, তাই বাইরেটা বেশ গরম লাগছিল। কিন্তু গুহার ভিতরে ঢুকে দেখি বেশ ঠাণ্ডা। এক নম্বরটায় বিশেষ কিছু নেই, আর দেখেই বোঝা যায় সেটার কাজ অর্ধেক করে বন্ধ হয়ে গিয়েছিল, আর যেটুকু তৈরি ছিল তারও খানিকটা অংশ ভেঙে পড়ে গেছে। শুভঙ্করবাবু তাও ভারী আগ্রহের সঙ্গে বারান্দার থাম, সিলিং ইত্যাদি দেখে খাতায় কী সব নোট করে নিতে লাগলেন। আমি আর লালমোহনবাবু দু নম্বর গুহায় গিয়ে ঢুকলাম। ফেলুদা আমার সঙ্গে একটা টর্চ দিয়ে দিয়েছিল, বারান্দা পেরিয়ে গুহার মধ্যে ঢুকে টর্চটা জ্বালতে হল। বেশ বড় একটা হল ঘর, তার শেষ মাথায় একটা প্রকাণ্ড বুদ্ধ

মূর্তি। দু পাশের দেয়ালে টর্চ ফেলে দেখি সেগুলোতেও চমৎকার সব মূর্তি খোদাই করা হয়েছে। লালমোহনবাবু মন্তব্য করলেন, 'তখনকার আর্টিস্টদের শুধু আর্টিস্ট হলে চলত না, বুঝলে হে তপেশ, সেই সঙ্গে গায়ের জোরও থাকতে হত। হাতুড়ি আর ছেনি দিয়ে পাহাড়ের গায়ের পাথর ভেঙে তৈরি করতে হয়েছে এ সব মূর্তি—চাট্টিখানি কথা নয়।'

তিন নম্বরের ভিতরে ঢুকে দেখি আরও বড় একটা হল ঘর, আর সে ঘর সেই গাইডের বকবকানিতে এমন গম গম করছে যে সেখানে টেকা দেয়। বাইরে বেরিয়ে এসে লালমোহনবাবু বললেন, 'তোমার দাদা গেলেন কোথায় ? তাকে তো দেখছি না।'

সত্যিই তো। ফেলুদা কোথায় গিয়ে ছবি তুলছে ?

আর শুভঙ্করবাবুই বা কোথায় ?

'চলো, এগিয়ে চলো', বললেন লালমোহনবাবু।

পাশেই পর পর চার আর পাঁচ নম্বর গুহা রয়েছে, কিন্তু ফেলুদা না থাকায় কেমন যেন অসোয়াস্তি লাগছে। কাছাকাছির মধ্যে কোথাও নেই আন্দাজ করে আমরা পুব দিকের গুহাগুলোর পথ ধরলাম। প্রায় আধ মাইল হাঁটতে হবে, কিন্তু যাওয়া ছাড়া কোনও উপায় নেই। পাহাড়ের গায়ে গাছপালার চেয়ে পাথর আর ঝোপঝাড়ই বেশি। ঘড়িতে মাত্র সোয়া আটটা, তাই রোদের তেজ এখনও তেমন বেশি নয়। দশটার বেশি দেরি করা চলবে না, কারণ এগারোটার গাড়িতে জয়ন্ত মল্লিক আসবেন।

মিনিট পনেরো হাঁটার পর রাস্তা থেকে কিছুটা উপর দিকে একটা গুহা দেখতে পেলাম। এটা বোধ হয় ছ নম্বর। পথে ফেলুদার কোনও চিহ্ন দেখতে পাইনি। লালমোহনবাবু গোয়েন্দার ভঙ্গিতে মাঝে মাঝে রাস্তার উপর ঝুঁকে পড়ে পায়ের ছাপ খোঁজার বৃথা চেষ্টা করছেন। এ ধরনের পাহাড়ে পথে এমনিতেই বৃষ্টির জল দাঁড়ায় না, তার উপরে সকাল থেকে একটানা দু ঘণ্টা রোদ হয়ে রয়েছে। রাস্তা একেবারে শুকনো খট্‌খটে।

আর এগোনোর কোনও মানে আছে কি ? তার চেয়ে ওর নাম ধরে ডাকলে কেমন হয় ?

'ফেলুদা ! ফেলুদা !'

'প্রদোষবাবু ! ফেলুবাবু— ! ও মিস্টার মিত্তি—র !'

কোনও উত্তর নেই।

আমার পেটের ভিতরটা খালি খালি লাগছে।

পাহাড়ের গা বেয়ে উঠে ওপর দিকে কোথাও চলে গেল নাকি ? কোনও কিছুর সন্ধান পেয়েছে কি ? জরুরি কিছু ?—যার ফলে আমাদের কথা ভুলে গিয়ে তদন্তের কাজে লেগে যেতে হয়েছে ?

লালমোহনবাবু মাথা নেড়ে বললেন, 'এদিকে নেই। থাকলে ডাক শুনতে পেতেন। নিশ্চয় ওদিকেই আছেন। চলো ফিরে চলো। এবার দেখা পাব নির্ঘাত। তোমার দাদা তো আর খামখেয়ালি নন, বা কাঁচা কাজ করার লোক নন। চলো।'

আমরা উলটোমুখে ঘুরলাম। কিছু দূর গিয়েই সেই সাহেব আর তার গাইডের সঙ্গে দেখা হল। এরা এক থেকে পাঁচ শেষ করে ছয়ের দিকে চলেছে। বেশ বুঝলাম গাইডের কথার ঠেলায় সাহেবের অবস্থা কাহিল।

'ওই তো শুভঙ্করবাবু !' লালমোহনবাবু বলে উঠলেন। ভদ্রলোক অন্যমনস্কভাবে আমাদের দিকেই এগিয়ে আসছেন। জটায়ুর গলা শুনে মুখ তুললেন। আমি ব্যস্তভাবে ভদ্রলোকের দিকে এগিয়ে গিয়ে জিজ্ঞেস করলাম, 'আমার দাদাকে দেখেছেন কি ?'

'কই না তো। উনি যে বললেন ছবি তুলতে যাবেন ?'

'কিন্তু ওকে তো দেখছি না। আপনি গুহাগুলো... ?'

'কেভের মধ্যে নেই। আমি সবগুলো দেখে আসছি।'

আমার ভয় ভয় ভাব দেখেই বোধহয় ভদ্রলোক সান্ত্বনা দেবার সুরে বললেন, 'কোথায় আর যাবেন—পাহাড়ের ওপর দিকে কোথাও গেছেন হয়তো। শহরটার একটা ভাল ভিউ পাওয়া যায় ওপর থেকে। একটু এগিয়ে গিয়ে জোরে ডাক দাও—ঠিক শুনতে পাবেন।'

শুভঙ্কর বোস ছ নম্বর কেভের দিকে চলে গেলেন। লালমোহনবাবু ঘড়ঘড়ে চাপা গলায় বললেন, 'গতিক ভাল লাগছে না তপেশ। এলোরা না যেতেই একটা চিন্তার কারণ ঘটবে এটা ভাবিনি।'

মনে সাহস আনার চেষ্টা করে এগিয়ে চললাম। হাঁটার স্পিড আপনা থেকেই দ্বিগুণ হয়ে গেছে। খালি মনে হচ্ছে সময়ের ভীষণ দাম, এগারোটার মধ্যে হোটেলে ফিরতে হবে, মল্লিক এল কি না জানতে হবে। অথচ ফেলুদাই বেপাত্তা। ফেলুদা ছাড়া...ফেলুদা ছাড়া...

'চারমিনার'—লালমোহনবাবুর হঠাৎ-চিৎকারে চমকে লাফিয়ে উঠলাম।

সামনেই পাঁচ নম্বর গুহার থামগুলো দেখা যাচ্ছে। তার বাইরে একটা কাঁটা-ঝোপের পাশে একটা হলদে রঙের সিগারেটের প্যাকেট পড়ে আছে। যাবার সময় সেটা হয় ছিল না, না হয় চোখে পড়েনি। খালি প্যাকেট কি ? নাকি সিগারেট থাকা অবস্থায় পকেট থেকে পড়ে গেছে ? কিংবা হাত থেকে ?...

ভয়ে ভয়ে এগিয়ে গিয়ে সেটাকে তুললাম। খুলে দেখি খালি। ফেলে দিতে যাচ্ছিলাম, এমন সময় 'দেখি দেখি' বলে লালমোহনবাবু সেটা আমার হাত থেকে ছিনিয়ে নিয়ে আরও বেশি করে খুলতেই ভিতরের সাদা কাগজের গায়ে একটা ডট পেনের লেখা বেরিয়ে পড়ল। ফেলুদার হাতের লেখা—

'হোটেলে ফিরে যা।'

যদিও ফেলুদার একটা চিহ্ন পেয়ে হাঁপ ছাড়ার একটা কারণ হল, কিন্তু কী কারণে কী অবস্থায় সেটা লিখতে হয়েছে না জেনে পেটের ভিতরে খালি ভাবটা পুরোপুরি গেল না। লালমোহনবাবু বললেন, 'তা না হয় হোটেলে ফিরে গেলুম, কিন্তু মিস্টার বোসের কী হবে ? তাঁর তো আরও চারটে গুহা দেখতে বাকি।'

আমি বললাম, 'এক কাজ করি—আমরা ফিরে গিয়ে ট্যাক্সিটা ওকে ফেরত পাঠিয়ে দিই।'

'এখানে থেকে ওঁর গতিবিধি একটু লক্ষ করলে হত না ?'

'মিস্টার বোসের ?'

'হ্যাঁ।'

'আমার কিন্তু মনে হয় ফেলুদার আদেশ মানা উচিত।'

'তবে চলো যাই হোটেলে ফিরে।'

লালমোহনবাবু নিজে রহস্যের গল্প লেখেন বলেই বোধহয় মাঝে মাঝে ওঁর গোয়েন্দাগিরির ঝোঁক চাপে। বেশ বুঝতে পারছিলাম উনি শুভঙ্করবাবুকে ফলো করতে চাচ্ছেন, কিন্তু বাধ্য হয়েই বাধা দিতে হল। ট্যাক্সি আমাদের দুজনকে হোটেলে পৌঁছে দিয়ে আবার গুহায় ফিরে গেল। এখন মাত্র নটা। এইভাবে ফেলুদার অপেক্ষায় কতক্ষণ বসে থাকতে হবে জানি না।

ঘরে থাকতে ভাল লাগছিল না, তাই দুজনে হোটেলের বাইরে রাস্তায় পায়চারি করতে লাগলাম। সকালে আকাশ পরিষ্কার ছিল, এখন আবার মেঘ করে আসছে। এক হিসেবে ভাল। গরমটা কমবে।

পৌনে দশটা নাগাদ শুভঙ্করবাবু ফিরে এসে ফেলুদা তখনও আসেনি শুনে খুব অবাক

হয়ে গেলেন। অথচ আমরা যে একটা ক্রাইমের তদন্ত করতে এসেছি, বিপদের আশঙ্কা আছে, এটাও ওঁকে বলা যায় না, কারণ এখনও সেরকম আলাপ হয়নি, আর লালমোহনবাবুর এখনও বিশ্বাস উনি শত্রুপক্ষের লোক। তাই বুদ্ধি খাটিয়ে কোনও দুশ্চিন্তার কারণ নেই এটা বোঝানোর জন্য বললাম, 'ও ওইরকমই লোক। ভীষণ ভুলো আর খামখেয়ালি। আগেও অনেক বার এরকম করেছে।'

প্রায় এক ঘণ্টা রাস্তায় পায়চারি করে ঘরে ফিরে এসে টিনটিনের বইটা খুলে তুষার মানবের রোমাঞ্চকর ঘটনায় মন দিতে চেষ্টা করলাম। এগারোটার কিছু পরে একবার মনে হল যেন একটা ট্রেনের হুইসল শুনতে পেলাম। পৌনে বারোটার সময় বাইরে একটা গাড়ির শব্দ পেলাম। গিয়ে দেখি একটা ট্যাক্সি থেকে দুজন ভদ্রলোক নামলেন। একজন মাঝারি হাইট, কাঁধ চওড়া, ঘাড়ে-গর্দানে চেহারা, দেখেই কেন জানি মনে হয় কড়া সাহেবি মেজাজের লোক। অন্যজন লম্বা, বেলবটম প্যান্ট, ফুলকারি করা পাতলা শার্ট, গলায় চেন, লম্বা চুল, এলোমেলো গোঁফ দাড়ি। এরা দুজন ট্যাক্সি শেয়ার করে এসেছেন, এক জোটে ভাড়া চুকিয়ে দিলেন। লম্বার সঙ্গে একটা নতুন ক্যানভাসের ব্যাগ, আর ঘাড়ে-গর্দানের সঙ্গে পুরনো চামড়ার সুটকেস। মাল নিয়ে দুজনে হোটেলে ঢোকার সঙ্গে সঙ্গে আরেকটা ট্যাক্সি এসে পড়ল।

দরজা খুলে নামলেন জয়ন্ত মল্লিক।

তাকে দেখে যতটা নিশ্চিন্ত হলাম, তার চেয়েও বেশি অবাক হলাম ফেলুদার কাণ্ড দেখে।

এরকম অবস্থায় কি এর আগে পড়েছি কখনও? মনে তো পড়ে না।

৬

আরও দশ মিনিট ফেলুদার অপেক্ষায় দাঁড়িয়ে থেকে শেষটায় অগত্যা হোটেলে ফিরে গিয়ে লালমোহনবাবুর ঘরের দরজায় টোকা মারলাম। উনি দরজা খুলেই চোখ গোল করে বললেন, 'আমি এতক্ষণ বাইরে বারান্দায় দাঁড়িয়ে ছিলুম। দারুণ সাসপিশাস সব লোকেরা এসে পড়েছে। এরা সবাই কি এলোরা যাবে নাকি? একটা তো একেবারে হিপি না হিপো না কী বলে ঠিক সেইরকম; নির্ঘাত গাঁজা-টাজা খায়। লম্বা চুল, এলোপাথাড়ি দাড়ি গোঁফ।'

আমি জানি লালমোহনবাবু কার কথা বলছেন। আমি বললাম, 'মিস্টার মল্লিকও এসে গেছেন।'

'বটে? কীরকম দেখতে বলো তো?'

আমি বর্ণনা দিতেই ভদ্রলোক বললেন, 'লোকটা আমার পাশের ঘরে রয়েছে। আমি দেখেই ডাউট করেছিলুম, কারণ ওর সুটকেসটা বইতে হোটেলের বেয়ারার কাঁধ বেঁকে গেল। ওর মধ্যেই তো যক্ষীর মাথাটা রয়েছে?'

আমি ফেলুদার কথা ছাড়া আর কিছুই ভাবতে পারছি না, তাই বললাম, 'যক্ষীর মাথার চেয়েও দরকার ফেলুদার সন্ধান পাওয়া। এলোরায় যাবার কোনও ব্যবস্থা এখনও হয়নি। অথচ মল্লিক নিশ্চয়ই বসে থাকার জন্য আসেনি। আমরা যাবার আগে সে যদি গিয়ে আরেকটা মূর্তি-টূর্তি ভেঙে—'

'ওটা কী?'

লালমোহনবাবু চাপা গলায় প্রশ্নটা করে আমার কথা থামিয়ে দিলেন। তিনি চেয়ে আছেন দরজার দিকে। আমি ঘরে ঢুকেই দরজাটা বন্ধ করে দিয়েছিলাম। এখন দেখছি তার তলা

দিয়ে কে যেন একটা ভাঁজ করা সাদা কাগজ ঢুকিয়ে দিয়েছে।

এক লাফে গিয়ে কাগজটা তুলে ভাঁজ খুললাম। তিন লাইনের চিঠি। ফেলুদার হাতের লেখা—

'দেড়টার সময় সব মাল নিয়ে দুজনে হোটেলের বাইরে গিয়ে পাঁচশো ত্রিশ নম্বর কালো অ্যাম্বাসাডর ট্যাক্সির জন্য অপেক্ষা করবি। লাঞ্চ সেরে নিস। হোটেলের ভাড়া অ্যাডভান্স দেওয়া আছে।'

চিঠিটা পড়েই দরজা খুলে বাইরের বারান্দায় বেরিয়ে এলাম। কেউ নেই। একটুক্ষণ দাঁড়াতেই পাশের ঘর থেকে মল্লিক বেরিয়ে ব্যস্তভাবে আপিসের দিকে চলে গেল। আমার সঙ্গে একবার চোখাচোখি হল, কিন্তু মনে হল না যে ভদ্রলোক চিনতে পেরেছেন।

'ঘর খালি। দরজা খোলা। একবার যাব নাকি! যক্ষীর মাথাটা যদি...'

লালমোহনবাবুর সাহস বড্ড বেড়ে গেছে। বললাম, 'একটা বাজে। আমার মনে হয় আপনার তৈরি হয়ে নেওয়া উচিত। আমিও যাই।'

একটা পঁচিশে লাঞ্চ সেরে ফেলুদার সুটকেস সমেত আমাদের মাল নিয়ে বাইরে গিয়ে দাঁড়ালাম। লালমোহনবাবু এই ফাঁকে রাস্তার উলটো দিকের একটা দোকান থেকে পান কিনে আনলেন। মিঠে পান পাওয়া যায় না; এ হল সাদা মগাই পান। কলকাতায় কক্ষনও খাই না, কিন্তু এখানে দিব্যি লাগছে।

একটা ট্যাক্সি এল। কালো নয়, সবুজ। নম্বরও মিলছে না। ড্রাইভারটা বাইরে বেরিয়ে হাত দুটো মাথার উপর তুলে আড় ভাঙল।

তিন মিনিট পরে আরেকটা ট্যাক্সি। কালো অ্যাম্বাসাডর। নম্বর পাঁচশো ত্রিশ। আমরা দুজনে মাল নিয়ে এগিয়ে গেলাম।

'মিস্টার মিটারকা পার্টি?' পাঞ্জাবি ড্রাইভার জিজ্ঞেস করল।

'হ্যাঁ হ্যাঁ।' জটায়ু বেশ ভারিক্কি চালে হিন্দি মেজাজে উত্তর দিলেন। ড্রাইভার গাড়ির পিছনটা খুলে দিল, সুটকেস তিনটে ভিতরে চলে গেল।

হোটেল থেকে লোক বেরোচ্ছে। মিস্টার মল্লিক আর শুভঙ্কর বোস। এদের একটু আগেই এক টেবিলে বসে লাঞ্চ খেতে দেখেছি। সবুজ ট্যাক্সিতে উঠলেন দুজন। ট্যাক্সিটা দুবার গোঁ গোঁ করে স্টার্ট নিয়ে আদালত রোড দিয়ে পশ্চিম দিকে রওনা দিল। এলোরা যেতে হলে ওই দিকেই যেতে হয়।

সাসপেন্সে আমার প্রায় দম বন্ধ হয়ে আসছিল। মাঝে মাঝে ফেলুদার উপর যে একটু রাগও হচ্ছিল না তা নয়। অথচ মন বলছে ফেলুদা খামখেয়ালি লোক নয়, যা করে তা অত্যন্ত ঠাণ্ডা মাথায় সব দিক বিবেচনা করে করে।

আবার লোক। এবার সেই দিশি হিপি, হাতে ক্যানভাসের ব্যাগ। সোজা আমার দিকে এসে চাপা গলায় বলল, 'উঠে পড়!'

কিছু বোঝবার আগেই দেখলাম প্রায় ম্যাজিকের মতো আমি গাড়ির ভিতর ঢুকে পড়েছি, সামনের দরজাটা খুলে দিয়ে লালমোহনবাবুর কাঁধে একটা ঠেলা দিয়ে হিপি তাকেও গাড়ির ভিতর ঢুকিয়ে দিল, আর নিজে এসে আমার পাশে ধপ করে বসে দরজাটা এক টানে বন্ধ করে বলল, 'চলিয়ে দীনদয়ালজি।'

ফেলুদা ভাল মেক আপ করতে পারে জানি, কিন্তু এমন আশ্চর্য রকম ভাল পারে, গলার স্বর হাঁটা চলা চোখের চাহনি—সব কিছু এমনভাবে পালটাতে পারে সেটা আমার ধারণাই ছিল না। লালমোহনবাবু অবিশ্যি এর মধ্যেই পিছন দিকে হাত বাড়িয়ে ফেলুদার সঙ্গে হ্যান্ডশেক করেছেন। চমক লাগার ফলে বুক ধড়ফড়ানির সঙ্গে সঙ্গে পুরো ঘটনাটাও জানতে ইচ্ছে

করছিল, কিন্তু ফেলুদা মুখ খুলল একেবারে শহর ছাড়িয়ে খোলা রাস্তায় পড়ে।

'সেই বারাসতের কারখানায় মল্লিকের সঙ্গে দেখা হয়েছিল ; ও যদি দেখত সেই একই লোক তার সঙ্গে এলোরা যাচ্ছে তা হলে গণ্ডগোল হয়ে যেত। তাই এই মেকআপ। তোদের বলিনি, কারণ তোরা দেখে চিনতে পারিস কি না সেটা জানা দরকার ছিল। পারলি না, কাজেই নিশ্চিন্ত হলাম।

'ঝোলার মধ্যে সব ছিল ; ছবি তোলার নাম করে ছ নম্বর কেভে চলে যাই। ওটা একটু ওপর দিকে বলে বিশেষ কেউ যায় না। মেক-আপ হলে পর সেই অবস্থায় হেঁটে শহরে ফিরে আসি। প্রথমে ট্যাক্সির ব্যবস্থা করি, তারপর স্টেশনে গিয়ে মনমডের ট্রেনের জন্যে অপেক্ষা করি। মল্লিককে নামতে দেখে নিশ্চিন্ত হয়ে ওকে ফলো করে ওর পিছনের ট্যাক্সিটায় উঠি। আরেকজন আসছিল হোটেলে, তাকে সঙ্গে তুলে নিই ভাড়াটা শেয়ার করতে পারব বলে। ...শুভঙ্কর বোস জিজ্ঞেস করলে বলিস দাদা একটা বিশেষ কাজে বম্বে চলে গেছে, কারণ এই মেক-আপ কেবল রাত্রে শোবার আগে ছাড়া খোলা যাবে না। তোতে আমাতে আলাপ আছে এটা জানলেও মুশকিল। তুই আর লালমোহনবাবু একসঙ্গে এসেছিস, আমি আলাদা। তোরা এক ঘরে থাকবি, আমি আলাদা ঘরে।'

'তুমি বাঙালি তো ?'—আমি ভয়ে ভয়ে জিজ্ঞেস করলাম। ফেলুদার সঙ্গে অন্য ভাষায় কথা বলতে হবে ভাবতে ভাল লাগছিল না।

'বাংলা জানি এটুকু বলে রাখছি। নাম জানার দরকার নেই। পেশা ফটোগ্রাফি ; হংকং-এর এশিয়া ম্যাগাজিনের জন্য ছবি তুলতে এসেছি।'

'আর আমরা ?'

'মামা-ভাগনে। উনি সিটি কলেজের ইতিহাসের অধ্যাপক। তুই সিটি স্কুলের ছাত্র। ছবি আঁকার শখ আছে। সামনের বছর কলেজে ঢুকবি। ইতিহাসে অনার্স নিবি। তোর পদবি মুখার্জি। লালমোহনবাবুর নাম চেঞ্জ হচ্ছে না। আপনি এলোরা সম্বন্ধে একটু পড়াশোনা করে নেবেন। মোটামুটি মনে রাখবেন যে, কৈলাসের মন্দির তৈরি হয়েছিল সপ্তম শতাব্দীতে রাষ্ট্রকুট রাজবংশের রাজা কৃষ্ণের আমলে।'

লালমোহনবাবু কথাটা বিড়বিড় করে আওড়ে নিয়ে চলন্ত গাড়িতেই কোনওমতে তাঁর খাতায় নোট করে নিলেন। ভীষণ দায়িত্ব চাপিয়ে দিয়েছে ফেলুদা আমাদের উপর। এখন বুঝতে পারছি ফেলুদা কেন নিজে গরজ করে লালমোহনবাবুকে সঙ্গে নিতে চাইছিল। ও জানত যে মল্লিকের সন্দেহ এড়াবার জন্য ওকে ছদ্মবেশ নিতে হবে, আমার থেকে আলাদা থাকতে হবে। লালমোহনবাবু থাকলে দলটা ভারীও হবে, আর আমার একজন অভিভাবকও হবে। লালমোহনবাবুকে মামা বলতে আপত্তি নেই, কিন্তু ফেলুদাকে ভাল করে চিনি না—এটা বোঝাতে গেলে সত্যিই অ্যাকটিং করতে হবে। কিন্তু এ ছাড়া উপায় কী ?

আওরঙ্গাবাদ থেকে এলোরার রাস্তা চমৎকার। দূরে পাহাড়—যদিও বেশি উঁচু না—আর রাস্তার দু পাশে রুক্ষ জমি। একটা নতুন ধরনের মনসার ঝোপ দেখতে পাচ্ছি যেটা ফণীমনসা নয়। রাজস্থানেও এরকম লম্বা লম্বা মনসার পাতা দেখেছি। এর এক একটা ঝোপ প্রায় দেড় মানুষ উঁচু।

পিছনে কিছুক্ষণ থেকেই একটা গাড়ি হর্ন দিচ্ছিল, আমাদের ড্রাইভার সিগন্যাল করাতে সেটা পাশ কাটিয়ে বেরিয়ে গেল। তাতে রয়েছে সেই টেকো সাহেব, আর ফেলুদার সঙ্গে যে ট্যাক্সি থেকে নেমেছিল সেই ঘাড়ে-গর্দানে লোকটা।

আধ ঘণ্টার মধ্যেই একটা পাহাড় ক্রমে কাছে এগিয়ে এল। রাস্তা পাহাড়ের গা ঘেঁষে খানিকটা উপর দিকে উঠে, ডান দিকে পাহাড়টাকে রেখে এগোতে লাগল। বাঁ দিকে দূরে

একটা ছোট্ট শহরের মতো দেখা যাচ্ছে। ড্রাইভার বলল সেটা খুলদাবাদ, আর খুলদাবাদেই নাকি এলোরার গুহা। আমরা ডাক বাংলোতে থাকব। অন্য সময় হলে হয়তো এত চট করে জায়গা পাওয়া যেত না, কিন্তু আগেই বলেছি এটা অফ-সিজন ; তার মানে টুরিস্টদের সংখ্যা কম। আর সেই কারণেই অবিশ্যি মূর্তি-চোরদেরও সুবিধে।

আরও খানিকটা যেতেই ডান দিকে পাহাড়ের গায়ে প্রথম গুহাগুলো দেখতে পেলাম। ড্রাইভার জিজ্ঞেস করল, 'পহিলে কেভ দেখনা, ইয়া বাংলোমে যানা ?'

ফেলুদা বলল, 'পহিলে বাংলো।'

বাঁ দিক দিয়ে একটা রাস্তা খুলদাবাদের দিকে চলে গেছে। গাড়ি সেই রাস্তা দিয়ে ঘুরে গেল। আমি তখনও অবাক হয়ে পাহাড়ের গা থেকে কেটে বার করা সারি সারি গুহাগুলোর দিকে দেখছি। এর মধ্যে কৈলাস কোনটা কে জানে !

খুলদাবাদে দুটো থাকার জায়গা আছে—একটা টুরিস্ট গেস্ট হাউস—সেটা ভাড়া বেশি—আর একটা ডাক বাংলো। আমরা বাংলোতেই দুটো ঘর বুক করেছি। যাবার পথে আগে গেস্ট হাউসটা পড়ে। সেটার পাশ দিয়ে যাবার সময় দেখলাম সামনের বাগানের পাশে সবুজ ট্যাক্সিটা দাঁড়িয়ে আছে। তার মানে জয়ন্ত মল্লিক এটাতেই উঠেছেন। গেস্ট হাউসের পরের বাড়িটাই বাংলো, দুটোর মাঝখানে বেড়া দিয়ে ভাগ করা। সাইজে বাংলোটা অনেক ছোট, বাহারও কম, কিন্তু বেশ পরিষ্কার পরিচ্ছন্ন। ফেলুদা ট্যাক্সির ভাড়া চুকিয়ে দিয়ে ড্রাইভারকে বলল সে যেন মিনিট পনেরো অপেক্ষা করে। আমরা জিনিসপত্র রেখে কৈলাসে যাব, ও আমাদের নামিয়ে দিয়ে আওরঙ্গাবাদ ফিরে যাবে।

ডাক বাংলোয় সবসুদ্ধ চারটে ঘর, প্রত্যেকটায় তিনটে করে খাট। ফেলুদা ইচ্ছে করলে আমাদের ঘরে থাকতে পারত, কিন্তু থাকল না। ও নিজের ঘরে যাবার সময় চাপা গলায় বলে গেল, 'তোর পদবি মুখার্জি, লালমোহনবাবু তোর মেজোমামা, রাষ্ট্রকুট, সেভেনথ সেঞ্চুরি, রাজার নাম কৃষ্ণ...আমি দশ মিনিটের মধ্যে রেডি হয়ে আসছি।'

আমাদের ছেড়ে ফেলুদা তার নিজের ঘরে গিয়েই 'চৌকিদার' বলে হাঁক দিল এমন একটা গলায় যার সঙ্গে ওর নিজের গলার কোনও মিল নেই।

আমরা দুজনে তৈরি হয়ে ঘর থেকে বেরিয়ে মাঝখানের ডাইনিং রুমটায় এসে বুঝতে পারলাম যে আরেকজন লোক বাংলোয় এসে উঠেছেন। ইনিই ফেলুদার সঙ্গে স্টেশন থেকে এসেছিলেন, আর একেই আমরা একটু আগে ট্যাক্সিতে সেই সাহেবটার সঙ্গে দেখেছি। তখন দেখে বক্সার বা কুস্তিগির বলে মনে হয়েছিল, এখন দেখছি চোখের কোণে একটা বুদ্ধিভরা উজ্জ্বল হাসি হাসি ভাব রয়েছে, যাতে মনে হয় ভদ্রলোক বেশ লেখাপড়া জানেন—এমনকী হয়তো কবি বা সাহিত্যিক বা শিল্পী-টিল্পীও হতে পারেন। আমাদের দুজনকে দেখে বললেন, 'বেঙ্গলি ?'

'ইয়েস স্যার', লালমোহনবাবু জবাব দিলেন।—'ফ্রম ক্যালকাটা। আই অ্যাম দি কী বলে প্রোফেসার অফ হিস্ট্রি ইন দি সিটি কলেজ। অ্যান্ড দিস ইজ কী বলে মাই নেফিউ।'

'কৈলাস দেখতে আসা হয়েছে ?'—পরিষ্কার বাংলায় বললেন ভদ্রলোক।

'হো হো—আপনিও বাঙালি ?'

'একশো বার। তবে কলকাতার নয়। এলাহাবাদের।'

ভদ্রলোকের বাংলায় একটা টান আছে যেটা অনেক প্রবাসী বাঙালির মধ্যেই থাকে।

আমাদের আর কিছু না বললেও চলত, কিন্তু ইংরিজি বলতে হবে না জেনে বোধ হয় খুশি হয়েই লালমোহনবাবু আরও একগাদা কথা বলে ফেললেন।

'ভাবলুম রাষ্ট্রপুট বংশের অতুল কীর্তিটা একবার দেখে আসি, হেঁ হেঁ। আমার ভাগ্নেটির

আবার আর্টের দিকে খুব ইয়ে। বলছে বি এ পড়ে আর্ট কলেজে ঢুকবে। দিব্যি ছবি আঁকে। ভূতো, তোমার ড্রইং-এর খাতাটা সঙ্গে করে নিয়ে নিয়ো !'

আমি চুপ করে রইলাম, কারণ ড্রইং-এর খাতা আমি আনিনি।

ফেলুদাও এই ফাঁকে কাঁধে ঝোলা নিয়ে বেরিয়ে এসেছে। ক্যামেরাটা বাইরে বের করে গলায় ঝুলিয়ে নিয়েছে, কারণ ছবি তাকে তুলতেই হবে। আমাদের তিনজনের উপর একবার চোখ বুলিয়ে নিয়ে সে তার নতুন গলায় নতুন উচ্চারণে বলল, 'আপনাদের যদি কেভ দেখার ইচ্ছে থাকে তো আমার সঙ্গে আসতে পারেন। ট্যাক্সিটা এখনও রয়েছে।'

'বাঃ—খুব সুবিধেই হল !' লালমোহনবাবু বললেন।—'আপনি যাবেন নাকি ওদিকে ?'

প্রশ্নটা করা হল এলাহাবাদের বাবুটিকে। বাবু বললেন, 'আমি পরে যাব। আই মাস্ট হ্যাভ এ বাথ ফার্স্ট।'

বাইরে এসেই লালমোহনবাবু শুকনো গলায় বললেন, 'আরও কিছু ছাড়ুন মশাই। ইতিহাসের স্টকটা আরেকটু না বাড়ালে চলছে না।'

ফেলুদা বলল, 'ভারতবর্ষের বিশেষ বিশেষ ঐতিহাসিক পিরিয়ডগুলোর নাম জানা আছে আপনার ?'

তার মানে ?'

'এই যেমন মৌর্য, সুঙ্গ, গুপ্ত, কুষাণ, চোল—বা এদিকে পাল বংশ, সেন বংশ—এগুলো জানেন ?'

লালমোহনবাবুর মুখ ফ্যাকাসে হয়ে গেল। ট্যাক্সিতে উঠে বললেন, 'একটা কথা বলব মশাই ?—এমনও তো হতে পারে যে আমি কানে খাটো। কেউ কথা বললে যদি ঠিকমতো না শোনার ভান করি তা হলেই তো ল্যাঠা চুকে যায়।'

'আপত্তি নেই—যদি অভিনয়টা ঠিক হয়, আর যদি সেটা মেনটেন করে যেতে পারেন।'

'সেটা মশাই ইতিহাস-আওড়ানোর চেয়ে ঢের সহজ। দেখলেন তো কুট বলতে পুট বেরিয়ে গেল।'

গেস্ট হাউসের পাশ দিয়ে যাবার সময় দেখলাম জয়ন্ত মল্লিক বাইরে বেরিয়ে এসে পকেটে হাত দিয়ে বাংলোর দিকে চেয়ে আছে, আর সবুজ ট্যাক্সিটা তখনও দাঁড়িয়ে আছে। ফেলুদা যেন মল্লিককে দেখেই তার ঝোলাটায় হাত ঢুকিয়ে একটা ছোট্ট চিরুনি বার করে আমায় দিয়ে বলল, 'সিঁথিটা ডান দিকে করে নে তো ; পোর্ট্রেটটা একটু চেঞ্জ হবে।' উইন্ডস্ক্রিনের আয়নায় দেখে চুলটা অন্য দিকে ফিরিয়ে নিলাম। শুধু সিঁথির এদিক ওদিকেই যে মানুষের চেহারা এতটা বদলে যায় সেটা আমার ধারণা ছিল না।

বাংলোয় যাবার রাস্তাটা যেখানে এসে বড় রাস্তায় পড়েছে, সেখান থেকে আরেকটা রাস্তা পাহাড়ের উপর দিয়ে একটা পাক খেয়ে খানিকটা গিয়েই সামনে বিখ্যাত কৈলাসের মন্দির। ফেলুদা বলেই দিয়েছিল যে আজ আর বেশি ঘোরা হবে না, কারণ কৈলাস দেখতে দেখতেই আলো পড়ে যাবে। ট্যাক্সি আমাদের নামিয়ে দিয়ে আওরঙ্গাবাদ চলে গেল।

কৈলাস যে কী ব্যাপার সেটা বাইরে থেকে তেমন বুঝতে পারিনি। সামনের প্রকাণ্ড পাথরের গেট দিয়ে ভেতরে ঢুকেই হঠাৎ যেন মাথাটা বাঁই করে ঘুরে গেল। মূর্তিচোর, যক্ষীর মাথা, মিস্টার মল্লিক, শুভঙ্কর বোস—সব যেন ধোঁয়ায় মিলিয়ে গিয়ে শুধু রইল একটা চোখ-ট্যারানো মন-ধাঁধানো অবাক হওয়ার ভাব। কল্পনা করতে চেষ্টা করলাম, তেরোশো বছর আগে হাতুড়ি আর ছেনি দিয়ে দাক্ষিণাত্যের একদল কারিগর পাহাড়ের গা কেটে এই মন্দিরটা বার করেছে ; কিন্তু পারলাম না। এ মন্দির যেন চিরকালই ছিল ; কিংবা কোনও আদ্যিকালের জাদুকর কোনও আশ্চর্য মন্ত্রবলে এক সেকেন্ডে এটা তৈরি করেছে ; কিংবা

ফেলুদার সেই বইটাতে যেমন আছে—হয়তো মানুষের চেয়েও অনেক বেশি জ্ঞানীগুণী কোনও প্রাণী অন্য কোনও গ্রহ থেকে এসে এটা তৈরি করে দিয়ে গেছে।

তিন দিকে পাহাড়ের দেয়ালের মাঝখানে কৈলাসের মন্দির। মন্দিরের এক পাশ দিয়ে হাঁটতে শুরু করে পিছন দিক দিয়ে ঘুরে অন্য দিক দিয়ে আবার সামনে ফিরে আসা যায়। এই রাস্তা বা প্যাসেজ কোনওখানেই আট দশ হাতের বেশি চওড়া না। মন্দিরের ডাইনে আর বাঁয়ে পাহাড়ের গায়ে অনেকগুলো গুহার মতো ঘর করা আছে, আর তার মধ্যেও অনেক মূর্তি রয়েছে।

আমরা ডান দিকের প্যাসেজ দিয়ে হাঁটতে শুরু করেছি, আর ফেলুদা বিড়বিড় করে ইনফরমেশন দিয়ে চলেছে—

'জায়গাটা তিনশো ফুট লম্বা, দেড়শো ফুট চওড়া...মন্দিরের হাইট একশো ফুট...দু লক্ষ টন পাথর কেটে সরানো হয়েছিল...প্রথমে তিন দিকে পাথর কেটে খাদ তৈরি করে তারপর চুড়ো থেকে শুরু করে কাটতে কাটতে নীচ পর্যন্ত নেমে এসেছিল...দেব দেবী মানুষ জানোয়ার রামায়ণ মহাভারত কিছুই বাদ নেই এখানে। ক্যালকুলেশনের কথাটা একবার ভেবে দ্যাখ...আর্ট ছেড়ে দিয়ে শুধু এঞ্জিনিয়ারিং-এর দিকটা দ্যাখ্...'

ফেলুদা আরও বলত, কিন্তু হঠাৎ একটা শব্দ পেয়ে থেমে আমাদের দুজনের থেকে পাঁচ হাত পিছিয়ে গিয়ে একটা গহ্বরের মধ্যে রাবণের কৈলাস নাড়ার মূর্তিটা দেখতে লাগল।

পায়ের শব্দ। মন্দিরের পিছন থেকে শুভঙ্কর বোস বেরিয়ে এলেন। তাঁর হাতে একটা নোটবুক, কাঁধে একটা ঝোলা। ভারী মন দিয়ে মন্দিরের কারুকার্যগুলো দেখছেন তিনি। এবার মূর্তি ছেড়ে আমাদের দুজনের দিকে এল তাঁর দৃষ্টি। প্রথমে একটা হাসি, তারপরেই একটা উদ্বেগের ভাব।

'তোমার দাদার কোনও খবর পেলে না ?'

যতদূর পারি স্বাভাবিকভাবে বললাম, 'উনি একটা জরুরি কাজে হঠাৎ বম্বে চলে গেছেন। আজকালের মধ্যেই ফিরবেন।'

'ও...'

শুভঙ্কর বোসের চোখ আবার পাথরের দিকে চলে গেল। পিছনে একটা খচ শব্দ পেয়ে বুঝলাম ফেলুদা একটা ছবি তুলল। ঘাড় ফিরিয়ে দেখলাম ফেলুদা আবার আমাদের দিকে এগিয়ে আসছে। আমরা দুজন মন্দিরের পিছন দিক দিয়ে ঘুরে উলটো দিকে গিয়ে পড়লাম। এবার আরেকজন লোককে দেখতে পেলাম। গায়ে নীল শার্ট, সাদা প্যান্ট। মিস্টার জয়ন্ত মল্লিক। ইনি সবেমাত্র এসে ঢুকেছেন। চুপ করে দাঁড়িয়ে ছিলেন, আমাদের দেখেই মন্দিরের দেয়ালে একটা হাতির মূর্তির দিকে এগিয়ে গেলেন। এর হাতের ব্যাগটা কলকাতাতেও দেখেছি। বারাসত থেকে ফেরার পথে এই ব্যাগ তার গাড়িতে ছিল, এই ব্যাগ নিয়ে উনি কুইনস ম্যানসনে নেমেছিলেন। ওটাতে কী আছে জানবার জন্য প্রচণ্ড কৌতূহল হল। ফেলুদা আমাদের কাছাকাছি এসে গেছে। এক এক সময় ইচ্ছে করছিল ফেলুদা সোজা গিয়ে মল্লিকের কলারটা চেপে ধরে বলুক—'কই, বার করুন মশাই যক্ষীর মাথা!'—কিন্তু এটা বুঝতে পারছিলাম যে ও ও-রকম কাঁচা কাজ করবে না। মল্লিক সিদিকপুরে গিয়েছিল সেটা ঠিক ; এখন এলোরায় এসেছে সেটা ঠিক, আর বম্বেতে কাকে জানি ফোন করে বলেছিল, মেয়ে শ্বশুরবাড়ি থেকে বাপের বাড়ি চলে এসেছে—সেটাও ঠিক। কিন্তু এর বেশি কিছু ওর সম্বন্ধে এখনও জানা যায়নি। আরেকটু না জেনে, আরেকটু প্রমাণ না পেয়ে ফেলুদা কিছু করবে না।

যেটা এখনই করা যায় সেটা অবিশ্যি ফেলুদা করল। মল্লিকের পাশ দিয়ে যাবার সময়

নিজের শরীর দিয়ে ভদ্রলোকের ব্যাগটায় একটা ধাক্কা দিয়ে 'সরি' বলে একটা মূর্তির দিকে ক্যামেরা ঘুরিয়ে ফোকাস করতে লাগল।

ধাক্কা খেয়ে ব্যাগটা যেভাবে নড়বড় করে উঠল, তাতে মনে হল না তার ভিতরে কোনও ভারী জিনিস রয়েছে।

কৈলাস থেকে বেরিয়ে এসে দুজন লোককে দেখতে পেলাম। একজন আমাদের বাংলোর এলাহাবাদি বাবু, আরেকজন হলেন সেই টেকো সাহেব। বাবু হাত নেড়ে কথা বলছেন, সাহেব মাথা নেড়ে শুনছেন। হঠাৎ কেন জানি মনে হল—আমরা তিনজন ছাড়া যত জন লোক এখানে এসেছে সবাই গোলমেলে, সবাইকেই সন্দেহ করা উচিত। ফেলুদাও কি তাই করছে ?

৭

কৈলাস থেকে ফেরার পথে ফেলুদার হঠাৎ কেন জানি গেস্ট হাউসে যাবার ইচ্ছে হল। কারণ জিজ্ঞেস করতে বলল, 'একবার খোঁজ করে আসি এখানে খবরের কাগজ আসে কি না।' আমরা বাংলোয় চলে গেলাম। আমাদের দুজনেরই খিদে পাচ্ছিল, তাই লালমোহনবাবু চৌকিদারকে হাঁক দিয়ে চা আর বিস্কুট অর্ডার দিলেন। সামনের দরজা দিয়ে ঢুকেই ডাইনিং রুম। তার ডান দিকের এক নম্বরের ঘরটা আমাদের। আমাদের পরের ঘরটা দু নম্বর, সেটা খালি। ডাইনিং রুমের উলটো দিকে আরও দুটো ঘর। তার মধ্যে আমাদের ঠিক উলটো দিকের ঘরটায় থাকেন এলাহাবাদি, আর তার পাশের চার নম্বরে ফেলুদা।

আগেই বলেছি, লালমোহনবাবুকে মাঝে মাঝে গোয়েন্দাগিরিতে পেয়ে বসে। ওঁর এখন বোধ হয় সেই রকম একটা মেজাজ এসেছে। ঘরে বসে চা খেতে খেতে বললেন, 'সাহেবকে না হয় ছেড়েই দিলাম ; অন্য যে তিনজন আছে তার মধ্যে দুজনের বিষয় তো তবু কিছু জানা গেছে—সত্যি হোক মিথ্যে হোক—কিন্তু আমাদের বাংলোর বাবুটির তো নাম পর্যন্ত জানা যায়নি। ওঁর ঘরটায় একবার উঁকি দিয়ে এলে হত না ? মনে হল দরজায় চাবি লাগায়নি !'

আমার আইডিয়াটা ভাল লাগছিল না, তাই বললাম, 'চৌকিদার যদি দেখে ফেলে !'

লালমোহনবাবু বললেন, 'আমি যাই, তুমি পাহারা দাও। চৌকিদার এদিকে আসছে মনে হলে গলা খাক্‌রানি দিলেই আমি চলে আসব। তোমার দাদার কাজ একটু এগিয়ে রাখতে পারলে উনি খুশিই হবেন। এলাহাবাদির সুটকেসটাও রীতিমতো ভারী বলেই মনে হল।'

আমি এরকম ব্যাপার কখনও করিনি। অন্তত ফেলুদা ছাড়া অন্য কারুর জন্য নয়। কিন্তু ব্যাপারটার মধ্যে একটা অ্যাডভেঞ্চারের গন্ধ থাকায় শেষ পর্যন্ত রাজি হয়ে গেলাম। আমি চলে গেলাম পিছনের বারান্দায়। সামনে একটা খোলা জায়গার পরেই বাবুর্চিখানার পাশে চৌকিদারের ঘর। চৌকিদারের একটা সাইকেল আছে আগেই দেখেছি, এখন দেখলাম তার দশ বারো বছরের ছেলেটা খুব মন দিয়ে সেটাকে পরিষ্কার করছে। একটা ক্যাঁচ শব্দ পেয়ে ঘাড় ফিরিয়ে আড় চোখে দেখলাম, লালমোহনবাবু চোরের মতো তিন নম্বর ঘরে ঢুকলেন। মিনিট তিনেক পরে আমার বদলে উনিই একটা গলা খাক্‌রানি দিয়ে বুঝিয়ে দিলেন যে ওঁর তদন্তের কাজ শেষ। ঘরে ফিরে যেতে ভদ্রলোক বললেন, 'পুরনো সুটকেস, ভাবলুম হয়তো চাবি লাগে না, কিন্তু টান দিয়ে খুলল না। টেবিলের ওপর দেখলুম একটা চশমার খাপ—তাতে কলকাতার স্টিফেন কোম্পানির নাম, একটা সোডা মিন্টের বোতল, আর একটা ওডোমসের টিউব। আলনায় সবুজ ডোরা-কাটা শার্ট আর পায়জামা, মেঝেতে এক জোড়া পুরনো চটি—কোম্পানির নাম উঠে গেছে। এ ছাড়া আর কিচ্ছু—'

লালমোহনবাবুর কথা থেমে গেল। ফেলুদা প্রায় নিঃশব্দে ঘরে ঢুকেছে।

'কার জিনিসের ফিরিস্তি দেওয়া হচ্ছে ?'

ওকে ব্যাপারটা বলতেই হল। ও কিন্তু শুনে বিশেষ রাগটাগ করল না, খালি বলল, 'লোকটাকে সন্দেহ করবার কোনও কারণ ঘটেছিল কি ?'

লালমোহনবাবু আমতা আমতা করে বললেন, 'কিছুই তো জানা যায়নি ওর সম্বন্ধে। এমন কী নামটাও না। এদিকে কী রকম ষণ্ডামার্কা চেহারা...একটা গ্যাঙের কথা বলছিলেন না ?—তাই ভাবলুম, মানে...'

'সন্দেহের কারণ না থাকলে এগুলো করতে যাওয়া অযথা রিস্ক নেওয়া। ভদ্রলোকের নাম আর এন রক্ষিত। সুটকেসের বাঁ ধারে ফ্যাকফেকে সাদা অক্ষরে লেখা, চোখ থাকলেই দেখা যায়। আপাতত এর বেশি জানার কোনও দরকার আছে বলে মনে করি না।'

লালমোহনবাবু বললেন, 'তা হলে বাকি রইল এক সাহেব।'

ফেলুদা বলল, 'সাহেবের নাম স্যাম ল্যুইসন। এও ইহুদি, এও ধনী। নিউ ইয়র্কে এর একটা আর্ট গ্যালারি আছে।'

'কী করে জানলে ?' আমি বেশ অবাক হয়ে জিজ্ঞেস করলাম।

'গেস্ট হাউসের ম্যানেজারের সঙ্গে আলাপ হল। বেড়ে লোক। ডিটেকটিভ গল্পের পোকা। মূর্তি চুরির কথা কাগজে পড়ে অবধি দিন গুনছে কবে এইখানে সেই চোরের আবির্ভাব হবে।'

'তোমার পরিচয় দিলে ?'

ফেলুদা মাথা নেড়ে হ্যাঁ জানিয়ে বলল, 'ওকে হাতে রাখা দরকার। লোকটা অনেক হেলপ করতে পারবে। ভুললে চলবে না, মল্লিক গেস্ট হাউসে থাকে। সে নাকি অলরেডি বম্বেতে একটা কল বুক করেছিল, লাইন পায়নি।'

রাত্রে ডিনার আমরা চারজনে একসঙ্গে বসে খেলাম। ফেলুদা একটাও কথা বলল না। সেটা তার ছদ্মবেশের জন্য, না মাথায় কোনও চিন্তা ঘুরছে বলে, তা জানি না। মিস্টার রক্ষিত একবার লালমোহনবাবুর দিকে ফিরে জিজ্ঞেস করলেন, ইন্ডিয়ান হিস্ট্রির কোনও বিশেষ পিরিয়ড নিয়ে তিনি চর্চা করেন কি না। তার উত্তরে লালমোহনবাবু অড়র ডালে ভেজানো হাতের রুটি চিবোতে চিবোতে বললেন যে পিরামিড নিয়ে তাঁর বিশেষ পড়াশুনো নেই, যদিও সেটা যে মিশরে রয়েছে সেটা তিনি জানেন। এতে রক্ষিত একটু থতমত খেয়ে আমার দিকে চাইলে আমি নিজের কানের দিকে দেখিয়ে লালমোহনবাবু যে কানে খাটো সেটা বুঝিয়ে দিলাম। এর পরে ভদ্রলোক আর 'মেজো মামাকে' কোনও প্রশ্ন করেননি।

খাওয়ার পরে আমি আর লালমোহনবাবু যখন বাংলোর বাইরে এসে দাঁড়ালাম (ফেলুদা তার ঘরে চলে গিয়েছিল) তখন একটা ঝোড়ো হাওয়া দিচ্ছে, আর টুকরো টুকরো মেঘের ফাঁক দিয়ে একটা ফিকে জ্যোৎস্না এসে চারিদিকে ছড়িয়ে পড়েছে। কোত্থেকে জানি হাসনাহানা ফুলের গন্ধ আসছে, মনটা বেশ খুশি খুশি লাগছে, লালমোহনবাবু আ-আ-আ করে একটা ক্ল্যাসিক্যাল তান দিতে গিয়ে একদম বেসুরে চলে গেছেন, এমন সময় দেখলাম গেস্ট হাউসের দিক থেকে একজন লোক আমাদের দিকে আসছে। আরেকটু কাছে আসতেই চিনতে পারলাম। শুভঙ্কর বোস। জটায়ু গান থামিয়ে টান হয়ে দাঁড়ালেন। ফিসফিস করে বললেন, 'তোমার দাদা থাকলে ভাল হত।'

'আপনারাও হাওয়া খেতে বেরিয়েছেন দেখছি !'

শুভঙ্করবাবুর মধ্যে একটা উসখুসে ভাব লক্ষ করলাম। দুবার গলা খাকরালেন তিনবার পিছন দিকে চাইলেন, তারপর দুপা এগিয়ে এসে গলা নামিয়ে বললেন, 'ইয়ে—আপনারা নীল

শার্টপরা বাঙালি ভদ্রলোকটিকে চেনেন ?'

এর কাছে লালমোহনবাবুর কালা সাজা চলবে না, কারণ আগে অনেক কথা হয়েছে। বললেন, 'কই না তো। কেন, উনি কি আমাদের চেনেন বলে বললেন নাকি ?'

শুভঙ্কর বোস আরেকবার পেছনদিকে দেখে বললেন, 'লোকটি, মানে, পিকিউলিয়ার। বলছে এলোরায় প্রথম এল, আর্টে ইন্টারেস্টেড, অথচ কৈলাস দেখে একটিবার পর্যন্ত তারিফ করল না, আহা উহু করল না। আমি এই নিয়ে দ্বিতীয়বার এলাম, অথচ সেই প্রথমবারের মতোই থ্রিল অনুভব করলাম। ভালই যদি না লাগে তো আসাই বা কেন, আর ভান করাই বা কেন !'

আমরা দুজনে চুপ। এই কথাটাই কি বলতে এলেন ভদ্রলোক ?

কাছেই একটা গাছ থেকে একটানা ঝিঁঝি ডাকতে আরম্ভ করেছে। ছোট্ট শহরটা মনে হচ্ছে এর মধ্যেই ঘুমিয়ে পড়েছে, অথচ বেজেছে মাত্র দশটা।

'ইয়ে, ইদানীং খবরের কাগজ পড়েছেন ?' শুভঙ্কর প্রশ্ন করলেন।

'কেন বলুন তো ?' জটায়ু জিজ্ঞেস করলেন।

'ভারতবর্ষের শিল্পসম্পদ নিয়ে ব্যবসা শুরু হয়েছে। মন্দির থেকে মূর্তি লোপাট হয়ে যাচ্ছে।'

'সত্যি ? খবরটা জানতুম না তো ! কী অন্যায় ! ছি ছি ছি।'

লালমোহনবাবুর অ্যাকটিং খুব পাকা নয়, তাই একটু অসোয়াস্তি লাগছিল। কিন্তু শুভঙ্কর বোসের সেদিকে লক্ষই নেই। আরেক পা এগিয়ে এসে বললেন, 'ভদ্রলোক কিন্তু গেস্ট হাউস থেকে বেরিয়ে গেছেন !'

'কোন ভদ্রলোক ?'

'মিস্টার মল্লিক।'

'বেরিয়ে গেছেন ?'

প্রশ্নটা আমরা দুজনে একসঙ্গে করলাম। সত্যি, ফেলুদার এখানে থাকা উচিত ছিল।

'একবার যাবেন নাকি ?' শুভঙ্কর বোসের চোখ জ্বলজ্বল করছে।

'এখন ? কোথায় ?' লালমোহনবাবুর গলা শুকিয়ে গেছে।

'গুহার দিকে।'

'গুহায় পাহারা নেই ?' লালমোহনবাবু জিজ্ঞেস করলেন।

'আছে, তবে চৌত্রিশটা গুহার জন্য মাত্র দুজন লোক। কাজেই বুঝতেই পারছেন...। আর ভদ্রলোক একটা ব্যাগ নিয়ে ঘোরেন—লক্ষ করেছেন তো ? উনি আর আপনাদের বাংলোর হিপি-টাইপের লোকটি—দুজনেই ব্যাগ নিয়ে ঘোরেন। ওরও কিন্তু ভাবগতিক ভাল না। উনি কে সেটা জানতে পেরেছেন ?

লালমোহনবাবু বিষম খেতে গিয়ে সামলে নিলেন।

'উনি ? উনি ফটোগ্রাফ তোলেন। ফার্স্ট ক্লাস ফটো। আমাদের দেখিয়েছেন। এলোরার ফটো তুলছেন। চুংকিং-এর কী একটা পত্রিকার জন্য।'

বাংলো থেকে কে বেরোল ? মিস্টার রক্ষিত। এক হাতে লাঠি, অন্য হাতে টর্চ, গায়ে ঢাউস রেনকোট। ভদ্রলোক লালমোহনবাবুর কানের কাছে এসে তারস্বরে 'আফটার ডিনার ওয়ক এ মাইল !'—বলে হেসে গেস্ট হাউসের দিকে চলে গেলেন।

শুভঙ্কর বোসও 'গুড নাইট' বলে রক্ষিতের পথ ধরলেন। লালমোহনবাবু ভ্রূকুটি করে বললেন, 'এক মাইল হাঁটতে বললে কেন বলো তো লোকটা ?'

আমি বললাম, 'ভাল হজম হবে বলে।...চলুন, এখন তো বাংলো খালি, একবার ফেলুদার

খোঁজ করা যাক। ওকে খবরগুলো দেওয়া দরকার। এরা সবাই গুহার দিকে যাচ্ছে। ব্যাপারটা ভাল লাগছে না।'

একটা চাপা উত্তেজনা নিয়ে বাংলোয় ঢুকলাম। মিস্টার বোস সত্যি বললেন কি মিথ্যে বললেন জানি না, কিন্তু আমার মন বলছে একবার গুহার দিকে যাওয়া উচিত। যদি কিছু ঘটে তা হলে রাত্রেই ঘটবে। এখনও আলো রয়েছে, গুহার আশেপাশে কেউ ঘোরাফেরা করলে নিশ্চয়ই বোঝা যাবে।

বাংলোর ভিতরে অন্ধকার। বাইরের চৌকিদারের ঘরে বোধহয় একটা লণ্ঠন জ্বলছে। আর কোথাও আলো নেই। কোনও শব্দও নেই।

রক্ষিতের ঘরের দরজা বন্ধ থাকবে সেটা স্বাভাবিক, কিন্তু ফেলুদার দরজাও বন্ধ কেন? আর দরজার তলার ফাঁক দিয়ে আলো দেখা যাচ্ছে না কেন? ও কি এই সাড়ে দশটার মধ্যেই ঘুমিয়ে পড়ল নাকি?

বারান্দার দিকে ঘরের জানালা। পা টিপে টিপে গেলাম সেদিকে। জানালার পর্দা টানা। এগিয়ে গিয়ে পর্দা ফাঁক করে দুবার চাপা গলায় ফেলুদার নাম ধরে ডাকলাম। কোনও উত্তর নেই। ও যদি বেরিয়েও থাকে, সামনের দরজা দিয়ে বেরোয়নি সেটা আমরা জানি। তা হলে কি চৌকিদারের ঘরের পাশে খিড়কি দরজাটা দিয়ে বেরোল?

আমরা দুজন আমাদের ঘরে ফিরে এলাম। বাতিটা জ্বালাতেই জানালার সামনে মেঝেতে পড়ে থাকা কাগজটা দেখতে পেলাম। তাতে ফেলুদার হাতে লেখা দুটো কথা—

'ঘরে থাকিস।'

'একটা কথা বলব তোমায়?' লালমোহনবাবু বললেন। 'এবার কিন্তু তোমার দাদাটিই আমাদের সবচেয়ে বেশি ভাবাচ্ছেন। আমি তো এমনিতে আর বিশেষ কোনও রহস্য খুঁজে পাচ্ছি না, তবে তোমার দাদার কার্যকলাপ পদে পদে রহস্যময় বলে মনে হচ্ছে।'

ফেলুদা ঘরে থাকতে বলেছে, কিন্তু কখন ফিরবে সেটা বলে যায়নি। অথচ ও যতক্ষণ না ফেরে ততক্ষণ ঘুমোনোর কোনও কথাই ওঠে না। কী আর করি—আধ ঘণ্টা কোনওরকমে লালমোহনবাবুর সঙ্গে কাটাকুটি খেলে কাটিয়ে দিলাম। তারপর লালমোহনবাবু বললেন যে ওঁর লেটেস্ট গল্পের প্লটটা আমায় বলবেন।—'এবার একটা নতুন রকমের ফাইট ইন্ট্রোডিউস করিচি যাতে হিরোর হাত-পা বাঁধা রয়েছে—কিন্তু তাও শুধু মাথা দিয়ে ভিলেনকে ঘায়েল করে দিচ্ছে।'

মাথা দিয়ে মানে বুদ্ধি দিয়ে না মাথার গুঁতো দিয়ে সেটা জিজ্ঞেস করতে যাব এমন সময় দেখি ফেলুদা হাজির। আমরা দুজনেই চুপ, কারণ জানি ও নিজে থেকে কিছু বলতে চাইলেই বলবে, জিজ্ঞেস করে কোনও ফল হবে না।

ফেলুদা গম্ভীর গলায় বলল, 'লালমোহনবাবু, অন্যান্যবারের মতো এবারও কি আপনার সঙ্গে কোনও অস্ত্র আছে নাকি?'

এখানে বলে রাখি লালমোহনবাবুর অস্ত্র সংগ্রহ করার বাতিক আছে। সোনার কেল্লার ব্যাপারে ওঁর সঙ্গে একটা ভুজালি ছিল, আর বাক্স-রহস্যের ব্যাপারে ছিল একটা বুমের্যাং। ফেলুদার প্রশ্ন শুনে ভদ্রলোকের চোখ জ্বল জ্বল করে উঠল। বললেন, 'এবার আছে একটা বম্ব!'

'বম্ব?' আমি আর ফেলুদা একসঙ্গে প্রশ্ন করে উঠলাম। কথাটা বিশ্বাস হচ্ছিল না।

'বম্ব। বোমা।'

লালমোহনবাবু তাঁর সুটকেসের দিকে এগিয়ে গেছেন। —'আমাদের পাড়ার দ্বিজেন তরফদারের ছেলে উৎপল আর্মিতে আছে। সে মার্চ মাসে এসেছিল। এইটে আমায় এনে

দিয়ে বললে—কাকাবাবু দেখুন আপনার জন্য কী এনিচি! বড় বড় যুদ্ধে ব্যবহার হয়। —ছোঁড়া আমার লেখার খুব ভক্ত।'

একটা মাঝারি সাইজের টর্চলাইটের মতো লম্বা খয়েরি রঙের একটা বেশ ভারী পাইপ জাতীয় জিনিস লালমোহনবাবু সুটকেস থেকে বের করে ফেলুদার হাতে দিলেন। ফেলুদা সেটা কিছুক্ষণ নেড়ে-চেড়ে দেখে বলল, 'এটা আমার কাছেই থাক। আপনার পক্ষে জিনিসটা বড় বেশি ডেঞ্জারাস।'

'কত মেটাগন হবে বলুন তো?'

কথাটা আসলে মেগাটন, আর সেটা ব্যবহার হয় অ্যাটমবোমা সম্পর্কে। এক মেগাটন মানে দশ লক্ষ টন। ফেলুদা লালমোহনবাবুর প্রশ্নে কান না দিয়ে বোমাটা ঝোলায় পুরে বলল, 'একবার বেরোনো দরকার। সবাই বেরিয়েছে, আমাদের ঘরে বসে থাকার কোনও মানে হয় না।'

ডাক বাংলো থেকে যখন বেরোলাম তখন সাড়ে এগারোটা। ঝিঁঝিঁটা এখনও ডাকছে। চাঁদের আলো কমছে-বাড়ছে, কারণ আকাশ টুকরো টুকরো চলন্ত মেঘে ছেয়ে গেছে। গেস্ট হাউসের একটা ঘরে দেখলাম আলো জ্বলছে। সেটা নাকি সেই আমেরিকানের ঘর। কে কোন ঘরে থাকে সেটাও নাকি ফেলুদা ম্যানেজারের কাছ থেকে জেনে নিয়েছে। মল্লিক আর শুভঙ্কর ফিরেছে কি না বোঝা গেল না।

কিছুক্ষণ থেকেই ঘন ঘন মেঘ ডাকছিল; যখন বড় রাস্তার উপর এসে পড়েছি তখন একটা বড়রকম গর্জন শুনে আকাশের দিকে চেয়ে দেখি পুব দিকটা কালো হয়ে আসছে। 'এই মরেছে! বৃষ্টি আসবে নাকি?' বলে উঠলেন লালমোহনবাবু।

'এত গুহা থাকতে বৃষ্টি এলে আশ্রয়ের অভাব হবে না', বলল ফেলুদা।

কৈলাসের দিকে উঠে গিয়ে মন্দিরে ঢোকার কোনও চেষ্টা না করে ফেলুদা বাঁ দিকের পথ ধরল। কিন্তু সে পথেও বেশি দূর না। খানিকটা গিয়েই সে দেখি পথ ছেড়ে পাহাড়ের গা বেয়ে উপরে উঠতে আরম্ভ করেছে। ওর কায়দাকানুন একটু আধটু জানি বলে আন্দাজ করলাম যে সামনের দিক দিয়ে ছাড়া গুহায় ঢোকার কোনও রাস্তা আছে কি না সেটাই ও একটু ঘুরে দেখতে চাইছে। আশেপাশে ঝোপঝাড় আর পাথরের টুকরো, কিন্তু এখনও চাঁদের আলো থাকায় সেগুলো কোনও বাধার সৃষ্টি করছে না।

এইবার ফেলুদা ডান দিকে মোড় নিল। বুঝলাম যে-দিক থেকে এসেছি সেদিকেই ফিরে যাচ্ছি, কিন্তু রাস্তা দিয়ে নয়; পাহাড়ের গা দিয়ে—রাস্তা থেকে অনেকটা ওপরে।

খানিকটা গিয়েই ফেলুদা হঠাৎ থেমে গেল। তার দৃষ্টি ডান দিকে। আমরা থেমে সেইদিকে দেখলাম।

দূরে পশ্চিম দিকে ঠিক যেন মনে হচ্ছে জমির উপর একটা সিল্কের ফিতে বিছিয়ে রাখা হয়েছে। আসলে সেটা শহরে যাবার রাস্তা, চাঁদের আলোয় চিক চিক করছে।

সেই রাস্তা দিয়ে একজন লোক দ্রুত পায়ে হেঁটে চলেছে গেস্ট হাউসের দিকে। অথবা বাংলোর দিকে। কারণ রাস্তা একটাই।

'মিস্টার রক্ষিত নন', ফিসফিস করে বললেন লালমোহনবাবু।

'কী করে বুঝলেন?' চাপা গলায় জিজ্ঞেস করল ফেলুদা।

'রক্ষিতের গায়ে রেনকোট ছিল।'

কথাটা ঠিকই বলেছেন লালমোহনবাবু।

লোকটা একটা মোড় ঘুরে অদৃশ্য হয়ে গেল। আমরা আবার এগিয়ে চললাম।

খস্‌স্‌...খস্‌স্‌...খস্‌স্‌...খস্‌স্‌...

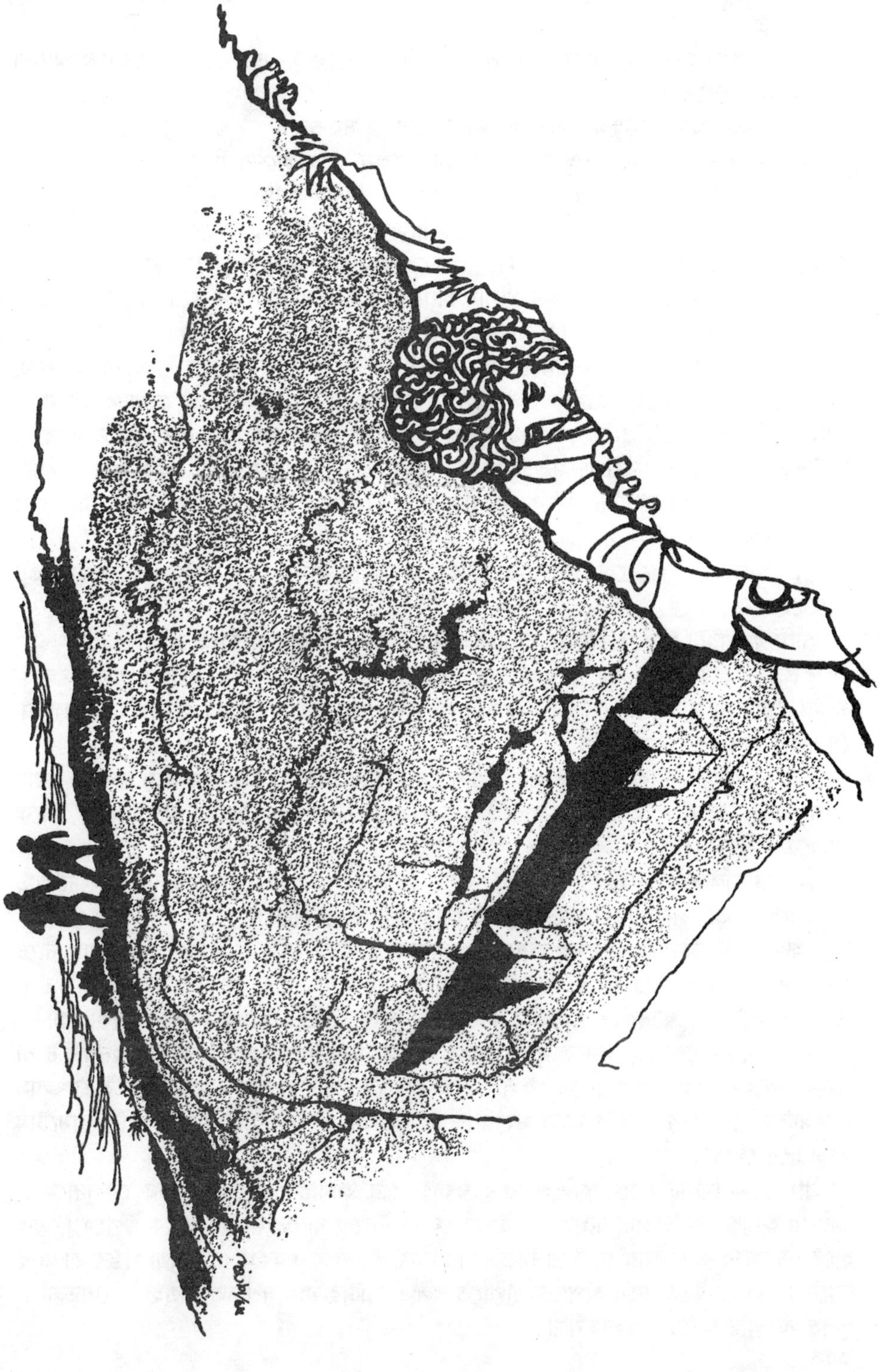

একটা অদ্ভুত আওয়াজ শুনে আমরা তিনজন আবার থেমে গেলাম। কোত্থেকে আসছে আওয়াজটা ?

ফেলুদা বসে পড়ল। আমরাও। সামনে একটা প্রকাণ্ড মনসার ঝোপ। সেটা আমাদের আড়াল করে রেখেছে।

আওয়াজটা আরও কিছুক্ষণ চলে থামল। তারপর সব চুপ।

এ কী—চারদিক হঠাৎ অন্ধকার হয়ে গেল কেন ? আকাশের দিকে চেয়ে দেখি সেই কালো মেঘটা চাঁদটাকে ঢেকে ফেলেছে। আমরা ঝোপের পিছন থেকে বেরিয়ে এগিয়ে চললাম। খানিকটা হাঁটার পর ডানদিকে কৈলাসের খাদটা পড়ল। খাদের পাশেই...ওই যে মন্দির। মন্দিরের চুড়ো এখন আমাদের সঙ্গে সমান লেভেলে। চুড়োর পিছনে বেশ খানিকটা নিচুতে একটা ছাত—তার মাথায় চারটে সিংহ চারিদিকে মুখ করে দাঁড়িয়ে আছে। ওই যে নীচে দূরে হাতি দুটো দেখা যাচ্ছে।

আমরা আরও এগিয়ে চললাম। আওয়াজটা এদিক থেকেই এসেছে সেটা বুঝেছিলাম, কিন্তু সন্দেহজনক কিছুই চোখে পড়ল না। হয়তো আছে, অন্ধকার বলে দেখা যাচ্ছে না। আমি জানি ফেলুদা টর্চ জ্বালাবে না, কারণ তা হলে অন্য লোক আমাদের কথা জেনে যাবে।

কৈলাসের খাদের পর কিছু দূর গিয়ে আরেকটা খাদ। এটা পনেরো নম্বর গুহা। সেটা ছাড়িয়ে তার পরের গুহাটার দিকে এসেছি। এমন সময় ফেলুদা হঠাৎ থেমে টান হয়ে গেল। তারপর ফিসফিস কথা—

'টর্চ জ্বেলেছে। পনেরো নম্বর গুহার ভিতরে। তার ফলে গুহার বাইরের আলোটা একটু বেড়েছে।'

আমি ব্যাপারটা লক্ষ করিনি। লালমোহনবাবুও না। ফেলুদার চোখই আলাদা।

দু মিনিট প্রায় নিশ্বাস বন্ধ করে দাঁড়িয়ে রইলাম। তারপর ফেলুদা একটা ব্যাপার করল। একটা ছোট্ট নুড়ি পাথর কুড়িয়ে নিয়ে সেটাকে ওপর থেকে গুহার সামনের চাতালটায় ফেলল। টুপ করে একটা শব্দ পেলাম।

তারপর বুঝতে পারলাম চাতালটা হঠাৎ যেন আরও বেশি অন্ধকার হয়ে গেল। তার মানে টর্চটা নিভল। আর তার পরেই একটা লোক নিঃশব্দে চোরের মতো গুহা থেকে বেরিয়ে পালিয়ে গেল।

'মিস্টার রক্ষিত না', আবার ফিসফিস করে বললেন লালমোহনবাবু। লোকটাকে চিনতে না পারলেও, তার গায়ে যে রেনকোট নেই সেটা আমিও বুঝেছিলাম।

এরপর এল আমার জীবনের সবচেয়ে লোমখাড়া করা সময়। ফেলুদা ইতিমধ্যে নীচে যাবার একটা রাস্তা বার করে ফেলেছে। রাস্তা না বলে বোধ হয় উপায় বলা উচিত। খানিকটা লাফিয়ে, খানিকটা হামাগুড়ি দিয়ে, খানিকটা বাঁদরের মতো ঝুলে, খানিকটা মাটির উপর ঘষটে, সে দেখতে দেখতে নীচে গুহার সামনেটায় পৌঁছে গেল। লালমোহনবাবু চাপা গলায় বললেন, 'গোয়েন্দাগিরিতে ফেল করলে সার্কাসের চাকরি বাঁধা।' পরমুহূর্তেই দেখলাম সে অদৃশ্য হয়ে গেল। তার মানে গুহার ভিতর ঢুকেছে। আমার কিন্তু ঘাম ছুটে লোমটোম খাড়া হয়ে গেছে।

প্রায় তিন মিনিট (মনে হচ্ছিল তিন ঘণ্টা) পরে আবার দেখতে পেলাম ফেলুদাকে। তারপর আরম্ভ হল উলটো কসরত। উপর থেকে নীচের বদলে নীচের থেকে উপরে। এক হাতে টর্চ কাঁধে ব্যাগ আর কোমরে রিভলভার নিয়ে কীভাবে এরকম ওঠা নামা সম্ভব তা ও-ই জানে। উপরে উঠে এসে হাঁপাতে হাঁপাতে বলল, 'এটার নাম দশাবতার গুহা। দোতলা। দুর্দান্ত সব মূর্তি আছে। লোভনীয়।'

লোকটা কে ছিল বুঝলে ?'—ভয়ে ভয়ে জিজ্ঞেস করলাম।

ফেলুদার মুখ গম্ভীর হয়ে গেল। বলল, 'যত সহজ ভাবছিলাম, তা নয়। প্যাঁচ আছে। রহস্য আছে। মাথা খাটাতে হবে।'

পাহাড় থেকে নেমে এসে বুঝলাম তদন্ত এখনও শেষ হয়নি। ফেলুদা কৈলাসের সামনে গিয়ে পাহারাদারের সঙ্গে দেখা করল। তাকে জিজ্ঞেস করে জানা গেল সে গত ঘণ্টাখানেকের মধ্যে কোনও গোলমেলে ব্যাপার লক্ষ করেনি। অবিশ্যি ও যেখানে পায়চারি করছে সেখান থেকে খাদের উপরটা দেখা যায় না ; মন্দিরের চুড়োয় ঢাকা পড়ে।

'কোনও শব্দ-টব্দ শোনোনি ?'—ফেলুদা হিন্দিতে জিজ্ঞেস করল।

না, শব্দও শোনেনি। এমনিতেই মেঘ ডাকছে ঘন ঘন, শব্দ কী করে শুনবে ?

'একবার মন্দিরের ভেতরে ঢুকে দেখতে পারি ?'

জানতাম লোকটা না বলবে, আর বললও তাই।

'নেহি বাবু, অর্ডার নেহি হ্যায়।'

ফেরার পথে বাংলোর কাছাকাছি এসে একটা অদ্ভুত জিনিস দেখলাম। আমরা আসছিলাম পুব দিক দিয়ে। বাংলোর পুব দিকের দেয়ালে দুটো জানালা রয়েছে—একটা রক্ষিতের ঘরের, একটা ফেলুদার ঘরের। ফেলুদার ঘরটা অন্ধকার। কিন্তু রক্ষিতের ঘরের ভেতর একটা আলোর তাণ্ডব চলেছে। বেশ বোঝা যাচ্ছে সেটা টর্চের আলো, কিন্তু সেটা কেন যে পাগলের মতো এদিক ওদিক করছে সেটা বোঝা মুশকিল। একবার আলোটা জানালার কাছে এল। বুঝলাম সেটা গেস্ট হাউসের দিকে ফেলা হচ্ছে। আলোটা ঝোপঝাড়ের উপর ঘোরাফেরা করে আবার ঘরে ফিরে গেল। ফেলুদা চাপা গলায় মন্তব্য করল, 'হাইলি ইন্টারেস্টিং।'

আমরা নিঃশব্দে এগিয়ে গেলাম বাংলোর দিকে। ফোঁটা ফোঁটা বৃষ্টি পড়ছে। চারদিকে ঘুরঘুট্টি অন্ধকার।

৮

আমি অনেক সময় দেখেছি যে আমাদের অ্যাডভেঞ্চারগুলো কখন যে কোন রাস্তায় চলবে সেটা আগে থেকে বোঝা ভারী মুশকিল হয়। কিছুদূর হয়তো আন্দাজ-মাফিক গেল, তারপর হঠাৎ এমন একটা ঘটনা ঘটল যার জন্য রাস্তার মোড় গেল ঘুরে ; ফেলুদার মাথা আশ্চর্য ঠাণ্ডা বলে ও বাধা পেলেও বা বেকায়দায় পড়লেও কখনও দিশেহারা হয় না। কিন্তু আজ একটা ব্যাপারে তাকে বেশ বিরক্ত হতে দেখলাম।

কাল রাত্রে কৈলাসের ওপরে গিয়ে যে শব্দটা শুনেছিলাম, সে ব্যাপারে একটু তদন্তের দরকার বলে আমরা ঠিক করেছিলাম ভোরে ভোরেই কৈলাস চলে যাব। ফেলুদা রাত্রে মেক-আপ তুলে শুয়েছিল, আজ সকালে আমাদেরও আগে উঠে সে তৈরি হয়ে নিয়েছে, আর আমিও সিঁথিটা ডান দিকে করে নিয়েছি। লালমোহনবাবুও কোনও একটা কিছু মেক-আপ করতে চেয়েছিলেন, কিন্তু ফেলুদা বারণ করাতে চুপ করে গেলেন। সূর্যোদয়ের সঙ্গে সঙ্গে গুহা খুলে যায়, লোক ঢুকে দেখতে পারে। সাড়ে পাঁচটায় চা খেয়ে বেরিয়ে ছ'টার মধ্যে গুহায় পৌঁছে বাইরে বড় বড় গাড়ি আর লোকজনের ভিড় দেখে একেবারে তাজ্জব বনে গেলাম।

আরেকটু কাছে গিয়েই বুঝতে পারলাম ব্যাপারটা কী। ফিল্ম কোম্পানি এসেছে, কৈলাসে শুটিং হবে! একবার ভিক্টোরিয়া মেমোরিয়ালের সামনে শুটিং দেখেছিলাম, তখন রিফ্লেক্টর

জিনিসটা দেখে চিনে রেখেছিলাম ; এবারও সেই রিফ্লেক্টর দেখেই শুটিং-এর ব্যাপারটা বুঝতে পারলাম। ফেলুদা বলল, 'সেরেছে—এরা আর জায়গা পেল না ? শেষটায় কৈলাসের শ্রাদ্ধ করতে এসেছে ?'

জিজ্ঞেস করে জানতে পারলাম যে দলটা বোম্বাই থেকে এসেছে, হিন্দি ফিল্মের শুটিং হচ্ছে। যারা অ্যাকটিং করবে তারা নাকি এখনও এসে পৌঁছয়নি, তবে অন্য সব কাজের লোক বেশির ভাগই এসে পড়েছে।

একজন ইয়ং ছেলের প্যান্টের পকেট থেকে একটা বাংলা ফিল্ম পত্রিকার খানিকটা বেরিয়ে রয়েছে দেখে লালমোহনবাবু তাকে ডেকে জিজ্ঞেস করলেন, 'কী বই হচ্ছে ভাই ?' ছেলেটি বলল, 'ক্রোড়পতি।'

'কে কে পার্ট করচে ?'

'টপ কাস্টিং। এখানে আসছে রূপা, অর্জুন মেরহোত্রা আর বলবন্ত চোপরা। হিরোইন, হিরো আর ভিলেন।'

অর্জুনের নাম শুনেই বোধহয় লালমোহনবাবু হঠাৎ সোজা হয়ে দাঁড়ালেন। জিজ্ঞেস করলেন, 'গান হবে নাকি ভাই ?'

'না। ফাইট। স্টান্টম্যান, ডাবল—সব এসেছে। হিরো ভিলেনকে চেজ করবে, ভিলেন গুহা থেকে মন্দিরের ভেতর ঢুকে যাবে।'

'আর হিরোইন ?'

'হিরোইন সাইডের একটা কেভের মধ্যে রয়েছে। ওখানে ভিলেন ওকে অ্যাটাক করছে। হিরো এসে পড়ছে, ভিলেন পালাচ্ছে। ক্লাইম্যাক্স মন্দিরের চুড়োয়।'

'চুড়োয় !'

'চুড়োয়।'

'পরিচালক কে ?'

'মোহন শর্মা। কিন্তু এই শুটিংটায় থাকছে ফাইট ডাইরেক্টর আপ্পারাও।'

আরও জিজ্ঞেস করে জানলাম যে শুটিং হতে হতে দশটা, আর দুপুরেই কাজ শেষ। তার মানে আজকের দিনটা এরাই কৈলাসটা দখল করে রাখবে।

'তাজ্জব ব্যাপার !' ফেলুদা বলল। —'এই পারমিশনটা পাওয়া কীভাবে সম্ভব হল জানতে ইচ্ছে করে। টাকায় কীই না করে।'

ভেতরে না ঢুকতে পারলেও কাল রাত্রে যেখানে পাহাড়ের উপরে খাদের পাশটায় গিয়েছিলাম, সেখানে যেতে আশা করি কোনও অসুবিধা নেই। তাই ভেবে কৈলাসের বাঁ দিক দিয়ে আমরা উপরে উঠতে লাগলাম।

কিন্তু সে গুড়েও বালি। আমাদের আগেই ফিল্মের দলের কিছু লোক সেখানে হাজির হয়ে গেছে। তার মধ্যে একজন বোধহয় ক্যামেরাম্যান, কারণ সে ডান হাতের আঙুলগুলো ফুটোস্কোপের মতো করে চোখের সামনে পাকিয়ে ধরে মন্দিরের চুড়োর দিকে দেখছে। মন্দিরের ভিতর কিন্তু এখনও কোনও লোক ঢোকেনি। নীচে থাকতেই জেনেছিলাম পারমিশনের চিঠিটা নাকি অন্য গাড়িতে আসছে। দারোয়ান যতক্ষণ না চিঠিটা দেখছে ততক্ষণ কাউকে ভিতরে ঢুকতে দেবে না।

ফেলুদা জিভ দিয়ে বিরক্তিসূচক একটা শব্দ করে বলল, 'সময় নষ্ট করে লাভ নেই। এরা আমাদের কাজটা পণ্ড করতেই এসেছে। চল, একবার পনেরো নম্বর গুহাটায় যাই—ভাল মূর্তি আছে। এই উদাত্ত পরিবেশে ফিল্ম কোম্পানির কচকচি ভাল লাগছে না।'

আমরা যেদিক দিয়ে উঠেছিলাম তার উলটোদিক দিয়ে নেমে পনেরো নম্বর গুহার দিকে

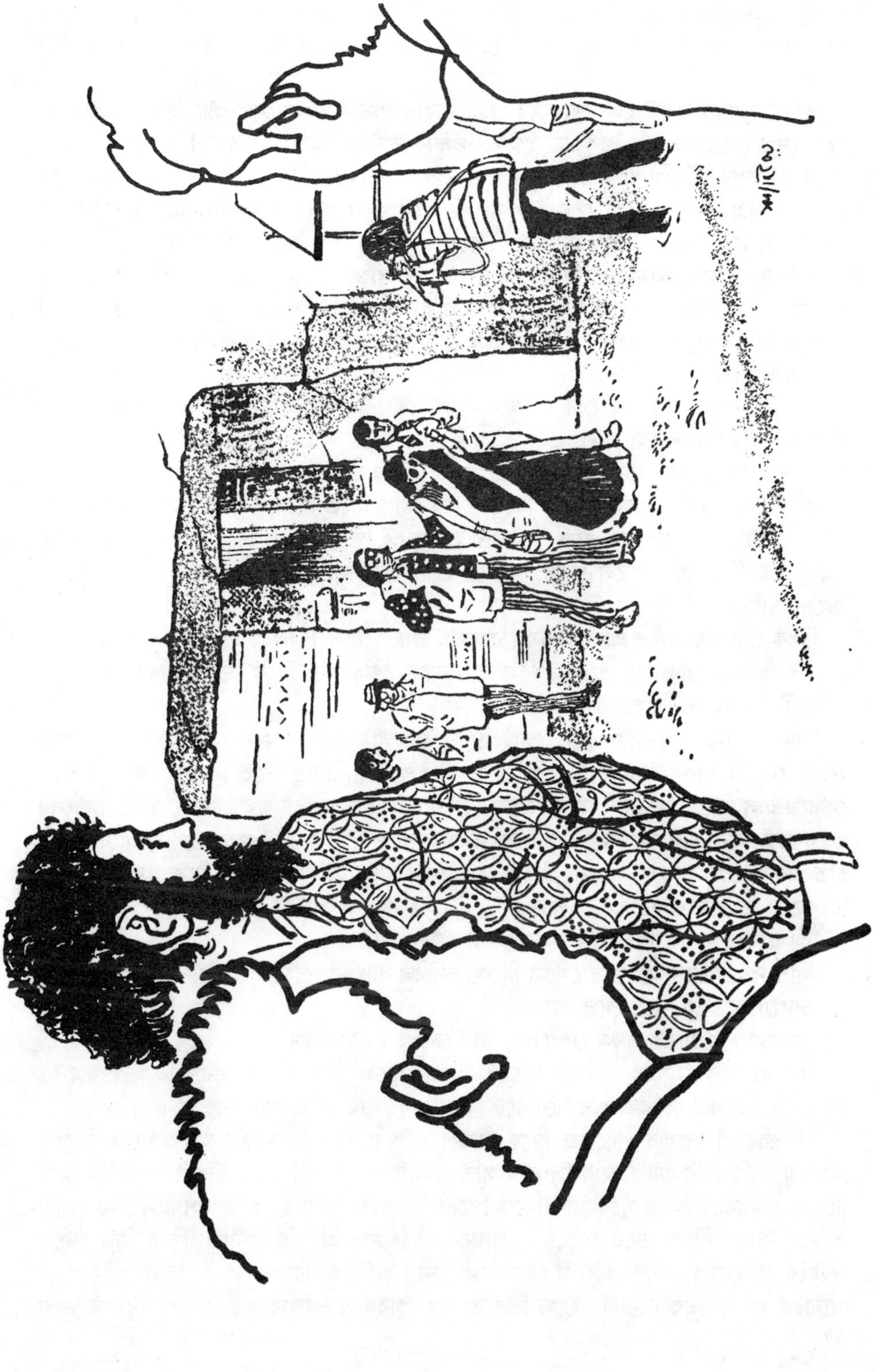

যাচ্ছি, এমন সময় দেখলাম মেন রোড দিয়ে একটা প্রকাণ্ড হলদে আমেরিকান গাড়ি কৈলাসের দিকে আসছে। বুঝলাম হিরো হিরোইন ভিলেন আর ফাইট ডাইরেক্টর এসে গেছেন।

পনেরো নম্বর গুহাই হল দশাবতার গুহা। তার সামনে পৌঁছানোর আগেই দুই অবতারের সঙ্গে দেখা হয়ে গেল। একজন হলেন মিস্টার রক্ষিত, আর অন্যজন মিস্টার ল্যুইসন। গুহার মুখটাতে দাঁড়িয়ে কথা বলছেন দুজন, তার মধ্যে দ্বিতীয়টিকে বেশ উত্তেজিত বলে মনে হল। আমরা একটু এগিয়ে যেতেই কথা বন্ধ হয়ে গেল, আর আমেরিকানটি, 'আই সি নো পয়েন্ট ইন মাই স্টেইং হিয়ার এনি লঙ্গার' বলে আমাদের পাশ দিয়ে বেরিয়ে চলে গেলেন।

মিস্টার রক্ষিত আমাদের দিকে এগিয়ে এসে ঘাড় ঝাঁকুনি দিয়ে তেতো হাসি হেসে বললেন, 'এখানকার অ্যারেঞ্জমেন্ট সম্বন্ধে কমপ্লেন করছিল। বলছে ডিমটা পর্যন্ত ঠিক করে ভাজতে জানে না, আর আশা করে যে আমরা এখানে এসে ডলার ঢেলে দিয়ে যাব। টাকার গরম আর কী!'

ফেলুদা বলল, 'আশ্চর্য তো। শুনেছিলাম আর্টের সমঝদার, আর এখানে এসে ডিম ভাজার কথাটাই মনে হল?'

লালমোহনবাবু বললেন, 'আমেরিকায় ডিম কী করে ভাজে মশাই?'

রক্ষিত কী জানি একটা উত্তর দিতে গিয়ে আর দিতে পারলেন না। কৈলাসের দিক থেকে একটা বিকট চিৎকার এসে আমাদের সকলেরই পিলে চমকে দিয়েছে। লালমোহনবাবু পরমুহূর্তেই নিজেকে সামলে নিয়ে লাফিয়ে উঠে বললেন, 'ফাইট শুরু হয়ে গেছে মশাই! ভিলেন চ্যাঁচাচ্ছে!'

চিৎকারের পর আরও অন্য গলায় চেঁচামেচি শুরু হয়েছে। ফাইট হলে এত লোক চেঁচাবে কেন? আমরা ফেলুদার পিছন পিছন ব্যস্তভাবে কৈলাসের দিকে এগিয়ে গেলাম। এত ছুটোছুটি গোলমাল কীসের জন্য?

যখন গেটের কাছাকাছি এসে গেছি তখন দেখলাম চার-পাঁচজন লোক চ্যাংদোলা করে একটি বেগুনি হাওয়াইয়ান শার্ট পরা লোককে হলদে গাড়িটার দিকে নিয়ে গেল। তারপর বেরিয়ে এল হিরো হিরোইন আর ভিলেন। এদের তিনজনেরই মুখ চেনা। রূপা অর্জুনের কাঁধে ভর করে এগিয়ে আসছে, বলবন্ত তাদের পাশেই মাথা হেঁট করে রূপার কাঁধে একটা হাত দিয়ে যেন তাকে সান্ত্বনা দিচ্ছে। এবারে সেই বাঙালি ছেলেটিকে দেখে আমরা চারজনেই তার দিকে এগিয়ে গেলাম।

'কী হয়েছে মশাই?' লালমোহনবাবু প্রশ্ন করলেন।

'লাশ পড়ে আছে মন্দিরের পেছন দিকে...হরিবল ব্যাপার...হাড়গোড় সব...'

'চ্যাংদোলা করে নিয়ে গেল কাকে?'

'আপ্পারাও। উনিই প্রথম দেখলেন, আর দেখেই সেন্সলেস।'

ফেলুদা আর মিস্টার রক্ষিত আগেই মন্দিরে ঢুকে গিয়েছিল। এবার আমরা দুজনও গেলাম। ফিল্মের লোকজন সব বেরিয়ে আসছে, বুঝলাম শুটিং আর হবে না।

মন্দিরের বাঁ দিকের প্যাসেজ দিয়ে আমরা এগিয়ে চলেছি, ডানদিকে কৈলাসের নীচের দিকটায় সারি সারি হাতি আর সিংহের মূর্তি ; মনে হয় তারাই যেন মন্দিরটাকে কাঁধে করে রয়েছে। সামনে মোড় ঘুরে ডান দিকে গিয়েই বোধহয় মৃতদেহ, কারণ সেখানে কিছু লোক দাঁড়িয়ে নীচের দিকে চেয়ে রয়েছে। আমরা পৌঁছানোর আগেই মিস্টার রক্ষিত ভিড় থেকে বেরিয়ে আমাদের দিকে এগিয়ে এসে বললেন, 'ওদিকে যাবেন না। বিশ্রী ব্যাপার।' আমারও যে খুব একটা যাবার ইচ্ছে ছিল তা নয়, কারণ এ ধরনের রক্তাক্ত দৃশ্য দেখতে ভাল

লাগে না ; তবু কে মারা গেছে জানার ভীষণ কৌতূহল হচ্ছিল। সে কৌতূহলটা মিটিয়ে দিল ফেলুদা। মিস্টার রক্ষিত চলে আসবার এক মিনিটের মধ্যেই ফেলুদাও ফিরে এসে বলল, 'শুভঙ্কর বোস। মনে হয় পাহাড়ের উপর থেকে সোজা পড়েছেন পাথরের মাটিতে।'

লালমোহনবাবু শুনলাম বিড়বিড় করে বলছেন, 'আশ্চর্য। ঠিক এইভাবেই মরবার কথা ঘনশ্যাম কর্কটের।'

ফেলুদা আবার বাইরের দিকে চলেছে, আমরা দুজন তার পিছনে। মিস্টার রক্ষিত এগিয়ে গিয়েছিলেন, আমাদের আসতে দেখে থেমে বললেন, 'কাল রাত্রে যখন এদিকটায় বেড়াতে আসি, তখনই দেখলাম ভদ্রলোক পাহাড়ের উপর উঠছেন। আমি বারণ করেছিলাম। ভদ্রলোক আমার কথায় কানই দিলেন না। তখন কি জানি যে লোকটা আত্মহত্যা করতে যাচ্ছে?'

মিস্টার রক্ষিত চলে গেলেন। একটা নতুন কথা বলে গেলেন বটে ভদ্রলোক। আত্মহত্যার কথাটা আমার মনেই হয়নি। ফেলুদা মিস্টার রক্ষিতের কথায় যেন আমল না দিয়েই আবার কৈলাসের বাঁ দিক দিয়ে পাহাড়ে উঠতে আরম্ভ করল।

আধঘণ্টা আগেই দেখেছিলাম খাদের পাশে লোকজন দাঁড়িয়ে আছে, এখন দেখছি একটি লোকও নেই। মনে মনে বললাম শুভঙ্কর বোস মরে গিয়ে আমাদের কাজের সুবিধে করে দিয়েছেন।

ফেলুদা দেখলাম বেশ বেপরোয়াভাবে এগিয়ে গিয়ে খাদের ধারে দাঁড়িয়ে ঘাড় নিচু করে মন্দিরের পিছনে যেখানে মৃতদেহ পড়ে আছে সেখানটা দেখছে। যেখান থেকে পড়েছেন শুভঙ্কর বোস, সেই জায়গাটা আন্দাজ করে ও খাদের আশপাশটা খুব ভাল করে দেখতে লাগল।

মাটিতে একটা গর্ত। লোক চলাচলে মাটি ঢুকে সেটা খানিকটা বুজে এসেছে, কিন্তু তাও ব্যাগ থেকে ভাঁজ করা স্কেলটা খুলে তার মধ্যে ঢোকাতে সেটা প্রায় দেড় হাত ভেতরে চলে গেল। গর্তটা খাদ থেকে হাত তিনেক দূরে। এবার ফেলুদা গর্তটার ঠিক সামনে খাদের ধারটা পরীক্ষা করতে লাগল। আমি আর লালমোহনবাবুও দেখছি আর বেশ বুঝতে পারছি কোন জিনিসটা ফেলুদার দৃষ্টি আকর্ষণ করেছে।

খাদের ধারের মাটির উপর একটা গভীর খাঁজ পড়েছে।

'কিছু বুঝতে পারছিস, তোপ্‌সে?' ফেলুদা জিজ্ঞেস করল। আমি চুপ করে আছি দেখে সে নিজেই উত্তর দিল—

'এটা দড়ির দাগ। একটা শাবল গোছের জিনিস গভীরভাবে পুঁতে সেটায় একটা দড়ি বেঁধে খাদের ভিতর ঝুলিয়ে সেটা ধরে কেউ নেমেছিল বা নামতে চেষ্টা করেছিল। কাল রাত্রে খস খস শব্দটা মনে পড়ছে? সেটা ছিল দড়িটাকে টেনে তোলার শব্দ। সামনে দিয়ে ঢোকার উপায় নেই, তাই পিছন দিয়ে ঢোকার এই ব্যবস্থা।'

লালমোহনবাবু বললেন, 'কিন্তু দড়ি হলে...একশো ফুট...মানুষ ধরে নামবে...সে তো মোক্ষম দড়ি হতে হবে মশাই!'

'নাইলনের দড়ি। হালকা, অথচ প্রচণ্ড শক্ত', বলল ফেলুদা।

আমি বললাম, 'তার মানে তো শুভঙ্কর বোস ছাড়া আরেকজন লোক ছিল!'

'ন্যাচারেলি। সেই লোকই দড়ি টেনে তুলেছে, সেই শাবল-দড়ি সরিয়ে ফেলেছে। সে শুভঙ্কর বোসের শত্রু বা মিত্র সেটা এখনও ষোলো আনা নিশ্চিতভাবে বলা যায় না, তবে একটা কারণে শত্রু বলেই মনে হয়।'

আমরা ফেলুদার দিকে চাইলাম। ফেলুদা তার শার্টের পকেটে হাত ঢুকিয়ে একটা ছোট্ট

জিনিস বার করে হাতের তেলোয় ধরে আমাদের দেখাল।

একটা ছেঁড়া কাপড়ের টুকরো। নীল রঙের কাপড়। কাল কাকে দেখেছি নীল শার্ট গায়ে ?

মিস্টার জয়ন্ত মল্লিক।

'কোথায় পেলে ওটা ?'—কাঁপা গলায় জিজ্ঞেস করলাম। ফেলুদা বলল, 'উপুড় হয়ে পড়েছিল শুভঙ্কর বোস। হাত দুটো ছড়ানো। বাঁ হাতটা মুঠো অবস্থায়। দু আঙুলের মাঝখান দিয়ে টুকরোটা বেরিয়ে ছিল। দুজনে ধস্তাধস্তি হয় খাদের ধারে। শুভঙ্কর শার্ট খামচিয়ে ধরে। তারপর পড়ে যায়। টুকরোটা হাতে ছিঁড়ে আসে।'

'ওপর থেকে ঠেলে ফেলে দিয়েছিল কি ?' লালমোহনবাবু প্রশ্ন করলেন। 'ত্‌তার মানে তো ম্‌-মার্ডার !'

ফেলুদা লালমোহনবাবুর কথায় কোনও মন্তব্য না করে গম্ভীরভাবে বলল, 'একটা কথা বলতেই হবে—কৈলাস এখনও অক্ষত রয়েছে, আর সেটার জন্য দায়ী শুভঙ্কর বোস। তিনি মরলেন বলেই মূর্তি চোরকে কাজ না সেরেই পালাতে হল। আর সেই সঙ্গে লালমোহনবাবুর ভবিষ্যদ্বাণীও ফলে গেল। কৈলাসে সত্যিই লাশ পাওয়া গেল !'

৯

খাদের মাথা থেকে যখন নীচে নামলাম ততক্ষণে ফিল্ম কোম্পানির লোকেরা সরে পড়েছে। তার বদলে এখন স্থানীয় লোকের ভিড়। আর আমেরিকান গাড়ির বদলে রয়েছে একটা জিপ। একজন বছর পঁয়ত্রিশের স্মার্ট ভদ্রলোক ফেলুদাকে দেখে এগিয়ে এলেন। ইনিই নাকি মিস্টার কুলকার্নি—টুরিস্ট গেস্ট হাউসের ম্যানেজার। ফেলুদার সঙ্গে ইংরেজিতে কথা হল। ভদ্রলোক বললেন, 'কাল রাত্রে যে মিস্টার বোস ফেরেননি সেটা আজ ভোরে জানা গেছে। একটি বেয়ারাকে পাঠিয়েছিলাম ওর খোঁজ করতে, সে না পেয়ে হতাশ হয়ে ফিরে আসে।'

'এখন কী ব্যবস্থা হচ্ছে ?' ফেলুদা প্রশ্ন করল। কুলকার্নি বললেন, 'আওরঙ্গাবাদে খবর পাঠানো হয়েছে। সি ডি ভ্যান আসছে, ডেডবডি মর্গে নিয়ে যাবে। মিস্টার বোসের ভাই আছেন দিল্লিতে। লাশ সনাক্ত করার ব্যাপারে তাকে খবর পাঠানো হচ্ছে।...ভেরি স্যাড ! ভদ্রলোক সত্যিই পণ্ডিত ছিলেন। আগেও একবার এসেছিলেন—সিকসটি এইটে। গেস্ট হাউসেই ছিলেন। এলোরার ওপর বই লিখছিলেন।'

'আপনাদের এখানে থানা নেই ?'

'একটা পুলিশ আউটপোস্ট আছে। ছোট জায়গা তো ! একজন অ্যাসিসট্যান্ট সাব-ইনসপেক্টর চার্জে আছেন। মিস্টার ঘোটে। আপাতত ডেডবডি ইনসপেক্ট করছেন।'

'আমার সঙ্গে আলাপ করিয়ে দিতে পারেন ?'

'সার্টেনলি !...ভাল কথা—'

কুলকার্নি কী যেন একটা গোপনীয় কথা বলতে চাইছেন, কিন্তু আমরা দুজন বাইরের লোক রয়েছি বলে ইতস্তত করছেন। ফেলুদা বলল, 'আপনি এদের সামনে বলতে পারেন।' কুলকার্নি আশ্বস্ত হয়ে বললেন, 'আজ সকালে বম্বেতে একটা ট্রাঙ্ক কল হয়েছে।'

'মল্লিক ?'

'হ্যাঁ।'

'কী বলল নোট করেছেন ?'

কুলকার্নি পকেট থেকে একটা কাগজের স্লিপ বার করে সেটা থেকে পড়ে বললেন, 'মে বালু আচে। আজ রওয়ানা হচি।'

মেয়ে ভাল আছে, আজ রওনা হচ্ছি। আবার সেই মেয়ের ব্যাপার।

'যাবার কথা বলেছে কিছু?' ফেলুদা চাপা উত্তেজনার সঙ্গে প্রশ্ন করল।

কুলকার্নি বললেন, 'উনি তো আজই সকালে যেতে চাইছিলেন, কিন্তু আমি আপনার কথা ভেবেই একটা ফন্দি বার করে যাওয়াটা পিছিয়ে দিয়েছি। ওর ট্যাক্সির ড্রাইভারকে টিপে দিয়েছি। ডিফারেনসিয়াল গণ্ডগোল—গাড়ি সারাতে টাইম লাগবে।'

'ব্রাভো! আপনি অত্যন্ত বুদ্ধিমানের কাজ করেছেন।'

ফেলুদার তারিফে কুলকার্নির চোখ খুশিতে জ্বলজ্বল করে উঠল। ফেলুদা একটা চারমিনার ধরিয়ে বলল, 'ভাল কথা—আপনার এই ঘোটে লোকটি কেমন?'

'বেশ লোক। তবে মনমরা হয়ে থাকে। এ জায়গা তার ভাল লাগে না। কবে প্রোমোশন হবে, আওরঙ্গাবাদে পোস্টেড হবে, তাই দিন গুনছে।...আসুন না, আলাপ করিয়ে দিই।'

মিস্টার ঘোটে কেভ থেকে বেরিয়ে এসেছেন, কাছাকাছির মধ্যেই ছিলেন, কুলকার্নি তাঁকে ডেকে এনে ফেলুদাকে 'বিখ্যাত প্রাইভেট ডিটেকটিভ' বলে তাঁর সঙ্গে পরিচয় করিয়ে দিলেন। ভদ্রলোক লম্বায় সাড়ে পাঁচ ফুট, চওড়াতেও প্রায় ততখানিই বলে মনে হয়, তার উপরে আবার চার্লি চ্যাপলিনের মতো গোঁফ। কিন্তু মোটা হলে কী হবে, হাঁটাচলা বেশ চটপটে।

ঘোটের সঙ্গে কথা বলার আগে ফেলুদা আমাদের দিকে ফিরে বলল, 'তোরা বরং বাংলোয় ফিরে যা—আমি ভদ্রলোকের সঙ্গে একটু কথা বলে আসছি।'

কী আর করি। গেলাম ফিরে বাংলোয়। ভোরে শুধু চা খেয়ে বেরিয়েছিলাম, তাই বেশ খিদে পাচ্ছিল। বারান্দায় গিয়ে চৌকিদারকে হাঁক দিয়ে দুজনের জন্য ডিমরুটি করতে বলে দিলাম।

ঘরে ফিরে এসে দেখি লালমোহনবাবু কেমন যেন বোকা বোকা ভাব করে খাটে বসে আছেন। আমাকে দেখে বললেন, 'আমরা কি বেরোবার সময় ঘরের দরজা বন্ধ করে গিয়েছিলাম?'

আমি বললাম, 'না তো। নেবার মতো কীই বা আছে বলুন! তা ছাড়া এরা তো সকালবেলা ঘর ঝাড়পোঁছ করে, তাই...কেন, কিছু হারিয়েছে নাকি?'

'না, কিন্তু জিনিসপত্তর সব ওলটপালট হয়ে আছে। আমার খাটে বসে আমার বাক্স ঘেঁটেছে। এই কিছুক্ষণ আগে। খাট এখনও গরম হয়ে আছে। তোমার বাক্সটা দেখো তো।'

সুটকেসটা খোলামাত্র বুঝতে পারলাম সেটা কেউ ঘাঁটাঘাঁটি করেছে। যেটা যেখানে ছিল সেটা সেখানে নেই। শুধু বাক্স না, বালিশ-টালিশও এদিক ওদিক হয়ে আছে। এমন কী খাটের তলাতেও যে খুঁজেছে সেটা আমার চটি জোড়া যেভাবে রাখা হয়েছে তার থেকে বুঝতে পারছি।

লালমোহনবাবু বললেন, 'কীসের জন্য সবচেয়ে ভয় ছিল জান? আমার নোটবুকটা। সেটা দেখছি নেয়নি।'

'অন্য কিছু নিয়েছে নাকি?'

'কই, কিছুই তো নিয়েছে বলে মনে হচ্ছে না। তোমার?'

'আমারও তাই। কিছুই নেয়নি। যে এসেছিল সে বিশেষ কোনও একটা জিনিস খুঁজতে

এসেছিল। সেটা পায়নি।'

'একবার চৌকিদারকে জিজ্ঞেস করলে হয় না ?'

কিন্তু চৌকিদারকে জিজ্ঞেস করে কোনও ফল হল না। সে বাজার করতে গিয়েছিল, তখন যদি কেউ এসে থাকে। এখানে কোনওদিন কিছু চুরিটুরি যায় না, কাজেই বাইরের লোক এসে ঘরে ঢুকে জিনিসপত্র ঘাঁটাঘাঁটি করে যাবে এটা তার কাছে খুবই আশ্চর্য লাগল।

হঠাৎ মনে হল ফেলুদার ঘরে লোক ঢুকেছিল কি না জানা দরকার। গিয়ে দেখি ফেলুদা দরজা লক করে গেছে। সেটার অবিশ্যি একটা কারণ আছে। ও নিজে ছদ্মবেশে রয়েছে বলে ওর একটু সাবধান হতে হয়। লালমোহনবাবু বললেন, 'একবার মিস্টার রক্ষিতকে জিজ্ঞেস করবে নাকি ?'

কাল রাত্রে জানালা দিয়ে টর্চের খেলা দেখে আমার এমনিই রক্ষিত সম্বন্ধে একটা কৌতূহল হচ্ছিল, তাই লালমোহনবাবুর প্রস্তাবটা মেনে নিয়ে দুজনে ভদ্রলোকের দরজায় গিয়ে আস্তে করে টোকা মারলাম। কয়েক সেকেন্ডের মধ্যেই দরজা খুলে গেল।

'কী ব্যাপার ? ভেতরে এসো।'

ভদ্রলোক যে খুব একটা খুশি খুশি ভাব দেখালেন তা নয় ; তাও যখন ডাকছেন তখন গেলাম।

'আপনার ঘরেও কি লোক ঢুকেছিল ?' লালমোহনবাবু ঢুকেই প্রশ্ন করলেন।

ভদ্রলোক লালমোহনবাবুর দিকে তাকাতেই বুঝলাম ভাবগতিক ভাল না। চাপা অথচ ঝাঁঝালো গলায় বললেন, 'আপনাকে বলে তো লাভ নেই, কারণ আপনি কানে শোনেন না, কাজেই আপনার ভাগনেটিকেই বলছি। —লোক শুধু ঢোকেনি, আমার একটি অত্যন্ত কাজের জিনিস সযত্নে তুলে নিয়ে গেছে।'

'কী জিনিস ?' আমি ভয়ে ভয়ে জিজ্ঞেস করলাম।

'আমার রেনকোট। বিলিতি রেনকোট। আজ পঁচিশ বছর ধরে ব্যবহার করছি!'

মেজোমামা চুপ। কালা সেজে আছেন। আমি খুব জোরে চেঁচিয়ে তাকে খবরটা দিয়ে দিলাম। লালমোহনবাবু বললেন, 'কাল রাত্রে নিয়েছিল কি ? কাল দেখলুম আপনি কী যেন খুঁজছেন। আপনার টর্চটা...'

'না। কাল রাত্রে একটা চামচিকে ঘরে ঢুকেছিল। বাতি নিভিয়ে টর্চ জ্বেলে সেটাকে তাড়াতে চেষ্টা করছিলুম। কাল আমার কোনও জিনিস খোয়া যায়নি। গেছে আজ সকালে। আর আমার ধারণা সেটা নিয়েছে চৌকিদারের ওই ছেলেটা।'

এ কথাটাও চেঁচিয়ে মেজোমামাকে শুনিয়ে দিলাম। উনি বললেন, 'শুনে দুঃখিত হলাম। ছেলেটির দিকে চোখ রাখতে হয় এবার থেকে।'

এর পরে আর কিছু বলার নেই। আমরা ভদ্রলোককে ডিসটার্ব করার জন্য ক্ষমা চেয়ে ঘর থেকে বেরিয়ে এলাম।

চৌকিদার ডিমরুটি এনে দিয়েছিল, দুজনে খাবার ঘরে বসে খেলাম। আমেরিকায় ডিম কী করে ভাজে জানি না, আমাদের এই খুলদাবাদের ডিম ফ্রাই বেশ ভালই লাগছিল। ঘরে কে ঢুকে থাকতে পারে সেটা ভাবতে মনটা খচ খচ করছিল, কিন্তু এখন মনে হচ্ছে সেটা হয়তো সত্যিই চৌকিদারের ওই ছেলেটা। ও মাঝে মাঝে বাংলোর পশ্চিমদিকের মাঠটায় পায়চারি করে, আর পর্দার ফাঁক দিয়ে আমাদের দিকে আড়চোখে দেখে, সেটা লক্ষ করেছি।

যদিও ফেলুদা বাংলোয় ফিরে যেতে বলেছিল, তার মানে যে ঘরেই বসে থাকতে হবে এমন কোনও কথা আছে কি ? চাবি দিয়ে ঘরের দরজা বন্ধ করে আমরা বাংলোর বাইরে রাস্তায় এলাম।

বাংলোর ঠিক সামনে থেকে গেস্ট হাউসটা দেখা যায় না, একটা অচেনা গাছ সামনে পড়ে। গাড়ি স্টার্ট দেবার একটা শব্দ পেয়ে একটু এগিয়ে গেলাম। এবার গেস্ট হাউসটা দেখা যাচ্ছে। আওরঙ্গাবাদ থেকে যে ট্যাক্সিটা মিস্টার রক্ষিত আর ল্যুইসনকে নিয়ে এসেছিল, সেটা যাবার জন্য তৈরি, ছাতের উপর মাল চাপানো রয়েছে, আমেরিকান ক্রোড়পতি মিস্টার স্যাম ল্যুইসন বেয়ারাকে বকশিশ দিচ্ছেন।

কিন্তু ইনি আবার কে ?

আরেকটি লোক গেস্ট হাউস থেকে বেরিয়ে এসেছেন, ল্যুইসনের সঙ্গে হাত নেড়ে কথা বলছেন। ল্যুইসন দুবার মাথা নাড়ল। তার মানে কোনও একটা প্রস্তাবে রাজি হল। এবার অন্য ভদ্রলোকটি আবার গেস্ট হাউসে ঢুকে একটা সুটকেস হাতে নিয়ে বেরোলেন। ড্রাইভার গাড়ির পিছনের ডালা খুলে দিল। বাক্স ভিতরে ঢুকে গেল। ডালা বন্ধ হল। আমার বুকের ভিতর ভীষণ ধুকপুকুনি। লালমোহনবাবু আমার হাত খামচে ধরলেন।

জয়ন্ত মল্লিক নিজের গাড়ির জন্য অপেক্ষা না করে আমেরিকানের সঙ্গ নিয়ে পালাচ্ছেন।

ড্রাইভার তার জায়গায় গিয়ে বসল।

'চৌকিদারের সাইকেল !'—আমি চেঁচিয়ে উঠলাম।

ট্যাক্সি স্টার্ট দেবার শব্দ পেলাম।

আমি ঊর্ধ্বশ্বাসে দৌড়ে গিয়ে কোনও রকমে টেনে হিঁচড়ে সাইকেলটাকে বাইরে আনলাম।

'উঠে পড়ুন।'

লালমোহনবাবুর ভাব দেখে মনে হল তিনি জীবনে এই প্রথম সাইকেলের পিছনে চাপলেন। আমি জানি অন্য সময় হলে চাপতেন না—কিন্তু অপরাধী পালিয়ে যাচ্ছে, এ ছাড়া গতি নেই।

ট্যাক্সি বেরিয়ে চলে গেছে। আমি প্রাণপণে পেডাল করে চলেছি। জটায়ু আমার কোমর খামচে ধরেছেন। সাত বছর বয়সে সাইকেল চালাতে শিখেছি। ফেলুদাই শিখিয়েছিল। অ্যাদ্দিনে সেটা কাজে দিল।

বিশ মিনিটের পথ পাঁচ মিনিটে পৌঁছে গেলাম। ওই যে ফেলুদা—ওই যে ঘোটে, কুলকার্নি।

'ফেলুদা ! মিস্টার মল্লিক পালিয়েছেন—সেই আমেরিকানের ট্যাক্সিতে—এই পাঁচ মিনিট আগে !'

এই একটা খবরের দরুন কয়েক মুহূর্তের মধ্যে এত রকম ঘটনা ঘটে গেল যে, এখনও ভাবতে মাথা ভোঁ ভোঁ করে। জিপও যে ইচ্ছে করলে ঘণ্টায় ষাট মাইল স্পিডে ছুটতে পারে সেটা এই প্রথম জানলাম। আমি আর জটায়ু পিছনে ঘাপটি মেরে বসে আছি, সামনে ড্রাইভারের পাশে ঘোটে আর ফেলুদা, দেখতে দেখতে ট্যাক্সি কাছে চলে আসছে, তারপর হর্ন দিতে দিতে সেটাকে ছাড়িয়ে এগিয়ে গিয়ে থামল, ক্রোড়পতি ল্যুইসনের চোখরাঙানি আর বাছাই বাছাই মার্কিনি গালির বিস্ফোরণ, আর তারই মধ্যে মল্লিকের ফ্যাকাসে মুখ, একবার বাধা দিতে গিয়ে কেঁচো হয়ে যাওয়া, আর তারপর ঘোটে তার সুটকেস খুলল, আর তা থেকে টার্কিশ টাওয়েলের প্যাঁচ খুলে বেরোল যক্ষীর মাথা, আর লালমোহনবাবুর হাঁফ ছেড়ে বলা এন্ডস ওয়েল দ্যাট অলস ওয়েল, আর ল্যুইসনের হাঁ হয়ে যাওয়া আর দুবার 'বাট...বাট' বলা, আর সবশেষে ল্যুইসন ট্যাক্সি করে আওরঙ্গাবাদ, আর আমরা বামাল সমেত চোর গ্রেপ্তার করে খুলদাবাদ।

মল্লিক অবিশ্যি এখন ঘোটের জিম্মায়। অর্থাৎ তিনি এখন খুলদাবাদ পুলিশ

আউটপোস্টের বাসিন্দা। ভদ্রলোক এত হতভম্ব হয়ে গিয়েছিলেন যে, কোনও কথাই বলতে পারেননি।

ঘোটে আমাদের গেস্ট হাউসে নামিয়ে দিলেন, কারণ কুলকার্নি ওখানে উৎসুক হয়ে অপেক্ষা করছিলেন। 'মিশন সাকসেসফুল' শুনে কুলকার্নি অবিশ্যি দারুণ খুশি হলেন, কিন্তু ফেলুদা যেন তার উৎসাহে খানিকটা ঠাণ্ডা জল ঢেলেই বলল যে, এখনও কাজ বাকি আছে। —'আর তা ছাড়া আপনি বম্বের ওই নাম্বারটা নিয়ে কিন্তু এনকোয়ারিটা করবেন, আর খবর পেলেই আমাকে জানাবেন।'

শেষের ইনস্ট্রাকশনটার ঠিক মানে বোঝা গেল না, তবে এটা নিয়ে মাথা ঘামানোর কোনও প্রয়োজন আছে বলেও মনে হল না।

কুলকার্নি সকলের জন্য কফি বলেছিলেন, সেটা খেতে খেতে হঠাৎ মনে পড়ল আমাদের ঘরে যে লোক ঢুকে জিনিসপত্তর ঘাঁটাঘাঁটি করেছে, আর রক্ষিতের ঘর থেকে রেনকোট চুরি গেছে, সে খবরটা ফেলুদাকে দেওয়া হয়নি। সেটা ওকে বলাতে ও কয়েক মুহূর্ত ভ্রূকুটি করে ভাবল। তারপর কুলকার্নিকে জিজ্ঞেস করল চৌকিদার লোকটি কেমন।

'কে, মোহনলাল ? ভেরি গুড ম্যান। সতেরো বছর চৌকিদারি করছে, কোনও দিন কেউ কমপ্লেন করেনি।'

ফেলুদা আরেকটু ভেবে বলল, 'কোনও জিনিস নেয়নি বলছিস ?'

আমি বেশ জোরের সঙ্গে মাথা নেড়ে না বললাম, আর সেই সঙ্গে এটাও বললাম যে রক্ষিত চৌকিদারের ছেলেকে সন্দেহ করছে।

'চলুন, লালমোহনবাবু—আপনি বলছেন লোকটা আপনার খাটে বসে খাট গরম করে দিয়েছিল—আপনার বাক্সে কী আছে একবার দেখে আসি। আমরা চলি, মিস্টার কুলকার্নি। এটা আপাতত আপনার জিম্মাতেই থাক।'

তোয়ালেতে মোড়া যক্ষীর মাথাটা ফেলুদা কুলকার্নিকে দিয়ে দিল। তিনি সেটা তাঁর আপিসের সিন্দুকে ঢুকিয়ে দিয়ে তাতে চাবি দিয়ে দিলেন। ফেলুদা বলে এল সে অল্পক্ষণের মধ্যেই ফিরবে।

বাংলোয় এসে আমাদের ঘরের দরজা বন্ধ করে ফেলুদা আমার আর লালমোহনবাবুর জিনিস খুব ভাল করে ঘেঁটে দেখল। জামাকাপড় ছাড়া লালমোহনবাবুর সুটকেসে যা ছিল তা হল একটা হোমিওপ্যাথিক ওষুধের বাক্স, দু খণ্ড অপরাধ-বিজ্ঞান, তাঁর নোটবুক, আর বেলুচিস্তানের বিষয়ে একটা ইংরিজি বই। নোটবুকটা ফেলুদা এতক্ষণ ধরে উলটে পালটে দেখল কেন সেটা বুঝতে পারলাম না। সব দেখাটেখা হয়ে গেলে বলল, 'যা আন্দাজ করছি তা যদি ঠিক হয়, তা হলে এসপার ওসপার যা হবার আজই হবে। আর তাই যদি হয়, তা হলে মনে হচ্ছে তোদের একটা জরুরি ভূমিকা নিতে হবে। সব সময় মনে রাখবি যে আমি আছি পেছনে, ভয়ের কিচ্ছু নেই। মল্লিকের অ্যারেস্টের কথা কাউকে বলবি না, এখন ঘর থেকে বেরোবি না। এমনিতেও হয়তো বেরোতে পারবি না, কারণ, মনে হয় বৃষ্টি আসছে।'

ফেলুদা কথাগুলো বলতে বলতে জানালার দিকে মুখ ফিরিয়েছিল, এখন দেখলাম ও নিঃশব্দে হেঁটে জানালার কাছটায় গিয়ে দাঁড়াল। আমারও চোখ গেল জানালার দিকে। এটা পশ্চিম দিক। এদিকে খানিক দূর ঘাস জমির পরে কতগুলো বড় বড় গাছ, তার মধ্যে ইউক্যালিপটাস গাছটা আমার চেনা। একজন লোককে গাছপালার পিছন থেকে বেরিয়ে এসে ঘাস পেরিয়ে আমাদের বাংলোর সামনের দিকে চলে আসতে দেখলাম। তার এক মিনিট পরেই লোকটা আমাদের খাবার ঘরে এসে ঢুকল, আর তার পরেই একটা দরজা চাবি দিয়ে খোলা, আর তারপর সেটাকে ভিতর থেকে বন্ধ করার শব্দ পেলাম।

ফেলুদা দুবার মাথা নেড়ে চাপা গলায় বলল—'ঠিক আছে, ঠিক আছে।'

লোকটা আর কেউ নন—আমাদের প্রতিবেশী মিস্টার রক্ষিত।

'আমার কাছ থেকে সময় মতো নির্দেশ পাবি, সেই অনুযায়ী কাজ করবি।'

এই শেষ কথাটুকু বলে ফেলুদা ঘর থেকে বেরিয়ে চলে গেল।

আমরা দুজনে ঘরে বসে রইলাম। বাইরে মেঘের গর্জন শোনা যাচ্ছে। বোধহয় কালো মেঘে সূর্যটা ঢেকে দিয়েছে বলে আলো কমে এসেছে।

বসে থাকতে থাকতে হঠাৎ কেন জানি মনে হল যে, মিস্টার রক্ষিতের চেয়ে বেশি রহস্যময় লোক আর কেউ নেই, কারণ ওর সম্বন্ধে আমরা প্রায় কিছুই জানতে পারিনি।

আর মল্লিক ? মল্লিক সম্বন্ধেও কি সব জেনে ফেলেছি ?

জানি না। হঠাৎ মনে হচ্ছে কিছুই জানি না। মনে হচ্ছে যে অন্ধকারে ছিলাম, এখনও সেই অন্ধকারেই আছি।

১০

বারোটার পর থেকেই তুমুল বৃষ্টি শুরু হল, আর তার সঙ্গে মেঘের গর্জন। ফেলুদা বলে গেছে আজকেই ক্লাইম্যাক্স, আর তাতে আমাদের হয়তো একটা ভূমিকা নিতে হবে। আমার কাছে সবই অন্ধকার, লালমোহনবাবুর কাছেও তাই। কাজেই ভূমিকাটা যে কী হতে পারে সেটা ভেবে কোনও লাভ নেই। মল্লিক অ্যারেস্টেড, যক্ষীর মাথা সিন্দুকে বন্দি, এর পরেও যে আর কী ঘটনা থাকতে পারে সেটা ভেবে বার করার সাধ্যি আমাদের নেই।

একটার সময় চৌকিদার এসে বলল খানা তৈয়ার হ্যায়। ফেলুদাকে ছাড়াই খেতে গেলাম। সে নিশ্চয়ই গেস্ট হাউসের বাবুর্চির রান্না খাচ্ছে। আমরা দুজনে টেবিলে বসার কয়েক মিনিটের মধ্যেই মিস্টার রক্ষিতও এসে পড়লেন। সকালে তাকে গোমড়া মনে হচ্ছিল, এখন দেখছি বেশ স্বাভাবিক মেজাজ। বললেন, 'এমন দিনে চাই খিচুড়ি। বাংলাদেশের খিচুড়ি কি আর এরা করতে জানে ? সঙ্গে ইলিশ মাছ ভাজা, ডিমের বড়া, বেগুনি...এ খাওয়ার জুড়ি নেই। এলাহাবাদেও আমি বাংলাদেশের অভ্যাস ছাড়িনি।' ভদ্রলোক যে খেতে ভালবাসেন সেটা বেশ বোঝা যায়। লালমোহনবাবুও তাঁর চেহারার অনুপাতে ভালই খান, তবে এখানের চালে কাঁকরটা তাঁর একেবারেই বরদাস্ত হচ্ছে না। দাঁতে পড়লেই এমন ভাব করছেন যেন মাথায় বাজ পড়ল।

ডালটা শেষ করে যখন মাংসটা পাতে ঢেলেছি তখন একটা গাড়ির আওয়াজ পেলাম। আর তারপরেই খ্যানখ্যানে গলায় 'চৌকিদার' বলে একটা হাঁক। চৌকিদার ব্যস্তভাবে একটা ছাতা নিয়ে বাইরে চলে গেল। মিস্টার রক্ষিত হাতের রুটিতে মাংস পুরে মুখে দিয়ে বললেন, 'এই দুর্যোগের দিনে আবার টুরিস্ট।'

সাদা গোঁফ সাদা ফ্রেঞ্চকাট দাড়িওয়ালা চশমা পরা একজন ভদ্রলোক বর্ষাতি খুলতে খুলতে ভেতরে এসে ঢুকলেন। পিছনে চৌকিদার, তার হাতে কুমিরের চামড়ার একটা আদ্যিকালের সুটকেস। ভদ্রলোক হিন্দিতে বলে দিলেন তিনি লাঞ্চ করে এসেছেন, তার জন্যে আর কোনও হ্যাঙ্গাম করতে হবে না। তারপর আমাদের দিকে ফিরে বাংলায় বললেন, 'কাকে নাকি অ্যারেস্ট করেছে শুনলাম ?'

ফেলুদার বারণ, তাই আমরা বোকার মতো চুপ করে রইলাম। রক্ষিত যেন একটু অবাক হয়েই বললেন, 'কাকে ? কখন ?'

'সাম ভ্যান্ডাল। গুহার ভেতর থেকে মূর্তির মুণ্ডু ভেঙে নিচ্ছিল—ধরা পড়েছে। অ্যাদ্দূর

এসে যদি দেখি কেভে ঢুকতে দিচ্ছে না তা হলেই তো চিত্তির। আপনারা এখনও কিছু শোনেননি?'

রক্ষিত বললেন, 'এখনও খবরটা এসে পৌঁছয়নি বাংলোয়।'

'এনিওয়ে—ধরা যে পড়েছে সেইটেই বড় কথা। এখানকার পুলিশের এলেম আছে বলতে হবে।'

ভদ্রলোক তাঁর ঘরে ঢুকে যাবার বেশ কিছুক্ষণ পর অবধি শুনলাম তিনি আপন মনে বকবক করছেন। ছিটগ্রস্ত।

আড়াইটে নাগাদ বৃষ্টি থামল।

তিনটের কিছু পরে পশ্চিমের জানালা দিয়ে দেখলাম সেই ফ্রেঞ্চকাট দাড়ি দূরের ইউক্যালিপটাস গাছটার দিকে যাচ্ছে।

পাঁচ মিনিট পরে দেখলাম তিনি ফিরে আসছেন।

প্রায় সাড়ে চারটের সময় যখন চা নিয়ে এল তখন হঠাৎ খেয়াল করলাম যে দরজার সামনে মেঝেতে একটা ভাঁজ করা সাদা কাগজ পড়ে আছে। খুলে দেখলাম সেটা ফেলুদার মেসেজ—

'পনেরো নম্বর গুহায় যাবি সন্ধ্যা সাতটায়। দোতলায় দক্ষিণ-পূর্ব কোণে অপেক্ষা করবি।'

ফেলুদা নেপথ্যে থেকে ক্যামপেন চালিয়ে যাচ্ছে। এ এক নতুন ব্যাপার বটে।

এ জিনিস এর আগে কখনও হয়নি।

বৃষ্টি আর নামেনি। সাড়ে ছটায় যখন বাংলো থেকে বেরোচ্ছি তখন ফ্রেঞ্চকাট আর রক্ষিত দু জনেই যে-যার ঘরে রয়েছে, কারণ দুটো ঘরেই বাতি জ্বলছে। রাস্তায় বেরিয়ে এসে লালমোহনবাবু বার আষ্টেক বিড়বিড় করে দুর্গা দুর্গা বললেন। আমার নিজের মনের ভাব আমি লিখে বোঝাতে পারব না, তাই চেষ্টাও করব না। হাত দুটো ঠাণ্ডা হয়ে গিয়েছিল তাই

পকেটের ভিতর গুঁজে দিলাম।

সাতটা বাজতে দশ মিনিটে আমরা কৈলাসের কাছে পৌঁছলাম। পশ্চিমের আকাশে এখনও যথেষ্ট আলো রয়েছে, কারণ জুন মাসে এখানে সাড়ে ছটার পরে সূর্যাস্ত হয়। যেদিকে পাহাড় আর গুহা সেদিকটা অন্ধকার হয়ে এসেছে, তবে আকাশে মেঘ নেই।

আমরা কৈলাস থেকে ডানদিকে মোড় নিলাম। পরের গুহাটাই পনেরো নম্বর গুহা। দশাবতার গুহা। খাদের উপর থেকে এরই সামনে ফেলুদা নুড়ি পাথর ফেলেছিল।

গুহার সামনে পাহারা নেই। আমরা দুজনে এগিয়ে গেলাম। প্রথমে একটা প্রকাণ্ড চাতাল, তার মাঝখানে একটা ছোট্ট মন্দির। আশেপাশে দেখার সময় নেই, তাই আমরা চাতাল পেরিয়ে বেশ কয়েক ধাপ সিঁড়ি উঠে গুহার মধ্যে ঢুকলাম।

এটা নীচের তলা। আমাদের যেতে হবে দোতলায়। সঙ্গে টর্চ আছে, কিন্তু এখনও তার প্রয়োজন হচ্ছে না। উত্তর-পশ্চিম কোণে দোতলায় ওঠার সিঁড়ি। আর কেউ গুহার মধ্যে আছে কি না জানি না, তাই যতটা সম্ভব শব্দ না করে আমরা দোতলায় উঠতে লাগলাম।

দেড়তলায় উঠে একটা খোলা জায়গা। সেখানে দেয়ালের গায়ে দেবদেবীর মূর্তি রয়েছে। আরও খানিকটা উঠে গিয়ে আমরা তিন দিক বন্ধ একটা প্রকাণ্ড হল ঘরে পৌঁছলাম। সারি সারি কারুকার্য করা থাম হলের ছাতটাকে মাথায় নিয়ে দাঁড়িয়ে আছে। উত্তর আর দক্ষিণের দেয়ালে আশ্চর্য সব পৌরাণিক দৃশ্য খোদাই করা।

ফেলুদার নির্দেশ অনুযায়ী আমরা দক্ষিণ-পূর্ব কোণের দিকে এগিয়ে চললাম। এদিকটা ক্রমে আলো থেকে দূরে সরে এসেছে, তাই টর্চ জ্বালতে হল। নিশ্চয় আর কেউ নেই, অন্তত শত্রুপক্ষের কেউ নেই, না হলে ফেলুদা আমাদের আসতে বলত না—এই ভরসাতেই আমরা টর্চ জ্বেলেছি। ওই যে থামের ডানদিকের পিছনে দেখা যাচ্ছে অন্ধকার ঘুপচি কোণ।

আমরা এগিয়ে গেলাম। নীচে সিঁড়ি ওঠার আগেই পা থেকে স্যান্ডাল খুলে নিয়েছিলাম, এখন দেখছি পাথর বেশ ঠাণ্ডা। জায়গায় পৌঁছে আবার স্যান্ডাল পরে নিলাম। তেরোশো বছর আগে পাহাড়ের গা কেটে তৈরি খোদাই করা পৌরাণিক দৃশ্যে ভরা গুহার ভেতর কী ঘটনা ঘটতে যাচ্ছে তার কোনও ধারণা এখন পর্যন্ত করে উঠতে পারিনি।

কতক্ষণ অপেক্ষা করতে হবে জানি না ; একটানা দাঁড়িয়ে থাকলে পা ধরে যাবে বলে আমরা দুজনেই গুহার কোণে দেয়ালে ঠেস দিয়ে বসেছি, এমন সময় একটি জিনিসে চোখ পড়াতে বুকের ভিতরটা ধক করে উঠল।

আমাদের সামনে হাত পাঁচেক দূরে একটা থামের পাশে আবছা অন্ধকারে একটা আলগা জিনিস পড়ে আছে। একটা লাল রঙের জিনিস। আর তার তলায় চাপা দেওয়া একটা চৌকো সাদা জিনিস।

লালমোহনবাবু ফিস ফিস করে বললেন, 'একটা কাগজ বলে মনে হচ্ছে।'

দুজনে এগিয়ে গিয়ে যা দেখলাম তাতে মাথাটা বেশ কয়েকবার ঘুরে গেল, আর সেই সঙ্গে রহস্যটাও আরও ভালভাবে জট পাকিয়ে গেল।

তলার জিনিসটা কাগজই বটে, আর পেপার ওয়েট-টা হল—ভুবনেশ্বরের যক্ষীর মাথা!—যেটা আজই সকালে মল্লিকের সুটকেস থেকে বেরিয়ে কুলকার্নির সিন্দুকে লুকিয়ে ছিল।

অন্ধকার বেশ বেড়েছে, তাই কাগজের লেখাটা পড়তে আবার টর্চ জ্বালতে হল।—

'মাথাটা আপনার কাছে রাখুন। চাইলে দিয়ে দেবেন।'

এটা ফেলুদা লালমোহনবাবুকে উদ্দেশ করে লিখেছে। লালমোহনবাবু ধরা গলায় 'জয় মা তারা' বলে মাথাটাকে দুহাতে তুলে নিয়ে বগলদাবা করে নিজের জায়গায় নিয়ে এলেন।

আমি কাগজটা পকেটে পুরলাম।

বাইরে ফিকে চাঁদের আলো। থামের ফাঁক দিয়ে পশ্চিমের আকাশ দেখা যাচ্ছে, সে আকাশের রং এখন আশ্চর্যরকম বেগুনি।

ক্রমে সে রং বদলাল। চাঁদ বোধহয় বেশ ভাল ভাবে উঠেছে। গুহার মধ্যে জমাট বাঁধা অন্ধকারটা আর নেই।

'আটটা!'—লালমোহনবাবু যেন অনেকক্ষণ চেপে রাখা নিশ্বাস ছেড়ে কথাটা বললেন।

একটা অতি ক্ষীণ শব্দ। সিঁড়ি দিয়ে কে যেন উঠছে। ধীরে ধীরে অতি সাবধানে পা ফেলছে। এইবার শব্দ বদলাল। এবার সমতল মেঝেতে হাঁটছে। এবারে দুই থামের ফাঁক দিয়ে দেখা গেল। লোকটা থেমেছে—এদিক ওদিক দেখছে। একটা খচ শব্দের সঙ্গে সঙ্গে একটা লাইটার জ্বলে উঠল। এক সেকেন্ডের আলো, কিন্তু তাতেই মুখ চেনা হয়ে গেছে।

জয়ন্ত মল্লিক।

আবার মাথা গণ্ডগোল হয়ে গেল। এবার যদি মরা মানুষ শুভঙ্কর বোসও এসে হাজির হন তা হলেও আশ্চর্য হব না।

মল্লিক এগিয়ে এলেন, তবে আমাদের দিকে নয়। তিনি অন্য দিকের কোণে যাচ্ছেন। উত্তর-পূর্ব দিক। ওদিকে গাঢ় অন্ধকার। ভদ্রলোক সেই দিকে এগিয়ে গিয়ে অন্ধকারে হারিয়ে গেলেন।

আমাদের গলা শুকিয়ে কাঠ হয়ে গেছে, আর আমার মন বলছে—ফেলুদা কোথায়?...ফেলুদা কোথায়?...ফেলুদা কোথায়?... লালমোহনবাবু বাক্স রহস্যের ঘটনার পর বলেছিলেন ডিটেকটিভ উপন্যাস লেখা ছেড়ে দেবেন, কারণ বাস্তব জীবনে বানানো গল্পের চেয়ে অনেক বেশি অবিশ্বাস্য আর রোমাঞ্চকর সব ঘটনা ঘটে। এই যক্ষীর মাথার ঘটনার পরে উনি কী বলবেন কে জানে!

চাঁদের আলো বেড়েছে। দূরে একটা কুকুর ডাকল। তারপর আরেকটা। তারপর থমথমে চুপ।

তারপর আরেকটা শব্দ।

আরেকজন উঠছে সিঁড়ি দিয়ে।

এবার মেঝে দিয়ে হাঁটছে। এবার দুই থামের ফাঁক দিয়ে দেখা গেল তাকে। এখনও চেনা যাচ্ছে না। এবার সে লোক এগিয়ে এল। এবার আমাদেরই দিকে। প্রায় নিঃশব্দে এগিয়ে আসছে। এক পা এক পা করে।

হঠাৎ চোখের সামনে চোখধাঁধানো আলো। লোকটা টর্চ জ্বেলেছে। শুধু টর্চই দেখছি, লোকটাকে দেখছি না। টর্চটা আমাদের উপর ফেলা। সেটা এগিয়ে এল। থামল। তারপর একটা চেনা গলার স্বর—চাপা, কিন্তু কথাগুলো ভীষণ স্পষ্ট—

'বামন হয়ে চাঁদে হাত? অ্যাঁ, বাছাধন? আবার হুমকি দিয়ে চিঠি লিখতে শেখা হয়েছে?—দশাবতার গুহায় আটটার সময় আসিবেন...সঙ্গে পাঁচশত টাকা আনিবেন...তবে আপনার যাহা খোয়া গিয়াছে তাহা পাইবেন, নতুবা...এ সব কোত্থেকে শেখা হল, ইতিহাসের অধ্যাপক? কথাগুলো কানে ঢুকছে না, এখনও কালা সেজে বসে আছ? এই ব্যাপারে তুমি জড়ালে কী করে? খাতায় আবার নোট করা রয়েছে দেখলাম—ফকার ফ্রেন্ডশিপ ক্র্যাশ, ভুবনেশ্বরের যক্ষী, কৈলাসের মন্দির, প্লেনের টাইম...। আবার সঙ্গে একটা নাবালককে রেখেছ কেন? ও কি তোমার বডিগার্ড? আমার ডান হাতে কী আছে দেখতে পাচ্ছ কি?'

মিস্টার রক্ষিত। এক হাতে পিস্তল, এক হাতে টর্চ।

লালমোহনবাবু দুবার 'আমি' 'আমি' বলে থেমে গেলেন। রক্ষিতের চাপা হুমকিতে গুহার

ভেতরটা কেঁপে উঠল—

'আমি আমি ছাড়ো ! আসল মাল কোথায় ?'

'এই যে । আপনার জন্যই...'

লালমোহনবাবু যক্ষীর মাথাটা রক্ষিতের দিকে এগিয়ে দিলেন । ভদ্রলোক পিস্তলের হাত ঠিক রেখে, টর্চের হাত দিয়ে মাথাটাকে বগলদাবা করে নিয়ে ঝাঁঝালো সুরে বললেন, 'এ সব ব্যবসা সকলকে মানায় না, বুঝেছ ? যেমন ছোট মুখে বড় কথা মানায় না, তেমন ছোট বুকে বড় সাধ মানায় না ।'

মিস্টার রক্ষিতের কথা হঠাৎ থেমে গেল । কারণ, একটা আশ্চর্য ঘটনা ঘটছে গুহার ভিতর ।—বাইরের দিক থেকে একটা ধোঁয়ার কুণ্ডলী গুহার ভিতর ঢুকে চারদিক ছেয়ে ফেলছে, আর তার ফলে কালো কালো থামগুলো যেন তালগোল পাকিয়ে অদৃশ্য হয়ে আসছে ।

সেই ধোঁয়ার ভিতর থেকে হঠাৎ একটা গমগমে গলার স্বর শোনা গেল । ফেলুদার গলা । পাথরের মতো ঠাণ্ডা আর কঠিন সে গলা—

'মিস্টার রক্ষিত, আপনার দিকে, একটি নয়, এক জোড়া পিস্তল সোজা তাগ করা রয়েছে । আপনি নিজের পিস্তলটা নামিয়ে ফেলুন ।'

'কী ব্যাপার ? এ সবের অর্থ কী ?' মিস্টার রক্ষিত কাঁপা গলায় চেঁচিয়ে উঠলেন।

'অর্থ খুবই সহজ', ফেলুদা বলল—'আপনার অপরাধের শাস্তি দিতে এসেছি আমরা। অপরাধ একটা নয়—অনেকগুলো। প্রথম হল—ভারতের অমূল্য শিল্পসম্পদকে নির্মমভাবে ধ্বংস করা ; দ্বিতীয়, এই শিল্পসম্পদকে অর্থের লোভে বিদেশিদের কাছে বিক্রি করা ; আর তৃতীয়—শুভঙ্কর বোসকে নির্মমভাবে হত্যা করা।'

'মিথ্যে ! মিথ্যে !'—রক্ষিত চিৎকার করে উঠলেন। —'শুভঙ্কর বোস খাদের উপর থেকে পা হড়কে...'

'মিথ্যেটা আমি বলছি না, বলছেন আপনি। যে শাবল দিয়ে আপনি তাকে মেরেছিলেন সেই শাবল রক্তমাখা অবস্থায় খাদ থেকে পঞ্চাশ হাত দূরে একটা মনসার ঝোপের ভিতর পাওয়া গেছে। শুভঙ্কর বোস জ্যান্ত অবস্থায় খাদে পড়লে তিনি নিশ্চয় চিৎকার করতেন ; অথচ কৈলাসের পাহারাদার কোনও চিৎকার শোনেনি। আর তা ছাড়া আপনার একটা নীল শার্ট আপনি বাংলোর পুবদিকে গাছপালার মধ্যে লুকিয়ে রেখে এসেছিলেন। সেটা আমিই গিয়ে উদ্ধার করি। এই শার্টের একটা অংশ একটু ছেঁড়া। মিলিয়ে দেখলে দেখা যাবে যে শুভঙ্কর বোসের—'

মিস্টার রক্ষিত হঠাৎ একটা লাফ দিয়ে ধোঁয়ার মধ্যে দিয়ে পালাবার চেষ্টা করতেই নিমেষের মধ্যে তিনজন জাঁদরেল লোকের হাতে বন্দি হয়ে গেলেন। ডানদিকে জয়ন্ত মল্লিকের টর্চ জ্বলে উঠল। সেই আলোতে দেখলাম মেক-আপ ছাড়া ফেলুদাকে, মিস্টার ঘোটেকে, আর আরেকটি লোক, যে মিস্টার ঘোটের হুকুমে রক্ষিতের হাতে হাতকড়া পরিয়ে দিল।

ফেলুদা এবার জয়ন্ত মল্লিকের দিকে ফিরে বলল, 'মিস্টার মল্লিক, এবার আপনাকে একটা কাজ করতে হবে। ওই যে পিছনের গুহাটা দেখছেন, ওর মধ্যে গিয়ে দেখুন, বাঁদিকের কোনায় মিস্টার রক্ষিতের রেনকোটটা রয়েছে। ওটা নিয়ে আসুন। আয় তপ্‌সে—এই ধোঁয়ার মধ্যে আর বেশিক্ষণ থাকা চলবে না। আসুন লালমোহনবাবু !'

গেস্ট হাউসের ডাইনিং টেবিলে বসে ডিনার খেতে খেতে ফেলুদা আমাদের মনের ধোঁয়া দূর করছে। আমরা তিনজন ছাড়া রয়েছে মিস্টার মল্লিক, কুলকার্নি আর ঘোটে। হিন্দি আর ইংরিজি মিশিয়ে কথা হচ্ছে, আমি সেটা বাংলাতেই লিখছি। ফেলুদা বলল—

'প্রথমেই বলে রাখি মিস্টার রক্ষিতের আসল নাম হল চট্টোরাজ। উনি একটি গ্যাং বা দলের সভ্য, যার ঘাঁটি হল দিল্লি। এই দলের উদ্দেশ্য হল ভারতের ভাল ভাল মন্দির থেকে মূর্তি বা মূর্তির মাথা ভেঙে নিয়ে বিদেশিদের কাছে বিক্রি করা। এই ধরনের দল হয়তো আরও আছে। আপাতত এই একটি দলকে শায়েস্তা করার রাস্তা আমরা পেয়েছি, কারণ চট্টোরাজকে আমরা এই ঘাঁটির হদিস এবং এর অন্যান্য সভ্যদের নাম বলতে বাধ্য করেছি। ভুবনেশ্বরের যক্ষীর মাথা চট্টোরাজই চুরি করেন, চট্টোরাজই সেটা কলকাতায় আনেন, চট্টোরাজই সেটা সিলভারস্টাইনের কাছে বিক্রি করেন, আবার প্লেন ক্র্যাশ হবার পর চট্টোরাজই সিদিকপুরে গিয়ে পানু নামক ছেলেটির কাছ থেকে দশ টাকা দিয়ে সেটা উদ্ধার করে আনেন, এবং সেই মূর্তি সমেত চট্টোরাজই ল্যুইসনকে ধাওয়া করে এলোরায় আসেন। এখানে আসার কারণ হল এক ঢিলে দুই পাখি মারা। এক পাখি হল ল্যুইসনের কাছে সেটা বিক্রি করা, আর দ্বিতীয় হল কৈলাস থেকে আরেকটি কোনও টাটকা নতুন মাথা সরিয়ে নিয়ে যাওয়া। আমরা জানি এই দুটোর একটা উদ্দেশ্যও সফল হয়নি। ল্যুইসন মূর্তি কিনতে রাজি হন, কিন্তু সেটা তাঁকে দেবার আগেই চট্টোরাজের হাত ছাড়া হয়ে যায়, ফলে তাকে ল্যুইসনের

গালিগালাজ শুনতে হয়। আর মূর্তি চুরির ব্যাপারটা ভণ্ডুল হয় একবার শুভঙ্কর বোসের অতর্কিত আবির্ভাবে, আর তার কিছু পরেই দশাবতার গুহার সামনে একটি নুড়ি পাথর ফেলার দরুন।'

ফেলুদা বোধহয় দম নেবার জন্য চুপ করল। আমার মাথা গুলিয়ে গেছে। আমি না বলে পারলাম না—'আর মিস্টার মল্লিক?'

ফেলুদা তার একপেশে হাসি হেসে বলল, 'মিস্টার মল্লিকের ব্যাপারটা খুবই সহজ। এতই সহজ যে প্রথমে আমিও ধরতে পারিনি। মিস্টার মল্লিক চট্টোরাজকে ধাওয়া করছিলেন।'

'কেন?'

'যে কারণে আমি মিস্টার মল্লিককে ধাওয়া করছিলাম, ঠিক সেই একই কারণে। অর্থাৎ তিনিও মূর্তিটাকে উদ্ধার করতে চাচ্ছিলেন। অবিশ্যি এইখানেই মিলের শেষ নয়। ওঁর আর আমার পেশাও এক। উনিও আমারই মতো একজন প্রাইভেট ডিটেকটিভ।'

আমি অবাক হয়ে মিস্টার মল্লিকের দিকে চাইলাম। ভদ্রলোকের ঠোঁটের কোণে হাসি, তাঁর দৃষ্টি ফেলুদার দিকে।

ফেলুদা বলে চলল, 'আমরা ফোন করে জেনেছি উনি বম্বের ভার্গব এজেন্সি নামে একটা প্রাইভেট ডিটেকটিভ কোম্পানির সঙ্গে যুক্ত। এই কোম্পানির মালিক বাঙালি, নাম ঘোষ। এদেরই একটা তদন্তের ব্যাপারে মল্লিক কিছুদিন হল কলকাতায় আসেন, ওঁর এক বন্ধুর অবর্তমানে কুইন্স ম্যানসনে তাঁর ফ্ল্যাটে থাকেন, তাঁর গাড়ি ব্যবহার করেন। এই সব এজেন্সি সাধারণত মামুলি অপরাধের তদন্ত করে থাকে। কিন্তু মিস্টার মল্লিকের তাতে মন ভরছিল না। তিনি চাইছিলেন গোয়েন্দা হিসেবে খ্যাতি অর্জন করতে। তাই না, মিস্টার মল্লিক?'

মিস্টার মল্লিক বললেন, 'ঠিক কথা। আর সেই সুযোগটা এসে যায় খুব আশ্চর্যভাবে। তদন্তের ব্যাপারেই গত বিষ্যুদবার গিয়েছিলাম নগরমলের দোকানে। সেখানে আমারই সামনে একটি মার্কিন ভদ্রলোক নগরমলকে একটা মূর্তির মাথা দেখালেন। আমার আর্ট সম্বন্ধে একটু আধটু জ্ঞান আছে, কিন্তু মাথাটা তখন আমার মনে কোনও দাগ কাটেনি। শুধু জেনেছিলাম যে সাহেবের নাম সিলভারস্টাইন, আর উনি অত্যন্ত ধনী। পরদিন সকালে কাগজে ভুবনেশ্বরের মন্দিরের খবরটা পড়ি, আর তার আধ ঘণ্টার মধ্যে রেডিয়োতে শুনি যে সিলভারস্টাইন সিদিকপুরের কাছে প্লেন ক্র্যাশে মারা গেছে। তখনই মনে হয় মূর্তিটাকে উদ্ধার করতে পারলে আমার নাম হতে পারে। সে কথা তক্ষুনি বম্বেতে ফোন করে আমার বসকে জানিয়ে দিই। উনি তাতে রাজি হন। বলেন—কী হয় আমাকে ফোন করে জানিয়ো। আমি কাজে লেগে যাই। কিন্তু আমার ভাগ্য খারাপ। আমি সিদিকপুরে পৌঁছানোর পাঁচ মিনিট আগে আরেকটি ভদ্রলোক গিয়ে গ্রামের ছেলেদের কাছ থেকে মূর্তি আদায় করে নেন। ঘটনাটা ঘটে আমার চোখের সামনে, কিন্তু তখন আমার পক্ষে এ বিষয়ে কিছু করার উপায় ছিল না। আমি ঠিক করি ভদ্রলোককে ফলো করব। কিন্তু—'

'ভদ্রলোকের গাড়ির রংটা মনে আছে?'—ফেলুদা মল্লিকের কথার উপর প্রশ্ন করল।

'আছে বইকী। নীল রঙের ফিয়াট গাড়ি। সেটাকে ফলো করলাম, কিন্তু সেখানেও ব্যাড লাক—বারাসতের কাছকাছি টায়ার পাংচার হয়ে গেল, ভদ্রলোক তখনকার মতো আমার হাতছাড়া হয়ে গেলেন। কিন্তু ততক্ষণে আমার গোঁ চেপে গেছে। আমি জানি উনি আবার মূর্তিটা বেচবেন। চলে গেলাম গ্র্যান্ড হোটেলে। শেষ পর্যন্ত ভদ্রলোকের দেখা পেলাম, তাকে ধাওয়া করে রেলওয়ে আপিসে গিয়ে তার দেখাদেখি আওরঙ্গাবাদের টিকিট কিনলাম। তার হাতের ব্যাগের ওজন দেখে মনে হচ্ছিল তিনি তখন পর্যন্ত মূর্তিটা বিক্রি করতে

পারেননি। টিকিট কিনে বম্বেতে আমার আপিসে খবরটা জানিয়ে দিলাম।'

ফেলুদা বলল, 'জানি। আপনি বলেছিলেন মেয়ে বাপের বাড়ি চলে এসেছে। বাপ যে আসলে চট্টোরাজ, আপনি নন, সেটা তখন বুঝতে পারিনি।'

মল্লিক বললেন, 'যাই হোক এখানে এসে প্রথম থেকেই আমি মূর্তিটা হাত করার সুযোগ খুঁজি। আমি জানতাম যে চোরাই মাল উদ্ধার করার সঙ্গে সঙ্গে যদি চোরকে ধরে দিতে পারি তা হলে আরও বেশি নাম হবে ; কিন্তু সেটা সাহসে কুলোল না। যাই হোক—কাল রাত্রে কৈলাসের কাছে গিয়ে লুকিয়ে ছিলাম। যখন দেখলাম একে একে বাংলোর সবাই ঘুরতে বেরিয়েছে, তখন বাংলোয় গিয়ে জমাদারের দরজা দিয়ে চট্টোরাজের ঘরে ঢুকে মাথাটা নিয়ে আসি।'

ফেলুদা বলল, 'আপনার পেছনেও যে একজন গোয়েন্দা লেগেছে সেটা বুঝতে পেরেছিলেন কি ?'

'মোটেই না ! আর সেজন্যেই তো হঠাৎ ধরা পড়ে এত বোকা হয়ে গিয়েছিলাম !'

মিস্টার ঘোটে হো হো করে হেসে উঠলেন। ফেলুদা বলল, 'যখন দেখলাম আপনি এতখানি পথ ল্যুইসনের সঙ্গে গিয়েও তাকে মূর্তিটা গছাননি, তখনই প্রথম বুঝতে পারলাম যে আপনি নির্দোষ। তার আগে পর্যন্ত, আপনি গোয়েন্দা জেনেও, আপনার উপর থেকে আমার সবটুকু সন্দেহ যায়নি।'

'কিন্তু আপনি তো চট্টোরাজকে সন্দেহ করেছিলেন, তাই না ?'—প্রশ্ন করলেন মিস্টার মল্লিক।

ফেলুদা বলল, 'হ্যাঁ, কিন্তু প্রথমে সেটা ছিল শুধু একটা খটকা। যখন দেখলাম একটা পুরনো সুটকেসে নতুন করে নাম লেখা হয়েছে আর এন রক্ষিত, তখনই সন্দেহ হল—নামটা ঠিক তো ? তারপর কাল রাত্রে উনি রেনকোট পরে বেরিয়েছিলেন সে কথা লালমোহনবাবুর কাছে শুনি। পনেরো নম্বর গুহাতে একজন লোক ঢুকেছে সন্দেহ করে ওপর থেকে গুহার সামনে একটা নুড়ি পাথর ফেলি। ফলে অন্ধকারে লোকটা পালায়। ভেতরে গিয়ে খোঁজাখুঁজি করতে পেছন দিকের একটা ছোট গুহায় দেখি রেনকোট, আর তার বিরাট স্পেশাল পকেটে হাতুড়ি, ছেনি আর নাইলনের দড়ি। আমি ওগুলো সেইখানেই রেখে আসি। বুঝতে পারি চট্টোরাজ হলেন মূর্তিচোর। সেই রাত্রেই দেখলাম চট্টোরাজ তার ঘরে পাগলের মতো কী জানি খুঁজছেন। পরদিন সকালে শুনলাম আপনি বম্বেতে টেলিফোন করেছেন—মেয়ে ভাল আছে। বুঝলাম মূর্তি এখন আপনার কাছে। অথচ মুশকিল এই যে, মূর্তিটা হাত ছাড়া হলে আসল চোরকে শায়েস্তা করা যাবে না। তাই আপনাকে অ্যারেস্ট করতে হল।

'এ দিকে শুভঙ্কর বোসের অপঘাত মৃত্যু হয়েছে। তার ডেডবডি দেখতে গিয়ে হাতের মুঠো থেকে নীল কাপড়ের টুকরো পাওয়া গেল। আপনি রাত্রে নীল শার্ট পরেছিলেন, কিন্তু এদিকে আমার সন্দেহ চট্টোরাজের উপর পড়েছে। আসলে আমারও আগে চট্টোরাজ পৌঁছেছিলেন ডেডবডির কাছে। উনিই নাড়ি দেখার ভান করে নিজের একটা নীল শার্ট থেকে ছেঁড়া টুকরো শুভঙ্করের হাতে গুঁজে দেন—কারণ শুভঙ্করের মৃত্যুর জন্য অন্য কাউকে দায়ী করার প্রয়োজন ছিল। উনি নিজের শার্টটি অবিশ্যি পরে বাংলোর পশ্চিম দিকে গাছপালায় ভর্তি একটা নিরিবিলি জায়গায় লুকিয়ে রাখেন, আর আমি গিয়ে সেটা উদ্ধার করি।

'কিন্তু এত করেও যে সমস্যাটা বাকি রইল, সেটা হল কী করে চট্টোরাজকে ধরা যায়। একটা পথ পেলাম যখন শুনলাম যে কে জানি লালমোহনবাবুর ঘরে ঢুকে বাক্স ঘাঁটাঘাঁটি

করেছে। এ ব্যক্তি নিঃসন্দেহে চট্টোরাজ, কারণ তারই একটি মূল্যবান জিনিস খোওয়া গেছে। লালমোহনবাবুর বাক্সে লালমোহনবাবুর নোটবই ছিল, এবং তাতে যক্ষীর মাথা, প্লেন ক্র্যাশ ইত্যাদির উল্লেখ ছিল। এই খাতা চট্টোরাজ না পড়ে পারেন না এই আন্দাজে আমি লালমোহনবাবুর হাতের লেখা নকল করে চট্টোরাজকে যে চিঠিটা লিখলাম সেটার কথা জানেন। তার আগেই আমি চট্টোরাজকে নিশ্চিন্ত করার জন্য জানিয়ে দিলাম যে মূর্তি চোর ধরা পড়েছে—'

'সেই ফ্রেঞ্চকাট দাড়ি !'—আমি আর লালমোহনবাবু একসঙ্গে চেঁচিয়ে উঠলাম।

'হ্যাঁ !'—ফেলুদা হেসে বলল।—'সেটা আমার দু নম্বর ছদ্মবেশ। তোদের কাছাকাছি থাকার দরকার হয়ে পড়েছিল, কারণ লোকটা ডেঞ্জারাস। যাই হোক—চিঠির টোপ উনি বেমালুম গিলে ফেললেন। এবং তার ফলে যে কী হল সেটা আপনারা সকলেই জানেন। এবার এইটুকুই বলতে বাকি যে, এই যে গ্যাংটা ধরা হল, এর কৃতিত্বের অংশীদার ভার্গব এজেন্সির মিস্টার মল্লিক যাতে উপযুক্ত স্বীকৃতি পান সেটা আমি নিশ্চয় দেখব, আর—মিস্টার ঘোটের যাতে পদোন্নতি হয় সেটাও একান্তভাবে কামনা করব। মিস্টার কুলকার্নির ভূমিকাও যে সামান্য নয় সেটা বলাই বাহুল্য, আর সাহসের জন্য যদি মেডাল দিতে হয় তা হলে সেটা অবশ্যই পাবেন শ্রীমান তপেশ ও শ্রীযুক্ত লালমোহন গাঙ্গুলী।'

সকলের হাততালি শেষ হলে জটায়ু একটা কিন্তু কিন্তু ভাব করে বললেন, 'আমার বোমটা তা হলে আর কোনও কাজে লাগল না বলছেন ?'

ফেলুদা চোখ গোল গোল করে বলল, 'সে কী মশাই—এত যে ধোঁয়া হল সেটা এল কোত্থেকে ? ওটা তো আর এমনি এমনি বোমা নয়—একেবারে তিনশো ছাপ্পান্ন মেগাটন খাস মিলিটারি স্মোক-বম্ব !'

রয়েল বেঙ্গল রহস্য

১

মুড়ো হয় বুড়ো গাছ
হাত গোন ভাত পাঁচ
দিক পাও ঠিক ঠিক জবাবে।
ফাল্গুন তাল জোড়
দুই মাঝে ভুঁই ফোড়
সন্ধানে ধন্দায় নবাবে ॥

ফেলুদা বলল, 'আমাদের এবারের জঙ্গলের ঘটনাটা যখন লিখবি তখন ওই ছ লাইনের সংকেতটা দিয়ে আরম্ভ করিস।' সংকেতের ব্যাপারটা ঘটনার একটু পরের দিকে আসছে ; তাই যখন জিজ্ঞেস করলাম ওটা দিয়ে শুরু করার কারণটা কী, তখন ও প্রথমে বলল, 'ওটা একটা কায়দা। ওতে পাঠককে সুড়সুড়ি দেবে।' উত্তরটা আমার পছন্দ হল না বুঝতে পেরেই বোধহয় আবার দু মিনিট পরে বলল, 'ওটা শুরুতে দিলে গল্পটা যারা পড়বে তারা প্রথম থেকে মাথা খাটাতে পারবে।'

আমি ফেলুদার কথা মতোই সংকেতটা গোড়ায় দিচ্ছি বটে, কিন্তু এটাও বলে দিচ্ছি যে মাথা খাটিয়ে বোধহয় বিশেষ লাভ হবে না, কারণ সংকেতটা সহজ নয়। ফেলুদাকে অবধি প্যাঁচে ফেলে দিয়েছিল। অবিশ্যি ও বুঝিয়ে দেবার পর ব্যাপারটা আমার কাছেও বেশ সহজ বলেই মনে হয়েছিল।

এত দিন ফেলুদার সব লোমহর্ষক অ্যাডভেঞ্চারগুলো লেখার সময় আসল লোক আর আসল জায়গার নাম ব্যবহার করে এসেছি, এবার একজন বারণ করায় সেটা আর করছি না। নকল নামের ব্যাপারে অবিশ্যি ফেলুদার সাহায্য নিতে হয়েছে। ও বলল, 'জায়গাটা যে ভুটান-সীমানার কাছে সেটা বলতে কোনও আপত্তি নেই। নামটা করে দে লক্ষ্মণবাড়ি। যে ভদ্রলোক গল্পের প্রধান চরিত্র, তার পদবিটা সিংহরায় করতে পারিস। ও নামের জমিদার এ দেশে অনেক ছিল, আর তাদের মধ্যে অনেকেরই আদি নিবাস ছিল রাজপুতানায়, অনেকেই বাংলাদেশে এসে তোডরমল্লের মোগল সৈন্যের হয়ে পাঠানদের সঙ্গে যুদ্ধ করে শেষে বাংলাদেশেই বসবাস করে একেবারে বাঙালি ব'নে গিয়েছিল।'

আমি ফেলুদার ফরমাশ মতোই ঘটনাটা লিখছি। নামগুলোই শুধু বানানো, ঘটনা সব সত্যি। যা দেখেছিলাম, যা শুনেছিলাম, তার বাইরে কিছুই লিখছি না।

ঘটনার আরম্ভ কলকাতায়। ২৭ মে, রবিবার, সকাল সাড়ে ন'টা। তাপমাত্রা একশো ডিগ্রি ফারেনহাইট। গরমের ছুটি চলেছে। ফেলুদা কলকাতাতেই ফরডাইস লেনে একটা খুনের ব্যাপারে অপরাধীকে একটা আলপিনের ক্লু-এর সাহায্যে ধরে দিয়ে বেশ নাম-টাম কিনে দু পয়সা কামিয়ে ঝাড়া হাত-পা হয়ে একটু বিশ্রাম নিচ্ছে, আমি আমার ডাকটিকিটের অ্যালবামে কয়েকটা ভুটানের স্ট্যাম্প আটকাচ্ছি, এমন সময় জটায়ুর আবির্ভাব।

রহস্য-রোমাঞ্চ উপন্যাস লেখক লালমোহন গাঙ্গুলী ওরফে জটায়ু আজকাল মাসে অন্তত দু বার করে আমাদের বাড়িতে আসেন। ওঁর বইয়ের ভীষণ কাটতি, তাই রোজগারও হয় ভালই। সেই নিয়ে ভদ্রলোকের বেশ একটু দেমাকও ছিল, কিন্তু যেদিন থেকে ফেলুদা ওঁর গল্পের নানারকম তথ্যের ভুল দেখিয়ে দিতে শুরু করেছে, সেদিন থেকে লালমোহনবাবু ওকে বিশেষ সমীহ করে চলেন, আর নতুন কিছু লিখলেই ছাপার আগে ফেলুদাকে দেখিয়ে নেন।

এবার কিন্তু হাতে কাগজের তাড়া নেই দেখে বুঝলাম, ওঁর আসার কারণটা অন্য। ভদ্রলোক ঘরে ঢুকেই সোফায় বসে পকেট থেকে একটা সবুজ তোয়ালের টুকরো বার করে ঘাম মুছে ফেলুদার দিকে না তাকিয়ে বললেন, 'জঙ্গলে যাবেন?'

ফেলুদা তক্তাপোশের উপর কাত হয়ে শুয়ে থর হাইয়ারডালের লেখা 'আকু-আকু' বইটা পড়ছিল; লালমোহনবাবুর কথায় কনুইয়ে ভর করে খানিকটা উঠে বসে বলল, 'আপনার জঙ্গলের ডেফিনিশনটা কী?'

'একেবারে সেন্ট পারসেন্ট জঙ্গল। যাকে বলে ফরেস্ট।'

'পশ্চিম বাংলায়?'

'ইয়েস স্যার।'

'সে তো এক সুন্দরবন আর তেরাই অঞ্চল ছাড়া আর কোথায়ও নেই। সব তো কেটে সাফ করে দিয়েছে।'

'মহীতোষ সিংহরায়ের নাম শুনেছেন?'

প্রশ্ন করেই লালমোহনবাবু একটা মেজাজি হাসিতে তাঁর ঝকঝকে দাঁতের প্রায় চব্বিশটা এক সঙ্গে দেখিয়ে দিলেন। মহীতোষ সিংহরায়ের নাম আমিও শুনেছি। ফেলুদার কাছে ওঁর একটা শিকারের বই আছে— সে নাকি দারুণ বই।

'তিনি তো উড়িষ্যা না আসাম না কোথায় থাকেন না?'

লালমোহনবাবু বুক-পকেট থেকে সড়াৎ করে একটা চিঠি বার করে বললেন, 'নো স্যার। উনি থাকেন ডুয়ার্সে— ভুটান বর্ডারের কাছে। আমার লাস্ট বইটা ওঁকে উৎসর্গ করেছিলুম। আমার সঙ্গে চিঠি লেখালেখি হয়েছে।'

'আপনি তা হলে জ্যান্ত লোককেও বই উৎসর্গ করেন ?'

এখানে লালমোহনবাবুর উৎসর্গের ব্যাপারটা একটু বলা দরকার। ভদ্রলোক বিখ্যাত লোকদের ছাড়া বই উৎসর্গ করেন না, আর তাদের মধ্যে বেশির ভাগই মারা গেছে এমন লোক। যেমন, 'মেরুমহাতঙ্ক' উৎসর্গ করেছিলেন 'রবার্ট স্কটের স্মৃতির উদ্দেশে' 'গোরিলার গোগ্রাস'— 'ডেভিড লিভিংস্টোনের স্মৃতির উদ্দেশে', 'আণবিক দানব' (যেটা ফেলুদার মতে ম্যাক্সিমাম গাঁজা) 'আইনস্টাইনের স্মৃতির উদ্দেশে'। শেষটায় 'হিমালয়ে হৃৎকম্প' উৎসর্গ করতে গিয়ে লিখে বসলেন 'শেরপা-শিরোমণি তেনজিং নোরকের স্মৃতির উদ্দেশে'। ফেলুদা তো ফায়ার। বলল, 'আপনি জলজ্যান্ত লোকটাকে মেরে ফেলে দিলেন ?' লালমোহনবাবু আমতা-আমতা করে বললেন, 'ওরা তো কনস্ট্যান্ট পাহাড়ে চড়ছে—অনেক দিন কাগজে নাম-টাম দেখিনি তাই ভাবলুম পা-টা হড়কে গিয়ে বোধহয়...।' দ্বিতীয় সংস্করণে অবিশ্যি উৎসর্গটা শুধরে দেওয়া হয়েছিল।

মহীতোষ সিংহরায় খুব বড় শিকারি তাতে সন্দেহ নেই, কিন্তু তা বলে কি আর এদের মতো বিখ্যাত ? তবু তাকে উৎসর্গ করা হল কেন জিজ্ঞেস করাতে লালমোহনবাবু বললেন— বইটাতে জঙ্গলের ব্যাপারের অনেক কিছুই নাকি মহীতোষবাবুর 'বাঘে-বন্দুকে' বইটা থেকে নেওয়া। তারপর মুচকি হেসে জিভ কেটে বললেন, 'মায় একটি আস্ত ঘটনা পর্যন্ত। তাই ভদ্রলোককে একটু খুশি করা দরকার ছিল।'

'সে ব্যাপারে সফল হয়েছিলেন ?' ফেলুদা জিজ্ঞেস করল।

লালমোহনবাবু খাম থেকে চিঠিটা বার করে বললেন, 'নইলে আর এভাবে ইনভাইট করে ?'

'ইনভাইট তো আপনাকে করেছে, আমাকে তো করেনি।'

লালমোহনবাবু এবার যেন একটু বিরক্ত হয়েই ভুরু-টুরু কুঁচকে বললেন, 'আরে মশাই, আপনি একজন এলেমদার লোক, আপনার একটা ইয়ে আছে, আপনাকে না ডাকলে আপনি যাবেন না— এসব কি আর আমি জানি না ? চার মাসে বইটার চারটে এডিশন হওয়াতে ওঁকে আমি সুখবরটা দিয়ে একটা চিঠি লিখি। তাতে আপনার সঙ্গে যে আমার একটু মাখামাখি আছে, তারও একটা হিন্ট দিয়েছিলুম আর কী। তাতেই এই চিঠি। আপনি পড়ে দেখুন না। আমাদের দুজনকেই যেতে বলেছে।'

মহীতোষ সিংহরায়ের চিঠির শুধু শেষের কয়েকটা লাইন তুলে দিচ্ছি—

'আপনার বন্ধু শ্রীপ্রদোষ মিত্র মহাশয়ের ধুরন্ধর গোয়েন্দা হিসাবে খ্যাতি আছে বলিয়া শুনিয়াছি। আপনি তাঁহাকে সঙ্গে করিয়া আনিতে পারিলে তিনি হয়তো আমার একটা উপকার করিতে পারেন। কী স্থির করেন পত্রপাঠ জানাইবেন। ইতি।'

ফেলুদা কিছুক্ষণ চিঠিটার দিকে চেয়ে দেখে বলল, 'ভদ্রলোক কি বৃদ্ধ ?'

'বৃদ্ধের ডেফিনিশন ?' লালমোহনবাবু আধবোঁজা চোখে প্রশ্ন করলেন।

'এই ধরুন সত্তর-টত্তর।'

'নো স্যার। মহীতোষ সিংহরায়ের জন্ম নাইনটিন ফোরটিনে।'

'হাতের লেখাটা দেখে বুড়ো বলে মনে হয়েছিল।'

'সে কী মশাই, মুক্তোর মতো লেখা তো !'

'চিঠি না, সই। চিঠিটা লিখেছে সম্ভবত ওর সেক্রেটারি।'

ঠিক হল আগামী বুধবার আমরা লক্ষ্মণবাড়ি রওনা হব। নিউ জলপাইগুড়ি পর্যন্ত ট্রেন, তারপর ছেচল্লিশ মাইল যেতে হবে মোটরে। মোটরের ব্যবস্থা আমাদের করতে হবে না, মহীতোষবাবু তাঁর নিজের গাড়ি স্টেশনে পাঠিয়ে দেবেন।

জঙ্গলে যাবার কথা শুনে ফেলুদার মন যে নেচে উঠবে, আর সেই সঙ্গে আমারও, তাতে আশ্চর্যের কিছু নেই, কারণ আমাদের বংশেও শিকারের একটা ইতিহাস আছে। বাবার কাছে শুনেছি বড় জ্যাঠামশাই নাকি রীতিমতো ভাল শিকারি ছিলেন। আমাদের দেশ ছিল ঢাকার বিক্রমপুর পরগনার সোনাদীঘি গ্রামে। বড় জ্যাঠামশাই ময়মনসিংহের একটা জমিদারি এস্টেটের ম্যানেজার ছিলেন। ময়মনসিংহের উত্তরে মধুপুরের জঙ্গলে উনি অনেক বাঘ হরিণ বুনো শুয়োর মেরেছেন। আমার মেজো জ্যাঠা— মানে ফেলুদার বাবা—ঢাকা কলেজিয়েট স্কুলে অঙ্ক আর সংস্কৃতের মাস্টার ছিলেন। মাস্টার হলে কী হবে— মুগুর ভাঁজা শরীর ছিল তাঁর। ফুটবল ক্রিকেট সাঁতার কুস্তি সব ব্যাপারেই দুর্দান্ত ছিলেন। উনি যে এত অল্প বয়সে মারা যাবেন সেটা কেউ ভাবতেই পারেনি। আর অসুখটাও নাকি আজকের দিনে কিছুই না। ফেলুদার তখন মাত্র ন বছর বয়স। মেজো জেঠিমা তার আগেই মারা গেছেন। সেই থেকে ফেলুদা আমাদের বাড়িতেই মানুষ।

আমার আরেক জ্যাঠামশাই ছিলেন, তিনি তেইশ বছর বয়সে সংসার ছেড়ে সন্ন্যাসী হয়ে পশ্চিমে চলে যান ; আর ফেরেননি। তাঁরও নাকি অসাধারণ গায়ের জোর ছিল। আমার বাবা হলেন সব চেয়ে ছোট ভাই ; বড় জ্যাঠামশাইয়ের সঙ্গে প্রায় পঁচিশ বছর বয়সের তফাত। বাবার বোধহয় খুব বেশি গায়ের জোর নেই ; তবে মনের জোর যে আছে সেটা আমি খুব ভাল করেই জানি।

ফেলুদার প্রিয় বাংলা বই হল বিভূতিভূষণের 'আরণ্যক'। করবেট আর কেনেথ অ্যান্ডারসনের সব বই ও পড়েছে। নিজে শিকার করেনি কখনও, যদিও বন্দুক চালানো শিখেছে, রিভলভারে দুর্দান্ত টিপ, আর দরকার পড়লে যে বাঘও মারতে পারে সে বিষয়ে কোনও সন্দেহ নেই। তবে ফেলুদা বলে— জানোয়ারের মতি-গতি বোঝা মানুষের চেয়ে অনেক সহজ, কারণ জানোয়ারের মন মানুষের মতো জট পাকানো নয়। মানুষের মধ্যে যে সবচেয়ে বেশি সাদাসিধে, তারও মন একটা বাঘের মনের চেয়ে অনেক বেশি প্যাঁচালো। তাই একজন অপরাধীকে শায়েস্তা করাটা বাঘ মারার চেয়ে কম কৃতিত্ব নয়।

ট্রেনে যেতে যেতে ফেলুদা লালমোহনবাবুকে এই ব্যাপারটা বোঝাচ্ছিল। লালমোহনবাবুর হাতে মহীতোষ সিংহরায়ের লেখা তাঁর প্রথম শিকারের বই। বইয়ের প্রথমেই মহীতোষবাবুর ছবি, একটা মরা রয়াল বেঙ্গলের কাঁধে পা দিয়ে হাতে বন্দুক নিয়ে দাঁড়িয়ে আছেন। ছাপাটা তত ভাল নয় বলে মুখটা পরিষ্কার বোঝা যাচ্ছে না, তবে চওড়া চোয়াল, চওড়া কাঁধ, আর সরু লম্বা নাকের নীচে চাড়া দেওয়া চওড়া গোঁফটা বুঝতে অসুবিধা হয় না।

ছবিটার দিকে কিছুক্ষণ তাকিয়ে থেকে লালমোহনবাবু বললেন, 'ভাগ্যে আপনি যাচ্ছেন আমার সঙ্গে। এরকম একটা পার্সোনালিটির সামনে আমি তো একেবারে কেঁচো মশাই।'

লালমোহনবাবুর হাইট পাঁচ ফুট চার ইঞ্চি। প্রথমবার দেখে মনে হবে বাংলা ফিল্মে কিংবা থিয়েটারে হয়তো কমিক অভিনয়-টভিনয় করেন। কাজেই উনি অনেকের সামনেই কেঁচো। ফেলুদার সামনে তো বটেই।

ফেলুদা বলল, 'সরকার আইন করে শিকার বন্ধ করে দেবার ফলেই হয়তো ভদ্রলোক লেখার দিকে ঝুঁকেছেন।'

'আশ্চর্য বলতে হবে', লালমোহনবাবু বললেন, 'পঞ্চাশ বছর বয়সে প্রথম বই লিখলেন, কিন্তু পড়লেই মনে হয় একেবারে পাকা লিখিয়ে।'

'শিকারিদের মধ্যে এ জিনিসটা আগেও দেখা গেছে। করবেটের ভাষাও আশ্চর্য সুন্দর। হয়তো এটা জংলি আবহাওয়ার গুণ। পৌরাণিক যুগে যে সব মুনি-ঋষিরা বেদ-উপনিষদ লিখেছেন, তাঁরাও জঙ্গলেই থাকেন।'

শেয়ালদা ছাড়ার কিছুক্ষণ পর থেকেই লক্ষ করছিলাম, মাঝে মাঝে বিদ্যুৎ চমকাচ্ছে। মাঝ রাত্তিরে যখন নিউ ফারাক্কা স্টেশনে গাড়ি থামল, তখন ঘুম ভেঙে গিয়ে দেখি বাইরে তেড়ে বৃষ্টি হচ্ছে, আর তার সঙ্গে ঘন ঘন মেঘের গর্জন। সকালে নিউ জলপাইগুড়িতে পৌঁছে বুঝলাম এ দিকটায় মেঘলা হলেও, গত ক' দিনের মধ্যে বৃষ্টি হয়নি।

যে ভদ্রলোকটি আমাদের নিতে এলেন তিনি অবিশ্যি মহীতোষবাবু নন। ত্রিশের নীচে বয়স, রোগা, ফরসা, মাথার চুল উস্‌কো-খুস্‌কো, চোখে মোটা কাচের মোটা কালো ফ্রেমের চশমা। ভদ্রলোক আমাদের দেখে যে খুব একটা বাড়াবাড়ি রকম খাতিরের ভাব করলেন তা নয়, তবে তার মানে যে তিনি খুশি হননি সেটা নাও হতে পারে। মানুষের বাইরের ব্যবহার থেকে ফস করে তার মনের আসল ভাব সম্বন্ধে একটা ধারণা করে নেওয়াটা যে কত ভুল, সেটা ফেলুদা বার বার বলে। ভদ্রলোক নিজের পরিচয় দিয়ে বললেন তিনি মহীতোষবাবুর সেক্রেটারি। নাম তড়িৎ সেনগুপ্ত। আমাদের মধ্যে কোনজন প্রদোষ মিত্তির আর কোনজন লালমোহন গাঙ্গুলী সেটা ভদ্রলোক দিব্যি আন্দাজে ধরে ফেললেন।

স্টেশনের বাইরে মহীতোষবাবুর জিপ অপেক্ষা করছিল। আমরা দশ মিনিটের মধ্যে স্টেশনেই চা আর ডিম-টোস্ট খেয়ে নিয়ে জিপে গিয়ে উঠলাম। আমাদের তিনজনের দুটো সুটকেস, আর ফেলুদার একটা কাঁধে-ঝোলানো ব্যাগ ছাড়া মাল বলতে আর কিছুই নেই, কাজেই জিপে জায়গার অভাব হল না। গাড়ি ছাড়ার মুখে তড়িৎবাবু বললেন, 'মহীতোষবাবু নিজে আসতে পারলেন না বলে দুঃখিত। ওঁর দাদার শরীরটা ভাল নেই ; ডাক্তার এসেছিল, তাই ওঁকে থাকতে হল।'

মহীতোষবাবুর যে দাদা আছে সেটাই জানতাম না। ফেলুদা বলল, 'বেশি অসুখ কি ?' আমি বুঝতে পারছিলাম অসুখের বাড়িতে অতিথি হয়ে গিয়ে হাজির হতে ফেলুদার একটা কিন্তু কিন্তু ভাব হচ্ছিল।

তড়িৎবাবু বললেন, 'না। দেবতোষবাবুর অসুখ অনেক দিনের। মাথার ব্যারাম। এমনিতে বিশেষ ঝঞ্ঝাট নেই। উন্মাদ নন মোটেই। দু মাসে তিন মাসে এক-আধবার মাথাটা একটু গরম হয়, তখন ডাক্তার এসে ওষুধের বন্দোবস্ত করে দেন।'

'বয়স কী রকম ?' ফেলুদা জিজ্ঞেস করল।

'চৌষট্টি। মহীতোষবাবুর চেয়ে পাঁচ বছরের বড়। পণ্ডিত লোক ছিলেন। ইতিহাস নিয়ে অনেক পড়াশুনা করেছেন।'

গাড়ি থেকে উত্তর দিকে হিমালয় দেখা যাচ্ছে। ওই দিকেই দার্জিলিং। দার্জিলিং আমি তিনবার গেছি, কিন্তু এবার যেদিকে যাচ্ছি সেদিকে আগে কখনও যাইনি। আকাশে মেঘ জমে আছে, তাই গরমটা কম। মাঝে মাঝে রাস্তার ধারে চা বাগান পড়ছে। শহর ছাড়ার পর থেকেই দৃশ্য ক্রমে বদলে যাচ্ছে। এবার পুব দিকেও পাহাড় দেখা যাচ্ছে। তড়িৎবাবু বললেন, 'ওটাই ভুটান।'

তিস্তা পেরোবার কিছু পর থেকেই পথের ধারে জঙ্গল পড়তে লাগল। লালমোহনবাবু একপাল ছাগল দেখে হঠাৎ, 'হরিণ, হরিণ !' বলে চেঁচিয়ে উঠলেন। ফেলুদা বলল, 'তাও ভাল, বাঘ বলেননি।'

তড়িৎবাবুর কথায় জানলাম মহীতোষবাবুর বাড়ির পশ্চিম দিকে মাইল খানেকের মধ্যেই নাকি একটা জঙ্গল রয়েছে, তার নাম কালবুনি। সেখানে এককালে অনেক বাঘ ছিল, আর সে-সব বাঘ সিংহরায়রা শিকারও করেছেন। কিন্তু এখন বড় বাঘ বা রয়েল বেঙ্গল টাইগার আর আছে কি না সন্দেহ, যদিও মাস তিনেক আগে নাকি কালবুনিতে মানুষখেকো বাঘ আছে বলে একটা শোরগোল উঠেছিল।

'আসলে নেই ?' ফেলুদা জিজ্ঞেস করল।

তড়িৎবাবু বললেন, 'একদিন একটি আদিবাসী ছেলের মৃতদেহ পাওয়া গিয়েছিল জঙ্গলে, তার গায়ে বাঘের আঁচড় ছিল।'

'কিন্তু মাংস খায়নি ?'

'খেয়েছিল, কিন্তু সেটা বাঘ না হয়ে হায়না-জাতীয় কোনও জানোয়ারও হতে পারে।'

'মহীতোষবাবু কী বলেন ?'

'উনি তখন ছিলেন না। হাসিমারার দিকে ওঁর চা বাগান আছে, সেখানে গিয়েছিলেন। বনবিভাগের কর্তাদের ধারণা বাঘ, কিন্তু মহীতোষবাবু বিশ্বাস করতে রাজি হননি। অবিশ্যি বনবিভাগের লোক এই তিন মাস খোঁজাখুঁজি করেও সে বাঘের কোনও সন্ধান পায়নি।'

'আর-কোনও মানুষ খাওয়ার ঘটনাও ঘটেনি ?'

'না।'

মানুষখেকোর কথাটা শুনেই গায়ে কাঁটা দিয়ে উঠেছিল। অবিশ্যি এ ব্যাপারে মহীতোষবাবুর কথাটাই মানতে হবে নিশ্চয়ই। লালমোহনবাবু সব শুনে-টুনে 'হাইলি ইন্টারেস্টিং' বলে আরও বেশি ভুরু কুঁচকে জঙ্গলের দিকে দেখতে লাগলেন।

একটা ছোট নদী আর একটা বড় জঙ্গল পেরিয়ে, বাঁয়ে একটা গ্রামকে ফেলে আমাদের জিপ পিচ-বাঁধানো রাস্তা ছেড়ে একটা কাঁচা রাস্তা ধরল। তবে ঝাঁকুনি বেশিক্ষণ ভোগ করতে হল না। মিনিট পাঁচেক চলার পর গাছের উপর দিয়ে একটা পুরনো বাড়ির মাথা দেখা গেল। আরও এগোতে ক্রমে গাছপালা পেরিয়ে গেটওয়ালা প্রকাণ্ড বাড়িটার পুরোটাই দেখতে পেলাম। বাড়ির রং এককালে হয়তো সাদা ছিল, এখন সমস্ত গায়ে কালসিটে পড়ে গেছে। রং যা আছে তা শুধু জানালার কাচগুলোতে ; রামধনুর সাতটা রঙের কোনওটাই বাদ নেই।

শ্বেতপাথরের ফলকে 'সিংহরায় প্যালেস' লেখা গেটটা পেরিয়ে আমাদের জিপ বাড়ির গাড়ি-বারান্দার নীচে গিয়ে দাঁড়াল।

২

মহীতোষবাবু যে এত ফরসা সেটা ছবি দেখে বোঝা যায়নি। লম্বায় ফেলুদার কাছাকাছি, যতটা রোগা ভেবেছিলাম ততটা না, মাথার চুল ছবির চেয়ে অনেক বেশি পাকা, আর বয়সের তুলনায় বেশ ঘন। শিকারিরা জঙ্গলে গিয়ে ঘন্টার পর ঘণ্টা চুপ করে বসে থাকে বলে শুনেছি। ইনিও হয়তো তাই করেন, কিন্তু বাড়িতে কথা বলার সময় গলা থেকে যে গুরুগম্ভীর তেজীয়ান আওয়াজ বেরোয়, সেটা শুনলে হয়তো বাঘেরও চিন্তা হবে।

ভদ্রলোক আমাদের খাতির-টাতির করে ভিতরে নিয়ে গিয়ে একটা প্রকাণ্ড বৈঠকখানায় বসানোর প্রায় সঙ্গে সঙ্গে ফেলুদা ওঁর লেখার প্রশংসা করে বলল, 'আমি শুধু ঘটনার কথা বলছি না— সেগুলো তো খুবই অদ্ভুত— আমার মনে হয় সাহিত্যের দিক দিয়েও আপনার লেখার আশ্চর্য মূল্য আছে।'

বেয়ারা আমের শরবত এনে আমাদের সামনে শ্বেতপাথরের নিচু টেবিলের উপর রেখেছিল, মহীতোষবাবু 'আসুন' বলে সেগুলোর দিকে দেখিয়ে দিয়ে সোফায় হেলান দিয়ে পায়ের উপর পা তুলে বললেন, 'অথচ জানেন, আমি সবে এই বছর চারেক হল কলম ধরেছি। আসলে লেখাটা বোধহয় রক্তে ছিল। আমার বাপ-ঠাকুরদা দুজনেই সাহিত্যচর্চা করেছেন। অবিশ্যি তার আগে বিশেষ কেউ করেছেন বলে মনে হয় না। আমরা রাজপুতানার লোক, জানেন তো ? ক্ষত্রিয়। এক কালে মানুষের সঙ্গে যুদ্ধ করেছি। পরে মানুষ ছেড়ে জানোয়ার ধরেছি। এখন অবিশ্যি বন্দুক ছেড়ে একরকম বাধ্য হয়েই কলম ধরেছি।'

'উনি কি আপনার ঠাকুরদা ?'

আমাদের বাঁদিকের দেওয়ালে টাঙানো একটা অয়েল পেন্টিং-এর দিকে দেখিয়ে ফেলুদা প্রশ্নটা করল।

'হ্যাঁ, উনিই আদিত্যনারায়ণ সিংহরায়।'

একখানা চেহারা বটে। জ্বলজ্বলে চোখ, পঞ্চম জর্জের মতো দাড়ি আর গোঁফ, বাঁ হাতে বন্দুক ধরে ডান হাতটা আলতো করে একটা টেবিলের উপর রেখে বুক ফুলিয়ে দাঁড়িয়ে সোজা চেয়ে আছেন আমাদের দিকে।

'ঠাকুরদার সঙ্গে বঙ্কিমের চিঠি লেখালেখি ছিল, জানেন ? ঠাকুরদা তখন কলেজে পড়েন। 'বঙ্গদর্শন' বেরোচ্ছে। বঙ্কিমচন্দ্র লিখলেন 'দেবী চৌধুরানী'। আর সেই সূত্রেই ঠাকুরদা চিঠি দিলেন বঙ্কিমকে।'

'দেবী চৌধুরানী তো এই অঞ্চলেরই গল্প— তাই না ?' ফেলুদা প্রশ্ন করল।

'তা তো বটেই', মহীতোষবাবু বেশ উৎসাহের সঙ্গে বললেন, 'এই যে তিস্তা নদী পেরিয়ে এলেন, এই তিস্তাই হল গল্পের ত্রিস্রোতা নদী— যাতে দেবীর বজরা ঘোরাফেরা করত। অবিশ্যি বৈকুণ্ঠপুরের সে জঙ্গল আর নেই ; সব চা-বাগান হয়ে গেছে। গল্পে যে রংপুর জেলার কথা বলা হয়েছে, একশো বছর আগে আমাদের এই জলপাইগুড়ি সেই রংপুরের ভেতরেই পড়ত। পরে যখন পশ্চিম ডুয়ার্স বলে নতুন জেলা তৈরি হল, তখন জলপাইগুড়ি পড়ল তার মধ্যে, আর রংপুর হয়ে গেল আলাদা।'

'আপনারা শিকার আরম্ভ করলেন কবে ?'

প্রশ্নটা করলেন লালমোহনবাবু। মহীতোষবাবু হেসে বললেন, 'সে এক গল্প। আমার ঠাকুরদার খুব কুকুরের শখ ছিল, জানেন। ভাল কুকুরের খবর পেলেই গিয়ে কিনে আনতেন। এইভাবে জমতে জমতে পঞ্চাশটার উপর কুকুর হয়ে গিয়েছিল আমাদের বাড়িতে। দিশি বিলিতি ছোট বড় মাঝারি হিংস্র নিরীহ কোনওরকম কুকুর বাদ ছিল না। তার মধ্যে ঠাকুরদার যেটি সবচেয়ে প্রিয় ছিল সেটি একটি ভুটিয়া কুকুর। আমাদের এদিকে জল্পেশ্বরের শিবমন্দির আছে জানেন তো ? এককালে সেই মন্দিরকে ঘিরে শিবরাত্রির খুব বড় মেলা বসত। সেই মেলায় বিক্রির জন্য ভুটিয়ারা তাদের দেশ থেকে কুকুর আনত। ইয়া গাব্‌দা গাব্‌দা লোমশ কুকুর। ঠাকুরদা সেই কুকুর একটা কিনে পোষেন। সাড়ে তিন বছর বয়সে সেই কুকুর চিতাবাঘের কবলে পড়ে প্রাণ হারায়। ঠাকুরদার তখন জোয়ান বয়স। রোখ চাপল বাঘের বংশ ধ্বংস করে শোধ তুলবেন। বন্দুক এল। বন্দুক ছোঁড়া শেখা হল। ব্যস...দেড়শোর উপর শুধু বড় বাঘই মেরেছেন ঠাকুরদা তাঁর বাইশ বছরের শিকারি জীবনে। তা ছাড়া আরও অন্য কত কী যে মেরেছেন তার হিসেব নেই।'

'আর আপনি ?'

এ প্রশ্নটাও করলেন লালমোহনবাবু।

'আমি ?' মহীতোষবাবু হেসে ঘাড় কাত করে ডান দিকে চেয়ে বললেন, 'বলো না হে শশাঙ্ক।'

একটি ভদ্রলোক কখন যে ঘরে ঢুকে এক পাশে চেয়ারে এসে বসেছেন তা টেরই পাইনি।

'টাইগার ?' মৃদু হেসে প্রশ্ন করলেন নতুন ভদ্রলোকটি, 'তুমি লিখছ তোমার শিকার কাহিনী, তুমিই বলো না !'

মহীতোষবাবু এবার আমাদের দিকে ফিরে বললেন, 'থ্রি ফিগারসে পৌঁছতে পারিনি সেটা ঠিকই, তবে তার খুব কমও নয়। বাঘ মেরেছি একাত্তরটা, আর লেপার্ড পঞ্চাশের উপর।'

মহীতোষবাবু নতুন ভদ্রলোকটির সঙ্গে আলাপ করিয়ে দিলেন।

'ইনি হচ্ছেন শশাঙ্ক সান্যাল। আমার বাল্যবন্ধু। আমার কাঠের কারবারটা ইনিই দেখাশোনা করেন।'

বন্ধু হলে কী হবে, চেহারায় আর হাবভাবে আশ্চর্য বেমিল। শশাঙ্কবাবু লালমোহনবাবুর মতো বেঁটে না হলেও, পাঁচ ফুট সাত-আট ইঞ্চির বেশি নন, গায়ের রং মাঝারি, কথাবার্তা বলেন নিচু গলায়, দেখলেই মনে হয় চুপচাপ শান্ত স্বভাবের মানুষ। কোথাও নিশ্চয়ই দুজনের মধ্যে মিল আছে, যেটা এখনও টের পাওয়া যাচ্ছে না। নইলে বন্ধুত্ব হবে কী করে ?

'তড়িৎবাবুর কাছে একটা ম্যান-ইটারের কথা শুনছিলাম, সেটার আর কোনও খবর আছে কি ?' জিজ্ঞেস করলে ফেলুদা।

মহীতোষবাবু একটু নড়েচড়ে বসলেন।

'ম্যান-ইটার বললেই তো আর ম্যান-ইটার হয় না। আমি থাকলে দেখে ঠিক বুঝতে পারতাম। তবে যে জানোয়ারেই খেয়ে থাক, সে আর দ্বিতীয়বার নরমাংসের প্রতি লোভ প্রকাশ করেনি।'

ফেলুদা একটু হেসে বলল, 'যদি সত্যিই ম্যান-ইটার বেরোত, তা হলে আপনি অন্তত সাময়িকভাবে নিশ্চয়ই কলম ছেড়ে বন্দুক ধরতেন।'

'তা ধরতাম বইকী। আমারই এলাকায় যদি নরখাদক বাঘ উৎপাত আরম্ভ করে তবে তাকে শায়েস্তা করাটা তো আমার ডিউটি '

আমাদের শরবত খাওয়া হয়ে গিয়েছিল। মহীতোষবাবু বললেন, 'আপনারা ক্লান্ত হয়ে এসেছেন, আপনাদের ঘর দেখিয়ে দিচ্ছে, আপনারা স্নান খাওয়া সেরে একটু বিশ্রাম করে নিন। বিকেলের দিকে আমার জিপে করে আপনাদের একটু ঘুরিয়ে আনবে। জঙ্গলের ভিতর দিয়ে রাস্তা আছে, হরিণ-টরিণ চোখে পড়তে পারে, এমনকী হাতিও ! তড়িৎ, যাও তো, এঁদের ট্রোফি রুমটা একবার দেখিয়ে সোজা নিয়ে যাও এঁদের ঘরে।'

ট্রোফি রুম মানে বাঘ ভাল্লুক বাইসন হরিণ কুমিরের চামড়া আর মাথায় ভরা একটা বিশাল ঘর। ঘরের মেঝে আর দেওয়ালে তিল ধরার জায়গা নেই। এতগুলো জানোয়ারের জোড়া জোড়া পাথরের চোখ চারিদিক থেকে আমাদের দিকে চেয়ে আছে দেখলেই গা-টা ছমছম করে। শুধু জানোয়ার নয় ; যেসব অস্ত্র দিয়ে এই জানোয়ার মারা হয়েছে সেগুলোও ঘরের এক পাশে একটা খাঁজকাটা র‍্যাকের উপর রাখা রয়েছে। দোনলা একনলা পাখি-মারা বাঘ-মারা হাতি-মারা কতরকম যে বন্দুক তার ঠিক নেই।

এই সব দেখতে দেখতে ফেলুদা তড়িৎবাবুকে জিজ্ঞেস করল, 'আপনিও শিকার করেছেন নাকি ?'

তড়িৎবাবু একটু হেসে মাথা নেড়ে বললেন, 'একেবারেই না। আপনি গোয়েন্দা, আমার চেহারা দেখে বুঝতে পারছেন না ?'

ফেলুদা বলল, 'শিকারি হলেই যে ষণ্ডা লোক হতে হবে এমন তো কোনও কথা নেই। আসলে তা নার্ভের ব্যাপার। আপনাকে দেখে ও জিনিসটার অভাব আছে বলে মনে করার তো কোনও কারণ দেখছি না।'

'তা হয়তো নেই, তবে শিকারে প্রবৃত্তি নেই। আমি কলকাতার সাধারণ মধ্যবিত্ত ঘরের ছেলে। শিকার-টিকারের কথা কোনওদিন ভাবতেই পারিনি।'

ট্রোফি রুম থেকে বেরিয়ে বাইরের বারান্দা দিয়ে দোতলার সিঁড়ির দিকে যেতে যেতে ফেলুদা বলল, 'শহরের ছেলে জঙ্গলের দেশে এলেন যে বড় ?'

তড়িৎবাবু বললেন, 'পেটের দায়ে। বি এ পাস করে বসেছিলাম। কাগজে সেক্রেটারির জন্য বিজ্ঞাপন দিয়েছিলেন মহীতোষবাবু। অ্যাপ্লাই করি, ইন্টারভিউয়ে ডাক পড়ে, আসি, চাকরিটা হয়ে যায়।'

'কদ্দিন আছেন ?'

'পাঁচ বছর।'

'শিকার না করলেও জঙ্গলে ঘোরাঘুরি করেন বোধহয় ?'

'মানে ?' তড়িৎবাবু একটু অবাক হয়েই ফেলুদার দিকে চাইলেন।

'আপনার ডান হাতে তিনটে আঁচড়ের দাগ দেখছি। মনে হল কাঁটাগাছ থেকে হতে পারে।'

তড়িৎবাবুর গম্ভীর মুখে হাসি দেখা দিল। বললেন, 'আপনার দৃষ্টিশক্তির পরিচয় পাওয়া গেল। কালই লেগেছে আঁচড়। জঙ্গলে ঘোরা একটা নেশা হয়ে দাঁড়িয়েছে।'

'হাতিয়াব ছাড়াই ?' অন্ধকার সিঁড়ি দিয়ে উঠতে উঠতে ফেলুদা প্রশ্ন করল।

তড়িৎবাবু শান্তভাবে জবাব দিলেন, 'ভয়ের তো কিছু নেই। এক সাপ আর পাগলা হাতির জন্য দৃষ্টিটা একটু সজাগ রেখে চললে জঙ্গলে কোনও ভয় নেই।'

'কিন্তু ম্যান-ইটার ?' চাপা গলায় প্রশ্ন করলেন লালমোহনবাবু।

'সেটার অস্তিত্ব প্রমাণ হলে জঙ্গলে যাওয়া ছাড়তে হবে বইকী।'

সিঁড়ি দিয়ে উঠে বাঁদিকে একটা দরজা পেরোতেই একটা প্রকাণ্ড লম্বা বারান্দায় এসে পড়লাম। বাঁ দিকে রেলিং, ডানদিকে সারি সারি ঘর। প্রথম ঘরটাই নাকি মহীতোষবাবুর কাজের ঘর, তড়িৎবাবুকেও দিনের বেলা এখানেই বসতে হয়। কিছু দূর গিয়ে বারান্দাটা বাঁ দিকে ঘুরে গেছে। এটা হল পশ্চিমদিক। এটারও ডান দিকে ঘরের সারি, আর তারই মধ্যে একটা ঘর হল আমাদের ঘর। ফেলুদা বলল, 'এত ঘরে কারা থাকে মশাই ?'

তড়িৎবাবু বললেন, 'বেশির ভাগই ব্যবহার হয় না, বন্ধ থাকে। পুবের বারান্দায় একটা ঘরে মহীতোষবাবু থাকেন, আর একটায় ওঁর দাদা দেবতোষবাবু। শশাঙ্কবাবুর ঘর দক্ষিণে। আমারও তাই। আরও দুটো ঘর মহীতোষবাবুর দুই ছেলের জন্য রয়েছে। দুজনেই কলকাতায় চাকরি করে, মাঝে-মধ্যে আসে।'

এবার চোখে পড়ল আমাদের উলটোদিকে পুবের বারান্দায় বেগুনি ড্রেসিং গাউন পরা একজন লোক রেলিং-এর পাশে দাঁড়িয়ে একদৃষ্টে আমাদের দিকে দেখছে। ফেলুদা বলল, 'উনিই কি মহীতোষবাবুর দাদা ?'

তড়িৎবাবু কিছু বলার আগেই গুরুগম্ভীর গলায় প্রশ্ন শোনা গেল— 'তোমরা রাজুকে দেখেছ, রাজু ?'

দেবতোষবাবু আমাদেরই উদ্দেশে প্রশ্নটা করেছেন। ভদ্রলোক এর মধ্যেই পুব থেকে উত্তরের বারান্দায় চলে এসেছেন, তাঁর লক্ষ্য আমাদেরই দিকে। এখন বুঝতে পারছি ভদ্রলোকের চেহারায় মহীতোষবাবুর সঙ্গে বেশ মিল আছে, বিশেষ করে চোয়ালের কাছটায়। তড়িৎবাবু আমাদের হয়ে জবাব দিয়ে দিলেন, 'না, এঁরা দেখেননি।'

'দেখেনি ? আর হোসেন ? হোসেনকে দেখেছে ?'

ভদ্রলোক ক্রমে আমাদের দিকে এগিয়ে আসছেন। এবার বুঝতে পারছি ওঁর চোখ দুটো কেমন যেন ঘোলাটে। মাথার সব চুল পাকা, আর মহীতোষবাবুর মতো ঘন নয়। লম্বায় হয়তো ভাইয়ের কাছাকাছি, কিন্তু কুঁজো হয়ে পড়াতে অতটা মনে হয় না।

তড়িৎবাবু, 'না, হোসেনকেও দেখেননি' বলে আমাদের ঘরের দিকে এগিয়ে যেতে ইশারা করলেন।

'দেখেনি ?' দেবতোষবাবুর গলায় যেন একটা হতাশার সুর।

'না', তড়িৎবাবু বললেন, 'এঁরা নতুন এসেছেন, কিছু জানেন না।'

'রাজু আর হোসেন কারা মশাই ?' ঘরে ঢুকে ফেলুদা প্রশ্ন করল।

তড়িৎবাবু হেসে বললেন, 'রাজু হল কালাপাহাড়ের আরেক নাম। আর হোসেন হল হোসেন খাঁ। গৌড়ের সুলতান ছিল। দুজনেই বাংলাদেশের অনেক হিন্দু মন্দির ধ্বংস করেছে। জল্পেশ্বরের মন্দিরের মাথা হোসেন খাঁ-ই ভাঙে।'

'আপনি কি ইতিহাসের ছাত্র ছিলেন ?' ফেলুদা জিজ্ঞেস করল।

'না। সাহিত্য। মহীতোষবাবু জলপাইগুড়ির ইতিহাস লিখছেন, তাই সেক্রেটারি হিসেবে আমাকেও কিছুটা জেনে ফেলতে হচ্ছে।'

তড়িৎবাবু চলে যাবার পর আমরা তিনজন প্রথম হাঁপ ছাড়ার সুযোগ পেলাম। ঘরটি দিব্যি ভাল। এ ঘরেও দুটো দরজার উপর দুটো হরিণের মাথা রয়েছে। অন্য ঘরে জায়গা

হয়নি বলেই বোধহয় মেঝেতেও একটা মাথা সমেত চিতাবাঘের ছাল দুটো খাটের মাঝখানে হাত-পা ছড়িয়ে মুখ থুবড়ে পড়ে আছে। দুটো খাট আর একটা খাটিয়া গোছের জিনিস, সেটা বোধহয় আগে ছিল না, আমরা তিনজন লোক বলে এনে রাখা হয়েছে। ফেলুদা খাটিয়াটা দেখে বলল, 'দেখে মনে হয় এটাকে শিকারের মাচা হিসেবে ব্যবহার করা হয়েছে, দড়ি বাঁধার দাগ রয়েছে এখনও। তোপসে, তুই ওটাতে শুবি।'

তিনটে খাটের উপরে মশারি খাটানো রয়েছে, আর রয়েছে প্রায় আট ইঞ্চি পুরু গদি, দুটো করে নকশা করা ওয়াড় লাগানো বালিশ, আর একটা করে পাশ বালিশ। লালমোহনবাবু সব দেখেটেখে বললেন, 'তিনটে দিন দিব্যি আরামে কাটবে বলে মনে হচ্ছে মশাই। তবে আশা করি, দাদাটি আর রাজু-টাজুর খবর নিতে বেশি আসবেন না এদিকটায়। ফ্র্যাঙ্কলি স্পিকিং, পাগলের সান্নিধ্যটা আমার কাছে রীতিমতো অস্বস্তিকর।'

এ কথাটা আমারও যে মনে হয়নি তা নয়। তবে ফেলুদা ও নিয়ে খুব বেশি চিন্তিত বলে মনে হল না। বাক্স খুলে জিনিস বার করতে করতে একবার খালি ভুরু কুঁচকে বলল, 'মহীতোষবাবু আমার কাছে কী ধরনের উপকার আশা করছেন সেটা এখনও বোঝা গেল না।'

৩

তড়িৎবাবু কাজে ব্যস্ত ছিলেন বলে বিকেলে আর আমাদের সঙ্গে বেরোতে পারলেন না। তার বদলে এলেন মহীতোষবাবুর বন্ধু শশাঙ্ক সান্যাল। ইনিও দেখলাম এদিকে এত দিন থেকে জঙ্গল আর জানোয়ার সম্বন্ধে অনেক কিছু জেনে ফেলেছেন। সাড়ে চারটেতেই প্রায় অন্ধকার হয়ে-যাওয়া জঙ্গলের রাস্তা দিয়ে জিপে করে যেতে যেতে কত রকম গাছপালা আর কত রকম পাখির ডাক যে আমাদের চিনিয়ে দিলেন! ত্রিশ বছর আগে এ জঙ্গলে বাঘের সংখ্যা কত বেশি ছিল তাও বললেন। ত্রিশ বছর ধরেই আছেন ভদ্রলোক লক্ষ্মণবাড়িতে। আসলে কলকাতার লোক, ইস্কুল আর কলেজে মহীতোষবাবুর সঙ্গে এক ক্লাসে পড়েছেন।

রোদ যখন প্রায় পড়ে এসেছে তখন একটা সরু নদীর ধারে এসে আমাদের গাড়িটা থামল। শশাঙ্কবাবু বললেন, 'একবার নামবেন নাকি? চলন্ত গাড়ির ভিতর থেকে জঙ্গলের পরিবেশটা ঠিক ধরতে পারবেন না।'

জিপ থেকে নেমেই প্রথম বুঝতে পারলাম জঙ্গলটা কত গভীর আর নিস্তব্ধ। বাসায় ফিরে যাওয়া পাখির ডাক আর নদীর ফুরিয়ে আসা জলের কুলকুল শব্দ ছাড়া কোনও শব্দ নেই। সঙ্গে বন্দুক না থাকলে ভয়ই করত। বন্দুক রয়েছে যার হাতে সে নাকি এখানকার একজন নামকরা পেশাদারি শিকারি। নাম মাধবলাল। আগে যখন বিদেশ থেকে শিকারিরা এখানে আসত তখন মাধবলালই নাকি তাদের গাইডের কাজ করত। কোন রাস্তায় বাঘ চলাফেরা করে, কোন গাছে মাচা বাঁধা উচিত, কোন জন্তুর ডাকের কী মানে, এ সব নাকি মাধবলালই বলে দিত। বছর পঞ্চাশ বয়স, পেটানো শরীর, তাতে চর্বির লেশমাত্র নেই।

আমরা জিপ থেকে নেমে একটু এগিয়ে গিয়ে নদীর ধারে বালি আর নুড়ি-পাথরের উপর গিয়ে দাঁড়ালাম। এ কথা সে কথার পর ফেলুদা শশাঙ্কবাবুকে জিজ্ঞেস করল, 'দেবতোষবাবু পাগল হলেন কী করে?'

শশাঙ্কবাবু বললেন, 'এদের বংশে ইনিই প্রথম পাগল নন। মহীতোষের ঠাকুরদাদারও শেষের দিকে মাথা খারাপ হয়ে গিয়েছিল।'

'তাই বুঝি? তা হলে শিকারের ব্যাপারটা...?'

'সব বন্ধ হয়ে গিয়েছিল। হাতের কাছ থেকে বন্দুক-টন্দুক সব সরিয়ে ফেলা হয়েছিল। একদিন হঠাৎ বৈঠকখানার দেওয়াল থেকে একটা পুরনো তলোয়ার খুলে নিয়ে সেটাই হাতে করে জঙ্গলে চলে গেলেন বাঘ মারতে। ইস্কুলে থাকতে ইতিহাসের বইয়ে শের শাহ-র কথা পড়েছেন তো ?— "ইনি উত্তরকালে তরবারির এক আঘাতে একটি বাঘের মস্তক ছেদন করিয়া 'শের' আখ্যা প্রাপ্ত হইয়াছিলেন" —পাগল অবস্থায় আদিত্যনারায়ণের শের শাহ হবার শখ জাগে।'

'তারপর ?' লালমোহনবাবু চোখ গোল গোল করে চাপা গলায় প্রশ্নটা করলেন।

'সেই যে গেলেন, আর ফেরেননি। এক তলোয়ার ছাড়া আর প্রায় সব কিছুই বাঘের পেটে গিয়েছিল।'

ঠিক এই সময় কাছেই একটা জানোয়ারের চিৎকার শুনে লালমোহনবাবু প্রায় তিন হাত লাফিয়ে উঠলেন। শশাঙ্কবাবু হেসে বললেন, 'আপনি এত অ্যাডভেঞ্চারের বই লেখেন, আর শেয়ালের ডাক শুনেই এই অবস্থা ?'

'না, মানে লেখক বলেই কল্পনাশক্তিটা একটু বেশি কি না। আপনি বাঘের কথা বললেন, আর আমিও দেখলুম হলদে মতো কী জানি একটা ওই ঝোপটার পিছন দিয়ে চলে গেল।'

'এখনও যায়নি, তবে কিছুক্ষণের মধ্যে যেতে পারে।'

কথাটা খুব নিচু গলায় বললেন শশাঙ্কবাবু।

'ওইটাই কি বার্কিং ডিয়ারের ডাক ?' ফেলুদাও ফিসফিস জিজ্ঞেস করল।

একটা জন্তু ডেকে উঠেছে কয়েকবার। অনেকটা কুকুরের মতো ডাক। বাঘ কাছাকাছি এলেই বার্কিং ডিয়ার বা কাকর হরিণ ডেকে ওঠে এটা আমি ফেলুদার কাছে শুনেছি। শশাঙ্কবাবু মাথা নেড়ে হ্যাঁ বলে আমাদের জিপে গিয়ে বসতে ইশারা করলেন। আমরা প্রায় নিঃশব্দে গিয়ে যে যার জায়গায় বসে পড়লাম। অন্ধকার আরও বেড়েছে। হরিণটা আবার ডেকে উঠল। জিপের হুড ফেলে দেওয়া হয়েছিল, কাজেই আশেপাশে কোনও জানোয়ার এলে আমরা সবাই দেখতে পাব। আমার বুকের ভিতরটা ঢিপ ঢিপ করছে। মাধবলালও গাড়ির কাছে এসে স্থির হয়ে দাঁড়িয়ে আছে। লালমোহনবাবু একবার আমার হাতটা ধরাতে বুঝতে পারলাম ওঁর হাতের তেলো বরফের মতো ঠাণ্ডা হয়ে গেছে।

প্রায় ছ'টা পর্যন্ত দম বন্ধ করে অপেক্ষা করেও কোনও জানোয়ার দেখতে না পেয়ে আমরা বাড়ি চলে এলাম।

সন্ধ্যার দিকে পশ্চিমের আকাশ দেখতে দেখতে কালো মেঘে ছেয়ে গেল, আর চোখ ধাঁধানো শিকড় বার-করা বিদ্যুতে আকাশটা বার বার চিরে যেতে লাগল। আমরা জানালার সামনে দাঁড়িয়ে তাই দেখছিলাম, এমন সময় দরজায় টোকা পড়ল। দরজা খোলাই ছিল, ঘুরে দেখি মহীতোষবাবু।

'কীরকম বেড়ালেন ?' ভদ্রলোক তাঁর জাঁদরেল গলায় প্রশ্ন করলেন।

'আমরা আরেকটু হলেই বাঘ দেখে ফেলেছিলাম !' ছেলেমানুষের মতো চেঁচিয়ে বলে উঠলেন লালমোহনবাবু।

'বছর দশেক আগে এলে নিশ্চয়ই দেখে ফেলতেন', বললেন মহীতোষবাবু, 'আজ যে দেখতে পেলেন না, তার জন্যে অবিশ্যি আমাদের মতো শিকারিরাই খানিকটা দায়ী। শিকারটাকে যে স্পোর্টের মধ্যে ধরা হত কি না ! আজকে নয়, আদ্যিকাল থেকে। পৌরাণিক যুগে রাজারা মৃগয়ায় যেতেন। মোগল বাদশারাও যেতেন। ইদানীংকালে আমাদের দুশো বছরের প্রভু সাহেবরাও যেতেন, আর আমরাও গেছি। এই দু হাজার বছরে তীরের ফলা আর বন্দুকের গুলিতে কত জানোয়ার মরেছে ভাবতে পারেন ? তারপর সার্কাস আর

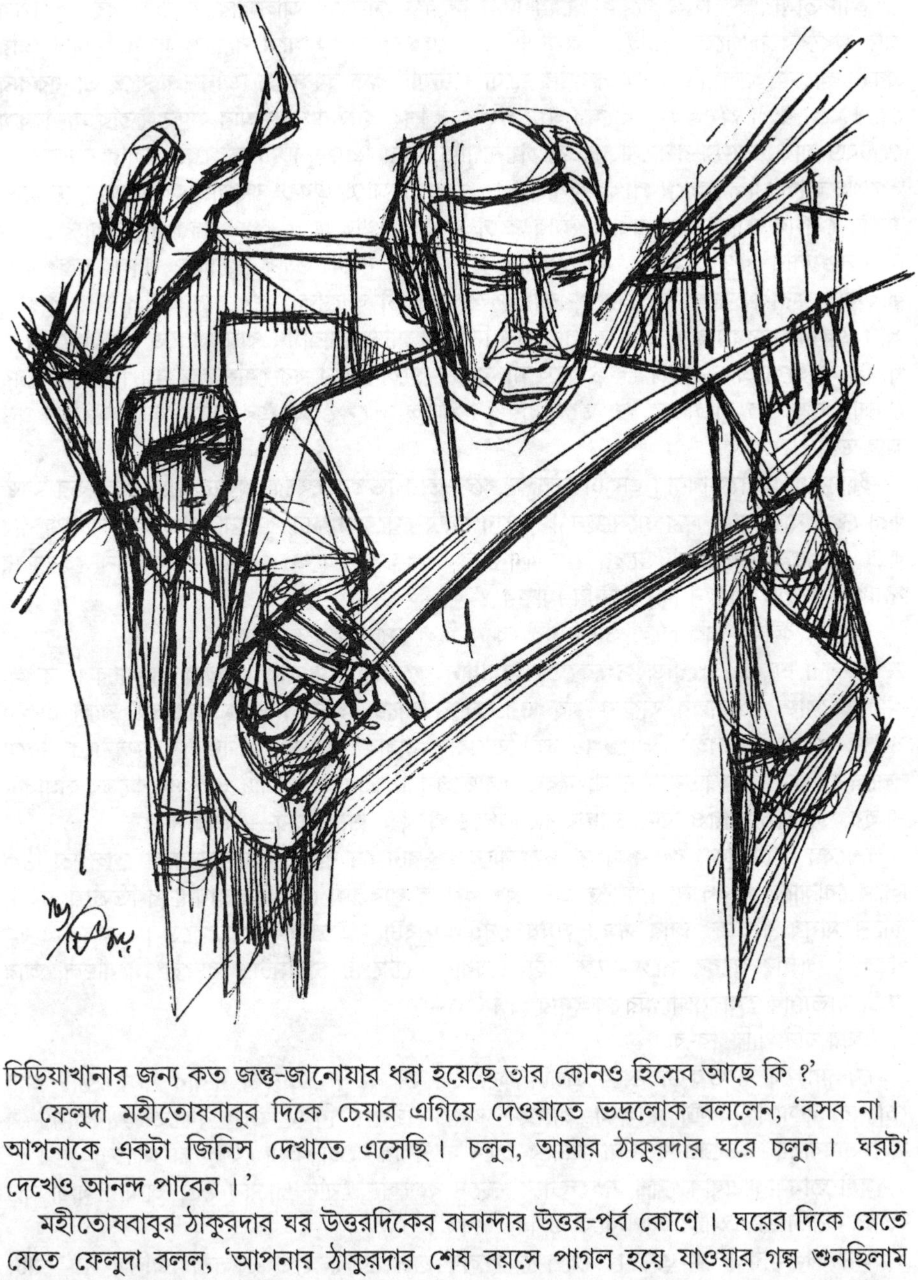

চিড়িয়াখানার জন্য কত জন্তু-জানোয়ার ধরা হয়েছে তার কোনও হিসেব আছে কি ?'

ফেলুদা মহীতোষবাবুর দিকে চেয়ার এগিয়ে দেওয়াতে ভদ্রলোক বললেন, 'বসব না। আপনাকে একটা জিনিস দেখাতে এসেছি। চলুন, আমার ঠাকুরদার ঘরে চলুন। ঘরটা দেখেও আনন্দ পাবেন।'

মহীতোষবাবুর ঠাকুরদার ঘর উত্তরদিকের বারান্দার উত্তর-পূর্ব কোণে। ঘরের দিকে যেতে যেতে ফেলুদা বলল, 'আপনার ঠাকুরদার শেষ বয়সে পাগল হয়ে যাওয়ার গল্প শুনছিলাম শশাঙ্কবাবুর কাছে।'

মহীতোষবাবু একটু হেসে বললেন, 'পাগল হবার আগে ষাট বছর বয়স অবধি তার মতো পরিষ্কার মাথা খুব কম লোকেরই দেখেছি।'

'যে তলোয়ারটা দিয়ে বাঘ মারতে গিয়েছিলেন, সেটা এখনও আছে কি ?'

'সেটা ঠাকুরদার ঘরেই আছে। চলুন দেখাচ্ছি।'

আদিত্যনারায়ণ সিংহরায়ের ঘরের তিন দিকের দেয়ালে আলমারিতে ঠাসা বই, পুঁথিপত্র আর খবরের কাগজের ডাঁই। অন্য দিকের দেওয়ালের সামনে রয়েছে দুটো সিন্দুক আর একটা কাচের আলমারি। আলমারির মধ্যে খুঁটিনাটি কত রকম যে জিনিস রয়েছে তা একবার দেখে মনে রাখা অসম্ভব। বাঘের নখ, গণ্ডারের শিং, হাতির দাঁত আর ধাতুর তৈরি নানারকম ছোটবড় মূর্তি, পাথর-বসানো ভুটিয়া গয়নাগাটি, তাঁর প্রিয় ভুটিয়া কুকুরের গলার বকলস—তাতেও লাল নীল হলদে পাথর বসানো। এ ছাড়া আছে একটা রুপোর কলম আর দোয়াত, একটা মোগল আমলের দূরবীন, আর দুটো মড়ার মাথার খুলি। ওপরের দুটো তাকের এই জিনিসগুলোর কথা আমার মনে আছে। নীচের দুটো তাকে রয়েছে খালি অস্ত্রশস্ত্র। কারুকার্য করা তিনশো বছরের পুরনো পিস্তল, গোটা আষ্টেক ছোরা, ভোজালি আর কুকরি, আর একটা তলোয়ার। এই তলোয়ারটা নিয়েই আদিত্যনারায়ণ বাঘ মারতে গিয়েছিলেন। পাগল না হলে এমন কাজ কেউ করে না, কারণ তলোয়ারটা খুব বেশি বড় নয়। বিকানিরের কেল্লায় রাজপুত রাজাদের যে তলোয়ার দেখেছিলাম সেগুলো এর চেয়ে অনেক বেশি বড় আর ভারী।

ইতিমধ্যে মহীতোষবাবু একটা সিন্দুক খুলে তার ভিতর থেকে একটা হাতির দাঁতের কাজ করা ছোট্ট বাক্স বার করে এনেছেন। এবার সেটা থেকে একটা পুরনো ভাঁজ-করা কাগজ বার করে বললেন, 'ডিটেকটিভদের তো নানারকম ক্ষমতা থাকে শুনেছি। আপনি হেঁয়ালির সমাধান করতে পারেন কি, মিস্টার মিত্তির?'

ফেলুদা বলল, 'এককালে ওদিকটায় ঝোঁক ছিল সেটা বলতে পারি।'

ফেলুদা একটা ইংরেজি সংকেতের সমাধান করেছিল সোনার কেল্লার ব্যাপারে। বাংলা আর ইংরেজি হেঁয়ালির অনেক বই ওর কাছে আছে, আর 'বিদগ্ধমুখমণ্ডলম' বলে একটা সংস্কৃত হেঁয়ালির বইও আছে। মহীতোষবাবু এবার হাতের কাগজটা ফেলুদাকে দিয়ে বললেন, 'আপনারা তিন দিন থাকবেন বলছিলেন। তার মধ্যে যদি এই সংকেতের সমাধান না হয়, তা হলে আরও তিনটে দিন সময় দিতে পারি। তার পরে— আর না।'

শেষের ক'টা কথা বলার সময় ভদ্রলোকের স্বরটা যে কীরকমভাবে বদলে গেল তা ঠিক লিখে বোঝাতে পারব না। কিন্তু এটা বেশ বুঝতে পারলাম যে মহীতোষবাবুর ভিতরে একটা কঠিন মানুষ রয়েছে, আর সময় সময় সেই মানুষটা বাইরে বেরিয়ে পড়ে। যেমন এখন পড়ল। গলার স্বরের সঙ্গে সঙ্গে মহীতোষবাবুর চোখের চাহনিটাও বদলে গিয়েছিল, আর সেটা স্বাভাবিক হবার আগেই ফেলুদার প্রশ্ন এল—

'আর যদি পারি?'

ফেলুদা যে ঠিক কড়া ভাবে প্রশ্নটা করেছিল তা নয়। এমনকী করার সময় ঠোঁট আর চোখের কোণে একটা হালকা হাসির ভাবও ছিল; কিন্তু এও বুঝতে পারলাম যে মহীতোষবাবুর ভিতরের শক্ত মানুষটাকে রুখে দাঁড়াবার মতো শক্তি ফেলুদার আছে।

মহীতোষবাবু এবার বেশ সহজভাবে হেসে বললেন, 'যদি পারেন তো আমার মারা বড় বাঘের একটা ছাল আমি আপনাকে উপহার দেব।'

আজকালকার দিনে একটা রয়েল বেঙ্গলের ছাল যে নেহাত ফেলনা জিনিস নয় সেটা আমি জানতাম।

মহীতোষবাবুর হাত থেকে কাগজটা নিয়ে তাতে মুক্তোর মতো হাতের লেখা সংকেতটা ফেলুদা একবার বিড় বিড় করে পড়ল—

মুড়ো হয় বুড়ো গাছ
হাত গোন ভাত পাঁচ

দিক পাও ঠিক ঠিক জবাবে।
ফাল্গুন তাল জোড়
দুই মাঝে ভুঁই ফোঁড়
সন্ধানে ধন্দায় নবাবে।

'আপনার ঠাকুরদা কি কোনও গুপ্তধনের সন্ধান দিয়েছেন এই সংকেতে?' ফেলুদা জিজ্ঞেস করল।

'আপনার কি তাই মনে হয়?'

'শেষের লাইনটাতে তো সেই রকমই একটা ইঙ্গিত রয়েছে বলে মনে হয়। সন্ধানে ধন্দায় নবাবে। এমন জিনিস যার সন্ধান পেলে নবাবের মনও ধাঁধিয়ে যায়। ধনদৌলতের কথাই তো মনে হয়। অবিশ্যি আপনার ঠাকুরদা সে রকম লোক ছিলেন কি না সেটাও একটা প্রশ্ন। সকলে তো আর সংকেত লিখে গুপ্তধন লুকিয়ে রাখে না।'

'ঠাকুরদার পক্ষে সব কিছুই সম্ভব ছিল। তিনি চিরকালই খামখেয়ালি মানুষ ছিলেন, রং-তামাশা করতে ভালবাসতেন, প্র্যাকটিক্যাল জোক পছন্দ করতেন। ছেলেবয়সে একবার বাড়ির গুরুজনদের উপর রাগ করে মাঝরাত্তিরে উঠে তাঁদের প্রত্যেকের চটি জুতো খড়ম নাগরা সব নিয়ে তালগাছের মাথায় ঝুলিয়ে রেখে এসেছিলেন। এটা যদি গুপ্তধনের সংকেত হয়, তা হলে সেটাও তার খামখেয়ালিপনারই একটা নমুনা বললে বোধহয় ভুল হবে না। মোটকথা আপনি— কী চাই, তড়িৎ?'

তড়িৎবাবু যে কখন দরজার মুখটাতে এসে দাঁড়িয়েছেন তা টেরই পাইনি। ভদ্রলোক শান্তভাবেই বললেন, 'চরিতাভিধানটা নিয়েছিলাম, সেটা রেখে দিতে এসেছি।'

'ঠিক আছে, রেখে যাও। আর প্রুফটা দেখা হয়ে গিয়েছে?'

'আজ্ঞে হ্যাঁ।'

'তা হলে কাল ওটা সঙ্গে করে নিয়ে যেয়ো। আর সেকেন্ড প্রুফেও এত ভুল থাকে কেন এই নিয়ে কড়া করে কথা শুনিয়ে দিয়ে এসো তো।'

তড়িৎবাবু হাতের বইটা আলমারির তাকে একটা ফাঁকের মধ্যে গুঁজে দিয়ে চলে গেলেন।

মহীতোষবাবু বললেন, 'তড়িৎ কাল দিন-সাতেকের জন্য কলকাতা যাচ্ছে। ওর মা-র অসুখ।'

ফেলুদা এখনও ছড়াটার দিকে দেখছিল। বলল, 'এ সংকেতের কথা আর কে জানে?'

মহীতোষবাবু ঘরের বাতি নিবিয়ে দিয়ে দরজার দিকে এগোতে এগোতে বললেন, 'এটা পাওয়া গেছে এই দিন-দশেক হল। আমাদের বংশের ইতিহাস লিখব বলে পুরনো বাক্স-প্যাঁটরা ঘেঁটে দলিলপত্তর বার করছিলাম। একটা স্টিল ট্রাঙ্কে ঠাকুরদার চিঠিপত্র ছিল। ফিতেয় বাঁধা চিঠির তাড়ার তলা থেকে এই বাক্সটা বেরোয়। আসলে কী জানেন— এটার কথা যে-কজন জানে— অর্থাৎ আমি, শশাঙ্ক আর আমার সেক্রেটারি— তাদের কারুরই ক্ষমতা নেই এর মানে উদ্ধার করার। এটার জন্যে একটা বিশেষ ক্ষমতার প্রয়োজন। ভাষার মারপ্যাঁচ জানা চাই। সেটা আপনি জানেন কি না সেটাই হচ্ছে প্রশ্ন।'

ফেলুদা কাগজটা ফেরত দিয়ে দিল।

'সে কী, আপনি কি হাল ছেড়ে দিলেন নাকি?' মহীতোষবাবু ব্যস্ত হয়ে জিজ্ঞেস করলেন।

ফেলুদা হেসে বলল, 'না। ওটা আমার মুখস্ত হয়ে গিয়েছে। ঘরে গিয়ে খাতায় লিখে নিচ্ছি। এটা আপনাদের মূল্যবান পারিবারিক সম্পত্তি, এটা আপনাদের কাছেই থাকুক।'

'আপনি তো দিব্যি মশাই একটি বাঘছাল বাগাবেন বলে মনে হচ্ছে। আর আমি ?'

একটু যেন মনমরা হয়েই কথাটা বললেন লালমোহনবাবু। আমাদের খাওয়াদাওয়া হয়েছে প্রায় ঘণ্টাখানেক হল। তারপর নীচে বৈঠকখানায় বসে মহীতোষবাবুর কাছে নানারকম লোমহর্ষক শিকারের গল্প শুনে এই কিছুক্ষণ হল নিজেদের ঘরে এসেছি। লালমোহনবাবুর কথায় ফেলুদা বলল, 'কেন ? যে-ই সংকেতটার সমাধান করবে সে-ই বাঘছাল পাবে। অন্তত পাওয়া উচিত। কাজেই আপনিও তাল ঠুকে লেগে পড়তে পারেন। আপনি তো সাহিত্যিক মানুষ, ভাষার উপর বেশ দখল আছে।'

'আরে মশাই, ভাষার উপর দখল মানে কি আর সংকেতের উপর দখল ? মহীতোষবাবুও তো সাহিত্যিক। উনি হাল ছেড়ে দিলেন কেন ? না মশাই, ও সব মুড়ো বুড়ো গাছ মাছ, তাল ফাঁক ভুঁই ফাঁক—ওসব আমার দ্বারা হবে না। আপনার ভাগ্যেই ঝুলছে বাঘছাল। এই এইটে দেবে নাকি ?'

লালমোহনবাবু মেঝেয় রাখা বাঘছালটির দিকে আঙুল দেখালেন। ফেলুদা বলল, 'ভদ্রলোক বড় বাঘের কথা বললেন শুনলেন না ? ওসব চিতা-টিতায় আমার কোনও ইন্টারেস্ট নেই।'

ফেলুদা এর মধ্যেই ছড়াটা খাতায় লিখে নিয়েছে, আর খাটে বসে সেটার দিকে একদৃষ্টে দেখছে।'

'কিছু এগোলেন ?' লালমোহনবাবু জিজ্ঞেস করলেন।

ফেলুদা খাতার পাতা থেকে চোখ না তুলেই বলল, 'গুপ্তধনের সংকেত সে বিষয়ে কোনও সন্দেহ নেই।'

'কী করে বুঝলেন ? ওই মুড়ো-বুড়োর ব্যাপারটা কী ?'

'সেটা এখনও জানি না, তবে একটা গাছের কথা যেন বলা হচ্ছে তাতে তো কোনও সন্দেহ নেই। মুড়ো হয় বুড়ো গাছ। তারপর বলছে হাত গোন ভাত পাঁচ। এখানে হাতটা ইম্পর্ট্যান্ট। সাধারণত এসব সংকেত প্রথমে একটা বিশেষ জায়গার কথা বলে, তারপর সেখান থেকে কোনদিকে কতদূরে গেলে গুপ্তধন পাওয়া যাবে সেটা বলে। রবীন্দ্রনাথের 'গুপ্তধন' পড়েননি ? তেঁতুল বটের কোলে দক্ষিণে যাও চলে, ঈশান কোণে ঈশানি বলে দিলাম নিশানি ? তেমনই এখানেও হাত কথাটা পাচ্ছি, দিক কথাটা পাচ্ছি। এই জন্যেই বলছি—'

ফেলুদার কথাটা শেষ হল না, কারণ ঘরে আরেকজন লোক ঢুকে পড়েছে।

দেবতোষ সিংহরায়।

সকালের সেই বেগুনি ড্রেসিং গাউনটা এখনও পরা, আর চোখে সেই অদ্ভুত চাহনি, যেন মনে হয় সকলকেই সন্দেহ করছেন। দেবতোষবাবু সোজা লালমোহনবাবুর দিকে তাকিয়ে বললেন, 'তোমরা কি ভোটরাজার লোক ?'

লালমোহনবাবু ফ্যাকাশে হয়ে ঢোক গিলে বললেন, 'ভ্-ভোট মানে কি আপনি ভ্-ভোটিং—মানে, ই-ইলেকশনের— ?'

'না, উনি বোধহয় ভুটান রাজের কথা বলছেন।'

ফেলুদা কথাটা বলায় দেবতোষবাবুর দৃষ্টি ফেলুদার দিকে ঘুরে গেল, আর তার ফলে লালমোহনবাবু একটা বিশ্রী অবস্থা থেকে উদ্ধার পেয়ে গেলেন।

'শুনেছিলাম ভোটেরা নাকি আবার আসছে ?' দেবতোষবাবু প্রশ্নটা ফেলুদাকেই করলেন।

ফেলুদা খুব স্বাভাবিকভাবেই উত্তর দিল, 'সেরকম তো শুনিনি। তবে আজকাল ইচ্ছে করলে ভুটান যাওয়া যায়।'

'ও, তাই বুঝি।'

মনে হল দেবতোষবাবু এই প্রথম খবরটা শুনলেন।

'তা বেশ। উপেন্দ্রকে ভোটরাজ অনেক হেল্প করেছিল। ওরা ছিল বলেই নবাবের সেনা কিছু করতে পারেনি। ওরা যুদ্ধটা জানে। সবাই জানে কি?' দেবতোষবাবু একটা দীর্ঘনিশ্বাস ফেললেন। তারপর বললেন, 'হাতিয়ার কি আর সবার হাতে বাগ মানে? সবাই কি আর আদিত্যনারায়ণ হয়?'

কথাটা বলে দেবতোষবাবু দরজার দিকে ঘুরে দু পা এগিয়ে গিয়ে থেমে গেলেন। তারপর মুখ ঘুরিয়ে মেঝের বাঘটার দিকে চেয়ে একটা অদ্ভুত কথা বললেন।

'যুধিষ্ঠিরের রথের চাকা মাটি ছুঁত না। তাও শেষটায় ছুঁল।'

ভদ্রলোক চলে যাবার পর আমরা কিছুক্ষণ চুপ করে বসে রইলাম। তারপর ফেলুদা বিড়বিড় করে বলল, 'খড়ম পরেছে। তাতে রবারের সাইলেন্সার লাগানো।'

এরপর রাত্তিরে পর পর অনেকগুলো ঘটনা ঘটল। সেগুলো ঠিক মতো লেখার চেষ্টা করছি। বাইরে বারান্দায় সিঁড়ির দরজার পাশে একটা গ্র্যান্ডফাদার ক্লক থাকার দরুন ঘটনার সময়গুলো আন্দাজ করতে অসুবিধা হয়নি।

প্রথমেই বলে রাখি যে গদি বালিশ তোশকের দিক থেকে শোবার ব্যবস্থা ভাল হলেও, একটা ব্যাপারে গণ্ডগোল হয়ে যাওয়াতে প্রথম রাত্তিরে ঘুমটা একদম মাটি হয়ে গিয়েছিল।

তার কারণ আমাদের তিনজনের মশারিতেই ছিল ফুটো। মশারি ফেলার দশ মিনিটের মধ্যে ভেতরে মশা ঢুকে কামড় আর বিনবিনুনির জ্বালায় আমাদের ঘুমের বারোটা বাজিয়ে দিল। ফেলুদার সঙ্গে ওডোমস থাকে, শেষটায় তাই মেখে কিছুটা আরাম পাওয়া গেল। বাইরের ঘড়িতে তখন ঢং ঢং করে এগারোটা বেজেছে। দিনের বেলা মেঘলা থাকলেও এখন জানালা দিয়ে চাঁদের আলো আসছিল। সবেমাত্র চোখের পাতাটা বুজে এসেছে এমন সময় একটা চেনা গলায় ধমকের সুরে কথা এল।

'আমি শেষবারের মতো বলছি— এর ফল ভাল হবে না।'

গলাটা মহীতোষবাবুর। উত্তরে কে যে কী বলল তা বোঝা গেল না। তার পরে সব চুপচাপ। আমার বাঁদিকে লালমোহনবাবুর মশারির ভিতর থেকে নাক ডাকার শব্দ শুরু হয়েছে। আমি ডান পাশে ফেলুদার খাটের দিকে ফিরে চাপা গলায় বললাম, 'শুনলে ?'

গম্ভীর ফিসফিসে গলায় উত্তর এল, 'শুনেছি। ঘুমো।'

আমি চুপ করে গেলাম।

তার কিছুক্ষণের মধ্যেই বোধহয় ঘুমিয়ে পড়েছি। ঘুমটা যখন ভাঙল তখনও ঘরে চাঁদের আলো রয়েছে, কিন্তু সেই সঙ্গে মেঘের গর্জনও শোনা যাচ্ছে মাঝে মাঝে। একটা লম্বা গুড়গুড়ানি থামলে পর আরেকটা শব্দ কানে এল। ঘুট ঘুট...ঘুট ঘুট...ঘুট ঘুট...। তালে তালে একটানা শব্দ নয়। মাঝে মাঝে হচ্ছে, মাঝে মাঝে থেমে যাচ্ছে, আর মাঝে মাঝে মেঘের গর্জনে ঢাকা পড়ে যাচ্ছে। শব্দটা হচ্ছে বেশ কাছ থেকেই। আমাদের ঘরের ভিতরেই। ফেলুদার খাটের দিকে ঘাড় ফিরিয়ে কান পাততেই ওর জোরে জোরে নিশ্বাস পড়ার শব্দ পেলাম। ও ঘুমোচ্ছে।

কিন্তু লালমোহনবাবুর নাক ডাকা বন্ধ কেন ? ওঁর খাটের দিকে চেয়ে ডবল মশারির ভিতর দিয়ে কিছুই দেখতে পেলাম না। কিন্তু একটা ক্ষীণ শব্দ যেন আসছে খাটের দিক থেকে। এটা আমার চেনা শব্দ। বাক্স-রহস্যের ব্যাপারে সিমলার বরফের মধ্যে একটা পিস্তলের গুলি লালমোহনবাবুর পায়ের কাছে এসে পড়ায় তার দাঁতে দাঁত লেগে ঠিক এই শব্দটাই হয়েছিল।

সেই সঙ্গে আবার সেই শব্দটা কানে এল। ঘুট ঘুট...ঘুট ঘুট...ঘুট ঘুট...

আমি ঘাড় কাত করে মেঝের দিকে চাইলাম। ফলে মশারিটা একটু নড়ে ওঠাতে বোধহয় লালমোহনবাবু বুঝলেন আমার ঘুম ভেঙে গেছে। একটা বিকট চাপা ঘড়ঘড় স্বরে তিনি বলে উঠলেন, 'ত-তপেশ—বা-বাঘ !'

বাঘ শুনেই আমার চোখ মেঝের বাঘছালটার দিকে চলে গেল, আর যেতেই যা দেখলাম তাতে আমার রক্ত জল হয়ে গেল।

জ্যোৎস্নার আলো বাঘের মাথাটার উপর পড়েছে, আর স্পষ্ট দেখতে পাচ্ছি মাথাটা মাঝে মাঝে এদিক-ওদিক নড়ে উঠছে, আর তার ফলেই ঘুট ঘুট শব্দ হচ্ছে।

আর থাকতে না পেরে যা থাকে কপালে ভেবে ফেলুদার নাম ধরে একটা চাপা চিৎকার দিয়ে উঠলাম। ফেলুদার ঘুম যতই গাঢ় হোক না কেন, ও সব সময় এক ডাকে উঠে পড়ে, আর ওঠামাত্র ওর মধ্যে আর ঘুমের লেশমাত্র থাকে না।

'কী ব্যাপার ? চ্যাঁচাচ্ছিস কেন ?'

আমারও প্রায় লালমোহনবাবুর দশা। কোনওরকমে ঢোক গিলে বলে ফেললাম, 'মেঝে...বাঘ।'

ফেলুদা মশারির ভিতর থেকে বেরিয়ে এসে বাঘটার নড়ন্ত মাথাটার দিকে একদৃষ্টে খানিকক্ষণ দেখে নিল। তারপর দিব্যি নিশ্চিন্তভাবে এগিয়ে গিয়ে বাঘের থুতনিটা ধরে উপরে তুলতেই তার নীচ থেকে একটা গুবরে পোকা বেরিয়ে পড়ল। ফেলুদা অম্লানবদনে সেটাকে

দু আঙুলের চাপে তুলে নিয়ে বলল, 'গুবরের আসুরিক শক্তির কথাটা কি তোদের জানা নেই ? একটা কাঁসার জামবাটি চাপা দিয়ে রাখলে সেটাকে সুদ্ধু টেনে নিয়ে সারা বাড়ি চক্কর দিতে পারে।'

ভয়ের কারণটা এত সামান্য জানলে অবিশ্যি ঘামটাম আপনা থেকেই শুকিয়ে যায়। আমার আর লালমোহনবাবুরও তাই হল। এদিকে ফেলুদা গুবরেটাকে নিয়ে জানালার বাইরে ফেলে দিয়ে দেখি সেখানেই দাঁড়িয়ে আছে। এই গভীর রাত্তিরে ফেলুদা কী দেখছে সেটা ভাবছি, এমন সময় ও ডাক দিল, 'তোপ্‌সে, দেখে যা।'

আমি আর লালমোহনবাবু ফেলুদার পাশে গিয়ে দাঁড়ালাম।

আগেই বলেছি পশ্চিমদিকটা বাড়ির পিছন দিক, আর এদিক দিয়েই কালবুনির জঙ্গল দেখা যায়। এই ক মিনিটের মধ্যেই কালো মেঘে চাঁদ ঢেকে ফেলেছে। মাঝে মাঝে বিদ্যুৎ চমকাচ্ছিল বটে, কিন্তু তা ছাড়াও আর একটা আলো দেখে অবাক লাগল। আলোটা মনে হল জঙ্গলের ভিতর ঘোরাফেরা করছে। টর্চের আলো।

'হাইলি সাসপিশাস', ফিসফিস করে বললেন লালমোহনবাবু।

আলোটা এবার নিবে গেল।

এবার একটা চোখ ধাঁধানো বিদ্যুতের সঙ্গে সঙ্গে একটা কানফাটা বাজের আওয়াজ, আর তার পরমুহূর্তেই বড় বড় বৃষ্টির ফোঁটা শুরু হয়ে গেল। পশ্চিমদিক থেকেই ছাঁট, তাই দুটো জানালারই শার্সি বন্ধ করে দিতে হল। ফেলুদা বলল, 'একটা বেজে গেছে, শুয়ে পড়। কাল সকালে আবার জল্পেশ্বরের মন্দির দেখতে যাবার কথা আছে।'

আমরা তিনজনেই আবার মশারির ভিতর ঢুকলাম।

জানালায় রঙিন কাচ থাকার ফলে বিদ্যুৎ চমকালেই ঘরে রামধনুর রং খেলছিল। সেই রং দেখতে দেখতেই আবার কখন যে ঘুমিয়ে পড়লাম তা টেরই পাইনি।

৫

পরদিন সকালে ঘুম ভাঙল প্রায় সাতটায়। ফেলুদা অবিশ্যি তার আগেই উঠে যোগব্যায়াম, দাড়ি কামানো-টামানো সব সেরে ফেলেছে। কথা আছে, তড়িৎবাবু আটটায় এসে আমাদের নিয়ে জল্পেশ্বরের মন্দির দেখিয়ে আনবেন। মহীতোষবাবুর তিনজন চাকরের মধ্যে যার নাম কানাই, সে আমাদের চা দিয়ে গেল সাড়ে সাতটার কিছু পরে। ফেলুদা চায়ের কাপ হাতে নিয়ে কোলের উপর রাখা খোলা খাতাটার দিকে চেয়ে থাকতে থাকতে প্রায় আপন মনেই বলে উঠল, 'ধন্যি আদিত্যনারায়ণ। তুখোড় বুদ্ধি বলতে হবে।'

লালমোহনবাবু চকাৎ শব্দ করে চায়ে একটু চুমুক দিয়ে বললেন, 'বাঃ, ফার্স্ট ক্লাস চা। — আরও এগোলেন বুঝি ?'

ফেলুদা সেইভাবেই বিড়বিড় করে বলল, 'হাত গোন ভাত পাঁচ। ভাত হল অন্ন আর পাঁচ হল পঞ্চ। দুটোকে উলটিয়ে নিয়ে সন্ধি করে হল পঞ্চান্ন। অর্থাৎ পঞ্চান্ন হাত। বাঃ! ...কিন্তু কীসের থেকে পঞ্চান্ন হাত ? বুড়ো গাছ কী ? তাই হবে...তাই হবে...'

ফেলুদার গলা মিলিয়ে এল। আমার মন বলছে, ও দুদিনের মধ্যেই সংকেতের সমাধান করে ফেলবে, আর বাঘছালটা পেয়ে যাবে।

বারান্দার ঘড়িতে কিছুক্ষণ আগেই আটটা বেজে গেছে, কিন্তু তড়িৎবাবু এখনও আসছেন না কেন ? ফেলুদার কিন্তু সেদিকে ভ্রূক্ষেপই নেই। সে একমনে সংকেত নিয়ে ভেবে চলেছে, আর মাঝে মাঝে বিড় বিড় করে উঠছে।

'ঠিক ঠিক জবাবে...ঠিক ঠিক জবাবে... । কীসের জবাব ? প্রশ্নটা কই যে তার জবাব হবে ? দিক পাও ঠিক ঠিক জবাবে...ঠিক ঠিক জবাবে...'

এবার ফেলুদার বিড়বিড়ানি বন্ধ হবার আগেই দরজায় টোকা দিয়ে ঘরে একজন লোক ঢুকে পড়ল । তড়িৎবাবু নন । শশাঙ্কবাবু ।

'আপনারা—ইয়ে—চা খাচ্ছেন ? ও...'

ভদ্রলোকের চেহারা দেখেই মনে হল কিছু একটা হয়েছে । ফেলুদা খাতা রেখে উঠে পড়ল ।

'কী ব্যাপার বলুন তো ?'

শশাঙ্কবাবু গলা খাকরিয়ে কেমন যেন অন্যমনস্কভাবে বললেন, 'একটা দুঃসংবাদ আছে । তড়িৎ, মানে মহীতোষের সেক্রেটারি, মারা গেছে ।'

'সে কী ? কী হয়েছিল ? কাল রাত্রেও তো...'

কথাটা বলল ফেলুদা, কিন্তু আমরা তিনজনেই সমান হতভম্ব । শশাঙ্কবাবু বললেন, 'কাল রাত্রে কালবুনির দিকে গিয়েছিল— কেন জানি না— এই একটুক্ষণ আগে তার মৃতদেহ পাওয়া গেছে । এক কাঠুরে দেখতে পায়, আর দেখেই এসে খবর দেয় ।'

'কী ভাবে মারা গেলেন ?'

'কাঁধের অনেকখানি মাংস নাকি খেয়ে গেছে । বাঘ বলেই তো মনে হচ্ছে ।'

ম্যান-ইটার ! আমার হাত-পা আবার ঠাণ্ডা হয়ে আসছে । লালমোহনবাবু ঘরের মাঝখানে দাঁড়িয়ে ছিলেন, তিন পা পিছিয়ে গিয়ে টেবিলে ভর করে দাঁড়ালেন । ফেলুদার মুখের ভাব অদ্ভুত রকম গম্ভীর ।

শশাঙ্কবাবু বললেন, 'আপনারা এলেন, আর তার মধ্যে এই দুর্ঘটনা । বুঝতেই পারছেন, আমাদের এখন এই নিয়ে একটু ব্যস্ত থাকতে হবে । এখনই, মানে, একবার যেতে হবে আর কী ।'

'আমরাও যেতে পারি কি ?'

শশাঙ্কবাবু প্রশ্নটা শুনে ফেলুদার দিকে একবার দেখে তারপর আমাদের দুজনের দিকে এক ঝলক দৃষ্টি দিয়ে বললেন, 'আপনি তো গোয়েন্দা মানুষ, আপনার এসব অভ্যেস আছে, কিন্তু এঁরা...'

'ওরা গাড়িতেই থাকবে ।'

ভদ্রলোক রাজি হয়ে গেলেন । বললেন, 'তা হলে আপনারা তৈরি থাকলে চলে আসুন । দুটো জিপ আছে, একটাতে না হয় আপনারা তিনজন যাবেন ।'

'বন্দুক থাকবে কি সঙ্গে ?'

প্রশ্নটা আমিও করতে পারতাম, কিন্তু করলেন লালমোহনবাবু । অন্য সময় এ ধরনের প্রশ্ন শুনলে হয়তো শশাঙ্কবাবু হেসে ফেলতেন, কিন্তু এখন গম্ভীরভাবেই বললেন, 'থাকবে । দিনের বেলা এমনিতে ভয় নেই, তবু থাকবে ।'

জিপে করে জঙ্গলের দিকে যেতে যেতে এই ভয়ঙ্কর ঘটনাটার কথা ভাবছিলাম । কালই ভদ্রলোক আমার সঙ্গে এত কথা বললেন, আর রাতারাতি তাকে বাঘে খেল ? এত রাত্তিরে কী করছিলেন উনি জঙ্গলের মধ্যে ? তা হলে কি কাল রাত্তিরে যে আলোটা দেখেছিলাম সেটা তড়িৎবাবুরই টর্চের আলো ?

আমাদের জিপের সামনে আরেকটা জিপ চলেছে । তাতে রয়েছেন মহীতোষবাবু, শশাঙ্কবাবু, এখানকার বনবিভাগের একজন কর্মচারী মিস্টার দত্ত, শিকারি মাধবলাল, আর যে

লোকটা তড়িৎবাবুর মৃতদেহ দেখতে পেয়েছিল সেই কাঠুরে। মহীতোষবাবুকে কাল রাত্রেই হই-হই করে শিকারের গল্প বলতে শুনেছিলাম, আর আজ দেখে মনে হল এক রাত্তিরে তার দশ বছর বয়স বেড়ে গেছে। সেটা শুধু সেক্রেটারির মৃত্যুর জন্য, না ম্যান-ইটার আছে এটা প্রমাণ হবার জন্য, তা অবিশ্যি বুঝতে পারলাম না।

জঙ্গলের ভিতরে খুব বেশি দূরে যেতে হল না। বড় রাস্তা থেকে ঘুরে মিনিট পাঁচেক যাবার পর আমাদের সামনের জিপটা থামল। রাস্তার দু দিকে শাল আর সেগুন গাছ, আর তা ছাড়া আমার চেনার মধ্যে শিমুল, নিম, একটা প্রকাণ্ড কাঁঠালগাছ আর কয়েকটা বাঁশঝাড়। কাল রাত্রে যে বৃষ্টি হয়েছে তার ছাপ রয়েছে চারদিকে। এখানে ওখানে ছোট ছোট গর্ত আর খানাখন্দের মধ্যে জল জমে রয়েছে।

জিপ থামার সঙ্গে সঙ্গেই ফেলুদা বলল, 'ওই দ্যাখ।'

ও যেদিকে আঙুল দেখাল সেদিকে বেশ খানিকক্ষণ চেয়ে থাকার পর দূরের একটা বাঁশঝাড়ের ধারে একটা ঝোপের পিছনে হাল্কা সবুজ রঙের যে জিনিসটা চোখে পড়ল সেটা আমার চেনা। ওটা তড়িৎবাবুর শার্ট। কাল রাত্রে ভদ্রলোক ওই শার্টটাই পরেছিলেন।

সামনের জিপ থেকে সবাই নেমেছে। কাঠুরে লোকটা এগিয়ে গেল। তার পিছনে চললেন মহীতোষবাবু ও বাকি তিনজন। ফেলুদাও জিপ থেকে নেমে বলল, 'তোরা গাড়িতে থাক। এ দৃশ্য তোদের ভাল লাগবে না।'

যেখানে তড়িৎবাবুর মৃতদেহ পড়ে আছে সে জায়গাটা আমাদের জিপ থেকে প্রায় চল্লিশ-পঞ্চাশ হাত দূরে। কিন্তু জঙ্গল এত নিস্তব্ধ বলেই বোধহয় সকলের কথাবার্তা স্পষ্ট শুনতে পাচ্ছিলাম। যার মুখে যা শুনলাম তা পর পর লিখে যাচ্ছি।

বাঁশঝাড়টার ধারে পৌঁছে প্রথম কথা বললেন মহীতোষবাবু। শুধু দুটো কথা— 'মাই গড!'—আর সেই সঙ্গে তাঁর ডান হাতের তেলোটা দিয়ে কপালে একটা আঘাত করলেন।

এবার মিস্টার দত্ত মৃতদেহটার দিকে এগিয়ে গেলেন, আর তার পরেই তাঁর কথা শোনা গেল।

'এই বৃষ্টিতে বাঘের পায়ের ছাপ খোঁজার চেষ্টা বৃথা। কিন্তু বাঘ বলেই তো মনে হচ্ছে। তাই নয় কি?'

মহীতোষবাবু— 'নিঃসন্দেহে।'

মিস্টার দত্ত—'কাল বৃষ্টি থেমেছে দুটোর পর। যেভাবে রক্ত ধুয়ে গেছে তাতে মনে হয়, খাওয়ার ব্যাপারটা বৃষ্টির আগেই সেরে ফেলেছে।'

ফেলুদা— 'ম্যান-ইটার কি যেখানে মানুষ মারে, সেখানেই খাওয়ার কাজটা সারে? অনেক সময় ওরা শিকার মুখে করে এক জায়গা থেকে আর এক জায়গায় নিয়ে যায় না?'

মহীতোষবাবু— 'তা তো বটেই। তবে আপনি যদি আশা করেন যে, মাটিতে ঘষটে টেনে আনার দাগ থাকবে, সেটার বিশেষ সম্ভাবনা নেই। এমনিতেই বৃষ্টিতে দাগ মুছে যাবে। তা ছাড়া একটা মানুষের দেহ বাঘ মুখে করে এমনভাবে নিয়ে যেতে পারে যে, সে দেহ মাটি টাচ-ই করবে না। সুতরাং তড়িৎকে কোথায় ধরেছিল বাঘে সেটা বোধহয় জানা যাবে না।'

ফেলুদা— 'তড়িৎবাবুর চশমাটা কোথায় পড়েছে সেটা জানতে পারলে হয়তো...'

এরপর কিছুক্ষণ কারুর মুখেই কোনও কথা নেই। শশাঙ্কবাবু বোধহয় বাঘের পায়ের ছাপ খোঁজার জন্য এদিক ওদিক দেখছেন। ফেলুদা এখনও মৃতদেহের কাছেই রয়েছে। মিস্টার দত্ত মাধবলালকে কী যেন বলতে যাচ্ছিলেন, এমন সময় আবার ফেলুদার গলা পাওয়া গেল।

ফেলুদা— 'বাঘ কি কেবল একটা মাত্র নখের সাহায্যে একটা গভীর আঁচড় দিতে পারে?'

মহীতোষবাবু—'হঠাৎ এ প্রশ্ন কেন ?'

ফেলুদা—'আপনারা বোধহয় লক্ষ করেননি—তড়িৎবাবুর বুকের কাছে একটা গভীর ক্ষতচিহ্ন রয়েছে। শার্ট ভেদ করে একটা ধারালো জিনিস তার শরীরের মধ্যে ঢুকেছে। আপনারা এইখানে এলেই দেখতে পাবেন।'

কথাটা বলা মাত্র সকলে ব্যস্তভাবে তড়িৎবাবুর মৃতদেহের দিকে এগিয়ে গেল। তারপর মহীতোষবাবুর গলা পেলাম।

মহীতোষবাবু—'সর্বনাশ ! এ যে খুন ! এ তো বাঘের আঁচড় নয়। তড়িৎকে খুন করা হয়েছিল। তারপর তার মৃতদেহ বাঘে টেনে নিয়ে আসে। কী ভয়ঙ্কর ব্যাপার !'

ফেলুদা—'খুন বা খুনের চেষ্টা। ছুরির আঘাতেই তড়িৎবাবুর মৃত্যু হয়েছিল কি না সেটা এখনও বলা শক্ত। হয়তো তাকে জখম করে আততায়ী পালায়। জখম অবস্থাতে স্বভাবতই বাঘের কাজটা আরও সহজ হয়ে গিয়েছিল। যে অস্ত্র দিয়ে এই কুকীর্তিটা করা হয়েছে, সেটা খোঁজার চেষ্টা করা দরকার।'

মহীতোষবাবু—'শশাঙ্ক, তুমি এক্ষুনি পুলিশে খবর দাও।'

বন্দুক হাতে মাধবলালকে তড়িৎবাবুর মৃতদেহের পাশে পাহারায় রেখে আর সবাই জিপে ফিরে এল। ফেলুদাকে এত গম্ভীর অনেক দিন দেখিনি। ফেরার পথে ও একটাও কথা বলল না। আমাদেরও কথা বলার মতো মনের অবস্থা ছিল না। বনের মধ্যে একপাল হরিণকে ছুটতে দেখেও মনটা নেচে উঠল না। লালমোহনবাবু এর আগেও আমাদের সঙ্গে গায়ে কাঁটা-দেওয়া অবস্থায় পড়েছেন, কিন্তু ওকে এমন ফ্যাকাসে হয়ে যেতে দেখিনি কখনও। কোনও জায়গায় বেড়াতে এসে আচমকা রহস্যের মধ্যে জড়িয়ে পড়ার ঘটনা ফেলুদার জীবনে এর আগেও ঘটেছে, কিন্তু এভাবে নয়। এখানে তো শুধু খুন নয় বা রহস্য নয়, তার উপরে আবার মানুষখেকো !

৬

শশাঙ্কবাবু খবর দেওয়াতে কিছুক্ষণের মধ্যেই জলপাইগুড়ি থেকে পুলিশের লোক এসে তদন্ত শুরু করে দিয়েছে। এখন বিকেল পাঁচটা। আজ আকাশ পরিষ্কার। আমরা মহীতোষবাবুর নিজের বাগানের অদ্ভুত ভাল চা খেয়ে ঘরে বসে আছি। ফেলুদা ভুরু কুঁচকে পায়চারি করছে, মাঝে মাঝে আঙুল মটকাচ্ছে, আর মাঝে মাঝে একটা চারমিনার ধরিয়ে দু-চারটে টান দিয়েই টেবিলের উপর রাখা পিতলের ছাইদানিটায় ফেলে দিচ্ছে। লালমোহনবাবু ইতিমধ্যে বার তিনেক মাটিতে শোয়ানো বাঘের মাথাটা পরীক্ষা করেছেন ; বিশেষ করে দাঁতগুলো।

'ভদ্রলোকের সঙ্গে যদি আরেকটু আলাপ করার সুযোগ হত !'

ফেলুদা এ কথাটা আপন মনে আরও কয়েক বার বলেছে। সত্যি, তড়িৎবাবুকে ভাল করে চেনার আগেই তিনি খুন হয়ে গেলেন। খুনের কারণ কী হতে পারে, তড়িৎবাবুর সঙ্গে কারুর শত্রুতা ছিল কি না, এই সব না জানলে পরে ফেলুদার পক্ষে রহস্যের কিনারা করা মুশকিল হবে নিশ্চয়ই।

বারান্দার ঘড়িতে পাঁচটা বাজার কয়েক মিনিট পরেই মহীতোষবাবুর একজন চাকর— যার নাম জানি না— এসে খবর দিল, নীচের বৈঠকখানায় আমাদের ডাক পড়েছে।

আমরা তিনজনে বেশ ব্যস্তভাবেই নীচে গিয়ে হাজির হলাম। মহীতোষবাবু আর শশাঙ্কবাবু ছাড়াও আরেকটি ভদ্রলোক সোফায় বসে আছেন। পোশাক দেখে বুঝলাম ইনি পুলিশের লোক। মহীতোষবাবু পরিচয় করিয়ে দিলেন—

'ইনি ইনস্পেক্টর বিশ্বাস। আপনিই প্রথম ক্ষতচিহ্নটা দেখে খুনের কথাটা বলেছেন জেনে আপনার সঙ্গে আলাপ করতে চাইলেন।'

ফেলুদা নমস্কার করে মিস্টার বিশ্বাসের উলটোদিকে সোফাটায় বসল, আমরা দুজন একটু দূরে আর একটা সোফায় বসলাম।

মিস্টার বিশ্বাসের গায়ের রং রীতিমতো কালো, মাথায় চকচকে টাক, যদিও বয়স বোধহয় চল্লিশ-টল্লিশের বেশি নয়। সরু একটা গোঁফও আছে, তার দুটো দিক আবার লম্বায় সমান নয়। ছাঁটবার সময় বোধহয় একটু অসাবধান হয়ে পড়েছিলেন। ভদ্রলোক তীক্ষ্ণদৃষ্টিতে ফেলুদার দিকে দেখে বললেন, 'আপনি শুনলাম শখের ডিটেকটিভ।'

ফেলুদা একটু হেসে বুঝিয়ে দিল, কথাটা ঠিক।

বিশ্বাস বললেন, 'আপনাদের আর আমাদের মধ্যে তফাতটা কোথায় জানেন তো? আপনারা কোথাও গেলে পরে সেখানে খুন হয়, আর আমরা কোথাও খুন হলে পরে সেখানে যাই।' কথাটা বলে নিজের রসিকতায় নিজেই হো হো করে হেসে উঠলেন ইনস্পেক্টর বিশ্বাস।

ফেলুদা আর কথা না বাড়িয়ে একেবারে কাজের কথায় চলে গেল। বলল, 'খুনের অস্ত্রটা পাওয়া গেছে কি?'

বিশ্বাস হাসি থামিয়ে মাথা নেড়ে বললেন, 'না। তবে খোঁজা হচ্ছে। জঙ্গলের মধ্যে খানাতল্লাসির ব্যাপারটা কীরকম কঠিন সে তো বুঝতেই পারছেন। তার উপর আবার ম্যান-ইটার। পুলিশরাও তো মানুষ—মানে, ম্যান—বুঝলেন তো? হোঃ হোঃ হোঃ।'

বিশ্বাস মশাই এত হাসছেন দেখে ফেলুদাও যেন জোর করেই একটু হেসে আবার গম্ভীর হয়ে বলল, 'ছুরির আঘাতেই মরেছিলেন কি তড়িৎবাবু?'

বিশ্বাস বললেন, 'সেটা তো আর এখন বোঝবার উপায় নেই। লাশের যা অবস্থা, এমনিতেই বাঘে খেয়ে গেছে অনেকটা। তার উপর এই গরম; পোস্ট মর্টেমে কোনও ফল হবে বলে মনে হয় না। আসল কথা হচ্ছে— কোনও ব্যক্তি তড়িৎবাবুকে কোনও ধারালো অস্ত্রের সাহায্যে খুন করেছিল, বা খুন করার চেষ্টা করেছিল। তারপর বাঘে কী করেছে না করেছে সেটা আমাদের কনসার্ন না। তার জন্য যা স্টেপ নেবার সেটা নেবেন মিস্টার সিংহরায়।'

মহীতোষবাবু গম্ভীরভাবে মেঝের কার্পেটের দিকে তাকিয়ে বললেন, 'এর মধ্যেই আশপাশের গ্রামে প্যানিক আরম্ভ হয়ে গেছে। আমার লোকও তো জঙ্গলে কাঠ কাটার কাজ করে। আরও দু মাস কাজ রয়েছে, তারপর বর্ষা নামলে বন্ধ। অবস্থা গুরুতর সেটা বুঝতে পারছি। কিন্তু তড়িৎকে এভাবে আক্রমণ করল কে এবং কেন, সেটা না জানা অবধি আমি অন্য কিছু ভাবতেই পারছি না। অবিশ্যি আমিই তো আর একমাত্র শিকারি নই এ অঞ্চলে। বনবিভাগ থেকে শিকারির ব্যবস্থা করা কঠিন হবে না।'

মিস্টার বিশ্বাস গলা খাকরিয়ে একটু নড়ে বসে বললেন, 'আমার কাছে রহস্য একটাই— এত রাত করে জঙ্গলে গেলেন কেন আপনাদের তড়িৎবাবু। খুনের একটা খুব সহজ কারণ থাকতে পারে। তড়িৎবাবুর পকেটে কোনও মানিব্যাগ বা টাকা-পয়সা পাওয়া যায়নি। তার ঘর খুঁজে সেখানেও পাওয়া যায়নি। এ অঞ্চলে গুণ্ডা বদমাইশের তো অভাব নেই। এ অঞ্চলে কেন বলছি— সারা দেশেই নেই— হোঃ হোঃ হোঃ। তাদেরই কেউ এ কুকীর্তিটা করে থাকতে পারে। স্রেফ রাহাজানি আর কী।'

ফেলুদা একটা সিগারেট ধরিয়ে শান্তভাবে বলল, 'মাঝ রাত্তিরে জঙ্গলের মধ্যে তড়িৎবাবুর মতো একজন নিরীহ লোকের কাছ থেকে টাকা বার করে নিতে কি ছুরি মারার দরকার হয়?

মাথায় একটা লাঠির বাড়ি মেরেই কার্যসিদ্ধি হয় না কি ?'

বিশ্বাস কাষ্ঠহাসি হেসে বললেন, 'তা হয়তো হয়। কিন্তু তড়িৎবাবুকে খুন করার জন্য কী কারণ থাকতে পারে বলুন। মোটিভটা কোথায় ? তড়িৎবাবু ছিলেন মিস্টার সিংহরায়ের সেক্রেটারি, লেখাপড়া নিয়ে থাকতেন, পাঁচ বছর হল এখানে এসেছেন, কারুর সঙ্গে মেলামেশা নেই, এ বাড়ির লোকের বাইরে কারুর সঙ্গে আলাপ পরিচয়ও নেই। গুণ্ডা বদমাইশ ছাড়া তার উপর এ ধরনের আক্রমণ করবে কে ? এবং কেন করবে ?'

ফেলুদা ভুরু কুঁচকে চুপ করে রইল। বিশ্বাস বললেন, 'সাদাসিধে রাহাজানির ব্যাপারটা আপনাদের মতো শখের ডিটেকটিভদের অ্যাপিল করবে না জানি। তা বেশ তো, আপনি রহস্য চান, রহস্যও তো রয়েছে। বার করুন তো দেখি, তড়িৎবাবুর মতো লোক মাঝরাত্তিরে জঙ্গলে যায় কেন।'

শশাঙ্কবাবু চুপচাপ একটা আলাদা সোফায় বসেছিল। ফেলুদা যে কেন মাঝে মাঝে আড়চোখে ওঁর দিকে চাইছিল সেটা বুঝলাম না। মহীতোষবাবুর চেহারায় এখনও সেই ফ্যাকাসে ক্লান্ত ভাবটা রয়েছে। বার বার খালি মাথা নাড়ছেন আর বলছেন, 'কিছুই বুঝতে পারছি না...। কিছুই বুঝতে পারছি না...।'

আরও মিনিটখানেক বসে থেকে আমরা তিনজনে উঠে পড়লাম। মিস্টার বিশ্বাস বললেন, 'আপনি নিজের খুশি মতো তদন্ত চালিয়ে যেতে পারেন মিস্টার মিত্তির। তাতে আমি কিছু মাইন্ড করব না। হাজার হোক— ক্ষত চিহ্নটা তো আপনিই প্রথম দেখেছিলেন।'

বৈঠকখানা থেকে বেরিয়ে ফেলুদা দোতলায় গেল না। গাড়িবারান্দা দিয়ে বাড়ির বাইরে বেরিয়ে এসে ডান দিকে ঘুরে পুরনো আস্তাবল আর হাতিশালের পাশ দিয়ে একেবারে বাড়ির পিছন দিকে গিয়ে হাজির হলাম আমরা। পিছন ফিরে উপর দিকে চাইতেই দোতলার একসারি জানালার মধ্যে একটা থেকে দেখলাম লালমোহনবাবুর তোয়ালেটা ঝুলছে। এটা না হলে কোনটা যে আমাদের ঘর সেটা চেনা মুশকিল হত। আমাদের ঘরের ঠিক নীচেই একতলার একটা দরজা রয়েছে। এটাকে খিড়কি দরজা বলা যেতে পারে। এটা দিয়েই নিশ্চয় কাল রাত্রে বেরিয়ে তড়িৎবাবু জঙ্গলের দিকে গিয়েছিলেন।

সামনে বিশ-পঁচিশ হাত দূরে একটা খোলার চালওয়ালা ছোট্ট একতলা বাড়ি রয়েছে। তার সামনে আট-দশজন লোক জটলা করছে। তার মধ্যে একজনকে আমরা আগে দেখেছি। এ হল মহীতোষবাবুর দারোয়ান। বাড়িটাও সম্ভবত দারোয়ানেরই। ফেলুদার পিছন পিছন আমরা এগিয়ে গেলাম বাড়িটার দিকে। দূরে কালবুনির জঙ্গল দেখা যাচ্ছে, তার শাল গাছের মাথাগুলো অন্য গাছের উপর উঁচিয়ে রয়েছে। জঙ্গলের পিছনে দেখা যাচ্ছে ধোঁয়াটে নীল ঢেউ খেলানো পাহাড়ের সারি।

বাড়িটার কাছাকাছি পৌঁছতে দারোয়ান আমাদের সেলাম করল। ফেলুদা জিজ্ঞেস করল, 'তোমার নাম কী ?'

'চন্দন মিসির, হুজুর।'

বুড়ো লোক, মাথার চুলে কদম ছাঁট, পিছনে টিকি, চোখের পাশের চামড়া কুঁচকে গেছে। কথা বলার ঢং দেখেই বোঝা যায় খৈনি খায়।

'কদ্দিন কাজ করছ এখানে ?'

'পঁচাশ বরিস হইয়ে গেলো হুজুর।'

চন্দন মিসিরের কথায় বুঝলাম, তড়িৎবাবুর মৃত্যুর চেয়ে মানুষখেকো বাঘ নিয়ে এখানকার লোকেরা অনেক বেশি ব্যস্ত হয়ে পড়েছে। পাগলা হাতি নাকি প্রায়ই বেরোয়, কিন্তু

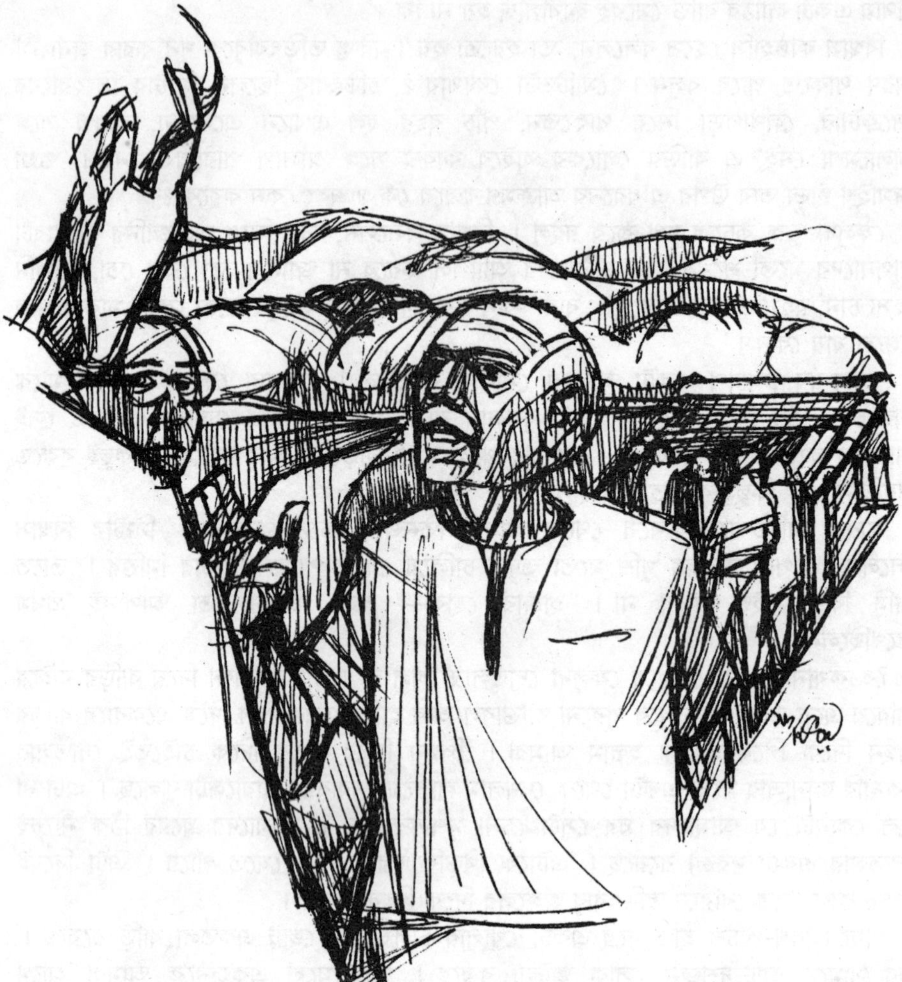

মানুষখেকো বাঘ গত ত্রিশ বছরের মধ্যে এই প্রথম। চন্দনের মতে এখানে কিছু লোক বেআইনিভাবে চোরা শিকার করে, তাদের কারুর গুলিতে হয়তো বাঘটা জখম হয়েছিল, আর সেই থেকেই ওটা ম্যান-ইটার হয়ে গেছে। অনেক সময় বেশি বয়সে বাঘের দাঁত ক্ষয়ে গেলেও ওরা ম্যান-ইটার হয়ে যায়। আবার মাঝে মাঝে দেখা যায় যে শজারু ধরে খেতে গিয়ে তার কাঁটা এমনভাবে চোখে-মুখে ঢুকে গেছে যে, তার ফলে কাবু হয়ে বাঘ জানোয়ার ছেড়ে আরও সহজ শিকার মানুষের দিকে গেছে।

ফেলুদা বলল, 'এখানকার লোকেরা কি চাইছে যে মহীতোষবাবু বাঘটাকে মারুন?'

চন্দন মিসির তার মাথায় হাত বুলিয়ে বলল, 'সে তো চাইবে, লেকিন বাবু তো এ জঙ্গলে শিকার করেননি কখনও। আসামে করিয়েছেন, ওড়িশায় করিয়েছেন—এ জঙ্গলে করেননি।'

খবরটা শুনে আমরা সকলেই অবাক হলাম। ফেলুদা বলল, 'কেন, এখানে করেননি কেন?'

চন্দন বলল, 'এই জঙ্গলে বাবুর দাদাজি (ঠাকুরদা) বাঘের হাতে মরলেন, বাবুর বাবা ভি বাঘের হাতে মরলেন, তাই বাবু এখানে না করে দুসরা জায়গা দুসরা জঙ্গলে চলে গেলেন।'

মহীতোষবাবুর বাবাও যে বাঘের হাতে মরেছিলেন সেটা এই প্রথম শুনলাম। ফেলুদা জিজ্ঞেস করাতে চন্দন বলল যে, মহীতোষবাবুর বাবা নাকি মাচা থেকে বাঘকে গুলি করেছিলেন, আর দেখে মনে হয়েছিল বাঘটা মরে গেছে। মিনিট দশেক পরে মাচা থেকে নেমে বাঘের দিকে যেতেই সেটা নাকি ভদ্রলোককে আক্রমণ করে সাংঘাতিকভাবে জখম করে। ক্ষত সেপটিক হয়ে কয়েক দিনের মধ্যেই নাকি ভদ্রলোক মারা যান।

খবরটা শুনে ফেলুদা কিছুক্ষণ ভুরু কুঁচকে মাটির দিকে চেয়ে দাঁড়িয়ে রইল। তারপর খোলার বাড়িটার দিকে দেখিয়ে বলল, 'তুমি ওই বাড়িতে থাক?'

'হাঁ, হুজুর।'

'রাত্তিরে ঘুমোও কখন?'

চন্দন প্রশ্নটা শুনে একটু থতমত খেয়ে ফেলুদার দিকে চাইল। ফেলুদা এবার আসল প্রশ্নে চলে গেল।

'কাল রাত্তিরে যে বাবু খুন হলেন—'

'তোড়িতবাবু?'

'হ্যাঁ। উনি বেশ বেশি রাত্তিরে বাড়ি থেকে বেরিয়ে জঙ্গলের দিকে গিয়েছিলেন। তুমি তাকে যেতে দেখেছিলে কি?'

চন্দন মিসির বলল, গতকাল না দেখলেও তড়িৎবাবুকে সে তার আগের দিন, এবং তারও আগে বেশ কয়েক দিনই সন্ধেবেলা জঙ্গলের দিকে যেতে দেখেছে। গতকাল তড়িৎবাবুকে না দেখলেও আরেকজনকে দেখেছে।

কথাটা শুনে ফেলুদার মুখের ভাব বদলে গেল।

'কাকে দেখেছিলে?'

'তা জানি না হুজুর। তোড়িতবাবুর টর্চের মুখটা বড়—তিন সেলের পুরনো টর্চ। আর এটা ছিল ছোট টর্চ, তার মুখ ছোট। তবে তাই বলে আলো কম নয়।'

'তুমি কেবল আলোই দেখেছ? আর কিছু দেখনি?'

'নেহি হুজুর। আউর কুছ নেহি দেখা।'

ফেলুদা আরও কী বিষয়ে জানি একটা প্রশ্ন করতে যাচ্ছিল, এমন সময় দেখি মহীতোষবাবুর চাকর ব্যস্তভাবে দৌড়ে আমাদের দিকে এগিয়ে আসছে।

'বাবু আপনাদের ডেকেছেন। বললেন জরুরি দরকার।'

আমরা ফিরে এসে দেখি, মহীতোষবাবু গাড়িবারান্দায় দাঁড়িয়ে আমাদের জন্য অপেক্ষা করছেন। ফেলুদাকে দেখামাত্র বললেন, 'আপনার অনুমান ঠিক। তড়িৎকে গুণ্ডা-বদমাইশে মারেনি।'

'কী করে জানলেন?'

'যে অস্ত্রটা দিয়ে তাকে মারা হয়েছিল সেটা আমাদেরই বাড়িতে ছিল। কাল যে তরোয়ালটা আপনাকে দেখিয়েছি, সেইটা। সেটা আর ঠাকুরদার আলমারিতে নেই।'

৭

কানাই চাকরটাই আদিত্যনারায়ণের ঘরে ধুনো দিতে গিয়ে তলোয়ারের অভাবটা লক্ষ করে, আর করেই মহীতোষবাবুকে খবর দেয়। ঘরে অনেক বইপত্তর আছে যেগুলো মহীতোষবাবুর লেখার কাজে দরকার হয়; তাই আর ঘরটায় চাবি দেওয়া হত না। চাকর সবই পুরনো আর বিশ্বাসী। চুরি এ বাড়িতে বহুকাল হয়নি, তাই ও নিয়ে কেউ মাথাও ঘামাত না। তার মানে এই যে, বাড়ির যে-কেউ ইচ্ছে করলে ও তলোয়ার বার করে নিতে পারত।

আলমারিটা খুব ভাল করে পরীক্ষা করেও ফেলুদা কোনও ক্লু বা ওই জাতীয় কিছু পেল না। শুধু তলোয়ারটাই নেই, আর সব যেখানে যেমন ছিল সেইভাবেই আছে।

পরীক্ষা শেষ হলে পর ফেলুদা বলল যে, ও তড়িৎবাবুর শোবার ঘর, আর তড়িৎবাবু যেখানে কাজ করত সেই জায়গাটা একটু দেখতে চায়। —'তবে তার আগে আপনার মনে কোনওরকম সন্দেহ হচ্ছে কি না সেটা জানতে চাই।'

মহীতোষবাবু কিছুক্ষণ গম্ভীর থেকে মাথা নেড়ে বললেন, 'তড়িৎকে খুন করার কোনও কারণ থাকতে পারে এমন কোনও লোক তো এখানে আছে বলে মনে হয় না। ওর এমনিতেও মেলামেশা কম ছিল, কাজ নিয়ে থাকত; মাঝে মাঝে হেঁটে বাইরে বেড়াতে যেত। যত দূর জানি, বদ অভ্যাস-টভ্যাসও কিছু ছিল না। আর ঠাকুরদার তলোয়ার দিয়েই যদি তাকে মেরে থাকে তা হলেও তো আমাদের বাড়িরই লোক। নাঃ, আমি তো ভেবে কূলকিনারা পাচ্ছি না।'

আমরা তিনজনে মহীতোষবাবুর সঙ্গে তড়িৎবাবুর ঘর দেখতে গেলাম। আমাদের ঘরেরই মতো বড় একটা ঘর। আসবাব ছাড়া তড়িৎবাবুর নিজের জিনিসপত্র বলতে নীল রঙের একটা বড় সুটকেস, একটা কাঁধে-ঝোলানো কাপড়ের ব্যাগ, আলনায় টাঙানো শার্ট প্যান্ট পায়জামা গেঞ্জি তোয়ালে ইত্যাদি, একটা তাকে প্রসাধনের জিনিসপত্র, একটা ছোট টেবিলের উপর রাখা ইংরেজি আর বাংলা কিছু গল্পের বই, একটা অ্যালার্ম ক্লক, একটা সুলেখা ব্লু-ব্ল্যাক কালি, আর দুটো পেনসিল। এ ছাড়া খাটের পাশে একটা টেবিলের উপর রাখা ফ্লাস্ক আর জলের গেলাস, আর একটা ছোট ট্রানজিস্টার রেডিয়ো।

সুটকেসটায় চাবি ছিল না। ফেলুদা সেটা খুলতেই দেখা গেল তার মধ্যে খুব পরিপাটি করে কাপড়চোপড় সাজানো রয়েছে। ফেলুদা বলল, 'ভদ্রলোক কলকাতায় যাবার জন্য তৈরিই হয়ে ছিলেন।'

মিনিট পাঁচেক পরে তড়িৎবাবুর ঘর থেকে আমরা মহীতোষবাবুর আপিস ঘরের দিকে রওনা দিলাম। যাবার পথে ফেলুদা মহীতোষবাবুকে জিজ্ঞেস করল, 'সেক্রেটারি বলতে ঠিক কী ধরনের কাজ করতেন তড়িৎবাবু, সেটা একটু বলবেন কি?'

মহীতোষবাবু বললেন, 'চিঠিপত্র লেখার কাজ তো আছেই, তা ছাড়া আমার হাতের লেখা ভাল নয় বলে পাণ্ডুলিপি ও-ই কপি করে দিত। তারপরে প্রুফ দেখত, কলকাতায় গেলে পাবলিশারদের সঙ্গে দেখা করা, কথাবার্তা বলা, এ সবও করত। ইদানীং আমার বংশের ইতিহাস লেখার ব্যাপারে ওকে অনেক পুরনো বই কাগজপত্র দলিল চিঠি ইত্যাদি ঘাঁটতে হয়েছে। সে-সব পড়ে তথ্য নোট করে রাখত।'

'এগুলো বুঝি সেই সব নোটের খাতা?' ফেলুদা তড়িৎবাবুর ডেস্কের উপর রাখা গোটা আষ্টেক বড় সাইজের খাতার দিকে দেখাল। মহীতোষবাবু মাথা নেড়ে 'হ্যাঁ' বললেন।

'আর এগুলো কি আপনার নতুন শিকার কাহিনীর প্রুফ?'

লম্বা লম্বা কাগজের তাড়া, দেখলেই বোঝা যায় সেগুলো প্রুফ। ফেলুদা এক-তাড়া প্রুফ

তুলে নিয়ে উলটোপালটে দেখছিল।

'প্রুফ-দেখিয়ে হিসেবে কি খুব নির্ভরযোগ্য ছিলেন তড়িৎবাবু ?'

প্রশ্নটা শুনে মহীতোষবাবু বেশ অবাক হয়েই বললেন, 'আমার তো তাই ধারণা। আপনার কি সন্দেহ হচ্ছে ?'

'প্রথম পাতার প্রথম প্যারাগ্রাফেই দুটো ভুল দেখছি শুধরানো হয়নি।'

'তাই নাকি ?'

'গর্জন কথাটার রেফ বাদ রয়ে গেছে, আর হরিণের র-এ ফুটকি নেই।'

'আশ্চর্য...আশ্চর্য...'

মহীতোষবাবু অন্যমনস্কভাবে প্রুফের কাগজগুলোর উপর চোখ বুলিয়ে ফেলুদাকে ফেরত দিয়ে দিলেন।

'সম্প্রতি তড়িৎবাবুকে কি চিন্তিত বা উদ্বিগ্ন বলে মনে হত আপনার ?' ফেলুদা প্রশ্ন করল।

'কই, সে রকম তো কিছু লক্ষ করিনি।'

ফেলুদা তড়িৎবাবুর কাজের টেবিলের উপর ঝুঁকে পড়ে কী যেন দেখছে। একটা প্যাড খোলা রয়েছে, তার উপর হিজিবিজি লেখা। ফেলুদা প্যাডটা হাতে তুলে নিয়ে কাগজের উপর চোখ রেখে বলল, 'আপনাদের বংশের ইতিহাস লেখার জন্য কি মহাভারত ঘাঁটার দরকার হচ্ছিল ?'

'কেন বলুন তো ?'

'তড়িৎবাবু এই প্যাডে বোধহয় অন্যমনস্কভাবেই কয়েকটা কথা লিখেছেন। এই যে দেখুন না— অর্জুন, কীচক, নারায়ণী, উত্তর, অশ্বত্থামা। এরা সবই তো মহাভারতের নাম। নারায়ণী হল কৃষ্ণের সেনার নাম। কীচক ছিল বিরাট রাজার শালা, আর উত্তর হল বিরাটের ছেলে, অভিমন্যুর শালা।'

মহীতোষবাবু বললেন, 'আমার কাজের জন্য ওকে মহাভারত পড়তে হয়নি, তবে ব্যাপারটা কী জানেন, তড়িৎ ছিল বইয়ের পোকা। ঠাকুরদাদার লাইব্রেরিতে কালীপ্রসন্নর মহাভারত রয়েছে। সেটা নিয়ে ঘাঁটাঘাঁটি করে থাকতে পারে।'

আমরা মহীতোষবাবুর আপিসঘর থেকে বাইরের বারান্দায় এসে দাঁড়িয়েছি, এমন সময় একটা চেনা গুরুগম্ভীর গলায় থিয়েটারের ঢঙে ক'টা কথা কানে এল—

'সব ধ্বংস হয়ে যাবে...সব ধ্বংস হয়ে যাবে ! সত্যের ভিত টলমল করছে, সব ধ্বংস হয়ে যাবে !'

শুধু গলাটাই শুনলাম, মানুষটাকে দেখতে পেলাম না। মহীতোষবাবু দীর্ঘশ্বাস ফেলে বললেন, 'বৈশাখ মাসটা প্রতি বছরই দাদার এ রকম হয়। তারপর বর্ষা এলে গরমটা কমলে কিছুটা নিশ্চিন্ত।'

আমরা আমাদের ঘরের সামনে পৌঁছে গেছি। ফেলুদা বলল, 'কাল একবার জঙ্গলে যাব ভাবছিলাম। একটু অনুসন্ধানের প্রয়োজন। আপনি কী বলেন ?'

মহীতোষবাবু ভুরু কুঁচকে বললেন, 'তড়িৎকে যেখানে ফেলে রেখে গিয়েছিল বাঘ, তার কাছাকাছি সে আর আসবে না বলেই তো মনে হয়। বিশেষ করে দিনের বেলা। অন্তত বাঘ সম্বন্ধে আমার অভিজ্ঞতা তাই বলে। কাজেই আপনারা যদি ওই স্পটের কাছাকাছি থাকেন তা হলে বেশি রিস্‌ক নেই। সত্যি বলতে কী, এ জঙ্গলে যে বড় বাঘ এখনও রয়ে গেছে সেটাই তো আমার কাছে একটা বিরাট বিস্ময়।'

'সঙ্গে মাধবলালকে পাওয়া যাবে তো ? আর একটা জিপ... ?'

'নিশ্চয়ই।'

মহীতোষবাবু চলে গেলেন। বললেন, তলোয়ারের খবরটা ইনস্পেক্টর বিশ্বাসকে দিতে হবে।

সন্ধ্যা হয়ে গেছে। বিকেলের পর থেকে আকাশের মেঘ একদম কেটে গেছে। লালমোহনবাবু অনেকক্ষণ থেকে চুপচাপ ছিলেন ; দেখে মনে হচ্ছিল হয়তো কোনও গল্পের প্লট মাথায় আসছে, কারণ মাঝে মাঝে পকেট থেকে লাল টুকটুকে একটা টাটার ডায়েরি বার করে কী যেন নোট করছিলেন। ঘরে এসে পাখাটা খুলে দিয়ে খাটে বসে বললেন, 'কীরকম বোনাস পেয়ে গেলেন বলুন। এটা আমারই দৌলতে সেটা স্বীকার করছেন তো ?'

'একশোবার।'

ফেলুদা তড়িৎবাবুর ডেস্কের উপর থেকে সেই মহাভারতের নাম লেখা প্যাডটা আর

'কোচবিহারের ইতিহাস' বলে একটা বই নিয়ে এসেছিল। এখন সে খাটে বসে প্যাডের দিকে চেয়ে রয়েছে। কিছুক্ষণ চেয়ে থেকে বিড়বিড় করে বলল, 'সব ক'টাই মহাভারতের নাম তাতে সন্দেহ নেই, কেবল এই "উত্তর" কথাটা... । উত্তর...উত্তর । উত্তর নামও হতে পারে, উত্তরদিকও হতে পারে, আবার উত্তর মানে উত্তর কাল— পরবর্তীকাল— এও হতে পারে। আবার উত্তর মানে প্রশ্নের উত্তর... জবাব... জবাব...'

ফেলুদা হঠাৎ যেন চমকে উঠল। তারপর খাটের পাশের টেবিলের উপর থেকে নিজের খাতাটা নিয়ে সংকেতের পাতাটা খুলল।

'দিক পাও ঠিক ঠিক জবাবে।—থ্যাঙ্ক ইউ তড়িৎবাবু। আপনার উত্তর বিরাট রাজার ছেলে হতে পারে—'আমার উত্তর হল উত্তরদিক। দিক পাও ঠিক ঠিক জবাবে। অর্থাৎ দিক পাও ঠিক ঠিক উত্তরে। তার মানে উত্তরদিকটাই হল ঠিক দিক। হাত গোন ভাত পাঁচ। পঞ্চান্ন হাত। উত্তরদিকে পঞ্চান্ন হাত। কিন্তু তারপর ? ফাল্গুন তাল জোড়, দুই মাঝে ভুঁই ফোঁড়। ফাল্গুন...এই ফাল্গুনটা নিয়েই যত গণ্ড—'

আবার ফেলুদার সেই চমকে উঠে কথা থেমে যাওয়ার ব্যাপার।

'তড়িৎবাবুর টেবিলের উপর একটা বাংলা অভিধান ছিল না ?' সে চাপা গলায় বলে উঠল।

লালমোহনবাবু বললেন, 'হ্যাঁ হ্যাঁ, সংসদের অভিধান। লাল রং। আমারও আছে।'

'ওটা দেখা দরকার।'

ফেলুদার পিছন পিছন আমরাও ছুটলাম মহীতোষবাবুর আপিস ঘরে।

অভিধান খুলে 'ফাল্গুন' বার করে ফেলুদার চোখ জ্বলজ্বল করে উঠল।

'ফাল্গুন—ফাল্গুন হল অর্জুনের একটা নাম! আর অর্জুন শুধু পঞ্চপাণ্ডবের একজন নয়, অর্জুন গাছও বটে। এ জঙ্গলে অর্জুন গাছ কালও দেখেছি।'

'তা হলে ব্যাপারটা কী দাঁড়াচ্ছে ?' লালমোহনবাবু জিনিসটা ভাল করে না বুঝেও উত্তেজিত হয়ে পড়েছেন।

'ফাল্গুন তাল জোড়, দুই মাঝে ভুঁই ফোঁড়। একটা অর্জুন গাছ আর জোড়া তাল গাছের মাঝখানে জমি খুঁড়তে হবে।'

'কিন্তু সে রকম গাছ কোথায় আছে সেটা জানছেন কী করে ?'

ফেলুদা বলল, 'আরেকটা কোনও বুড়ো গাছের উত্তরে পঞ্চাশ হাত গেলেই পাওয়া যাবে।'

'আরেব্বাবা, বুড়ো গাছ! বুড়ো গাছ ছাড়া ছোক্‌রা গাছ আছে নাকি এ জঙ্গলে ? আর গাছ তো মশাই সব কেটে ফেলেছে। মহীতোষবাবুর নিজেরই তো কাঠের ব্যবসা। এ সংকেত লেখা হয়েছে কদ্দিন আগে ? সত্তর পঁচাত্তর বছর হবে না ?'

আমরা আমাদের ঘরে ফিরে এসেছি। ফেলুদা আবার চুপ, আবার গম্ভীর। মেঝেতে বাঘছালের দিকে চেয়ে রয়েছে অন্যমনস্কভাবে। প্রায় মিনিটখানেক ওইভাবে থেকে বলল, 'যা ভাবছি তাই যদি হয়, তা হলে বড় বাঘের ছালটা তড়িৎবাবুরই পাওয়া উচিত ছিল। সংকেত সমাধানের ব্যাপারে তড়িৎ সেনগুপ্ত ফেলু মিত্তিরের চেয়ে কম যায় না। থুড়ি, যেতেন না।'

লালমোহনবাবু বললেন, 'কিন্তু প্যাডে যে আরও সব মহাভারতের নাম রয়েছে ? কীচক, অশ্বত্থামা—এদের সঙ্গে সংকেতের কী সম্পর্ক ?'

'সেই কথাই তো আমিও ভাবছি...'

ফেলুদা আবার প্যাডের দিকে চাইল। তারপর বলল, 'অবিশ্যি এই কাগজের সব ক'টা

নামই যে পরস্পরের সঙ্গে যুক্ত, এটা ভাবার কোনও কারণ নেই। এবং এগুলো যে একই সময় লেখা সেটাও ভাবার কোনও কারণ নেই। এই দেখুন—কীচক আর নারায়ণী ডট পেন দিয়ে লেখা। দেখলেই বুঝতে পারবেন। কালির রং সবই এক বলে মনে হয়, কিন্তু অন্য লেখাগুলোর নীচের দিকের টানগুলো ঈষৎ মোটা— যেটা ডট পেনে কখনও হয় না।'

লালমোহনবাবু প্রায় গোয়েন্দার মতো করে কাগজটার দিকে ভুরু কুঁচকে তাকিয়ে থেকে বললেন, 'তা হলে কীচক আর নারায়ণীর সঙ্গে সংকেতের—'

কথাটা শেষ হবার আগেই দরজার দিক থেকে গম্ভীর গলায় কথা এসে পড়ায় লালমোহনবাবু চমকে উঠে হাত থেকে প্যাডটা ফেলেই দিলেন।

'কীচকদের নিয়ে কথা হচ্ছে কি ?'

দেবতোষবাবু।

পর্দা ফাঁক হল। ভদ্রলোক ভিতরে ঢুকে এলেন। আবার সেই বেগুনি ড্রেসিং গাউন। ভদ্রলোকের কি আর কোনও জামা নেই ? ফেলুদা বলল, 'আসুন দেবতোষবাবু, ভিতরে আসুন।' ভদ্রলোক ফেলুদার কথায় কান না দিয়ে একটা প্রশ্ন করে বসলেন।

'পৃথুরাজা দিঘির জলে ডুবে আত্মহত্যা করেছিলেন কেন জান ?'

'আপনি বলুন। আমরা জানি না।' ফেলুদা বলল।

'কারণ কীচকদের সংস্পর্শে এসে পাছে ধর্মনাশ হয়, সেই ভয়ে।'

'কীচক একটা জাতির নাম ?' ফেলুদা অবাক হয়ে জিজ্ঞেস করল।

'যাযাবর জাতি। জঙ্গলে গেলে একবার একটু খোঁজ করে দেখো তো তারা এখানে আছে কি না ! বনমোরগ শিকার করত তীর-ধনুক নিয়ে।'

'নিশ্চয়ই দেখব খোঁজ করে', ফেলুদা খুব স্বাভাবিকভাবে বলল। তারপর বলল, 'আপনাকে একটা কথা জিজ্ঞেস করতে পারি কি ?'

দেবতোষবাবু কেমন যেন অবাক ফ্যালফ্যালে ভাব করে ফেলুদার দিকে চাইলেন।

'জিজ্ঞেস করবে ? আমাকে তো কেউ জিজ্ঞেস করে না' !'

'আমি করছি। এখানে প্রাচীন গাছ বলতে কোনও বিশেষ গাছ আছে কি ? আপনি স্থানীয় ইতিহাস ভাল করে জানেন বলেই আপনাকে জিজ্ঞেস করছি।'

'প্রাচীন গাছ ?'

'হ্যাঁ। মানে এমন গাছ, যাকে লোকে বুড়ো গাছ বলে জানে।'

'প্রাচীন গাছ' শুনে, দেবতোষবাবুর ঘোলাটে চোখ আরও ঘোলাটে হয়ে গিয়েছিল, এখন হঠাৎ জ্বলজ্বল করে উঠল।

'বুড়ো গাছ ? তাই বলো। প্রাচীন গাছ আর বুড়ো গাছ কি এক হল ? বুড়ো নাম তো শুধু বয়সে বুড়ো বলে নয়। গাছের গায়ে একটা ফোকর আছে, সেটা দেখতে ঠিক একটা ফোক্‌লাদাঁত বুড়োর হাঁ করা মুখের মতো। সেই গাছের নীচে ঠাকুরদাদার সঙ্গে গিয়ে চড়ুইভাতি করেছি। ঠাকুরদাদা বলতেন ফোক্‌লা ফকিরের গাছ।'

'গাছটা কী গাছ ?' ফেলুদা জিজ্ঞেস করল।

'কাটা ঠাকুরানীর মন্দির দেখেছ ? সে-ও রাজুর হাত থেকে নিস্তার পায়নি। সেই মন্দিরের পশ্চিমদিকে হল ফোক্‌লা ফকিরের গাছ। অশ্বত্থ গাছ। সেই গাছেই একদিন মহী—'

'দাদা, চলে এসো !'

দেবতোষবাবু কথা শেষ করতে পারলেন না। কারণ মহীতোষবাবু দরজার বাইরে থেকে তাঁর বাজখাঁই গলায় হাঁক দিয়েছেন। পর্দা আবার ফাঁক হল। মহীতোষবাবু গম্ভীর মুখ করে

ঘরে ঢুকলেন। বুঝলাম সেই কঠিন মানুষটা আবার বাইরে বেরিয়ে এসেছে।

'তোমার ওষুধ খাবার কথা ; খেয়েছ ?'

'ওষুধ ?'

'মন্মথ দেয়নি ?'

দেবতোষবাবুর জন্য একজন আলাদা চাকর আছে, নাম মন্মথ।

'আমি তো ভাল আছি, আবার ওষুধ কেন ? আমার মাথার যন্ত্রণা—'

মহীতোষবাবু তাঁর দাদাকে এক রকম জোর করেই ঘাড় ধরে ঘর থেকে বার করে নিয়ে গেলেন। বাইরে থেকে ছোট ভাইয়ের ধমক শুনতে পেলাম।

'ভাল আছ কি না-আছ সেটা ডাক্তার বুঝবে। তোমাকে যা ওষুধ দেওয়া হয়েছে, সেটা তুমি খাবে।'

গলা মিলিয়ে এল ; আর সেই সঙ্গে পায়ের শব্দও।

'ভদ্রলোককে সত্যিই কিন্তু আজ অনেকটা স্বাভাবিক বলে মনে হচ্ছিল।' মন্তব্য করলেন লালমোহনবাবু। ফেলুদার কানে যেন কথাটা গেলই না। সে আবার বিড়বিড় শুরু করেছে।

'অশ্বত্থ গাছে...অশ্বত্থ গাছ...অশ্বত্থ...। কিন্তু মুড়ো হয় কেন ? মুড়ো হয় বুড়ো গাছ...মুড়ো হয়...'

হঠাৎ হাত থেকে খাতাটা প্রচণ্ড জোরে বিছানায় ফেলে দিয়ে ফেলুদা লাফিয়ে উঠে চিৎকার করে উঠল—'হয় ! হয় ! হয় ! হয় !'

'কী হয় ?' লালমোহনবাবু যথারীতি ভ্যাবাচ্যাকা।

'বুঝতে পারছেন না ? মুড়ো হয় বুড়ো গাছ। তার মানে বুড়ো গাছ, তার মুড়ো, মানে মুণ্ডু, অর্থাৎ গোড়া—হল হয়।'

'হল হয় ? সে আবার কী ?' লালমোহনবাবু আরও হতভম্ব। সত্যি বলতে কী, আমারও মনে হচ্ছিল ফেলুদা একটু আবোল তাবোল বকছে। এবার ফেলুদা যেন বেশ বিরক্ত হয়েই লালমোহনবাবুর দিকে চোখ পাকিয়ে গলা উঁচিয়ে বলল, 'আপনি না সাহিত্যিক ? "হয়" মানে জানেন না ? ঘোড়া, ঘোড়া, ঘোড়া। হয় মানে ঘোড়া। হয় মানে অশ্ব। বুড়ো গাছের গোড়া হল অশ্ব। আরও বলতে হবে ?'

'অশ্বত্থ !' চেঁচিয়ে উঠলেন লালমোহনবাবু।

'অশ্বত্থ। তড়িৎবাবু অশ্বত্থই লিখেছিলেন এমনি কলম দিয়ে, আর পরে খেয়ালবশত আ-কার আর মা জুড়ে দিয়েছেন ডট পেন দিয়ে। আর আমি ভাবছি মহাভারত। ছি ছি ছি ছি !'

৮

আমি জানি ফেলুদা কাল অনেক রাত অবধি ঘুমোয়নি। আমি আর লালমোহনবাবুও জেগে ছিলাম প্রায় এগারোটা অবধি। তড়িৎবাবুর মতো একজন আশ্চর্য বুদ্ধিমান লোক কী বিশ্রীভাবে ও কী রহস্যজনকভাবে মারা গেলেন সেই নিয়ে আলোচনা করছিলাম। কতকগুলো ব্যাপার যে ফেলুদাকেও রীতিমতো ধাঁধিয়ে দিয়েছিল সেটা বেশ বুঝতে পারছিলাম। ফেলুদা নিজেই সেগুলোর একটা লিস্ট করেছিল ; সেটা এখানে তুলে দিচ্ছি—

১। তড়িৎবাবু ছাড়া আর কে কাল রাত্রে জঙ্গলে গিয়েছিল ? যে গিয়েছিল সে-ই কি তলোয়ার নিয়েছিল ? সেই কি খুনি ? না সে ছাড়াও আরও কেউ গিয়েছিল ? হাল ফ্যাশানের

টর্চ কার কাছে আছে ?

২। প্রথম রাত্রে মহীতোষবাবু কার সঙ্গে ধমকের সুরে কথা বলছিলেন ?

৩। দেবতোষবাবু কাল মহীতোষবাবু সম্পর্কে কী ঘটনা বলতে যাচ্ছিলেন, সে সময় মহীতোষবাবু এসে তাঁকে ডেকে নিয়ে গেলেন ?

৪। দেবতোষবাবু সেদিন যুধিষ্ঠিরের রথের কথাটা বললেন কেন ? সেটা কি পাগলের প্রলাপ, না তার কোনও মানে আছে ?

৫। শশাঙ্কবাবু এত চুপচাপ কেন ? সেটা কি ওঁর স্বভাব, না বিশেষ কোনও কারণে উনি চুপ মেরে গেছেন ?

লালমোহনবাবু সব শুনেটুনে বললেন, 'মশাই, আমি কিন্তু একটি লোককে মোটেই ভরসার চোখে দেখতে পারছি না। ওই দাদা ব্যক্তিটি পাগল হতে পারেন, কিন্তু ওঁর হাতের কব্জিটা দেখেছেন ? মহীতোষবাবুর চেয়েও চওড়া। আর কালাপাহাড়ের উপর যা আক্রোশ দেখলাম, কাউকে কালাপাহাড় মনে করে ধাঁ করে একটা তলোয়ারের ঘা বসিয়ে দেওয়া কিছুই আশ্চর্য না।'

কথাটা শুনে ফেলুদা কিছুক্ষণ লালমোহনবাবুর দিকে চেয়ে থেকে বলল, 'আমার সঙ্গে মিশে আপনার কল্পনাশক্তি ও পর্যবেক্ষণক্ষমতা যে যুগপৎ বেড়ে চলেছে সে বিষয়ে কোনও সন্দেহ নেই। দেবতোষবাবু যে তলোয়ারের আঘাতে খুন করার ক্ষমতা রাখেন সেটা আমিও বিশ্বাস করি। তবে তড়িৎবাবুর খুনের পেছনে যে-ধরনের হিসেবি কার্যকলাপের ইঙ্গিত পাওয়া যায়— আদিত্যনারায়ণের আলমারি খুলে তলোয়ার নেওয়া, তড়িৎবাবুকে অনুসরণ করে এতখানি পথ হেঁটে জঙ্গলে যাওয়া—তাও আবার দুর্যোগের রাতে— তারপর অন্ধকারেই তাগ করে তলোয়ার চালানো—এটা মনে রাখতে হবে যে এক হাতে টর্চ জ্বেলে অন্য হাতে তলোয়ার চালানো সম্ভব নয়—এই এতগুলো কাজ একজন পাগলের পক্ষে সম্ভব কি না সে বিষয়ে আমার যথেষ্ট সন্দেহ আছে। আসলে আরেকবার জঙ্গলে গিয়ে অনুসন্ধান না করলে চলছে না। যা ঘটেছে সব তো ওইখানে। কাজেই বাড়িতে বসে শুধু জল্পনা-কল্পনার সাহায্যে বেশি দূর এগোনো যাবে না। এটা ঠিক যে তড়িৎবাবু সংকেতের সমাধান করে গুপ্তধনের সন্ধানেই গিয়েছিলেন। গুপ্তধন নিয়ে সোজা কলকাতায় চলে যাবেন, এটাই ছিল তাঁর প্ল্যান। কিন্তু এমন একটা আরামের চাকরি ছেড়ে গুপ্তধনের প্রতিই বা তাঁর লোভটা গেল কেন ? ভদ্রলোককে তো রাজার হালে রেখেছিলেন মহীতোষবাবু। মাইনেও যে ভাল দিতেন সেটা তড়িৎবাবুর জামা-কাপড়, হাতের ঘড়ি, প্রসাধনের জিনিসপত্র ইত্যাদি দেখলেই বোঝা যায়। সিগারেটটাও খেতেন বিলিতি, এই মাগ্‌গির বাজারে।'

আজ সকাল থেকে আবার মেঘ করে আছে, তবে বৃষ্টি পড়ছে না। জানালা দিয়ে জঙ্গলটা চোখে পড়তেই কেমন যেন গা ছম ছম করে ওঠে। ফেলুদা সবেমাত্র বলেছে একবার মহীতোষবাবুর সঙ্গে দেখা হওয়া উচিত, এমন সময় চাকর এসে খবর দিল— নীচে ডাক পড়েছে। একটা জিপের আওয়াজ কিছুক্ষণ আগেই পেয়েছিলাম। নীচে গিয়ে দেখলাম ইনস্পেক্টর হাজির।

'আপনি খুশি তো ?' বিশ্বাস ফেলুদাকে দেখেই প্রশ্নটা করলেন।

'কেন ?'

'একটা রহস্য পেয়ে গেলেন ! এই বাড়ি থেকেই অস্ত্র নিয়ে গিয়ে তড়িৎবাবুকে খুন করা হয়েছে, সেটা তো আপনার কাছে একটা জোর খবর, তাই নয় কি ?'

'অস্ত্র নেই মানেই যে সেটা দিয়ে খুন করা হয়েছে, এটা নিশ্চয়ই আপনি মনে করেন না !'

'আমি তা মনে করব কেন ? কিন্তু আপনি তাই ভাবছেন না কি ?'

দুজনেই বেশ ভদ্রভাবে কথা বললেও বেশ বুঝতে পারছিলাম যে দুজনের মধ্যে একটা চাপা রেষারেষি চলেছে। কোনও দরকার ছিল না ; মিস্টার বিশ্বাসই প্রথম ঠেস দিয়ে কথা বলেছেন। ফেলুদা একটা সিগারেট ধরিয়ে বলল, 'আমি এখনও কোনও সিদ্ধান্তে পৌঁছইনি। আর আপনি যদি মনে করেন যে আমি খুশি হয়েছি, তা হলে বলতে বাধ্য হব যে আপনার ধারণা ভুল। খুনের ব্যাপারে আমি কোনও দিনই খুশি না। বিশেষ করে তড়িৎবাবুর মতো একজন বুদ্ধিমান লোক এত অল্প বয়সে এভাবে প্রাণ হারাবেন, এতে খুশি হবার কী আছে মিস্টার বিশ্বাস ?'

'বুদ্ধিমান লোক ?' বিশ্বাস ঠাট্টার সুরে বললেন। 'বুদ্ধিমান লোকের এমন মতিভ্রম হবে কেন যে রাত দুপুরে বাঘের জঙ্গলে যাবে সফর করতে ? এর কোনও সন্তোষজনক উত্তর দিতে পারেন আপনি, মিস্টার মিত্তির ?'

'পারি।'

আমরা ছাড়া ঘরে তিনজন লোক— মহীতোষবাবু, বিশ্বাস আর শশাঙ্কবাবু। তিনজনেই ফেলুদার কথায় যেন তটস্থ হয়ে ওর দিকে চাইল। ফেলুদা বলল, 'তড়িৎবাবুর জঙ্গলে যাবার একটা পরিষ্কার কারণ ছিল।' এবার ফেলুদা মহীতোষবাবুর দিকে চাইল। 'আপনার সংকেতের মানে আমি বার করেছি মহীতোষবাবু— তবে আমারও আগে করেছিলেন তড়িৎ সেনগুপ্ত। কাজেই বাঘছালটা ওঁরই প্রাপ্য ছিল। আমার বিশ্বাস উনি জঙ্গলে গিয়েছিলেন গুপ্তধনের সন্ধানে।'

মহীতোষবাবুর চোখ কপালে উঠে গেছে দেখে ফেলুদা তাকে পুরো ব্যাপারটা বুঝিয়ে দিল। ফোক্‌লা ফকিরের গাছের কথা শুনে মহীতোষবাবু অবাক হয়ে বললেন, 'কই, ও রকম কোনও গাছ আছে বলে তো জানি না।'

'কিন্তু আপনার দাদা যে বললেন ছেলেবেলায় আপনারা ওখানে চড়ুইভাতি করতে যেতেন, আপনার ঠাকুরদার সঙ্গে ?'

'দাদা বললেন ?' মহীতোষবাবুর কথায় পরিষ্কার ব্যঙ্গের সুর। 'দাদা যা বলেন তার কতটা সত্যি কতটা কল্পনা তা আপনি জানেন ? আপনি ভুলে যাচ্ছেন যে দাদার মাথার ঠিক নেই।'

ফেলুদা চুপ করে গেল। দেবতোষবাবুর মাথার ব্যারাম নিয়ে তারই আপন ভাইয়ের সঙ্গে সে কীভাবে তর্ক করবে ?

এদিকে মহীতোষবাবু কিন্তু বেশ ফ্যাকাসে হয়ে গেছেন। হাত কচলাতে কচলাতে বললেন, 'তার মানে তড়িৎ গুপ্তধন নিয়ে কলকাতায় পালানোর মতলব করছিল। হয়তো আর ফিরেও আসত না। অথচ আমি এর কিছুই জানতে পারিনি।'

মিস্টার বিশ্বাস সোফা ছেড়ে উঠে দাঁড়িয়ে বাঁ হাতের তেলোতে ডান হাত দিয়ে একটা ঘুঁষি মেরে বললেন, 'যাক, তা হলে ভদ্রলোকের বনে যাবার একটা কারণ পাওয়া গেল। এবার জানা দরকার আততায়ী কে।'

'এই বাড়িরই লোক তাতে বোধহয় সন্দেহ নেই। আছে কি ?' ফেলুদা একটা ধোঁয়ার রিং ছেড়ে জিজ্ঞেস করল।

মিস্টার বিশ্বাস একটা বাঁকা হাসি হেসে চোখ দুটোকে ছোট ছোট করে বললেন, 'তা তো বটেই। তবে এ বাড়ির লোক বলতে আপনিও কিন্তু বাদ যাচ্ছেন না, মিস্টার মিত্তির। আপনি নিজে তলোয়ারটা দেখেছিলেন। ওটা হাত করার সুযোগ এ বাড়ির অন্য বাসিন্দাদের যেমন ছিল, তেমনই আপনারও ছিল। আপনি তড়িৎবাবুকে আগে থেকে জানতেন কি না, তার প্রতি আপনার কোনও আক্রোশ ছিল কি না, সে সব কিন্তু কিছুই জানা যায়নি।'

মিস্টার বিশ্বাসের কথায় ফেলুদা আর একটা ধোঁয়ার রিং ছেড়ে বলল, 'কেবল দুটো জিনিস

সকলেই জানে। এক, আমি এখানে আমন্ত্রিত হয়ে এসেছি, এমনিতে আসার কথা ছিল না ; দুই, তড়িৎবাবু যে ছুরির আঘাতে মরে থাকতে পারেন সেদিকে আমিই প্রথম দৃষ্টি আকর্ষণ করি। না হলে তাকে বাঘের শিকার বলেই চালিয়ে দেওয়া হচ্ছিল।'

মিস্টার বিশ্বাস এবার একটা হালকা হাসি হেসে বললেন, 'আপনি আমার কথাটা এত সিরিয়াসলি নিচ্ছেন কেন ? ভয় নেই, আমাদের লক্ষ্য আপনার দিকে নয়, অন্য দিকে।'

লক্ষ করলাম যে, কথাটা বলার পর বিশ্বাস আর মহীতোষবাবুর মধ্যে, যাকে বলে দৃষ্টি বিনিময়, সে রকম একটা ব্যাপার ঘটে গেল— বোধহয় এক সেকেন্ডের জন্য। ফেলুদা বলল, 'আপনি কালকে যে কথাটা বলেছিলেন, সেটা এখনও বলছেন তো ?'

'কী কথা ?' জিজ্ঞেস করলেন মিস্টার বিশ্বাস।

'আমি আমার ইচ্ছেমতো অনুসন্ধান চালিয়ে যেতে পারি তো ?'

'নিশ্চয়ই, নিশ্চয়ই। কেবল আমার আর আপনার কাজটা ক্ল্যাশ না করলেই ভাল। কেউ কারুর বাধা সৃষ্টি করলেই কিন্তু মুশকিল হবে।'

'সেটার বোধহয় কোনও সম্ভাবনা নেই। আমি জঙ্গলের দিকটাতেই তদন্ত চালাব প্রধানত। সে ব্যাপারে বোধহয় আপনার খুব একটা উৎসাহ নেই।'

'এনিথিং ইউ লাইক'—বললেন মিস্টার বিশ্বাস।

এবার ফেলুদা মহীতোষবাবুর দিকে ফিরল।

'দেবতোষবাবুর সঙ্গে কথা বলে কোনও ফল হবে না বলছেন ?'

মহীতোষবাবু অধৈর্য হলেন কি না জানি না, তবে মনে হল একবার যেন ওঁর চওড়া চোয়ালের হাড়টা একটু শক্ত হল। পরমুহূর্তেই আবার স্বাভাবিক হয়ে শান্ত গম্ভীর গলায় বললেন, 'দাদার শরীরটা কাল থেকে একটু বেশি খারাপ হয়েছে। ওঁকে ডিসটার্ব করাটা ঠিক হবে না।'

ফেলুদা ছাইদানে সিগারেট ফেলে দিয়ে সোফা ছেড়ে উঠে বলল, 'আমি তো আর অনির্দিষ্টকাল আপনার অতিথি হয়ে থাকতে পারি না, বা থাকতে চাইও না। কালই আমাদের মেয়াদের শেষ দিন। আপনাকে বলেছিলাম একবার জঙ্গলে যেতে চাই। আপনি যদি একটু মাধবলালকে বলে দেন, আর আপনার একটা জিপ...'

দুটোর ব্যবস্থাই হয়ে গেল। এখন সাড়ে আটটা। ঠিক হল আমরা দশটা নাগাদ বেরিয়ে পড়ব। জঙ্গলে ঘোরার জন্য হান্টিং বুট ছিল আমার আর ফেলুদার ; আমরা দুজনেই সেগুলো বার করে পরে নিলাম, যদিও জানি যে আমাকে হয়তো জিপ থেকে নামতেই দেবে না। আমার ধারণা ছিল লালমোহনবাবু হয়তো নিজে থেকেই নামতে চাইবেন না, কিন্তু এখন লালমোহনবাবুর হাবভাব দেখে বেশ অবাক লাগল। বাথরুমে গিয়ে ধুতি ছেড়ে খাকি প্যান্ট পরে এলেন, আর বাক্স থেকে একটা জবরদস্ত বুট জুতো বার করে নিয়ে সেটা পরতে লাগলেন। ফেলুদা ব্যাপারটা শুধু একবার আড়চোখে দেখে নিল, মুখে কিছু বলল না।

'আচ্ছা, বাঘের চাহনি শুনেছি নাকি সাংঘাতিক ব্যাপার ? সত্যি নাকি মশাই ?' বুট পায়ে দিয়ে মেঝের উপর মিলিটারি মেজাজে পায়চারি করতে করতে প্রশ্ন করলেন লালমোহনবাবু। ফেলুদা তৈরি হয়ে জানালার ধারে চুপ করে দাঁড়িয়ে আছে, এখন শুধু জিপ আর শিকারির অপেক্ষা। সে লালমোহনবাবুর প্রশ্নের জবাবে বলল, 'তা তো বটেই ; তবে শিকারিরা এটাও বলে যে বাঘ নাকি মানুষকে ভয় পায়। একজন লোক যদি বাঘ দেখলে পরে তার চোখে চোখ রেখে কিছুক্ষণ দাঁড়িয়ে থাকতে পারে, তা হলে বাঘ নাকি উলটো-মুখে ঘুরে চলে যায়। আর শুধু চাহনিতে যদি কাজ না দেয়, তা হলে হাত-পা ছুঁড়ে চেঁচাতে পারলেও নাকি একই ফল হয়।'

‘কিন্তু ম্যান-ইটার ?’

‘সেখানে আলাদা ব্যাপার।’

‘তাই বলুন ! কিন্তু তা হলে আপনি যে... ?’

‘আমি যাচ্ছি কেন ? তার কারণ দিনের বেলা বাঘ বেরোবার সম্ভাবনা প্রায় নেই বললেই চলে। যদি বেরোয় তার জন্য বন্দুক তো সঙ্গেই থাকছে। আর তেমন বেগতিক দেখলে জিপ তো রয়েইছে, উঠে পড়লেই হল।’

এর পরে জিপ আসার আগে লালমোহনবাবু শুধু একটা কথাই বলেছিলেন।

‘খুনের ব্যাপারটা কিছু বুঝতে পারছি না মশাই। একেবারে টোটাল ডার্কনেস।’

ফেলুদা বলল, ‘অন্ধকারটা যাতে না দূর হয় তার জন্য চেষ্টা চলছে লালমোহনবাবু। সেই চেষ্টাকে বিফল করাই হবে আমাদের লক্ষ্য।’

৯

যেখানে তড়িৎবাবুর মৃতদেহ পাওয়া গিয়েছিল, আমরা সেইখানে এসে দাঁড়িয়েছি। সেদিনও এই সময়টাতেই এসেছিলাম, কিন্তু আজ কিছুক্ষণ হল মেঘ কেটে গিয়ে রোদ ওঠার ফলে আলোটা অনেক বেশি। এখানে ওখানে পাতার ফাঁক দিয়ে রোদ মাটিতে পড়েছে, আর লক্ষ করছি সেদিনের চেয়ে পাখিও ডাকছে অনেক বেশি। লালমোহনবাবু অবিশ্যি যে কোনও পাখি ডেকে উঠলেই, সেটাকেই বাঘ কাছাকাছি থাকার লক্ষণ বলে মনে করছেন।

তড়িৎবাবুর মৃতদেহ সেদিনই সকালে সরিয়ে নিয়ে যাওয়া হয়েছিল। কলকাতায় টেলিফোন করে খবর দেওয়াতে ওঁর বড় ভাই এসেছিলেন, শেষ কাজ তিনিই করে দিয়ে গেছেন। আজ আর সেই বাঁশঝাড়টার আশেপাশে সেদিনকার সাংঘাতিক ঘটনার কোনও চিহ্নই নেই। কিন্তু তাও ফেলুদা অত্যন্ত মনোযোগ দিয়ে চারদিকের জমি পরীক্ষা করছে। মাধবলালও ফেলুদার সঙ্গে কাজে লেগে গেছে। মনে হল বেশ উৎসাহই পাচ্ছে। লোকটাকে যত দেখছি ততই ভাল লাগছে। চেহারাটাও বেশ। হাসলেই গালের দু পাশে দুটো খাঁজ পড়ে, আর ভুরু না কুঁচকালেও কপালে পাঁচ-ছ’টা লাইন পড়েই আছে। জিপে আসতে আসতে ও বলছিল, বনবিভাগ থেকে মানুষখেকোর খবর ছড়িয়ে পড়ার পর থেকে এর মধ্যেই বেশ কয়েকজন শিকারি নাকি বাঘটা মারার ইচ্ছা প্রকাশ করেছে। তার মধ্যে কার্সিয়াং-এর এক চা বাগানের ম্যানেজার মিস্টার সাপ্রু নাকি আজকালের মধ্যেই এসে পড়বেন। সাপ্রু নামকরা শিকারি, তেরাইয়ের জঙ্গলে নাকি এককালে অনেক বাঘ মেরেছেন। মাধবলাল নিজেই অনেক বাঘ হরিণ বুনো শুয়োর ইত্যাদি মেরেছে, তারই একটি গল্প সে সবে বলতে আরম্ভ করেছে, এমন সময় ফেলুদা হঠাৎ বাঁশঝাড়ের দিক থেকে তার নাম ধরে ডাক দিল। মাধবলাল ব্যস্তভাবে এগিয়ে গেল ফেলুদার দিকে, তার পিছন পিছন আমরাও। এটা বলা দরকার যে আমাদের দুজনের জিপ থেকে নামার ব্যাপারে ফেলুদা আজ কোনও আপত্তি করেনি।

ফেলুদা মাটিতে উবু হয়ে বসে একটা বাঁশের গোড়ার দিকে চেয়ে আছে।

‘দেখুন তো এটা কী ব্যাপার,’ ফেলুদা মাধবলালকে উদ্দেশ করে বলল।

মাধবলাল ঝুঁকে পড়ে এক ঝলক দেখেই বলল, ‘বুলেট লাগা থা।’

মাধবলালের পদবি দুবে, বাড়ি সাহেবগঞ্জ, কিন্তু বাংলা বুঝতে বা বলতে কোনও অসুবিধা হয় না।

বাঁশটার গায়ে যে একটা ক্ষতচিহ্ন রয়েছে সেটা স্পষ্ট বোঝা যাচ্ছে। লালমোহনবাবু অবাক

হয়ে আমার দিকে চাইলেন। ফেলুদাও যে অবাক সেটা বোঝাই যাচ্ছে। বার তিনেক অসহিষ্ণুভাবে নিজের হাতের তেলোতে ঘুঁষি মেরে বলল, 'দাগটা পুরনো কি টাটকা সেটা বলতে পারেন ?'

মাধবলাল বলল, 'দিন দুয়েকের বেশি পুরনো হতেই পারে না।'

'ব্যাপারটা কী ?...ব্যাপারটা কী ?...' ফেলুদা বিড়বিড় করে বলল, 'বন্দুক...তলোয়ার...সব যে গণ্ডগোল হয়ে যাচ্ছে। তড়িৎবাবুকে মারল তলোয়ারের খোঁচা, বাঘকে মারল গুলি...সে গুলি তো আবার মনে হচ্ছে বাঘের গায়ে লাগেনি। নাকি—'

মাধবলাল বাঁশঝাড়ের নীচ থেকেই কী যেন কুড়িয়ে নিয়েছে। এমনি চোখে ভাল দেখাই যায় না। কাছে গিয়ে বুঝতে পারলাম, ইঞ্চি দুয়েক লম্বা লম্বা কতকগুলো রোঁয়া।

'বাঘের লোম কি ?' বলল ফেলুদা।

'বাঘের লোম', বলল মাধবলাল। 'গুলি বাঘের গা ঘেঁষে গিয়েছিল বলে মনে হয়।'

'আর তাই কি বাঘ খানিকটা মাংস খেয়েই পালিয়েছিল ?'

'সেই রকমই মালুম হচ্ছে।'

ফেলুদা দু-এক পা করে এগিয়ে যেতে শুরু করল। মাধবলালও হাতে বন্দুক নিয়ে দৃষ্টি সজাগ রেখে তাকে অনুসরণ করল। আমরা দুজনের মাঝামাঝি সবচেয়ে নিরাপদ জায়গাটা বেছে নিলাম। ফেলুদার পকেটে রিভলভার আছে জানি, আর তাতে টোটাও ভরা আছে। কিন্তু তাতে তো আর বাঘের কিছু হবে না। পিছন থেকে একটা গাড়ির আওয়াজ শুনে বুঝলাম, আমাদের সঙ্গে সঙ্গে জিপটাও এগোচ্ছে। তার ফলে ব্যবধান কিছুটা কমলেও জিপ আমাদের কাছে আসতে পারবে না, কারণ আমরা রাস্তা ছেড়ে জঙ্গলের ভিতর চলে এসেছি।

মিনিট তিনেক এভাবে হাঁটার পর ফেলুদা হঠাৎ কী যেন দেখে ডান দিকে কোনাকুনিভাবে দ্রুত পায়ে এগিয়ে গেল।

একটা কাঁটা-ঝোপ। তার মধ্যে একটা কাপড়ের টুকরো আটকে রয়েছে। সবুজ কাপড়। নিঃসন্দেহে তড়িৎবাবুর শার্টের অংশ। মাধবলাল না বললেও আন্দাজ করেছিলাম, বাঘ তড়িৎবাবুকে মুখে করে নিয়ে যাবার সময় ঝোপের কাঁটায় তড়িৎবাবুর শার্টের একটা অংশ ছিঁড়ে আটকে গিয়ে এই চিহ্ন রেখে গেছে।

এবার দেখলাম মাধবলাল আমাদের ছাড়িয়ে নিজেই এগিয়ে গেল। বুঝলাম সে-ই এবার পথ দেখাবে, কারণ সে আন্দাজ করেছে বাঘ কোন পথে এসেছিল। বোধহয় আমাদের কথা ভেবেই মাধবলাল ধীরে ধীরে এগোচ্ছে, কারণ চারদিকে কাঁটা-ঝোপ।

সামনে একটা তেঁতুল গাছ। তার গুঁড়ির কাছ থেকে জমিটা ঢালু হয়ে পিছন দিকে নেমে গেছে বলেই বোধহয় সেখানটা শুকনো রয়েছে। মাধবলাল সেখানে পৌঁছে থেমে গেল, তার দৃষ্টি মাটির দিকে। আমরাও এগিয়ে গেলাম।

যদিও এ জিনিসটা এর আগে কোনও দিন দেখিনি, তাও বুঝতে অসুবিধা হল না যে, আমরা বাঘের পায়ের ছাপ দেখছি। আমরা যেদিকে যাচ্ছি সেই দিকেই গেছে ছাপগুলো।

কাঁপা ফিসফিসে গলায় লালমোহনবাবুর প্রশ্ন এল, 'এ কি দু-পেয়ে বাঘ নাকি মশাই ?'

মাধবলাল হেসে উঠল। ফেলুদা বলল, 'এইভাবেই বাঘ হাঁটে। সামনের পা আর পিছনের পা ঠিক একই জায়গায় ফেলে, তাই মনে হয় দু পায়ে হাঁটছে।'

মাধবলাল এগিয়ে চলেছে, আমরা তার পিছনে। জিপের আওয়াজ আর পাচ্ছি না। বোধহয় হাল ছেড়ে দিয়ে এক জায়গায় দাঁড়িয়ে পড়েছে। একটা কুলকুল শব্দ পাচ্ছি। একটা নালা জাতীয় কিছু আছে বোধহয় কাছাকাছির মধ্যে। লালমোহনবাবুর নতুন বুটটা প্রথম দিকে বড্ড বেশি মচমচ শব্দ করছিল, তাতে ফেলুদা মন্তব্য করেছিল, সেটা নাকি

ম্যান-ইটারের কৌতূহল উদ্রেক করার পক্ষে আইডিয়াল, কিন্তু এখন কাদায় ভিজে আওয়াজটা প্রায় মরে এসেছে।

একটা শিমুল গাছ পেরিয়ে কয়েক পা যেতেই মাধবলাল আবার দাঁড়িয়ে পড়ল।

'আপকা পাস রিভল্‌ভার হ্যায় না ?'

এবার আমাদের চোখ গেল হাত বিশেক দূরে সামনের ঘাসের দিকে। ঘাসগুলো চিরে কী যেন একটা জিনিস এগিয়ে আসছে।

'ক্রেইৎ', বলল মাধবলাল।

নামটা জানি। অসম্ভব বিষধর সাপ।

এবার সাপটাকে দেখতে পেলাম। চলা থামিয়ে স্থির হয়ে ঘাসের উপর দিয়ে মাথাটা তুলে আমাদের দেখছে। ফণা নেই। সারা গায়ে হলদে আর কালো ডোরা।

ফেলুদা যে কখন রিভলভারটা বার করল টেরই পেলাম না। হঠাৎ একটা কানফাটা শব্দের সঙ্গে সঙ্গে দেখলাম সাপের মাথাটা থেঁতলে গেল। আর একটা গুলি। এবার সব স্থির। গাছ থেকে পাখি ডেকে উঠেছে। দূরে আরেকটা গাছ থেকে বাঁদরের কিচির মিচির। মাধবলাল শুধু বলল, 'সাবাস', আর লালমোহনবাবু হাঁচি হাসি আর কাশি মিলিয়ে একটা অদ্ভুত শব্দ করে একদম চুপ মেরে গেলেন।

ফেলুদা বাঁ দিকে যাচ্ছে দেখে মাধবলাল বারণ করল। বলল, ওদিকে একটা নালা আছে, সেটা পেরোলেই নাকি একটা উঁচু পাথুরে ঢিবি আর অনেকগুলো বড় বড় পাথরের চাঁই। ওখানে নাকি বাঘের বিশ্রামের খুব ভাল জায়গা রয়েছে, কাজেই ওদিকটায় যাওয়া খুব নিরাপদ নয়। অগত্যা ফেলুদা মাধবলালের নির্দেশ মতো সোজাই চলল।

বন যে সব জায়গায় সমান ঘন, তা নয়। বাঁ দিকে চাইলেই বোঝা যায় ওদিকে নালা থাকার দরুন বন পাতলা হয়ে গেছে। জানোয়ারের মধ্যে এক বাঁদরই দেখা যাচ্ছে মাঝে মাঝে— ল্যাজ পাকিয়ে গাছের ডাল থেকে দোল খাচ্ছে, এ গাছ থেকে ও গাছে দিব্যি লাফিয়ে চলে যাচ্ছে, আর আমাদের দেখলে দাঁত খিঁচোচ্ছে।

ফেলুদা নিশ্চয়ই আশা করছিল যে, আরও অনুসন্ধান করলে আরও কিছু পাবে, কিন্তু এবারে পাওয়াটা জুটে গেল লালমোহনবাবুর কপালে। লালমোহনবাবুর বুটের ঠোক্কর খেয়ে একটা জিনিস ছিটকে প্রায় দশ হাত দূরে গিয়ে পড়তেই আমাদের চোখ সেদিকে গেল।

একটা গাঢ় ব্রাউন রঙের চামড়ার মানিব্যাগ। ফেলুদা সেটা খুলতেই তার ভিতর থেকে দুটো একশো টাকার নোট আর বেশ কিছু অন্য ছোট ছোট নোট বেরিয়ে পড়ল। এসব ছিল বড় খাপটায়। অন্য খাপ থেকে কয়েকটা রং চটে যাওয়া কুড়ি পয়সার ডাকটিকিট, দু-একটা ক্যাশ মেমো আরেকটা ওষুধের প্রেসক্রিপশন বেরোল। বৃষ্টিতে ভিজে ব্যাগটার অবস্থা বেশ শোচনীয় হলেও নোটগুলো এখনও দিব্যি ব্যবহার করা চলে।

ফেলুদা সব জিনিস আবার ব্যাগের মধ্যে পুরে ব্যাগটা শার্টের বুকপকেটে ঢুকিয়ে নিল।

আমরা আবার এগিয়ে চললাম।

এদিকটায় জঙ্গল বেশ ঘন হয়ে উঠেছে। চারিদিকে প্রকাণ্ড প্রকাণ্ড শাল গাছ, মাঝে মাঝে অন্য গাছ— সেগুন, শিমুল, আম, কাঁঠাল, ছাতিম। অর্জুন গাছও রয়েছে এখানে সেখানে। আমি জানি ফেলুদা সেগুলোর দিকে বিশেষভাবে চোখ রাখছে, আর এও জানি যে অর্জুনের কাছাকাছি কোনও তাল গাছ এখনও পর্যন্ত চোখে পড়েনি। মাধবলাল এরই মধ্যে এক ফাঁকে পকেট থেকে একটা ছুরি বার করে দুটো গাছের ডাল কেটে আমাকে আর লালমোহনবাবুকে দিয়েছে; আমরা সেগুলো লাঠি হিসাবে ব্যবহার করছি। ফেলুদা হাঁটতে হাঁটতেই মাধবলালকে প্রশ্ন করল, 'বাঘের পায়ের ছাপ দেখে বাঘ সম্বন্ধে অনেক কিছুই জানা যায়, তাই না ?'

মাধবলাল বলল, 'হ্যাঁ, এটাকে বেশ বড় বাঘ বলেই তো মনে হয়।'

আমি মনে মনে ভাবছিলাম— একটা আস্ত মানুষের লাশ মুখে করে বাঘটা এতখানি পথ এসেছে, তার মানে, কী সাংঘাতিক শক্তি বাঘের! অবিশ্যি মানুষের আর কীই বা ওজন। গোরু মোষ মেরেও তো শুনেছি বাঘ ওইভাবেই মুখে করে নালা টালা লাফিয়ে ডিঙিয়ে মাইলের পর মাইল পথ চলে যায়। মহীতোষবাবুর বইতেই নাকি আছে যে বাঘের ছাল ছাড়ালেই দেখা যায় ভিতরে কেবল মাস্‌ল আর মাস্‌ল।

ফেলুদা এবার আর একটা প্রশ্ন করল মাধবলালকে।

'মহীতোষবাবু এ জঙ্গলে কখনও শিকার করেননি। তাই না?'

মাধবলাল বলল, মহীতোষবাবুর কুসংস্কারের কথাটা সে জানে। তবে এ রকম কুসংস্কার নাকি অনেক শিকারির মধ্যেই দেখা যায়। 'আমার নিজের নেই', মাধবলাল বলল, 'তবে আমার বাবার ছিল। জোয়ান বয়সে একবার বাঘ মারতে যাবার আগে হাতে বিছুটি লেগেছিল, আর সেই দিনই একটা প্রায় দশ ফুট লম্বা বাঘকে বন্দুকের এক গুলিতে ঘায়েল করেছিলেন। সেই থেকে বাঘ মারতে যাবার আগে হাতে বিছুটি ঘষে নিতেন।'

ফেলুদা বলল, 'করবেটসাহেবেরও কুসংস্কার ছিল। ম্যান-ইটার মারতে যাবার দিন সকালে একটা সাপ দেখলে তার মনটা খুশি হয়ে যেত।'

মহীতোষবাবুর বাপ-ঠাকুরদা দুজনেই এ জঙ্গলে বাঘের হাতে প্রাণ দেন, কাজেই মহীতোষবাবুর পক্ষে এখানে শিকার করায় আপত্তিটা খুব স্বাভাবিক।

আমরা মাধবলালের পিছন পিছন প্রায় কুড়ি মিনিট ধরে হাঁটার পর ফেলুদা আসলে যে জিনিসটা খোঁজার জন্য এসেছিল, সেটা পেয়ে গেল। হালকা বেগুনি রঙের ছোট ছোট ফুলে ভরা একটা ঝোপের ধারে পড়ে আছে, তার পাথর-বসানো হাতলটা খালি দেখা যাচ্ছে, ইস্পাতের অংশটা ঝোপে ঢাকা।

আদিত্যনারায়ণের তলোয়ার!

জিনিসটা চোখে পড়তেই ফেলুদা প্রায় বাঘের মতোই নিঃশব্দে ঝাঁপিয়ে পড়ে তলোয়ারটা মাটি থেকে তুলে নিল।

খুব মন দিয়ে দেখলে বোঝা যায় তলোয়ারের ডগায় এখনও খয়েরি রঙের রক্তের দাগ।

ফেলুদা তলোয়ারটা হাতে নিয়ে এদিক ওদিক ঘুরিয়ে দেখে বলল, 'তার মানে খুনের জায়গাটা এর চেয়ে খুব বেশি দূরে নয়। আরও একটু এগোনো যায় কি, মাধবলালজি?'

মাধবলাল বলল, 'আর একশো গজ গেলে তো মন্দির পড়বে।'

'কী মন্দির?'

'এখানে বলে কাটা ঠাকুরানীর মন্দির। ভিতরে কিছু নেই। শুধু দালানটা ভাঙাচোরা অবস্থায় দাঁড়িয়ে আছে।'

কাটা ঠাকুরানীর মন্দিরের কথা কালই বিকেলে শুনেছি। দেবতোষবাবুর কাছে। ওরই পশ্চিমে ফোকলা ফকিরের গাছ।

ফেলুদা আর কিছু না বলে এগিয়ে চলল, তার হাতে আদিত্যনারায়ণের তলোয়ার। দেখে মনে হয় সেও যেন শের শা-র মতোই তলোয়ার হাতে বাঘ মারতে চলেছে।

কাটা ঠাকুরানীর মন্দির যে বহুকালের পুরনো সেটা দেখলেই বোঝা যায়। তার ফাটল থেকে অশত্থ গাছের চারা বেরিয়েছে। তার মাথাটাকে পাশের একটা বটগাছের ঝুরি নেমে আঁকড়ে ধরে পিষে যেন তার প্রাণটাকে বের করে দিয়েছে। ফেলুদা কিন্তু মন্দিরের দিকে দেখছিলই না। তার চোখ চলে গেছে মন্দিরের ডান দিকে। প্রায় বিশ হাত দূরে সত্যিই

একটা প্রকাণ্ড বুড়ো অশ্বত্থ গাছ শুকনো ডালপালা মেলে দাঁড়িয়ে আছে। গাছে পাতা প্রায় নেই বললেই চলে। যেটা আছে সেটা হল মাটি থেকে প্রায় এক-মানুষ উঁচুতে একটা ফোকর।

ফেলুদার পিছন পিছন আমরাও প্রায় নিশ্বাস বন্ধ করে গাছটার দিকে এগিয়ে যেতে ক্রমে ফোকরের চারিদিক ঘিরে গাছের গায়ের ছোপ-ছোপ এবড়ো-খেবড়ো শিরা উপশিরা সব মিলিয়ে একটা দাড়িওয়ালা বুড়োর চেহারা আমাদের চোখে স্পষ্ট হয়ে উঠল। দাড়িটা গজিয়েছে যেন ফোকরের ঠিক নীচে। হাঁ করা ফোকলা বুড়োর সঙ্গে আশ্চর্য মিল।

ফেলুদার দৃষ্টি আবার ঘুরে গেল।

'ওই দিকটা উত্তরদিক কি ?' ফেলুদা জিজ্ঞেস করল মাধবললালকে।

'হ্যাঁ—ওটাই উত্তর।'

'হতেই হবে। ওই তো অর্জুন গাছ। আর ওই যে জোড়া তাল।'

অবাক হয়ে দেখলাম, সংকেতের নির্দেশের সঙ্গে সব হুবহু মিলে যাচ্ছে।

'পঞ্চান্ন হাতই হবে। সেখানেও ভুল নেই', বলে ফেলুদা অর্জুন গাছটার দিকে এগিয়ে গেল।

গাছটার কাছে পৌঁছে জোড়া তাল গাছ লক্ষ্য করে খানিক দূরে এগোতেই একটা ঝোপড়ার পিছনে জল-কাদায় ভরা একটা বেশ বড় গর্ত চোখে পড়ল। স্পষ্ট বোঝা যাচ্ছে গর্তটা এই কয়েকদিন আগেই খোঁড়া হয়েছে।

আর এটাও বোঝা যাচ্ছে যে তার ভিতর থেকে একটা হাঁড়ি-টাড়ি গোছের জিনিস বার করে নেওয়া হয়েছে।

'গুপ্তধন হাওয়া ?' লালমোহনবাবু এই প্রথম গলা চড়িয়ে কথা বললেন।

ফেলুদার মুখের ভাব থমথমে। এটাকে অবিশ্যি নতুন কোনও রহস্য বলা চলে না। বোঝাই যাচ্ছে তড়িৎবাবুকে যে খুন করেছে সেই গুপ্তধন হাত করেছে। ফেলুদা তবুও গর্তের দিকে একদৃষ্টে চেয়ে কিছুক্ষণ দাঁড়িয়ে রইল। তারপর বলল, 'তোরা একটু জিরিয়ে নে। আমি আশপাশটা একটু সার্ভে করে নিচ্ছি।'

সত্যি বলতে কী, এতক্ষণ পা টিপে টিপে কাঁটা বাঁচিয়ে জঙ্গলে হেঁটে বেশ ক্লান্ত লাগছিল, তাই আমি আর লালমোহনবাবু বিশ্রামের একটা সুযোগ পেয়ে খুশিই হলাম। ফোকলা ফকিরের তলায় একটা শুকনো জায়গা বেছে আমরা মাটিতেই বসলাম, আর মাধবলাল গাছের গুঁড়িতে বন্দুকটাকে হেলান দিয়ে দাঁড় করিয়ে আমাদের সামনে বসে তার তেরো বছর বয়সে সে ভাল্লুকের আক্রমণ থেকে কীভাবে উদ্ধার পেয়েছিল সেই গল্প বলতে লাগল। আমার মন কিন্তু পুরোপুরি গল্পের দিকে যাচ্ছে না, কারণ একটা চোখ রয়েছে ফেলুদার দিকে। সে ঠোঁটের ফাঁকে একটা টাটকা ধরানো চারমিনার নিয়ে মন্দিরের চারপাশটা সার্ভে করছে। একবার মনে হল একটা সিগারেটের টুকরো তুলে নিয়ে আবার সেটাকে ফেলে দিল। আরেকবার হাঁটু গেড়ে বসে কোমরটাকে ভাঁজ করে প্রায় মাটিতে নাক ঠেকিয়ে কী যেন দেখল।

প্রায় দশ মিনিট ধরে তন্ন তন্ন করে চারিদিকে সার্ভে করে ফেলুদা মন্দিরের ভেতর ঢুকল। ধন্যি সাহস ফেলুদার। বাইরের থেকে মন্দিরের ভেতরটা অন্ধকূপের মতো মনে হয়। এককালে নাকি দশভুজার মূর্তি ছিল, কালাপাহাড়ের দৌলতে সে মূর্তির মাথা, চারটে হাত আর পেটের খানিকটা কাটা যায়। সেই থেকে মন্দিরের নাম হয়ে যায় পেটকাটি বা কাটা ঠাকুরানীর মন্দির। এখন ওর ভিতরে নির্ঘাত সাপ, তক্ষক আর গিরগিটির বাসা। তাও ফেলুদা নির্বিকারে মন্দিরের ভিতর ঢুকে সার্ভে করে মিনিটখানেক পরে বেরিয়ে এসে

রহস্যজনকভাবে বলল, 'তাজ্জব ব্যাপার। আলো পেতে হলে যে অন্ধকারে প্রবেশ করতে হয় তা এই প্রথম জানলাম।'

'কী মশাই, ডার্কনেস গন ?' বলে উঠলেন লালমোহনবাবু।

'খানিকটা,' বলল ফেলুদা, 'অমাবস্যার পর প্রতিপদের চাঁদ বলতে পারেন।'

'তা হলে তো ষোল কলা পুরতে এখনও অনেক দিন মশাই।'

'আপনি শুধু চাঁদের কথা ভাবছেন কেন ? সূর্য বলেও তো একটা জিনিস আছে। রাতটা কেটে গেলেই তো তার দেখা পাওয়ার কথা।'

'কালই, তার মানে, ক্লাইম্যাক্স বলছেন ?'

'আমি আর কিছুই বলছি না লালমোহনবাবু, শুধু বলছি যে এই প্রথম একটা আলোর আভাস দেখতে পাচ্ছি। চ তোপ্‌সে, বাড়ি চ।'

১০

আমরা বেরিয়েছিলাম দশটায়, ফিরতে ফিরতে হল প্রায় সাড়ে বারোটা। ফেলুদা তলোয়ারটা সোজা মহীতোষবাবুর হাতে তুলে দেবে বলে ঠিক করেছিল, কিন্তু এসে শুনলাম উনি আর শশাঙ্কবাবু বেরিয়ে গেছেন। বনবিভাগের বড় কর্তা নাকি এসে কাল্বুনি ফরেস্ট বাংলোতে রয়েছেন, সেখানেই গেছেন। কাজেই তলোয়ারটা এখন আমাদের ঘরে, আমাদেরই কাছে।

ঘরে আসার আগে অবিশ্যি আমরা একতলায় কিছুটা সময় কাটিয়ে এসেছি। ফেলুদার মাথায় কী যেন ঘুরছিল ; ও দোতলায় না গিয়ে সোজা চলে গেল ট্রোফি রুমে। সেই যেখানে জানোয়ারের ছাল আর মাথাগুলো রয়েছে, আর র‍্যাকে রাখা রয়েছে বন্দুকগুলো। ফেলুদা র‍্যাক থেকে একটা একটা করে বন্দুক নামিয়ে সেগুলো খুব মন দিয়ে দেখল। বন্দুকের নল, বন্দুকের বাঁট, বন্দুকের ট্রিগার, সেফটি ক্যাচ— প্রত্যেকটা জিনিস ও খুব মন দিয়ে পরীক্ষা করে দেখল। লালমোহনবাবু কী যেন একটা বলতে গিয়েছিলেন, কিন্তু ফেলুদা তাকে ধমকে থামিয়ে দিল।

'এখন কথা বলার সময় নয় লালমোহনবাবু, এখন চিন্তা করার সময়।'

লালমোহনবাবু এত দিনে ফেলুদার মতিগতি খুব ভালভাবেই জেনে গেছেন, তাই আর দ্বিতীয়বার মুখ খুললেন না।

দোতলায় উঠে বারান্দা দিয়ে আমাদের ঘরের দিকে যেতে ফেলুদা থমকে থেমে গেল। তার দৃষ্টি দেবতোষবাবুর ঘরের দিকে।

'সে কী, দাদার ঘরে তালা কেন ?'

সত্যিই তো ! ভদ্রলোক ঘর ছেড়ে গেলেন কোথায় ? আর তালা লাগিয়ে যাবারই বা কারণটা কী ?

ফেলুদা কী ভাবল জানি না। মুখে কিছুই বলল না। আমরা আমাদের ঘরে গিয়ে হাজির হলাম।

ফেলুদার এখনকার অবস্থাটা আমার খুব চেনা। জটিল রহস্যের জট ছাড়ানোর প্রথম অবস্থায় ওর ভাবটা এ রকমই হয়। দু মিনিট ভুরু কুঁচকে চুপ করে বসে থেকেই আবার উঠে দাঁড়াল, তারপর খানিকটা পায়চারি করে আবার হঠাৎ দাঁড়িয়ে পড়ে মাথা হেঁট করে চোখ বুজে ডান হাতের মাঝের আঙুলের ডগা দিয়ে কপালে আস্তে আস্তে টোকা মারা, তারপর আবার হাঁটা, আবার বসা— এই রকম আর কী। এইভাবেই একবার খাট ছেড়ে উঠে পায়চারি শুরু করে হঠাৎ থেমে গিয়ে বলল, 'কেউ যখন নেই, আর দেবতোষবাবুর ঘর যখন

বন্ধ, তখন এই ফাঁকে একটু চোরা অনুসন্ধান চালালে বোধহয় মন্দ হয় না।'

কথাটা বলে ফেলুদা ঘর থেকে বেরিয়ে গেল। আমি দরজা দিয়ে গলা বাড়িয়ে দেখলাম, ও এদিক ওদিক দেখে মহীতোষবাবুর কাজের ঘরে ঢুকল।

বাঘের পায়ের ছাপ দেখে অবধি লালমোহনবাবুর সাহস অনেকটা বেড়ে গেছে। উনি এখন দিব্যি বাঘছালটার উপর চিত হয়ে শুয়ে বাঘের মাথাটা বালিশের মতো ব্যবহার করছেন। এইভাবে কিছুক্ষণ সিলিং-এর দিকে চেয়ে থেকে বললেন, 'কী শুভক্ষণেই বইটা মহীতোষবাবুকে উৎসর্গ করেছিলাম বলো তো। এমন একটা থ্রিলিং অভিজ্ঞতা কি না হলে হত ? আজ সকালের কথাটাই চিন্তা করো— বাঁশের ভেতর বুলেট, ঘাসের মধ্যে সাপ, রয়েল বেঙ্গলের পায়ের ছাপ, পোড়ো মন্দির, গুপ্তধন, জরাগ্রস্ত অশ্বত্থ গাছ— আর কত চাই ? এখন একবারটি ম্যান-ইটারের মুখোমুখি পড়তে পারলেই অভিজ্ঞতা কমপ্লিট।'

'শেষেরটা কি সত্যি করেই চাইছেন আপনি ?' আমি জিজ্ঞেস করলাম।

'আর ভয় নেই', একটা বিরাট হাই তুলে বললেন, লালমোহনবাবু, 'মাধবলাল শিকারি আর ফেলু মিত্তির শিকারি দু পাশে থাকলে মানুষখেকোর বাপের সাধ্যি নেই কিছু করে।'

লালমোহনবাবু প্রায় ঘুমিয়ে পড়েছিলেন, আর আমি মহীতোষবাবুর শিকারের বইটা পড়ছিলাম, এমন সময় ফেলুদা ফিরে এল।

'কিছু পেলেন ?'

ফেলুদার পায়ের আওয়াজ পেয়েই লালমোহনবাবু সোজা হয়ে বসেছেন।

ফেলুদা গম্ভীর। বলল, 'যা খুঁজছিলাম তা পাইনি, আর সেটাই সিগনিফিক্যান্ট।'

তারপর কিছুক্ষণ চুপ করে জানালার দিকে মুখ করে দাঁড়িয়ে থেকে বলল, 'যুধিষ্ঠিরের রথের চাকা মাটিতে ঠেকল কেন জানেন তো লালমোহনবাবু ?'

'সেই অশ্বত্থামা হত ইতি গজ-র ব্যাপার তো ?

'হ্যাঁ। যুধিষ্ঠির পুরোপুরি সত্যি কথা বলেননি তাই। কিন্তু আজকের দিনে মিথ্যে বললেই যে চাকা মাটিতে ঠেকে যাবে এমন কোনও কথা নেই। এ যুগে মানুষের দোষের শাস্তি মানুষই দিতে পারে, ভগবান নয়।'

এর পরে একটা জিপের আওয়াজ পাওয়ার কিছুক্ষণ পরেই চাকর এসে খবর দিল যে, ভাত বাড়া হয়েছে, বাবু এসেছেন, খেতে ডাকছেন।

মহীতোষবাবুর বাড়িতে খাওয়াটা ভালই হয়। সব সময় হয় কি না জানি না, কিন্তু আমরা যে ক'দিন রয়েছি সে ক'দিন রোজই মুরগি হয়েছে। কাল রাত্রে বিলিতি কায়দায় রোস্ট হয়েছিল, লালমোহনবাবু কাঁটা চামচ ম্যানেজ করতে পারছেন না দেখে মহীতোষবাবু বললেন যে পাখির মাংস হাত দিয়ে খেলে নাকি কেতায় কোনও ভুল হয় না। আজকেও খাওয়ার তোড়জোড় ভালই ছিল, কিন্তু প্রথম থেকেই কথাবার্তা এমন গুরুগম্ভীর মেজাজে শুরু হল যে, খাওয়ার দিকে বেশি নজর দেওয়া হল না। আমরা খাবার ঘরে ঢুকতেই মহীতোষবাবু বললেন, 'মিস্টার মিত্তির, সংকেতের ব্যাপারটা যখন চুকেই গেছে, তখন তো আর আপনাদের এখানে ধরে রাখার কোনও মানে হয় না। কাজেই আপনি যদি বলেন তা হলে আপনাদের ফেরার বন্দোবস্ত আমার লোক করে দিতে পারে। জলপাইগুড়িতে লোক যাচ্ছে, আপনাদের রিজার্ভেশনটা করে আনতে পারে।'

ফেলুদা কয়েক মুহূর্ত চুপ থেকে বলল, 'আমাদের দিক থেকেও আপনার আতিথেয়তার সুযোগ আর নেব না বলেই ভাবছিলাম। তবে আপনার যদি খুব বেশি আপত্তি না থাকে, তা হলে আজকের দিনটা থেকে কাল রওনা হতে পারি। বুঝতেই তো পারছেন, আমি গোয়েন্দা মানুষ, আমি থাকতে থাকতে একজন এভাবে খুন হলেন, তার একটা কিনারা না করে যেতে

পারলে মনটা খুঁতখুঁত করবে। আমিই করি, বা পুলিশই করুক, কীভাবে ঘটনাটা ঘটল সেটা জেনে যেতে পারলে ভাল হত।'

মহীতোষবাবু খাওয়া বন্ধ করে ফেলুদার দিকে সোজা তাকিয়ে গম্ভীর গলায় বললেন, 'সুস্থ মস্তিষ্কে খুন করতে পারে এমন লোক আমার বাড়িতে কেউ নেই, মিস্টার মিত্তির।'

ফেলুদা যেন কথাটা গায়েই করল না। বলল, 'আপনার দাদাকে কি অন্য কোথাও নিয়ে যাওয়া হয়েছে ? ওঁর ঘরে তালা দেখছিলাম।'

মহীতোষবাবু সেইরকম গম্ভীরভাবেই বললেন, 'দাদা ঘরেই আছেন। তবে কাল রাত থেকে ওঁর একটু বাড়াবাড়ি যাচ্ছে। ওষুধ খাননি। তাই ওঁকে একটু সংযত করে রাখা দরকার। নইলে আপনাদেরও বিপদ আসতে পারে। আপনারাও তো দোতলাতেই থাকেন। উনি বাইরের লোককে এমনিতেই সন্দেহের চোখে দেখেন। শুধু তাই না, যে সব ঐতিহাসিক চরিত্র সম্পর্কে ওঁর মনে বিরূপ ভাব আছে, বাইরের লোককে সেইসব চরিত্র বা তাদের অনুচর বলে কল্পনা করেন। তড়িৎকে তো কালাপাহাড় ভেবে একদিন ওর টুঁটি টিপে ধরেছিলেন। শেষটায় মন্মথ গিয়ে কোনওমতে ছাড়ায়।'

ফেলুদা খাওয়া না থামিয়ে দিব্যি স্বাভাবিকভাবে বলল, 'তড়িৎবাবুর খুন হওয়াটাই কিন্তু একমাত্র ঘটনা নয়। আপনার গুপ্তধনও কে যেন সরিয়ে ফেলেছে। খুব সম্ভবত সেই একই রাত্রে।'

'সে কী !' —এবার মহীতোষবাবুর মুখের গ্রাস আর মুখ পর্যন্ত পৌঁছল না— 'গুপ্তধন নেই ? আপনি দেখে এসেছেন ?'

'হ্যাঁ। গুপ্তধন নেই, তবে তলোয়ারটা পাওয়া গেছে। আর তাতে রক্তের দাগও পাওয়া গেছে।'

মহীতোষবাবু বেশ কিছুক্ষণ হতভম্ব হয়ে বসে রইলেন। এবার ফেলুদা তার তৃতীয় বোমাটা দাগল।

'তড়িৎবাবুকে যখন বাঘে খাচ্ছিল, তখন সেই বাঘের দিকে তাগ করে কেউ একটা গুলি ছোঁড়ে। সেটা বাঁশের গুঁড়িতে লাগে। গুলিটা সম্ভবত বাঘের গা ঘেঁষে গিয়েছিল, কারণ বাঘের কিছু লোম পাওয়া গেছে, মাটিতে পড়ে ছিল। কাজেই মনে হচ্ছে সে রাত্রে বেশ কয়েকজন লোক বিভিন্ন উদ্দেশ্য নিয়ে জঙ্গলের একটা বিশেষ অংশে ঘোরাফেরা করছিল।'

'পোচার।'

কথাটা অপ্রত্যাশিতভাবে বলে উঠলেন শশাঙ্কবাবু। পোচার মানে যে চোরা শিকারি সেটা জানতাম। শিকারের বিরুদ্ধে আইন পাশ হবার পরেও এরা লুকিয়ে লুকিয়ে শিকার করে বাঘের চামড়া, হরিণের শিং, গণ্ডারের শিং, এই সব বিক্রি করে। এমনকী, বাঘভাল্লুকের বাচ্চা ধরেও মাঝে মাঝে বিক্রি করে।

শশাঙ্কবাবু বলে চললেন, 'তড়িৎকে যে-ই খুন করে থাকুক, তাকে বাঘে ধরে নিয়ে যাবার পর জঙ্গলে নিশ্চয়ই কোনও পোচার ঢোকে। পোচারই বাঘটাকে গুলি করেছিল, যে গুলি বাঘের গায়ে আঁচড় কেটে বাঁশের গুঁড়িতে লেগেছিল।'

ফেলুদা ধীরে ধীরে মাথা নেড়ে বলল, 'সেটা অবিশ্যি অসম্ভব নয়। কাজেই বন্দুকের ব্যাপারটা নিয়ে আমাদের না ভাবলেও চলবে। কিন্তু অন্য দুটো রহস্য রয়েই যাচ্ছে।'

'দুটো নয়, একটা', বললেন মহীতোষবাবু। 'গুপ্তধন। ওটা পাওয়া দরকার। ওটা না পেলে সিংহরায় বংশের ইতিহাস অসম্পূর্ণ থেকে যাবে। ওটা পেতেই হবে।'

'তা হলে এক কাজ করুন না কেন', ফেলুদা বলল, 'আমরা সবাই চলুন আরেকটিবার ওখানে যাই। জায়গাটা হল কাটা ঠাকুরানীর মন্দিরের পাশে।'

মহীতোষবাবু জঙ্গল অভিযানে আপত্তি করেননি। কিন্তু হলে কী হবে, বিকেল সাড়ে তিনটে থেকে চারিদিক অন্ধকার করে মুষলধারে বৃষ্টি নামল। সন্ধে ছ'টা পর্যন্ত যখন সে বৃষ্টি থামল না, তখন আমরা জঙ্গলে যাবার আশা ত্যাগ করলাম। ফেলুদা গম্ভীর থেকে এখন একেবারে গোমড়া হয়ে গেছে। মহীতোষবাবু যে আমরা চলে গেলে খুশি হন সেটা ওঁর কথায় পরিষ্কার বোঝা গেছে। কালও যদি আবহাওয়া খারাপ থাকে তা হলে হয়তো ফেলুদাকে তড়িৎবাবুর খুনের রহস্য সমাধান না করেই চলে যেতে হবে। অবিশ্যি আরেকবার কাটা ঠাকুরানীর মন্দিরে গেলেই যে ফেলুদার মনের অন্ধকার কীভাবে দূর হবে তা জানি না। তবে ও যে মনে মনে খানিকটা অগ্রসর হয়েছে সেটা ওর চোখ মাঝে মাঝে যেভাবে জ্বলে উঠছিল তা থেকেই বুঝতে পারছিলাম।

এর মধ্যে আমরা তিনজনেই একবার বাইরের বারান্দায় বেরিয়েছিলাম। তখন গ্র্যান্ডফাদার ক্লকে সাড়ে পাঁচটা বেজেছে। তখনও দেখলাম দেবতোষবাবুর ঘরের দরজা বন্ধ। লালমোহনবাবু ফিসফিস করে বললেন, 'একবার খড়খড়ি ফাঁক করে দেখে এলে হত না ভদ্রলোক কী করছেন ! এ তল্লাটে তো কেউ নেই বলেই মনে হচ্ছে।'

ফেলুদা অবিশ্যি লালমোহনবাবুর অনেক কথার মতোই এটাতেও কান দিল না।

সাতটার সময় মেঘ কেটে গিয়ে আকাশে তারা দেখা দিল। মনে হচ্ছিল কুচকুচে কালো আকাশের গায়ে তারাগুলো এই মাত্র পালিশ করে বসিয়ে দেওয়া হয়েছে। ফেলুদা হাতে তলোয়ার নিয়ে খাটে বসে আছে। আমরা দুজনে সবে জানালার কাছে গিয়ে দাঁড়িয়েছি, এমন সময় লালমোহনবাবু আমার শার্টের আস্তিনটা খামচে ধরে ফিসফিস গলায় বললেন, 'সরু টর্চ !'

দারোয়ানের বাড়িটা আমাদের জানালা থেকে দেখা যায়। আমাদের বাড়ি আর ওর বাড়ির মাঝামাঝি একটা গোলঞ্চ গাছ। তার নীচে একটা লোক দাঁড়িয়ে আছে। আর একটা টর্চওয়ালা লোক সেই লোকটার দিকে এগিয়ে গেল। এটা সেই ধরনের টর্চ যেগুলো বাড়ির প্লাগ পয়েন্টে গুঁজে দিলে চার্জ হয়ে থাকে। ছোট্ট বালব্, ছোট্ট কাচের মুখ, কিন্তু আলোর বেশ তেজ।

এবার ফেলুদা ঘরের বাতিটা নিবিয়ে দিয়ে আমাদের পাশে এসে দাঁড়াল।

'মাধবলাল', ফেলুদা ফিসফিস করে বলল।

যে লোকটা অপেক্ষা করছিল তাকে আমারও মাধবলাল বলে মনে হয়েছিল, কারণ এই অন্ধকারেও হলদে শার্টের রংটা আবছা আবছা বোঝা যাচ্ছিল। কিন্তু যে লোকটার হাতে টর্চ সে যে কে তা বোঝা ভারী মুশকিল। সে মহীতোষবাবুও হতে পারে, ওঁর দাদাও হতে পারে, শশাঙ্কবাবুও হতে পারে, আবার অন্য লোকও হতে পারে।

এখন টর্চের আলো নিবে গেছে। কিন্তু দুজনে দাঁড়িয়ে যে খুব নিচু গলায় কথা বলছে তাতে কোনও সন্দেহ নেই। কিছুক্ষণ পর হলদে শার্টটা নড়ে উঠল। তারপর টর্চের আলোটা জ্বলে উঠে আমাদের বাড়ির দিকে চলে এল। ফেলুদা কিছুক্ষণ অপেক্ষা করে ঘরের বাতিটা জ্বালিয়ে দিল।

লালমোহনবাবু বোধহয় নিজেই নিজের মনের মতো করে গোয়েন্দাগিরি চালিয়ে যাচ্ছেন, তাই তিনি হঠাৎ এক ফাঁকে বারান্দায় বেরিয়ে কী যেন দেখে এলেন।

'কী দেখলেন ? দরজায় এখনও তালা ?' ফেলুদা জিজ্ঞেস করল।

'হ্যাঁ।' লালমোহনবাবু অপ্রস্তুত হাসি হেসে বললেন।

'আপনার কি ধারণা উনিই গিয়েছিলেন মাধবলালের সঙ্গে কথা বলতে ?'

'আমি তো গোড়াতেই বলেছি মশাই, দাদাটিকে আমার ভাল লাগছে না। পাগল জিনিসটা

বড় ডেঞ্জারাস। আমাদের নর্থ ক্যালকাটায় এক পাগল ছিল, সে আপার সারকুলার রোডের ঠিক মধ্যিখানে দাঁড়িয়ে ট্রাম আর বাস লক্ষ্য করে বেমক্কা ঢিল ছুঁড়ত। কী ডেঞ্জারাস বলুন তো!'

'দেবতোষবাবুর দরজা বন্ধতে কী প্রমাণ হল?'

'তার মানে ভদ্রলোক নীচে যাননি।'

'কী করে প্রমাণ হয় সেটা; ভদ্রলোক আদৌ ওই তালা-বন্ধ দরজার পিছনে আছেন কি না সেটা আপনি কী করে জানলেন? সারাদিনে তাঁর কোনও সাড়াশব্দ পেয়েছেন কি?'

লালমোহনবাবু যেন বেশ খানিকটা দমে গেলেন। একটা দীর্ঘশ্বাস ফেলে বললেন, 'মশাই, কত চেষ্টা করি, আমার চিন্তা ঠিক আপনার চিন্তার সঙ্গে এক লাইনে চালাব— কোথায় যেন গণ্ডগোল হয়ে যায়।'

'গণ্ডগোল না। কোলিশন। আপনি উলটো পথে চলেন কি না। আপনি আগে ক্রিমিনাল ঠিক করে নিয়ে তারপর তার ঘাড়ে ক্রাইমটা বসাতে চেষ্টা করেন, আর আমি ক্রাইমের ধাঁচটা বুঝে নিয়ে সেই অনুযায়ী ক্রিমিন্যাল খোঁজার চেষ্টা করি।'

'এই ব্যাপারেও তাই করছেন?'

'ও ছাড়া তো আর রাস্তা নেই লালমোহনবাবু।'

'কোনখান থেকে শুরু করেছেন?'

'কুরুক্ষেত্র।'

এর পরে আর লালমোহনবাবু কোনও প্রশ্ন করেননি।

আমাদের মশারি বদলে দেওয়াতে ঘুমটা ভালই হচ্ছিল, কিন্তু মাঝরাত্তিরে একটা চিৎকারে ঘুম ভেঙে ধড়মড় করে উঠে বসতে হল। চিৎকারটা করেছে ফেলুদা। জেগে দেখি, ও দাঁড়িয়ে আছে ঘরের মাঝখানে, হাতে রয়েছে আদিত্যনারায়ণের তলোয়ার। বাইরে থেকে চাঁদের আলো এসে ইস্পাতের ফলাটার উপর পড়াতে সেটা ঝিলিক মারছে। যে কথাটা শুনে ঘুমটা ভেঙেছিল সেটা ফেলুদা আরও দু বার বলল, তবে অত চেঁচিয়ে নয়। 'ইউরেকা! ইউরেকা!'

আর্কিমিডিস কী যেন একটা আবিষ্কার করে উল্লাসের সঙ্গে এই গ্রিক কথাটা বলে উঠেছিল। তার মানে হল 'পেয়েছি।' ফেলুদা যে কী পেয়েছে সেটা বোঝা গেল না।

১১

সকালে চা খাওয়ার সঙ্গে সঙ্গে শশাঙ্কবাবু আমাদের ঘরে এলেন দেখে বেশ একটু অবাক লাগল। ফেলুদা ভদ্রলোককে বেশ খাতির-টাতির করে বসতে বলে বলল, 'আপনার সঙ্গে আর আলাপই হল না ঠিক করে। মহীতোষবাবুর বন্ধু হিসেবে আপনারও নিশ্চয়ই অনেক রকম অভিজ্ঞতা হয়েছে।'

শশাঙ্কবাবু টেবিলের সামনে চেয়ারটায় বসে বললেন, 'অভিজ্ঞতার শুরু কি সেই আজকে? মহীর সঙ্গে আমার বন্ধুত্ব পঞ্চাশ বছরের উপর। সেই ইস্কুল থেকে।'

'আপনাকে একটা প্রশ্ন করতে পারি?'

'মহীতোষ সম্পর্কে?'

'না। তড়িৎবাবু সম্পর্কে।'

'বলুন।'

'আপনার মতে উনি কেমন লোক ছিলেন?'

'চমৎকার। অত্যন্ত বুদ্ধিমান, অত্যন্ত ধীর প্রকৃতির যুবক ছিল তড়িৎ।'

'আর কাজের দিক দিয়ে?'

'অসাধারণ।'

'আমারও তাই ধারণা...'

এবার শশাঙ্কবাবু ফেলুদার দিকে সোজা দৃষ্টি দিয়ে বললেন, 'আমি আপনাকে একটা অনুরোধ করতে চাই।'

'বলুন।'

শশাঙ্কবাবুকে এই প্রথম সিগারেট খেতে দেখলাম। ফেলুদারই দেওয়া একটা চারমিনার ধরিয়ে একটা টান দিয়ে ধোঁয়া ছেড়ে বললেন, 'এই তিন দিনে আপনার অনেক রকম অভিজ্ঞতা হল। আপনি নিজেও বুদ্ধিমান, তাই সাধারণ লোকের চেয়ে নিশ্চয়ই অনেক বেশি দেখেছেন, শুনেছেন, বুঝেছেন। আজ হয়তো আপনার এখানে শেষ দিন। আজ কী ঘটবে তা জানি না। যাই ঘটুক না কেন, এই বিশেষ জায়গার এই বিশেষ জমিদার পরিবারটি সম্বন্ধে আপনি যা জেনে গেলেন, সেটা যদি আপনি গোপন রাখতে পারেন, এবং আপনার এই বন্ধুটিকেও গোপন রাখতে বলেন, তা হলে আমি অত্যন্ত কৃতজ্ঞ বোধ করব। আমি জানি মহীতোষও এটাই চাইবে। বাংলাদেশের প্রায় যে কোনও জমিদার বংশের ইতিহাস ঘাঁটলেই অনেক সব অদ্ভুত অপ্রিয় ঘটনা বেরিয়ে পড়বে সে তো আপনি জানেন। সে রকম সিংহরায় বংশের ইতিহাসেও অনেক অপ্রিয় তথ্য লুকিয়ে আছে সেটা বলাই বাহুল্য।'

ফেলুদা বলল, 'শশাঙ্কবাবু, আমি তিনদিন ধরে মহীতোষবাবুর আতিথেয়তা ভোগ করছি। সে কারণে আমি তাঁর কাছে কৃতজ্ঞ। আমি কলকাতায় গিয়ে সিংহরায় পরিবার সম্পর্কে বদনাম রটাব, এটা কখনও হবে না। এ আমি কথা দিতে পারি।'

এর পর একটা প্রশ্ন ফেলুদা বোধহয় না করে পারল না।

'দেবতোষবাবুর ঘরের দরজা কাল থেকে বন্ধ দেখছি। এ ব্যাপারে আপনি কোনও আলোকপাত করতে পারেন কি?'

শশাঙ্কবাবু একটা অদ্ভুত দৃষ্টিতে ফেলুদার দিকে চাইলেন। তারপর বললেন, 'আমার বিশ্বাস আজকের দিনটা ফুরোবার আগে আপনিই পারবেন।'

'পুলিশ কি তদন্ত চালিয়ে যাচ্ছে?'

'উঁহু।'

'সে কী! হঠাৎ বন্ধ করার কারণটা কী?'

'যার উপর সন্দেহটা পড়ছে, মহীতোষ চায় না যে পুলিশ তাকে কোনওরকমভাবে বিব্রত করে।'

'আপনি দেবতোষবাবুর কথা বলছেন?'

'আর কে আছে বলুন?'

'কিন্তু দেবতোষবাবু যদি খুন করেও থাকেন, তিনি তো আর অভিযুক্ত হবেন না, কারণ তাঁর তো মাথা খারাপ।'

'তা হলেও ব্যাপারটা প্রচার হয়ে পড়বে তো! মহীতোষ সেটাও চায় না।'

'সিংহরায় বংশের মর্যাদা রক্ষার জন্য?'

'ধরুন যদি তাই হয়!'— বলে শশাঙ্কবাবু উঠে পড়লেন।

সাড়ে আটটার মধ্যে আমরা বেরিয়ে পড়লাম। আজও প্রথম দিনের মতো দুটো জিপ। একটায় ফেলুদা, লালমোহনবাবু আর আমি, অন্যটায় মহীতোষবাবু, শশাঙ্কবাবু, মাধবলাল আর

মহীতোষবাবুর একজন বেয়ারা। আজ আমাদের সঙ্গে তিনটে বন্দুক। একটা নিয়েছে মাধবলাল, একটা মহীতোষবাবু, আর একটা— ফেলুদা! বন্দুক নেবার ইচ্ছেটা ফেলুদাই প্রকাশ করল। ফেলুদার রিভলভার চালানোর কথা মাধবলালই মহীতোষবাবুকে খুব ফলাও করে বলেছিল, তাই বন্দুক চাইতে মহীতোষবাবু আর আপত্তি করলেন না। বললেন, 'আপনার খুশিমতো একটা বেছে নিন। বাঘের জন্যই যদি হয় তো থ্রি-সেভেন-ফাইভটা নিতে পারেন।'

ওসব নম্বর-টম্বর আমি বুঝি না, তবে বেশ জবরদস্ত রাইফেল সেটা দেখে বুঝতে পারছি।

লালমোহনবাবুর মধ্যেও একটা চাপা উত্তেজনার ভাব, কারণ ফেলুদা তার হাতে আদিত্যনারায়ণের তলোয়ারটা ধরিয়ে দিয়েছে। দেবার সময় বলল, 'একদম হাতছাড়া করবেন না। আজকের নাটকে ওটার একটা বিশেষ ভূমিকা আছে।'

ভোরে যখন উঠেছিলাম তখন আকাশ মোটামুটি পরিষ্কার ছিল, কিন্তু এখন আবার মেঘ করে এসেছে। কালকের বৃষ্টির ফলে রাস্তায় কাদা হয়েছিল, তাই আমাদের পৌঁছতে খানিকটা বেশি সময় লাগল। কাটা ঠাকুরানীর মন্দির একেবারে জঙ্গলের ভিতরে, জিপ অত দূর যাবে না। কাল যেখানে নেমেছিলাম আজ সেখান থেকে আরও প্রায় আধ মাইল ভিতরে গিয়ে আমাদের জিপ থামল। মাধবলাল রাস্তা চেনে ; সে বলল, 'সামনে একটা নালা পেরিয়ে মিনিট পনেরো হাঁটলেই আমরা মন্দিরে পৌঁছে যাব।'

অল্প অল্প মেঘের গর্জন আর গাছের পাতা-কাঁপানো ঝিরঝিরে বাতাসের মধ্যে আমাদের অভিযান শুরু হল। গাড়ি থেকে নামবার আগেই ফেলুদা রাইফেলে টোটা ভরে নিয়েছে। মহীতোষবাবু নিজে তার বন্দুকটা নেননি ; ওটা রয়েছে বেয়ারা পর্বত সিং-এর হাতে। পর্বত সিং নাকি সব সময়ে মহীতোষবাবুর সঙ্গে শিকারে গেছে। বেঁটেখাটো গাট্টাগোট্টা চেহারা, দেখলেই বোঝা যায় গায়ে অসম্ভব জোর।

আজ খানিক দূর হাঁটার পরই দূরে একপাল হরিণ দেখে মনটা নেচে ওঠার প্রায় সঙ্গে সঙ্গে বুকটা ধড়াস করে উঠল। এই জঙ্গলের মধ্যেই কোথাও হয়তো সেই মানুষখেকো বাঘটা রয়েছে। এমনিতে বাঘ নাকি শিকারের খোঁজে রোজ অক্লেশে পঁচিশ-তিরিশ মাইল হেঁটে এ বন থেকে ও বন চলে যায়। কিন্তু এ বাঘ যদি জখমি বাঘ হয়ে থাকে, তা হলে হয়তো তার পক্ষে বেশি দূর হাঁটা সম্ভবই না। আর এমনিতেই জঙ্গল আর আগের মতো বড় আর ছড়ানো নেই। গত বিশ-পঁচিশ বছরে মাইলের পর মাইল গাছ কেটে ফেলে সেখান চাষের জমি হয়েছে, চা বাগান হয়েছে, লোকের বসতি হয়েছে। কাজেই বাঘ যে খুব দূরে চলে যাবে সে সম্ভাবনা কম। দিনের বেলা বাঘ সাধারণত বেরোয় না এটা ঠিক, কিন্তু মেঘলা দিনে নাকি বেরোন অসম্ভব না। এ ব্যাপারটা কালকেই ফেলুদা আমাকে বলেছে।

যে নালাটা আজ আমাদের পেরোতে হল সেটা কালকেও পেরিয়েছি। কাল প্রায় শুকনো ছিল, আজ কুলকুল করে জল বইছে। নালার ধারে বালি, তাতে জানোয়ারের পায়ের ছাপ। বাঘ নেই, তবে হরিণ, শুয়োর আর হায়েনার পায়ের ছাপ মাধবলাল চিনিয়ে দিল। আমরা নালা পেরিয়ে, ওপারের বনের মধ্যে ঢুকলাম। একটা কাঠঠোকরা মাঝে মাঝে ডেকে উঠছে, দূর থেকে একটা ময়ূরের ডাক শুনতে পাচ্ছি, আর কয়েকটা ঝিঁঝি ক্রমাগত ডেকে চলেছে। পায়ের সামনে ঘাসের উপর মাঝে মাঝে সড়াৎ সড়াৎ শব্দ পাচ্ছি, আর বুঝতে পারছি যে গিরগিটির দল মানুষের পায়ের তলায় পিষে যাবার ভয়ে এক ঝোপড়া থেকে আরেক ঝোপড়ার পিছনে গিয়ে আশ্রয় নিচ্ছে।

ক্রমে আমরা আমাদের চেনা জায়গায় পৌঁছে গেলাম। কাল এখানে এসেছিলাম অন্য পথ দিয়ে। এই যে সেই তলোয়ারের জায়গা। আমাদের দলপতি মাধবলাল অত্যন্ত

সাবধানে শব্দ না করে পা ফেলে এগিয়ে চলেছে, আর বাকি সকলে তার দেখাদেখি সেই ভাবেই চলার চেষ্টা করছি। মাটি এমনিতেই ভিজে নরম হয়ে আছে, শুকনো পাতা প্রায় নেই বললেই চলে, তাই সাতজন লোক একসঙ্গে হাঁটা সত্ত্বেও প্রায় কোনও শব্দই হচ্ছিল না।

সামনের গাছের পাতার ফাঁক দিয়ে ইটের পাঁজা দেখা যাচ্ছে। কাটা ঠাকুরানীর ফাটা মন্দির।

একজনও একটা কথা না বলে একটুও শব্দ না করে মন্দিরের সামনে পৌঁছে গেলাম। সকলে থামল। সেদিন শুধু ফোকলা ফকিরের গাছ, অর্জুন গাছ আর জোড়া তাল গাছের দিকে লক্ষ ছিল বলে আশেপাশে যে আরও কতরকম গাছ আছে সেটা খেয়াল করিনি। সেই সব গাছের ফাঁক দিয়ে ঝিরঝির করে বাতাস আসছে, আর আসছে নালার কুলকুল শব্দ। মন্দিরের পিছন দিকেই নালা। ওই নালায় জল খেতে আসে জন্তু জানোয়ার। বাঘও আসে। মানুষখেকোও।

ফেলুদা অর্জুন আর জোড়া তালের মাঝখানে গর্তটার দিকে এগিয়ে গেল। মহীতোষবাবুও গেলেন পিছন পিছন। আজ গর্তে আরও বেশি জল। ফেলুদা সেদিকে আঙুল দেখিয়ে নিস্তব্ধতা ভেঙে দিয়ে প্রথম কথা বলল।

'এই গর্তে ছিল আদিত্যনারায়ণের গুপ্তধন।'

'কিন্তু,...সেটা গেল কোথায়?' চাপা গলায় জিজ্ঞেস করলেন মহীতোষবাবু।

'কাছাকাছির মধ্যেই আছে, যদি না কালকের মধ্যে কেউ সেটা সরিয়ে থাকে।'

মহীতোষবাবুর চোখ দুটো জ্বলজ্বল করে উঠল।

'আছে? আপনি সত্যি বলছেন আছে?'

'আপনি জানেন সে গুপ্তধন কী জিনিস?' ফেলুদা পালটা প্রশ্ন করল।

উত্তেজনায় মহীতোষবাবুর কপালের শিরা ফুলে উঠেছে, চোখমুখ লাল হয়ে গেছে। বললেন, 'না জানলেও অনুমান করতে পারি। আমার পূর্বপুরুষ যশোবন্ত সিংহরায় ছিলেন কোচবিহারের রাজা নরনারায়ণ ভূপের সেনাধ্যক্ষ। যশোবন্তের উপার্জিত টাকা—নরনারায়ণের নিজের টাঁকশালের টাকা— যার নাম ছিল নারায়ণী টাকা— সেই টাকা ছিল আমাদের বাড়িতে। এক হাজারের উপর রৌপ্যমুদ্রা, চারশো বছরের পুরনো। আদিত্যনারায়ণ যখন এ টাকা লুকিয়ে রাখেন, তখন তাঁর মাথা খারাপ হতে শুরু করেছে— ষাট বছর বয়সে ছেলেমানুষি দুষ্টু-বুদ্ধি খেলছে। তিনি মারা যাবার পর সে টাকা আর আর পাওয়া যায়নি। এতদিনে এই সংকেত তার সন্ধান দিয়েছে। ও টাকা আমার চাই মিস্টার মিত্তির, ওটা হারালে চলবে না।'

ফেলুদা মহীতোষবাবুর দিক থেকে ঘুরে মন্দিরের দিকে এগোচ্ছে। মন্দিরের কাছাকাছি পৌঁছে হঠাৎ আমার দিকে ফিরে বলল, 'তোপ্‌সে, বন্দুকটা ধর তো। মন্দিরের ভিতর রিভলভারই কাজ দেবে।'

আমার হাত কাঁপতে শুরু করেছে। কোনওরকমে নিজেকে সামলে নিয়ে বন্দুকটা হাতে নিলাম। জিনিসটা যে এত অসম্ভব রকম ভারী সেটা দেখে বুঝতে পারিনি।

ফেলুদা মন্দিরের ভাঙা দরজা দিয়ে অন্ধকারের ভিতর ঢুকল। চৌকাঠ পেরোনোর সময় লক্ষ করলাম, ও পকেটে হাত ঢোকাল।

পাঁচ গোনার মধ্যেই পর পর দু বার রিভলভারের আওয়াজে আমার গায়ের লোম খাড়া হয়ে গেল। তারপর মন্দিরের ভিতর থেকে ফেলুদার কথা শোনা গেল।

'মহীতোষবাবু, আপনার লোকটিকে একবার পাঠান তো।'

পর্বত সিং বন্দুকটা তার মনিবের হাতে দিয়ে মন্দিরের ভিতরে ঢুকে এক মিনিটের মধ্যেই

একটা সর্বাঙ্গে কাদা-মাখা পিতলের ঘড়া নিয়ে বেরিয়ে এল, তার পিছনে ফেলুদা। মহীতোষবাবু পর্বত সিং-এর দিকে ছুটে গেলেন। ফেলুদা বলল, 'কেউটের যে রৌপ্যমুদ্রার প্রতি মোহ থাকতে পারে এটা ভাবিনি। কালই শিসের শব্দ পেয়েছিলাম, আজ দেখি ঘড়াটাকে সস্নেহে আলিঙ্গন করে পড়ে আছেন বাবাজি।'

মহীতোষবাবু হাত থেকে বন্দুক ফেলে দিয়ে সেই ঘড়াটার উপর হুমড়ি খেয়ে পড়ে তার ভিতর থেকে সবে একমুঠো রুপোর টাকা বার করেছেন, এমন সময় একটা কাকর হরিণ ডেকে উঠল। আর তার ঠিক পরেই এক সঙ্গে অনেকগুলো বাঁদর আশপাশের গাছ থেকে চেঁচাতে আরম্ভ করল।

তারপরে কয়েক মুহূর্তের মধ্যে এতগুলো ঘটনা একসঙ্গে ঘটে গেল যে ভাবতেও মন ধাঁধিয়ে যায়। প্রথমে মহীতোষবাবুর মধ্যে একটা আশ্চর্য পরিবর্তন দেখা গেল। এক মুহূর্ত আগে যিনি একসঙ্গে এতগুলো রুপোর টাকা দেখে আহ্লাদে আটখানা হয়ে গিয়েছিলেন, তিনি হাত থেকে সেই টাকা ফেলে দিয়ে ইলেকট্রিক শক্ খাওয়ার মতো করে চমকে উঠে দাঁড়িয়ে এক লাফে তিন হাত পিছিয়ে গেলেন। আমরা সবাই যে যেখানে আছি সেখানেই পাথরের মতো দাঁড়িয়ে পড়েছি। ফেলুদাই প্রথমে মুখ খুলল। কিন্তু তার গলার স্বর চাপা ফিসফিসে— 'তোপ্‌সে, গাছে ওঠ। লালমোহনবাবু, আপনিও।'

আমার পাশেই ফোকলা ফকিরের গাছ। ফেলুদার হাতে বন্দুকটা চালান করে দিয়ে ফোকলা ফোকরে পা দিয়ে উঠে হাত বাড়িয়ে একটা বড় ডাল ধরে দশ সেকেন্ডের মধ্যে আমি মাটি থেকে দশ হাত উপরে উঠে গেলাম। তার পরেই লালমোহনবাবু তার হাতের তলোয়ারটা আমার হাতে চালান দিয়ে একটা তাজ্জব ব্যাপার করলেন। অবিশ্যি উনি পরে বলেছিলেন যে ছেলেবেলায় আমতায় থাকতে নাকি অনেক গাছে চড়েছেন, কিন্তু চল্লিশ বছর বয়সেও যে তিনি এক নিমেষে আমার চেয়ে উপরের একটা ডালে উঠে পড়তে পারবেন এটা আমি স্বপ্নেও ভাবিনি।

বাকি ঘটনাগুলো আমি উপর থেকেই দেখেছিলাম। লালমোহনবাবু কিছুক্ষণ দেখে আর দেখতে পারেননি, কারণ তিনি অজ্ঞান হয়ে গিয়েছিলেন ; তবে এমন আশ্চর্যভাবে তাঁর হাত-পা গাছের চওড়া ডালের দু দিকে ঝুলে ছিল যে তিনি মাটিতে পড়ে যাননি।

চারদিক থেকে বিশেষ বিশেষ জানোয়ার আর পাখির ডাক শুনেই বোঝা গিয়েছিল যে কাছাকাছির মধ্যে বাঘ এসে পড়েছে। অবিশ্যি বাঘ এদিকে আসার আর একটা কারণ ছিল সেটা পরে জেনেছিলাম। মোট কথা বাঘ আসছে বুঝেই ফেলুদা আমাদের গাছে চড়তে বলেছিল।

সবচেয়ে আশ্চর্য ব্যাপার করলেন মহীতোষবাবু। তার এই চেহারা যে কোনওদিন দেখব সেটা ভাবিনি। অবাক হয়ে দেখলাম ভদ্রলোক ফেলুদার দিকে ঘুরে দাঁতে দাঁত চেপে বলছেন, 'মিস্টার মিত্তির, আপনার যদি প্রাণের মায়া থাকে তো চলে যান।'

'কোথায় যাব মহীতোষবাবু ?'

দুজনের হাতেই বন্দুক। মহীতোষবাবুরটা উপর দিকে উঠছে ফেলুদার দিকে।

'বলছি যান !' আবার বললেন মহীতোষবাবু। 'জিপ রয়েছে ওই দিকে। আপনি চলে যান। আমি আদেশ করছি, আপনি—'

মহীতোষবাবুর কথা শেষ হল না। একটা বাঘের গর্জনে সমস্ত বনটা কেঁপে উঠেছে। শুনলে মনে হবে না যে একটা বাঘ, মনে হবে পঞ্চাশটা হিংস্র জানোয়ার একসঙ্গে গর্জন করে উঠেছে।

এবার গাছের উপর থেকে দেখতে পেলাম— মন্দিরের পিছনে আরও কতগুলো অর্জুন

গাছের সাদা ডালের ফাঁক দিয়ে একটা গনগনে আগুনের মতো চলন্ত রং। সেটা লম্বা ঘাসের আড়াল থেকে বেরিয়ে এসে একটা প্রকাণ্ড ডোরাকাটা বাঘের চেহারা নিল। বাঘটা এগিয়ে আসছে কাটা ঠাকুরানীর ডান পাশ দিয়ে, আমাদের এই খোলা জায়গাটার দিকে।

মহীতোষবাবুর হাতের বন্দুকটা নীচে নেমে এসেছে। একে ভারী বন্দুক তার উপর ওঁর হাত থর থর করে কাঁপছে।

এদিকে ফেলুদার বন্দুকের নলটা উপর দিকে উঠছে। আরও তিনজন লোক আছে আমাদের সঙ্গে— শশাঙ্কবাবু, মাধবলাল আর পর্বত সিং। পর্বত সিং এইমাত্র একটা প্রকাণ্ড লাফ দিয়ে পালাল। অন্য দুজন কী করছে জানি না, কারণ আমার চোখ একবার বাঘ আর একবার ফেলুদার দিকে যাচ্ছে।

এখন বাঘটা মন্দিরের পাশে এসে পড়েছে।

বাঘের মুখটা ফাঁক হল। তার দাঁতগুলো দেখা যাচ্ছে। এতগুলো শিকার এক সঙ্গে চোখের সামনে সে নিশ্চয়ই দেখেনি কখনও।

বাঘটা থেমে গেছে। তার শরীরটা একটু নিচু হল। একটা লাফ মারার আগের অবস্থা, যাকে ওত পাতা বলে। এইভাবে লাফ দিয়ে প'ড়ে বাঘ একটা মোষকেও—

দুম! দুম!

প্রায় একই সঙ্গে দুটো বন্দুক গর্জিয়ে উঠল। আমার কান ঝালাপালা। দৃষ্টিটাও যেন এক মুহূর্তের জন্য ঝাপসা হয়ে গেল। তারই মধ্যে দেখলাম বাঘটা লাফ দিয়ে শূন্যপথে একটা অদৃশ্য বাধার সামনে পড়ে উলটোদিকে একটা ডিগবাজি খেয়ে একেবারে গুপ্তধনের কলসিটার ঠিক পাশে আছড়ে পড়ল, তার ল্যাজের ঝাপটায় কলসিটা প্রচণ্ড খটাং শব্দে ছিটকে গড়িয়ে গিয়ে তার থেকে চারশো বছরের পুরনো নারায়ণী টাকা ছড়িয়ে পড়ল।

ফেলুদা বন্দুকটা নামিয়ে নিয়েছে। মাধবলাল বলল, 'উয়ো মর গিয়া।'

'কার গুলিতে মরল বলুন তো?'

প্রশ্নটা করল ফেলুদা। মহীতোষবাবুর উত্তর দেবার ক্ষমতা নেই। তিনি মাথা হেঁট করে মাথায় হাত দিয়ে মাটিতে বসে আছেন। তার হাত থেকে ছিনিয়ে নেওয়া বন্দুকটা এখন শশাঙ্কবাবুর হাতে।

শশাঙ্কবাবু বাঘটার দিকে এগিয়ে গেলেন। তারপর বললেন, 'এসে দেখুন মিস্টার মিত্তির। একটা গুলি গেছে চোয়ালের তলা দিয়ে একেবারে মাথার খুলি ভেদ করে; আরেকটা গেছে কানের পাশ দিয়ে। দুটোর যে কোনওটাতেই বাঘটা মরে থাকতে পারে।'

১২

জোড়া বন্দুকের গুলির আওয়াজে উত্তরদিকের গ্রাম থেকে লোকজন ছুটে এসেছে। তারা মহা ফুর্তিতে বাঘটাকে মন্দিরের ও পাশে সরিয়ে নিয়ে গিয়ে, বাঁশের সঙ্গে বেঁধে কাঁধে তোলার আয়োজন করছে। এটাই যে মানুষখেকো তাতে কোনও সন্দেহ নেই। আরও দুটো গুলির চিহ্ন বাঘের গায়ে পাওয়া গেছে; একটা পিছনের পায়ে, আর একটা চোয়ালের কাছে। এর যে কোনও একটার ফলে বাঘ তার স্বাভাবিক শিকারের ক্ষমতা হারিয়ে মানুষের পিছনে ধাওয়া করতে পারে। বাঘটার বয়সও যে বেশি সেটা তার গালের দু পাশের ঘন লোম থেকেই বোঝা যায়।

পর্বত সিং ফিরে এসেছে। সে মহীতোষবাবুর হাত ধরে তুলে তাঁকে মন্দিরের ভাঙা সিঁড়ির উপর বসিয়ে দিয়েছে। ভদ্রলোক এখনও ঘন ঘন ঘাম মুছছেন। লালমোহনবাবুর জ্ঞান ফিরেছে। গাছ থেকে নামাটা তাঁর পক্ষে ওঠার মতো সহজ হয়নি, আমার সাহায্য নিতে হয়েছে। নেমে এসেই, যেন কিচ্ছু হয়নি এমন ভাব করে আমার হাত থেকে তলোয়ারটা আবার নিয়ে নিয়েছেন।

কিছুক্ষণ চুপচাপের পর ফেলুদা কথা বলল।

'মহীতোষবাবু, আপনি বৃথাই দুশ্চিন্তায় ভুগছেন। আমি আপনার শিকারের অক্ষমতা কারুর কাছে প্রকাশ করব না সেটা আমি শশাঙ্কবাবুকে কথা দিয়েছি। আমি ব্যাপারটা অনেক আগে থেকেই সন্দেহ করেছি। লালমোহনবাবুর চিঠিতে আপনার সই দেখে আমি ভেবেছিলাম আপনি বুঝি বৃদ্ধ। লিখতে গেলে যদি আপনার হাত কাঁপে, তা হলে বন্দুক ধরলে সে হাত স্থির থাকবে কী করে সে চিন্তা আমাকে ভাবিয়ে তুলেছিল। অবিশ্যি এমনও হতে পারে যে, আপনার হাত খুব সম্প্রতি বিকল হয়েছে; বইয়ে যে সব শিকারের কথা

লিখেছেন সে-সব আপনিই করেছেন। কিন্তু আমার মনে নতুন করে সন্দেহ ঢুকিয়ে দিলেন আপনার দাদা। দেবতোষবাবু অসংলগ্ন কথা বললেও তাঁর একটা কথার সঙ্গে আর একটা কথার সরাসরি সম্পর্ক না থাকলেও, তিনি যে আজগুবি মিথ্যে বলছেন এটা কিন্তু আমার কখনও মনে হয়নি। তিনি যা বলছেন তার মধ্যে খুঁজলে অর্থ পাওয়া যায়, এটাই আমার মনে হয়েছিল। আপনি শিকারের বই লিখছেন সেটা নিশ্চয়ই উনি জানতেন, আর আপনি যে এত বড় একটা মিথ্যের আশ্রয় নিয়েছেন তাতে তিনি নিশ্চয় খুবই কষ্ট পেয়েছিলেন। এই মিথ্যে নিয়ে আক্ষেপ আমি দুবার তাঁর মুখে শুনেছি। সবার হাতে হাতিয়ার বাগ মানে না এটাও তিনি—'

ফেলুদার কথা বন্ধ করে মহীতোষবাবু চেঁচিয়ে উঠলেন—

'বাগ মেনেছিল। সাত বছর বয়সে আমি এয়ারগান দিয়ে শালিক মেরেছি, চড়ুই মেরেছি— পঞ্চাশ গজ দূর থেকে। কিন্তু...'

মহীতোষবাবুর দৃষ্টি বুড়ো অশ্বত্থ গাছটার দিকে চলে গেল। তারপর বললেন, 'একদিন চড়ুইভাতি করতে এসে ওই গাছে চড়েছিলাম— ওই ডালে— যেখানে আপনার ভাইটি উঠেছিল। দাদা বলল বাঘ আসছে, আর আমি বাঘ দেখব বলে লাফ মেরে—'

'হাত ভাঙলেন?'

'কম্পাউন্ড ফ্র্যাকচার', এগিয়ে এসে বললেন মহীতোষবাবুর বন্ধু শশাঙ্ক সান্যাল। 'কোনও দিনই হাড় জোড়া লাগেনি ভাল করে।'

ফেলুদা বলল, 'কিন্তু বংশের মর্যাদা রক্ষা করার জন্য শিকারি হবার শখ হল? আর নিজের দেশের নিজের জঙ্গলে মিথ্যে ধরা পড়ে যাবে বলে উড়িষ্যা আর অসমের জঙ্গলে শিকার করলেন? আপনি করলেন মানে, করলেন শশাঙ্কবাবু, কিন্তু লোকে বুঝল যে সিংহরায় পরিবারে তিন পুরুষ ধরে বাঘ শিকারের ধারা চলে আসছে। তাই না মহীতোষবাবু?'

মহীতোষবাবু দীর্ঘশ্বাস ফেলে বললেন, 'শশাঙ্ক যা করেছে তার বন্ধুর জন্য, তেমন আর কেউ করে না। ওর মতো শিকারি আমাদের পরিবারেও কেউ জন্মায়নি।'

'কিন্তু সম্প্রতি সেই বন্ধুত্বে কি একটু চিড় ধরেছিল?'

মহীতোষবাবু আর শশাঙ্কবাবু দুজনেই চুপ করে আছেন দেখে ফেলুদা বলে চলল, 'বই বেরোবার আগে আমি অন্তত মহীতোষ সিংহরায়ের নাম শুনিনি। কিন্তু বেরোবার পরে আজ হাজার হাজার লোকে তাঁর নাম শুনেছে, এবং একটা বিরাট মিথ্যেকে সত্যি বলে মেনে নিচ্ছে। আসল শিকারি কিন্তু তাঁর ন্যায্য পাওনা থেকে বঞ্চিত হচ্ছেন। সেটা কি তিনি খুব সহজেই মেনে নিতে পারছেন? বন্ধুত্বের খাতিরে কতটা আত্মত্যাগ সম্ভব? আপনি সেদিন রাত্রে শশাঙ্কবাবুকেই কথা শোনাচ্ছিলেন না? আমি কি অনুমান করতে পারি যে, বেশ কিছুদিন থেকেই শশাঙ্কবাবু আর আপনার মধ্যে একটা মনোমালিন্য ও কথা কাটাকাটি চলছে?'

এখনও দুজনে চুপ। ফেলুদা স্থির দৃষ্টিতে মহীতোষবাবুর দিকে চেয়ে থেকে বলল, 'মৌনং সম্মতি লক্ষণম্ বলেই ধরে নিচ্ছি। আর, আরেকটা ব্যাপারেও আপনার বোধহয় মৌন অবলম্বন ছাড়া রাস্তা নেই।'

মহীতোষবাবু ভয়ে ভয়ে ফেলুদার দিকে চাইলেন। ফেলুদা বলল, 'তড়িৎবাবুর সাহিত্যকীর্তির জন্যই যে আপনি প্রশংসা পাচ্ছেন, সেটাও বোধহয় সত্যি। তাই নয়, মহীতোষবাবু? আপনি সেদিন আপনার পাণ্ডুলিপির কথা বললেন, কিন্তু আমি তন্ন তন্ন করে খুঁজেও আপনার লেখা একটি টুকরো কাগজও কোথাও পেলাম না। আসলে আপনি লিখতেন না, আপনি মুখে মুখে আপনার মতো করে বলতেন, আর তড়িৎবাবু সেটাকে তাঁর

আশ্চর্য সাবলীল ভাষায় সাজিয়ে দিতেন আর সেই সাজানো লেখা প্রকাশিত হত আপনার নামে। তড়িৎবাবুকে আপনি ভাল মাইনে দিতেন, তাকে আরামে রেখেছিলেন, তোয়াজে রেখেছিলেন এ সবই ঠিক। কিন্তু একজন সত্যিকারের গুণী স্রষ্টার পক্ষে ওগুলো যথেষ্ট নয় মহীতোষবাবু। সে সবচেয়ে বেশি যেটা আশা করে সেটা হল তার গুণের আদর— যেটা না পেয়ে তড়িৎবাবুর মন ক্রমে ভেঙে যায়। তারপর সংকেতটা হাতে পড়ে, আর তার সমাধানও হয়ে যায়। নারায়ণী মুদ্রার কথাটা হয়তো তিনি আপনার পারিবারিক কাগজের মধ্যে পেয়েছিলেন। মোট কথা তিনি স্থির করেন যে, গুপ্তধন নিয়ে আপনার কাজে ইস্তফা দিয়ে চলে যাবেন। কিন্তু সে আশা তাঁর পূর্ণ হল না।'

মহীতোষবাবু যেন বেশ কষ্ট করেই উঠে দাঁড়িয়ে বললেন, 'সবই তো বুঝলাম মিস্টার মিত্তির, এর সবই ঠিক এবং কোনওটাই আমার শুনতে ভাল লাগছে না। কিন্তু তড়িৎকে এভাবে হত্যা করল কে? তার না হয় আমার উপর আক্রোশ ছিল, কিন্তু তার উপর কারও আক্রোশ ছিল বলে তো আমি জানি না। তড়িৎ ছাড়া আর কে এসেছিল সেদিন জঙ্গলে?'

'কে এসেছিল তা বোধহয় আমি বলতে পারি।'

মহীতোষবাবু পায়চারি আরম্ভ করেছিলেন, ফেলুদার কথা শুনে থমকে দাঁড়িয়ে গেলেন।

'পারেন?'

ফেলুদার দৃষ্টি ঘুরে গেল।

'শশাঙ্কবাবু, আপনি সেদিন রাত্রে ট্রোফি রুম থেকে একটি উইনচেস্টার রাইফেল নিয়ে এই জঙ্গলে আসেননি? কাল রাত্রে ওটার বাঁটে সামান্য একটু মাটি লেগে রয়েছে দেখলাম, যেটা পরশু রাত্রে দেখিনি।'

শশাঙ্কবাবুর নার্ভ বোধহয় বাঘ শিকার করেই আশ্চর্যরকম শক্ত হয়ে গিয়েছিল। উনি অদ্ভুত ঠাণ্ডাভাবে ফেলুদার দিকে চেয়ে বললেন, 'যদি এসেই থাকি— আপনি তার কী মানে করতে চাইছেন সেটা বলবেন কি?'

ফেলুদাও ঠিক শশাঙ্কবাবুর মতোই শান্তভাবে বলল, 'বন্ধু সম্পর্কে আপনার হতাশা জাগলেও আপনি তার গুপ্তধনের ওপর লোভ করবেন সেটা আমি মোটেই ভাবছি না। তবে আমার ধারণা, তড়িৎবাবু যে সংকেতের সমাধান করে ফেলেছেন সেটা আপনি জানতেন, তাই না?'

শশাঙ্কবাবু বললেন, 'শুধু তাই না, তড়িৎ গুপ্তধন পেলে তার অর্ধেক আমাকে অফার করেছিল। তড়িৎ বুঝেছিল মহীতোষ আমাদের দুজনকেই একইভাবে বঞ্চিত করছে। কিন্তু আমি তড়িতের প্রস্তাবে রাজি হইনি। শুধু তাই নয়, আমি গুপ্তধনের সন্ধানে এখানে আসতে অনেক বার বারণ করেছিলাম। কারণ ওই ম্যান-ইটার। শেষটায় সেদিন রাত্রে জানালা দিয়ে ওর টর্চের আলো দেখে আমি বন্দুক নিয়ে বেরিয়ে পড়ি। এখানে এসে দেখি গুপ্তধন পড়ে আছে, কিন্তু তড়িৎ নেই। তারপর অনুসন্ধান করে দেখলাম রক্তের দাগ, বাঘের পায়ের ছাপ। গুপ্তধন মন্দিরের ভিতর রেখে, সেই চিহ্ন ধরে আমি এগিয়ে যাই বাঁশবনের কাছাকাছি পর্যন্ত। বিদ্যুতের আলোতে দেখি বাঘ তড়িতের মৃতদেহের উপর হুমড়ি খেয়ে পড়েছে। অন্ধকারে আন্দাজেই গুলি চালাই। বাঘ পালায়। তারপর...'

শশাঙ্কবাবু কেন যেন চুপ করে গেলেন। ফেলুদা বলল, 'বাকিটা আমি বলি? এটাও অনুমান। ভুল হলে আমাকে শুধরে দেবেন।'

'বেশ। বলুন।'

'আপনিই কাল রাত্রে মাধবলালের সঙ্গে কথা বলছিলেন না?'

শশাঙ্কবাবু অস্বীকার করলেন না। ফেলুদা এবার আর একটা প্রশ্ন করল।

'সেটা কি মন্দিরের পিছনে বাঘের জন্য টোপ ফেলার প্রস্তাব দিতে ? ওই শিমুল গাছটার মগডালে শকুনির পাল দেখে মনে হচ্ছে ওর কাছাকাছি একটা মরা জানোয়ার পড়ে আছে।'

'মোষের বাচ্চা', চাপা গলায় বললেন শশাঙ্কবাবু।

'তার মানে আপনি চাইছিলেন যে আজ বাঘ বেরোক, যাতে আপনি অন্তত একজন বাইরের লোকের সামনে প্রমাণ করে দিতে পারেন যে শিকারি আসলে হচ্ছেন আপনি, মহীতোষবাবু নন।'

মহীতোষবাবু হঠাৎ ফেলুদার দিকে এগিয়ে এসে কাঁধে হাত দিয়ে অনুনয়ের সুরে বললেন, 'মিস্টার মিত্তির, আমি আপনাকে একটা অনুরোধ করব, আপনাকে সেটা রাখতে হবে।'

'কী অনুরোধ ?'

'এই গুপ্তধনের কিছু অংশ আমি আপনাকে দিতে চাই। সেটা আপনাকে নিতে হবে।'

ফেলুদা মহীতোষবাবুর চোখে চোখ রেখে মৃদু হেসে বলল, 'রৌপ্যমুদ্রা আমি চাই না মিস্টার সিংহরায়। কিন্তু একটা জিনিস আমি নেব।'

'কী জিনিস ?'

'আদিত্যনারায়ণের তলোয়ার।'

লালমোহনবাবু কথাটা শোনা মাত্র এগিয়ে এসে ফেলুদার হাতে তলোয়ারটা দিয়ে দিল।

'এই তলোয়ারটা আপনি চাইছেন ?' মহীতোষবাবু অবাক হয়ে বললেন। 'নারায়ণী রৌপ্যমুদ্রা না নিয়ে ইস্পাতের তলোয়ার নেবেন ?'

'এ তলোয়ারকে আর সাধারণ তলোয়ার বলা চলে না মহীতোষবাবু। এর সঙ্গে ইতিহাস ছাড়াও আরও কিছু জড়িত হয়ে পড়েছে।'

'আপনি তড়িতের খুনের কথা বলছেন ?'

'না।'

'তবে ?'

'খুনের কথা বলছি না, কারণ তড়িৎবাবু খুন হননি।'

'তবে ? আত্মহত্যা ?'

'তাও না।'

'আপনি কি হেঁয়ালি তৈরি করছেন মিস্টার মিত্তির ?' মহীতোষবাবুর গলার স্বরে বুঝলাম, তার ভিতরের কঠিন মানুষটা আবার বাইরে বেরিয়ে আসতে চাইছে।

ফেলুদা বলল, 'না, তা করছি না, মহীতোষবাবু। যা ঘটেছিল সেটাই বলতে যাচ্ছি। সেটা এত স্পষ্ট বলেই আমাদের দৃষ্টি সেদিকে যাচ্ছিল না। তলোয়ারটা তড়িৎবাবু নিজেই আদিত্যনারায়ণের ঘর থেকে সরিয়েছিলেন।'

'সে কী, কেন ?'

'কারণ গুপ্তধন পেতে হলে তাকে মাটি খুঁড়তে হবে, আর তার জন্য শাবল জাতীয় একটা কিছুর দরকার। তড়িৎবাবুর হাতের সবচেয়ে কাছে ছিল এই তলোয়ারটা।'

'তারপর ?'

'তারপর কী— সেটা বলার আগে এই তলোয়ারের একটা বিশেষত্ব আমি আপনাদের দেখাতে চাই।'

এই বলে ফেলুদা তলোয়ারটা নিয়ে কেন যেন শশাঙ্কবাবুর দিকে এগিয়ে গেল। শশাঙ্কবাবু সাহসী হলেও ফেলুদাকে ওইভাবে অস্ত্র হাতে নিয়ে এগিয়ে আসতে দেখে একটু যেন উসখুস করে উঠলেন। এবার ফেলুদা এক আশ্চর্য খেল দেখাল। সে তলোয়ারটা শশাঙ্কবাবুর হাতের বন্দুকের নলের দিকে ধীরে ধীরে এগিয়ে নিয়ে গেল, আর খুব কাছাকাছি আসতেই

একটা খটাং শব্দ করে ইস্পাতে ইস্পাতে জোড়া লেগে গেল।

'এ কী, এ যে চুম্বক!' বলে উঠলেন শশাঙ্কবাবু।

'হ্যাঁ, চুম্বক', বলল ফেলুদা। 'তলোয়ারটাই চুম্বক, বন্দুকটা না। আগে চুম্বক ছিল না, কারণ আদিত্যনারায়ণের আলমারিতে তলোয়ারের পাশেই আরও ছোটখাটো অনেক লোহা আর ইস্পাতের জিনিস ছিল। চুম্বক হলে তলোয়ার বার করা বা রাখার সময় সেগুলো এর গায়ে আটকে যেত নিশ্চয়ই, কিন্তু যায়নি। এ তলোয়ার চুম্বকে পরিণত হয়েছে পরশু রাত্রে।'

'কী করে?' জিজ্ঞেস করলেন মহীতোষবাবু। সকলেই রুদ্ধশ্বাসে ফেলুদার কথা শুনছে।

ফেলুদা বলল, 'কোনও মানুষের হাতে লোহা বা ইস্পাতের কোনও জিনিস থাকা অবস্থায় যদি তার উপর বাজ পড়ে, তা হলে সে জিনিস চুম্বকে পরিণত হয়। শুধু তাই নয়, সে জিনিস অনেক সময় বিদ্যুৎকে আকর্ষণ করে। তড়িৎবাবুর মৃত্যু হয়েছিল বজ্রাঘাতে, এবং হয়তো এই তলোয়ারই তার মৃত্যুর জন্য দায়ী। মাটি খুঁড়ে কলসি বার করার পর বৃষ্টি নামে, তার সঙ্গে বাজ ও বিদ্যুৎ। তড়িৎবাবু অশ্বত্থগাছের নীচে আশ্রয়ের জন্য ছুটে আসেন। বাজ পড়ে। তড়িৎবাবু ছিটকে পড়ার সময় তার হাতের তলোয়ার বুকে বিঁধে যায়। সম্ভবত মৃত্যুর পরমুহূর্তেই তলোয়ার তার দেহে প্রবেশ করে।'

মহীতোষবাবুর সমস্ত শরীর থরথর করে কাঁপছে। তাঁর দৃষ্টি অশ্বত্থ গাছটার দিকে গেল। ভাঙা ভাঙা অস্ফুট স্বরে বললেন, 'তাই ভাবছিলাম, এই গাছটা হঠাৎ এত বুড়ো হয়ে গেল কী করে!'

মহীতোষবাবুর কথার প্রায় সঙ্গে সঙ্গেই লালমোহনবাবু বলে উঠলেন, 'তড়িৎবাবু শেষটায় তড়িৎস্পৃষ্ট হয়ে মারা গেলেন!'

দুঃখের বিষয় ওঁর এই চমৎকার কথাটায় কান দেবার মতো মনের অবস্থা তখন কারুরই ছিল না।

* * *

আমরা আজ কলকাতা ফিরে যাচ্ছি। আজ বাইরে রোদ, দু দিন বৃষ্টি হওয়ার দরুন গরমও কম। আমরা জিনিসপত্র গুছিয়ে ঘরে বসে আছি, মাঝে মাঝে বাইরে থেকে দেবতোষবাবুর গলা পাচ্ছি। সকালে উঠেই দেখেছি ওঁর ঘরের দরজায় আর তালা নেই। গাছ থেকে নামার সময় লালমোহনবাবুর হাঁটু ছড়ে গিয়েছিল। ক্ষতের উপর উনি স্টিকিং প্লাস্টার লাগাচ্ছেন, এমন সময় মহীতোষবাবুর চাকর একটা স্টিলের ট্রাঙ্ক মাথায় করে ঘরে ঢুকে সেটাকে মাটিতে নামিয়ে রেখে বলল, মহীতোষবাবু পাঠিয়ে দিয়েছেন। ফেলুদা সেটা খুলতেই দেখা গেল তার মধ্যে খুব সাবধানে প্যাক করা রয়েছে একটা চমৎকার বাঘছাল। একটা খামও ছিল ট্রাঙ্কটার মধ্যে, তার ভিতরে তিন লাইনের একটা চিঠি—

'ডিয়ার মিস্টার মিত্তির, আমার কৃতজ্ঞতার নিদর্শন স্বরূপ এই বাঘছালটি গ্রহণ করিয়া আমাকে বাধিত করিবেন। ১৯৫৭ সালে সম্বলপুরের নিকটবর্তী এক জঙ্গলে আমার বন্ধু শ্রীশশাঙ্কমোহন সান্যাল কর্তৃক এই বাঘটি নিহত হইয়াছিল।'

লালমোহনবাবু চিঠিটা পড়ে বললেন, 'দুজনের গুলিতে যেটা মরল, সেটা কি দু ভাগে ভাগ করা হবে?'

ফেলুদা বলল, 'না। ওটা শশাঙ্কবাবু আমাকেই দেবেন বলেছেন।'

'ও, তার মানে আপনি একাই...'

'না, একা না। দুটোর একটা আপনাকে উপহার দেব বলে স্থির করেছি।'

'উপহার ?'

'উপহার। গাছের ডালে উঠে অজ্ঞান হয়েও যে মাটিতে না পড়ে ঝুলে থাকা যায়, সেইটে সর্বপ্রথম আপনিই প্রমাণ করেছেন।'

লালমোহনবাবু হাঁ হাঁ করে উঠলেন।

'আরে মশাই, আমি তো বলেইছি আমার কল্পনাশক্তিটা সাধারণ লোকের চেয়ে একটু বেশি। আপনারা বলছেন বাঘ, আর আমি দেখছি একটা লেলিহান অগ্নিশিখা, আর তার মধ্যে একটা পৈশাচিক দানব দাঁত খিঁচুচ্ছে, আর সেই সঙ্গে কর্ণপটাহ বিদীর্ণ করা এক হুঙ্কার ছেড়ে একটা জেট প্লেন টেক অফ্ করছে আমারই উপর ল্যান্ড করবে বলে। এতেও যদি সংজ্ঞা না হারাই তো সংজ্ঞা জিনিসটা রয়েছে কী করতে ?'

জয় বাবা ফেলুনাথ

১

রহস্য রোমাঞ্চ ঔপন্যাসিক লালমোহন গাঙ্গুলী ওরফে জটায়ু প্লেট থেকে একটা চীনাবাদাম তুলে নিয়ে ডান হাতের বুড়ো আঙুল আর তার পাশের আঙুল দিয়ে সেটার উপর একটা হালকা হুঁশিয়ার চাপ দিতেই ব্রাউন খোলসের মধ্যে থেকে মসৃণ ফরসা বাদামটা সুড়ুৎ করে বেরিয়ে তাঁর বাঁ হাতের তেলোর উপর পড়ল। সেটা মুখে পুরে খোসাটা সামনের টেবিলে রাখা অ্যাশ-ট্রেতে ফেলে দিয়ে হাত ঝেড়ে ভদ্রলোক প্রশ্ন করলেন, 'দশাশ্বমেধ ঘাটে বিজয়া দশমী দেখেছেন কখনও ?'

ফেলুদার সামনে দাবার বোর্ড, তার উপরে একটা সাদা রাজা, একটা সাদা গজ আর একটা সাদা বোড়ে, আর একটা কালো রাজা আর দুটো কালো ঘোড়া। বোর্ডের পাশে গ্রেট গেম্স অফ চেস বলে একটা বই খোলা ; ফেলুদা তার মধ্যে থেকে একটা চ্যাম্পিয়নশিপ গেম বেছে নিয়ে তার চালগুলো বই দেখে দেখে চালছিল। খেলার প্রায় মাঝামাঝি লালমোহনবাবু এসে পড়েন। আজকাল আর ওঁর সঙ্গে বাড়াবাড়ি রকম ভদ্রতা না করলেও চলে, তাই ফেলুদা শ্রীনাথকে চা আনতে বলে খেলাটা শেষ করে নিচ্ছিল, আর চালের ফাঁকে ফাঁকে লালমোহনবাবুর প্রশ্নের জবাব দিচ্ছিল। এ-প্রশ্নটার জবাবেও সে বই থেকে চোখ না তুলেই বলল, 'উঁহু।'

'ওঃ—সে যা ব্যাপার না ! সে এক, যাকে বলে, জমজমাট ব্যাপার। সে মশাই আপনি না দেখলে ইয়েই করতে পারবেন না।'

ফেলুদা খেলার শেষ চালটা চেলে বোর্ডের দিকে কিছুক্ষণ তাকিয়ে থেকে বলল, 'আপনি কি আমায় লোভ দেখাবার চেষ্টা করছেন ?'

'তা কতকটা ঠিকই ধরেছেন, হেঃ হেঃ !'

'কিন্তু আপনি যে-ভাবে বর্ণনা করলেন তাতে আপনার চেষ্টা ব্যর্থ হতে বাধ্য।'

'কেন ?'—লালমোহনবাবুর ভুরু দুটো নাকের উপর জুড়ে গিয়ে সেকেন্ড ব্র্যাকেট হয়ে গেল।

ফেলুদা বোর্ড ভাঁজ করে ঘুঁটিগুলো বাক্সে ভরতে ভরতে বলল, 'কারণ কোনও ঘটনা বা

দৃশ্য সম্পর্কে কেবলমাত্র জমজমাট বিশেষণটা ব্যবহার করলে আসলে কিছুই বলা হল না। ওতে চোখের সামনে কোনও ছবি ফুটে ওঠে না, ফলে দশাশ্বমেধে বিজয়া-দশমীর বিশেষত্বটা কিছুই বোঝা যায় না, আর তার ফলে ফেলু মিত্তিরের মনে কোনও সাড়া জাগে না। আপনি উপন্যাস লেখেন, আপনার বর্ণনা এত দায়সারা হবে কেন ?'

'ঠিক বলেছেন, ঠিক বলেছেন,' লালমোহনবাবু জিভ কেটে ব্যস্ত হয়ে বলে উঠলেন। 'আসলে প্রায় পঁচিশ বছর হয়ে গেল তো, তাই ডিটেলগুলো সব মাথার মধ্যে তালগোল পাকিয়ে গেছে। তবে দশাশ্বমেধে ভাসান দেখে চোখ-কান ধাঁধিয়ে গেস্‌ল এটা বেশ মনে আছে।'

'ওইতো—চোখ এবং কান। বর্ণনায় ওই দুটোর জন্য খোরাক চাই, সম্ভব হলে নাকও।'

'নাক !'—লালমোহনবাবুর ভুরু দুটো উপর দিকে উঠে এক জোড়া খিলেন হয়ে গেল।

'সম্ভব হলে।...কলকাতার রাস্তাঘাটে এমনিতে কোনও যে বিশেষ গন্ধ পাওয়া যায় তা না। লেক মার্কেটের কাছে বিকেলের দিকটা বেলফুলের গন্ধ, বা নিউ মার্কেটের পশ্চিম দিকে বার্ট্রাম স্ট্রিটের কোনও বিশেষ অংশে শুঁটকি মাছের গন্ধ, হাসপাতালের কাছে ডিস্‌ইনফেক্টান্টের গন্ধ, শ্মশানের কাছে মড়া পোড়ার গন্ধ—এই সবই নিশ্চয় লক্ষ করে থাকবেন। তেমনি কাশীর বর্ণনাতেও কিছু কিছু গন্ধের উল্লেখ না করলে কি চলে ? বিশ্বনাথের গলিতে ধূপ ধুনো গোবর শ্যাওলা লোকের ঘাম মেশানো গন্ধ, আবার গলি ছেড়ে বাইরে এসে বড় রাস্তা দিয়ে ঘাটের দিকে হাঁটার সময় কিছুক্ষণ প্রায় একটা নিউট্রাল গন্ধহীন অবস্থা, আবার ঘাটের সিঁড়ি যেই শুরু হল অমনি ধাপে ধাপে একটা উগ্র গন্ধ ক্রমে বেড়ে গিয়ে প্রায় পেটের ভাত উলটে আসার অবস্থা। সেটা যে ওই বোকাপাঁঠাগুলোর গা থেকে বেরোচ্ছে সেটা যে না জানে তার বুঝতে কিছুটা সময় লাগবে। তারপর ছাগলগুলোকে পিছনে ফেলে একটু এগোলেই পাবেন একটা গন্ধ যাতে জল মাটি তেল ঘি ফুল চন্দন ধূপ ধুনো সব একসঙ্গে মিশে রয়েছে।'

'তার মানে আপনি বেনারস গেছেন', মন্তব্য করলেন জটায়ু।

'গেছি। তখন কলেজের ছাত্র। হিন্দু ইউনিভার্সিটির সঙ্গে ক্রিকেট খেলতে গেসলাম।'

লালমোহনবাবু পকেট হাতড়াচ্ছেন দেখে ফেলুদা বলল, 'আপনি যে কাগজের কাটিংটা খুঁজছেন, সেটা আপনি ঘরে ঢোকার আধ মিনিটের মধ্যে আপনার পকেট থেকে বেরিয়ে মাটিতে পড়ে এখন ওই টেলিফোনের টেবিলের পায়ায় লটকে আছে।'

'এঃ হে—রুমালটা বার করার সময়...'

লালমোহনবাবু ওঠার আগেই আমি কাগজটা তুলে ওঁর হাতে এনে দিলাম। ফেলুদা বলল, 'ওটা সেই কালকের খবরটা তো ? কাশীর সেই সাধুবাবার ব্যাপার ?'

লালমোহনবাবু ভারী ব্যস্ত হয়ে বললেন, 'আপনি জানেন, তবু এতক্ষণ কিছু বলেননি ? কী রহস্যজনক ব্যাপার বলুন তো।'

আমি লালমোহনবাবুর হাত থেকে কাটিং-টা নিয়ে দেখলাম তাতে লেখা রয়েছে—

বারাণসীর মছলি-বাবা

বারাণসীতে গত বৃহস্পতিবার এক সাধুবাবার আবির্ভাব শহরে বিশেষ চাঞ্চল্যের সৃষ্টি করেছে বলে জানা গেল। অভয়চরণ চক্রবর্তী নামক বাঙালিটোলার জনৈক প্রবীণ বাসিন্দা কেদার ঘাটে প্রথম সাধুবাবার সাক্ষাৎ পান, এবং অচিরেই তাঁর অলৌকিক শক্তির পরিচয় পান। সাধুবাবা আপাতত শ্রীচক্রবর্তীর গৃহেই অবস্থান করছেন। ভক্তগণের

নিকট ইনি মছলি-বাবা নামে পরিচিত। তাঁরা বলেন, বাবাজী নাকি প্রয়াগ থেকে গঙ্গাবক্ষে ভাসমান অবস্থায় বারাণসীতে এসে পৌঁছেছেন।

এ-ধরনের সাধুবাবার কথা আজকাল এত শোনা যায় যে আমার কাছে খবরটা তেমন একটা কিছু বলে মনে হল না। কিন্তু লালমোহনবাবু দেখলাম ভয়ংকরভাবে মেতে উঠেছেন। বললেন, 'হয়তো সেই একেবারে তিব্বতে গঙ্গার সোর্স থেকে ভাসা শুরু করেছেন। ভাবলেও গায়ে কাঁটা দেয়।'

'গঙ্গার সোর্স তিব্বতে এ খবর কে দিল আপনাকে?'

'ও হো হো, সরি—ওটা বোধহয় ব্রহ্মপুত্র। যাই হোক—তিব্বত না হোক হিমালয় তো! তাই বা কম কীসে?'

'আপনার কি তাকে দর্শন করার ইচ্ছে জেগেছে?'

'যেমন-তেমন সাধু হলে হত না, কিন্তু এর মধ্যে একটা রহস্যের গন্ধ পাচ্ছেন না আপনি? মছলি-বাবা—নামটাই তো ইউনিক।'

ফেলুদা তক্তপোশ থেকে উঠে পড়ল।

'নামটা মন্দ হয়নি সেটা স্বীকার করছি। খবর পড়ে ওই একটি জিনিসই মনে দাগ কাটে, আর কিছু নয়। কাশী যদি যেতেই হয় তো মছলি-বাবার জন্য নয়। কচৌরি গলির হনুমান হালুইকরের রাবড়ির স্বাদ এখনও মুখে লেগে রয়েছে। ও জিনিসটা তো কলকাতার বাজার থেকে উঠেই গেছে।'

'আর ধরুন যদি গিয়ে দেখেন যে হালুইকরকে কোনও অজ্ঞাত আততায়ী খুন করে গেছে—তার রাবড়ির রসে রক্তের ছিটে পড়ে রস গোলাপি হয়ে গেছে—তা হলে তো কথাই নেই। কাশীও হল, কেসও হল, ক্যাশও হল—হ্যাঃ হ্যাঃ। এক ঢিলে তিন পাখি। আপনি তো বেশ কিছুদিন বসে, তাই না?'

কথাটা ঠিকই। মাস তিনেক হল ফেলুদার হাতে কোনও কাজ নেই। অবিশ্যি তার একটা কারণ আছে, আর সেটা আমি এর আগেও বলেছি। ফেলুদা বলে একটা ক্রাইমের পিছনে যদি কোনও তীক্ষ্ণবুদ্ধি ক্রিমিন্যালের কারসাজির ছাপ না থাকে, তা হলে সে-ক্রাইমের কিনারা করতে বিশেষ মাথা খাটানোর প্রয়োজন হয় না, আর মাথা না খাটাতে পারলে ফেলুদার তৃপ্তি হয় না। কাজেই কেস মামুলি বুঝতে পারলে সে বেশির ভাগ সময়ই মক্কেলকে ফিরিয়ে দেয়।

এক কথায় ফেলুদা চায় তার তীক্ষ্ণ বুদ্ধিটাকে শানিয়ে নেবার সুযোগ। সে সুযোগ গত তিন মাসের মধ্যে আসেনি। এই অবসরে অবিশ্যি ফেলুদা অজস্র বই পড়েছে, নিয়মিত যোগব্যায়াম করেছে, সিগারেট খাওয়া কমিয়েছে, দাবা খেলেছে, দুবার চুল ছাঁটিয়েছে, দুটো বাংলা, একটা হিন্দি আর পাঁচটা বিদেশি ছবি দেখেছে, একদিন আমাকে সঙ্গে করে শ্যামবাজার পাঁচ মাথার মোড় থেকে বালিগঞ্জে আমাদের বাড়ি অবধি হেঁটে এসেছে এক ঘণ্টা সাতান্ন মিনিটে। এর মধ্যে একবার দাড়ি-গোঁফ রাখবে বলে সাতদিন শেভিং বন্ধ করে আট দিনের দিন আয়নায় নিজের চেহারা দেখে মত পালটিয়ে আবার পুরনো চেহারায় ফিরে গেছে।

লালমোহনবাবু বললেন, 'আপনার কেস নেই, আর আমার মাথায় গল্পের প্লট নেই। এই প্রথম পুজোয় আমার বই বেরোল না, জানেন তো? আগে তো এ-বই সে-বই থেকে এটা ওটা খামচে নিয়ে তার উপর কিছুটা রং চড়িয়ে যা হোক একটা কিছু খাড়া করে দিতাম; আপনার হাতে বার বার ধরা পড়ে চুরি বিদ্যে তো নো লংগার বড় বিদ্যে, তাই এখন নিজেরই মাথা খাটাতে হয়। ভাবছিলুম কলকাতার এই বদ্ধ আবহাওয়া থেকে বেরোতে পারলে বোধহয় ব্রেনটা কিছুটা খুলত।'

'যেতে পারি, তবে একটা রিস্ক আছে

'কী রিস্ক ?'

'গিয়ে-টিয়ে শেষটায় আমিও কেস পেলাম না, আপনিও প্লট পেলেন না।'

বেনারস গিয়ে লালমোহনবাবু গল্পের প্লট পেয়েছিলেন ঠিকই ; তবে ফিরে আসার দুমাস পরে বড়দিনে তাঁর যে রহস্য উপন্যাসটা বেরোল, সেটার সঙ্গে টিনটিনের একটা গল্পের আশ্চর্য মিল।

ফেলুদার কিন্তু গিয়ে সত্যিই লাভ হয়েছিল। তা না হলে অবিশ্যি এ বইটাই লেখা হত না। ফেলুদার জীবনে সবচেয়ে ধুরন্ধর ও সাংঘাতিক প্রতিদ্বন্দ্বীর সঙ্গে তাকে এই বেনারসেই লড়তে হয়েছিল। ও পরে বলেছিল—'এই রকম একজন লোকের জন্যই অ্যাদ্দিন অপেক্ষা করছিলাম রে তোপ্‌সে। এ সব লোকের সঙ্গে লড়ে জিততে পারলে সেটা বেশ একটা টনিকের কাজ দেয়।'

দশাশ্বমেধ ঘাটের রাস্তার উপর পঞ্চাশ বছরের পুরনো বাঙালি হোটেল ক্যালকাটা লজ। হোটেলের ম্যানেজার নিরঞ্জন চক্রবর্তী লালমোহনবাবুর গড়পারের প্রতিবেশী পুলক চ্যাটার্জির ভায়রা ভাই। পুলকবাবু আগে থেকে আমরা আসছি বলে জানিয়ে দেওয়াতে হোটেলে জায়গা পেতে কোনও অসুবিধা হয়নি। অমৃতসর মেলে আমরা বেনারস পৌঁছলাম সকাল সাড়ে নটায়। সেখান থেকে ট্যাক্সি নিয়ে হোটেলে আসতে আসতে হয়ে গেল দশটা।

ম্যানেজার মশাই নিজে তখন হোটেলে নেই, কিন্তু তার জায়গায় যিনি ছিলেন তিনিই, চাকর হরকিষণের হাতে আমাদের জিনিসপত্র উপরে পাঠিয়ে খাতায় আমাদের নাম-ধাম লিখিয়ে সই করিয়ে নিলেন।

দোতলায় গিয়ে দেখি ঘরে চারটে খাট। তার একটার নীচে একটা মাঝারি সুটকেস, আর যেমন-তেমনভাবে গুটিয়ে রাখা একটা হোল্ড-অল। এ ছাড়া খাটের পাশে তাকে আর আলনায় কিছু জিনিসপত্র কাপড়-চোপড় ইত্যাদি রয়েছে। ফেলুদা সেগুলোর উপর একবার চোখ বুলিয়ে নিয়ে লালমোহনবাবুর দিকে ফিরে চাপা গলায় বলল, 'নাসিকা গর্জনে আপনার ঘুমের ব্যাঘাত হয় না তো ?'

'কেন ? কই, আপনার তো নাক ডাকে না।'

'আমার না ; আমি আমাদের রুম-মেটের কথা বলছি।'

'সে কী মশাই, আপনি লোকটার ওই কটা জিনিসপত্র দেখেই—'

'সঠিক বলে বলছি না ; এটা অনুমান-মাত্র। সাধারণত মোটা লোকেরাই নাক ডাকায় বেশি, আর ইনি যে শীর্ণকায় নন সেটাও এঁর শার্ট আর প্যান্টের বহর দেখেই বোঝা যাচ্ছে। তার উপরে ফেনক্সের শিশি থেকে অনুমান করা যায় যে এঁর মাঝে মাঝে নাক বন্ধ হয়ে যায়। সেখানেও নাক ডাকার একটা সম্ভাবনা থেকে যাচ্ছে।'

'সর্বনাশ !—আরও কিছু বুঝলেন নাকি ?'

'তাকের উপর প্রসাধনের জিনিসের মধ্যে শেভিং-এর সরঞ্জামের অভাবটা অর্থপূর্ণ নয় কি ? অবিশ্যি যদি ইনি মাকুন্দ হয়ে থাকেন তা হলে আলাদা কথা, না হলে বলব দাড়ি-গোঁফ অবশ্যম্ভাবী।'

হরকিষণের আনা চায়ের কাপ হাতে নিয়ে তিনজন ঘরের উত্তর দিকের বারান্দায় এসে দাঁড়ালাম। যে-রাস্তার উপরে বারান্দা, সেটাই পুব দিকে চলে গেছে সোজা দশাশ্বমেধ ঘাটে। রাস্তার দুদিকে সারি সারি দোকানে হিন্দি আর ইংরিজিতে লেখা সাইনবোর্ড। ফেলুদা

কিছুক্ষণ তাকিয়ে থেকে বলল, 'তোপ্‌সে, তোকে যদি বলা যায় কলকাতার পাট উঠিয়ে এখানে এসে বাকি জীবনটা কাটাতে হবে—পারবি ?'

একটু ভেবে বললাম, 'বোধহয় না।'

'কিন্তু এখানে এসেছিস মনে করেই মনটা নেচে উঠছে—তাই নয় কি ?'

সত্যিই তাই। কাশীতে সারাজীবন থাকতে ভাল লাগবে না নিশ্চয়ই, কিন্তু যখনই ভাবছি আট-দশ দিনের বেশি থাকবার দরকার নেই তখনই মন বলছে বেনারসের মতো জায়গা হয় না।

'তার কারণটা কী জানিস ?'—ফেলুদা বলল—'তুই যে নীচের দিকে তাকিয়ে শুধু একটা রাস্তা দেখছিস তা তো নয় ; তুই দেখছিস বেনারসের রাস্তা। বেনারস ! কাশী ! বারাণসী !—চারটিখানি কথা নয়। পৃথিবীর প্রাচীনতম শহর, পুণ্যতীর্থ, পীঠস্থান ! রামায়ণ মহাভারত মুনিঋষি যোগী সাধক হিন্দু মুসলমান বৌদ্ধ জৈন সব মিলে এই বেনারসের একটা ভেলকি আছে যার ফলে শহরটা নোংরা হয়েও ঐতিহ্যে ঝলমল করতে থাকে। যারা এখানে বসবাস করে তারা দিন গুজরানোর চিন্তায় আর এ সব কথা ভাববার সময় পায় না, কিন্তু যারা কয়েক দিনের জন্য বেড়াতে আসে তারা এইসব ভেবেই মশগুল হয়ে থাকে।'

লালমোহনবাবু এই ফাঁকে কখন জানি ভিতরে চলে গিয়েছিলেন, হঠাৎ তাঁর গলার আওয়াজ পেয়ে পিছন ফিরে দেখি তিনি সঙ্গে একজন অচেনা লোককে নিয়ে আমাদের দিকে এগিয়ে আসছেন। বছর পঞ্চাশেক বয়স, মাঝারি রং, মাথার কাঁচাপাকা চুল মাঝখানে সিঁথি করে পিছন দিকে টান করে আঁচড়ানো। চোখা নাকের নীচে পাতলা পান-খাওয়া ঠোঁট অল্প হাসিতে ফাঁক হয়ে আছে। ভদ্রলোক ফেলুদাকে নমস্কার করে বললেন, 'আপনার পরিচয় পেলুম এনার কাছ থেকে। আমার হোটেলের সম্মান বাড়ল, হেঃ হেঃ।'

বুঝলাম ইনিই হলেন ম্যানেজার নিরঞ্জন চক্রবর্তী।

'কোনও অসুবিধা-টসুবিধা— ?'

'না না—দিব্যি ব্যবস্থা।'

'আসুন, নীচে আসুন আমার ঘরে। আপনাদের চা দিয়েছে ? শুধু চা ? অ্যাঃ—ছি ছি !'

দেয়ালে তিনটে ইংরিজি আর দুটো বাংলা ক্যালেন্ডার, আর রবীন্দ্রনাথ সুভাষ বোস বিবেকানন্দ আর শ্রীঅরবিন্দর ছবি টাঙানো। ম্যানেজারের ঘরে বসে আমরা আরেক কাপ চা আর হালুয়া সোহন খেলাম। এ ঘরটা বাড়ির ভিতরের দিকে, তাই সাইকেল রিকশার হর্ন ছাড়া রাস্তার আর কোনও শব্দই আসে না।

নিরঞ্জনবাবু বললেন, 'আমার হোটেলে গত মার্চ মাসে বিশ্বশ্রী গুণময় বাগচী থেকে গেচেন—ওই আপনাদের তিন নম্বর ঘরটাতেই। ওঃ—কী মাস্‌ল মশাই ! আদ্দির পাঞ্জাবি পরে গোধূলিয়ার মোড়ে পান কিনতে গেচে, আর তিন মিনিটে রাস্তায় ভিড় জমে গেচে। হাত ভাঁজ করে পান মুখে পুরচে আর তাতেই বাইসেপ ঠেলে বেরুচ্ছে।...আপনি কিন্তু যাবার আগে আমাদের অ্যালবামে দু লাইন লিখে দিয়ে যাবেন। অনেক গুণী লোকের লেখা রয়েছে ওতে। তবে মাগ্যির বাজার, বোঝেন তো—মনের মতো মেনু দিতে পারব না আপনাদের, এই যা দুঃখ।'

ফেলুদা বলল, 'আপনি শুধু আমার লেখা চাইছেন কেন—ইনিও কিন্তু খ্যাতিতে কম যান না।'

লালমোহনবাবু বিনয় করার ভাব করে কী একটা বলতে গিয়েও বললেন না। নিরঞ্জনবাবু হেসে বললেন, 'ওঁর কথা আমার ভায়রা ভাই আগেই জানিয়েচিল। আপনার আসাটা সারপ্রাইজ কিনা, তাই বলচি আর কী।'

লালমোহনবাবু কিছুক্ষণ থেকেই উসখুস করছিলেন, এবার আর থাকতে না পেরে বললেন, 'কাগজে দেখলুম—এখানে একটি সাধুবাবার আবির্ভাব হয়েছে ?'

'কে, আবলুস বাবা ?'

'কই না তো। আবলুস তো নয়। মছলি-বাবা নাম দিয়েছে যে কাগজে।'

'ওই হল। হিন্দিওয়ালারা মছলি বলছে। আবলুস নাম আমার দেওয়া। গিয়ে দেখলে বুঝবেন নামকরণটা কেমন হয়েছে।'

'সত্যিই সাঁতরে এসেছেন নাকি ?'

প্রশ্নগুলো লালমোহনবাবুই করছেন, ফেলুদা শ্রোতা। নিরঞ্জনবাবু বললেন, 'তাই তো বলচে। বলে-এখন নাকি প্রয়াগ থেকে আসচেন। তবে স্টার্টিং পয়েন্ট হল গিয়ে হরিদ্বার। এখেন থেকে যাবেন মুঙ্গের-পাটনা। তারপর একদিন হয়তো দেখবেন বাবুঘাটে গিয়ে নোঙর ফেলেচেন বাবাজী !'

'অলৌকিক ক্ষমতার ব্যাপারটা কী মশাই ?'

'যা শুনিচি তাই বলচি। কেদার ঘাটে চিতপাত হয়ে পড়ে ছিলেন বাবাজী। ভোর রাত্তিরে অভয় চক্কোত্তি ঘাটে নেমেছেন। পঁয়ত্রিশ বছরের অভ্যেস মশাই—ঘড়ি ধরে সাড়ে চারটে—ফার্স্ট টু অ্যারাইভ—শীত গ্রীষ্ম বর্ষা কোনও তফাত নেই। সত্তর বছর বয়স, চোখে ছানি। পা ফেলতে গিয়ে শানের বদলে নরম নরম কী ঠেকেছে, ঝুঁকে দেখেন মানুষ। গায়ের চামড়া কুঁচকানো, মনে হয় অনেকক্ষণ জলে ছিল। লোকটা এপাশ ওপাশ করছিল—যেন বেহুঁশ অবস্থা থেকে সবে জ্ঞান ফিরচে। চক্কোত্তি মশাই ঘাড় নিচু করে দেখচেন, এমন সময় বাবাজী চোখ খুলে তাঁর দিকে চেয়ে হিন্দি টানে বাংলা ভাষায় বললেন, 'মা এত জল দিয়ে ঘিরে রেখেছে তোকে, তাও তোর আগুনের ভয় ?'—ব্যস্, ওই এক কথাতেই অভয় চক্কোত্তি কাত।'

আমরা তিনজনে মুখ চাওয়া-চাওয়ি করছি দেখে নিরঞ্জনবাবু ব্যাপারটা বুঝিয়ে দিলেন।

'কাশী আসার আগে অভয় চক্কোত্তি থাকতেন চুঁচড়োয়। সেইখেনে একবার কালীপুজোয় তাঁর বাড়িতে আগুন লাগে। তাতে তাঁর স্ত্রী আর একটি চোদ্দো বছরের ছেলে মারা যায়। সেই থেকে ভদ্রলোক বিবাগী হয়ে কাশীবাসী হয়ে যান। অত্যন্ত সদাশয়, সাত্ত্বিক মানুষ। বাবাজীর এই কথায় তার মনের কী অবস্থা হবে সে তো বুঝতেই পারচেন।'

'সেদিন থেকেই বাবাজী অভয় চক্কোত্তির বাড়িতে ?'

'সেদিন কী মশাই, কয়েক ঘণ্টার মধ্যে দীক্ষা-টীক্ষা কমপ্লিট। তারপর যা হয়। খবর রটে যায়। লোক আসতে শুরু করে। রেগুলার দর্শন। ঘাটের কাছেই অভয় চক্কোত্তির বাড়ি। ভেতরে উঠন। দাওয়ার উপর বাবাজী বসেন, উঠনে ভক্তরা। একটি একটি ভক্ত কাছে যায়, বাবাজী তাদের একটি করে মন্ত্রপূত শল্ক দিয়ে দেন।

'শল্ক কী মশাই ?' প্রশ্ন করলেন লালমোহনবাবু।

'মাছের আঁশ মশাই, মাছের আঁশ। লোকেরা বলছে স্বয়ং বিষ্ণু আবার মাছ হয়ে এসেছেন।'

'সে আঁশ কি খেতে হয় নাকি মশাই ?' লালমোহনবাবু এমনভাবে নাক কুঁচকেছেন যেন আঁশটে গন্ধ পাচ্ছেন।

'খেতে হবে কেন ? পরদিন সূর্য ওঠার ঠিক আগে—যাকে বলে ব্রাহ্মমুহূর্ত—সেই সময়ে গঙ্গায় ভাসিয়ে দিলেই হল।'

'ওটা করে কি কেউ কোনও ফল পাচ্ছে ?'

'আর পাঁচজনের কথা তো বলতে পারি না—আমার একটা কলিক পেনের মতো হচ্ছিল ; গোপেন ডাক্তার ম্যাগফস্ খেতে বলেচিল। খাচ্ছিলুম। বাবাজী এলেন, দর্শন করলুম, আঁশ পেলুম—পরদিন জলে ভাসিয়ে দিলুম। এখন পেনটা নেই বললেই চলে—তা সে হোমিওপ্যাথির গুণ না আঁশপ্যাথির গুণ তা বলতে পারি না।'

'কদ্দিন থাকবেন এখানে কিছু জানেন ?'

'ইনি ডাঙায় কোনওখানেই নাকি বেশিদিন থাকেন না। তবে এঁর যাওয়ার দিনটা নাকি ভক্তরাই ঠিক করে দেন।'

'কীরকম ?'

'সেটা আজ সন্ধেবেলা জানা যাবে। আপনাদের নিয়ে যাব। আজই নাকি জানা যাবে বাবাজীর কাশীর মেয়াদ আর কদ্দিন।'

২

নিরঞ্জনবাবুর ঘরে বসে আরও কিছুক্ষণ কথা বলে আমরা বেরিয়ে পড়লাম। ভদ্রলোক বললেন ওঁর হাতে কিছুটা সময় আছে, তারপর নাকি ব্যাঙ্কে যেতে হবে, তার আগে পর্যন্ত উনি আমাদের সঙ্গে ঘুরবেন।

হোটেল থেকে বেরিয়ে ডান দিকে কিছু দূর গেলেই রাস্তার লোক আর গাড়ি চলাচলের শব্দের সঙ্গে একটা নতুন শব্দ কানে আসতে থাকে। আরও কিছু দূর গেলেই একটা মোড় ঘুরে সামনে গঙ্গা দেখতে পাওয়া যায়। এখান থেকে রাস্তাটা ঢালু হয়ে সিঁড়ির ধাপ আরম্ভ হয়ে যায়। প্রত্যেক ধাপের মাঝখানে আর দু পাশে লাইন করে ভিখিরি। এক সঙ্গে এত ভিখিরি এর আগে কখনও দেখিনি। এই ভিখিরির আশেপাশেই চরে বেড়াচ্ছে বোকা-পাঁঠার দল। লালমোহনবাবু বললেন, 'ধন্যি আপনার নাকের স্মরণশক্তি মশাই। এ গন্ধ তো আমি নিজেও পেয়েছি আগের বার—কিন্তু ভুলে গেলাম কী করে?'

দশাশ্বমেধ ঘাটের বর্ণনা দিতে গেলে আমিও হয়তো লালমোহনবাবুর মতো জমজমাট কথাটা ব্যবহার করতাম, কিন্তু ফেলুদার ধমকের পর আর করব না। হোটেলে ফিরে এসে ঘাটের লোককে কী কী কাজ করতে দেখেছি তার একটা নম্বর দেওয়া লিস্ট করতে গিয়ে একশো তেরো অবধি পৌঁছে থেমে গেলাম। সেটা আবার ফেলুদা পড়ে বলল, 'দিব্যি হয়েছে—কেবল গোটা ত্রিশেক বাদ পড়েছে।'

ঘাটের সিঁড়িতে দাঁড়িয়ে উত্তর দিকে চাইলে রেলের ব্রিজটা দেখা যায়, আর পুব দিকে নদীর ওপারে দেখা যায় রামনগর—যেখানে রাজা আছে, কেল্লা আছে, আর নদীর ধারে নাকি সন্ন্যাসীদের একটা আস্তানা আছে।

দশাশ্বমেধের পাশেই উত্তরে হল মানমন্দির ঘাট। ঘাটের উপরেই একটা বাড়ির ছাতে প্রায় চারশো বছর আগে রাজা জয়সিংহের তৈরি জ্যোতির্বিদ্যার যন্ত্রপাতি রয়েছে। দিল্লিরটার মতোই এটাও একটা ছোটখাটো যন্তর-মন্তর। ফেলুদা হয়তো সেটা দেখবার মতলবেই মানমন্দির ঘাটের সিঁড়ি দিয়ে উঠছিল, এমন সময় একটা ঘটনা ঘটল।

এটা বলা দরকার যে এদিকটায় দশাশ্বমেধের স্নানের হট্টগোল প্রায় পৌঁছোয় না বললেই চলে। আওয়াজের মধ্যে দূর থেকে ভেসে আসা লাউডস্পিকারে হিন্দি ফিল্মের গান, আর আমাদের থেকে বেশ কয়েক ধাপ নীচে দুজন লোকের কাপড় কাচার শব্দ। আমাদের ডান দিকে একটা বটগাছ, তাতে কতগুলো বাঁদর বাঁদরামো করছে। গাছের উপর দিকের ডালপালা একটা হলদে বাড়ির ছাতের উপর নুয়ে পড়েছে। একটা চিৎকার শুনে আমাদের চারজনেরই দৃষ্টি ছাতটার দিকে চলে গেছে।

একটি ছেলে ছাতের পাঁচিলের উপর উঠে দাঁড়িয়েছে। তিনতলা বাড়ির ছাত। ছেলেটি যেখানে দাঁড়িয়েছে তার সামনে একটা সরু গলি, আর গলির ওপাশে আরেকটা তিনতলা বাড়ি। সেটার রং লাল। সেটার ছাতেও নিশ্চয়ই একজন কেউ আছে, যদিও তাকে দেখা যাচ্ছে না। তাকেই উদ্দেশ করে প্রথম ছেলেটি চ্যাঁচাচ্ছে।

'শয়তান সিং!'

হাঁক দেবার মেজাজটা যেন সে একটা ফিল্মের হিরো।

পাশ থেকে নিরঞ্জনবাবু ফিসফিস করে বললেন, 'ঘোষালদের বাড়ির ছেলে। দুর্দান্ত ডানপিটে।'

আমার তলপেটটা কেমন জানি করছে। ছেলেটি যদি একবার টাল হারায় তো চল্লিশ-পঞ্চাশ ফুট নীচে পাথরে বাঁধানো রাস্তায় পড়বে।

'আর লুকিয়ে কোনও লাভ নেই। আমি জানি তুমি কোথায় আছ।'—আবার চিৎকার করে উঠল ছেলেটি।

ফেলুদাও টান হয়ে উপরের দিকে চেয়ে ঘটনাটা দেখছে। এবার লালমোহনবাবুর খসখসে চাপা গলা শোনা গেল।

'শয়তান সিং হচ্ছে অক্রূর নন্দীর লেখা পাঁচখানা বইয়ের ভিলেন মশাই—রহস্য-রোমাঞ্চ সিরিজ।'

'আমি আসছি তোমার কাছে।'—আবার চিৎকার এল—'তুমি আত্মসমর্পণের জন্য প্রস্তুত হও।'

ছেলেটি হঠাৎ পাঁচিল থেকে নেমে উধাও। ভাবছি এবার কী নাটক দেখব কে জানে, এমন সময় হঠাৎ দেখি একটা বাঁশ হলদে বাড়ির পাঁচিলের উপর দিয়ে বেরিয়ে সামনের লাল বাড়ির ছাতের দিকে এগিয়ে গিয়ে দুই বাড়ির মাঝখানে একটা ব্রিজ তৈরি করল। এইবার ফেলুদা মুখ খুলল, যদিও গলার স্বর চাপা।

'ওনার মতলবটা কী?'

'শয়তান সিং।'—আবার হুঙ্কার। 'তুমি দশ গুনতে গুনতে আমি তোমার কাছে এসে পড়ব।'

এবার যেটা ঘটল তাতে আমাদের সকলেরই ঘাম ছুটে গেল।

ছেলেটি পাঁচিল থেকে কার্নিশে নেমে খপ্ করে বাঁশটা ধরে শূন্যে ঝুলে পড়ল।

'এক...দুই...তিন...চার...'

উলটো দিকের ছাত থেকে শয়তান সিং গুনতে শুরু করেছে, আর এ ছেলেটি বাঁশ ধরে ঝুলতে ঝুলতে এগোচ্ছে।

'একটা কিছু করুন মশাই।' নিরঞ্জনবাবু ধরা গলায় বললেন,—'আমার কলিক পেনটা আবার—'

ফেলুদার ডান হাতের তর্জনীটা গোখরোর ফোঁস করার মতো এক লাফে ঠোঁটে চলে এল। আমরা সবাই দম বন্ধ করে এই খুদে ছেলের দুঃসাহসিক ব্যাপারটা দেখতে লাগলাম।

'ছয়...সাত...আট...ন—য়।'

নয় গোনার সঙ্গে সঙ্গে ছেলেটি উলটো দিকে পৌঁছে গিয়ে কার্নিশে পা ফেলেই বাঁশেরই উপর ভর করে পাঁচিল টপকে লাল বাড়ির ছাতে নেমে গেল। তারপর শোনা গেল একটা অচেনা গলায় এক বিকট চিৎকার, আর সেই সঙ্গে প্রথম ছেলেটির এক অদ্ভুত হাসি।

লালমোহনবাবু বললেন, 'মেরেই ফেললে নাকি মশাই?—কোমরে যেন ছোরা গোছের কী একটা ঝুলতে দেখলুম।'

ফেলুদা গলির দিকে পা বাড়িয়ে বলল, 'ভিলেনটি কীরকম জানি না, হিরোটি যে দুর্দান্ত সাহসী তাতে কোনও সন্দেহ নেই।'

নিরঞ্জনবাবু বললেন, 'ঘোষাল বাড়িতে রিপোর্ট করা ছাড়া আর কোনও রাস্তা নেই।'

আমরা আরেকটু এগোতেই লাল বাড়িটার দরজার সামনে পৌঁছে গেলাম। ভিতরে অন্ধকার। কাছেই বোধহয় সিঁড়ি, কারণ ধুপ ধাপ পায়ের শব্দ পাচ্ছি, আর সেই সঙ্গে ছেলেটির কথা এগিয়ে আসছে।

...'তারপর ঝপাৎ করে পড়বে জলে, আর ভাসতে ভাসতে ভাসতে ভাসতে চলে যাবে একেবারে সমুদ্রে, আর সেখানে একটা হাঙর এসে টপ্ করে গিলে ফেলবে। আর সেই হাঙরটা যখন ক্যাপ্টেন স্পার্কের দিকে চার্জ করবে, তখন ক্যাপ্টেন স্পার্ক হারপুন দিয়ে ঘ্যাচাং করে মারবে সেটার পেটে, আর—'

এইটুকু বলে আর বলা হল না, কারণ ঘামে চপ্ চপ্ ছেলে দুটি দরজা দিয়ে বাইরে এসে পড়েছে, আর প্রথম ছেলেটি আমাদের দেখেই থমকে দাঁড়িয়েছে। বয়স বছর দশের বেশি নয়, ধপধপে ফরসা রং, চোখ নাক একেবারে রাজপুত্তুরের মতো। অন্য ছেলেটির বয়স কিছুটা বেশি। ইনি যে বাঙালি নন সেটা দেখলেই বোঝা যায়। দুজনেরই চোয়াল যেভাবে চলছে তাতে বোঝাই যায় তারা মুখে চুইং গাম পুরে নিয়েছে।

ফেলুদা প্রথম ছেলেটিকে বলল, 'ও-তো শয়তান সিং আর তুমি কে ?'

'ক্যাপ্টেন স্পার্ক', চাবুকের মতো উত্তর দিল ছেলেটি।

'তোমার আরেকটা নাম আছে না ? তোমার বাবা তোমাকে কী বলে ডাকেন ?'

'আমার নাম ক্যাপ্টেন স্পার্ক। আমার বাবাকে বিষাক্ত তীর মেরে খুন করেছিল শয়তান সিং আফ্রিকার জঙ্গলে। তখন আমার বয়স সাত। তখন থেকে আমার চোখে প্রতিহিংসার বিদ্যুৎ জ্বলে, তাই আমার নাম স্পার্ক।'

'সর্বনাশ,' বললেন লালমোহনবাবু, 'এ যে অক্রুর নন্দীর বই মুখস্থ করে ফেলেছে মশাই!'

ছেলেটি লালমোহনবাবুর দিকে একবার কটমট করে তাকিয়ে তার বন্ধুকে নিয়ে গম্ভীরভাবে গলি দিয়ে এগিয়ে গিয়ে মোড় ঘুরে অদৃশ্য হয়ে গেল।

'বর্ন অ্যাকটর'—মন্তব্য করলেন জটায়ু।

ফেলুদা নিরঞ্জনবাবুকে জিজ্ঞেস করল, 'ঘোষাল বাড়িতে কাউকে চেনেন ?'

'চিনব না ? অ্যাদ্দিন রয়েছি কাশীতে। ওদের সকলেই চেনে। প্রায় একশো বছর হল বেনারসে বাস। এই যে খোকাকে দেখলেন, এর ঠাকুরদা অম্বিকা ঘোষাল এখানেই থাকেন। ওকালতি করতেন, বছর খানেক হল ছেড়ে দিয়েছেন। খোকার বাপ উমানাথ ঘোষাল কলকাতায় থাকেন, কেমিক্যালের ব্যবসা। প্রত্যেক পুজোয় ফ্যামিলি নিয়ে এখেনে আসেন। এদের বাড়িতেই দুর্গাপুজো হয়। খানদানি পরিবার মশাই। এদের জমিদারি ছিল ইস্টবেঙ্গলে পদ্মার ধারে।'

'একবার উমানাথের সঙ্গে দেখা করা যায় ?'

'কেন যাবে না। আপনারা তো আবলুসবাবা দর্শনে যাবেন বলছিলেন, সেখানেও দেখা হয়ে যেতে পারে। শুনচি নাকি ইনিও দীক্ষা নেবেন নেবেন করচেন।'

আবলুসবাবাকে দেখে নিরঞ্জনবাবুর নামকরণের তারিফ না করে পারা যায় না। ফেলুদা দেখেছে কি না জানি না, আমি নিজে জীবনে এত মিশকালো লোক দেখিনি। শুধু কালো নয়, এমন মসৃণ কালো যে হঠাৎ দেখলে মনে হয় গায়ে বুঝি সাপের খোলসের মতো একটা কিছু পরে আছেন। তার উপরে কাঁধ অবধি ঢেউ খেলানো চুল, আর বুক অবধি ঢেউ খেলানো দাড়ি—দুটোই কুচকুচে কালো। সাধুবাবা জোয়ান লোক ; বয়স ত্রিশ-পঁয়ত্রিশের বেশি হলে আশ্চর্য হব। অবিশ্যি জোয়ান না হলে আর এত সাঁতার কাটেন কী করে। বাবার চেহারা আরও খোলতাই হয়েছে তার গায়ের টকটকে লাল সিল্কের চাদর আর লুঙ্গির জন্য।

আমরা চারজন উঠনে ভক্তদের ভিড়ের পিছনে দাঁড়িয়েছি, বাবাজী বারান্দায় শীতল-পাটির উপর বিছানো একটা সাদা চাদরে বসেছেন, তার দু পাশে দুটো আর পিছনে একটা হলদে মখমলের তাকিয়া। বাবার বাঁ পাশে একজন বৃদ্ধ চোখ বুঁজে হাত জোড় করে বসে আছেন, বোঝাই যাচ্ছে ইনি হলেন অভয় চক্রবর্তী। বাবা নিজে পদ্মাসনের ভঙ্গিতে বসে অল্প অল্প দুলছেন, আর ডান হাতের তেলো দিয়ে হাঁটুতে হাত বুলোচ্ছেন। দোলানিটা হচ্ছে তালে তালে, কারণ বারান্দার এক ধারে বসে একজন লোক কাঠের খঞ্জনি বাজিয়ে একটা হিন্দুস্থানি ভজন গাইছে। গানের প্রথম দুটো লাইন মনে ছিল, হোটেলে ফিরে এসে খাতায় লিখে

রেখেছিলাম—

ইতনী বিনতি রঘুনন্দন সে
দুখ দ্বন্দ্ব হামারা মিটাও জী—

আজ আর সেই মাছের আঁশের ব্যাপারটা হচ্ছে না। তার বদলে আজ একটা বিশেষ ঘটনা ঘটবার কথা আছে ; মছলিবাবা আজ তার ভক্তদের কাছ থেকে জেনে নেবেন আর কদ্দিন পরে তাঁকে কাশী ছেড়ে চলে যেতে হবে। সেটা যে কী ভাবে জানা হবে তা এখনও কেউ জানে না।

লালমোহনবাবুর দেখছি বেনারসে এসেই ভক্তিভাবটা একটু বেড়ে গেছে। সকালে দশাশ্বমেধ ঘাটে ওঁকে বার তিনেক বেশ গলা উঁচিয়ে 'জয় বাবা বিশ্বনাথ' বলতে শুনেছি। এখানে এসে দেখছি বাবাজীকে দেখেই ওঁর হাত দুটো আপনা থেকেই জোড় হয়ে গেছে। এত ভক্তি দেখালে অ্যাডভেঞ্চার গল্পের প্লট মাথায় কী করে আসবে জানি না। বোধহয় ভাবছেন মছলিবাবা ওঁকে স্বপ্নে প্লট দিয়ে দেবেন।

কালো প্যান্ট আর নীল রঙের গুরু শার্ট পরা একজন ভদ্রলোক সবেমাত্র আমাদের পিছন দিয়ে ঢুকে আমাদেরই পাশে দাঁড়িয়ে বোধহয় ভাবছেন ভিড় ঠেলে কী করে এগোনো যায়। নিরঞ্জনবাবু লোকটির দিকে ঝুঁকে পড়ে বললেন, 'ঘোষাল সাহেব এলেন না ?' ভদ্রলোক গলা নামিয়ে উত্তর দিলেন, 'আজ্ঞে না, ওনার খুড়তুতো ভাই আর তার স্ত্রী এসে পৌঁছেছেন আজ দুর্গাপুর থেকে, বাড়িতে তাই...'

ভদ্রলোকের রং ফরসার দিকে, জুলপিটা হাল ফ্যাশানের, চোখে চশমা, সব মিলিয়ে মোটামুটি চালাক চতুর চেহারা। 'আপনার সঙ্গে আলাপ করিয়ে দিই'—নিরঞ্জনবাবু ফেলুদার দিকে চেয়ে বললেন—'ইনি বিকাশ সিংহ—উমানাথবাবুর সেক্রেটারি।'

তারপর আমাদের তিনজনেরও পরিচয় করিয়ে দিলেন নিরঞ্জনবাবু। ফেলুদার নাম শুনেই সিংহি মশাইয়ের ভুরুটা কুঁচকে গেল।

'প্রদোষ মিত্র ? গোয়েন্দা প্রদোষ মিত্র ?'

'হ্যাঁ মশাই',—নিরঞ্জনবাবু গলা চাপতে ভুলে গেলেন—'স্বনামধন্য ডিটেকটিভ। আর ইনিও অবিশ্যি কম ইয়ে নন—'

নিরঞ্জনবাবু লালমোহনবাবুর দিকে দেখানো সত্ত্বেও সিংহ মশাইয়ের দৃষ্টি ফেলুদার দিকেই রয়ে গেল। ভদ্রলোক কী যেন বলতে চাইছেন।

'ইয়ে আপনি এখানে আছেন জানলে...কোথায় উঠেছেন বলুন তো ?'

'আমারই হোটেলে মশাই!'—নিরঞ্জনবাবু এবার খেয়াল করে গলাটা নামিয়ে কথাটা বললেন।

'ঠিক আছে, মানে...' বিকাশবাবু এখনও আমতা-আমতা করছেন—'একবারটি বোধহয়...ঠিক আছে, কাল না হয় যোগাযোগ করব।'

ভদ্রলোক নমস্কার করে ভিড় ঠেলে এগিয়ে গেলেন।

'এক ব্রহ্ম, এক সূর্য, এক চন্দ্র।'

মছলিবাবা দুহাত তুলে চেঁচিয়ে উঠছেন। ভজন থেমে গেল। ভক্তরা সবাই থমকে গিয়ে সোজা হয়ে বসল। এতক্ষণ লক্ষ করিনি, এবার দেখলাম বাবার যেদিকে অভয়বাবু বসেছেন তার উলটোদিকে আরেকটি ভদ্রলোক—বছর চল্লিশেক বয়স—সামনে একটা নকশা করা থলি নিয়ে বসেছেন। থলির পাশে স্তূপ করে কালো কালো কী জানি রাখা রয়েছে।

'দু হাত দু পা দু চোখ দু কান!'—বাবাজী আবার শুরু করলেন। এ সব বলার কী মানে কিছুই বুঝতে পারছি না ; অন্যেরা কেউ বুঝছে কি না তাও বুঝতে পারছি না।

'তিন কুল তিন কাল চার দিক চার যুগ পঞ্চ ভূত পঞ্চ ইন্দ্রিয় পঞ্চ নদ পঞ্চ পাণ্ডব—এক, দো, তিন, চার, পাঁচ !'

বাবাজী একটু থামলেন। থলিওয়ালা ভদ্রলোক তার দিকে হাঁ করে চেয়ে আছেন, ভক্তরাও সব চেয়ে আছে। লালমোহনবাবু আমার কানের কাছে ফিসফিস করে বললেন, "থ্রিলিং।" বাবাজী আবার শুরু করলেন—

'ছে রিপু ছে ঋতু, সপ্ত সুর সপ্ত সিন্ধু, অষ্ট ধাতু অষ্ট সিদ্ধি, নবরত্ন নবগ্রহ, দশকর্ম দশ মহাবিদ্যা দশাবতার দশাশ্বমেধ—এক থেকে দশ।'

এইটুকু বলে বাবাজী থলিওয়ালা ভদ্রলোকের দিকে ইশারা করলেন। ভদ্রলোক ফিসফিস করে বাবাজীকে কী যেন বলে দিলেন। তারপর ভক্তদের দিকে ফিরে অস্বাভাবিক রকম সরু গলায় বললেন, 'এবার আপনারা এক থেকে দশের মধ্যে একটি সংখ্যা বেছে নিয়ে একে একে বাবাজীর সামনে এসে এই থলির মধ্যে থেকে একটি কাগজের টুকরো নিয়ে তাতে এই কাঠকয়লার সাহায্যে সংখ্যাটি লিখে আমার হাতে দিয়ে দেবেন।' প্রথমে বাংলায় বলে আবার সেটা হিন্দি করে বললেন।

ফেলুদা নিরঞ্জনবাবুর দিকে ঝুঁকে পড়ে বলল, 'যে সংখ্যাটা সবচেয়ে বেশি বার পড়বে, সেটাই কি বলে দেবে বাবা কদিন থাকবেন ?'

'হয়তো তাই। সেটা তো বললে না কিছু !'

'যদি তাই হয় তা হলে বোধহয় বাবাজীর সাতদিনের বেশি মেয়াদ নেই।'

'আপনি লিখবেন নাকি ?'

'না মশাই। বাবা থাকছেন কি যাচ্ছেন সে নিয়ে তো আমাদের অত মাথাব্যথা নেই। আমরা দেখতে এসেছি, দূর থেকে দেখে চলে যাব—ব্যস্‌। তবে একটা জিনিস জানার কৌতূহল হচ্ছে। এইসব ভক্তদের মধ্যে কিছু কিছু গণ্যমান্য লোকও আছেন তো, নাকি সবাই সাজানো ভক্ত ?'

'কী বলছেন মশাই !'—নিরঞ্জনবাবুর চোখ কপালে উঠে গেল। 'এরা সব বলতে পারেন একেবারে ক্রিম অফ কাশী। ওই দেখুন—সাদা চাদর গায়ে, মাথায় টাক—উনি হলেন শ্রুতিধর মহেশ বাচস্পতি, মহাপণ্ডিত—আজন্ম কাশীতে রয়েছেন। তারপর ওই দেখুন মৃত্যুঞ্জয় সেন কবিরাজ, দয়াশঙ্কর শুক্লা—এলাহাবাদ ব্যাঙ্কের এজেন্ট। যিনি বাবাজীর পাশে থলি নিয়ে বসে আছেন তিনি হলেন অভয় চক্কোত্তির ভাইপো—আলিগড় ইউনিভার্সিটিতে ইংরিজির প্রোফেসার। উকিল ব্যারিস্টার ডাক্তার প্রোফেসর হালুইকর—কিচ্ছু বাদ নেই মশাই। আর মহিলা কত আছেন সে তো দেখতেই পাচ্ছেন। আর ওই দেখুন—'

নিরঞ্জনবাবু একজন সাদা পাঞ্জাবি আর সাদা বেনারসি টুপি পরা জাঁদরেল লোকের দিকে দেখালেন।

'ওকে চেনেন ? উনি হলেন মগনলাল মেঘরাজ। ওঁর মতো পয়সা আর দাপট কাশীতে আর কারুর নেই। বেনারসে যদি বাঘ থাকত তো এখানকার বলদগুলোর সঙ্গে এক ঘাটে জল খেত ওঁর নামে।'

'মগনলাল মেঘরাজ ?...নামটা চেনাচেনা মনে হচ্ছে।'

নিরঞ্জনবাবু ফেলুদার দিকে আরও খানিকটা ঝুঁকে পড়লেন—আর সেই সঙ্গে আমিও।

'দুবার পুলিশ রেড হয়ে গেছে ওর বাড়িতে। একবার কলকাতায়—ওর বড়বাজারের গদিতে—একবার এখেনে। চোরা কারবার, কালো টাকা—যা ভাবতে চান ভাবুন না।'

'পুলিশ তো পায়নি কিছু—তাই না ?'

'পুলিশ তো সব ওর হাতের মুঠোয় মশাই। রেড তো নামকাওয়াস্তে।'

ভক্তের দল এখনও একজন একজন করে গিয়ে কাগজে নম্বর দিয়ে আসছে। দেখে মনে হয় বেশ কিছুক্ষণ সময় লাগবে। আমরা আরও মিনিট পাঁচেক দেখে বাইরে বেরিয়ে এলাম। গেটের কাছে পৌঁছতে না পৌঁছতে পিছন থেকে একটা ডাক শুনে ঘুরে দেখি যার সঙ্গে নিরঞ্জনবাবু আমাদের আলাপ করিয়ে দিলেন, সেই মিস্টার সিংহ ব্যস্তভাবে আমাদের দিকে এগিয়ে আসছেন।

'আপনারা চললেন?'—ভদ্রলোক বিশেষ করে ফেলুদার দিকে তাকিয়েই প্রশ্নটা করলেন। উত্তরে ফেলুদা কিছু বলার আগেই ভদ্রলোক বললেন, 'ইয়ে, আপনাদের এখনই একবারটি আমাদের বাড়ি আসা সম্ভব হবে কি? মিস্টার ঘোষাল আপনার সঙ্গে একটু কথা বলতে পারলে খুশি হতেন।'

ফেলুদা হাতের ঘড়িটা দেখে নিয়ে বলল, 'আমাদের আর কী অসুবিধা বলুন। নিরঞ্জনবাবুকে অবিশ্যি হয়তো হোটেলে ফিরে যেতে হবে।'

'আপনারা তিনজনে ঘুরে আসুন', নিরঞ্জনবাবু বললেন, 'তবে বেশি রাত না করলে খাবারটা গরম গরম খেতে পারবেন—এইটে শুধু বলে রাখলাম। আজ আপনাদের জন্য ফাউল কারি করতে বলিচি।'

৩

'আপনার নাম আমি শুনেছি। আপনিই তো ভুবনেশ্বরের যক্ষীর ভাঙা মাথা উদ্ধার করে দিয়েছিলেন—তাই না?'

'আজ্ঞে হ্যাঁ'—ফেলুদা ওর পক্ষে যতটা সম্ভব বিনয়ী হাসি হেসে বলল। উমানাথ ঘোষালের বয়স চল্লিশের বেশি না, গায়ের রং ছেলেরই মতো টকটকে, চোখ দুটো কটা আর ঢুলুঢুলু। কথা বলার সময় লক্ষ করলাম যে দুটো ভুরু এক সঙ্গে কখনই উপরে উঠছে না; একটা ওঠে তো অন্যটা নীচে থেকে যায়।

'এঁরা সব আপনার— ?'—ভদ্রলোকের দৃষ্টি ফেলুদার দিক থেকে আমাদের দুজনের দিকে ঘুরে গেছে।

'এটি আমার খুড়তুতো ভাই তপেশ, আর ইনি লালমোহন গাঙ্গুলী, জটায়ু ছদ্মনামে অ্যাডভেঞ্চারের গল্প লেখেন।'

'জটায়ু?'—উমানাথের ডান ভুরুটা উঠে গেল। 'নামটা চেনা চেনা লাগছে। রুকুর কাছে ওঁর কিছু বই দেখেছি বলে যেন মনে পড়ছে। তাই না হে বিকাশ?'

'আজ্ঞে হ্যাঁ', বললেন বিকাশবাবু, 'খান তিনেক আছে বোধহয়।'

'বোধহয় আবার কী। তুমিই তো যত রাজ্যের রহস্যের বই কিনে দাও ওকে।'

বিকাশবাবু অপ্রস্তুত হাসি হেসে বললেন, 'ও ছাড়া ও আর কিছু পড়তেই চায় না।'

'এ বয়সে তো ও সব পড়বেই, পড়বেই', বলে উঠলেন লালমোহনবাবু। সকালে ক্যাপ্টেন স্পার্ক আর শয়তান সিং-এর নাম শোনা অবধি উনি বেশ মনমরা হয়ে ছিলেন; এখন আবার মুখে হাসি ফুটেছে। রহস্য রোমাঞ্চ বইয়ের বাজারে অক্রুর নন্দী নাকি জটায়ুর সবচেয়ে বড় প্রতিদ্বন্দ্বী।

ফেলুদা বলল, 'আমি এমনিতেই একটা কারণে আপনার কাছে আসতে চেয়েছিলাম।...আপনার ছেলের সঙ্গে আজ আমাদের সাক্ষাৎ হয়েছে। তার আসল নামটা যদিও এখনও জানতে পারিনি, তবে সে যে ভূমিকায় অভিনয় করছিল তার নামটা জানি।'

'অভিনয়?'—উমানাথবাবু হো হো করে হেসে উঠলেন। 'আরে ও যে শুধু নিজে

অভিনয় করে তা তো নয়, অন্যদেরও যে নামটাম বদলে অভিনয় করায়। তোমাকেও একটা কী নাম দিয়েছিল না, বিকাশ ?'

'মাত্র একটা ?' বিকাশবাবুও হেসে উঠলেন।

'যাই হোক—তা, কোথায় দেখা হল আমার ছেলের সঙ্গে ?'

ফেলুদা কোনওরকম বাড়াবাড়ি না করে অল্প কথায় অত্যন্ত গুছিয়ে সকালের ঘটনাটা উমানাথবাবুকে বলল। ভদ্রলোক শুনে প্রায় চেয়ার ছেড়ে উঠে পড়লেন।

'কী সর্বনাশের কথা!—ছেলে আমার ডানপিটে সে তো জানি; তা বলে তার এতটা দুঃসাহস সে তো জানতাম না। ও তো মরতে মরতে বেঁচে গেছে! রুকুকে একবার ডেকে পাঠাও তো হে বিকাশ।'

মিস্টার সিংহ ছেলেটির খোঁজে বেরিয়ে গেলেন। ফেলুদা বলল, 'ডাকনাম রুকু সে তো জানলাম। ভাল নামটা কী ?'

'রুক্মিণীকুমার,' বললেন উমানাথবাবু। 'ও-ই আমার একমাত্র ছেলে; কাজেই ঘটনাটা শুনে আমার মনের অবস্থা কী হচ্ছে সে তো বুঝতেই পেরেছেন।'

দুর্গাকুণ্ড রোডের উপর বিরাট কম্পাউন্ডের মধ্যে বিশাল বাড়ি ঘোষালদের। রাত্রে বাড়ির বাইরেটা ভাল করে দেখতে পাইনি—শুধু গেটের উপর মার্বেল ফলকে লেখা শংকরী-নিবাস নামটা দেখেছি। আমরা বসেছি একতলার বৈঠকখানায়। আমাদের ডান পাশে দরজা দিয়ে পুজোর দালান দেখা যাচ্ছে। আমি যেখানে বসেছি সেখান থেকে প্রতিমার আধখানা দেখতে পাচ্ছি। রং করার কাজ এখনও চলেছে।

চাকর ট্রেতে করে চা-মিষ্টি এনে আমাদের সামনে টেবিলে রেখে যাবার পর উমানাথবাবু বললেন, 'আপনারা মছলিবাবা দর্শনে গিয়েছিলেন শুনলাম। কী মনে হল দেখেটেখে ?'

ফেলুদা একটা পেঁড়ার আধখানা কামড় দিয়ে মুখে ফেলে বলল, 'আমরা অল্পক্ষণই ছিলাম। শুনলাম আপনিও নাকি যাচ্ছেন ?'

'যাচ্ছি মানে একবারই গেছি। দ্বিতীয়বার যাবার আর বাসনা নেই, কারণ সেদিন আমি না-থাকার জন্যেই দুর্ঘটনা ঘটল।'

উমানাথবাবু চুপ করলেন। আমরাও চুপ। লালমোহনবাবু দেখলাম আড়চোখে একবার ফেলুদার দিকে দেখে নিলেন।

'দুর্ঘটনা ?'—ফেলুদা ফাঁক ভরাবার জন্য প্রশ্ন করল।

'হ্যাঁ।' উমানাথবাবু একটা দীর্ঘশ্বাস ফেললেন। 'শুধু দামের দিক দিয়ে নয়, প্রভাবের দিক দিয়েও একটি অমূল্য জিনিস গত বুধবার—অর্থাৎ আমি যেদিন বাবাজীকে দেখতে যাই সেদিন—আমার বাবার ঘর থেকে উধাও হয়ে গেছে। আপনি যদি সেটিকে উদ্ধার করতে পারেন তো আমাদের অশেষ উপকার হবে, এবং সেই সঙ্গে আপনাকে উপযুক্ত পারিশ্রমিকও দেব।'

আমার বুকের ভিতরে আমার খুব চেনা একটা ধুকপুকুনি আরম্ভ হয়ে গেছে।

'জিনিসটা কী সেটা জানতে পারি ?' ফেলুদা জিজ্ঞেস করল।

'ছোট্ট একটা জিনিস', মিস্টার ঘোষাল দু আঙুল ফাঁক করে জিনিসটার সাইজ বুঝিয়ে দিলেন। 'আড়াই ইঞ্চি লম্বা একটা গণেশের মূর্তি। সোনার মূর্তি, তার উপর দামি পাথর বসানো।'

'ওটা কীভাবে এল আপনাদের বাড়িতে ?'

'বলছি সেটা। একেবারে গল্পের মতো।...আপনার তো বোধহয় চারমিনার ছাড়া চলে না—'

ভদ্রলোক নিজে একটা ডানহিল মুখে পুরতেই ফেলুদা আগুন এগিয়ে দিয়ে সেই সঙ্গে নিজেও একটা চারমিনার ধরিয়ে নিল। একটা বড় টান দিয়ে ধোঁয়া ছেড়ে মিঃ ঘোষাল তাঁর কাহিনী বলতে শুরু করলেন।

'আমার ঠাকুরদাদার বাবা সোমেশ্বর ঘোষালের ছিল ভ্রমণের নেশা। ছাব্বিশ বছর বয়সে তিনি একা দেশ দেখতে বেরিয়ে যান। তখন নতুন রেলগাড়ি হয়েছে, কিছু পথ তাতে যাবেন, আর বাকিটা হয় হেঁটে, আর না হয়তো যা যানবাহন পাওয়া যায় তাতেই। দক্ষিণ ভারতে ঘুরছিলেন। ত্রিচিনপল্লী থেকে মাদুরা হয়ে সেতুবন্ধের দিকে যাচ্ছিলেন গোরুর গাড়িতে, জঙ্গলে ভরা পাহাড়ে পথ দিয়ে। এই সময় মাঝরাত্তিরে তিনটি সশস্ত্র ডাকাত তাঁর গাড়ি আক্রমণ করে। সোমেশ্বর সাংঘাতিক শক্তিশালী লোক ছিলেন। সঙ্গে বাঁশের লাঠি ছিল। একা তিনজনের সঙ্গে লড়ে একটির মাথা ফাটিয়ে দেন, অন্য দুটি পালায়। ডাকাতদের একটা থলে পিছনে পড়ে থাকে। তার মধ্যে ছিল এই গণপতি। সেই মূর্তি সঙ্গে করে উনি দেশে ফেরেন। তারপর থেকেই আমাদের বংশের ভাগ্য ফিরে যায়। আমাকে আপনি কুসংস্কারাচ্ছন্ন সেকেলে মানুষ বলে মনে করবেন না। আমাদের বংশে যা ঘটতে দেখেছি তার থেকে কতকগুলো বিশ্বাস আমার মনে জন্মেছে,—ব্যস, এইটুকুই। সত্যি বলতে কী, গণেশ আসার পর থেকে আমাদের ফ্যামিলিতে কোনও বড় রকম দুর্ঘটনা ঘটেনি বললেই চলে। ওটা আসার দু বছরের মধ্যেই পদ্মার ভাঙনে নদী আমাদের বাড়ির বিশ হাতের মধ্যে এগিয়ে আসে। কিন্তু বাড়ির কোনও ক্ষতি হয়নি। অবিশ্যি এ ছাড়াও আরও অনেক নজির আছে, সব দিতে গেলে দীর্ঘ ইতিহাস হয়ে যাবে। আসল কথা এই যে, একশো বছর আমাদের ফ্যামিলিতে থাকার পর আজ সে মূর্তি উধাও। বাড়িতে পুজো, বাইরে থেকে আত্মীয়স্বজন আসছে, কিন্তু সমস্ত সমারোহের উপর যেন একটা ছায়া পড়ে রয়েছে।'

উমানাথবাবু যেন ক্লান্ত হয়ে সোফায় এলিয়ে পড়লেন। ফেলুদা প্রশ্ন করল, 'কবে গিয়েছিলেন আপনি মছলিবাবাকে দেখতে?'

'তিনদিন আগে। গত বুধবার। পনেরোই অক্টোবর। আমরা এসেইছি মাত্র দিন দশেক হল। মছলিবাবার কথা শুনে আমার গিন্নির দেখতে যাবার শখ হল, তাই ওঁকে আর রুকুকে সঙ্গে করে নিয়ে গেলাম।'

'আপনার ছেলেও যেতে চাইল?'

'নামটা শুনে কৌতূহল! বলল ওর কোন এক বইয়েতে নাকি কার কথা রয়েছে যে সত্তর মাইল সাঁতার কেটে এসেছিল কুমির হাঙরের মধ্যে দিয়ে। অবিশ্যি বাবাজীকে দেখে মোটেই ভাল লাগেনি। দশ মিনিটের মধ্যে উসখুস শুরু হয়ে গেল। ওর জন্যেই তো তাড়াতাড়ি ফিরে এলাম। এসে দেখি এই কাণ্ড।'

'সিন্দুক আপনার বাবার ঘরে থাকে বলছিলেন না?'

'হ্যাঁ, তবে চাবিটা এমনিতে আমার ঘরেই থাকে। রিং-এর মধ্যে পাঁচ ছ'টা চাবি, তার মধ্যে একটিই হল ওই সিন্দুকের। এমনিতে কোথাও বেরোলে আমার স্ত্রীর কাছে চাবিটা থাকে, কিন্তু সেদিন ও-ও যাচ্ছে বলে বাবার ঘরের দেরাজে চাবিটা রেখে যাই। হয়তো খুব বুদ্ধিমানের কাজ হয়নি, কারণ বাবা সন্ধের দিকে একটু আফিম-টাফিম খান, খুব একটা হুঁশ থাকে না। যাই হোক—যাবার সময় চাবিটা রেখে দেরাজটা একেবারে শেষ অবধি ঠেলে বন্ধ করে দিয়ে গিয়েছিলাম। ফিরে এসে দেখি আধ ইঞ্চি খোলা। সন্দেহ হয়; তখন সিন্দুক খুলে দেখি গণেশ নেই।'

ফেলুদা একটুক্ষণ ভুরু কুঁচকে থেকে বলল, 'আপনাদের বাড়িতে সেদিন সেই সময়ে কে কে ছিলেন সেটা জানতে পারি কি?'

ফেলুদা খাতা আনেনি, তবে উত্তরটা যে ওর মুখস্থ থাকবে, আর নামগুলো হোটেলে গিয়ে লিখে নিতে পারবে সে বিষয়ে আমার কোনও সন্দেহ নেই।

মিঃ ঘোষাল বললেন, 'দারোয়ান ত্রিলোচনকে আপনারা গেটে দেখলেন ; ও প্রায় পঁয়ত্রিশ বছর হল আমাদের বাড়িতে রয়েছে। চাকর ঠাকুর ঝি সবাই পুরনো। প্রতিমা গড়েন শশীবাবু আর তার ছেলে কানাই। শশীবাবু কাজ করছেন ত্রিশ বছরের উপর। ছেলেটিও খুব ভাল। এ ছাড়া মালী আছে, সে পুরনো। আর আছে বিকাশ—যে আপনাদের সঙ্গে করে নিয়ে এল।'

'বিকাশবাবু কদ্দিন আছেন ?'

'সেক্রেটারির কাজ করছে বছর পাঁচেক, আছে অনেকদিন। ও প্রায় ফ্যামিলি মেম্বারের মতোই হয়ে গেছে। ওর বাবা অখিলবাবু আমাদের জমিদারি সেরেস্তায় কাজ করতেন। ওর মা বিকাশ হবার সময়ই মারা যান। তার বছর দশেক পরে বাপও চলে গেলেন ড্রপসিতে। অনাথ ছেলেটি সঙ্গদোষে নষ্ট হয়ে যাচ্ছে শুনে আমার জ্যাঠামশাই ওকে বাড়িতে এনে রাখেন। ইস্কুল কলেজ সবই আমাদের বাড়িতে থেকেই। এমনি বুদ্ধিমান ছেলে। লেখাপড়ায় বেশ ভালই ছিল।'

'চুরির খবরটা পুলিশে দেননি ?'

'সেই রাত্রেই। এখনও পর্যন্ত কোনও হদিস পায়নি।'

'গণেশের খবর বাইরের কেউ জানত ?'

উমানাথবাবু উত্তর দেবার আগেই বিকাশবাবুর সঙ্গে রুক্মিণীকুমার এসে হাজির হল। আমি ভেবেছিলাম ক্যাপ্টেন স্পার্কের ভাগ্যে বুঝি প্রচণ্ড ধমক আছে, কিন্তু দেখলাম উমানাথবাবু সেরকম লোক নন। শুধু আড়চোখে একবার ছেলের দিকে চেয়ে গম্ভীর গলায় বললেন, 'কাল থেকে পুজোর কটা দিন আর বাইরে যাবে না। বাড়িতে বাগান আছে, ছাত আছে—যত খুশি খেলতে পারো ; ঘুড়ি আছে, ঘুড়ি ওড়াতে পারো, বই আছে পড়তে পারো, কিন্তু আমাদের সঙ্গে ছাড়া বাইরে বেরোবে না।'

'আর শয়তান সিং ?' ভুরু কুঁচকে প্রশ্ন করল রুক্মিণীকুমার।

'সে আবার কে ?'—উমানাথবাবুর বাঁ ভুরুটা উঠে গেছে উপর দিকে।

'ও যে কারাগারের শিক ভেঙে পালিয়েছে।'

'ঠিক আছে, আমি ওর খবর এনে দেব তোমাকে,' হালকাভাবে হেসে আশ্বাসের সুরে বললেন বিকাশবাবু। রুকু মনে হল খানিকটা ভরসা পেয়েছে। অন্তত সে তার শাস্তির ব্যাপারে আর কোনও আপত্তি না করে বিকাশবাবুর হাত ধরে ঘর থেকে বেরিয়ে গেল।

উমানাথবাবু বললেন, 'বুঝতেই পারছেন আমার পুত্রটি একটু অতিমাত্রায় কল্পনাপ্রবণ। যাই হোক—আপনার প্রশ্নের জবাব দিই এবার—গণপতির খবর আমরা দেশে থাকতে অনেকেই জানত। ওটা একটা কিংবদন্তির মতো মুখে মুখে রটে গিয়েছিল। সেটা অবিশ্যি আমার জন্মের আগে। পরের দিকে এ নিয়ে আর বিশেষ কেউ আলোচনা করত না। আমার নিজের ছাত্রজীবন কাটে কলকাতায়। কলেজে থাকতে দু-একটি বন্ধুকে আমি গল্পচ্ছলে গণেশের কথা বলেছিলাম। তার মধ্যে একটি বন্ধু—অবিশ্যি এখন তাকে আর বন্ধু বলি না—সম্প্রতি কাশীতে রয়েছেন। তার নাম মগনলাল মেঘরাজ।'

'বুঝেছি,' ফেলুদা বলল, 'তাঁকে আজ মছলিবাবার ওখানে দেখলাম।'

'জানি। আমি যেদিন গেছিলাম সেদিনও ছিল। তার বাবাজীর কাছে যাতায়াত করার একটা কারণ আছে। কিছুদিন থেকে তার ভাগ্য পরিবর্তন হয়েছে। খারাপের দিকে অবশ্যই। বছর দু-এক আগে ওর প্লাইউডের ফ্যাক্টরিতে আগুন লাগা থেকে এর শুরু।

তারপর এই গত কয়েক মাসের মধ্যে ওর গোলমেলে কারবার সম্বন্ধে অনেক গুজব বাজারে ছড়িয়ে পড়ে। ফলে ওর কলকাতার এবং বেনারসের বাড়িতে পুলিশ রেড হয়ে যায়। আমি এখানে আসার দুদিন বাদেই আমার সঙ্গে দেখা করতে এসেছিল। সোজাসুজি বলল যে গণেশটা ওর দরকার। ওটা যে কলকাতায় আমার কাছে থাকে না, এখানে বাবার সিন্দুকে থাকে, সেটা ও জানত। চল্লিশ হাজার অবধি অফার করেছিল ওটার জন্য। আমি সোজাসুজি না বলে দিই। ও যাবার সময় শাসিয়ে যায় যে জিনিসটা ও হাত করে তবে ছাড়বে। তার ঠিক পাঁচদিন পরে গণেশ সিন্দুক থেকে উধাও হয়ে যায়।'

ভদ্রলোক চুপ করলেন। ফেলুদাও চুপ, চিন্তিত। আমি জানি ওর তিনমাসের অবসর এখানেই শেষ হল। সামনের কটা দিন কাশীই হবে ওর কাজের জায়গা, তদন্তর জায়গা। লালমোহনবাবুর ভবিষ্যদ্বাণী মনে পড়ছে—এক ঢিলে তিন পাখি। অবিশ্যি ক্যাশের ব্যাপারটা নির্ভর করছে—

'আমাদের খুব ভাগ্য ভাল যে আপনি ঠিক এই সময়ে এসে পড়লেন। আপনার উপর কাজের ভারটা দিতে পারলে—'

'নিশ্চয়ই। একশোবার!' ফেলুদা উঠে দাঁড়িয়েছে। 'আপনি অনুমতি দিলে কাল সকালে একবার আসতে চাই। আপনার বাবার সঙ্গে একবার কথা বলা যাবে কি?'

'কেন যাবে না? বাবার তো এখন রিটায়ার্ড জীবন। অবিশ্যি বাবার মেজাজটা ঠিক যাকে বলে মোলায়েম তা নয়। তবে সেটা বাইরের খোলস। আর আপনি যদি আমাদের বাড়ির এদিক ওদিক ঘুরে দেখতে চান, তাও পারেন স্বচ্ছন্দে। আমি ত্রিলোচনকে বলে রাখব আপনাকে এলে যেন ঢুকতে দেয়। আর বিকাশ রয়েছে, ও-ও সব ব্যাপারে আপনাদের হেলপ করতে পারে। আটটা নাগাত এলে ভাল—তা হলে বাবাকে তৈরি অবস্থায় পাবেন।'

বাড়ি ফেরার পথে পর পর দুটো অন্ধকার গলি দিয়ে আসবার সময় তিন তিনবার পায়ের আওয়াজ শুনে পিছন ফিরে চাদর মুড়ি দেওয়া একই লোককে দেখতে পেয়ে সেদিকে ফেলুদার দৃষ্টি আকর্ষণ করার চেষ্টা করেছিলাম। ও যে শুধু পাত্তাই দিল না তা নয়—সারা রাস্তা ধরে গুনগুন করে ইশ্‌ক ইশ্‌ক ইশ্‌ক ছবির এমনিতেই একটা বাজে গান সমানে ভুল সুরে গেয়ে গেল।

৪

ক্যালকাটা লজের ঠাকুর ফাউল কারিটা দিব্যি রেঁধেছিল। এ ছাড়া রুই মাছের কালিয়া ছিল, রান্নাও ভাল হয়েছিল, কিন্তু লালমোহনবাবু খেলেন না। বললেন, 'মছলিবাবাকে দেখার পর থেকে আর মাছ খেতে মন চায় না মশাই।'

'কেন?' ফেলুদা বলল, 'খেলেই মনে হবে বাবাকে চিবিয়ে খাচ্ছেন? আপনার কি ধারণা বাবা নিজে মাছ খান না?'

'খান বুঝি?'

'শুনলেন তো বাবা জলেই থাকেন বেশির ভাগ সময়। জলে মাছ ছাড়া আর খাবার কী আছে বলুন। মাছেরাও যে মাছ খায় সেটা জানেন?'

লালমোহনবাবু চুপ মেরে গেলেন। আমার বিশ্বাস কাল থেকে উনি আবার মাছ খাবেন।

সারাদিনের নানারকম ঘটনার পর রাত্রে একটা লম্বা ঘুম দেব ভেবেছিলাম, কিন্তু খানিকটা ব্যাঘাত করলেন রুম-মেট জীবনবাবু। জীবনবাবু মোটা, জীবনবাবু বেঁটে, জীবনবাবুর চাপ দাড়ি, আর জীবনবাবু বালিশে মাথা রাখার দশ মিনিটের মধ্যে নাক ডাকতে শুরু করেন।

ভদ্রলোক একটা ডাক্তারি কোম্পানির রিপ্রেজেনটেটিভ, দুদিন হল এসেছেন, কালই সকালে চলে যাবেন। ফেলুদার সঙ্গে পরিচয় হবার এক মিনিটের মধ্যে ব্যাগ খুলে কোম্পানির নাম খোদাই করা একটা ডট পেন ফেলুদাকে দিয়ে দিলেন—যদিও সেটা ওকে অদ্বিতীয় গোয়েন্দা বলে চিনতে পারার দরুন কিনা বোঝা গেল না।

পরদিন সকালে সাড়ে সাতটার মধ্যে আমরা তিনজন চানটান করে চা ডিম রুটি খেয়ে রেডি। বেরোবার মুখে নিরঞ্জনবাবুর সঙ্গে দেখা হল। ফেলুদা দুটো আজেবাজে কথার পর জিজ্ঞেস করল, 'মগনলাল মেঘরাজের বাড়িটা কোথায় জানেন ?'

'মেঘরাজ ? যদ্দূর জানি ওর দুটো বাড়ি আছে শহরে, দুটোই একেবারে হার্ট অফ কাশীতে। একটা বোধহয় জ্ঞানবাপীর উত্তর দিকের গলিটায়। আপনি ওখানে কাউকে জিজ্ঞেস করলেই দেখিয়ে দেবে। পরম ধার্মিক তো, তাই একেবারে খোদ বিশ্বনাথের ঘণ্টা শুনতে শুনতে টাকার হিসেব করে !'

নিরঞ্জনবাবুর কাছ থেকে আরেকটা খবর পেলাম। মছলিবাবা নাকি আর ছদিন আছেন শহরে। কথাটা শুনে ফেলুদা শুধু ওর একপেশে হাসিটা হাসল, মুখে কিছু বলল না।

ঘড়ি ধরে আটটার সময় আমরা শংকরী নিবাসের গেটের সামনে গিয়ে হাজির হলাম। ত্রিলোচনের চেহারাটা রাত্রে ভাল করে দেখিনি, আজ দিনের আলোতে গালপাট্টার বহর দেখে বেশ হক্‌চকিয়ে গেলাম। বয়স সত্তর-টত্তর হবে নিশ্চয়ই, তবে এখনও মেরুদণ্ড একদম সোজা। আমাদের দেখেই হাসির সঙ্গে একটা স্মার্ট স্যালুট ঠুকে গেটটা খুলে দিল।

গাড়িবারান্দার দিকে কিছুদূর এগিয়ে যেতেই বিকাশবাবু বেরিয়ে এলেন।

'জানালা দিয়ে দেখলাম আপনাদের ঢুকতে।' ভদ্রলোক বোধহয় সবেমাত্র দাড়ি কামিয়েছেন ; বাঁ দিকের জুলপির নীচে এখনও সাবান লেগে রয়েছে। 'ভেতরে যাবেন ? কর্তামশাই কিন্তু রেডি। আপনি ওঁর সঙ্গেই আগে কথা বলবেন তো ?'

ফেলুদা বলল, 'তার আগে আপনার কাছ থেকে কিছু তথ্য জেনে নোট করে নিতে চাই।'

'বেশ তো, বলুন না কী জানতে চান।'

বিকাশবাবুর কাছ থেকে কতকগুলো তারিখ নোট করে নিয়ে খাতায় যা দাঁড়াল তা এই—

১। মগনলাল উমানাথবাবুর সঙ্গে দেখা করতে আসেন ১০ই অক্টোবর।

২। উমানাথবাবু তাঁর স্ত্রী ও ছেলেকে নিয়ে মছলিবাবা দর্শনে যান ১৫ই অক্টোবর সন্ধে সাড়ে সাতটায়। বাড়ি ফেরেন সাড়ে আটটার কিছু পরে। এই সময়ের মধ্যেই গণেশ চুরি যায়।

৩। ১৫ই অক্টোবর সাড়ে সাতটা থেকে সাড়ে আটটার মধ্যে শংকরীনিবাসে ছিল—উমানাথবাবুর বাবা অম্বিকা ঘোষাল, বিকাশ সিংহ, অম্বিকাবাবুর বেয়ারা বৈকুণ্ঠ, চাকর ভরদ্বাজ, ঝি সৌদামিনী, ঠাকুর নিত্যানন্দ, মালী লক্ষ্মণ, তার বউ আর তাদের একটি সাত বছরের ছেলে, দারোয়ান ত্রিলোচন, প্রতিমার কারিগর শশী পাল ও তার ছেলে কানাই, আর প্রতিমার কাজে জোগান দেবার একজন লোক, নাম নিবারণ। ওই এক ঘণ্টার মধ্যে বাইরে থেকে কেউ না এসে থাকলে বুঝতে হবে এদেরই মধ্যে কেউ না কেউ অম্বিকাবাবুর ঘরে ঢুকে তার টেবিলের দেরাজ থেকে চাবি নিয়ে সিন্দুক খুলে গণেশ বার করে নিয়েছিল।

খাতায় নোট করা শেষ হলে ফেলুদা বিকাশবাবুর দিকে ফিরে বলল, 'কিছু মনে করবেন না—এ ব্যাপারে তো কাউকে বাদ দেওয়া চলে না, কাজেই আপনাকেও—'

ফেলুদার কথা শেষ হবার আগেই বিকাশবাবু হেসে বললেন, 'বুঝেছি ; এ ব্যাপারটা পুলিশের সঙ্গে এক দফা হয়ে গেছে। আমি সেদিন ওই এক ঘণ্টা সময়টা কী করছিলাম সেটা জানতে চাইছেন তো ?'

'হ্যাঁ—তবে তার আগে একটা প্রশ্ন আছে।'

'বলুন।—কিন্তু এখানে কেন, আমার ঘরে চলুন।'

বাড়ির সামনের দরজা দিয়ে ঢুকে ডান দিকে দোতলায় যাবার সিঁড়ি, আর বাঁ দিকে বিকাশবাবুর ঘর। বাকি কথা ঘরে বসেই হল।

ফেলুদা বলল, 'আপনি গণেশের কথাটা জানতেন নিশ্চয়ই।'

'অনেকদিন থেকেই জানি।'

'মগনলাল যেদিন উমানাথবাবুর সঙ্গে দেখা করতে আসেন সেদিন আপনি বাড়িতে ছিলেন ?'

'হ্যাঁ। আমিই মগনলালকে রিসিভ করে বৈঠকখানায় বসাই। তারপর ভরদ্বাজকে দিয়ে দোতলায় মিস্টার ঘোষালের কাছে খবর পাঠাই।'

'তারপর ?'

'তারপর আমি নিজের ঘরে চলে আসি।'

'দুজনের মধ্যে যে কথাকাটাকাটি হয়েছিল সেটা আপনি জানতেন ?'

'না। আমার ঘর থেকে বৈঠকখানার কথাবার্তা কিছু শোনা যায় না। তা ছাড়া আমার ঘরে তখন রেডিয়ো চলছিল।'

'যেদিন গণেশটা চুরি গেল, সেদিনও কি আপনি আপনার ঘরেই ছিলেন ?'

'বেশির ভাগ সময়। মিস্টার ঘোষালরা যখন বাইরে যান তখন আমি ওঁদের গেট পর্যন্ত পৌঁছে দিই। ওখান থেকে যাই পুজোমণ্ডপে। শশীবাবুর কাজ দেখতে বেশ লাগে। সেদিন ভদ্রলোককে দেখে অসুস্থ মনে হল। জিজ্ঞেস করাতে বললেন শরীরটা ম্যাজম্যাজ করছে। আমি ঘরে এসে ওষুধ নিয়ে ওকে দিয়ে আসি।'

'হোমিওপ্যাথিক কি ? আপনার শেল্‌ফে দুটো হোমিওপ্যাথির বই দেখছি।'

'হ্যাঁ, হোমিওপ্যাথিক।'

'কী ওষুধ জানতে পারি ?'

'পালসেটিলা থার্টি।'

'ওষুধ দিয়ে ঘরে ফিরে আসেন ?'

'হ্যাঁ।'

'কী করছিলেন ঘরে ?'

'লখ্‌নৌ রেডিয়ো থেকে আখতারি বাঈয়ের রেকর্ড দিচ্ছিল—তাই শুনছিলাম।'

'কতক্ষণ রেডিয়ো শোনেন ?'

'ওটা চালানোই ছিল। আমি ম্যাগাজিন পড়ছিলাম। ইলাস্‌ট্রেটেড উইকলি।'

'তারপর মিস্টার ঘোষাল ফেরা না পর্যন্ত আর বাইরে বেরোন নি ?'

'না। বেঙ্গলি ক্লাব কাবুলিওয়ালা থিয়েটার করছে ; ওদের তরফ থেকে দুজনের আসার কথা ছিল মিস্টার ঘোষালের সঙ্গে দেখা করার জন্য—বোধহয় প্রধান অতিথি হওয়ার জন্য অনুরোধ করতে। ওদের আসার অপেক্ষায় বসে ছিলাম।'

'ওরা এসেছিলেন ?'

'অনেক পরে। নটার পরে।'

ফেলুদা দরজা দিয়ে দোতলায় যাবার সিঁড়িটার দিকে দেখিয়ে বললেন, 'আপনি যেখানে বসেছিলেন সেখান থেকে ওই সিঁড়িটা দেখা যাচ্ছিল কি ?'

'হ্যাঁ।'

'ওটা দিয়ে কাউকে উঠতে বা নামতে দেখেছিলেন বলে মনে পড়ে ?'

'না। তবে ওটা ছাড়াও আরেকটা সিঁড়ি আছে। পিছন দিকে। জমাদারের সিঁড়ি। সেটা দিয়ে কেউ উঠে থাকলে আমার জানার কথা নয়।'

বিকাশবাবুর সঙ্গে কথা শেষ করে আমরা ভদ্রলোককে সঙ্গে নিয়ে দোতলায় অম্বিকাবাবুর ঘরে গেলাম।

জানালার ধারে একটা পুরনো আরাম কেদারায় বসে বৃদ্ধ ভদ্রলোক নিবিষ্ট মনে স্টেট্‌সম্যান পড়ছেন। পায়ের আওয়াজ পেয়ে কাগজটা সরিয়ে ঘাড় ফিরিয়ে সোনার চশমার উপর দিয়ে ভ্রূকুটি করে আমাদের দিকে দেখলেন। ভদ্রলোকের মাথার মাঝখানে টাক, কানের দুপাশে ধপধপে সাদা চুল, দাড়ি গোঁফ কামানো, দু চোখের উপর কাঁচাপাকা মেশানো ঘন ভুরু।

বিকাশবাবু আমাদের সঙ্গে পরিচয় করিয়ে দিলেন।

অম্বিকাবাবু মুখ খুলতেই বুঝলাম যে ওঁর দুপাটি দাঁতই ফল্‌স। কথা বলার সময় কিট্‌ কিট্‌ করে আওয়াজ হয়, মনে হয় এই বুঝি দাঁত খুলে পড়ল। প্রথমে সোজা লালমোহনবাবুর দিকে চেয়ে বললেন, 'আপনারাও পুলিশ নাকি?' লালমোহনবাবু ভড়কে গিয়ে ঢোক গিলে বললেন, 'আমি? না না—আমি কিছুই না।'

'কিছুই না? এ আবার কীরকম বিনয় হল?'

'না। ইনিই, মানে, গো-গো—'

বিকাশবাবু এগিয়ে এসে ব্যাপারটা পরিষ্কার করে দিলেন।

'ইনি প্রদোষ মিত্র। গোয়েন্দা হিসেবে খুব নাম-ডাক। পুলিশ তো কিছুই করতে পারল না, তাই মিস্টার ঘোষাল বলছিলেন...'

অম্বিকাবাবু এবার সোজা ফেলুদার দিকে চাইলেন।

'উমা কী বলেছে? বলেছে গণেশ গেছে বলে ঘোষাল বংশ ধ্বংস হয়ে যাবে। ননসেন্স। তার বয়স কত। চল্লিশ পেরোয়নি। আমার তিয়াত্তর। ঘোষাল বংশের ইতিহাস সে আমার চেয়ে বেশি জানে? উমা ব্যবসায়ে উন্নতি করেছে সে কি গণেশের দৌলতে? নিজের বুদ্ধিশুদ্ধি না থাকলে গণেশ কী করবে? আর তার যে বুদ্ধি সে কি গণেশ দিয়েছে? সে বুদ্ধি সে পেয়েছে তার বংশের রক্তের জোরে। নাইনটিন টোয়েন্টিফোরে কেমব্রিজে ম্যাথাম্যাটিকস্‌-এ ট্রাইপস করতে যাচ্ছিল অম্বিকা ঘোষাল—যাকে দেখছ তোমাদের সামনে। যাবার সাতদিন আগে পিঠে কারবাঙ্কল হয়ে যায় যায় অবস্থা। বাঁচিয়ে দিল না হয় গণেশ, কিন্তু বিলেত যাওয়া যে পণ্ড হয়ে গেল চিরকালের জন্যে, তার জন্য কে দায়ী?...উমানাথের

ব্যবসা বুদ্ধি আছে ঠিকই, তবে ওর জন্মানো উচিত ছিল একশো বছর আগে। এখন তো শুনছি নাকি কোন এক বাবাজীর কাছে দীক্ষা নেবার মতলব করছে।'

'তার মানে আপনার গণেশটা যাওয়াতে কোনও আপশোস নেই?'

অম্বিকাবাবু চশমা খুলে তার ঘোলাটে চোখ দুটো ফেলুদার মুখের উপর ফোকাস করলেন।

'গণেশের গলায় একটা হিরে বসানো ছিল সেটার কথা উমানাথ বলেছে?'

'তা বলেছেন।'

'কী হিরে তার নাম বলেছে?'

'না, সেটা বলেননি।'

'ওই তো। জানে না তাই বলেনি। বনস্পতি হিরের নাম শুনেছ?'

'সবুজ রঙের কি?'

ফেলুদার এই এককথায় অম্বিকাবাবু নরম হয়ে গেলেন। দৃষ্টিটা নামিয়ে নিয়ে বললেন, 'অ, তুমি এ বিষয়ে কিছু জানটান দেখছি। অত্যন্ত রেয়ার হিরে। আমার আপশোস হয়েছে কেন জান? শুধু দামি জিনিস বলে নয়; দামি তো বটেই; ওটার জন্য কত ট্যাক্স দিতে হচ্ছিল শুনলে তোমার মাথা ঘুরে যাবে। আসল কথা হচ্ছে—ইট ওয়জ ও ওয়র্ক অফ আর্ট। এসব লাক্‌টাক আমি বিশ্বাস করি না।'

'ওই টেবিলের দেরাজেই কি চাবিটা ছিল?' ফেলুদা প্রশ্ন করল। অম্বিকাবাবুর আরাম কেদারা থেকে তিন-চার হাত দূরেই দুটো জানালার মাঝখানে টেবিলটা। এটা ঘরের দক্ষিণ দিক। সিন্দুকটা রয়েছে উত্তর-পশ্চিম কোণে। দুটোর মাঝখানে একটা প্রকাণ্ড আদ্যিকালের খাট, তার উপর একটা ছ' ইঞ্চি পুরু তোশকের উপর শীতলপাটি পাতা। অম্বিকাবাবু ফেলুদার প্রশ্নের কোনও জবাব না দিয়ে উলটে আরেকটা প্রশ্ন করে বসলেন।

'আমি সন্ধেবেলা নেশা করি সেটা উমা বলেছে?'

'আজ্ঞে হ্যাঁ।'

ফেলুদা এত নরমভাবে কারুর সঙ্গে কোনওদিন কথা বলেনি। অম্বিকাবাবু বললেন, 'গণেশ নাকি চাইলে সিদ্ধি দেন; আমি খাই আফিং। সন্ধের পর আমার বিশেষ হুঁশ থাকে না। কাজেই সাতটা থেকে আটটার মধ্যে আমার ঘরে কেউ এসেছিল কি না সে কথা আমাকে জিজ্ঞেস করে ফল হবে না।'

'আপনার চেয়ার এখন যে ভাবে রাখা রয়েছে, সন্ধেবেলাও কি সেইভাবেই থাকে?'

'না। সকালে কাগজ পড়ি, তাই জানালা থাকে আমার পিছনে। সন্ধেয় আকাশ দেখি, তাই জানালা থাকে সামনে।'

'তা হলে টেবিলের দিকে পিঠ করা থাকে। তার মানে ওদিকের দরজা দিয়ে কেউ এলে দেখতেই পাবেন না।'

'না।'

ফেলুদা এবার টেবিলটার দিকে এগিয়ে গিয়ে খুব সাবধানে টান দিয়ে দেরাজটা খুলল। কোনও শব্দ হল না। বন্ধ করার বেলাতেও তাই।

এবার ও সিন্দুকটার দিকে এগিয়ে গেল। চৌকির উপরে রাখা পেল্লায় সিন্দুকটা প্রায় আমার বুক অবধি পৌঁছে গেছে।

'পুলিশ নিশ্চয়ই এটার ভিতর ভাল করে খুঁজে দেখেছে?'

বিকাশবাবু বললেন, 'তা তো খুঁজেইছে, আঙুলের ছাপের ব্যাপারেও পরীক্ষা করে দেখেছে, কিছুই পায়নি।'

অম্বিকাবাবুর ঘরের দরজা দিয়ে বেরোলে ডাইনে পড়ে নীচে যাবার সিঁড়ি, আর বাঁয়ে একটা ছোট্ট ঘর। ঘরটা দিয়ে ডান দিকে বেরিয়ে একটা চওড়া শ্বেত পাথরে বাঁধানো বারান্দা। এটা বাড়ির দক্ষিণ দিক। পুব দিকে বাগানের নিম আর তেঁতুল গাছের মাঝখানের ফাঁক দিয়ে দেখা যাচ্ছে দূরে গঙ্গার জল সকালের রোদে চিক্‌চিক্ করছে। আমাদের সামনে আর ডাইনে বেনারস শহর ছড়িয়ে আছে। আমি মন্দিরের চুড়ো গুনছি, ফেলুদা বিকাশবাবুকে একটা সিগারেট দিয়ে নিজে একটা মুখে পুরেছে, এমন সময় ফুরফুরে হাওয়ার সঙ্গে উপর দিক থেকে কী যেন একটা জিনিস পাক খেতে খেতে নেমে এসে লালমোহনবাবুর পাঞ্জাবির উপর পড়ল। লালমোহনবাবু সেটা খপ্ করে ধরে হাতের মুঠো খুলতেই দেখা গেল সেটা আর কিছুই না—একটা চুইং গামের র‍্যাপার।

'রুক্মিণীকুমার ছাতে আছেন বলে মনে হচ্ছে ?' ফেলুদা বলল।

'আর কোথায় থাকবে বলুন,' বিকাশবাবু হেসে বললেন, 'তার তো এখন বন্দি অবস্থা। আর তা ছাড়া ছাতে তার একটি নিজস্ব ঘর আছে।'

'সেটা একবার দেখা যায় ?'

'নিশ্চয়ই। সেই সঙ্গে চলুন পিছনের সিঁড়িটাও দেখিয়ে দিই।'

একরকম লোহার সিঁড়ি হয় যেগুলো বাড়ির বাইরের দেয়াল বেয়ে পাক খেয়ে উপরে উঠে যায়। এটা দেখলাম সেরকম সিঁড়ি নয়। এটা ইটের তৈরি, আর বাড়ির ভিতরেই। তবে এটাও পাকানো সিঁড়ি। ওঠবার সময় ঠিক মনে হয় কোনও মিনার বা মনুমেন্টে উঠছি।

সিঁড়ি দিয়ে উঠে সামনেই ছাতের ঘর, আর বাঁ দিকে ছাতে যাবার দরজা। ঘরের ভিতরে মেঝেতে উবু হয়ে বসে আছে রুকু। একটা লাল-সাদা পেটকাটি ঘুড়ি মাটিতে ফেলে হাঁটুর চাপে সেটাকে ধরে রেখে তাতে সুতো পরাচ্ছে। আমাদের আসতে দেখেই কাজটা বন্ধ করে সোজা হয়ে বসল। আমরা চারজনে ছোট্ট ঘরটাতে ঢুকলাম।

বোঝাই যায় এটা রুকুর খেলার ঘর—যদিও রুকুর জিনিস ছাড়াও আরও অনেক কিছু কোণঠাসা করে রাখা রয়েছে—দুটো পুরনো মরচে ধরা ট্রাঙ্ক, একটা প্যাকিং কেস, একটা ছেঁড়া মাদুর, তিনটে হারিকেন লণ্ঠন, একটা কাত করা ঢাকাই জালা, আর কোণে ডাঁই করা পুরনো খবরের কাগজ আর মাসিক পত্রিকা।

'তুমি গোয়েন্দা ?'

ফেলুদার দিকে সটান একদৃষ্টে তাকিয়ে প্রশ্ন করল রুকু। আজ দেখছি ফরসা রংটা রোদে পুড়ে যেন একটু তামাটে লাগছে। তার মুখে যে চুইং গাম রয়েছে সেটা তার চোয়াল নাড়া দেখেই বোঝা যাচ্ছে। ফেলুদা হেসে বলল, 'খবরটা ক্যাপ্টেন স্পার্ক কী করে পেলেন সেটা জানতে পারি !'

'আমার অ্যাসিসট্যান্ট বলেছে', গম্ভীর ভাবে জানাল রুকু। সে আবার ঘুড়ির দিকে মন দিয়েছে।

'কে তোমার অ্যাসিসট্যান্ট ?' ফেলুদা জিজ্ঞেস করল।

'স্পার্কের অ্যাসিসট্যান্ট খুদে র‍্যাক্ষিট সেটা জান না ? তুমি কীরকম গোয়েন্দা !'

লালমোহনবাবু ছোট্ট একটা কাশি দিয়ে তাঁর দিকে আমাদের দৃষ্টি আকর্ষণ করে বললেন, 'খুদিরাম রক্ষিত। সাড়ে চার ফুট হাইট। স্পার্কের ডান হাত।'

ফেলুদা ব্যাপারটা বুঝে নিয়ে বলল, 'কোথায় আছে তোমার অ্যাসিসট্যান্ট ?'

উত্তরটা এল বিকাশবাবুর কাছ থেকে। ভদ্রলোক একটা অপ্রস্তুত হাসি হেসে বললেন, 'ও ভূমিকাটা এখন আমাকেই পালন করতে হচ্ছে।'

'তোমার রিভলভার আছে ?' হঠাৎ প্রশ্ন করল রুকু।

‘আছে,’ বলল ফেলুদা।

‘কী রিভলভার?’

‘কোল্ট।’

‘আর হারপুন?’

‘উঁহু। হারপুন নেই।’

‘তুমি জলের তলায় শিকার করো না?’

‘এখন পর্যন্ত প্রয়োজন হয়নি।’

‘তোমার ছোরা আছে?’

‘ছোরাও নেই। এমনকী এরকম ছোরাও নেই।’

রুকুর মাথার উপরেই দেয়ালে পেরেক থেকে একটা খেলার ছোরা ঝুলছে। এটাই কাল ওর কোমরে বাঁধা দেখেছিলাম।

‘ওই ছোরা আমি শয়তান সিং-এর পেটে ঢুকিয়ে ওর নাড়িভুঁড়ি বার করে দেব।’

‘সে তো বুঝলাম,’ ফেলুদা রুকুর পাশে মেঝেতে বসে পড়ে বলল, ‘কিন্তু তোমাদের বাড়ির সিন্দুক থেকে যে একজন শয়তান সিং একটা সোনার গণেশ চুরি করে নিয়ে গেল তার কী হবে?’

‘শয়তান সিং এবাড়িতে ঢুকতেই পারবে না।’

‘ক্যাপ্টেন স্পার্ক সেদিন মছলিবাবাকে দেখতে না গেলে এ ব্যাপারটা হত না—তাই না?’

‘মছলিবাবার গায়ের রংটা কঙ্গোর গঙ্গোরিলার মতো কালো।’

‘সাবাস!’ বলে উঠল লালমোহনবাবু, ‘তুমি গোরিলার গোগ্রাস পড়েছ রুকুবাবু?’

গঙ্গোরিলা যে লালমোহনবাবুরই লেখা গোরিলার গোগ্রাস-এর নব্বই ফুট লম্বা অতিকায় রাক্ষুসে গোরিলার নাম সেটা আমি জানতাম। গল্পের আইডিয়াটা কিং কং থেকে নেওয়া, সেটা লালমোহনবাবু নিজেও স্বীকার করেন। জটায়ুর বর্ণনায় গোরিলার গায়ের রং ছিল কষ্টিপাথরে আলকাতরা মাখালে যেরকম হয় সেইরকম। লালমোহনবাবু ‘ও বইটা আসলে আম—’বলেই ফেলুদার কাছ থেকে একটা কড়া ইশারা পেয়ে থেমে গেলেন।

রুকু বলল, ‘গণেশ তো একজন রাজার কাছে আছে। শয়তান সিং পাবেই না। কেউ পাবে না। ডাকু গণ্ডারিয়াও পাবে না।’

‘আবার অক্রুর নন্দী!’—দীর্ঘশ্বাস ফেলে বললেন জটায়ু।

বিকাশবাবু হেসে বললেন, ‘ওর কথার সঙ্গে তাল রেখে চলতে হলে আগে রহস্য রোমাঞ্চ সিরিজ গুলে খেতে হবে।’

ফেলুদা এখনও মাটিতে বসে আড়চোখে রুকুর দিকে চেয়ে আছে, তার ভাব দেখে মনে হয় যেন সে রুকুর আজগুবি কথাগুলোর ভিতর থেকে আসল মানুষটাকে খুঁজে বার করার চেষ্টা করছে। রুকু তার কথার মধ্যেই দিব্যি ঘুড়িতে সুতো লাগিয়ে চলেছে। এবার ফেলুদা প্রশ্ন করল, ‘কোথাকার রাজার কথা বলছ তুমি রুকু?’

উত্তর এল—‘আফ্রিকা।’

ঘোষালবাড়ি থেকে চলে আসার আগে আমরা আরেকজন লোকের সঙ্গে কথা বলেছিলাম। তিনি হলেন শশিভূষণ পাল। শশীবাবু নারকোলের মালায় হলদে রং নিয়ে নিজের তৈরি তুলি দিয়ে কার্তিক ঠাকুরের গালে লাগাচ্ছিলেন। ভদ্রলোকের বয়স ষাট পঁয়ষট্টি হবে নিশ্চয়ই, রোগা প্যাকাটি চেহারা, চোখে পুরু কাচের চশমা। ফেলুদা জিজ্ঞেস করাতে বললেন উনি নাকি ষোলো বছর বয়স থেকে এই কাজ করছেন। ওঁর আদি বাড়ি

ছিল কৃষ্ণনগর, ঠাকুরদাদা অধর পাল নাকি প্রথম কাশীতে এসে বসবাস আরম্ভ করেন সিপাহি বিদ্রোহের দু বছর পরে। শশীবাবু থাকেন গণেশ মহল্লায়। সেখানে নাকি ওঁরা ছাড়াও আরও কয়েকঘর কুমোর থাকে। ফেলুদা বলল, 'আপনার জ্বর হয়েছিল শুনলাম : এখন ভাল আছেন ?'

'আজ্ঞে হ্যাঁ। সিংহি মশাইয়ের ওষুধে খুব উপকার হয়েছিল।'

শশীবাবু কথা বলছেন, কিন্তু কাজ বন্ধ করছেন না।

'আপনার কাজ শেষ হচ্ছে কবে ?' ফেলুদা জিজ্ঞেস করল।

'আজ্ঞে পরশুই তো ষষ্ঠী। কাল রাত্তিরের ভেতরই হয়ে যাবে। বয়স হয়ে গেল তো, তাই কাজটা একটু ধরে করতে হয়।'

'তাও আপনার তুলির টানে এখনও দিব্যি জোর আছে।'

'আজ্ঞে এ কথা আপনি বলছেন, আর, আরবছর এই দুগ্গাঠাকুর দেখেই ওই একই কথা বলেছিলেন কলকাতার আর্ট ইস্কুলের একজন শিক্ষক। এ জিনিসের কদর আর কে করে বলুন। সবাই ঠাকুরই দেখে, হাতের কাজটা আর কজন দেখে।'

'বিকাশবাবু যেদিন আপনাকে ওষুধ দেন, সেদিনই সন্ধ্যায় বাড়ির দোতলার সিন্দুক থেকে একটা জিনিস চুরি যায়। এ খবর আপনি জানেন ?'

শশীবাবুর হাতের তুলিটা যেন একমুহূর্তের জন্য কেঁপে গেল। গলার সুরটাও যেন একটু কাঁপা। বললেন—

'আজ পঞ্চাশ বছর হল প্রতি বছর এসে এই একই কাজ করে যাচ্ছি এই ঘোষালবাড়িতে, আর আমায় কিনা এসে পুলিশে জেরা করল ! হাতে তুলি নিলে আমার আর কোনও হুঁশ থাকে না, জানেন, নাওয়া খাওয়া ভুলে যাই। আপনি জিজ্ঞেস করুন সিংহি মশাইকে, উনি তো মাঝে মাঝে এসে দাঁড়িয়ে দেখেন। আপনি খোকাকে জিজ্ঞেস করুন। সেও তো এসে চুপটি করে দাঁড়িয়ে দেখে আমার কাজ। কই বলুন তো তাঁরা—আমি ঠাকুরের সামনে ছেড়ে একটা মিনিটের জন্যে কোথাও যাই কি না।'

শশীবাবুর সঙ্গে আরেকটি বছর কুড়ির ছেলে কাজ করছে। জানলাম ইনিই হলেন শশীবাবুর ছেলে কানাই। কানাইকে তার বাপের একটা ইয়াং সংস্করণ বলা চলে। কাজ দেখলে মনে হয় সে বংশের ধারা বজায় রাখতে পারবে। কানাই নাকি গণেশ চুরির দিন সাতটার পরে ঠাকুরের সামনে ছেড়ে কোথাও যায়নি।

বিকাশবাবু আমাদের সঙ্গে গেট অবধি এলেন। ফেলুদা বলল, 'আপনাদের বাড়িতে এখন অনেক লোক তাই আর উমানাথবাবুকে বিরক্ত করলাম না। আপনি শুধু বলে দেবেন যে আমি হয়তো মাঝে মাঝে এসে একটু ঘুরে টুরে দেখতে পারি, প্রয়োজন হলে একে-ওকে দু-একটা প্রশ্ন করতে পারি।'

বিকাশবাবু বললেন, 'মিস্টার ঘোষাল যখন আপনার উপর ব্যাপারটা ছেড়ে দিয়েছেন তখন তো আপনার সে অধিকার আছেই।'

বেরোবার মুখে একটা শব্দ পেয়ে ফেলুদার সঙ্গে সঙ্গে আমার চোখটাও বাড়ির ছাতের দিকে চলে গেল।

রুকু তার লাল-সাদা পেটকাটিটা সবে মাত্র উড়িয়েছে। সুতোর টানে ঘুড়িটাই হাওয়া কেটে ফরফর শব্দ করছে। রুকুকে এখান থেকে দেখতে পাবার কোনও সম্ভাবনা নেই, তবে তার লাটাই সমেত হাত দুটো মাঝে মাঝে ছাতের পাঁচিলের উপর দিয়ে উঁকি মারছে।

'ছেলেটিকে খুব একা বলে মনে হয়,' ফেলুদা ঘুড়িটার দিকে চোখ রেখে বলল। 'সত্যিই কি তাই ?'

বিকাশবাবু বললেন, 'রুকু উমানাথবাবুর একমাত্র ছেলে। এখানে তো তবু একটি বন্ধু হয়েছে। আপনি তো দেখেছেন সূরযকে। কলকাতায় ওর সমবয়সী বন্ধু একটিও নেই।'

৫

এখানে এসে অবধি বেশির ভাগ সময়টা ঘরে বসে বাঙালিদের সঙ্গে কথা বলে মাঝে ভুলে যেতে হচ্ছিল যে আমরা কাশীতে এসেছি। এখন সাইকেল রিকশা, টাঙ্গা আর লোকের ভিড় বাঁচিয়ে মদনপুরা রোড দিয়ে হোটেলের দিকে হাঁটতে হাঁটতে আবার কাশীর মেজাজটা ফিরে পেলাম। বড় রাস্তার গোলমাল এড়িয়ে হোটেলে যাবার শর্টকাটের গলিটাতে ঢুকলাম আমরা তিনজনে। লালমোহনবাবু একটা ছাগলের বাচ্চার পিঠে ছাতা দিয়ে একটা ছোট খোঁচা মেরে বললেন, 'আমার একটা ব্যাপার কী জানেন ফেলুবাবু—কলকাতা ছেড়ে বাইরে কোথাও গেলেই সেই জায়গার মেজাজটা আমাকে কেমন যেন পেয়ে বসে। সেবার রাজস্থান গিয়ে খালি খালি নিজেকে রাজপুত বলে মনে হচ্ছিল। অন্যমনস্ক হয়ে মাথায় হাত দিয়ে পাগড়ির বদলে টাক ফিল করে রীতিমতো চমকে চমকে উঠছিলুম।'

'এখানে এসে কি জটার অভাব ফিল করে চমকে চমকে উঠছেন?'

'তা ঘাটে গিয়ে যে একটু বৈরাগী-বৈরাগী ভাব হয়নি তা বলতে পারি না। আবার এই সব অলিগলিতে ঢুকলে মনে হয় কোমরে একটা ছোরা থাকলে হাতলটাতে মাঝে মাঝে বেশ হাত বোলানো যেত।'

আমি কিন্তু কালকের সেই লোকটাকে আবার দেখেছি। আমি জানি শংকরী-নিবাস থেকে বেরোবার কিছু পরেই সে আমাদের পিছু নিয়েছে। কিন্তু কালকে ফেলুদার তাচ্ছিল্য ভাবের পর আজ আর কিছু বলতে পারছি না। সকালবেলা গলিতে বিস্তর লোক—কেউ স্নান করে ফিরছে, কেউ বাজার থেকে ফিরছে, কিছু বুড়ো দাওয়ায় বসে আড্ডা মারছে, এখানে ওখানে বাচ্চার দল হইহল্লা করছে—তারই মধ্যে পিছন ফিরলে চাপা পায়জামার উপর গাঢ় বেগনি চাদর মুড়ি দেওয়া লোকটাকে দেখতে পাচ্ছি আমাদের বিশ-ত্রিশ হাত পিছনে সমানে আমাদের ফলো করে চলেছে।

লালমোহনবাবু বললেন, 'আপনার এই গণেশের মামলাটি বিলক্ষণ ডিফিকাল্ট বলে মনে হচ্ছে মশাই।'

ফেলুদা বলল, 'কোনও মামলা একটা বিশেষ অবস্থায় পৌঁছানোর আগে সেটা সহজ কি কঠিন তা বোঝা সম্ভব নয়। আপনার কি ধারণা সেই স্টেজ পৌঁছে গেছে?'

'যায়নি বুঝি?'

'একেবারেই না।'

'কিন্তু যিনি আসল ভিলেন, তাঁর পক্ষে তো ও জিনিস চুরি করার কোনও স্কোপই ছিল না।'

'কাকে ভিলেন ভাবছেন আপনি?'

'কেন, ওই যে মেঘরাম না মেঘলাল না কী নাম বললে। যাকে দেখলুম মছলিবাবার ওখানে।'

'আপনার কি ধারণা মেঘরাজ গণেশ চুরি করার জন্য নিজেই পাঁচিল টপকে ঘোষাল বাড়িতে ঢুকবেন?'

'এজেন্ট লাগাবে বলছেন?'

'সেটাই স্বাভাবিক নয় কি ? আর তা ছাড়া সে শাসিয়ে গেছে বলে যে সে-ই চুরি করেছে এমন তো নাও হতে পারে।'

লালমোহনবাবু একটুক্ষণ চুপ মেরে হঠাৎ যেন শিউরে উঠে বললেন, 'ওরকম কাঁধ দেখিনি মশাই। না জানি সামনের দিক থেকে কী রকম দেখতে। ওর মাথায় এক জোড়া শিং লাগিয়ে বিশ্বনাথের গলিতে ছেড়ে দিলে নিঘ্ঘাৎ ঢুঁ মারবে।'

ক্যালকাটা লজে ঢুকে সামনেই আপিসঘর। ম্যানেজারের চেয়ার ছাড়া আরও তিনটে চেয়ার আর একটা বেঞ্চি আছে। সেগুলোতে দু-তিনজন করে নিরঞ্জনবাবুর আলাপী লোক প্রায় সব সময়ই বসে আড্ডা মারে। আজ ঢুকে দেখলাম নিরঞ্জনবাবুর উলটো দিকে একজন প্যান্ট-শার্ট পরা বেশ জোয়ান লোক বসে চা খাচ্ছেন, আর হাত নেড়ে নিরঞ্জনবাবুকে কী যেন বোঝাচ্ছেন। আমাদের ঢুকতে দেখেই ম্যানেজারমশাই পানমুখে একগাল হেসে বললেন, 'এই তো—ইনি আপনার জন্য প্রায় কুড়ি মিনিট বসে। আলাপ করিয়ে দিই—সাব-ইনস্পেক্টর তেওয়ারি—আর ইনি—'

নিরঞ্জনবাবু পর পর আমাদের তিনজনের নাম বলে বললেন, 'ভয় নেই—হিন্দি বলতে হবে না—ইনি দিব্যি বাংলা বলেন।'

তেওয়ারি ফেলুদার দিকে একদৃষ্টে চেয়ে আছেন। চোখের কোণে হাসি এই এল বলে, আর ফেলুদার চোখে ভ্রূকুটি, সেটাও মনে হচ্ছে একটা হাসির অপেক্ষায় রয়েছে।

'সে কী মশাই'—ফেলুদার ভ্রূকুটি হাওয়া—'আপনি এলাহাবাদে ছিলেন না ?'

দারোগাসাহেব ঝকঝকে দাঁত বার করে হেসে ফেলুদার হাত ধরে ঝাঁকুনি দিয়ে বললেন, 'আমি শিওর ছিলাম না আপনি চিনবেন কি না।'

'চেনা মুশকিল। গোঁফটা যা ছিল তার চার ভাগের এক ভাগ হয়ে গেছে। রোগাও হয়েছেন বেশ খানিকটা।'

ভদ্রলোক ফেলুদার সমান লম্বা আর গড়নেও ফেলুদারই মতো ছিমছাম। বছর দু-এক আগে এলাহাবাদে ফেলুদার একটা কেস পড়েছিল। পুলিশ প্যাঁচে পড়ে গিয়েছিল, কিন্তু ফেলুদা দু-দিনের মধ্যে সমস্যার সমাধান করে দিয়ে চার দিনের ভিতর কলকাতায় ফিরে এসেছিল। বুঝলাম সেইবারই তেওয়ারির সঙ্গে আলাপ হয়।

'আমি মিস্টার ঘোষালের কাছে গিয়েছিলাম কাল রাত্রে আপনি চলে আসার পর। তখনই শুনলাম আপনি এসেছেন আর ক্যালকাটা লজে আছেন।'

নিরঞ্জনবাবু চায়ের অর্ডার দিয়েছেন, আমরা তিনজনে বসলাম। ফেলুদা স্বস্তির নিশ্বাস ফেলে বলল, 'যাক !—মিস্টার ঘোষাল পুলিশের কথা বলাতে আমার একটু দুশ্চিন্তা যাচ্ছিল ; এখন আপনাকে দেখে অনেকটা হালকা লাগছে। আপনার সঙ্গে ক্ল্যাশ হবে না। আর মনে হয় দুটো মাথা এক করলে বোধহয় কাজের সুবিধেই হবে। বেশ গোলমেলে ব্যাপার—তাই না মশাই ?'

তেওয়ারি একটা শুকনো হাসি হেসে বললেন, 'ইন ফ্যাক্ট ইট ইজ সো গোলমেলে যে আমি তো আপনাকে এলাম বারণ করতে।'

'কেন বলুন তো ?'

'মগনলাল যে বেপারে আছে, সে বেপারে এই হচ্ছে আমার অ্যাডভাইস। আপনি দু দিন গেলেন মিস্টার ঘোষালের বাড়ি, তার জন্য আমার খুব ভাওনা হচ্ছে। আপনাকে খুব সাওধান থাকতে হবে। ওর স্পাই আর ভাড়াটে গুণ্ডা সারা বেনারস শহরে ছড়িয়ে আছে।'

হরকিষণ চা নিয়ে এল। ফেলুদা চিন্তিতভাবে একটা কাপ তুলে নিয়ে বলল, 'কিন্তু মগনলাল যে এ ব্যাপারে সত্যিই জড়িত সে সম্বন্ধে আপনি এত নিশ্চিত হচ্ছেন কী করে ?'

মিস্টার তেওয়ারি ভুরুটা কুঁচকে বাঁ হাতের আঙুলগুলো দিয়ে টেবিলের উপর কয়েকটা টোকা মেরে বললেন, 'আমরা যে লাইনে ইনভেস্টিগেশন করছি, তাতে মগনলালকে একেবারে বাদ দেওয়া যায় না। ওর মতো কানিং লোক আর নেই।'

'আপনারা কোন লাইনে তদন্ত চালাচ্ছেন সেটা...'

'বলছি আপনাকে। আপনার কাছে আমি কিছুই লুকাব না। ঘোষালবাড়ির সবাইয়ের সঙ্গে আপনার আলাপ হয়েছে কি?'

'চাকর-বাকর বাদে আর মোটামুটি সকলের সঙ্গেই হয়েছে।'

'শশীবাবুকে দেখেছেন তো?'

'হ্যাঁ, দেখেছি বই কী। আজই সকালে তার সঙ্গে কথা হয়েছে।'

'ওর ছেলেটিকে দেখেছেন নিশ্চয়ই।'

'হ্যাঁ—সেও তো কাজ করছিল।'

'কিন্তু শশীবাবুর আরেকটি ছেলে আছে সেটা জানেন?'

এ খবরটা অবিশ্যি আমরা কেউই জানতাম না।

'এ ছেলেটির নাম নিতাই। ভেরি ব্যাড টাইপ। আঠারো বছর বয়েস, আর এ বয়সে যত খারাপ দোষ থাকতে পারে, সবই আছে। আমরা এখনও কোনও প্রমাণ পাইনি, কিন্তু ধরুন, যদি সে মগনলালের খপ্পরে পড়ে থাকে—'

ফেলুদা হাত তুলে বলল, 'বুঝেছি। মগনলাল নিতাইকে হাত করবে, নিতাই হয় তার বাপকে না হয় দাদাকে হুমকি দিয়ে তাদের সিন্দুক খুলিয়ে গণেশ চুরি করাবে।'

'এগজ্যাক্টলি', বললেন মিস্টার তেওয়ারি। 'নিতাইয়ের ব্যাপারটা জানার পর থেকেই মনে হচ্ছে একটা রাস্তা পাওয়া গেছে। আমার অ্যাডভাইস আপনি এখন চুপচাপ থাকুন। দসেরা টাইমে বেনারসে অনেক কিছু দেখবার আছে—সেই সব দেখুন, কিন্তু ঘোষালবাড়িতে বেশি যাতায়াত করবেন না।'

ফেলুদা অল্প হেসে চায়ে চুমুক দিয়ে একেবারে অন্য প্রসঙ্গে চলে গেল।

'আপনারা মছলিবাবা সম্বন্ধে কোনও তদন্ত করার প্রয়োজন বোধ করছেন না?'

তেওয়ারি হাতের কাপটা টেবিলের উপর রেখে একটা প্রাণখোলা হাসি হেসে বলল, 'আপনাদের এর ভিতরেই মছলিবাবা দর্শন হয়ে গেছে? কী মনে হল?'

'তদন্তের কথা যখন তুললাম, তখন খুব যে একটা ভক্তি জাগেনি মনে সেটা নিশ্চয়ই বুঝতে পারছেন।'

'সে তো আপনার কথা হল, কিন্তু আপনি তার ভক্তদের দেখেছেন? আপনি ইনভেস্টিগেশনের কথা বলছেন—খোলাখুলি ভাবে কিছু করতে গেলে ভক্তরা আমাদের আস্ত রাখবে?'

কথাটা বলে মিস্টার তেওয়ারি আড়চোখে নিরঞ্জনবাবুর দিকে চাইতে ভদ্রলোক হাত তুলে বলে উঠলেন, 'আমার দিকে কী দেখছেন মশাই! আমাদের ভক্তি মানে কী? ভক্তিটক্তি কিচ্ছু না—মছলিবাবা হলেন আমাদের ছকে ফেলা একঘেয়ে জীবনে সামান্য একটু ব্যতিক্রমের ছিটেফোঁটা—ব্যস।'

ফেলুদা বলল, 'একটা জিনিস আপনি করতে পারেন মিস্টার তেওয়ারি—হরিদ্বার আর এলাহাবাদে খবর নিয়ে দেখতে পারেন সেখানে গত মাসখানেকের মধ্যে মছলিবাবা নামে কোনও সিদ্ধপুরুষের আবির্ভাব ঘটেছিল কি না।'

'ভেরি গুড। এটা করতে কোনও অসুবিধা নেই। আমি দু দিনের মধ্যে আপনাকে ইনফরমেশন এনে দেব।'

দারোগাসাহেব ঘড়ি দেখে উঠে পড়লেন। দরজার মুখে ভদ্রলোক ফেলুদার পিঠ চাপড়ে বললেন, 'একদিন চৌকে আমাদের থানায় আসুন না। কী রকম কাজ হচ্ছে দেখে যান। আর—' তেওয়ারি গম্ভীর—'আমি আপনাকে সিরিয়াসলি বলছি—আপনি যত ইচ্ছে হলিডে করুন, কিন্তু এ বেপারে জড়াবেন না।'

দুপুরের ডাল ভাত কপির তরকারি মাছের ঝোল আর দইয়ের সঙ্গে জিলিপি খেয়ে আমরা হোটেল থেকে বেরিয়ে পান কিনলাম। লালমোহনবাবুকে এমনিতে কখনও পান খেতে দেখিনি ; এখানে দেখলাম সাত রকম মশলা দেওয়া রুপোর তবক দিয়ে মোড়া একটা প্রকাণ্ড পান চার আঙুল দিয়ে ঠেলে মুখের ভিতর পুরে দিব্যি চিবোতে লাগলেন। আমরা কোনও বিশেষ জায়গায় যাব বলে বেরিয়েছি কি না জানি না, কারণ ফেলুদা কিচ্ছু বলেনি। লালমোহনবাবু একবার আমার কানের কাছে মুখ এনে ফিসফিস করে বললেন, 'তোমার দাদা বোধহয় সেই হালুইকরের দোকানে গিয়ে রাবড়ি খাবেন।' আমার ধারণা কিন্তু অন্য রকম—যদিও সেটা আমি মুখে প্রকাশ করলাম না। ফেলুদাকে অনুসরণ করে আমরা হোটেলের উলটো দিকে একটা গলিতে ঢুকে এগিয়ে চললাম।

একটু এগিয়ে বুঝতে পারলাম এদিকটায় বাঙালির নামগন্ধ নেই। লালমোহনবাবু চাদরটিকে ভাল করে জড়িয়ে নিয়ে বললেন, 'আপনি চোখ, কান আর নাকের কথা বললেন, কিন্তু টেমপারেচারের কথা তো বললেন না। এদিকটায় বেশ শীত শীত লাগছে মশাই।'

দু দিকে তিন তলা চার তলা বাড়ি উঠে গেছে, আর তার মধ্যে দিয়ে এঁকেবেঁকে চলেছে গলি। সূর্যের আলো প্রায় পৌঁছায় না বললেই চলে। ফেলুদা বলল, বেনারসের গলির বেশির ভাগ বাড়িই নাকি দেড়শো থেকে দুশো বছরের পুরনো। রাস্তার দু দিকের দেওয়ালে যেখানে সেখানে ছবি আঁকা—হাতি, ঘোড়া, বাঘ, টিয়া, ঘোড়সওয়ার। কারা কখন এঁকেছে জানি না, কিন্তু দেখতে বেশ লাগে। মাঝে মাঝে এক-একটা হাতে-লেখা হিন্দি বিজ্ঞাপন—তার মধ্যে 'নওজোয়ান বিড়ি' সবচেয়ে বেশি চোখে পড়ে।

এতক্ষণ চারিদিকে বেশ চুপচাপ ছিল—এবার ক্রমে ক্রমে কানে নানারকম নতুন শব্দ আসতে আরম্ভ করল। তার মধ্যে সব ছাপিয়ে উঠছে ঘণ্টার শব্দ। ঘণ্টার ফাঁকগুলো ভরিয়ে রেখেছে যে শব্দটা তাকেই বলা হয় কোলাহল। ফেলুদা বলে এই কোলাহল জিনিসটা খুব মজার। হাজার লোক এক জায়গায় রয়েছে, সবাই নিজেদের মধ্যে সাধারণভাবে কথাবার্তা বলছে, কেউ গলা তুলছে না, অথচ সব মিলিয়ে যে শব্দটা হচ্ছে তাতে কান ফেটে যাবার জোগাড়।

এরই মধ্যে বেশ কয়েকটা ষাঁড় আমাদের সামনে পড়েছে, আর প্রতিবারই লালমোহনবাবু বলে উঠেছেন, 'ওই দেখুন, মেঘরাম!' শেষটায় ফেলুদা বলতে বাধ্য হল যে তার ধারণা মেঘরাজের চেয়ে ষাঁড় জিনিসটা অনেক বেশি নিরীহ এবং নিরাপদ। —'আমি মশাই একজন ডাকসাইটে প্রতিদ্বন্দ্বী কল্পনা করে মনে উৎসাহ আনার চেষ্টা করছি, আর আপনি বার বার ষাঁড়ের সঙ্গে তুলনা করে তাকে খাটো করছেন!'

চোখ, কান আর নাককে একসঙ্গে আক্রমণ করতে বিশ্বনাথের গলির মতো আর কিছু আছে কি না জানি না। এখানে এসে আর নিজের ইচ্ছেমতো হাঁটা যায় না ; ভিড় যে দিকে নিয়ে যায় সেই দিকে যেতে হয়। আমরাও এগিয়ে চললাম ভিড়ের সঙ্গে। 'দর্শন হবে বাবু?' 'বাবু বিশ্বনাথ দর্শন হবে?' পাণ্ডারা চারিদিক থেকে ছেঁকে ধরেছে। ফেলুদা নির্বিকার। আমরা তিনজনেই তাদের কথায় কান না দিয়ে যদ্দূর পারি ধাক্কা বাঁচিয়ে পকেট বাঁচিয়ে রাস্তার পিছল জায়গাগুলো বাঁচিয়ে এগিয়ে চললাম। লালমোহনবাবুর মনে যতই ভক্তিভাব জাগুক

না কেন, ওঁর চোখ কিন্তু চলে গেছে মন্দিরের সোনায় মোড়া চুড়োর দিকে। একবার ফেলুদাকে কী যেন প্রশ্নও করলেন চুড়োর দিকে আঙুল দেখিয়ে। গোলমালে কী বললেন শুনতে পেলাম না, তবে 'ক্যারেট' কথাটা কানে এল। চুড়োর দিকে চাইতে গিয়েই চোখে পড়ল আকাশে দশ-বারোটা চিল চক্কর দিচ্ছে, আর তারই এক পাশে একটা লাল-সাদা পেটকাটি ঘুড়ি গোঁৎ খেয়ে মন্দিরের পিছনে অদৃশ্য হয়ে গেল।

ফেলুদাও ঘুড়িটাকে দেখেছে।

আমরা দুজন ফেলুদারই পিছন পিছন আরও খানিকটা এগিয়ে গেলাম—যদি আবার ঘুড়িটাকে দেখা যায়। হ্যাঁ—ওই তো আবার দেখা যাচ্ছে—লাল-সাদা পেটকাটি। ওই তো উপর দিকে উঠল, আর ওই তো আবার গোঁৎ খেয়ে নীচের দিকে নেমে একটা চারতলা বাড়ির পিছনে অদৃশ্য হয়ে গেল।

'মোস্ট ইন্টারেস্টিং...'

চাপা গলায় বললেও, ফেলুদার ঠিক পাশেই থাকায় ওর কথাটা আমি শুনতে পেলাম।

লালমোহনবাবু বললেন, 'শুধু ইন্টারেস্টিং কেন বলছেন মশাই—আমার কাছে তো ডিস্টার্বিং বলেও মনে হচ্ছে। মানে, ঘুড়িটার কথা বলছি না। চারদিকে এত দাড়ি আর জটার মধ্যে মেঘরামের কত স্পাই ঘোরাফেরা করছে ভাবতে পারেন? একটি লোক তো আপনার দিক থেকে চোখ ফেরাচ্ছে না। আমি আড়চোখে ওয়াচ করে যাচ্ছি প্রায় তিন মিনিট ধরে।'

ফেলুদা আকাশের দিক থেকে চোখ না নামিয়েই বলল, 'গোঁফ-দাড়ি-জটা-যষ্টি-কমণ্ডুল, আর গায়ে টাটকা নতুন-কেনা হিন্দি নামাবলী তো?'

'ফুল মার্কস', বললেন জটায়ু।

আমরা আবার এগিয়ে গেলাম। সামনেই একটা ষাঁড়ের পিছনে একটা সিঁদুর আর জবাফুলে বোঝাই দোকানের পাশে লোকটা দাঁড়িয়ে আছে। ফেলুদা তার সামনে এসে বেশ জোর গলায় বলল, 'জয় বাবা বিশ্বনাথ!' আমার হাসি পেলেও একদম চেপে গেলাম।

বিশ্বনাথ থেকে আমরা সোজা চলে গেলাম জ্ঞানবাপী। এখানেই অওরঙ্গজেবের মসজিদ, আর এখানেই সেই প্রকাণ্ড খোলা চাতাল। চাতালটায় এসে আবার আকাশের দিকে চাইতে আর ঘুড়িটা দেখতে পেলাম না।

উত্তর দিকে যেখানে চাতালটা শেষ হয়েছে সেখান দিয়ে একটা সিঁড়ি নেমে গেছে রাস্তায়—কারণ চাতালটা রাস্তার চেয়ে প্রায় আট-দশ হাত উঁচুতে। ফেলুদা কী মতলবে বেরিয়েছে সেটা নিয়ে আমার মনে যে সন্দেহটা ছিল, এখন দেখলাম লালমোহনবাবুও সেই একই সন্দেহ করছেন।

'আপনি কি মশাই মেঘরামের বাড়ি যাবার তাল করছেন নাকি?'

ফেলুদা বলল, 'আমার আরাধ্য দেবতা আর কে আছে বলুন। ক্রাইম না থাকলে তো ফেলু মিত্তিরের রোজগার বন্ধ হয়ে যাবে, সুতরাং এখানকার সবচেয়ে বড় ক্রিমিন্যালের মন্দিরটা একবার দেখে যাব না?'

দিনের বেলা চারদিকে শরৎকালের ঝলমলে রোদ আর লোকের ভিড় বলে হয়তো ফেলুদার কথায় অতটা শিউরে উঠলাম না; তবে ওই এক কথায় বুকের ঘড়িটায় দম দেওয়া হয়ে গেছে, আর ধুকপুক শুরু হয়ে গেছে।

এখানে গোলমাল কম, তাই লালমোহনবাবু পরের প্রশ্নটা গলা নামিয়ে করতে পারলেন।

'আপনার অস্ত্রটি সঙ্গে নিয়েছেন তো?'

'কোন অস্ত্রটার কথা বলছেন? রিভলভার নিইনি। বাকি তিনটে সব সময় সঙ্গেই

থাকে।'

লালমোহনবাবু জিজ্ঞাসু দৃষ্টিতে ফেলুদার দিকে চাইতে গিয়ে একটা হোঁচট খেয়ে কোনওমতে সামলে নিয়ে আর কিছু বললেন না। ভদ্রলোকের বোঝা উচিত ছিল যে ফেলুদার তিনটে স্বাভাবিক অস্ত্র হল ওর মস্তিষ্ক, স্নায়ু আর মাংসপেশী। এর মধ্যে প্রথমটা অবিশ্যি আসল।

সিঁড়ি দিয়ে রাস্তায় নেমে সামনেই একটা দরজির দোকান। দোকানের সামনেই বসে একটা লোক পায়ে করে সেলাইয়ের কল চালাচ্ছে। ফেলুদা তাকে জিজ্ঞেস করতেই লোকটা মগনলাল মেঘরাজের বাড়ি বাতলে দিল। রাস্তাটা ধরে পুব দিকে কিছুদূর গেলেই বাঁয়ে একটা মহাবীরের মন্দির পড়বে, তার দুটো বাড়ি পরেই মগনলালের বাড়ি। চেনা সহজ, কারণ সামনের দরজার দু দিকে দুটো সশস্ত্র প্রহরীর ছবি আঁকা রয়েছে।

'ছবি ছাড়া এমনি প্রহরী নেই!' ফেলুদা প্রশ্ন করল।

'হাঁ—তাও আছে।'

সোজা রাস্তা, এ-গলি ও-গলি ঘোরার বালাই নেই, তাই মগনলালের বাড়ি পেতে কোনওই অসুবিধা হল না। এখানটায় সত্যি করেই বিশ্বনাথের ঘণ্টার শব্দ ছাড়া আর কোনও শব্দই পৌঁছায় না। আর দুপুরবেলা বলেই বোধহয় গলিটা এত নিস্তব্ধ। ষাঁড় তো নেই-ই, এমন কী ছাগল কুকুর বেড়াল কিচ্ছু নেই।

মগনলালের বাড়ির দরজার দু দিকে তলোয়ার উঁচোনো প্রহরীর ছবি আছে ঠিকই, কিন্তু জ্যান্ত প্রহরী কাউকে দেখা গেল না। অথচ দরজার পাল্লা দুটোই হাঁ করে খোলা। ব্যাপারটা কী? লোকগুলো খেতে গেল নাকি? ফেলুদা নাক টেনে বলল, 'খৈনি ঝাড়া হয়েছে মিনিটখানেক আগেই।' তারপর এদিক ওদিক দেখে বলল, 'আসুন। কেউ চ্যালেঞ্জ করলে বলব নতুন এসেছি, মানমন্দির ভেবে ঢুকেছি।'

ফেলুদাকে সামনে রেখে ঢুকে পড়লাম দরজা দিয়ে।

সর্বনাশ—এ কি মগনলালের বাড়ি, না গোয়ালঘর? অন্ধকার, স্যাঁতসেঁতে উঠনে তিনটে জলজ্যান্ত গোরু দাঁড়িয়ে নির্বিকারে জাবর কাটছে, আমাদের দিকে ফিরে দেখবারও কোনও আগ্রহ নেই তাদের। গোরুগুলো যে রাত্রেও এখানেই থাকে তার চিহ্নও চারিদিকে ছড়িয়ে আছে।

ফেলুদা ফিসফিস করে বলল, 'এ ব্যাপারটা এখানে খুব কমন। এই সব গলির বাড়িতে এক উঠন ছাড়া আর খোলা জায়গা বলে কিচ্ছু নেই। অথচ দুধ ঘি না হলে এদের চলে না।'

আমাদের ডাইনে বাঁয়ে উঁচু বারান্দা দু দিকেই দুটো দরজায় গিয়ে শেষ হয়েছে, দুটোর পিছনেই ঘুরঘুট্টি অন্ধকার। আন্দাজে মনে হয় ওই অন্ধকারেই দোতলায় যাবার সিঁড়ি। বাড়িটা যে চারতলা সেটা বাইরে থাকতেই দেখেছি। উপর দিকে চাইলে লোহার গরাদের মধ্যে দিয়ে খোলা আকাশ দেখা যায়। গরাদের দরকার হয় বাঁদরের উৎপাত থেকে রেহাই পাবার জন্য।

এর পরে কী করা উচিত ভেবে পাচ্ছি না, এমন সময় ডান দিকের বারান্দায় চোখ গেল।

একটা লোক নিঃশব্দে দরজা দিয়ে বেরিয়ে এসে বাইরে দাঁড়িয়ে আমাদের দিকে দেখছে। মাঝবয়সী মাঝারি হাইটের লোক, গায়ে সবুজের উপর সাদা বুটি-দেওয়া কুর্তা, মাথায় কাজ-করা সাদা কাপড়ের টুপি। এক জোড়া পুরু গোঁফ ঠোঁটের দুপাশ দিয়ে নেমে গালপাট্টা হতে হতে হয়নি।

লোকটা মুখ খুলল। গলার স্বর শুনলে মনে হয় অনেক দিনের পুরনো ক্ষয়ে যাওয়া

গ্রামোফোন রেকর্ড থেকে কথা বেরোচ্ছে। ফেলুদার দিকে তাকিয়ে লোকটা যে কথাটা বলল সেটা হচ্ছে এই—

'শেঠজী আপসে মিলনা চাহতে হেঁ।'

'কৌন শেঠজী ?' জিজ্ঞেস করল ফেলুদা।

'শেঠ মগনলালজী।'

'চলিয়ে', বলে ফেলুদা লোকটার দিকে পা বাড়াল।

৬

'জয় বাবা বিশ্বনাথ !'

লালমোহনবাবুর মুখের দিকে চাইতে ভরসা পাচ্ছিলাম না, তবে ওর গলার আওয়াজেই ওর মনের ভাবটা বেশ বুঝতে পারলাম।

'আপনার এত ভরসা বিশ্বনাথের উপর ?'

ফেলুদা এখনও কী করে হালকাভাবে কথা বলছে জানি না।

'জয় বাবা ফেলুনাথ !'

'দ্যাটস বেটার।'

এত উঁচু উঁচু পাথরের ধাপওয়ালা এত অন্ধকার সিঁড়ি এর আগে কখনও দেখিনি। যে লোকটা ডাকতে এসেছিল তার হাতে আলোটালো কিচ্ছু নেই। লালমোহনবাবুকে বার দু-এক 'ব্ল্যাক হোল' কথাটা বলতে শুনলাম। ছেচল্লিশ ধাপ সিঁড়ি উঠে তিনতলায় পৌঁছলাম আমরা। লোকটা এবার সামনের একটা দরজা দিয়ে ভিতরে ঢুকে গেল। আমরাও ঢুকলাম তার পিছন পিছন।

একটা ঘর, তারপর একটা সরু প্যাসেজ, আর তারপর আরেকটা ঘর পেরিয়ে একটা অন্ধকার বারান্দা দিয়ে বেশ খানিকদূর গিয়ে একটা নিচু দরজা পড়ল। লোকটা এক পাশে সরে দাঁড়িয়ে আমাদের দিকে ফিরে ডান হাত বাড়িয়ে দরজার ভিতর যাবার জন্য ইশারা করল। কথা না বললেও লোকটার মুখ থেকে বিড়ির কড়া গন্ধ পাচ্ছিলাম।

যে ঘরটায় ঢুকলাম সেটা যে কত বড় সেটা তক্ষুনি বোঝা গেল না, কারণ প্রথমে ঢুকে কয়েকটা রঙিন কাচ ছাড়া আর কিছুই দেখা গেল না। বুঝলাম কাচগুলো জানালায় লাগানো বলে তাতে বাইরের আলো পড়েছে।

'নোমোস্কার মিস্টার মিটার।'

খসখসে সুগম্ভীর দানাদার গলাটা আমাদের সামনে থেকেই এসেছে। এবারে চোখ অন্ধকারে সয়ে এসেছে। একটা সাদা গদি দেখতে পাচ্ছি—আমাদের সামনে কিছুটা দূরে মেঝেতে বিছানো রয়েছে। তার উপরে চারটে সাদা তাকিয়া। একটায় ভর দিয়ে আড় হয়ে বসে আছে একটা লোক, যার শুধু পিছন দিকটা আমরা সেদিন দেখেছি মছলিবাবার ভক্তদের মধ্যে।

একটা খুট শব্দের সঙ্গে সিলিং-এ একটা বাতি জ্বলে উঠল। পিতলের বলের গায়ে ফুটো ফুটো জাফ্রির কাজ—সেটা হল বাতিটার শেড। ঘরের চারদিক এখন বুটিদার আলোর নকশায় ভরে গেছে।

এখন সব কিছু দেখতে পাচ্ছি। মগনলাল মেঘরাজের ভুরুর নীচে গর্তে বসা চোখ, তার নীচে ছোট্ট থ্যাবড়া নাক, আর তার নীচে এক জোড়া ঠোঁট, যার উপরেরটা পাতলা আর নীচেরটা পুরু। ঠোঁটের নীচে থুতনিটা সোজা নেমে এসেছে একেবারে আদ্দির পাঞ্জাবির

গলা অবধি। পাঞ্জাবির বোতামগুলো হিরের হলে আশ্চর্য হব না। এ ছাড়া ঝলমলে পাথর আছে দশটা আঙুলের আটটা আংটিতে, যেগুলো এখন নমস্কারের ভঙ্গিতে এক জায়গায় জড়ো হয়ে আছে।

'বোসুন আপনারা। দাঁড়িয়ে কেনো?'

দিব্যি বাংলা।

'চাই তো গদিতে বসুন। আর নয়তো চেয়ার আছে। যাতে ইচ্ছা বসুন।'

চেয়ারগুলো নিচু। পরে ফেলুদা বলেছিল ওগুলো নাকি গুজরাটের। আমরা গদিতে না বসে চেয়ারেই বসলাম—ফেলুদা একটাতে আর আমি আর লালমোহনবাবু আরেকটাতে।

মগনলাল সেইভাবেই কাত হয়ে থেকে বললেন, 'আপনার সঙ্গে আলাপ করার ইচ্ছা ছিল, ভাবছিলাম আপনাকে ইনভাইট করে নিয়ে আসব। ভগওয়ানের কৃপায় আপনি নিজেই এসে গেলেন।' তারপর একটু হেসে বললেন, 'আপনি আমাকে চিনেন না, কিন্তু হামি আপনাকে চিনি।'

'আপনার নামও আমি শুনেছি', ফেলুদা পালটা ভদ্রতা করে বলল।

'নাম বলছেন কেন, বদনাম বলুন। সত্যি কথা বলুন!'

মগনলাল কথাটা বলে হো হো করে হেসে উঠলেন, আর তার ফলে তাঁর পানখাওয়া দাঁতগুলোতে আলো পড়ে চকচক করে উঠল। ফেলুদা চুপ করে রইল। মগনলালের মাথাটা আমার দিকে ঘুরে গেল।

'ইনি আপনার ব্রাদার?'

'কাজিন।'

'আর ইনি? আঙ্কল?'

মগনলালের চোখে হাসি, চোখ ঘুরে গেছে জটায়ুর দিকে।

'ইনি আমার বন্ধু। লালমোহন গাঙ্গুলী।'

'ভেরি গুড! লালমোহন, মোহনলাল, মগনলাল—সব লাল, লালে লাল—এঁ? কী বলেন?'

লালমোহনবাবু কিছুক্ষণ থেকে হাঁটু নাচিয়ে 'আমি একটুও নার্ভাস হইনি', ভাব দেখানোর চেষ্টা করছিলেন, এবার মগনলালের কথাটা শুনেই হাঁটু দুটো খট খট শব্দ করে পরস্পরের সঙ্গে লাগিয়ে নাচানো বন্ধ হয়ে গেল।

এবার মগনলালের বাঁ হাতটা একটা থাপ্পড়ের ভঙ্গিতে তাকিয়ার পিছনে নামাতেই ঠং করে একটা কলিং বেল বেজে উঠে লালমোহনবাবুকে বিষম খাইয়ে দিল।

'গলা সুখিয়ে গেলো?' বললেন মগনলাল।

বাঁ দিকে তাকিয়ে দেখি যে-লোকটা আমাদের উপরে নিয়ে এসেছিল সে আবার দরজার মুখে এসে দাঁড়িয়েছে।

'সরবত লাও', হুকুম করলেন মগনলাল।

এখন ঘরের সব জিনিসই স্পষ্ট দেখতে পাচ্ছি। মগনলালের পিছনের দেওয়ালে দেবদেবীর ছবির গ্যালারি। ডান দিকে দেওয়ালের সামনে দুটো স্টিলের আলমারি। গদির উপরে কিছু খাতাপত্র, একটা বোধহয় ক্যাশবাক্স, একটা লাল রঙের টেলিফোন, একটা হিন্দি খবরের কাগজ। এ ছাড়া তাকিয়ার ঠিক পাশেই রয়েছে একটা রুপোর পানের ডিবে আর একটা রুপোর পিকদান।

'ওয়েল মিস্টার মিত্তির'—মগনলালের স্থির দৃষ্টিতে আর হাসির নামগন্ধ নেই—'আপনি বনারস হলিডের জন্যে এসেছেন?'

'সেটাই মূল উদ্দেশ্য ছিল।'

ফেলুদা সটান মগনলালের চোখের দিকে চেয়ে কথা বলছে।

'তা হলে—আপনি—টাইম—ওয়েস্ট—করছেন—কেন?'

প্রত্যেকটা কথা ফাঁক ফাঁক আর স্পষ্ট করে বলা।

'সারনাথ দেখেছেন? রামনগর দেখেছেন? দুর্গাবাড়ি, মানমন্দির, হিন্দু ইউনিভার্সিটি, বেণীমাধোব ধ্বজা—এ-সব কিছুই দেখলেন না, আজ বিশ্বনাথজীর দরওয়াজার সামনে গেলেন, কিন্তু ভিতরে ঢুকলেন না, কচৌরি গলিতে মিঠাই খেলেন না...ঘোষালবাড়িতে কী কাম আপনার? আমার বজরা আছে আপনি জানেন? চৈতি ঘাটসে অসসি ঘাট টিরিপ দিয়ে দেবো আপনাকে, আপনি চলে আসুন। গঙ্গার হাওয়া খেয়ে আপনার মনমেজাজ খুশ হয়ে যাবে।'

'আপনি ভুলে যাচ্ছেন'—ফেলুদার গলা এখনও স্থির, যাকে বলে নিষ্কম্প—'যে আমি একজন পেশাদারি গোয়েন্দা। মিস্টার ঘোষাল আমাকে একটা কাজের ভার দিয়েছেন। সে কাজটা শেষ না করে ফুর্তি করার কোনও প্রশ্ন আসে না।'

'কতো আপনার ফি?'

ফেলুদা প্রশ্নটা শুনে কয়েক সেকেন্ড চুপ করে রইল। তারপর বলল, 'দ্যাট ডিপেন্ডস—'

'এই নিন।'

তাজ্জব, দম-বন্ধ-করা ব্যাপার। মগনলাল ক্যাশবাক্স খুলে তার থেকে একতাড়া একশো টাকার নোট বার করে ফেলুদার দিকে এগিয়ে দিয়েছে।

ফেলুদার চোয়াল শক্ত হয়ে গেল।

'বিনা পরিশ্রমে আমি পারিশ্রমিক নিই না মিস্টার মেঘরাজ।'

'বাহরে বাঃ!'—মগনলালের পান-খাওয়া দাঁত আবার বেরিয়ে গেছে—'আপনি পরিশ্রম করে কী করবেন? যেখানে চোরিই হল না, সেখানে আপনি চোর পাকড়াবেন কী করে মিস্টার মিত্তির?'

'চুরি হল না মানে?'—এবারে ফেলুদাও অবাক—'কোথায় গেল সে জিনিস?'

'সে জিনিস তো উমানাথ আমার কাছে বিক্রি করে দিয়েছে। তিস হাজার ক্যাশ দিয়ে আমি সে জিনিস কিনে নিয়েছি!'

'কী বলছেন আপনি উলটো-পালটা?'

ফেলুদার বেপরোয়া কথায় আমার হাত-পা ঠাণ্ডা হয়ে গেল। সিলিং-এর বাতিটা থেকে একটা আলোর নকশা লালমোহনবাবুর নাক আর ঠোঁটের উপর পড়েছে। বেশ বুঝলাম ওঁর ঠোঁট শুকিয়ে ফ্যাকাশে হয়ে গেছে।

মগনলাল ওর শেষ কথাটা বলে হেসে উঠেছিল, ফেলুদা কথাটা বলতেই মনে হল একটা হাসির রেকর্ডের উপর থেকে কে যেন সাউন্ড-বক্সটা হঠাৎ তুলে নিল। মগনলালের মুখ এখন কালবৈশাখীর মেঘের মতো কালো, আর চোখ দুটো যেন কোটর থেকে বেরিয়ে এসে বুলেটের মতো ফেলুদাকে বিঁধতে চাইছে।

'উলটো-পালটা কে বলে জানেন? উলটো-পালটা বলে উলটো-পালটা আদমি। মগনলাল বলে না। উমানাথের বেপার কী জানেন আপনি? তার বেওসার বিষয় কিছু জানেন? উমানাথের দেনা কত জানেন? উমা নিজে আমাকে ডেকে পাঠাল জানেন? উমা নিজে সিন্দুক থেকে গণপতি চোরি করেছে জানেন? আপনি চোর কী ধরবেন মিস্টার মিত্তির—চোর তো আপনার মক্কেল নিজে!'

ফেলুদা গম্ভীর গলায় বলল, 'আপনি কী বলতে চাচ্ছেন সেটা পরিষ্কার হচ্ছে না

মগনলালজী। নিজের জিনিস চুরি করবার দরকারটা কোথায় ? সোজা সিন্দুক থেকে বার করে আপনার হাতে তুলে দিয়ে টাকাটা নিয়ে নিলেই তো হত।'

'কার সিন্দুক ? সিন্দুক তো ওর বাবার।'

'কিন্তু গণেশটা তো—'

'গণেশ কার ? ঘোষাল ফ্যামিলির। ফ্যামিলি তিন জায়গায় ভাগ হয়ে গেছে। বড় ছেলে বিলাইতে ডাকটর—ছোট ছেলে উমানাথ কলকাতায় কেমিক্যালস—আর বাবা বেনারসের উকিল—এখুন প্র্যাক্টিস ছেড়ে দিয়েছেন। গণপতি ছিল অল অ্যালং বাবার কাছে। গণপতির ইনফ্লুয়েন্স দেখবেন তো ওনাকে দেখুন। কতো টাকা কামায়েছেন দেখুন, মেজাজ দেখুন, আরাম দেখুন। তার সিন্দুক থেকে গণেশ বার করে উমানাথ আমাকে বিক্রি করল—সে কথা সে বাপকে জানাবে কী করে ? তার সাহস কোথায় ?'

ফেলুদা ভাবছে। সে কি মগনলালের কথা বিশ্বাস করছে ?

'সিন্দুক থেকে কবে গণেশ নিলেন উমানাথবাবু ?'

মগনলাল তাকিয়াটা আরও বুকের কাছে টেনে নিল।

'শুনুন—অক্টোবর দশ তারিখ আমাকে ডেকে পাঠাল উমা। সেদিন কথা হল। আমি এগ্রি করলাম। আমার লাক ভি কুছু খারাপ যাচ্ছে—আপনি হয়তো জানেন। লেকিন আমার টাকার অভাব এখুনো হয়নি। আর উ গ্রিন ডায়মন্ডকে কত দাম জানেন ? উমা জানে না। আমি যা পে করলাম তার চেয়ে অনেক বেশি। এনিওয়ে—দশ অক্টোবর কথা হল। উমা বলল আমাকে দো-তিন দিন টাইম দাও। আমি বললাম নাও। ফিফটিনথ অক্টোবর ইভনিং উমা আবার ফোন করল। বলল গণেশ আমার হাথে এসে গেছে। আমি বললাম তুমি চলে এসো মছলিবাবা দর্শন করতে। উমা এসে গেল। আমি এসে গেলাম। আমার হাথে ব্যাগ, উর পাকিটে ব্যাগ। উর ব্যাগে গণপতি, আমার ব্যাগে তিন-সও হান্ড্রেড রুপি নোটস। দর্শন ভি হল, ব্যাগ বদল ভি হল। ব্যস, খতম।'

মগনলাল যদি সত্যি কথা বলে থাকে, তা হলে বলতে হবে উমানাথবাবু আমাদের সাংঘাতিক ভাঁওতা দিয়েছেন আর নিজের মান বাঁচানোর জন্য একটা চুরির গল্প খাড়া করে ফেলুদাকে তদন্ত চালাতে বলেছেন। অবশ্যি সেই সঙ্গে পুলিশকেও ভাঁওতা দিয়েছেন। পুরো ব্যাপারটাই ফেলুদার পক্ষে পণ্ডশ্রম হবে, আর পকেটে পয়সাও আসবে না। কিন্তু মগনলালই বা ফেলুদার প্রতি এত সদয় হবে কেন ?

আমি প্রায় চমকে উঠলাম যখন ফেলুদা ঠিক এই প্রশ্নটাই মগনলালকে করে বসল। মগনলাল তার চোখ দুটোকে আরও ছোট করে একটু সোজা হয়ে বসে বলল, 'কারণ আমি জানি আপনি বুদ্ধিমান লোক। অর্ডিনারি বুদ্ধি না, একস্ট্রা-অর্ডিনারি বুদ্ধি। আপনি আরও কিছুদিন তদন্ত করলে যদি আসল বেপারটা বুঝে ফেলেন, তখন উমারও মুশকিল, আমারও মুশকিল। আমাদের এই লেনদেনের বেপারটা তো ঠিক সিধা-সাফা নয়—সে তো আপনি বুঝেন মিস্টার মিত্তির !'

ফেলুদা চুপ করে আছে। তিন গেলাস সবুজ রঙের সরবত এসেছে—আমাদের সামনে টেবিলের উপর রাখা। ফেলুদা একটা গেলাস হাতে তুলে নিয়ে বলল, 'গণেশটা তা হলে আপনার কাছেই আছে। সেটা একবার দেখা যায় কি ? যেটার সঙ্গে এত রকম ইতিহাস জড়িত, সেটা একবার দেখতে ইচ্ছা হওয়াটা স্বাভাবিক এটা আপনি নিশ্চয়ই স্বীকার করবেন।'

মগনলাল মাথা নেড়ে বললেন, 'ভেরি সরি মিস্টার মিত্তির, আপনি তো জানেন আমার এ বাড়িতে একবার রেড হয়ে গেছে। ও জিনিস কী করে আমি এখানে রাখি বলুন। ওটা

আমাকে একটা সেফ জায়গায় পাঠিয়ে দিতে হয়েছে।'

ফেলুদার পরের কথাতে ওর বেপরোয়া ভাবটা আমার কাছে আবার নতুন করে ফুটে বেরোল।

'তা পাঠিয়েছেন বেশ করেছেন, কিন্তু আপনি সত্যি বলছেন কি না জানার জন্যও তো আমাকে অনুসন্ধান চালিয়ে যেতে হবে মগনলালজী!—তাতে যদি আপনার কথা সত্যি বলে প্রমাণিত হয় তা হলে তো কথাই নেই, কিন্তু ধরুন যদি তা না হয়?'

মগনলালের তলার ঠোঁটটা বিশ্রীভাবে নীচের দিকে ঝুলে পড়ল, আর তার ভুরুজোড়া আরও নেমে এসে চোখ দুটোকে অন্ধকারে ঠেলে দিল।

'আপনি আমার কথা বিসোয়াস করছেন না?'

লালমোহনবাবু সরবতের গেলাসটা তুলেই আবার ঠক করে নামিয়ে রাখলেন। ফেলুদার হাতের গেলাস আস্তে আস্তে ঠোঁটের কাছে চলে গেল। সরবতে একটা চুমুক দিয়ে একদৃষ্টে মগনলালের দিকে তাকিয়ে বলল, 'আপনি নিজেই বললেন আপনাকে আমি চিনি না। কী করে আশা করেন প্রথম আলাপেই আমি আপনার সব কথা বিশ্বাস করব? আপনি নিজেই কি সব সময় নতুন লোকের কথা বিশ্বাস করেন—বিশেষ করে যখন সে লোক দিনকে রাত করে দেয়?'

মগনলাল সেইভাবেই চেয়ে আছে ফেলুদার দিকে। একটা ঘড়ির টিক্ টিক্ শব্দ শুনতে পাচ্ছি, যদিও সেটা কোথায় আছে তা জানি না।

এবার মগনলালের ডান হাতটা আবার ফেলুদার দিকে এগিয়ে এল—তাতে এখনও সেই নোটের তাড়া।

'তিন হাজার আছে এখানে মিস্টার মিত্তির। আপনি নিন এ টাকা। নিয়ে আপনি বিশ্রাম করুন, স্ফূর্তি করুন আপনার কাজিন আর আঙ্কলকে নিয়ে।'

'না মগনলালজী, ওভাবে আমি টাকা নিই না।'

'আপনি কাজ চালিয়ে যাবেন?'

'যেতেই হবে।'

'ভেরি গুড।'

কথাটা বলার সঙ্গে সঙ্গে মগনলালের হাত আবার কলিং বেলের উপর আছড়ে পড়ল। সেই লোকটা আবার দরজার সামনে এসে দাঁড়িয়েছে। মগনলাল লোকটার দিকে না তাকিয়ে বলল, 'অর্জুনকো বোলাও—আউর তেরা নম্বর বকস লাও—আউর তক্তা।'

লোকটা চলে গেল। কী যে আনতে গেল তা ভগবান জানে।

মগনলাল এবার হাসি হাসি মুখ করে লালমোহনবাবুর দিকে চাইলেন। লালমোহনবাবুর ডান হাত এখনও সরবতের গেলাসটাকে ধরে আছে, যদিও সে গেলাস টেবিল থেকে এক ইঞ্চিও ওঠেনি।

'কেয়া মোহনভোগবাবু, আমার সরবত পসিন্দ হল না?'

'না না—বৎসর—ইয়ে, সরবত—মানে...' আরও বললে আরও কথার গণ্ডগোল হয়ে যাবে মনে করেই বোধহয় লালমোহনবাবু গেলাসটা তুলে ঢক ঢক করে দু ঢোক সরবত খেয়ে ফেললেন।

'আপনি ঘাবড়াবেন না মোহনবাবু—উ সরবতে বিষ নেই।'

'না না—'

'বিষ আমি খারাপ জিনিস বলে মনে করি।'

'নিশ্চয়ই—বিষ ইজ'—আরেক ঢোক সরবত—'ভেরি ব্যাড।'

'তার চেয়ে অন্য জিনিসে কাম দেয় বেশি।'

'অন্য জিনিস ?'

'কী জিনিস সেটা এবার আপনাকে দেখাব।'

'খ্যাখ্ !'

'কী হল মোহনভোগবাবু ?'

'বিষ—মানে বিষম লাগল।'

বাইরে পায়ের শব্দ।

একটা অদ্ভুত প্রাণী এসে ঘরে ঢুকল। সেটা মানুষ তো বটেই, কিন্তু এরকম মানুষ আমি কখনও দেখিনি। হাইটে পাঁচ ফুটের বেশি না, রোগা লিকলিকে শরীরের মাথা থেকে পা পর্যন্ত শিরা-উপশিরায় গিজগিজ করছে, মাথার চুলে কদম ছাঁট, কান দুটো খাড়া হয়ে বেরিয়ে আছে, চোখ দুটো দেখলে মনে হয় নেপালি, কিন্তু নাকটা খাঁড়ার মতো উঁচু আর ছুঁচোলো। আরও একটা লক্ষ করার বিষয় এই যে, লোকটার সারা গায়ে একটাও লোম নেই। হাত পা আর বুকের অনেকখানি এমনিতেই দেখা যাচ্ছে, কারণ লোকটা পরেছে একটা শতচ্ছিন্ন হাতকাটা গেঞ্জি আর একটা বেগুনি রঙের ময়লা হাফ প্যান্ট।

লোকটা ঘরে ঢুকেই মগনলালের দিকে ফিরে একটা স্যালুট করল। তারপর হাতটা পাশে নামিয়ে কোমরটাকে একটু ভাঁজ করে সামনের দিকে ঝুঁকে দাঁড়িয়ে রইল।

এবার ঘরে আরেকটা জিনিস ঢুকল। এটাই বোধহয় তেরো নম্বর বাক্স। দুটো লোক বাক্সটা বয়ে এনে গদির সামনে মেঝেতে রাখল। রাখার সময় একটা ঝনাৎ শব্দে বুঝলাম ভিতরে লোহা বা পিতলের জিনিসপত্র আছে।

আরও দুটো লোক এবার একটা বেশ বড় কাঠের তক্তা নিয়ে এসে আমাদের পিছনের দরজাটা বন্ধ করে তার গায়ে হেলান দিয়ে দাঁড় করিয়ে দিল। এতক্ষণে মগনলাল আবার মুখ খুললেন।

'নাইফ-থ্রোইং জানেন কী জিনিস মিস্টার মিত্তির ? সার্কাসে দেখেছেন কখনও ?'

'দেখেছি।'

সার্কাস আমি দেখেছি, কিন্তু নাইফ-থ্রোইং দেখিনি। ও-ই একবার বলেছিল ব্যাপারটা কীরকম হয়। একজন লোককে একটা খাড়া করা তক্তার সামনে দাঁড় করিয়ে দূর থেকে আরেকটা লোক তার দিকে একটার পর একটা ছোরা এমনভাবে মারতে থাকে যে, সেগুলো লোকটার গায়ে না লেগে তাকে ইঞ্চিখানেক বাঁচিয়ে তক্তার উপর গিয়ে বিঁধতে থাকে। সে নাকি এমন সাংঘাতিক খেলা যে দেখে লোম খাড়া হয়ে যায়। সেই খেলাই আজ দেখাবে নাকি এই অর্জুন ?

তেরো নম্বর বাক্স খোলা হয়েছে। ঘরে আরও দুটো বাতি জ্বলে উঠল। বাক্সে বোঝাই করা কেবল ছোরা আর ছোরা। সেগুলো সবকটা ঠিক একরকম দেখতে—সব কটার হাতির দাঁতের হাতল, সব কটায় ঠিক একরকম নকশা করা।

'হরবনসপুরের রাজার প্রাইভেট সার্কাস ছিল, সেই সার্কাসেই অর্জুন নাইফ থ্রোইং-এর খেল দেখাত। এখুন ও হামার প্রাইভেট সার্কাসে খেল দেখায়—হেঃ হেঃ হেঃ হেঃ...'

বাক্স থেকে গুনে গুনে বারোটা ছোরা বার করে আমাদের সামনেই একটা শ্বেতপাথরের টেবিলের উপর সাজিয়ে রাখা হয়েছে একটা খোলা জাপানি হাতপাখার মতো করে।

'আসুন আঙ্কল।'

আঙ্কল কথাটা শুনে লালমোহনবাবু তিনটে জিনিস একসঙ্গে করে ফেললেন—হাতের ঝটকায় গেলাসের অর্ধেক সরবত মাটিতে ফেললেন, পেটে ঘুঁষি খাবার মতো করে সোজা

থেকে সামনের দিকে ঝুঁকে গেলেন, আর 'অ্যাঁ' বলতে গিয়ে 'গ্যা' বলে ফেললেন। পরে জিজ্ঞেস করাতে বলেছিলেন উনি নাকি 'অ্যাঁ' আর 'গেলুম' একসঙ্গে বলতে গিয়ে গ্যাঁ বলেছিলেন।

এবার ফেলুদার ইস্পাত-কঠিন গলার স্বর শোনা গেল।

'ওকে ডাকছেন কেন?'

মগনলালের হাসির চোটে তার কনুই আরও ইঞ্চি তিনেক তাকিয়ার ভিতর ঢুকে গেল।

'ওকে ডাকব না তো কি আপনাকে ডাকব মিস্টার মিত্তির? আপনি তক্তার সামনে দাঁড়ালে খেল দেখবেন কী করে?...আপনি এ ব্যাপারে কিছু বলবেন না মিস্টার মিত্তির। আমার কথা বিসোয়াস না করে আপনি আমাকে অনেক অপমান করলেন। আপনি জানবেন যে চাকু ছাড়াও অন্য হাতিয়ার আছে আমার কাছে। ওই ঘুলঘুলির দিকে দেখুন—দো ঘুলঘুলি, দো পিস্তল আপনার দিকে পয়েন্ট করা আছে। আপনি ঝামেলা না করেন তো আপনার কোনও ক্ষতি হবে না। আপনার বন্ধুর ভি কোনও ক্ষতি হবে না। অর্জুনের জবাব নেই, আপনি দেখে নেবেন।'

ঘুলঘুলির দিকে চাইবার সাহস আমার নেই। লালমোহনবাবুর দিকেও চাইতে ইচ্ছা করছিল না, কিন্তু চাপা মিহি গলায় ওর একটা কথা শুনে না চেয়ে পারলাম না। ভদ্রলোক হাতল ধরে চেয়ার ছেড়ে উঠতে উঠতে কথাটা বলছেন, তার ফাঁকে ফাঁকে ওঁর হাঁটুতে হাঁটু লেগে খটখট শব্দ হচ্ছে।

'বেঁচে থাকলে...পপ্-প্লটের আর...চি-হি-হিন্তা নেই।'

দুজন লোক এসে লালমোহনবাবুকে দু দিক থেকে ধরে নিয়ে গিয়ে তক্তাটার সামনে দাঁড় করিয়ে দিল। লালমোহনবাবু চোখ বুজলেন।

তারপর আমার পিছন দিকে যে জিনিসটা ঘটল সেটা আর আমি দেখতে পারিনি। ফেলুদা নিশ্চয়ই দেখেছিল, কারণ না দেখলে নিশ্চয়ই ঘুলঘুলি থেকে পিস্তলের গুলি এসে ওর বুকে বিঁধত। আমার শব্দ শুনেই রক্ত বরফ হয়ে গিয়েছিল। আমার চোখ ছিল সামনের টেবিলের দিকে। তার উপর থেকে একটা একটা করে ছুরি তুলে নিচ্ছে অর্জুনের হাত, আর তার পরেই সে ছুরি ঘ্যাঁচাং শব্দ করে তক্তার কাঠ ভেদ করে ঢুকছে।

ক্রমে শেষ ছুরিটা তোলা হয়ে গিয়ে টেবিল খালি হয়ে গেল, আর ঘ্যাঁচাং শব্দ, আর অর্জুনের ফোঁস ফোঁস করে দম ফেলার শব্দ, আর মগনলালের ঘন ঘন 'বহুৎ আচ্ছা' থেমে গিয়ে রইল শুধু অদৃশ্য ঘড়ির টিক টিক আর বিশ্বনাথের ঘণ্টার ঢং ঢং শব্দ। আর তার পরে হল এক তাজ্জব কাণ্ড।

লালমোহনবাবু দরজার দিক থেকে ফিরে এসে অর্জুনের হ্যান্ড শেক করে 'থ্যাঙ্ক ইউ স্যার' বলেই অজ্ঞান হয়ে হুমড়ি খেয়ে মগনলালের গদির উপর পড়ে সেটার অনেকখানি জায়গা ঘামে ভিজিয়ে চপচপে করে দিলেন।

৭

দুটো বাজে। আকাশে মেঘ। দশাশ্বমেধ ঘাটে এখন লোক নেই বললেই চলে। আমরা তিনজন জলের ধারে বসে আছি ঘাটের সিঁড়ির উপর। মগনলালের ঘরে বিভীষিকাময় ঘটনাটার পর প্রায় এক ঘণ্টা কেটে গেছে। মগনলালের লোকই লালমোহনবাবুর জ্ঞান ফিরিয়ে এনেছিল চোখে মুখে জলের ঝাপটা দিয়ে। তারপর মগনলাল নিজে দুধের সঙ্গে ব্রোন্ডি মিশিয়ে খাইয়ে লালমোহনবাবুকে চাঙ্গা করে বলেছিল, 'আঙ্কল, ইউ আর এ ব্রেভ

ম্যান।' তারপর থেকে লালমোহনবাবু কথাটথা আর বিশেষ বলছেন না, কেবল ফেলুদাকে একবার জিজ্ঞেস করেছেন তার মাথার চুল সব পেকে গিয়েছে কি না। তাতে আমরা দুজনেই তাকে আশ্বাস দিয়েছি যে নতুন করে একটি চুলও পাকেনি।

মগনলালের হাবভাবে স্পষ্টই বোঝা গিয়েছিল যে ফেলুদা তদন্ত চালাতে গেলেই সে খতম হয়ে যাবে—হয় ছুরিতে, না হয় গুলিতে। অবিশ্যি শেষ পর্যন্ত ফেলুদা একটা কনসেশন আদায় করে নিয়েছে ; সে আরও একটিবার ঘোষালবাড়িতে যাবে, কারণ হঠাৎ ডুব মেরে গেলে সেটা তার সম্মানের পক্ষে অত্যন্ত হানিকর হবে। যাওয়ার ব্যাপারে দেরি করে লাভ নেই, কাজেই সেটা আজই বিকেলে সেরে ফেলতে হবে। মগনলাল আমাদের বিদায় দেবার আগে স্পষ্ট কথায় শাসিয়ে দিয়েছে—'আপনি জেনে রাখবেন মিস্টার মিত্তির যে, আপনি বাড়াবাড়ি যা করবেন তা অ্যাট ইওর ওন রিসক। আর আপনার উপর নজর রাখার বেওস্থা আমার আছে সেটাও আপনি জানবেন।'

এটা বলতে খারাপ লাগছে যে এখন পর্যন্ত মগনলালই ফেলুদার উপর টেক্কা মেরে আছে। এটা আমি জানি যে যতই ডাকসাইটে প্রতিদ্বন্দ্বী হোক না কেন, শেষ পর্যন্ত প্রতিবারই ফেলুদার জয় হয়েছে। কিন্তু এটাও ঠিক যে মগনলাল মেঘরাজের মতো সাংঘাতিক প্রতিদ্বন্দ্বীর সামনে এর আগে ফেলুদাকে কখনও পড়তে হয়নি।

বেশ কিছুক্ষণ চুপ করে গঙ্গার দিকে চেয়ে থেকে ফেলুদা দীর্ঘশ্বাস ফেলে বলল, 'গণেশটা ঘোষালবাড়িতে রয়ে গেছে রে—তাতে কোনও সন্দেহ নেই। নইলে লোকটা আমাকে তদন্ত বন্ধ করার জন্য এতগুলো টাকা অফার করে না। কিন্তু কথা হচ্ছে—সেটা কোথায় ? সেটা কেন এখনও পর্যন্ত মগনলালের নাগালের বাইরে ? কখন কীভাবে সেটা সে হাত করার কথা ভাবছে ? আর সব শেষে আরও দুটো প্রশ্ন—কে সেটা সিন্দুক থেকে সরাল, এবং ও বাড়ির কার সঙ্গে মগনলালের যোগসাজশ রয়েছে ?'

ফেলুদা পকেট থেকে তার খাতাটা বার করে মিনিট পাঁচেক উলটে-পালটে দেখল। বুঝতে পারছি ইতিমধ্যে সেটাতে বেশ কিছু নতুন জিনিস লেখা হয়েছে, কিন্তু সেটা যে কী তা এখনও জানি না। লালমোহনবাবুকে লক্ষ করছি মাঝে মাঝে শিউরে উঠছেন, আর নিজের শরীরের এখানে ওখানে হাত বুলিয়ে দেখছেন। তিনি যে অক্ষত আছেন সেটা বোধহয় এখনও ওঁর বিশ্বাস হচ্ছে না।

আমরা যখন ঘাট থেকে উঠলাম তখনও আকাশ ছাই রঙের মেঘের টুকরোতে ছেয়ে আছে। আকাশটা দেখতে গিয়েই লাল-সাদা পেটকাটি ঘুড়িটার দিকে চোখ গেল। ফেলুদাও দেখেছে, কারণ ওর সিঁড়ি-ওঠা থেমে গেল।

ঘুড়িটা উড়ছে যে বাড়িটার মাথার উপর সেটা আমাদের চেনা বাড়ি। এটা সেই লালবাড়ি—যার ছাতে শয়তান সিংকে ক্যাপ্টেন স্পার্কের কাছে আত্মসমর্পণ করতে হয়েছিল। বাড়ির ছাতে কে ? শয়তান সিং না ? হ্যাঁ—কোনও সন্দেহ নেই। এ হল রুকুর বন্ধু সূরয। সে এক দৃষ্টিতে আকাশের ঘুড়িটার দিকে চেয়ে রয়েছে।

এবার ঘুড়িটা গোঁৎ খেয়ে সুতোর টানে নীচের দিকে নেমে এল। সূরযের ডান হাতটা একটা ঝটকা দিয়ে উপর দিকে উঠল। তার ফলে একটা ঢিল শূন্যে উঠে ঘুড়িটার পিছন দিকে চলে গেল।

এবার বুঝলাম ঢিলটা একটা সুতোর সঙ্গে বাঁধা, আর সুতোটা ধরা সূরযের হাতে।

সেই সুতো ধরে সূরয টান দিচ্ছে, আর তার ফলে বন্দি ঘুড়িটা তার হাতে চলে আসছে।

গোধুলিয়ার মোড়ে একটা দোকানে বসে চা খেয়ে আমরা যখন শংকরী নিবাসে পৌঁছলাম

তখন প্রায় চারটে বাজে। ত্রিলোচন পাণ্ডে সেলাম ঠুকে ফটক খুলে দিল। আমরা গাড়িবারান্দায় পৌঁছানোর আগেই সকালেরই মতো বিকাশবাবু বাইরে বেরিয়ে এসে আমাদের অভ্যর্থনা করলেন।

'কী খবর ? এনি প্রোগ্রেস ?'

'উঁহু' ফেলুদা বলল। 'শহর দেখে বেড়ালাম সারা দিন।'

'ওঁরা তো সব বেরিয়েছেন।'

উমানাথবাবুর গাড়িটা দেখছিলাম না। তা ছাড়া বাড়িটা দেখেও কেমন জানি খালি খালি মনে হচ্ছিল।

'কোথায় গেছেন ?' ফেলুদা জিজ্ঞেস করল।

'সারনাথ। আজও কিছু আত্মীয়স্বজন এসেছেন বাইরে থেকে। দুপুরে খাওয়া-দাওয়া সেরে দুটো গাড়ি বোঝাই করে বেরিয়েছেন সব, ফিরতে সন্ধে হবে।'

'রুকুও গেছে ?'

'না। রুকুর সারনাথ দেখা হয়ে গেছে। ও গেছে টারজান দেখতে ওর এক মামার সঙ্গে।'

আসবার সময় রাস্তার দেওয়ালে বিজ্ঞাপন দেখেছি বটে। সেই আদ্যিকালের ছবি—আমার জন্মের আগে, ফেলুদার জন্মের আগে, এমন কী লালমোহনবাবুর জন্মের আগে—টারজন দি এপ ম্যান।

'আমার ঘরে এসে বসবেন একটু ?' বিকাশবাবু প্রশ্ন করলেন।

ফেলুদা বলল, 'আগে একবার ছাদে যাব—যদি সম্ভব হয়।'

'হ্যাঁ, হ্যাঁ—আপনার জন্য এ বাড়ির সব দরজা খোলা।'

সামনের দরজা দিয়ে ঢুকেই চণ্ডীপাঠের আওয়াজ পেলাম। সেটা পুজোমণ্ডপ থেকে আসছে জানি, কিন্তু এত জোরে আওয়াজ তো কাল পাইনি। ডান দিকে চাইতেই ব্যাপারটা পরিষ্কার হয়ে গেল। সিঁড়ির পিছনের দরজাটা আজ খোলা, আর সেটা দিয়ে দিব্যি পুজোর জায়গাটা দেখা যাচ্ছে। আমরা চারজনেই দরজাটার দিকে এগিয়ে গেলাম। দূর থেকেই দেখা যাচ্ছে শশীবাবু এক মনে তুলি চালিয়ে যাচ্ছেন।

'কালই তো শশীবাবুর কাজ শেষ', বলল ফেলুদা।

'হ্যাঁ' বললেন বিকাশবাবু, 'ভদ্রলোকের জ্বর এখনও সম্পূর্ণ সারেনি, তাও একনাগাড়ে তুলি চালিয়ে যাচ্ছেন।'

ছাদ দেখা মানে যে আসলে রুকুর ঘর দেখা সেটা আগেই আন্দাজ করেছিলাম। সেদিন সকালে এ ঘরে রোদ ছিল না, আজ পশ্চিমের জানালা দিয়ে ঝলমলে রোদ এসে চারিদিকের ছড়ানো জিনিসের উপর পড়েছে।

আমি ভেবেছিলাম আজ যখন রুকু নেই তখন ফেলুদা হয়তো তন্ন তন্ন করে অনুসন্ধান চালাবে, কিন্তু তার পরেই মনে হল মগনলালের হুমকির কথা। বেশিক্ষণ শংকরী নিবাসে থাকাটাই ফেলুদার পক্ষে বিপজ্জনক। তা ছাড়া বেশি অনুসন্ধানের দরকার হল না, কারণ ফেলুদা যেটা খুঁজছিল সেটা ঘরে ঢুকেই পেয়ে গেল।

আজই বিকেলে সূরযের ফাঁসে বন্দি হতে দেখেছি এই লাল-সাদা পেটকাটিটাকে। মেঝের উপর লাটাই-চাপা অবস্থায় পড়ে আছে ঘুড়িটা ; সেটার উপর যে উৎপাত হয়েছে সেটা দেখলেই বোঝা যায় ; কাল আর এ ঘুড়ি আকাশে উড়বে না।

ফেলুদা লাটাইটা তুলতেই একটা জিনিস চোখে পড়ল।

ঘুড়ির সাদা অংশটাতে নীল পেনসিল দিয়ে হিন্দি অক্ষরে কী যেন লেখা রয়েছে। দুটো

জায়গায় আলাদা করে লেখা।

কাছ থেকে পড়ে বুঝতে পারলাম ভাষাটা বাংলা। বোধহয় সূরয বাংলা পড়তে পারে না বলেই রুকুকে এটা করতে হয়েছে।

একটা লেখা হল এই—

'আমি বন্দি। সব ঠিক আছে হা হা। আবার বিকেলে। ইতি ক্যাপ্টেন স্পার্ক।'

অন্যটা হল—

'টারজন দেখতে যাচ্ছি। আবার কাল সকালে। ইতি ক্যাপ্টেন স্পার্ক।'

'বাপ্‌রে বাপ!' বলে উঠলেন লালমোহনবাবু। 'কোন জগতে বাস করে মশাই এ ছেলে?'

ফেলুদা ঘুড়িটাকে আবার ঠিক যেইভাবে ছিল সেইভাবে রেখে বলল, 'রহস্য রোমাঞ্চ সিরিজের জগৎ। শিশুমনের উপর আপনাদের বইয়ের কী প্রভাব তার স্পষ্ট নিদর্শন এটা।'

আমরা রুকুর ঘর থেকে নীচে ফিরে এলাম। বিকাশবাবু চায়ের কথা আগেই বলে দিয়েছিলেন, তার ঘরে গিয়ে বসতেই ভরদ্বাজ ট্রে নিয়ে ঢুকল।

ঘরটা বেশ বড়। একদিকে খাট, অন্যদিকে একটা কাজের টেবিলের সামনে একটা চেয়ার। এ ছাড়াও বসবার জন্য একটা সোফা রয়েছে। ফেলুদা টেবিলের সামনের চেয়ারটায় বসল, আমরা দুজন সোফাতে, আর বিকাশবাবু খাটে। পাশের বৈঠকখানার ঘড়িতে মোলায়েম সুরে ঢং ঢং করে চারটে বাজল; শুনলেই বোঝা যায় জাত ঘড়ি।

মিস্টার ঘোষালের কেমিক্যালের ব্যবসা কীরকম চলে?' ফেলুদা প্রশ্ন করল।

'ভালই তো।' বিকাশবাবু যদি প্রশ্নটা শুনে অবাক হয়ে থাকেন তো সেটা তার কথায় কিচ্ছু বোঝা গেল না—'অবিশ্যি মাঝে-মধ্যে যে স্ট্রাইক ইত্যাদি হয় না তা নয়। তা সে কোন ব্যবসায় হয় না বলুন!'

'হুঁ'...

ফেলুদা হঠাৎ হাতের কাপটা রেখে উঠে পড়ে বলল, 'একবার বৈঠকখানাটা দেখতে পারি?'

'নিশ্চয়ই।'

আমরা চারজনই চা খাওয়া বন্ধ রেখে বৈঠকখানায় গিয়ে হাজির হলাম। বিকাশবাবুর ঘর থেকে বৈঠকখানায় যাবার কোনও দরজা নেই; যেতে হলে আগে একটা বারান্দা পড়ে।

'সেদিন মগনলাল আর উমানাথবাবু কোথায় বসেছিলেন সেটা জানতে পারি?'

বিকাশবাবু দুটো মুখোমুখি সোফা দেখিয়ে দিলেন।

'ওদিকে কি ঘর? না আরেকটা বারান্দা?'

আমরা যে বারান্দা দিয়ে ঢুকলাম সেটা পুব দিকে; ফেলুদা দক্ষিণ দিকের দুটো পর্দা দেওয়া দরজার দিকে দেখিয়ে প্রশ্নটা করল।

'ওদিকে দুটো দরজার পিছনে দুটো ঘর। একটা বড় কর্তার আপিস ঘর ছিল, অন্যটায় মক্কেলরা অপেক্ষা করত!'

আমরা দুটো ঘরের ভিতরেই ঢুকে মিনিটখানেক করে থেকে আবার বিকাশবাবুর ঘরে ফিরে এলাম। এবার ফেলুদা জিজ্ঞেস করল, 'গণেশটা কি কলকাতায় থাকত, না এখানে?'

'এখানে', বিকাশবাবু বললেন, 'ওটা যাওয়াতে মিস্টার ঘোষালের যত না কষ্ট হয়েছে, তার চেয়ে ঢের বেশি কষ্ট হয়েছে ওঁর বাবার। ওঁর মন ভাল করার জন্যই মিস্টার ঘোষাল এতটা ইয়ে হয়ে পড়েছেন।'

ফেলুদা ইতিমধ্যে বিকাশবাবুর টেবিলের উপর থেকে ট্রানজিস্টারটা হাতে তুলে নিয়েছে।

মাঝারি সাইজের মার্ফি রেডিয়ো, চামড়ার খোলস দিয়ে ঢাকা। ফেলুদা নবটা ধরে ঘোরাতে সুইচের কোনও আওয়াজ হল না। তারপর সেটা উলটো দিকে ঘোরাতে খট্ করে একটা শব্দ হওয়ার সঙ্গে সঙ্গে ফেলুদার ভুরু কুঁচকে গেল।

'একী, আপনার রেডিয়ো তো খোলা ছিল।'

'তাই—তাই বুঝি?'

বিকাশবাবুর চেহারাটা যে ঠিক কী রকম হল সেটা আমার পক্ষে লিখে বোঝানো ভীষণ শক্ত। শুধু এটা পরিষ্কার মনে আছে যে বিকাশবাবু খাটের ডাণ্ডাটায় হেলান দিতে যাচ্ছিলেন, ঠিক সেই সময় সুইচের আওয়াজটা হওয়া মাত্র পিঠ সোজা হয়ে গিয়ে হেলান দেওয়া বন্ধ হয়ে গেল।

এদিকে ফেলুদা রেডিয়োর পিছনে ব্যাটারির খোপের দরজাটা খুলে ফেলেছে। আড়চোখে দেখলাম বিকাশবাবু একটা ঢোক গিললেন। তিনটে ব্যাটারি রেডিয়োটার ভিতর থেকে বেরিয়ে এল।

'আপনার ব্যাটারি তো লিক করেছে', ফেলুদা বলল, 'বেশ কিছুদিন হল এর আয়ু ফুরিয়েছে বলে মনে হচ্ছে।'

বিকাশবাবু চুপ।

'রেডিয়ো আপনি শোনেন নিশ্চয়ই, কিন্তু গত বেশ কদিন আর শোনা হয়নি। কেন বলুন তো?'

কোনও উত্তর নেই।

'আপনি যদি কিছু না বলেন, তা হলে আমাকেই বলতে দিন।' ফেলুদার গলায় আমার খুব চেনা একটা ধারালো সুর শুনতে পাচ্ছি।—'সেদিন মগনলালের কথা শোনার লোভ আপনি সামলাতে পারেননি, তাই না? রেডিয়ো কমিয়ে দিয়ে আপনি নিঃশব্দে চলে গিয়েছিলেন ওই দক্ষিণের বারান্দায়। দরজার পাশে আড়ালে দাঁড়িয়ে আপনি বৈঠকখানায় কথাবার্তা শুনেছিলেন। আপনি জানতেন মগনলাল মিস্টার ঘোষালকে শাসিয়ে গেছেন। আপনি জানতেন মগনলাল মিস্টার ঘোষালকে ত্রিশ হাজার টাকা অফার করেছেন গণেশটার জন্য। তাই নয় কি?'

বিকাশবাবুর মাথা হেঁট হয়ে গেছে। সেই অবস্থাতেই তিনি মাথা নেড়ে 'হ্যাঁ' বললেন।

'এবার আরেকটা প্রশ্নের ঠিক-ঠিক জবাব দিন তো'—ফেলুদা ব্যাটারিগুলো টেবিলের নীচে ওয়েস্ট পেপার বাস্কেটে ফেলে দিয়ে উঠে দাঁড়াল। 'যেদিন অম্বিকাবাবুর ঘরের সিন্দুক থেকে গণেশ চুরি যায়—অর্থাৎ পনেরোই অক্টোবর—সেদিন আপনি সন্ধ্যা সাড়ে সাতটা থেকে সাড়ে আটটা পর্যন্ত কী করছিলেন? আপনি রেডিয়ো শোনেননি, কারণ রেডিয়ো তার পাঁচ দিন আগেই—'

'বলছি, বলছি—আমাকে বলতে দিন!'—বিকাশবাবু যেন মরিয়া হয়ে বলে উঠলেন। ফেলুদা কথা বন্ধ করে বিকাশবাবুর দিকে চেয়ে দাঁড়িয়ে রইল। বিকাশবাবু দম নিয়ে যেন বেশ কষ্টে তাঁর কথাগুলো বলতে শুরু করলেন—

'সেদিন মগনলালের হুমকি শোনার পর থেকেই আমার মনে ভীষণ একটা উৎকণ্ঠার ভাব ছিল। রোজই মনে হচ্ছিল একবার সিন্দুক খুলে দেখি গণেশটা আছে কি না। কিন্তু সে সুযোগ প্রথম এল যেদিন মিস্টার ঘোষাল মছলিবাবাকে দেখতে গেলেন। উনি যাবার দশ মিনিটের মধ্যেই আমি অম্বিকাবাবুর ঘরে যাই। দেরাজ থেকে চাবি বার করি, করে সিন্দুক খুলি।'

'তারপর?'

ফেলুদাকে প্রশ্নটা করতেই হল, কারণ বিকাশবাবুর কথা থেমে গিয়েছিল।

'সিন্দুক খুলে কী দেখলেন আপনি?' ফেলুদা আবার প্রশ্ন করল।

বিকাশবাবু ফ্যাকাসে মুখ করে ফেলুদার দিকে তাকিয়ে বললেন, 'দেখলাম—গণেশ নেই।'

'গণেশ নেই?' অবিশ্বাসে ফেলুদার ভুরু ভীষণভাবে কুঁচকে গেছে।

বিকাশবাবু বললেন, 'আমি জানি আপনি আমার কথা বিশ্বাস করবেন না কিন্তু আমি শপথ করে বলছি যে সেদিন আমি সিন্দুক খোলার আগেই গণেশ চুরি হয়ে গিয়েছিল। আমি যে কেন এ কথাটা এতদিন আপনাকে বলিনি সেটার কারণ আপনি নিশ্চয়ই বুঝতে পারছেন মিস্টার মিত্তির। সত্যি বলতে কী, আমি যে কী অদ্ভুত মানসিক অবস্থার মধ্যে রয়েছি সেটা আপনাকে বলে বোঝাতে পারব না।'

ফেলুদা আবার চায়ের কাপটা তুলে নিয়েছে।

'ও সিন্দুকটা কি এমনিতে প্রায়ই খোলা হয়?' ফেলুদা প্রশ্ন করল।

'একেবারেই হয় না। আমি যতদূর জানি, এবার উমানাথবাবু আসার পরের দিনই একবার খোলা হয়েছিল—কিছু পুরনো দলিল নিয়ে বাপ আর ছেলের মধ্যে আলোচনা ছিল। এ ছাড়া খুব সম্ভবত আর একদিনও খোলা হয়নি।'

ফেলুদা চুপ করে বসে আছে। বিকাশবাবুর অবস্থা খুবই শোচনীয় বলে মনে হচ্ছে। প্রায় দু মিনিট এইভাবে থাকার পর ভদ্রলোক আর না পেরে বললেন, 'আপনি কি আমার কথা বিশ্বাস করলেন না মিস্টার মিত্তির?'

ফেলুদার গলার স্বর এবার রীতিমতো রুক্ষ।

'আই অ্যাম সরি মিস্টার সিংহ—কিন্তু যারা প্রথমবারেই সত্যি কথাটা বলেন না, তাঁদের উপর থেকে সন্দেহটা সহজে মুছে ফেলা যায় না।'

৮

পরদিন সকালে উঠে দেখি আকাশ মেঘে ছেয়ে আছে। টিপ টিপ করে বৃষ্টিও পড়ছে, আর রাস্তার অবস্থা দেখলে বোঝা যায় যে সারারাত এই ভাবেই বৃষ্টি পড়েছে। আমি সাড়ে ছটায় উঠেছি। লালমোহনবাবু তখনও বিছানায় শুয়ে গড়িমসি করছেন। চার নম্বর খাট খালি, কারণ সেই মেডিক্যাল রিপ্রেজেনটেটিভ কালকেই চলে গেছেন। ফেলুদা যে কখন উঠেছে জানি না। প্রথমে ভেবেছিলাম যে ও বেরিয়ে গেছে, তারপর বারান্দায় বেরিয়ে দেখি ও এক কোণে রেলিং-এর উপর পা তুলে চেয়ারে বসে নোটবুকের পাতা ওলটাচ্ছে। পায়ের পাতাটা যে বৃষ্টিতে ভিজছে সেদিকে ওর খেয়ালই নেই। ওর পাশে তেপায়া টেবিলের উপর একটা খালি চায়ের কাপ, চারমিনারের খোলা প্যাকেট, আর একটা ছোট্ট পাথরের বাটি—যেটাকে ও অ্যাশ-ট্রে হিসেবে ব্যবহার করছে। বৃষ্টির দিনেও যে ঘাটে যাবার লোকের অভাব হয় না সেটা রাস্তার দিকে চাইলেই বোঝা যায়। আর শব্দেরও কোনও কমতি নেই। অবিশ্যি এটা আমি জানি যে এ ধরনের গোলমালে ফেলুদার চিন্তার কোনও ব্যাঘাত হয় না। একবার ওকে জিজ্ঞেস করাতে ও বলেছিল, 'চিন্তা যদি গভীর হয় তা হলে আশেপাশের গোলমাল তার তলা অবধি পৌঁছতে পারে না। কাজেই, তুই যেটাকে ডিসটার্বেন্স ভাবছিস, সেটা আমার কাছে আসলে ডিসটার্বেন্স নয়।'

লালমোহনবাবু পৌনে সাতটায় বিছানা ছেড়ে উঠে বললেন, 'স্বপ্ন দেখলুম আমার সর্বাঙ্গে ছোরা বিঁধে রয়েছে, আর আমি সেইভাবেই রহস্য-রোমাঞ্চ সিরিজের আপিসে লেখার প্রুফ

আনতে গিয়েছি, আর পাবলিশার হেমবাবু বলছেন—আপনার ছদ্মনামটা চেঞ্জ করে জটায়ু থেকে শজারু করে দিন—দেখবেন বইয়ের কাটতি বেড়ে গেছে।'

আমরা দুজনে যখন মুখটুখ ধুয়ে চা খাচ্ছি, তখন ফেলুদা বারান্দা থেকে ঘরে এসে বলল, 'লালমোহনবাবু, আপনার কোনও বইয়েতে ঘুড়ির সাহায্যে মেসেজ পাঠানোর কোনও ঘটনা আছে ?'

লালমোহনবাবু আক্ষেপের সঙ্গে মাথা নেড়ে বললেন, 'না মশাই, থাকলে তো খুশিই হতুম। ওটা যদ্দূর মনে পড়ে নিশাচরের একটা বই থেকে নেওয়া। বোধহয় "মানুষের রক্তমাংস" !'

'নিশাচর কে ?'

'ওটা ক্ষিতীশ চাকলাদারের ছদ্মনাম। রহস্য-রোমাঞ্চ সিরিজেরই আরেকজন লেখক। বলছি না—আপনাদের রুকুবাবাজী ওই সিরিজ একেবারে গুলে খেয়েছে।'

'আপশোস হচ্ছে !' ফেলুদা খাটে বসে বলল—'এতটা তুচ্ছ-তাচ্ছিল্য করা উচিত ছিল না আপনাদের ওই সিরিজটাকে। ইয়ে—এক থেকে দশের মধ্যে একটা নম্বর বলুন তো।'

'সাত।'

'হুঁ...। শতকরা সত্তর ভাগ লোক ওই নম্বরটা বলবে।'

'তাই বুঝি ?'

'আর এক থেকে পাঁচের মধ্যে জিজ্ঞেস করলে বলবে তিন, আর ফুল জিজ্ঞেস করলে গোলাপ।'

সাড়ে আটটার সময় হোটেলের চাকর হরকিষণ এসে খবর দিল ফেলুদার ফোন এসেছে। শুনে বেশ অবাক হলাম। কে ফোন করছে এই সকালবেলা ? একবার ভাবলাম ফেলুদার সঙ্গে যাই নীচে, কিন্তু এক দিকের কথা শুনে বিশেষ কিছু বোঝা যাবে না বলে ধৈর্য ধরেই বসে রইলাম। পাঁচ মিনিটের মধ্যে ফেলুদা ফিরে এসে বলল, 'তেওয়ারি ফোন করেছিল। প্রয়াগ বা হরিদ্বারে গত কয়েক মাসের মধ্যে কোনও নামকরা নতুন বাবাজীর আবির্ভাব ঘটেনি। নো মছলিবাবা, নাথিং।'

'বোঝো ! ইনি তা হলে ফোর-টুয়েন্টি ?' বললেন লালমোহনবাবু।

'সেরকম তো অনেক বাবাজীই, লালমোহনবাবু ; কাজেই তার জন্যে এঁকে আলাদা করে ভর্ৎসনা করার কিছু নেই। এই প্রতারণার পিছনে আর কোনও গূঢ় সিনস্টার অভিসন্ধি লুকিয়ে আছে কি না সেইটেই হচ্ছে প্রশ্ন।'

'আপনি কি জোড়া-তদন্তে জড়িয়ে পড়ছেন নাকি মশাই ?'

'জোড়া কথাটার দুটো মানে হয় জানেন তো ? জোড়া মানে ডবল আবার জোড়া মানে যুক্ত। এক্ষেত্রে জোড়া মানে যে কী সেটা এখনও ঠিক জানি না।'

'তেওয়ারি আর কিছু বললেন না ?'—আমি জিজ্ঞেস না করে পারলাম না। ফেলুদা প্রায় চার মিনিটের মতো টেলিফোনে কথা বলেছে, কিন্তু আমাদের এসে যেটা বলল তাতে এক মিনিটের বেশি লাগার কথা না।

ফেলুদা চিত হয়ে বিছানায় শুয়ে পড়ে বলল, 'রায়বেরিলির জেল থেকে হপ্তা তিনেক আগে এক জালিয়াত পালিয়েছে। এখনও নিখোঁজ। চেহারার বর্ণনা মছলিবাবার সঙ্গে খানিকটা মেলে, যদিও দাড়ি-গোঁফ নেই, আর এতটা কালো না।'

'তা সে তো মশাই মেক-আপের ব্যাপার', বললেন লালমোহনবাবু, 'একবার দিনের বেলা কাছ থেকে ভাল করে দেখে এলে হয় না ? ঘাটে গিয়ে বসে থাকলেও তো হয়। বাবা ঘাটে যান নিশ্চয়ই।'

'সে গুড়ে বালি। শুধু সন্ধেয় দর্শন দেন, বাকি সময়টা দরজা বন্ধ করে নিজের ঘরে বসে থাকেন। সেখানে অভয় চক্কোত্তি ছাড়া আর কারও প্রবেশ নেই। খাওয়া-দাওয়া সব ওই একই ঘরে—আর নাওয়াটা মাইনাস।'

আমরা দুজনেই অবাক। বাবাজী স্নান করেন না?

'এ-সব তেওয়ারি বললেন?'—লালমোহনবাবু প্রশ্ন করলেন।

'এত কথা হল তোমার সঙ্গে?'—আমি জুড়ে দিলাম।

ফেলুদা আমার দিকে চেয়ে ধীরে ধীরে তিনবার মাথা নেড়ে বলল, 'পর্যবেক্ষণ-পরীক্ষায় ফেল। তুই বারান্দায় গেলি আর লক্ষ করলি না যে আমার ভিজে পাঞ্জাবি আর পায়জামা দড়িতে ঝুলছে? ঘরে বসে কাপড় ভেজে শুনেছিস কখনও?'

আমি চুন মুখে চুপ মেরে গেলাম।

ফেলুদা এবার যা বলল তা এই—ও চারটেয় উঠে সাড়ে চারটের আগে কেদারঘাটে পৌঁছে অভয় চক্রবর্তীর জন্য অপেক্ষা করে শেষটায় তার দেখা পেয়ে তার সঙ্গে আলাপ করে।—'একেবারে মাটির মানুষ। না, মাটি ভুল হল; মোমের মানুষ। গলেই আছেন। আমাকেও গলার অভিনয় করতে হল। বুড়োমানুষের সঙ্গে ছল করতে ভাল লাগছিল না, কিন্তু এ-সব ব্যাপারে গোয়েন্দার কিছুটা নির্মম না হলে চলে না। ওঁর কাছেই বাবাজীর হ্যাবিটস জানলাম। স্নান করেন না শুনে বোধহয় অজান্তে আমার নাকটা সিঁটকে গেসল, তাতে বললেন—"মনে যখন ময়লা নেই, তখন দশটা দিন গায়ে জল না ছোঁয়ালে ক্ষতি কী বাবা? জলেরই তো মানুষ, জল থেকেই তো উঠেছেন, আবার জলেই তো ফিরে যাবেন।"—গায়ে আঁশটে গন্ধ কি না সেটা আর জিজ্ঞেস করলাম না। একটি চেলা নাকি রোজ সকালে আসে একবার করে—মাছের আঁশ দিয়ে যায়, যেগুলো সন্ধেবেলা বিলি হয়। অভয়বাবু ঘাট থেকে চলে যাবার পরও আমি কিছুক্ষণ ছিলাম। এক পাণ্ডা ওখানে ছাতার তলায় বসে, নাম লোকনাথ। সেদিনের ঘটনাটা দেখেছিল, যদিও গোড়ার দিকটা মিস করেছে। সে যখন এসেছে তখন বাবাজীর জ্ঞান হয়েছে। পাণ্ডাকে দেখে তার নাম ধরে ডেকে অনেক কিছু বলেছে। বাবাজী যদি ফোর-টুয়েন্টি হয়েও থাকেন, ওঁর যে একটি তুখোড় ম্যানেজার রয়েছে সে বিষয়ে কোনও সন্দেহ নেই।'

'তিনি অভয় চক্কোত্তি নন?'

লালমোহনবাবু জিজ্ঞেস করলেন।

'না। অভয় চক্কোত্তি মশাই নিখাদ সজ্জন ব্যক্তি। ওঁর মনে সংশয় ঢোকানোর চেষ্টা করেছিলাম। বললাম—প্রয়াগ থেকে সাঁতরে কাশী আসাটা প্রায় অবিশ্বাস্য নয় কি?—তাতে বললেন, "সাধনায় কী না হয় বাবা।"—এদের বিশ্বাসের জোরেই তো এই যান্ত্রিক যুগেও কাশী আজও কাশী। দেখবে চাঁদের মাটির নীচে মানুষের বসবাসের ব্যবস্থা হয়ে গেলেও কাশী কাশীই থেকে যাবে।'

সাড়ে চারটে নাগাত বৃষ্টি থেমে আকাশ পরিষ্কার হয়ে গেল। পাঁচটার সময় আমরা তিনজন হোটেল থেকে বেরিয়ে পড়লাম। আজকে ফেলুদা পুরোপুরি টুরিস্ট, কারণ তার কাঁধে ক্যামেরা ঝুলছে। এই দুদিন ওটা ওর সুটকেসেই বন্ধ ছিল। ফেলুদা আর লালমোহনবাবু দুজনেরই ইচ্ছে আজ কচৌরি গলিতে হনুমান হালুইকরের দোকানে গিয়ে রাবড়ি খাবে। আমারও যে ইচ্ছে সেটা বোধহয় না বললেও চলবে।

বিশ্বনাথের পাশেই কচৌরি গলি। এত বছর পরেও তার চেনা দোকানটা খুঁজে বার করতে ফেলুদার কোনও অসুবিধা হল না। দোকানের সামনে বেঞ্চি পাতা রয়েছে, তাতে

বসে মাটির ভাঁড় থেকে রাবড়ি খেতে খেতে লালমোহনবাবু সবে বলেছেন 'রাবড়ির আবিষ্কারটা টেলিফোন-টেলিগ্রাফ আবিষ্কারের চেয়ে কীসে কম মশাই'—এমন সময় কালকের সেই লোকটাকে দেখলাম বিশ-ত্রিশ হাত দূরে একটা দোকানের পাশে আমাদের দিকে পিঠ করে দাঁড়িয়ে আরেকজন লোকের সঙ্গে কথা বলছে। মগনলালের ব্যাপারটা মাঝে মাঝে মন থেকে মুছে ফেলার চেষ্টা করি, ফেলুদা ওর কথা না মেনে একটা বেচাল চাললে কী সাংঘাতিক ব্যাপার হতে পারে সেটাও না-ভাবার চেষ্টা করি, কিন্তু ওই ঝোলা গোঁফওয়ালা লোকটা আবার সব মনে করিয়ে দিচ্ছে। যাই হোক, রাবড়িটা এত বেশি ভাল যে মগনলালের চেহারাটা মনে পড়া সত্ত্বেও মুখের স্বাদ নষ্ট হল না।

ফেলুদার যা মনের অবস্থা তাতে ও যে খুব বেশিক্ষণ এই ঘিঞ্জি গলিতে থাকতে পারবে না সেটা আমি আগেই জানতাম। কচৌরি গলি থেকে বেরিয়ে মদনপুরা রোড ধরে গোধুলিয়ার মোড় ছাড়িয়ে আমরা বাঙালি-টোলার দিকে হাঁটতে আরম্ভ করলাম। দু দিন ঘুরেই এদিকের রাস্তাগুলো বেশ চেনা হয়ে গেছে। ধীরে ধীরে হাঁটছি, ফেলুদা এদিক ওদিক দেখছে, দু-একবার ক্যামেরার শাটারের শব্দও পেয়েছি। আমি মাঝে মাঝে পিছন ফিরে দেখছি সেই লোকটা এখনও আমাদের ফলো করছে কি না ; কিন্তু বড় রাস্তায় পড়ে অবধি তার আর কোনও পাত্তা পাইনি। শেষটায় ফেলুদাকে বাধ্য হয়েই বলতে হয়, 'তোর কি ধারণা মগনলাল আমাদের উপর নজর রাখার জন্য মাত্র একটি লোক অ্যাপয়েন্ট করেছে ?'

এর পর আমি আর পিছনে তাকাইনি।

ওই যে সেই অ্যালুমিনিয়ামের বাসনের দোকান। ওর পরের বাঁ দিকের মোড়টা নিতে হয় অভয় চক্রবর্তীর বাড়ি যাবার জন্য।

'মিস্টার মিত্তির ! প্রদোষবাবু !'

পিছন থেকে ডাক। তিনজনেই থামলাম। গলাটা অচেনা। দুটি ভদ্রলোক, বয়েস বেশি না—একজনের চোখে চশমা, মুখে হাসি। ইনিই বোধহয় ডেকেছিলেন।

'আপনার হোটেলে গিয়েছিলাম খোঁজ করতে', ভদ্রলোক বললেন।

'কী ব্যাপার ?' ফেলুদা জিজ্ঞেস করল।

'আমরা বেঙ্গলি ক্লাবের তরফ থেকে আসছি। আমার নাম সঞ্জয় রায়—ইনি গোকুল চ্যাটার্জি। ইয়ে—আপনাকে কিন্তু আসতে হবে। মানে আপনাদের তিনজনকেই। আমাদের ক্লাবে থিয়েটার আছে—পরশু—সপ্তমীর দিন।'

'কাবুলিওয়ালা ?'

'আপনি জানেন ?' ভদ্রলোক দুজনই অবাক এবং খুশি।

'আপনারা মিস্টার ঘোষালকে নেমন্তন্ন করতে গেসলেন না ?'

'ওরে বাবা—আপনি দেখছি সবই জানেন, হেঃ হেঃ !'

'উনি তো জানবেনই', অন্য ভদ্রলোকটি সর্দি হওয়া গলায় হেসে বললেন। গোয়েন্দা হিসাবে ফেলুদার খ্যাতি বেঙ্গলি ক্লাবে পৌঁছে গেছে।

'আপনাদের কার্ডটা নিরঞ্জনবাবুর কাছে রেখে এসেছি। যাবেন কাইন্ডলি। আমরা সবাই কিন্তু এক্সপেক্ট করে থাকব।'

'বেশ তো, অন্য কোনও জরুরি ব্যাপারে জড়িয়ে না পড়লে নিশ্চয়ই যাব।'

'জড়িয়ে মানে আপনি কি এখানেও কোনও— ?'

সঞ্জয় রায় আর গোকুল চ্যাটার্জির মাথা একসঙ্গে সামনের দিকে ঝুঁকে এল। ফেলুদা এরকম অবস্থায় পড়লে একটা হাসি ব্যবহার করে যেটার তিনরকম মানে হয়—হ্যাঁ, না, আর হতেও পারে। এখানেও তাই করল। হাসির মানেটা না বুঝলে বোকা হতে হয়, তাই সঞ্জয়

রায় আর গোকুল চ্যাটার্জি দুজনেই "বুঝে ফেলেছি" ভাবের একটা হাসি হেসে আবার কাবুলিওয়ালা দেখতে যাবার অনুরোধ জানিয়ে চলে গেলেন।

রাস্তা আর দোকানের বাতি সব জ্বলে গিয়েছে, আকাশের রং রয়েল ব্লু থেকে পার্মানেন্ট ব্লু ব্ল্যাকের দিকে যাচ্ছে, কীর্তিরাম ছোটুরামের পানের দোকানে এই মাত্র ট্রানজিস্টার খোলাতে লতা মঙ্গেশকর সাইকেল রিকশার প্যাঁক-প্যাঁকানির সঙ্গে পাল্লা দিতে শুরু করেছে, এমন সময় ফেলুদা অ্যানাউন্স করল যে তার ভক্তিভাব জেগেছে, একবার মছলিবাবার দর্শন না পেলেই নয়।

টেলিফোটো লেন্সে থ্রি পয়েন্ট ফাইভে হাফ সেকেন্ড একসপোজার দিয়ে ফেলুদা ভক্তদের পিছনে দাঁড়িয়ে আমার কাঁধে ক্যামেরা রেখে 'স্ট্যাচু হয়ে থাক' বলে মছলিবাবার একটা ছবি তুলল। আজ ভক্তদের ভিড় সেদিনের চেয়েও বেশি—বোধহয় বাবাজী পাঁচ দিন পরে চলে যাচ্ছেন বলে। মগনলালকে দেখলাম না। হয়তো এখনও আসেননি—কিংবা রোজ আসেন না। আমরা মিনিট কয়েক থেকে আবার বেরিয়ে পড়লাম।

ডান দিকে মোড় নিয়ে একটা নতুন গলিতে এসে সামনে একটা কালো গোরুকে রাস্তা জুড়ে দাঁড়িয়ে থাকতে দেখে লালমোহনবাবু একটা ছোট্ট কাশি কেশে থেমে গেলেন।

'কী হল ?' ফেলুদা প্রশ্ন করল।

'ওটার হাইট কত হবে বলুন তো !'

'কেন ?'

'এথিনিয়াম ইনস্টিটিউশনে হাইজাম্পের রেকর্ড ছিল মশাই আমার। তারপর একবার ডেঙ্গু হয়ে বাঁ হাঁটুটা...'

'আসুন আমার সঙ্গে।'

ফেলুদা এগিয়ে গিয়ে গোরুটার পাঁজরায় দু-তিনটে আলতো চাপড় দিতেই সেটা খুট খাট শব্দ করে একপাশে সরে গেল, আর আমরাও তিনজনে দিব্যি পাশ কাটিয়ে বেরিয়ে গেলাম।

'কোথায় যাচ্ছি মশাই আমরা ?'—আরও মিনিট পাঁচেক অলিগলিতে হাঁটার পর লালমোহনবাবু প্রশ্নটা করলেন।

'জানি না।'

আমি আর লালমোহনবাবু পরস্পরের দিকে চাইলাম। সব সময় যে চাইলেই এ-ওর মুখ দেখতে পাচ্ছি তা নয়, কিন্তু ঠিক এই সময়টাতে একটা রাস্তার আলো মাথার উপর এসে পড়ায় লালমোহনবাবুর ভ্যাবাচ্যাকা ভাবটা বুঝতে অসুবিধা হল না।

'উদ্দেশ্যহীন ভাবে হাঁটলেও অনেক সময় মাথা খোলে', বলল ফেলুদা, 'এখানে মাথা খোলাটাই উদ্দেশ্য।'

'খুলছে কী ?'

একটা ইঁদুর যদি মানুষ হয়ে যেত তা হলে বোধহয় লালমোহনবাবুর প্রশ্নটা এই ভাবেই করত। ফেলুদা কী উত্তর দিত জানি না, কারণ ঠিক এই সময়ে একটা ঘটনা ঘটাতে আমাদের মনটা অন্য দিকে চলে গেল।

এতক্ষণ এ-মোড় ও-মোড় ঘুরে আমরা যে গলিটায় পৌঁছেছিলাম সেটা একটু বিশেষ রকম নির্জন। কিছুক্ষণ আগে পর্যন্ত আশেপাশের বাড়িগুলোর ভিতর থেকে মানুষের গলার স্বর পেয়েছি, বাচ্চার কান্নার শব্দ পেয়েছি, রেডিয়ো থেকে গানের আওয়াজ পেয়েছি। এবারের গলিটায় দূর থেকে ভেসে আসা মন্দিরের ঘণ্টা ছাড়া আর কোনও শব্দই নেই। একটু এগোতে শোনা গেল তার সঙ্গে আরেকটা শব্দও একটানা এক তালে হয়ে চলেছে—ধুপ ধুপ ধুপ ধুপ ধুপ ধুপ...

লালমোহনবাবু আমাদের দুজনের মাঝখানে হাঁটছিলেন ; শব্দটা শুনে দুদিকে হাত বাড়িয়ে আমাদের কোটের আস্তিন ধরে মৃদু টান দিয়ে হাঁটার স্পিড কমিয়ে দিলেন। তারপর ফিস ফিস করে বললেন 'হাইলি সাসপিশাস।'

ফেলুদা নিজের হাতটা ছাড়িয়ে নিয়ে বলল, 'ওটা সাসপিশাস কিছু না ; পানের তবক তৈরি হচ্ছে। সাসপিশাস হচ্ছে ওইটে।'

এবার দেখলাম একটি লোককে আমাদের থেকে হাত পঞ্চাশেক দূরে। সে একটা মোড় ঘুরে সবেমাত্র এ গলিটায় ঢুকেছে।

লোকটা এগিয়ে এসে আমাদের দেখেই যেন থমকে দাঁড়িয়ে গেল। তার মুখে আলো পড়েনি, তাই এতদূর থেকে তাকে চেনা যাবে না। রাস্তার আলোটা তার পিছন দিকে। সেই

আলো তার পিঠে পড়াতে একটা প্রকাণ্ড লম্বা ছায়া সারা গলি জুড়ে প্রায় আমাদের পা অবধি পৌঁছে গেছে।

ছায়াটা অদ্ভুতভাবে দুলছে। লোকটা মাতাল নাকি ?

ফেলুদা টেলিফোটো সমেত ক্যামেরাটা চোখে লাগাল।

'শশীবাবু।'

নামটা বলার সঙ্গে সঙ্গেই ফেলুদা বিদ্যুদ্বেগে দৌড়ে গেল সামনের দিকে। তিনজন প্রায় একসঙ্গেই গিয়ে পৌঁছলাম শশীবাবুর কাছে। ঠিকরে বেরিয়ে আসা চোখে চেয়ে আছেন শশীবাবু ফেলুদার দিকে, তার ঠোঁট দুটো ফাঁক দেখে মনে হয় তিনি কিছু বলতে চাইছেন।

'কিছু বলবেন ?'—ফেলুদা ঝুঁকে পড়ে চাপা গলায় জিজ্ঞেস করল।

'হাঁ...হাঁ...'

'কী হয়েছে শশীবাবু ? কী বলতে চাইছেন আপনি ?'

'সিং...সিং...সিং।'

শশীবাবুর দেহটা সামনের দিকে এলিয়ে পড়ল।

তার পিঠে আলো পড়েছে।

সেই আলোতে দেখলাম শশীবাবুর পিঠে একটা ক্ষত থেকে রক্ত বেরিয়ে তার পাঞ্জাবির অনেকখানি ভিজিয়ে দিয়েছে।

৯

'গোয়েন্দাগিরি ছেড়ে দেব রে।'

ফেলুদা এ ধরনের কথা আগে কোনওদিন বলেনি, কিন্তু এবার যে অবস্থায় পড়েছে, তাতে এটা বলা বোধহয় খুব অস্বাভাবিক নয়।

আজ সপ্তমী। সোমবার। এখন সকাল। শশীবাবু খুন হয়েছেন দুদিন আগে। আমরা সকালে চা রুটি ডিম খাওয়া সেরে আমাদের হোটেলের ঘরে যে যার খাটে বসে আছি। একটুক্ষণ আগে তেওয়ারি ফোন করে জানিয়েছেন যে শশীবাবুর ছোট ছেলে নিতাইকে নাকি অ্যারেস্ট করা হয়েছে। নিতাই খারাপ ছেলে এটা আগেই শুনেছি। তার সঙ্গে নাকি বাপের অনবরত খিটিমিটি লাগত। শশীবাবু নাকি প্রায়ই ওকে পুলিশে ধরিয়ে দেবার ভয় দেখাতেন। তাই ছেলের পক্ষে শেষ পর্যন্ত বাপকে খুন করাটা অস্বাভাবিক নয়। নিতাই কিন্তু খুন স্বীকার করেনি। সে নাকি সেদিন সন্ধেবেলা চৈতগঞ্জের একটা সিনেমায় হিন্দি ছবি দেখছিল। তার শার্টের পকেটে টিকিটের আধখানা পাওয়া গেছে। যে ছুরি দিয়ে শশীবাবুকে খুন করা হয়েছিল সেটা নাকি পাওয়া যায়নি।

মৃত্যুর দিন সন্ধ্যা ছ'টার মধ্যে শশীবাবু চক্ষুদানের কাজ শেষ করে দেন। বিকাশবাবু পুলিশকে বলেছেন যে কাজটা শেষ করেই শশীবাবু বিকাশবাবুর কাছে যান হোমিওপ্যাথিক ওষুধ চাইতে, কারণ তার নাকি আবার নতুন করে জ্বর এসেছিল। বিকাশবাবু ওষুধ দেন, শশীবাবু তখনই ওষুধ খেয়ে বাড়ি যাবার জন্য বেরিয়ে যান। পথেই তাকে খুন করা হয়।

'মাঝে মাঝে বোধহয় এ ধরনের একটা ধাক্কা খাওয়া ভাল।'—ফেলুদা আবার কথা বলছে। আমি জানি কথাটা ঠিক আমাদের উদ্দেশ করে বলা হচ্ছে না। ফেলুদা যেটা করছে তাকে ইংরেজিতে বলে থিংকিং অ্যালাউড।—'বেশ লাগছে নিজেকে একটা সাধারণ স্তরের মানুষ বলে মনে করতে।—লালমোহনবাবু, আজ কাবুলিওয়ালা দেখতে যাবেন তো ? এরা শুনেছি বেশ ভাল অভিনয় করে।'

'হ্যাঁ তা আপনি গেলে, মানে আপনি যদি...'

'আর কাল যাব টারজান। পরশু জঞ্জীর ; তরশু রফু চক্কর। আর দুর্গাবাড়িটাও একবার দেখিয়ে আনব আপনাদের। দেখবেন ওখানকার বাঁদরগুলো ফেলু মিত্তিরের চেয়ে অনেক বেশি বুদ্ধিমান।'

সত্যি সন্ধ্যাবেলা আমরা কাবুলিওয়ালা দেখতে বেঙ্গলি ক্লাবে হাজির হলাম, আর সত্যিই দেখলাম ওরা বেশ ভাল অ্যাকটিং করে।

পরদিন মহাষ্টমী। সকালে ঠাকুর দেখতে বেরোনো হল। ঘোষালবাড়ি ছাড়াও আরও অন্য বাড়িতে পুজো হয়। গোটা পাঁচেক ঠাকুর দেখে আমরা দুর্গাবাড়িতে গেলাম। লালমোহনবাবু মন্দিরের বাইরে রইলেন, কারণ বাঁদর জিনিসটা নাকি ওঁর খাঁচার বাইরে ভাল লাগে না। বললেন, 'ব্যাসদেব, থুড়ি—বাল্মীকিদেব যে কেন জানোয়ারটাকে জাতে তুলেছেন তা আজ পর্যন্ত বুঝতে পারলাম না। যারা লাঠির খোঁচা না খেলে নাচতে পারে না তারা করবে সেতুবন্ধন ? ছোঃ !—আর আমার গপ্পোকে বলা হয় গাঁজাখুরি !'

দুপুরে মিস্টার ঘোষাল ওঁদের বাড়িতে খেতে বলেছিলেন : ফেলুদা হোটেল থেকে ফোন করে বিকাশবাবুকে অ্যাপলজি জানিয়ে দিল। আমরা হোটেলেই খেলাম। ফেলুদা দু বেলাই হাতের রুটি খায়। আজ হঠাৎ একগাদা ভাত খেয়ে বিছানায় শুয়ে এক ঘুমে সাড়ে চারটে বাজিয়ে দিল। পরে বুঝেছিলাম যে ঝড়ের আগে প্রকৃতির যে একটা ম্যাদামারা ভাব হয়, এ হল তাই ; কিন্তু ফেলুদাকে কক্ষনও এরকম অকেজো আর ঝিমধরা অবস্থায় দেখিনি বলে মনটা ভীষণ খারাপ লাগছিল।

লালমোহনবাবু অবিশ্যি ঠিক অকেজো ছিলেন না ; তাঁর খাতায় তিনি একটা গল্পের খসড়া আরম্ভ করে দিয়েছেন গতকাল থেকে। দু লাইন লিখছেন আর সিলিং-এর দিকে চাইছেন। খালি একবার আমার দিকে ফিরে বললেন, 'মুমূর্ষুতে কী অর্ডারে হ্রস্ব-উ দীর্ঘ-উ আসছে বলবে কাইন্ডলি ?'

শেষ পর্যন্ত টারজান দি এপ ম্যানও যাওয়া হল, কিন্তু ফেলুদার আর পুরো ছবিটা দেখা হল না। পুরো কেন বলছি—মেট্রো-গোল্ডউইন মেয়ারের নামের পর ছবির নামটা সবে পর্দায় পড়েছে, এমন সময় ফেলুদা দেখি সিট ছেড়ে উঠে পড়েছে।

'তোপ্‌সে, তোরা থাক। আমার একটু কাজ আছে।'

কিছু বলার আগেই ফেলুদা হাওয়া।

আমার মনের অবস্থা অদ্ভুত। ছবিটাও ভাল লাগছে, ফেলুদার মধ্যে হঠাৎ কেন জানি উৎসাহ জেগে উঠেছে, সেটাও ভাল লাগছে, অথচ ও যে কীসের জন্য চলে গেল সেটা ভেবে পাচ্ছি না।

আটটার সময় ছবি শেষ হল ; রিকশা নিয়ে হোটেলে ফিরলাম সোয়া আটটায়। ঘরে এসে দেখি ফেলুদা খাটে বসে খাতা খুলে ভীষণ মনোযোগ দিয়ে কী সব যেন হিসাব করছে। আমাদের দেখে বলল, 'তোরা খেয়ে নিস। আমার জন্য এক পেয়ালা কফি পাঠিয়ে দিতে বলেছি।'

'তুমি খাবেই না ?'

'পেট ভরা। তা ছাড়া তেওয়ারির কাছ থেকে একটা জরুরি টেলিফোন আসছে।'

আজ অষ্টমী বলে হোটেলে লুচি মাংস ছিল, রান্নাও ভাল হয়েছিল, কিন্তু পাছে তেওয়ারির ফোন আসার আগে খাওয়া শেষ না হয় তাই সব কিছু গোগ্রাসে গিলতে হল।

ফোনটা এল আমাদের খাওয়া শেষ হওয়ার প্রায় আধ ঘণ্টা পরে। এবার আমি ফেলুদার কাছে না থেকে পারলাম না। ফেলুদা যা বলল তা হচ্ছে এই—

'বলুন মিস্টার তেওয়ারি...হ্যাঁ...ভেরি গুড...না না, এখন কিচ্ছু করবেন না, একদম শেষ মুহূর্তে...হ্যাঁ, সেই জন্যেই তো গোড়ায় এত গণ্ডগোল লেগেছিল...হ্যাঁ—আর ইয়ে—ওই বাড়িটার খোঁজ করেছিলেন ?...ভেরি গুড...ঠিক আছে, কাল দেখা হবে...গুড নাইট।'

লালমোহনবাবু আমার সঙ্গে নীচে যাননি। সিনেমা থেকে ফেরার পথেই আমাকে বলছিলেন, 'তোমার দাদার আজকের তিড়িংবাজির ঠেলায় আমার প্লটের খেই হারিয়ে গেছে ; আবার নতুন করে সব সাজাতে হবে।' ঘরে ফিরে এসে দেখি তিনি খাতা খুলে মুখ বেজার করে বসে আছেন। ফেলুদা ফিরে এসে একটা সিগারেট ধরিয়ে ঘরের মধ্যেই পায়চারি শুরু করে দিল।

লালমোহনবাবু খাতা বন্ধ করে বললেন, 'খুব খারাপ হচ্ছে এটা, জানেন তো ? না পারছি আমার গপ্প এগোতে, না পারছি আপনার কেসের সঙ্গে পাল্লা দিতে। এদিকেও একটু ছিটেফোঁটা ছাড়ুন। আমাদেরও তো ব্রেন বলে একটা জিনিস আছে। একটু খাটাবার সুযোগ দিন !'

'কোনও আপত্তি নেই', ফেলুদা একটা ধোঁয়ার রিং ছেড়ে বলল, 'আপনাকে পাঁচটা সুতো দিচ্ছি, তা দিয়ে আপনি যত খুশি জাল বুনুন।'

'সুতো ?'

'অ্যাফ্রিকার রাজা, শশীবাবুর সিং, হাঙরের মুখ, এক থেকে দশ, আর মগনলালের বজরা।'

লালমোহনবাবু কিছুক্ষণ ফেলুদার দিকে চেয়ে থেকে একটা দীর্ঘশ্বাস ফেলে বললেন, 'তার চেয়ে বললেই পারতেন চন্দ্রবিন্দুর চ, বেড়ালের তালব্য শ, আর রুমালের মা। সে বরং ঢের সহজ হত।'

'কিন্তু একটা কথা আমাদের দিতে হবে আপনাদের'—ফেলুদা হঠাৎ সিরিয়াস—'কাল থেকে আর কোনও ব্যাপারে কোনও প্রশ্ন করতে পারবেন না।'

'একটা করেই যা জবাব পেলুম—আবার প্রশ্ন ?'

ফেলুদা লালমোহনবাবুর রসিকতা অগ্রাহ্য করে বলে চলল, 'কাল থেকে আমাকে হয়তো মাঝে মাঝে বেরোতে হতে পারে, তবে আপনাদের সঙ্গে না। আপনারা দুজনে যেখানে খুশি যেতে পারেন ; আমার মনে হয় না তাতে কোনও রিস্ক আছে। যদি তেমন বুঝি তা হলে আগে থেকেই বাইরে যেতে বারণ করব।...আর লালমোহনবাবু সাঁতার জানেন তো ?'

'সাঁত— ?'

'জলে নেমে ভেসে থাকতে পারেন তো ?'

'হ্যাঁ হ্যাঁ—ফর্টি-ফোরে হেদোতে—'

'ওতেই হবে।—অবিশ্যি সাঁতারের যে প্রয়োজন হবেই তা বলছি না।'

পরের দিন নবমী। সকালে চা খেয়ে আমি আর লালমোহনবাবু বেরিয়ে পড়লাম। ফেলুদা বলল ও হোটেলেই থাকবে, কারণ ফোন আসতে পারে। লালমোহনবাবুর এক্কা চড়ার শখ—এদিকে কাশীতে আজকাল ঘোড়ার গাড়ি মানে বেশির ভাগ টাঙ্গা। অনেক খুঁজে শেষে একটা এক্কা পাওয়া গেল। সোনারপুরা রোড দিয়ে হিন্দু ইউনিভার্সিটি পর্যন্ত গিয়ে দুর্গাকুণ্ড রোড দিয়ে ফেরার পথে মন্দির মসজিদ প্রাসাদ যা কিছু পড়ে সব দেখে সাড়ে এগারোটার সময় আমরা হোটেলে ফিরে এসে দেখি ফেলুদা বালিশ বুকের তলায় রেখে খাটের ওপর শুয়ে খুব মন দিয়ে তার তোলা কয়েকটা ছবির কোয়ার্টার সাইজ এনলার্জমেন্ট দেখছে। পরশু বেঙ্গলি ক্লাবে যাবার পথে ও ক্রাউন ফোটো স্টোর্সে ওর ফিল্মটা দিয়ে গিয়েছিল।

বিকেলের দিকে তেওয়ারির টেলিফোন এল ; ফেলুদা মিনিট দুয়েকের মধ্যেই কথা শেষ করে উপরে চলে এল। বাড়িতে বসে থাকতে ভাল লাগছিল না, তাই আমি আর লালমোহনবাবু মণিকর্ণিকার শ্মশান দেখে এলাম। লালমোহনবাবু যাবার ও ফেরার পথে বার তিনেক বললেন, 'আজ আর কেউ ফলো করছে বলে মনে হচ্ছে না।'

ফিরে এসে শুনলাম ফেলুদা হোটেলেই ছিল। শংকরী নিবাস থেকে বিকাশবাবু ফোন করেছিলেন ; মিস্টার ঘোষাল জানতে চেয়েছেন ফেলুদা হাল ছেড়ে দিয়েছে কি না।

'তুমি কী বললে ?' আমি জিজ্ঞেস করলাম।

উত্তর এল, 'না।'

পরদিন ভোর ছটায় উঠে দেখি ফেলুদা নেই। বিছানা পরিপাটি করে চাদর দিয়ে ঢাকা, তার উপর ছাই ফেলার সেই পাথরের বাটি, আর তার তলায় এক টুকরো কাগজ। তাতে লেখা—'ফোন করব।'

তার মানে আমাদের হোটেলেই অপেক্ষা করতে হবে। তাতে আপত্তি নেই, কেবল ফেলুদা যেন নিরাপদে থাকে, খুব বেশি রকম বেপরোয়া কিছু করে না বসে। ফেলুদা যদিও এ বিষয়ে কিছু বলেনি, কিন্তু আমার বিশ্বাস শশীবাবুকে মগনলালের লোক খুন করেছে। শশীবাবু নিশ্চয়ই ফেলুদার চেয়ে বড় শত্রু নয় মগনলালের। তা হলে ফেলুদাকেই বা—

আর ভাবব না। যা থাকে কপালে। কেবল মনে সাহস রাখতে হবে।

চা খাবার সময় লালমোহনবাবু বললেন, 'মগনলাল সেদিন গণেশের কথা যা বললেন, সেটা তোমার দাদা বিশ্বাস করে হাত-পা গুটিয়ে নিলেই পারতেন।'

আমি বললাম, 'গুটিয়ে তো নিয়েই ছিল ; হঠাৎ সেদিন সিনেমা দেখতে গিয়ে কী যে হল।'

'শেষটায় টারজান যে এরকম সর্বনাশ করবে তা কে জানত বলো।'

দুপুর পর্যন্ত ফেলুদার কোনও ফোন এল না। খাবার পরে লালমোহনবাবু আর কিছু করার না পেয়ে শেষটায় গণেশ চুরি সম্পর্কে ওর নিজের কী ধারণা সেটা আমায় বললেন।

'বুঝলে তপেশ, গণেশটা আসলে চুরিই যায়নি। ওটা অম্বিকাবাবু আফিং-এর ঝোঁকে সিন্দুক থেকে বার করেছেন, আর তারপর নেশা কেটে যাবার পর ওটার কথা বেমালুম ভুলে গেছেন।'

আমি বললাম, 'কিন্তু তা হলে এখন সেটা আছে কোথায় ?'

'ওঁর তালতলার চটিটা দেখেছ ? ওঁর পায়ের চেয়ে চটি জোড়া কতখানি বড় সেটা লক্ষ করেছ ? একজন বুড়োমানুষ চটি পায়ে দিয়ে বসে থাকলে কে আর চটি খুলে তার ভেতরে সার্চ করতে যাবে বলো ?'

আমার একটু সন্দেহ হল। বললাম, 'আপনার নতুন গল্পে এরকম একটা ব্যাপার থাকছে বুঝি ?'

লালমোহনবাবু মুচকি হেসে বললেন, 'ঠিক ধরেছ। তবে আমার গল্পে গণেশের বদলে একটা দু হাজার ক্যারেটের হিরে।'

'দু হাজার !'—আমার চক্ষু চড়কগাছ।—'পৃথিবীর সব চেয়ে বড় হিরে স্টার অফ আফ্রিকা, কত ক্যারেট জানেন ?'

'কত ?'

'পাঁচশো। আর কোহিনূর হল মাত্র একশো দশ।'

লালমোহনবাবু গম্ভীরভাবে মাথা নেড়ে বললেন, 'দু হাজার না হলে গপ্প জমবে না।'

বিকেলে সাড়ে চারটার সময় হরকিষণ এসে বলল আমার টেলিফোন এসেছে। ঝড়ের মতো ছুটে নীচে গিয়ে নিরঞ্জনবাবুর অ্যাসিসট্যান্টের হাত থেকে ফোনটা প্রায় ছিনিয়ে নিলাম।

'কে, ফেলুদা ?'

'শোন', —গম্ভীর চাপা গলা—'খুব মন দিয়ে শোন। দশাশ্বমেধের দক্ষিণে ওর ঠিক পরের ঘাট হল মুনশী ঘাট, আর তার পরে হল রাজা ঘাট। শুনছিস ?'

'হ্যাঁ হ্যাঁ।'

'মুনশী আর রাজার মাঝামাঝি একটা নিরিবিলি জায়গা আছে। একটা ঘাটের ধাপ শেষ হয়ে আরেকটার ধাপ যেখানে শুরু হচ্ছে তার মাঝামাঝি।'

'বুঝেছি।'

'দেখবি বৈদ্যনাথ সালসার একটা বিজ্ঞাপন আছে হিন্দিতে লেখা, পাথরের দেওয়ালের গায়ে। আর তার নীচেই একটা মস্ত বড় চৌকো খুপরি।'

'বুঝেছি।'

'তোরা দুজন ওখানে গিয়ে পৌঁছবি ঠিক সাড়ে পাঁচটায়। খুপরিটার সামনে অপেক্ষা করবি। আমি ছ'টা নাগাত পৌঁছব।'

'বুঝেছি।'

'আমি ছদ্মবেশে থাকব।'

কথাটা শুনে আমার বুকটা এমন ধড়াস করে উঠল যে আমি কিছু বলতেই পারলাম না। ফেলুদার ছদ্মবেশ মানে নাটকের ক্লাইম্যাক্স।

'শুনছিস ?'

'হ্যাঁ হ্যাঁ।'

'আমি ছটা নাগাত তোদের মিট করব।'

'ঠিক আছে।'

'না আসা পর্যন্ত অপেক্ষা করবি।'

'ঠিক আছে। তুমি ঠিক আছ তো ?'

'ছাড়ছি।'

খুট শব্দে ওদিকের টেলিফোনটা রাখার সঙ্গে সঙ্গে ফেলুদা যেন আবার কুয়াশার মধ্যে অদৃশ্য হয়ে গেল।

১০

দশাশ্বমেধে আজ দসেরার দিন ভিড় হবে বলে আমরা ঠিক করলাম অভয় চক্রবর্তীর বাড়ির রাস্তা দিয়ে আগে কেদার ঘাট যাব। সেখান থেকে সিঁড়ি ধরে উত্তরে হাঁটলে প্রথমেই পড়বে রাজা ঘাট। লালমোহনবাবু আজ সকালে হোটেলের কাছেই একটা ডাক্তারি দোকান থেকে ষোলো অক্ষরের নামওয়ালা কী একটা বড়ি কিনে এনে এরই মধ্যে দুবার দুটো করে খেয়ে নিয়েছেন। বললেন গতকাল রাত্রে নাকি ওঁর আধঘুম অবস্থায় বার বার দাঁত কপাটি লেগে যাচ্ছিল, এখন সেটা একদম সেরে গেছে।

সাহস যে খানিকটা বেড়েছে সেটা বুঝলাম বড় রাস্তা থেকে মোড় ঘুরে প্রথম গলিটায় ঢুকেই। সামনেই একটা ষাঁড়—গোরু নয়, ষাঁড়—রাস্তা জুড়ে দাঁড়িয়ে আমাদের দিকে ঘাড় বেঁকিয়ে দেখছে। লালমোহনবাবু সটান এগিয়ে গিয়ে 'অ্যাই ষণ্ড, হ্যাট হ্যাট' বলে সেটাকে

ঠেলা মেরে সরিয়ে পাশ কাটিয়ে দিব্যি চলে গেলেন। আমি ভয় পাইনি, তবে মজা দেখবার জন্য দাঁড়িয়েছিলাম ; লালমোহনবাবু আমাকে 'এসো তপেশ, কিচ্ছু বলবে না' বলে হাতছানি দিয়ে ডাকলেন।

অভয়বাবুর বাড়ির বাইরে আর ভিতরে বেশ ভিড় দেখলাম। কেন ভিড় সেটা ভাবতে গিয়েই খেয়াল হল যে আজই তো মছলিবাবার চলে যাবার দিন। আমরা এসেছি তৃতীয়াতে, আর আজ হল দশমী। যাক, তা হলে ভাসান ছাড়াও একটা বড় ঘটনা আছে আজকে।

বাইরে যারা দাঁড়িয়েছিলেন তার মধ্যে আমাদের হোটেলের এক মুখচেনা ভদ্রলোককে দেখে তাঁকে জিজ্ঞেস করলাম মছলিবাবা কেদারঘাট থেকে যাবেন কি না। ভদ্রলোক বললেন, 'না—বোধহয় দশাশ্বমেধ।' তা হলে আমাদের একটু দূরে থেকে দেখতে হবে ঘটনাটা। লালমোহনবাবুর তাতে আপত্তি নেই। বললেন, 'ভক্তদের চাপে চিঁড়ে-চ্যাপটা হয়ে দেখার চেয়ে একটু দূর থেকে দেখা ঢের ভাল।'

কেদার ঘাট থেকে উত্তর দিকে হাঁটা শুরু করে মিনিট পাঁচেক লাগল রাজাঘাট পৌঁছতে। ঘাটের পাশে সারি সারি উঁচু বাড়ি থাকার জন্য এদিকটা থেকে রোদ সরে যায় অনেক আগেই। বর্ষার পরে জল এগিয়ে এসেছে, বাড়ির ছায়া জলের কিনারা ছাড়িয়ে অনেক দূর পর্যন্ত চলে গেছে। কিছুক্ষণ পরে আর রোদ থাকবেই না। আর তার পরেই ঝপ করে নামবে অন্ধকার। ঘাটের পাশে এক জায়গায় সারি সারি নৌকো, তার উপরে ঢ্যাঙা বাঁশের মাথায় কার্তিক মাসের বাতি জ্বলছে। উত্তরে বোধহয় দশাশ্বমেধ ঘাট থেকেই একটা শব্দের ঢেউ ভেসে আসছে—বুঝতে পারছি বহু লোকের ভিড় জমেছে সেখানে। তার মধ্যে ঢাকের শব্দ পাচ্ছি, আর মাঝে মাঝে পটকার শব্দ আর হাউইয়ের হুশ্।

রাজা ঘাটের ধাপ শেষ হয়ে ভিজে মাটি শুরু হল। মিনিটখানেক হাঁটার পর বিজ্ঞাপনটা চোখে পড়ল। বৈদ্যনাথ সালসা। প্রায় এক-মানুষ বড় বড় এক-একটা হিন্দি অক্ষর। পরে ফেলুদাকে জিজ্ঞেস করাতে ও বলেছিল সালসা কথাটা নাকি পোর্তুগিজ ; ওটার মানে হল একরকম রক্ত পরিষ্কার-করা ওষুধ।

জায়গাটা সত্যি খুব নিরিবিলি। শুধু তাই না—এখান থেকে দশাশ্বমেধ দিব্যি দেখা যাচ্ছে। ঘাটের ধাপে মানুষের ভিড় আর জলে নৌকো আর বজরার ভিড়।

'দুর্গা মাঈকি জয় !'

একটা ঠাকুর ভাসান হয়ে গেল। বজরার মাথায় তুলে খানিকটা নদীর ভিতরে নিয়ে গিয়ে ফেলে দিলেই হল। দু নৌকো ফাঁক করে ভাসান দেওয়ার ব্যাপার এখানে নেই।

রোদ চলে গেল, কিন্তু ঘাটের গণ্ডগোল এখন বেড়েই চলবে। ছটা বাজতে কুড়ি। লালমোহনবাবু হাতের ঘড়িটা দেখে সবে বলেছেন 'তোমার দাদার টেলিফোকাসটা থাকলে খুব ভাল হত', এমন সময় একটা নতুন চিৎকার শোনা গেল—

'গুরুজী কি জয় ! মছলিবাবা কি জয় ! গুরুজী কি জয় !'

বেনারসের ঘাটে একরকম আটকোনা বুরুজ থাকে, যার উপর অনেক সময় ছাতার তলায় পাণ্ডারা বসে, পালোয়ানরা মুগুর ভাঁজে, আবার এমনি সাধারণ লোকও বসে। আমাদের ঠিক সামনেই হাত পঞ্চাশেক দূরে সেইরকম একটা বুরুজ জল থেকে চার-পাঁচ হাত উঁচুতে উঠে রয়েছে—সেটা এখন খালি। সেইরকম বুরুজ দশাশ্বমেধে অনেকগুলো আছে। তার মধ্যে যেটা আমাদের দিকে, তার উপর কিছু লোক এতক্ষণ দাঁড়িয়ে অপেক্ষা করছিল। 'গুরুজী কি জয়' শুনেই তাদের মধ্যে একটা ব্যস্ত ভাব দেখা গেল। তারা এখন সবাই ঘাটের সিঁড়ির দিকে চেয়ে রয়েছে।

এবার দেখলাম একটা প্রকাণ্ড দল সিঁড়ি দিয়ে নেমে বুরুজের দিকে এগিয়ে যাচ্ছে। দলের

মাথায় যিনি রয়েছেন তিনি আর কেউ নন—স্বয়ং মছলিবাবা। টকটকে লাল লুঙ্গিটা এখন মালকোচা দিয়ে ধুতির মতো করে পরা। গায়ের লাল চাদরের উপর হলদে রং দেখে বুঝলাম বাবা অনেক গাঁদা ফুলের মালা পরে আছেন।

বুরুজ এবার প্রায় খালি হয়ে গেল। শুধু দুজন রইল, তারা বাবার হাত ধরে তাকে উপরে তুলল। বাবার মাথা এখন সবাইয়ের উঁচুতে।

বাবা এবার দু হাত তুললেন ভক্তদের দিকে ফিরে। কী বললেন, বা কিছু বললেন কি না সেটা এতদূর থেকে বোঝা গেল না।

এবার বাবা হাত তোলা অবস্থাতেই বুরুজের উলটোদিকে এগিয়ে গেলেন। বাবার সামনে এখন গঙ্গা। পিছন থেকে আবার জয়ধ্বনি উঠল—'জয় মছলিবাবা কি জয়!'

সেই জয়ধ্বনির মধ্যে বাবা গঙ্গায় ঝাঁপ দিলেন।

একটা অদ্ভুত আওয়াজ উঠল ভক্তদের মধ্যে। লালমোহনবাবু সেটাকে 'সমস্বরে বিলাপ' বললেন। বাবাকে কিছুক্ষণ জলের মধ্যে সাঁতরাতে দেখা গেল। তারপর তিনি অদৃশ্য হয়ে গেলেন। লালমোহনবাবু বললেন, 'ডুব সাঁতারে পৌঁছে যাবে পাটনা—কী থ্রিলিং ব্যাপার ভাবতে পার?'

আরও একটা থ্রিলিং ব্যাপারে আমাদের প্রায় হার্টফেল হয়ে যাবার অবস্থা হল যখন দশাশ্বমেধ ঘাট থেকে চোখ ঘুরিয়ে দেখি এই ফাঁকে কখন জানি একটি লোক এসে আবছা অন্ধকারে নিঃশব্দে আমাদের পাশে এসে দাঁড়িয়েছে। লোকটার বাঁ হাতে একটা বাঁশের লাঠি। মাথায় পাগড়ি, মুখে গোঁফ-দাড়ি, গায়ে লম্বা শার্টের উপর ওয়েস্ট কোট, নীচে পায়জামা, আর তারও নীচে একজোড়া ডাকসাইটে কাবলি জুতো।

কাবুলিওয়ালা।

কাবুলিওয়ালা ডান হাতটা অল্প তুলে আমাদের আশ্বাস দিল।

ফেলুদা। কাবুলিওয়ালার ছদ্মবেশে ফেলুদা। এই মেক-আপই সেদিন ব্যবহার করেছিল বেঙ্গলি ক্লাবের ত্রিদিব ঘোষ।

'ওয়ান্ডার—'

লালমোহনবাবুর প্রশংসা মাঝপথে থামিয়ে দিল ফেলুদার ঠোঁটের আঙুল।

কী ঘটতে যাচ্ছে জানি না, ছদ্মবেশের কী দরকার জানি না, অপরাধী কে বা কারা জানি না, তবু ফেলুদা যদি চুপ করতে বলে তা হলে চুপ করতে হবেই। এটা আমিও জানি, আর লালমোহনবাবুও অ্যাদ্দিনে জেনে গেছেন।

ফেলুদা একদৃষ্টে চেয়ে রয়েছে দশাশ্বমেধ ঘাটের দিকে। আমাদের চোখও সেইদিকে চলে গেল।

দূর থেকে একটা বজরা ভেসে আসছে ঘাটের দিকে। তার মাথায় একটা বাতি জ্বলছে। বড় বজরা। বজরার ছাতে চার-পাঁচজন লোক। কাউকেই চেনা যায় না। এতদূর থেকে সম্ভব নয়।

'দুর্গা মাঈকি জয়! দুর্গা মাঈকি জয়!'

আরেকটা প্রতিমা আসছে ঘাটে। সিঁড়ি দিয়ে নামানো হচ্ছে। হ্যাজাক লণ্ঠনের আলো পড়ে ঠাকুর মাঝে মাঝে ঝলমল করে উঠছে। দূর থেকেও চিনতে অসুবিধা নেই। এটা ঘোষালদের ঠাকুর।

ফেলুদার সঙ্গে আমরাও পাথরের মতো দাঁড়িয়ে বিসর্জন দেখতে লাগলাম।

বিরাট প্রতিমা বজরার মাথায় চড়ে গেল। বজরা এগোতে শুরু করল আরও গভীর জলের দিকে।

তারপর দেখলাম প্রতিমাটা একবার ঝাঁকি দিয়ে উপরে উঠে চিত হয়ে বজরার পিছনে অদৃশ্য হয়ে গেল। ঝপাং শব্দটা এল কিছু পরে—যেমন ক্রিকেট মাঠে বল মারাটা চোখে দেখার কিছু পরে শব্দটা আসে।

হঠাৎ মনে হল শশীবাবুর তুলির টান এখন জলের তলায়। হয়তো এর মধ্যেই সব ধুয়ে মুছে গেছে।

মছলিবাবাকে দেওয়া গাঁদা ফুলের মালাগুলো এখন ভেসে যাচ্ছে আমাদের সামনে দিয়ে।

যে বজরাটা দূর থেকে নদীর ধার দিয়ে আসছিল, সেটা এখন দশাশ্বমেধ ছাড়িয়ে আমাদের দিকে আসছে।

মগনলালের বজরা। মগনলালের বিশাল দেহটা দেখতে পাচ্ছি বজরার ছাদে। সে বাবু হয়ে বসে আছে, সঙ্গে আরও চারজন লোক।

ফেলুদার ডান হাতটা তার কোমরের কাছে, বাঁ হাতটা এখনও লাঠিটাকে ধরে আছে। আলো কমে এসেছে, কিন্তু তাও আমি বাঁশের একটা গাঁটের নীচে মুঠো করে ধরা বাঁ হাতটা দেখতে পাচ্ছি।

সেদিনের গলিতে শোনা ধুপ ধুপ শব্দটা আবার শুনতে পাচ্ছি। এখন সেটা হচ্ছে আমার বুকের ভিতরে।

আমার গলা শুকিয়ে আসছে।

আমার চোখ ওই বাঁ হাতটা থেকে সরাতে পারছি না।

ফেলুদার বাঁ হাতের কড়ে আঙুলের নখটা লম্বা।

কাবুলিওয়ালার বাঁ হাতের কড়ে আঙুলের নখটা কাটা।

ফেলুদার বাঁ হাতের কবজির কাছে একটা তিল।

কাবুলিওয়ালার বাঁ হাতের কবজির কাছে কোনও তিল নেই।...

এ লোকটা ফেলুদা নয়।

কে এসে দাঁড়িয়েছে কাবুলিওয়ালা সেজে আমাদের পাশে ?

লালমোহনবাবু কি জানেন তাঁর পাশে কে দাঁড়িয়ে আছে ?

তিনি কি বুঝেছেন ও ফেলুদা নয় ?

বজরাটা আমাদের সামনের বুরুজের কাছাকাছি চলে এসেছে। এখান থেকে বুরুজটা প্রায় পঁচিশ গজ দূরে। বজরা এখন তারও প্রায় পঁচিশ গজ উত্তর দিকে। ব্যবধান কমে আসছে।

কাবুলিওয়ালা আমাদের ইশারা করল খুপরিটার ভিতর ঢুকে যেতে। লালমোহনবাবু নিজে ঢুকে আমার হাত ধরে টেনে নিলেন। এক হাতের বেশি গভীর নয় খুপরিটা। আমরা এখান থেকে সবই দেখতে পাচ্ছি, যদিও বাইরের লোকে আমাদের দেখতে পাবে না।

বজরা এবার থামো-থামো।

বুরুজের ঠিক পিছনে জলে কী যেন নড়ছে।

একটা লোকের শুধু মাথাটা জলের উপর উঠল। লালমোহনবাবু হাতটা বাড়িয়ে আমার কোটের আস্তিনটা খামচে ধরলেন।

একটা লোক বজরা থেকে প্রায় নিঃশব্দে জলের মধ্যে লাফিয়ে পড়ল।

লোক নয়—ছোকরা।

রুকুর বন্ধু সূরয।

সূরয সাঁতরে এগিয়ে এল বুরুজের দিকে।

বুরুজের পিছনে জল থেকে এবার লোকের মাথাটা উঠতে শুরু করে কাঁধ অবধি বেরিয়ে এল। এ কি স্বপ্ন, না সত্যি ? ও যে মছলিবাবা ! দু হাতে জাপটে কী যেন ধরে আছে।

সূরয তার দিকেই এগিয়ে এসেছে। বজরার ছাতের লোকেরা ওদের দুজনের দিকেই দেখছে।

এবার আরেকটা—একটা নয়, পর পর দুটো—ধাঁধা লাগানো জিনিস ঘটল। মছলিবাবা তার হাত থেকে এবড়ো-খেবড়ো বলের মতো জিনিসটা ছুঁড়ে ঘাটের দিকে ফেলে দিল, আর সঙ্গে সঙ্গে কাবুলিওয়ালা হাতের লাঠিটা ছুঁড়ে ফেলে দিয়ে বিদ্যুদ্বেগে সামনের দিকে ছুটে গিয়ে জিনিসটা বাঁ হাতে তুলে নিয়ে ডান হাতে পকেট থেকে রিভলবার বার করে বজরার দিকে তাগ করে দাঁড়াল।

সেই মুহূর্তেই মগনলাল একলাফে সোজা হয়ে দাঁড়াতেই দেখলাম তারও হাতে একটা রিভলবার এসে গেছে। তার পাশে লোকগুলোও উঠে দাঁড়িয়েছে, আর মনে হচ্ছে ওদের হাতেও অস্ত্র রয়েছে।

এদিকে আমাদের মাথার উপরেও পায়ের শব্দ পাচ্ছি। ধুপ ধাপ করে দু-তিনটে সশস্ত্র পুলিশ বোধহয় বৈদ্যনাথ সালসার পিছনের চত্তরটা থেকে লাফিয়ে আমাদের দু পাশে পড়ল।

তার পরেই শুরু হল কান ফাটানো গুলির শব্দ। একটা গুলি আমাদের খুপরির ঠিক পাশে দেওয়ালের গায়ে লাগল। জখম দেওয়ালের গুঁড়ো গঙ্গার হাওয়ায় সোজা এসে ঢুকল লালমোহনবাবুর নাকের ভিতর।

'হ্যাঁচ্চো!'

ওদিকে মগনলালের হাত থেকে রিভলভারটা ছিটকে বেরিয়ে গেছে। আর তার পরেই এক তাজ্জব ব্যাপার। ওই হিপোপটেমাসের মতো লোকটা বজরার উলটোদিকে ছুটে গিয়ে এক বিকট চিৎকার দিয়ে হাত দুটো মাথার উপর তুলে একটা বিরাট লাফ দিয়ে গঙ্গায় পড়ে চতুর্দিকে জলের ফোয়ারা ছিটিয়ে দিল।

কিন্তু কোনও লাভ নেই। দুটো নৌকো এরই মধ্যেই বজরার পাশে এসে পড়েছে, তাতে পুলিশ বোঝাই।

আর মছলিবাবা?

তিনি সূরযকে বগলদাবা করে জল থেকে উঠে আসছেন।

এবার তিনি কাবুলিওয়ালার দিকে ফিরে বললেন, 'থ্যাঙ্ক ইউ, তেওয়ারিজী।'

আর কাবুলিওয়ালা মছলিবাবার দিকে হাত বাড়িয়ে দিয়ে তাকে জল থেকে টেনে তুলে বলল, 'থ্যাঙ্ক ইউ, মিস্টার মিত্তির।'

আমি আর লালমোহনবাবু মাটিতে বসে পড়লাম; না হলে হয়তো মাথা ঘুরে পড়ে যেতাম।

সূরয একজন পুলিশের হাতে চলে গেল। ফেলুদা কাছে আসতে বুঝলাম তার মেক-আপটা কী অসাধারণ হয়েছে—যদিও এখন শরীরের কোনও কোনও জায়গায় কালো রঙের ফাঁক দিয়ে চামড়ার আসল রংটা বেরিয়ে পড়েছে।

'শ্বেতির মতো লাগছে না রে তোপ্‌সে?'

'ওয়ান্ডারফুল!'—বললেন লালমোহনবাবু।

ফেলুদা এবার তেওয়ারির দিকে ফিরে বলল, 'আপনার লোককে বলে দিন তো—জিপে তোয়ালে আর আমার জামাকাপড়গুলো রয়েছে—চট করে নিয়ে আসুক।'

১১

বিজয়া দশমী, রাত পৌনে দশটা। ঘোষালবাড়ির একতলার বৈঠকখানা। যাঁরা ঘরে রয়েছেন তাঁরা হলেন—গোয়েন্দা প্রদোষ মিত্তির, লালমোহন গাঙ্গুলী, সাব-ইনসপেক্টর তেওয়ারি, অম্বিকা ঘোষাল, উমানাথ ঘোষাল, উমানাথবাবুর স্ত্রী, রুক্মিণীকুমার ঘোষাল, বিকাশ সিংহ, আর আরও সব যাঁরা বাইরে থেকে এসেছেন যাঁদের নাম জানি না, আর আমি—তপেশরঞ্জন মিত্র। এ ছাড়া ঘরের দরজার বাইরে থেকে উঁকি মারতে দেখছি তিনজন লোককে—দারোয়ান ত্রিলোচন পাণ্ডে, বেয়ারা বৈকুণ্ঠ আর বুড়ো চাকর ভরদ্বাজ।

কোলাকুলি শেষ, মিষ্টি শেষ—অন্তত প্লেটে শেষ, যদিও কারুর কারুর চোয়াল এখনও নড়ছে। যেমন ফেলুদার। ঠাকুর ভাসান হয়ে যাবার পর বাড়ির লোকের মন খারাপ হয়ে যায় ; এখানেও তাই হয়েছিল। কিন্তু এখন আবার এক ঠাকুর চলে গিয়ে আরেক ঠাকুর ফিরে পাবার আশায় সকলের মুখেই বেশ একটা হাসিহাসি উত্তেজনার ভাব। এটা বলে রাখি যে গণেশ পাওয়া গেছে কি না সেটা কিন্তু এখনও জানা যায়নি। যেটা জানা গেছে সেটা হল মছলিবাবার ঘটনা। আজ বিকেল চারটের সময় ভক্তের দল আসার আধ ঘণ্টা আগে অভয়বাবুর বাড়ির পিছনের দরজা দিয়ে ঢুকে পুলিশ মছলিবাবাকে অ্যারেস্ট করে। বাবাজী আসলে ছিলেন সেই রায়বেরিলির জেল থেকে পলাতক জালিয়াত। তা ছাড়াও তিনি ছিলেন মগনলালের একজন স্যাঙাৎ। তার আসল নাম নাকি পুরন্দর রাউত, বাড়ি পূর্ণিয়া। লোকটা অনেকদিন কলকাতায় ছিল, মনুমেন্টের তলায় হাত সাফাইয়ের খেলা দেখানো থেকে শুরু করে অনেক রকমের অদ্ভুত কাজ করে শেষটায় জালিয়াতি ধরে। অ্যারেস্টের এক ঘণ্টার মধ্যে বেঙ্গলি ক্লাবের কাছ থেকে ধার করা মেক-আপের সরঞ্জামের সাহায্যে মছলিবাবার চেহারা নিয়ে ফেলুদা ভক্তদের সামনে হাজির হয়। তার আগেই অবিশ্যি পুরন্দর রাউত পুলিশের চাপে পড়ে সব কথা ফাঁস করে দিয়েছিল। আজ গঙ্গার ঘাটে যে দুর্ধর্ষ নাটকটা মগনলাল প্ল্যান করেছিল সেটাও পুরন্দর বলে দিয়েছিল। আসলে মছলিবাবাকে মগনলালই খাড়া করেছিল। তার পিছনে যে কী সাংঘাতিক শয়তানি ফন্দি ছিল সেটা পরে ফেলুদার কথা থেকে জানা যায়।

সবাই মুখ বন্ধ করে উদ্‌গ্রীব হয়ে বসে আছে, সকলেরই দৃষ্টি ফেলুদার দিকে। লালমোহনবাবু যে কেন মাঝে মাঝে হেসে উঠছেন জানি না ; হয়তো বিকাশবাবু ওকে জোর করে সিদ্ধি খাইয়েছেন বলে। সিদ্ধি খেলে নাকি হাসি পায়।

ফেলুদা জল খেয়ে হাতের কাচের গেলাসটা আওয়াজ বাঁচিয়ে খুব সাবধানে পিতলের কাশ্মীরি টেবিলটার উপর রেখে বলল, 'মগনলালই মছলিবাবার সৃষ্টিকর্তা এ কথা আমি আপনাদের আগেই বলেছি। মছলিবাবা অন্তর্যামী, মছলিবাবা অলৌকিক ক্ষমতার অধিকারী—এ ধরনের কয়েকটা ধারণা রটাতে পারলেই কার্যসিদ্ধি হয়। কেদার ঘাটে মছলিবাবাকে এনে ফেলার আগে অভয় চক্রবর্তী এবং লোকনাথ পাণ্ডা সম্বন্ধে দু-একটা কথা জেনে নেওয়া মগনলালের মতো লোকের পক্ষে কিছুই কঠিন ছিল না। বাকি কাজটা সম্ভব হয়েছিল অভয়বাবুর অন্ধ ভক্তির জোরে এবং স্থানীয় বাসিন্দাদের বিশ্বাসের জোরে।'

ফেলুদা থামল। লালমোহনবাবু হাসবার জন্য মাথা পিছনে হেলিয়ে মুখটা খুলতেই আমি ওর কনুইয়ে খোঁচা মেরে ওকে থামালাম। ঘরের আর প্রত্যেকটি লোক হাঁ করে ফেলুদার কথাগুলো গিলছে। ফেলুদা বলে চলল—

'মগনলালের সঙ্গে সম্প্রতি তার বাড়িতে বসে আমার কিছু কথা হয়েছিল। মগনলাল বলেছিল গণেশটা তার কাছে আছে, এবং উমানাথবাবু নিজে নাকি সেটা তাকে বিক্রি

করেছেন।'

'অ্যাঁ!'—চোখ রাঙিয়ে চেয়ার ছেড়ে উঠে পড়লেন উমানাথ ঘোষাল। 'আপনি বিশ্বাস করেছিলেন তার কথা ?'

'রহস্যের একটা নতুন দিক হিসাবে কথাটা শুনতে যে খুব খারাপ লেগেছিল তা বলব না। কিন্তু পরমুহূর্তেই যখন মগনলাল তদন্ত বন্ধ করার জন্য আমাকে একটা মোটা ঘুষ অফার করল, তখন মনে একটা খটকা লাগল। বন্ধ করার একটা কারণ অবিশ্যি মগনলাল বলেছিল, কিন্তু সেটা আমার কাছে খুব বিশ্বাসযোগ্য বলে মনে হয়নি। তার কথা সত্যি হলে বরং আপনি আমাকে ঘুষ অফার করতে পারতেন—কারণ কেঁচো খুঁড়তে সাপ বেরিয়ে গেলে সেটা আপনার পক্ষে মোটেই সুবিধের হত না। অথচ আপনি আমাকে নিজে থেকে অনুসন্ধান চালাতে বলেছেন।'

'নিজে থেকে', প্রতিধ্বনি করলেন লালমোহনবাবু, 'হাঃ হাঃ—নিজে থেকে।'

ফেলুদা লালমোহনবাবুর পাগলামো অগ্রাহ্য করে বলে চলল—

'তখনই আমার প্রথম সন্দেহ হয় যে তা হলে হয়তো গণেশটা আপনাদের বাড়িতেই কোথাও রয়ে গেছে, এবং মগনলাল কোনও উপায়ে কোনও একটা সময়ে সেটা পাবার আশা করছে। বাড়িতে রয়েছে, অথচ সিন্দুকে নেই—তা হলে গেল কোথায় জিনিসটা ? সেই সঙ্গে আবার এটাও মনে হল যে এ বাড়ির সঙ্গে মগনলালের একটা যোগসূত্র না থাকলে সেই বা কী করে আশা করছে গণেশটা পাবার ?

'এই সব যখন ভাবছি, তখন একটা কারণে হঠাৎ সন্দেহটা গিয়ে পড়ল মিস্টার সিংহের উপর ; কারণ আমি জানতে পারলাম যে তিনি একটা জরুরি সত্য আমার কাছ থেকে গোপন করে রেখেছিলেন। জেরার ফলে বিকাশবাবু স্বীকার করলেন যে তিনি দশই অক্টোবর লুকিয়ে লুকিয়ে মগনলালের সঙ্গে উমানাথবাবুর কথাবার্তা শুনেছিলেন। শোনার পর থেকে তার মনে গণেশটা সম্পর্কে একটা উদ্বেগ থেকে যায়। মিস্টার ঘোষাল যেদিন মছলিবাবাকে দেখতে যান, সেদিন আর থাকতে না পেরে বিকাশবাবু দোতলায় অম্বিকাবাবুর ঘরে গিয়ে তাঁর দেরাজ থেকে চাবি নিয়ে সিন্দুক খোলেন। খুলে দেখেন গণেশ নেই।'

'গণেশ তখনই নেই ?' অবাক হয়ে প্রশ্ন করলেন উমানাথবাবু। 'তার মানে তার আগেই চুরি হয়ে গেছে ?'

'চুরি না', ফেলুদা বলল। ফেলুদা উঠে দাঁড়িয়েছে—তার হাত দুটো প্যান্টের পকেটে। 'চুরি না। একজন অত্যন্ত বুদ্ধিমান ব্যক্তি গণেশটিকে মগনলালের হাত থেকে রক্ষা করার জন্য সেটিকে লুকিয়ে রেখেছিল।'

'ক্যাপ্টেন স্পার্ক!'—বলে উঠল রুক্মিণীকুমার।

সবাইয়ের দৃষ্টি রুকুর দিকে ঘুরে গেল। সে ঘরের এক কোণে একটা দরজার পাশে পর্দা হাতে ধরে দাঁড়িয়ে আছে।

'ঠিক বলেছ। ক্যাপ্টেন স্পার্ক, ওরফে আমাদের রুকুবাবু।—আচ্ছা, ক্যাপ্টেন স্পার্ক, সেদিন যখন তোমার বাবার সঙ্গে একজন মোটা ভদ্রলোক এ ঘরে বসে কথা বলছিলেন—'

রুকু ফেলুদার কথা শেষ না হতেই চেঁচিয়ে উঠল—'ডাকু গণ্ডারিয়া!—ক্যাপ্টেন স্পার্ক তাকে বার বার বোকা বানায়।'

'সে যখন কথা বলছিল, তুমি কি তখন ওই পাশের ঘর থেকে শুনছিলে ?'

রুকু তৎক্ষণাৎ উত্তর দিল, 'শুনছিলাম তো। আর তক্ষুনি তো সিন্দুক খুলে গণেশ নিয়ে লুকিয়ে রাখলাম। না হলে তো ও নিয়ে নিত।'

'ভেরি গুড', ফেলুদা বলল। তারপর অন্যদের দিকে ফিরে বলল, 'আমি ক্যাপ্টেন

স্পার্ককে গণেশের কথা জিজ্ঞেস করেছিলাম। তাতে ও বলেছিল গণেশ পাওয়া যাবে না। কারণ সেটা রয়েছে আফ্রিকার এক রাজার কাছে। কথাটার মানে আমি তখন বুঝতে পারিনি। শেষে বুঝলাম একেবারে অপ্রত্যাশিতভাবে—পঁয়তাল্লিশ বছরের পুরনো টার্জনের একটা ফিল্ম দেখতে গিয়ে।'

ফেলুদা থামতেই চারিদিক থেকে—সে কী! অ্যাঁ? টার্জনের ছবি? ইত্যাদি অনেকগুলো প্রশ্ন একসঙ্গে শোনা গেল। ফেলুদা সরাসরি উত্তর না দিয়ে আবার রুকুর দিকে তাকিয়ে বলল, 'ক্যাপ্টেন স্পার্ক, টারজানের ছবির একেবারে শুরুটা কী সেটা মনে করে বলতে পার তুমি!'

'পারি', বলল রুকু, 'মেট্রো-গোল্ডউইন-মেয়ার প্রেজেন্টস—'

'ঠিক কথা—মিস্টার তেওয়ারি, দেখুন তো আমরা মেট্রো-গোল্ডউইনের খেলা কিছু দেখাতে পারি কি না।'

তেওয়ারি তার চেয়ারের নীচ থেকে একটা খবরের কাগজের মোড়ক নিয়ে সেটা খুলে তার থেকে একটা অদ্ভুত জিনিস বার করে ফেলুদার দিকে এগিয়ে দিল। তার উপরে বিজলির ঝাড়ের আলোটা পড়তেই বুঝলাম সেটা একটা জলে নষ্ট হয়ে যাওয়া মাটির তৈরি হাঁ-করা সিংহের মাথা। ফেলুদা মাথাটা হাতে তুলে ধরে বলল, 'এই দেখুন আফ্রিকার পশুরাজ তথা দুর্গার বাহনের মাথা। এই সিংহের হাঁ-এর মধ্যে গণেশ লুকিয়ে রেখেছিল ক্যাপ্টেন স্পার্ক। তার ধারণা ছিল বিসর্জনের পর গণেশ ভাসতে ভাসতে চলে যাবে সমুদ্রে, আর সেখানে একটি হাঙর সেটাকে গ্রাস করবে, আর স্পার্কই আবার সেই হাঙরকে হারপুন দিয়ে মেরে গণেশটাকে পুনরুদ্ধার করবে। তাই না, ক্যাপ্টেন স্পার্ক?'

'তাই তো', বলল রুকু।

'আর মছলিবাবার প্ল্যান ছিল তিনি ঠাকুর ভাসানের আগে নিজে জলে ঝাঁপ দেবেন। তারপর কিছু দূর সাঁতরে গিয়ে আবার ডুব সাঁতারে ফিরে আসবেন ঘাটের দিকে—এসে নৌকোর আড়ালে অপেক্ষা করবেন। তারপর ভাসানের পরমুহূর্তে আবার ডুব দিয়ে সিংহের মাথাটি চাড় দিয়ে খুলে নিয়ে চলে যাবেন মুনশীঘাট আর রাজঘাটের মাঝামাঝি একটা নির্জন জায়গায়। ততক্ষণে মগনলালের বজরাও এসে যাবে সেইখানে। ব্যস—বাকি কাজ তো সহজ।'

উমানাথবাবু বললেন, 'কিন্তু বাবাজী যে দসেরার দিনে যাবেন, সে তো তার ভক্তরাই ঠিক করে দিয়েছিল। আর গণেশ কোথায় আছে সে খবরই বা বাবাজী জানবেন কী করে? আর মগনলালই বা জানবে কী করে?'

'দুটোর উত্তরই খুব সহজ', বলল ফেলুদা। 'তৃতীয়ার দিনে বাবাজী তার ভক্তদের জিজ্ঞেস করেন এক থেকে দশের মধ্যে একটা নম্বর বলতে। যথারীতি অধিকাংশ উত্তরই হয় সাত। এটাই নিয়ম। ফলে হয়ে গেল তিনে সাতে দশ—অর্থাৎ দসেরা। আর সিংহের মুখে গণেশ লুকোনোর কথাটা ক্যাপ্টেন স্পার্ক সবাইকে না বললেও, তার বন্ধু সূরযকে নিশ্চয়ই বলেছিল, তাই না, ক্যাপ্টেন স্পার্ক?'

রুকু স্থিরভাবে দাঁড়িয়ে আছে, তার ভুরু কুঁচকে গেছে। সে ছোট্ট করে মাথা নেড়ে হ্যাঁ বুঝিয়ে দিল।

ফেলুদা একটা দীর্ঘশ্বাস ফেলে বলল, 'শয়তান সিং সত্যিই শয়তান সিং। সূরযের পুরো নাম সূরযলাল মেঘরাজ। সে মগনলালের ছোট ছেলে। যাকে বলে বাপকা বেটা। থাকত মানমন্দিরের কাছে মগনলালের দুটো বাড়ির একটাতে। ওটায় ফ্যামিলি থাকত। অন্যটায় থাকত মগনলাল নিজে। সূরযই তার বাপকে খবরটা দেয়, এবং তার পরেই মগনলাল তার

বিরাট চক্রান্তটি খাড়া করে।'

'বিশ্বাসঘাতক!'—বলে উঠল রুকু।

এতক্ষণে অম্বিকাবাবু মুখ খুললেন—

'সিংহের মাথাটা তো টেবিলের উপর রেখে দিয়েছে, কিন্তু গণেশ কই?'

ফেলুদা মাথাটাকে আবার হাতে তুলে নিল। তারপর তার হাঁ-করা মুখের ভিতর হাত ঢুকিয়ে টান দিয়ে যে জিনিসটা বার করল সেটা গণেশ নয় মোটেই। সেটা তার আঙুলের ডগায় লেগে থাকা চটচটে একটা সাদা জিনিস।

'ক্যাপ্টেন স্পার্ক গণেশটাকে আটকাতে একটা আশ্চর্য সহজ উপায় বার করেছিল।'

'চিকলেট!'—বলে উঠল রুক্মিণীকুমার।

'হ্যাঁ, চুইং গাম', বলল ফেলুদা, 'সেই চুইং গামের খানিকটা এখনও রয়ে গেছে, কিন্তু গণেশ আর এখানে নেই।'

ফেলুদার এই এক কথাতেই ঘোষাল বাড়ির সকলের মুখ কালো হয়ে গেল। উমানাথবাবু কপাল চাপড়ে বলে উঠলেন, 'তা হলে এত করে কী হল মিস্টার মিত্তির? গণেশই নেই?'

ফেলুদা সিংহের মাথাটা আরেকবার নামিয়ে রেখে বলল, 'আমি আপনাদের আশায় ঠাণ্ডা জল ঢেলে দেবার জন্য আপনাদের এখানে ডাকিনি, মিস্টার ঘোষাল। গণেশ আছে। সেটা কোথায় বলার আগে আমি আপনাদের একটি ঘটনার কথা স্মরণ করিয়ে দিতে চাই। আপনাদের একজন খুব পরিচিত ব্যক্তির মৃত্যুর কথা। শশীভূষণ পাল।'

'তাকে তো তার ছেলে মেরেছে' বলে উঠলেন উমানাথবাবু, 'সেই নিয়েছে নাকি গণেশ?'

'ব্যস্ত হবেন না', বলল ফেলুদা, 'আমার কথাটা আগে মন দিয়ে শুনুন। আমি যা বলতে যাচ্ছি সেটা প্রমাণসাপেক্ষ, এবং সে প্রমাণ আমরা পাব বলেই আমার বিশ্বাস।'

ঘরের প্রত্যেকটি লোক আবার স্তব্ধ হয়ে ফেলুদার দিকে দেখছে। লালমোহনবাবু আর জোরে হাসছেন না, কিন্তু সব সময়েই তার মুখে হাসি লেগে রয়েছে। আর কেন জানি মাঝে মাঝে ডান হাত দিয়ে নিজের কপালে চাঁটি মারছেন।

ফেলুদা বলল, 'সিংহের মুখের মধ্যে যদি গণেশ লুকোনো থাকে তা হলে সেটা দেখে ফেলার সব চেয়ে বেশি সুযোগ ছিল শশীবাবুর। বিশেষ করে যেদিন তিনি সিংহের মুখের বাইরে এবং ভিতরে তুলির কাজ করছিলেন সেই দিন। অর্থাৎ পঞ্চমীর দিন। অর্থাৎ যেদিন তিনি খুন হন। সেদিন আপনারা সন্ধ্যায় বাড়ি ছিলেন না—মনে আছে কি? ত্রিলোচন বলেছে আপনারা বিশ্বনাথের মন্দিরে আরতি দেখতে গিয়েছিলেন।'

উমানাথবাবু মাথা নেড়ে হ্যাঁ বললেন। ফেলুদা বলল, 'আমরা পুলিশের কাছ থেকে জেনেছি যে শশীবাবু সেদিন আবার অসুস্থ বোধ করাতে তাঁর কাজ শেষ করে বিকাশবাবুর কাছে ওষুধ চাইতে গিয়েছিলেন। এ কথা বিকাশবাবুই পুলিশকে বলেছিলেন। শশীবাবু ওষুধ নিয়ে বাড়ি চলে যান। আমরা ত্রিলোচনের সঙ্গে কথা বলে জেনেছি যে শশীবাবু যাবার কয়েক মিনিটের মধ্যেই বিকাশবাবুও বেরিয়েছিলেন। তিনি কেন বেরিয়েছিলেন সেটা তাঁকে জিজ্ঞেস করতে পারি কি?'

বিকাশবাবু গম্ভীর গলায় বললেন, 'এটা জিজ্ঞেস করার কারণ কী বুঝতে পারছি না। যাই হোক, মিস্টার মিত্তির যে প্রশ্নটা করলেন তার উত্তর হচ্ছে—আমি সিগারেট কিনতে বেরিয়েছিলাম।...আরও কিছু প্রশ্ন আছে কি মিস্টার মিত্তিরের?'

'হ্যাঁ, আছে।—সিগারেট কিনে বাড়ি ফিরতে এক ঘণ্টার উপর সময় লাগল কেন আপনার, বিকাশবাবু?'

'তার কারণ আমি গঙ্গার ঘাটে একটু হাওয়া খেতে গেসলাম। কোন ঘাট জানতে চান

তো তাও বলছি। হরিশ্চন্দ্র। সোনারপুরা রোডের ডাক্তার অশোক দত্তর সঙ্গে সেখানে দেখা হয়, মিনিট দশেক কথাও হয়। তাকে জিজ্ঞেস করে দেখতে পারেন।'

'আপনার হরিশ্চন্দ্র ঘাটে যাওয়ার ব্যাপারটা আমি অবিশ্বাস করছি না বিকাশবাবু। আপনার সেখানে যাবার একটা বিশেষ কারণ ছিল। সেটায় আমরা আসছি এক্ষুনি ; তার আগে ক্যাপ্টেন স্পার্ককে আমার আরেকটা প্রশ্ন আছে। ক্যাপ্টেন স্পার্ক, তুমি কি তোমার অ্যাসিস্ট্যান্ট খুদে রক্ষিতকে বলেছিলে সিংহের মুখে গণেশ লুকিয়ে রাখার কথা ?'

'ও তো বিশ্বাসই করেনি', বলল রুকু।

'জানি। সেইজন্যেই ও সিন্দুক খুলে দেখতে গিয়েছিল রুকুর কথা সত্যি কি না। যখন দেখল সত্যি, তখন থেকেই ওর লোভ হয় গণেশটার উপর। সেটা আপনিই চলে আসে ওর হাতে যখন শশীবাবু গণেশটা পেয়ে বাড়িতে আর কাউকে না পেয়ে বিকাশবাবুর হাতে সেটা জমা দিতে চায়। কিন্তু বিকাশ সিংহ তো জিনিসটা এভাবে পেতে চাননি ! শশীবাবু যে পরের দিনই সব কথা ফাঁস করে দেবেন ! তাকে খতম না করতে পারলে তো বিকাশবাবুর উদ্দেশ্য সিদ্ধি হয় না। তাই তিনি শশীবাবুকে ধাওয়া করেন। যাবার পথে শ্রীধর ভ্যারাইটি স্টোর্স থেকে একটি ছোরা কেনেন। তাই দিয়ে গণেশ মহল্লার অন্ধকার গলিতে শশীবাবুকে নির্মমভাবে হত্যা করেন ; তারপর হরিশ্চন্দ্র ঘাটে গিয়ে রক্তাক্ত ছুরিটা গঙ্গায়—'

'মিথ্যে ! সর্ব্বৈব মিথ্যে ! প্রত্যেকটা কথা মিথ্যে !'—বিকাশবাবুর এরকম অদ্ভুত চেহারা কোনওদিন দেখব কল্পনা করিনি। তার চোখ দুটো আর কপালের রগ দুটো যেন ঠিকরে বেরিয়ে আসছে—'গণেশ যদি আমি নেব তো সে গণেশ কোথায় ? কোথায় সে গণেশ ?'

'আর একদিন পরে হলে হয়তো সে গণেশ থাকত না। আপনি নিশ্চয়ই মগনলালকে বিক্রি করে দিতেন। কিন্তু পুজোর কটা দিন আপনার বাড়ি থেকে বেরোনো সম্ভব হয়নি—তাই আপনাকে গণেশ লুকিয়ে রাখতে হয়েছিল।'

'মিথ্যে কথা।'

'তেওয়ারিজী !' ফেলুদা দারোগাসাহেবের দিকে হাত বাড়াল। তেওয়ারি এবার আরেকটা জিনিস ফেলুদার হাতে তুলে দিল।

বিকাশবাবুর রেডিয়ো।

ফেলুদা রেডিয়োটাকে চিত করে ব্যাটারির খুপরির ঢাকনাটা খুলে তার ভিতরে হাত ঢুকিয়ে টেনে বার করল একটা লম্বা হিরে-বসানো আড়াই-ইঞ্চি সোনার গণেশ।

পরমুহূর্তেই অম্বিকাবাবুর বিশাল তালতলার চটির একটা পাটি গিয়ে সজোরে আছাড় খেল বিকাশবাবুর গালে।

সব শেষে শুনলাম রুকুর রিনরিনে চিৎকার—

'বিশ্বাসঘাতক ! বিশ্বাসঘাতক ! বিশ্বাসঘাতক !'

* * *

ঘোষালদের বাড়িতে তারিফ আর ভূরিভোজ ছাড়া আর যে জিনিসটা পাওয়া গেল, সেটা রয়েছে এখন ফেলুদার পকেটে একটা খামের মধ্যে। আমরা মদনপুরা রোড দিয়ে হেঁটে বাড়ি ফিরছি। লালমোহনবাবুর সিদ্ধির নেশা ছুটেছে কি না জানি না। হতে পারে ফেলুদার চোখ রাঙানি আর আমার চিমটির চোটে তিনি নিজেকে সামলে রেখেছেন।

কীর্তিরাম ছোটুরামের পানের দোকানের সামনে থামতে হঠাৎ আবার বেসামালভাবে হেসে উঠলেন লালমোহনবাবু।

'কী হল মশাই', ফেলুদা বলল, 'আপনাকে রাঁচি পাঠাতে হবে নাকি ? এত বড় একটা ঘটনা আপনার হাস্যকর বলে মনে হচ্ছে ?'

'আরে দুর মশাই', লালমোহনবাবু কোনও রকমে হাসি থামিয়ে বললেন, 'কী হয়েছে সে তো জানেন না। রহস্য রোমাঞ্চ সিরিজের তেষট্টি নম্বর বই—রক্ত-হীরক রহস্য বাই জটায়ু—সেদিন দেখলুম রুকুর তাকে। হিরো একটা হিরে লুকিয়ে রাখছে হাঁ-করা এক কুমিরের স্ট্যাচুর মুখের মধ্যে—ভিলেন যাতে না পায়। ভাবতে পারেন, আমারই লেখা বই আর আমিই কিনা ফেল মেরে গেলুম, আর ফেলু মিত্তির হয়ে গেলেন হিরো !'

ফেলুদা কিছুক্ষণ লালমোহনবাবুর দিকে চেয়ে রইল। তারপর বলল, 'আপনি ভুল করছেন লালমোহনবাবু। তার চেয়ে বরং বলুন আপনি আপনার কলমের জোরে এমন একটি রহস্য ফেঁদেছেন যে বাস্তবে তার সামনে পড়ে ফেলু মিত্তিরের গোয়েন্দাগিরি ছেড়ে দেবার উপক্রম হয়েছিল। কাজেই আপনিই বা হিরো কম কীসে ?'

সাত রকম মশলাওয়ালা তবক দেওয়া পানটা চার আঙুলের ঠেলা দিয়ে মুখে পুরে লালমোহনবাবু বললেন, 'যা বলেছেন মশাই—জটায়ুর জবাব নেই।'

ঘুরঘুটিয়ার ঘটনা

গ্রাম—ঘুরঘুটিয়া
পোঃ—পলাশী
জেলা—নদীয়া
৩রা নভেম্বর ১৯৭৪

শ্রীপ্রদোষচন্দ্র মিত্র মহাশয় সমীপেষু

সবিনয় নিবেদন,

আপনার কীর্তিকলাপের বিষয় অবগত হইয়া আপনার সহিত একটিবার সাক্ষাতের বাসনা জাগিয়াছে। ইহার একটি বিশেষ উদ্দেশ্যও আছে অবশ্যই। সেটি আপনি আসিলে জানিতে পারিবেন। আপনি যদি তিয়াত্তর বৎসরের বৃদ্ধের এই অনুরোধ রক্ষা করিতে সক্ষম হন, তবে অবিলম্বে পত্র মারফত জানাইলে বাধিত হইব।

ঘুরঘুটিয়া আসিতে হইলে পলাশী স্টেশনে নামিয়া সাড়ে পাঁচ মাইল দক্ষিণে যাইতে হয়। শিয়ালদহ হইতে একাধিক ট্রেন আছে ; তন্মধ্যে ৩৬৫ আপ লালগোলা প্যাসেঞ্জার দুপুর একটা আটান্ন মিনিটে ছাড়িয়া সন্ধ্যা ছ'টা এগারো মিনিটে পলাশী পৌঁছায়। স্টেশনে আমার গাড়ি থাকিবে। আপনি রাত্রে আমারই গৃহে অবস্থান করিয়া পরদিন সকালে সাড়ে দশটায় একই ট্রেন ধরিয়া কলিকাতায় ফিরিতে পারিবেন।

ইতি আশীর্বাদক
শ্রীকালীকিঙ্কর মজুমদার

চিঠিটা পড়ে ফেলুদাকে ফেরত দিয়ে বললাম, 'পলাশী মানে কি সেই যুদ্ধের পলাশী ?'

'আর কটা পলাশী আছে ভাবছিস বাংলাদেশে ?' বলল ফেলুদা। 'তবে তুই যদি ভাবিস যে সেখানে এখনও অনেক ঐতিহাসিক চিহ্ন ছড়িয়ে রয়েছে, তা হলে খুব ভুল করবি। কিস্যু নেই। এমন কী সিরাজদ্দৌল্লার আমলে যে পলাশবন থেকে পলাশীর নাম হয়েছিল, তার একটি গাছও এখন নেই।'

'তুমি কি যাবে ?'

ফেলুদা চিঠিটার দিকে কিছুক্ষণ চেয়ে থেকে বলল, 'বুড়ো মানুষ ডাকছে এভাবে !—তা ছাড়া উদ্দেশ্যটা কী সেটা জানারও একটা কৌতূহল হচ্ছে। আর সবচেয়ে বড় কথা—পাড়াগাঁয়ে শীতকালের সকাল-সন্ধেতে মাঠের উপর কেমন ধোঁয়া জমে থাকে দেখেছিস ? গাছগুলোর গুঁড়ি আর মাথার উপরটা খালি দেখা যায়। আর সন্ধেটা নামে ঝপ্ করে, আর তারপরেই কন্‌কনে ঠাণ্ডা, আর—নাঃ, এ সব কতকাল দেখিনি।—তোপ্‌সে, দে তো একটা পোস্টকার্ড।'

চিঠি পৌঁছাতে তিন-চার দিন লেগে যেতে পারে হিসেব করেই ফেলুদা যাবার তারিখটা জানিয়েছিল কালীকিঙ্কর মজুমদারকে। আমরা সেই অনুযায়ী ৩৬৫ আপ লালগোলা প্যাসেঞ্জারে চেপে পলাশী পৌঁছলাম বারোই নভেম্বর রবিবার সন্ধ্যা সাড়ে ছ'টায়। ট্রেনের কামরা থেকেই ধান ক্ষেতের উপর ঝপ্ করে সন্ধে নামা দেখছি। স্টেশনে যখন পৌঁছলাম তখন চারিদিকে বাতিটাতি জ্বলে গেছে, যদিও আকাশ পুরোপুরি অন্ধকার হয়নি। কালেক্টরবাবুর কাছে টিকিট দিয়ে বাইরে বেরিয়ে যে গাড়িটা চোখে পড়ল সেটাই যে মজুমদার মশাইয়ের গাড়ি তাতে কোনও সন্দেহ নেই। এরকম গাড়ি আমি কখনও দেখিনি ; ফেলুদা বলল ছেলেবেলায় এক-আধটা দেখে থাকতে পারে, তবে নামটা শোনা এটুকু বলতে পারে। কাপড়ের হুডওয়ালা, অ্যাম্বাসাডরের চেয়ে দেড়া লম্বা আমেরিকান গাড়ি, নাম হাপমোবিল। গায়ের গাঢ় লাল রং এখানে ওখানে চটে গেছে, হুডের কাপড়ে তিন জায়গায় তাপ্পি, তাও কেন জানি গাড়িটাকে দেখলে বেশ সমীহ হয়।

এমন গাড়ির সঙ্গে উর্দিপরা ড্রাইভার থাকলে মানাত ভাল ; যিনি রয়েছেন তিনি পরে আছেন সাধারণ ধুতি আর সাদা শার্ট। তিনি গাড়িতে হেলান দিয়ে সিগারেট খাচ্ছিলেন, আমাদের এগিয়ে আসতে দেখে সেটা ফেলে দিয়ে সোজা হয়ে দাঁড়িয়ে জিজ্ঞেস করলেন, 'মজুমদার বাড়িতে আপনারা ?'

'আজ্ঞে হ্যাঁ,' বলল ফেলুদা, 'ঘুরঘুটিয়া।'

'আসুন।'

ড্রাইভার দরজা খুলে দিলেন, আমরা চল্লিশ বছরের পুরনো গাড়ির ভিতর ঢুকে সামনের দিকে পা ছড়িয়ে হেলান দিয়ে আরাম করে বসলাম। ড্রাইভার হ্যান্ডল মেরে স্টার্ট দিয়ে গাড়ি ঘুরঘুটিয়ার দিকে রওনা করিয়ে দিলেন।

রাস্তা ভাল নয়, গাড়ির স্প্রিংও পুরনো, তাই আরাম বেশিক্ষণ টিকল না। তবুও, পলাশীর বাজার ছাড়িয়ে গাড়ি গ্রামের খোলা রাস্তায় পড়তেই চোখ আর মন এক সঙ্গে জুড়িয়ে গেল। ফেলুদা ঠিকই বলেছিল ; ধানে ভরা ক্ষেতের ওপরে গাছপালায় ঘেরা ছোট ছোট গ্রাম দেখা যাচ্ছে, আর তারই আশেপাশে জমাটবাঁধা ধোঁয়া ছড়িয়ে বিছিয়ে আছে মেঘের মতো মাটি থেকে আট-দশ হাত উপরে। চারিদিক দেখে মনে হচ্ছিল একেই বোধ হয় বলে ছবির মতো সুন্দর।

এরকম একটা জায়গায় যে আবার একটা পুরনো জমিদার বাড়ি থাকতে পারে সেটা বিশ্বাসই হচ্ছিল না ; কিন্তু মিনিট দশেক চলার পর রাস্তার দুপাশের গাছপালা দেখে বুঝতে

পারলাম আম জাম কাঁঠাল ভরা একটা বাগানের মধ্যে দিয়ে চলেছি। তারপর রাস্তাটা ডান দিকে ঘুরে একটা পোড়ো মন্দির পেরোতেই সামনে দেখতে পেলাম নহবৎখানা সমেত একটা শেওলাধরা প্রকাণ্ড সাদা ফটক। আমাদের গাড়িটা তিনবার হর্ন দিয়ে ফটকের ভিতরে ঢুকতেই সামনে বিশাল বাড়িটা বেরিয়ে পড়ল।

পিছনে সন্ধ্যার আকাশ থেকে লালটাল উবে গিয়ে এখন শুধু একটা গাঢ় বেগুনি ভাব রয়েছে। অন্ধকার বাড়িটা আকাশের সামনে একটা পাহাড়ের মতো দাঁড়িয়ে আছে। বাড়িটার অবস্থা যে প্রায় যাদুঘরে রাখার মতো সেটা কাছে গিয়েই বুঝতে পারলাম। দেয়ালে স্যাঁতা ধরেছে, সর্বাঙ্গে পলেস্তারা খসে গিয়ে ইঁট বেরিয়ে পড়েছে, সেই ইঁটের মধ্যেও আবার ফাটল ধরে তার ভিতর থেকে গাছপালা গজিয়েছে।

গাড়ি থেকে নেমে ফেলুদা প্রশ্ন করল, 'এদিকে ইলেক্‌ট্রিসিটি নেই বোধহয় ?' 'আজ্ঞে না' বলল ড্রাইভার, 'তিন বছর থেকে শুনছি আসবে আসবে, কিন্তু এখনও পর্যন্ত আসেনি।'

আমরা যেখানে দাঁড়িয়েছি, সেখান থেকে উপর দিকে চাইলে দোতলার অনেকগুলো ঘরের জানালা দেখা যায় ; কিন্তু তার একটাতেও আলো আছে বলে মনে হল না। ডান দিকে কিছু দূরে ঝোপঝাড়ের ফাঁক দিয়ে একটা ছোট্ট ঘর দেখা যাচ্ছে, যাতে টিমটিম করে একটা লণ্ঠন জ্বলছে। বোধহয় মালী বা দারোয়ান বা ওইরকম কেউ থাকে ঘরটাতে। মনে মনে বললাম, ফেলুদা ভাল করে খোঁজখবর না নিয়ে এ কোথায় এসে হাজির হল কে জানে।

একটা লণ্ঠনের আলো এসে পড়ল বাড়ির সদর দরজা দিয়ে বাইরের জমিতে। তারপরেই একজন বুড়ো চাকর এসে দরজার মুখটাতে দাঁড়াল। ইতিমধ্যে ড্রাইভার গাড়িটাকে নিয়ে গেছে বোধহয় গ্যারেজের দিকে। চাকরটা ভুরু কুঁচকে একবার আমাদের দিকে দেখে নিয়ে বলল, 'ভিতরে আসুন।' আমরা দুজনে তার পিছন পিছন বাড়ির ভিতর ঢুকলাম।

লম্বায়-চওড়ায় বাড়িটা যে অনেকখানি জায়গা জুড়ে আছে সেটা বেশ বুঝতে পারছিলাম। কিন্তু আর সবই কেমন যেন ছোট ছোট। দরজাগুলো বেঁটে বেঁটে, জানালাগুলো কলকাতার যে কোনও সাধারণ বাড়ির জানালার অর্ধেক, ছাতটা প্রায় হাত দিয়ে ছোঁয়া যায়। ফেলুদাকে জিজ্ঞেস করতে বলল দেড়শো-দুশো বছর আগের বাংলা দেশের জমিদার বাড়িগুলোর বেশির ভাগই নাকি এই রকমই ছিল।

লম্বা বারান্দা পেরিয়ে ডান দিকে ঘুরে সিঁড়ি দিয়ে উপরে উঠতেই একটা আশ্চর্য নতুন জিনিস দেখলাম। ফেলুদা বলল, 'একে বলে চাপা-দরজা। ডাকাতদের আটকাবার জন্য এরকম দরজা তৈরি হত। এ দরজা বন্ধ করলে আর খাড়া দাঁড়িয়ে থাকে না ভাঁজ হয়ে মাথার উপরে সিলিং-এর মতো টেরচাভাবে শুয়ে পড়ে। দরজার গায়ে যে ফুটোগুলো দেখছিস, সেগুলো দিয়ে বল্লম ঢুকিয়ে ডাকাতদের খুঁচিয়ে তাড়ানো হত।'

দরজা পেরিয়ে একটা লম্বা বারান্দা, তার শেষ মাথায় কুলঙ্গিতে একটা প্রদীপ জ্বলছে। তারই পাশে একটা দরজা দিয়ে একটা ঘরে গিয়ে ঢুকলাম আমরা তিনজনে।

এ ঘরটা বেশ বড়। আরও বড় মনে হত যদি এত জিনিসপত্র না থাকত। একটা প্রকাণ্ড খাট ঘরের প্রায় অর্ধেকটা দখল করে আছে। তার মাথার দিকে বাঁ পাশে একটা টেবিল, তার পাশে একটা সিন্দুক। এ ছাড়া চেয়ার রয়েছে তিনটে, একটা এমনি আলমারি, আর মেঝে থেকে ছাত অবধি বইয়ে ঠাসা বাঁ পাশে একটা টেবিল, তার পাশে একটা সিন্দুক। এ ছাড়া চেয়ার রয়েছে আর রয়েছে খাটের উপর কম্বল মুড়ি দিয়ে শোয়া একজন বৃদ্ধ ভদ্রলোক। টেবিলের উপর রাখা একটা মোমবাতির আলো তাঁর মুখে পড়েছে, আর সেই আলোতে বুঝতে পারছি সাদা দাড়ি গোঁফের ফাঁক দিয়ে ভদ্রলোক আমাদের দিকে চেয়ে হাসছেন।

'বসুন', বললেন কালীকিঙ্কর মজুমদার। 'নাকি বোসো বলব ? তুমি তো দেখছি বয়সে আমার চেয়ে অর্ধেকেরও বেশি ছোট। তুমিই বলি, কী বলো ?'

'নিশ্চয়ই !'

ফেলুদা আমার কথা চিঠিতেই লিখে দিয়েছিল, এখন আলাপ করিয়ে দিল। একটা জিনিস লক্ষ করলাম যে আমাদের দুজনেরই নমস্কারের উত্তরে উনি কেবল মাথা নাড়লেন।

খাটের সামনেই দুটো পাশাপাশি চেয়ারে বসলাম আমরা দুজনে।

'চিঠিটা পেয়ে কৌতূহল হয়েছিল নিশ্চয়ই,' ভদ্রলোক হালকা হেসে জিজ্ঞেস করলেন।

'না হলে আর অ্যাদ্দূর আসি ?'

'বেশ, বেশ।' মজুমদার মশাই সত্যিই খুশি হয়েছেন এটা বেশ বোঝা যাচ্ছিল। 'না এলে আমি দুঃখ পেতাম। মনে করতাম তুমি দাম্ভিক। আর তা ছাড়া তুমিও একটা পাওনা থেকে বঞ্চিত হতে। অবিশ্যি জানি না এ সব বই তোমার আছে কি না।'

ভদ্রলোকের দৃষ্টি টেবিলের দিকে ঘুরে গেল। চারটে মোটা মোটা বই রাখা রয়েছে মোমবাতির পাশেই। ফেলুদা উঠে গিয়ে বইগুলো নেড়েচেড়ে দেখে বলল, 'সর্বনাশ, এ যে দেখছি সবই দুষ্প্রাপ্য বই। আর প্রত্যেকটা আমার পেশা সম্পর্কে। আপনি নিজে কি কোনওকালে— ?'

'না', ভদ্রলোক হেসে বললেন, 'আমি নিজে কোনওদিন গোয়েন্দাগিরি করিনি। ওটা বলতে পার আমার যুবাবয়সের একটা শখ বা "হবি"। আজ থেকে বাহান্ন বছর আগে আমাদের পরিবারে একটা খুন হয়। পুলিশ লাগানো হয়। ম্যালকম বলে এক সাহেব-গোয়েন্দা খুনি ধরে দেয়। সেই ম্যালকমের সঙ্গে কথাবার্তা বলে আমার গোয়েন্দাগিরি সম্পর্কে কৌতূহল হয়। তখনই এইসব বই কিনি। সেই সঙ্গে অবিশ্যি গোয়েন্দা কাহিনী

পড়ারও খুব শখ হয়। এমিল গ্যাবেরিও-র নাম শুনেছ?'

'হ্যাঁ হ্যাঁ', উৎসাহের সঙ্গে বলে উঠল ফেলুদা, 'ফরাসি লেখক, প্রথম ডিটেকটিভ উপন্যাস লেখেন।'

'হুঁ', মাথা নেড়ে বললেন কালীকিঙ্কর মজুমদার, 'তার সব কটা বই আমার আছে। আর তা ছাড়া এডগার অ্যালেন পো, কোনান ডয়েল, এ তো আছেই। বই যা কিনেছি তার সবই চল্লিশ বছর বা তারও বেশি আগে। তার চেয়ে বেশি আধুনিক কিছু নেই আমার কাছে। আজকাল অবিশ্যি এ লাইনের কাজ অনেক বেশি অগ্রসর হয়েছে, অনেক সব নতুন বৈজ্ঞানিক উপায় আবিষ্কার হয়েছে। তবে তোমার বিষয় যেটুকু জেনেছি, তাতে মনে হয় তুমি আরও সরলভাবে, প্রধানত মস্তিষ্কের উপর নির্ভর করে কাজ করছ। আর বেশ সাক্সেস্‌ফুলি করছ।—কথাটা ঠিক বলেছি কি?'

'সাক্সেসের কথা জানি না, তবে পদ্ধতি সম্বন্ধে যেটা বললেন সেটা ঠিক।'

'সেটা জেনেই আমি তোমাকে ডেকেছি।'

ভদ্রলোক একটু থামলেন। ফেলুদা নিজের জায়গায় ফিরে এসেছে। মোমবাতির স্থির শিখাটার দিকে কিছুক্ষণ চেয়ে থেকে কালীকিঙ্করবাবু বললেন, 'আমার যে শুধু সত্তরের উপর বয়স হয়েছে তা নয়, আমার শরীরও ভাল নেই। আমি চলে গেলে এ সব বইয়ের কী দশা হবে জানি না; তাই ভাবলাম অন্তত এই ক'টা যদি তোমার হাতে তুলে দিতে পারি তা হলে এগুলোর যত্ন হবে, কদর হবে।'

ফেলুদা অবাক হয়ে তাকের বইগুলোর দিকে দেখছিল। বলল, 'এ সবই কি আপনার নিজের বই?'

কালীকিঙ্করবাবু বললেন, 'বইয়ের শখ মজুমদার বংশে একমাত্র আমারই। আর নানা বিষয়ে যে উৎসাহ ছিল আমার সেটা নিশ্চয়ই বুঝতে পারছ।'

'তা তো বটেই। আর্কিয়লজির বই রয়েছে, আর্টের বই, বাগান সম্বন্ধে বই, ইতিহাস, জীবনী, ভ্রমণ কাহিনী...এমন কী থিয়েটারের বইও তো দেখছি। তার মধ্যে কিছু বেশ নতুন বলে মনে হচ্ছে। এখনও বই কেনেন নাকি?'

'তা কিনি বইকী। রাজেন বলে আমার একটি ম্যানেজার গোছের লোক আছে, তাকে মাসে দু-তিনবার করে কলকাতায় যেতে হয়, তখন লিস্ট করে দিই, ও কলেজ স্ট্রিট থেকে নিয়ে আসে।'

ফেলুদা টেবিলের উপর রাখা বইগুলোর দিকে দেখে বলল, 'আপনাকে যে কী বলে ধন্যবাদ দেব বুঝতে পারছি না।'

কালীকিঙ্করবাবু বললেন, 'বইগুলো নিজের হাতে করে তোমার হাতে তুলে দিতে পারলে আরও বেশি খুশি হতাম, কিন্তু আমার দুটো হাতই অকেজো হয়ে আছে।'

আমরা দুজনেই একটু অবাক হয়ে ভদ্রলোকের দিকে চাইলাম। উনি হাত দুটো কম্বলের তলায় ঢুকিয়ে রেখেছেন ঠিকই, কিন্তু সেটার যে কোনও বিশেষ কারণ আছে সেটা বুঝতে পারিনি।

'আরথ্রাইটিস জানো তো? যাকে সোজা বাংলায় বলে গেঁটে বাত। হাতের আঙুলগুলো আর ব্যবহার করতে পারি না। এখন অবিশ্যি আমার ছেলে কিছুদিন হল এখানে এসে রয়েছে, নইলে আমার চাকর গোকুলই আমাকে খাইয়ে-টাইয়ে দেয়।'

'আপনার চিঠিটা কি আপনার ছেলে লিখেছিলেন?'

'না, ওটা লিখেছিল রাজেন। বৈষয়িক ব্যাপারগুলো ওই দেখে। ডাক্তার ডাকার দরকার হলে গাড়ি করে গিয়ে নিয়ে আসে বহরমপুর থেকে। পলাশীতে ভাল ডাক্তার নেই।'

লক্ষ করছিলাম ফেলুদার দৃষ্টি মাঝে মাঝে চলে যাচ্ছে ঘরের কোনায় রাখা সিন্দুকটার দিকে। ও বলল, 'আপনার সিন্দুকটার একটু বিশেষত্ব আছে বলে মনে হচ্ছে। তালা-চাবির ব্যবস্থা নেই দেখছি। কম্বিনেশনে খোলে বুঝি?'

কালীকিঙ্করবাবু হেসে বললেন, 'ঠিক ধরেছ। একটা বিশেষ সংখ্যা আছে; সেই অনুযায়ী নবটা ঘোরালে তবে খোলে। এ সব অঞ্চলে এককালে ডাকাতদের খুব উপদ্রব ছিল, জানো তো। আমার পূর্বপুরুষই তো ডাকাতি করে জমিদার হয়েছে। তারপর আবার আমরাই ডাকাতের হাতে লাঞ্ছনা ভোগ করেছি। তাই মনে হয়েছিল তালার বদলে কম্বিনেশন করলে হয়তো আর একটু নিরাপদ হবে।'

কথাটা শেষ করে ভদ্রলোক ভুরু কুঁচকে কী যেন ভাবলেন। তারপর তাঁর চাকরের নাম ধরে একটা হাঁক দিলেন। প্রায় সঙ্গে সঙ্গে বুড়ো গোকুল এসে হাজির হল। কালীকিঙ্করবাবু বললেন, 'একবার খাঁচাটা আন তো গোকুল। এঁদের দেখাব।'

গোকুল কয়েক সেকেন্ডের মধ্যেই একটা খাঁচায় একটি টিয়া নিয়ে এসে হাজির। মোমবাতির আলোয় টিয়ার চোখ দুটো জ্বলজ্বল করছে।

কালীকিঙ্করবাবু পাখিটার দিকে চেয়ে বললেন, 'বলো তো মা,—ত্রিনয়ন, ত্রিনয়ন—বলো তো।'

কিছুক্ষণ সব চুপচাপ। তারপর আশ্চর্য পরিষ্কার গলায় পাখি বলে উঠল, 'ত্রিনয়ন, ও

ত্রিনয়ন !'

আমি তো থ। পাখিকে এত পরিষ্কার কথা বলতে কখনও শুনিনি। কিন্তু ওখানেই শেষ না। সঙ্গে আরও দুটো কথা জুড়ে দিল টিয়া—'একটু জিরো !'

তারপর আবার পুরো কথাটা পরিষ্কার করে বলে উঠল টিয়া—'ত্রিনয়ন, ও ত্রিনয়ন—একটু জিরো।'

ফেলুদার ভুরু কুঁচকে গেছে। বলল, 'ত্রিনয়ন কে ?'

কালীকিঙ্করবাবু হো হো করে হেসে উঠে বললেন, 'সেটি বলব না তোমাকে। শুধু এইটুকু বলব যে যেটা বলছে সেটা হল একটা সংকেত। বারো ঘণ্টা সময় আছে তোমার। দেখো তো তুমি সংকেতটা বার করতে পার কি না। আমার সিন্দুকের সঙ্গে সংকেতটার যোগ আছে বলে দিলাম।'

ফেলুদা বলল, 'টিয়াকে ওটা শেখানোর পিছনে কোনও উদ্দেশ্য আছে কি না সেটা জানতে পারি কি ?'

'নিশ্চয়ই পার', বললেন কালীকিঙ্কর মজুমদার। 'বয়সের সঙ্গে অধিকাংশ মানুষের স্মরণশক্তি কমে আসে সেটা জানো তো ? বছর তিনেক আগে একদিন সকালে হঠাৎ দেখি সিন্দুকের সংকেতটা মনে আসছে না। বিশ্বাস করবে ?—সারাদিন চেষ্টা করেও নম্বরটা মনে করতে পারিনি। শেষটায় মনে পড়ল মাঝরাত্তিরে! নম্বরটা লিখে রাখিনি কোথাও, কারণ কখন যে কার কী অভিসন্ধি হয় সেটা তো বলা যায় না। তাই মনে হয়েছিল ওটা মাথায় রাখাই ভাল। এক আমার ছেলে জানত, কিন্তু সে থাকে বাইরে বাইরে। তাই পরদিনই একটি টিয়া সংগ্রহ করে নম্বরটা একটা সাংকেতিক চেহারা দিয়ে পাখিটাকে পড়িয়ে দিই। এখন ও মাঝে মাঝেই সংকেতটা বলে ওঠে—অন্য পাখি যেমন বলে "রাধাকিষণ" বা "ঠাকুর ভাত দাও"।'

ফেলুদা সিন্দুকটার দিকে দেখছিল। হঠাৎ ভ্রূকুটি করে চেয়ার ছেড়ে উঠে এগিয়ে গেল সেটার দিকে। তারপর ফিরে এসে টেবিলের উপর থেকে মোমবাতিটা তুলে নিয়ে আবার গেল সিন্দুকটার দিকে।

'কী দেখছ ভাই ?' বললেন কালীকিঙ্করবাবু। 'তোমার ডিটেকটিভের চোখে কিছু ধরা পড়ল নাকি ?'

ফেলুদা সিন্দুকের সামনেটা পরীক্ষা করে বলল, 'আপনার সিন্দুকের দরজার উপর কিঞ্চিৎ বলপ্রয়োগ করা হয়েছে বলে মনে হয়। বোধহয় কেউ দরজাটা খুলতে চেষ্টা করেছিল।'

কালীকিঙ্করবাবু গম্ভীর হয়ে গেলেন।

'তুমি এ বিষয়ে নিশ্চিত ?'

ফেলুদা মোমবাতিটা আবার টেবিলের উপর রেখে বলল, 'ঝাড়পোঁছ করতে গিয়ে এরকম দাগ পড়বে বলে মনে হয় না। কিন্তু এ ধরনের ঘটনার কোনও সম্ভাবনা আছে কি ? সেটা আপনিই ভাল বলতে পারবেন।'

কালীকিঙ্করবাবু একটু ভেবে বললেন, 'বাড়িতে লোক বলতে তো আমি, গোকুল, রাজেন, আমার ড্রাইভার মণিলাল ঠাকুর আর মালী। আমার ছেলে বিশ্বনাথ দিন পাঁচেক হল এসেছে। ও থাকে কলকাতায়। ব্যবসা করে। আমার সঙ্গে যোগাযোগ বিশেষ নেই। এবারে এসেছে—ওই যা বললাম—আমার অসুখের খবর পেয়ে। গত সোমবার সকালে আমার বাগানের বেঞ্চিটায় বসে ছিলাম। ওঠার সঙ্গে সঙ্গে চোখে অন্ধকার দেখে আবার বেঞ্চিতেই পড়ে যাই। রাজেন পলাশী থেকে বিশ্বনাথকে ফোন করে দেয়। ও পরদিনই ডাক্তার নিয়ে চলে আসে। মনে হচ্ছে একটা ছোটখাটো হার্ট অ্যাটাক হয়ে গেল। যাই

হোক—আমার এমনিতেও আর বেশিদিন নেই সেটা আমি জানি। এই শেষ ক'টা দিন কি সংশয়ের মধ্যে কাটাতে হবে ? আমার ঘরে ঢুকে ডাকাত আমার সিন্দুক ভাঙবে ?'

ফেলুদা কালীকিঙ্করবাবুকে আশ্বাস দিল।

'আমার সন্দেহ নির্ভুল নাও হতে পারে। হয়তো সিন্দুকটা যখন প্রথম বসানো হয়েছিল তখন ঘষাটা লেগেছিল। দাগগুলো টাটকা না পুরনো সেটা এই মোমবাতির আলোতে বোঝা যাচ্ছে না। কাল সকালে আর একবার দেখব। আপনার চাকরটি বিশ্বাসী তো ?'

'গোকুল আছে প্রায় ত্রিশ বছর।'

'আর রাজেনবাবু ?'

'রাজেনও পুরনো লোক। মনে তো হয় বিশ্বাসী। তবে ব্যাপারটা কী জান—আজ যে বিশ্বাসী, কাল যে সে বিশ্বাসঘাতকতা করবে না এমন তো কোনও গ্যারান্টি নেই।'

ফেলুদা মাথা নেড়ে কথাটায় সায় দিয়ে বলল, 'যাই হোক, গোকুলকে বলবেন একটু দৃষ্টি রাখতে। আমার মনে হয় না চিন্তার কোনও কারণ আছে।'

'যাক !'

কালীকিঙ্করবাবুকে খানিকটা আশ্বস্ত বলে মনে হল। আমরা উঠে পড়লাম। ভদ্রলোক বললেন, 'গোকুল তোমাদের ঘর দেখিয়ে দেবে। লেপ কম্বল তোশক বালিশ মশারি—সব কিছুরই ব্যবস্থা আছে। বিশ্বনাথ একটু বহরমপুরে গেছে—এই ফিরল বলে। ও এলে তোমরা খাওয়া-দাওয়া করে নিয়ো। কাল সকালে যাবার আগে যদি চাও তো আমার গাড়িতে করে আশেপাশে একটু ঘুরে দেখে নিয়ো। যদিও দ্রষ্টব্য বলে খুব যে একটা কিছু আছে তা নয়।'

ফেলুদা টেবিলের উপর থেকে বইগুলো নিয়ে এল। গুড নাইট করার আগে কালীকিঙ্করবাবু আর একবার হেঁয়ালির কথাটা মনে করিয়ে দিলেন।—

'ওটার সমাধান করতে পারলে তোমাকে আমার গ্যাবোরিওর সেটটা উপহার দেব।'

গোকুল আমাদের সঙ্গে নিয়ে দুটো বারান্দা পেরিয়ে আমাদের ঘর দেখিয়ে দিল।

আগে থেকেই ঘরে একটা লণ্ঠন রাখা ছিল। সুটকেস আর হোল্ডঅলও দেখলাম ঘরের এক কোণে রাখা রয়েছে। কালীকিঙ্করবাবুর ঘরের চেয়ে এ ঘরটা ছোট হলেও, জিনিসপত্র কম থাকাতে হাঁটাচলার জায়গা এটাতে একটু বেশিই। ফরসা চাদর পাতা খাটের উপর বসে ফেলুদা বলল, 'সংকেতটা মনে পড়ছে, তোপ্‌সে ?'

এইরে ! ত্রিনয়ন নামটা মনে আছে, কিন্তু সমস্ত সংকেতটা জিজ্ঞেস করে ফেলুদা প্যাঁচে ফেলে দিয়েছে।

'পারলি না তো ? ঝোলা থেকে আমার খাতাটা বার করে সংকেতটা লিখে ফেল। গ্যাবোরিওর বইগুলোর ওপর বেজায় লোভ হচ্ছে।'

খাতা পেনসিল নিয়ে বসার পর ফেলুদা বলল, আর আমি গোটা গোটা অক্ষরে লিখে ফেললাম—

'ত্রিনয়ন, ও ত্রিনয়ন—একটু জিরো।'

লিখে নিজেরই মনে হল এ আবার কীরকম সংকেত। এর তো মাথা মুণ্ডু কিছুই বোঝা যায় না। ফেলুদা এর সমাধান করবে কী করে ?

ফেলুদা এদিকে বিছানা ছেড়ে উঠে গিয়ে জানালা খুলে বাইরে দেখছে। জ্যোৎস্না রাত। বোধহয় পূর্ণিমা। আমি ফেলুদার পাশে গিয়ে দাঁড়ালাম। এটা বাড়ির পিছন দিক। ফেলুদা বলল, 'একটা পুকুর-টুকুর গোছের কিছু আছে বলে মনে হচ্ছে ডান দিকটায়।' ঘন গাছপালার ফাঁক দিয়ে দূরে জল চিক্‌মিক্ করছে সেটা আমিও দেখেছি।

একটানা ঝিঁঝি ডেকে চলেছে। তার সঙ্গে এই মাত্র যোগ হল শেয়ালের ডাক। আমার মনে হল এত নির্জন জায়গায় এর আগে কখনও আসিনি।

জানালা দিয়ে ঠাণ্ডা হাওয়া আসছিল, ফেলুদা পাল্লা দুটো বন্ধ করতেই একটা মটোরের আওয়াজ পেলাম। এটা অন্য গাড়ি, সেই বিশাল প্রাচীন আমেরিকান গাড়ি নয়।

'বিশ্বনাথ মজুমদার এলেন বলে মনে হচ্ছে,' ফেলুদা মন্তব্য করল। তার মানে এবার খেতে ডাকবে। সত্যি বলতে কী, বেশ খিদে পেয়ে গিয়েছিল। একটায় ট্রেন ধরব বলে সকালে খেয়ে বেরিয়েছি। পথে রাণাঘাট স্টেশনে অবিশ্যি মিষ্টি আর চা খেয়ে নিয়েছিলাম। হয়তো এমনিতে খিদে পেত না, কারণ ঘড়িতে বলছে সবেমাত্র আটটা বেজেছে, কিন্তু এখানে তো আর কিছু করার নেই—এমন কী লণ্ঠনের আলোতে বইও পড়া যাবে না—তাই মনে হচ্ছিল খেয়ে-দেয়ে কম্বলের তলায় ঢুকতে পারলে মন্দ হয় না।

এতক্ষণ খেয়াল করিনি, এবার দেখলাম আমাদের ঘরের দেওয়ালে একটা ছবি রয়েছে, আর ফেলুদা সেটার দিকে চেয়ে আছে। ফোটো নয় ; আঁকা ছবি আর বেশ বড়। সেটা যে কালীকিঙ্করবাবুর পূর্বপুরুষের ছবি তাতে কোনও সন্দেহ নেই। খালি গায়ে বসে আছেন বাবু চেয়ারের উপর ; পাকানো গোঁফ, কাঁধ অবধি লম্বা চুল, টানাটানা চোখ, আর বিরাট চওড়া কাঁধ।

'মুগুর ভাঁজা কুস্তি করা শরীর,' ফিস্ ফিস্ করে বলল ফেলুদা। 'মনে হচ্ছে ইনিই সেই প্রথম ডাকাত জমিদার।'

বাইরে পায়ের শব্দ। আমরা দুজনেই দরজার দিকে চাইলাম। গোকুল বাইরে একটা লণ্ঠন রেখে গিয়েছিল, তার আলোটা ঢেকে প্রথমে একটা ছায়া ঘরের মেঝেতে পড়ল, আর তারপর একটা অচেনা মানুষ চৌকাঠের বাইরে এসে দাঁড়াল।

ইনিই কি বিশ্বনাথ মজুদার ? না, হতেই পারে না। খাটো করে পরা ধুতি, গায়ে ছাই রঙের পাঞ্জাবি, ঝুঁপো গোঁফ আর চোখে পুরু চশমা। ভদ্রলোক গলা বাড়িয়ে ভুরু কুঁচকে বোধহয় আমাদের খুঁজছেন।

'কিছু বলবেন রাজেনবাবু ?' ফেলুদা প্রশ্ন করল।

ভদ্রলোক যেন এতক্ষণে আমাদের দেখতে পেলেন। এবার সর্দি-বসা গলায় কথা এল—

'ছোটবাবু ফিরেছেন। ভাত দিতে বলেছি ; গোকুল আপনাদের খবর দেবে।

রাজেনবাবু চলে গেলেন।

'কীসের গন্ধ বলো তো ?' আমি জিজ্ঞেস করলাম ফেলুদাকে।

'বুঝতে পারছিস না ? ন্যাফথ্যালিন। গরম পাঞ্জাবিটা সবেমাত্র বার করেছে ট্রাঙ্ক থেকে।'

রাজেনবাবুর পায়ের শব্দ মিলিয়ে যাবার সঙ্গে সঙ্গে আবার বুঝতে পারলাম আমরা কী আশ্চর্য থমথমে পরিবেশের মধ্যে রয়েছি। এরকম জায়গায় দিনের পর দিন মানুষ থাকে কী করে ? ফেলুদা পাশে থাকলে সাহসের অভাব হবে না জানি, কিন্তু না থাকলে এই আদ্যিকালের পোড়ো জমিদার বাড়িতে পাঁচ মিনিটও থাকার সাধ্যি হত না আমার। কালীকিঙ্করবাবু আবার নিজেই বললেন এ বাড়িতে নাকি এককালে খুন হয়েছিল। কোন্ ঘরে কে জানে !

ফেলুদা এর মধ্যে লণ্ঠন সমেত টেবিলটাকে কাছে টেনে এনে খাটে বসে খাতা খুলে সংকেত নিয়ে ভাবা শুরু করে দিয়েছে। দু-একবার যেন ত্রিনয়ন বলে বিড়বিড় করতেও শুনলাম। আমি আর কী করি, দরজা দিয়ে বেরিয়ে বাইরের বারান্দায় গিয়ে দাঁড়ালাম।

ওটা কী ? বুকটা ধড়াস করে উঠল। কী জানি একটা নড়ে উঠেছে বারান্দার

ওদিকটায়—যেখানে লণ্ঠনের আলো অন্ধকারে মিশে গেছে।

দাঁত দাঁতে চেপে রইলাম অন্ধকারের দিকে। এবার বুঝলাম ওটা একটা বেড়াল। ঠিক সাধারণ সাদা বা কালো বেড়াল নয় ; এটার গায়ে বাঘের মতো ডোরা। বেড়ালটা কিছুক্ষণ আমার দিকে একদৃষ্টে চেয়ে থেকে একটা হাই তুলে উলটো দিকে ফিরে হেলতে দুলতে অন্ধকারের মধ্যে অদৃশ্য হয়ে গেল। তার কিছু পরেই শুনলাম কর্কশ গলায় টিয়ার ডাক। তারপরেই আবার সব চুপচাপ। বিশ্বনাথ বাবুর ঘরটা কোথায় কে জানে। তিনি কি দোতলায় থাকেন না একতলায় ? রাজেনবাবুই বা কোথায় থাকেন ? আমাদের এমন ঘর দিয়েছে কেন যেখান থেকে কারুর কোনও সাড়া-শব্দ পাওয়া যায় না ?

আমি ঘরে ফিরে এলাম। ফেলুদা খাটের উপর পা তুলে দিয়ে খাতা হাতে নিয়ে ভাবছে। আর না পেরে বললাম, 'এরা এত দেরি করছে কেন বলো তো ?'

ফেলুদা ঘড়ি দেখে বলল, 'তা মন্দ বলিসনি। প্রায় পনেরো মিনিট হয়ে গেল।' বলেই আবার খাতার দিকে মন দিল।

আমি ফেলুদার পাওয়া বইগুলো উলটে-পালটে দেখলাম। একটা বই আঙুলের ছাপ সম্বন্ধে, একটার নাম 'ক্রিমিনলজি', আর একটা 'ক্রাইম অ্যান্ড ইটস ডিটেকশন'। চার নম্বর বইটার নামের মানেই বুঝতে পারলাম না। তবে এটায় অনেক ছবি রয়েছে, তার মধ্যে পর পর দশ পাতায় শুধু বিভিন্ন রকমের পিস্তল আর বন্দুক। ফেলুদা রিভলভারটা সঙ্গে এনেছে কি ?

প্রশ্নটা মাথায় আসতেই মনে পড়ল ফেলুদা তো গোয়েন্দাগিরি করতে আসেনি ; আর সেটার কোনও প্রয়োজনও নেই। কাজেই রিভলভারেরই বা দরকার হবে কেন ?

বইগুলো সুটকেসে রেখে খাটে বসতে যাব, এমন সময় আচমকা অচেনা গলার আওয়াজ পেয়ে বুকটা আবার ধড়াস করে উঠল।

এবারের লোকটিকে চেনায় কোনও অসুবিধা নেই। ইনি গোকুল নন, রাজেনবাবু নন ; গাড়ির ড্রাইভার নন, আর রান্নার ঠাকুর তো ননই। কাজেই ইনি বিশ্বনাথবাবু ছাড়া আর কেউ হতে পারেন না।

'আপনাকে অনেক দেরি করিয়ে দিলাম', ভদ্রলোক ফেলুদাকে নমস্কার করে বললেন। 'আমার নাম বিশ্বনাথ মজুমদার।'

সেটা আর বলে দিতে হয় না। বাপের সঙ্গে বেশ মিল আছে চেহারায়। বিশেষ করে চোখ আর নাকে। বয়স চল্লিশ-পঁয়তাল্লিশ হবে, মাথার চুল এখনও সবই কাঁচা, গোঁফ-দাড়ি নেই, ঠোঁট দুটো অসম্ভব রকম পাতলা। ভদ্রলোককে আমার ভাল লাগল না। কেন ভাল লাগল না সেটা অবিশ্যি বলা মুশকিল। একটা কারণ বোধহয় উনি আমাদের এতক্ষণ বসিয়ে রেখেছেন, আর আরেকটা কারণ—যদিও এটা ভুল হতে পারে—ভদ্রলোক আমাদের দিকে চেয়ে হাসলেও সে হাসিটা কেন জানি খাঁটি বলে মনে হল না। যেন আসলে সত্যি করে আমাদের দেখে খুশি হননি ; সেটা হবেন আমরা চলে গেলে পর।

ফেলুদা আর আমি বিশ্বনাথবাবুর সঙ্গে নীচে নেমে সোজা গিয়ে হাজির হলাম খাবার ঘরে। আমি ভেবেছিলাম মাটিতে বসে খেতে হবে—এখন দেখছি বেশ বড় একটা ডাইনিং টেবিল রয়েছে, আর তার উপরে রুপোর থালা বাটি গেলাস সাজানো রয়েছে।

যে-যার জায়গায় বসার পর বিশ্বনাথবাবু বললেন, 'আমার আবার কি শীত কি গ্রীষ্ম দুবেলা চান করার অভ্যাস, তাই একটু দেরি হয়ে গেল।'

ভদ্রলোকের গা থেকে দামি সাবানের গন্ধ পেয়েছি আগেই ; এখন মনে হচ্ছে বোধহয় সেন্টও মেখে এসেছেন। বেশ শৌখিন লোক সন্দেহ নেই। সাদা সিল্কের শার্টের উপর গাঢ়

সবুজ রঙের হাত কাটা কার্ডিগ্যান, আর তার সঙ্গে ছাই রঙের টেরিলিনের প্যান্ট।

বাটি চাপা ভাত ভেঙে মোচার ঘণ্ট দিয়ে খাওয়া শুরু করে দিলাম। থালার চারপাশে গোল করে সাজানো বাটিতে রয়েছে আরও তিন রকমের তরকারি, সোনা মুগের ডাল, আর রুই মাছের ঝোল।

'বাবার সঙ্গে কথা হয়েছে?' জিজ্ঞেস করলেন বিশ্বনাথবাবু।

'হ্যাঁ', বলল ফেলুদা। 'উনি আমাকে ভীষণ লজ্জায় ফেলে দিয়েছেন।'

'বই উপহার দিয়ে?'

'হ্যাঁ। আজকের বাজারে ওই বই যদি পাওয়াও যেত, তা হলে দাম পড়ত কমপক্ষে পাঁচ-সাত শো টাকা।'

বিশ্বনাথবাবু হেসে বললেন, 'আপনাকে ডেকে পাঠিয়েছেন জেনে আমি বাবাকে বেশ একটু ধমকই দিয়েছিলাম। শহুরে লোকদের এই অজ পাড়াগাঁয়ে ডেকে এনে কষ্ট দেবার কোনও মানে হয় না।'

ফেলুদা কথাটার প্রতিবাদ করল।

'কী বলছেন মিস্টার মজুমদার। আমার তো এখানে এসে দারুণ লাভ হয়েছে। কষ্টের কোনও কথাই ওঠে না।'

বিশ্বনাথবাবু ফেলুদার কথায় তেমন আমল না দিয়ে বললেন, 'আমার তো এই চার দিনেই প্রাণ হাঁপিয়ে উঠেছে। বাবা যে কী করে একটানা এতদিন রয়েছেন জানি না।'

'বাইরে একবারেই যান না?'

'শুধু তাই না। বেশির ভাগ সময়ই ওঁর এই অন্ধকার ঘরে খাটের উপর শুয়ে থাকেন। দিনে কেবল দুবার কিছুক্ষণের জন্য বাগানে গিয়ে বসেন। এখন অবিশ্যি শরীরের জন্য সেটাও বন্ধ।'

'আপনি আর ক'দিন আছেন?'

'আমি? আমি কালই যাব। বাবার এখন ইমিডিয়েট কোনও ডেঞ্জার নেই। আপনারা তো বোধহয় সাড়ে আটটার ট্রেনে ফিরছেন?'

'আজ্ঞে হ্যাঁ।'

'তা হলে আপনারাও যাবেন, আর আমিও বেরোব।'

ফেলুদা ভাতে ডাল ঢেলে বলল, 'আপনার বাবার তো নানারকম শখ দেখলাম; আপনি নিজে কি একেবারে সেন্ট পার্সেন্ট ব্যবসাদার?'

'হ্যাঁ মশাই। কাজকম্ম করে আর অন্য কিছু করার প্রবৃত্তি থাকে না।'

বিশ্বনাথবাবুর কাছ থেকে বিদায় নিয়ে আমরা যখন ঘরে ফিরে এলাম তখন বেজেছে প্রায় সাড়ে নটা। এখানে ঘড়ির টাইমের আর কোনও মানে নেই আমার কাছে, কারণ সাতটা থেকেই মনে হচ্ছে মাঝরাত্তির।

ফেলুদাকে বললাম, 'বালিশগুলোকে উলটো দিকে করে শুলে তোমার কোনও আপত্তি আছে?'

'কেন বল্ তো?'

'তা হলে আর চোখ খুললেই ডাকাতবাবুটিকে দেখতে হবে না।'

ফেলুদা হেসে বলল, 'ঠিক আছে। আমার কোনও আপত্তি নেই। ভদ্রলোকের চাহনিটা যে আমারও খুব ভাল লাগছিল তা বলতে পারি না।'

শোবার আগে ফেলুদা লণ্ঠনের আলোটাকে কমিয়ে দিল, আর তার ফলে ঘরটাও যেন আরও ছোট হয়ে গেল।

চোখ যখন প্রায় বুজে এসেছে, তখন হঠাৎ ফেলুদার মুখে ইংরিজি কথা শুনে অবাক হয়ে এক ধাক্কায় ঘুম ছুটে গেল। স্পষ্ট শুনলাম ফেলুদা বলল—

'দেয়ার ওয়াজ এ ব্রাউন ক্রো।'

আমি কনুইয়ের ভর করে উঠে বসলাম, 'ব্রাউন ক্রো ? কাক আবার ব্রাউন হয় নাকি ? এ সব কী আবোল-তাবোল বকছ ফেলুদা ?'

'গ্যাবোরিওর বইগুলো বোধহয় পেয়ে গেলাম রে তোপ্‌সে।'

'সে কী ? সমাধান হয়ে গেল ?'

'খুব সহজ।...এদেশে এসে সাহেবরা যখন গোড়ার দিকে হিন্দি শিখত, তখন উচ্চারণের সুবিধের জন্য কতগুলো কায়দা বার করেছিল। দেয়ার ওয়জ এ ব্রাউন ক্রো—এই কথাটার সঙ্গে কিন্তু বাদামি কাকের কোনও সম্পর্ক নেই। এটা আসলে সাহেব তার বেয়ারাকে দরজা বন্ধ করতে বলছে—দরওয়াজা বন্‌ধ্‌ করো। এই ত্রিনয়নের ব্যাপারটাও কতকটা সেই রকম। গোড়ায় ত্রিনয়নকে তিন ভেবে বার বার হোঁচট খাচ্ছিলাম।'

'সে কী ? ওটা তিন নয় বুঝি ? আমিও তো ওটা তিন ভাবছিলাম।'

'উঁহু। তিন নয়। ত্রিনয়নের ত্রি-টা হল তিন। আর নয়ন হল নাইন। দুইয়ে মিলে থ্রি-নাইন। "ত্রিনয়ন ও ত্রিনয়ন হল ত্রি-নাইন-ও-থ্রি-নাইন। এখানে "ও" মানে "জিরো" অর্থাৎ শূন্য।'

আমি লাফিয়ে উঠলাম।

'তা হলে একটু জিরো মানে—'

'এইট-টু-জিরো। জলের মতো সোজা।—সুতরাং পুরো সংখ্যা হচ্ছে—থ্রি-নাইন-জিরো-থ্রি-নাইন-এইট-টু-জিরো। কেমন, ঢুকল মাথায় ? এবার ঘুমো।'

মনে মনে ফেলুদার বুদ্ধির তারিফ করে আবার বালিশে মাথা দিয়ে চোখ বুজতে যাব, এমন সময় আবার বারান্দায় পায়ের আওয়াজ।

রাজেনবাবু।

এত রাত্রে ভদ্রলোকের কী দরকার ?

আবার ফেলুদাকে জিজ্ঞেস করতে হল, 'কিছু বলবেন রাজেনবাবু ?'

'ছোটবাবু জিজ্ঞেস করলেন আপনাদের আর কিছু দরকার লাগবে কি না।'

'না না, কিচ্ছু না। সব ঠিক আছে।'

ভদ্রলোক যেভাবে এসেছিলেন সেইভাবেই আবার চলে গেলেন।

চোখ বন্ধ করার আগে বুঝতে পারলাম জানালার খড়খড়ি দিয়ে আসা চাঁদের আলোটা হঠাৎ ফিকে হয়ে গেল আর সেই সঙ্গে শোনা গেল দূর থেকে ভেসে আসা মেঘের গর্জন। তারপর বেড়ালটা কোত্থেকে জানি দুবার ম্যাও ম্যাও করে উঠল। তারপর আর কিচ্ছু মনে নেই।

সকালে উঠে দেখি ফেলুদা ঘরের জানালাগুলো খুলছে। বলল, 'রাত্তিরে বৃষ্টি হয়েছিল টের পাসনি ?'

রাত্রে যাই হোক, এখন যে মেঘ কেটে গিয়ে ঝলমলে রোদ বেরিয়েছে সেটা খাটে শোয়া অবস্থাতেও বাইরের গাছের পাতা দেখে বুঝতে পারছি।

আমরা ওঠার আধ ঘণ্টার মধ্যে চা এনে দিল বুড়ো গোকুল। দিনের আলোতে ভাল করে ওর মুখ দেখে মনে হল গোকুল যে শুধু বুড়ো হয়েছে তা নয় ; তার মতো এমন ভেঙে পড়া দুঃখী ভাব আমি খুব কম মানুষের মধ্যেই দেখেছি।

'কালীকিঙ্করবাবু উঠেছেন ?' ফেলুদা জিজ্ঞেস করল।

গোকুল কানে কম শোনে কি না জানি না ; সে প্রশ্নটা শুনে কেমন যেন ফ্যাল-ফ্যাল মুখ করে ফেলুদার দিকে দেখল ; তারপর দ্বিতীয়বার জিজ্ঞেস করতে মাথা নেড়ে হ্যাঁ বলে ঘর থেকে বেরিয়ে গেল।

সাড়ে সাতটা নাগাত আমরা কালীকিঙ্করবাবুর ঘরে গিয়ে হাজির হলাম।

ভদ্রলোক ঠিক কালকেরই মতো বিছানায় শুয়ে আছেন কম্বলের তলায়! তাঁর পাশের জানালাটা দিয়ে রোদ আসে বলেই বোধহয় উনি সেটাকে বন্ধ করে রেখেছেন। ঘরটা তাই সকাল বেলাতেও বেশ অন্ধকার। যেটুকু আলো আছে সেটা আসছে বারান্দার দরজাটা দিয়ে। আজ প্রথম লক্ষ করলাম ঘরের দেয়ালে কালীকিঙ্করবাবুর একটা বাঁধানো ফোটোগ্রাফ রয়েছে। ছবিটা বেশ কিছুদিন আগে তোলা, কারণ তখনও ভদ্রলোকের গোঁফ-দাড়ি পাকতে শুরু করেনি।

ভদ্রলোক বললেন, 'গ্যাবোরিওর বইগুলো আগে থেকেই বার করে রেখেছি, কারণ আমি জানি তুমি সফল হবেই।'

ফেলুদা বলল, 'হয়েছি কি না সেটা আপনি বলবেন। থ্রি-নাইন-জিরো-থ্রি-নাইন-এইট-টু-জিরো। —ঠিক আছে?'

'সাবাশ গোয়েন্দা!' হেসে বলে উঠলেন কালীকিঙ্কর মজুমদার। 'নাও, বইগুলো নিয়ে তোমার থলির মধ্যে পুরে ফেলো। আর দিনের আলোতে একবার সিন্দুকের গায়ের দাগগুলো দেখো দেখি। আমার তো দেখে মনে হচ্ছে না ওটা নিয়ে চিন্তা করার কোনও কারণ আছে।'

ফেলুদা বলল, 'ঠিক আছে। আপনি নিশ্চিন্ত থাকলেই হল।'

ফেলুদা আরেকবার ধন্যবাদ দিয়ে প্রথম ডিটেকটিভ ঔপন্যাসিকের লেখা বই চারখানা তার ঝোলার মধ্যে পুরে নিল।

'তোমরা চা খেয়েছ তো?' কালীকিঙ্করবাবু জিজ্ঞেস করলেন।

'আজ্ঞে হ্যাঁ।'

'ড্রাইভারকে বলা আছে। গাড়ি বার করেই রেখেছে। তোমাদের স্টেশনে পৌঁছে দেবে। বিশ্বনাথ খুব ভোরে বেরিয়ে গেছে। বলল ওর দশটার মধ্যে কলকাতায় পৌঁছতে পারলে সুবিধে হয়। রাজেন গেছে বাজারে। গোকুল তোমাদের জিনিসপত্র গাড়িতে তুলে দেবে। ...তোমরা কি স্টেশনে যাবার আগে একটু আশেপাশে ঘুরে দেখতে চাও?'

ফেলুদা বলল, 'আমি ভাবছিলাম সাড়ে দশটার ট্রেনটার জন্য অপেক্ষা না করে এখনই বেরিয়ে পড়লে হয়তো ৩৭২ ডাউনটা ধরতে পারব।'

'তা বেশ তো, তোমাদের মতো শহুরে লোকেদের পল্লীগ্রামে বন্দি করে রাখতে চাই না আমি। তবে তুমি আসাতে আমি যে খুবই খুশি হয়েছি—সেটা আমার একেবারে অন্তরের কথা।'

কাল রাত্তিরের বৃষ্টিতে ভেজা রাস্তা দিয়ে গাড়িতে করে পলাশী স্টেশনের দিকে যেতে আমি সকাল বেলার রোদে ভেজা ধান ক্ষেতের দৃশ্য দেখছি, এমন সময় শুনলাম ফেলুদা ড্রাইভারকে একটা প্রশ্ন করল।

'স্টেশনে যাবার কি এ ছাড়া আর অন্য কোনও রাস্তা আছে?'

'আজ্ঞে না বাবু', বলল মণিলাল ড্রাইভার।

ফেলুদার মুখ গম্ভীর। একবার ভাবলাম জিজ্ঞেস করি ও কী ভাবছে, কোনও সন্দেহের কারণ ঘটেছে কি না ; কিন্তু সাহস হল না।

রাস্তায় কাদা ছিল বলে দশ মিনিটের জায়গায় পনেরো মিনিট লাগল স্টেশনে পৌঁছতে। মাল নামিয়ে গাড়ি ছেড়ে দিলাম। ফেলুদা কিন্তু টিকিট ঘরের দিকে গেল না। মালগুলো স্টেশনমাস্টারের জিম্মায় রেখে আবার বাইরের রাস্তায় বেরিয়ে এল।

রাস্তায় সাইকেল রিকশার লাইন। সবচেয়ে সামনের রিকশার মালিকের কাছে গিয়ে ফেলুদা জিজ্ঞেস করল, 'এখানকার থানাটা কোথায় জানেন?'

'জানি, বাবু।'

'চলুন তো। তাড়া আছে।'

প্রচণ্ডভাবে প্যাঁক প্যাঁক করে হর্ন দিতে দিতে ভিড় কাটিয়ে কলিশন বাঁচিয়ে আমরা পাঁচ মিনিটের মধ্যে থানায় পৌঁছে গেলাম। ফেলুদার খ্যাতি যে এখান পর্যন্ত পৌঁছে গেছে সেটা বুঝলাম যখন সাব-ইন্সপেক্টর মিস্টার সরকার ওর পরিচয় দিতে চিনে ফেললেন। ফেলুদা বলল, 'ঘুরঘুটিয়ার কালীকিঙ্কর মজুমদার সম্বন্ধে কী জানেন বলুন তো।'

'কালীকিঙ্কর মজুমদার?' সরকার ভুরু কুঁচকোলেন। 'তিনি তো ভাল লোক বলেই জানি মশাই। সাতেও নেই পাঁচেও নেই। তাঁর সম্বন্ধে তো কোনওদিন কোনও বদনাম শুনিনি।'

'আর তাঁর ছেলে বিশ্বনাথ? তিনি কি এখানেই থাকেন?'

'সম্ভবত কলকাতায়। কেন, কী ব্যাপার, মিস্টার মিত্তির?'

'আপনার জিপটা নিয়ে একবার আমার সঙ্গে আসতে পারবেন? ঘোরতর গোলমাল বলে মনে হচ্ছে।'

কাদা রাস্তা দিয়ে লাফাতে লাফাতে জিপ ছুটে চলল ঘুরঘুটিয়ার দিকে। ফেলুদা প্রচণ্ড চাপা উত্তেজনার মধ্যে শুধু একটিবার মুখ খুলল, যদিও তার কথা আমি ছাড়া কেউ শুনতে পেল না।

'আরথ্রাইটিস, সিন্দুকে দাগ, ডিনারে বিলম্ব, রাজেনবাবুর গলা ধরা, ন্যাফথ্যালিন—সব ছকে পড়ে গেছে রে তোপ্‌সে। ফেলু মিত্তির ছাড়াও যে অনেক লোকে অনেক বুদ্ধি রাখে সেটা সব সময় খেয়াল থাকে না।'

মজুমদার-বাড়ি পৌঁছে প্রথম যে জিনিসটা দেখে অবাক লাগল সেটা হল একটা কালো রঙের অ্যাম্বাসাডর গাড়ি। ফটকের বাইরে গাড়িটা দাঁড়িয়ে রয়েছে এটাই নিঃসন্দেহে বিশ্বনাথবাবুর গাড়ি। জিপ থেকে নামতে নামতে ফেলুদা বলল, 'লক্ষ কর গাড়িটাতে কাদাই লাগেনি। এ গাড়ি সবেমাত্র রাস্তায় বেরোল।'

বিশ্বনাথবাবুর ড্রাইভারই বোধহয়—কারণ এ লোকটাকে আগে দেখিনি—আমাদের দেখে রীতিমতো ঘাবড়ে গিয়ে মুখ ফ্যাকাসে করে গেটের ধারে পাথরের মতো দাঁড়িয়ে রইল।

'তুমি এ গাড়ির ড্রাইভার?' ফেলুদা প্রশ্ন করল।

'আ-আজ্ঞে হ্যাঁ—'

'বিশ্বনাথবাবু আছেন?'

লোকটা ইতস্তত করছে দেখে ফেলুদা আর অপেক্ষা না করে সোজা গিয়ে ঢুকল বাড়ির ভিতর—তার পিছনে দারোগা, আমি আর একজন কনস্টেবল।

আবার সেই প্যাসেজ দিয়ে গিয়ে সেই সিঁড়ি দিয়ে দৌড়ে উপরে উঠে ফেলুদা এবং আমরা তিনজন সোজা ঢুকলাম কালীকিঙ্করবাবুর ঘরে।

ঘর খালি। বিছানায় কম্বলটা পড়ে আছে। আর যা ছিল সব ঠিক তেমনিই আছে, কিন্তু মালিক নেই।

'সর্বনাশ!' বলে উঠল ফেলুদা।

সে সিন্দুকটার দিকে চেয়ে আছে। সেটা হাঁ করে খোলা। বেশ বোঝা যাচ্ছে তার থেকে

অনেক কিছু বার করে নেওয়া হয়েছে।

দরজার বাইরে গোকুল এসে দাঁড়িয়েছে। সে থরথর করে কাঁপছে। তার চোখে জল। দেখে মনে হয় যেন তার শেষ অবস্থা।

তার উপর হুমড়ি দিয়ে পড়ে ফেলুদা বলল, 'বিশ্বনাথবাবু কোথায় ?'

'তিনি পিছনের দরজা দিয়ে পালিয়েছেন।'

'দেখুন তো মিস্টার সরকার !'

দারোগা আর কনস্টেবল অনুসন্ধান করতে বেরিয়ে গেল।

'শোনো গোকুল'—ফেলুদা দুহাত দিয়ে গোকুলের কাঁধ দুটোকে শক্ত করে ধরে ঝাঁকুনি দিয়ে বলল—'একটিও মিথ্যে কথা বললে তোমায় হাজতে যেতে হবে।—কালীকিঙ্করবাবু কোথায় ?'

গোকুলের চোখ যেন ঠিকরে বেরিয়ে আসছে।

'আজ্ঞে—আজ্ঞে—তাঁকে খুন করেছেন।'

'কে ?'

'ছোটবাবু।'

'কবে ?'

'যেদিন ছোটবাবু এলেন সেদিনই। রাত্তির বেলা। বাপ-বেটায় কথা কাটাকাটি হল। ছোটবাবু সিন্দুকের নম্বর চাইলেন, কর্তাবাবু বললেন—আমার টিয়া জানে, তার কাছ থেকে জেনে নিয়ো, আমি বলব না। তারপরে—তারপরে—তার কিছুক্ষণ পরে—ছোটবাবু আর তেনার গাড়ির ডেরাইভারবাবু, দুজনে মিলে—'

গোকুলের গলা ধরে এল। বাকিটা তাকে খুব কষ্ট করে বলতে হল—

'দুজনে মিলে কর্তাবাবুর লাশ নিয়ে গিয়ে ফেলল ওই পিছনের দিঘির জলে—গলায় পাথর বেঁধে। আমার মুখ বন্ধ করেছেন ছোটবাবু—প্রাণের ভয় দেখিয়ে !'

'বুঝেছি।—আর রাজেনবাবু বলে তো কোনও লোকই নেই, তাই না ?'

'ছিলেন, তবে তিনি মারা গেছেন আজ দুবছর হয়ে গেল।'

আমি আর ফেলুদা এবার ছুটলাম নীচে। সিঁড়ি দিয়ে নেমে বাঁয়ে ঘুরলেই পিছনের বাগানে যাবার দরজা। বাইরে বেরোনো মাত্র মিস্টার সরকারের চিৎকার শুনলাম—

'পালাবার চেষ্টা করবেন না মিস্টার মজুমদার—আমার হাতে অস্ত্র রয়েছে !'

ঠিক সেই মুহূর্তেই শোনা গেল একটা জলে ঝাঁপিয়ে পড়ার শব্দ আর একটা পিস্তলের আওয়াজ।

আমরা দুজনে দৌড়ে গাছ-গাছড়া ঝোপ-ঝাড় ভেঙে এগিয়ে গিয়ে দেখলাম একটা প্রকাণ্ড তেতুঁল গাছের নীচে মি. সরকার হাতে রিভলভার নিয়ে আমাদের দিকে পিছন করে দাঁড়িয়ে আছেন। তেঁতুল গাছের পরেই কালকের দেখা পুকুরটা—তার জলের বেশির ভাগই সবুজ পানায় ঢাকা।

'লোকটা আগেই লাফ দিয়েছে।' বললেন মি. সরকার। 'সাঁতার জানে না।—গিরিশ, দেখো তো দেখি টেনে তুলতে পার কি না।'

কনস্টেবল বিশ্বনাথবাবুকে শেষ পর্যন্ত টেনে তুলেছিল। এখন ছোটবাবুর দশা ওই টিয়াপাখির মতো ; খাঁচায় বন্দি। সিন্দুক থেকে টাকাকড়ি গয়নাগাটি যা নিয়েছিলেন সবই উদ্ধার পেয়েছে। লোকটা ব্যবসা করত ঠিকই, কিন্তু তার সঙ্গে জুয়া ইত্যাদি অনেক বদ-অভ্যাস ছিল, যার ফলে ইদানীং ধার-দেনায় তার অবস্থা শোচনীয় হয়ে উঠেছিল।

ফেলুদা বলল, 'কালীকিঙ্করবাবুর সঙ্গে দেখা করার প্রায় কুড়ি মিনিট পর রাজেনবাবু হাজির

হন, আর রাজেনবাবু চলে যাবার প্রায় আধ ঘণ্টা পর বিশ্বনাথবাবুর সাক্ষাৎ পাই। তিনজনকে একসঙ্গে একবারও দেখা যায়নি। এটা ভাবতে ভাবতেই প্রথমে সন্দেহটা জাগে—তিনটে লোকই আছে তো? নাকি একজনেই পালা করে তিনজনের ভূমিকা পালন করছে? তখন অ্যাকটিং-এর বইগুলোর কথা মনে হল। তা হলে কি বিশ্বনাথবাবুর এককালে শখ ছিল থিয়েটারের? তিনি যদি ছদ্মবেশে ওস্তাদ হয়ে থাকেন, অভিনয় জেনে থাকেন তা হলে এইভাবে এই অন্ধকার বাড়িতে আমাদের বোকা বানানো তাঁর পক্ষে কঠিন নয়। হাতটা তাঁকে কম্বলের নীচে লুকিয়ে রাখতে হয়েছিল কারণ নিজের হাতকে মেক-আপ করে কী করে তিয়াত্তর বছরের বুড়োর হাত করতে হয় সে বিদ্যে তাঁর জানা ছিল না। সন্দেহ একেবারে পাকা হল যখন সকালে দেখলাম কাদার উপরে বিশ্বনাথবাবুর গাড়ির টায়ারের ছাপ পড়েনি।'

আমি কথার ফাঁকে প্রশ্ন করলাম, 'তোমাকে এখানে আসতে লিখেছিল কে?'

ফেলুদা বলল, 'সেটা কালীকিঙ্করবাবুই লিখেছিলেন তাতে কোনও সন্দেহ নেই। বিশ্বনাথবাবু সেটা জেনেছিলেন। তিনি আসতে বাধা দেননি কারণ আমার বুদ্ধির সাহায্যে তাঁর সংকেতটি জানার প্রয়োজন হয়েছিল।'

শেষ পর্যন্ত আমাদের দশটার ট্রেনই ধরতে হল।

রওনা হবার আগে ফেলুদা তার সুটকেস আর ঝোলা থেকে আটখানা বই বার করে আমার হাতে দিয়ে বলল, 'খুনির হাত থেকে উপহার নেবার বাসনা নেই আমার। তোপ্‌সে, বুকশেলফের ফাঁকগুলো ভরিয়ে দিয়ে আয় তো।'

আমি যখন বই রেখে কালীকিঙ্করবাবুর ঘর থেকে বেরোচ্ছি, তখনও টিয়া বলছে, 'ত্রিনয়ন, ও ত্রিনয়ন—'একটু জিরো।'

বোম্বাইয়ের বোম্বেটে

১

লালমোহন গাঙ্গুলী ওরফে জটায়ু-র হাতে মিষ্টির বাক্স দেখে বেশ অবাক হলাম। সাধারণত ভদ্রলোক যখন আমাদের বাড়িতে আসেন তখন হাতে ছাতা ছাড়া আর কিছু থাকে না। নতুন বই বেরোলে বইয়ের একটা প্যাকেট থাকে অবিশ্যি, কিন্তু সে তো বছরে দু বার। আজ একেবারে মির্জাপুর স্ট্রিটের হালের দোকান কল্লোল মিষ্টান্ন ভাণ্ডারের পঁচিশ টাকা দামের সাদা কার্ড বোর্ডের বাক্স, সেটা আবার সোনালি ফিতে দিয়ে বাঁধা। বাক্সের দু পাশে নীল অক্ষরে লেখা 'কল্লোলস্ ফাইভ মিক্স সুইটমিটস'—মানে পাঁচ-মেশালি মিষ্টি। বাক্স খুললে দেখা যাবে পাঁচটা খোপ করা আছে, তার একেকটাতে একেক রকমের মিষ্টি। মাঝেরটায় থাকতেই হবে কল্লোলের আবিষ্কার 'ডায়মন্ডা'—হিরের মতো পল-কাটা রুপোর তবক দেওয়া রস-ভরা কড়া পাকের সন্দেশ।

এমন বাক্স লালমোহনবাবুর হাতে কেন? আর ওঁর মুখে এমন কেল্লা-ফতে হাসি হাসি ভাবই বা কেন?

ভদ্রলোক ঘরে ঢুকে বাক্স টেবিলে রেখে চেয়ারে বসতেই ফেলুদা বলল, 'বোম্বাইয়ের সুখবরটা বুঝি আজই পেলেন?'

লালমোহনবাবু প্রশ্নটা শুনে অবাক হলেও তাঁর মুখ থেকে হাসিটা গেল না, কেবল ভুরু

দুটো ওপরে উঠল।

'কী করে বুঝলেন, হে হে?'

'সাইরেন বাজার এক ঘণ্টা পরে যখন দেখছি আপনার হাতঘড়ি বলছে সোয়া তিনটে, তার মানেই টাটকা আনন্দের আতিশয্যে ঘড়িটা পরার সময় আর ওটার দিকে চাইতেই পারেননি। —স্প্রিং গেছে, না দম গেছে?'

লালমোহনবাবু তাঁর নীল র‍্যাপারের খসে পড়া দিকটা রোম্যান কায়দায় বাঁ কাঁধের উপর ফেলে দিয়ে বললেন, 'পঁচিশ চেয়েছিলুম; তা আজ ভোরে ঘুম ভাঙতেই চাকর এসে টেলিগ্রাম ধরিয়ে দিলে। এই যে।'

লালমোহনবাবু পকেট থেকে একটা গোলাপি টেলিগ্রাম বার করে পড়ে শোনালেন—

'প্রোডিউসার উইলিং অফার টেন ফর বোম্বেটে, প্লিজ কেব্‌ল কনসেন্ট।' আমি রিপ্লাই পাঠিয়ে দিয়ে এলুম—'হ্যাপিলি সেলিং বোম্বেটে ফর টেন টেক ব্লেসিংস।'

'দশ হাজার!' ফেলুদার মতো মাথা-ঠাণ্ডা মানুষের পর্যন্ত চোখ গোল গোল হয়ে গেল। 'দশ হাজারে গল্প বিক্রি হয়েছে আপনার?'

জটায়ু একটা হালকা মস্‌লিনি হাসি হাসলেন।

'টাকাটা হাতে আসেনি এখনও। ওটা বম্বে গেলেই পাব।'

'আপনি বম্বে যাচ্ছেন?' ফেলুদার চোখ আবার গোল।

'শুধু আমি কেন? আপনারাও। অ্যাট মাই এক্সপেনস। আপনি ছাড়া তো এ গপ্প দাঁড়াতই না মশাই।'

কথাটা যে সত্যি, সেটা ব্যাপারটা খুলে বললেই বোঝা যাবে।

জটায়ুর অনেক দিনের স্বপ্ন যে তার একটা গল্প থেকে সিনেমা হয়। বাংলা ছবিতে পয়সা নেই, তাই হিন্দির দিকেই ওঁর ঝোঁক বেশি। এবারে তাই কোমর বেঁধে হিন্দি সিনেমার গল্প লেখা শুরু করেছিলেন। বম্বের ফিল্ম লাইনে লালমোহনবাবুর একজন চেনা লোক আছে, নাম পুলক ঘোষাল। আগে গড়পারেই থাকত, লালমোহনবাবুর দুটো বাড়ি পরে। কলকাতায় টালিগঞ্জে তিনটে ছবিতে সহকারী পরিচালকের কাজ করে রোখের মাথায় বম্বে গিয়ে হাজির হয়। সেখানে এখন সে নিজেই একজন হিট ডিরেক্টর।

তৃতীয় পরিচ্ছেদ অবধি গিয়ে গল্প আর এগোচ্ছে না দেখে জটায়ু ফেলুদার কাছে আসেন। ফেলুদা তখন-তখনই লেখাটা পড়ে মন্তব্য করে—'মাঝপথে আটকে ভালই হয়েছে মশাই। এ আপনার পণ্ডশ্রম হত। বোম্বাই নিত না।'

লালমোহনবাবু মাথা চুলকে বললেন, 'কী হলে নেবে মশাই বলুন তো। আমি তো ভেবেছিলুম খানকতক কারেন্ট হিট ছবি দেখে নিয়ে তারপর লিখব। দু দিন কিউয়ে দাঁড়ালুম; একদিন পকেটমার হল, একদিন সোয়া ঘণ্টা দাঁড়িয়ে জানলা অবধি পৌঁছে শুনলাম হাউস ফুল। বাইরে টিকিট ব্ল্যাক হচ্ছিল, কিন্তু বারো টাকা খরচ করে শেষটায় কোডোপাইরিন খেতে হবে সেই ভয়ে পিছিয়ে গেলুম।'

শেষে ফেলুদাই একটা ছক কেটে দেবে বলল লালমোহনবাবুর জন্য। বলল, 'আজকাল ডবল রোলের খুব চল হয়েছে, সেটা জানেন তো?'

লালমোহনবাবু ডবল রোল কী সেটাই জানেন না।

'একই চেহারার দুজন নায়ক হয় ছবিতে সেটা জানেন না?' ফেলুদা প্রশ্ন করল।

'যমজ ভাই?'

'তাও হতে পারে, আবার আত্মীয় নয় অথচ চেহারায় মিল সেটাও হতে পারে। একই চেহারা, অথচ একজন ভাল লোক, একজন খারাপ লোক; অথবা একজন শক্ত-সমর্থ, আর

একজন গোবেচারা। সাধারণত এটাই হয়। আপনি একটু নতুনভাবে এক কাঠি বাড়িয়ে করতে পারেন ;—একটা ডবল রোলের বদলে এক জোড়া ডবল রোল। এক নম্বর হিরো আর এক নম্বর ভিলেন হল জোড়া, আর দুই নম্বর হিরো আর দুই নম্বর ভিলেন হল আরেক জোড়া। এই দুই নম্বর জোড়া যে আছে, সেটা গোড়ায় ফাঁস করা হবে না। তারপর—'

এখানে লালমোহনবাবু বাধা দিয়ে বললেন, 'একটু বেশি জটিল হয়ে যাচ্ছে না ?'

ফেলুদা মাথা নেড়ে বলল, 'তিন ঘণ্টার মালমশলা চাই। আজকাল নতুন নিয়মে খুব বেশি ফাইটিং চলবে না। কাজেই গপ্প অন্যভাবে ফাঁদতে হবে। দেড় ঘণ্টা লাগবে জট পাকাতে, দেড় ঘণ্টা ছাড়াতে।'

'তা হলে ডবল-রোলেই কার্যসিদ্ধি হয়ে যাবে বলছেন ?'

'তা কেন ? আরও আছে। নোট করে নিন।'

লালমোহনবাবু সুড়ুৎ করে বুক পকেট থেকে লাল খাতা আর সোনালি পেনসিল বার করলেন।

'লিখুন—স্মাগলিং চাই—সোনা হিরে গাঁজা চরস, যা হোক ; পাঁচটি গানের সিচুয়েশন চাই, তার মধ্যে একটি ভক্তিমূলক হলে ভাল ; দুটি নাচ চাই ; খান দু-তিন পশ্চাদ্ধাবন দৃশ্য বা চেজ-সিকুয়েন্স চাই—তাতে অন্তত একটি দামি মোটরগাড়ি পাহাড়ের গা গড়িয়ে ফেলতে পারলে ভাল হয় ; অগ্নিকাণ্ডের দৃশ্য চাই ; নায়কের গার্লফ্রেন্ড হিসেবে নায়িকা এবং ভিলেনের গার্লফ্রেন্ড হিসেবে ভ্যাম্প বা খলনায়িকা চাই ; একটি কর্তব্যবোধসম্পন্ন পুলিশ অফিসার চাই ; নায়কের ফ্ল্যাশব্যাক চাই ; কমিক রিলিফ চাই ; গপ্প যাতে ঝুলে না পড়ে, তার জন্য দ্রুত ঘটনা পরিবর্তন ও দৃশ্যপট পরিবর্তন চাই ; বার কয়েক পাহাড়ে বা সমুদ্রের ধারে গল্পকে নিয়ে ফেলতে পারলে ভাল, কারণ এক নাগাড়ে স্টুডিয়োর বদ্ধ পরিবেশে শুটিং চিত্রতারকাদের স্বাস্থ্যের পক্ষে হানিকর।—বুঝেছেন তো ?'

লালমোহনবাবু ঝড়ের মতো লিখতে লিখতে মাথা নেড়ে হ্যাঁ বুঝিয়ে দিলেন।

'আর সব শেষে—এটা একেবারে মাস্ট—চাই হ্যাপি এন্ডিং। তার আগে অবিশ্যি বার কয়েক কান্নার স্রোত বইয়ে দিতে পারলে শেষটা জমে ভাল।'

লালমোহনবাবুর সে দিনই হাত ব্যথা হয়ে গিয়েছিল। তারপর গল্প নিয়ে ঝাড়া দু মাসের ধস্তাধস্তিতে ডান হাতের দুটো আঙুলে কড়া পড়ে গিয়েছিল। ভাগ্যিস সে সময়টা ফেলুদার কলকাতার বাইরে কোনও কাজ ছিল না—কেদার সরকারের রহস্যজনক খুনের তদন্তের ব্যাপারে ওকে সবচেয়ে বেশি দূর যেতে হয়েছিল ব্যারাকপুর—কারণ লালমোহনবাবু সপ্তাহে দু বার করে ফেলুদার কাছে এসে ধর্না দিচ্ছিলেন। তা সত্ত্বেও জটায়ুর বত্রিশ নম্বর উপন্যাস 'বোম্বাইয়ের বোম্বেটে' মহালয়ার ঠিক পরেই বেরিয়ে যায়। আর গল্পটা যে রকম দাঁড়িয়েছিল, তা থেকে ছবি করলে আর যাই হোক, সে ছবি দেখে কোডোপাইরিন খেতে হবে না। হিন্দি ছবির মালমশলা থাকলেও তাতে হিন্দি ছবির ছেড়ে-দে-মা-কেঁদে-বাঁচি বাড়াবাড়িটা নেই।

পাণ্ডুলিপির একটা কপি পুলক ঘোষালকে আগেই পাঠিয়েছিলেন লালমোহনবাবু। দিন দশেক আগে চিঠি আসে যে, গল্প পছন্দ হয়েছে আর খুব শিগগিরই কাজ আরম্ভ করে দিতে চান পুলকবাবু। চিত্রনাট্য তিনি নিজেই করেছেন, আর হিন্দি সংলাপ লিখেছেন ত্রিভুবন গুপ্তে, যার এক-একটা কথা নাকি এক-একটা ধারালো চাক্কু, সোজা গিয়ে দর্শকের বুকে বিঁধে হলে পায়রা উড়িয়ে দেয়। এই চিঠির উত্তরে লালমোহনবাবু ফেলুদাকে কিছু না বলেই তাঁর গল্পের দাম হিসেবে পঁচিশ হাজার হাঁকেন, আর তার উত্তরেই আজকের টেলিগ্রাম। আমার মনে হল পঁচিশ চেয়ে লালমোহনবাবু যে একটু বাড়াবাড়ি করেছিলেন সেটা উনি নিজেই বুঝতে পেরেছেন।

গরম চায়ে চুমুক দিয়ে আধবোজা চোখে একটা আঃ শব্দ করে লালমোহনবাবু বললেন, ‘পুলক ছোকরা লিখেছিল যে, গপ্পটা বিশেষ চেঞ্জ করেনি ; মোটামুটি আমি—থুড়ি, আমরা, যা লিখেছিলাম—’

ফেলুদা হাত তুলে লালমোহনবাবুকে থামিয়ে বলল, ‘আপনি বহুবচনটা না ব্যবহার করলেই খুশি হব।’

‘কিন্তু—’

‘আহাঃ—শেকসপিয়রও তো অন্যের গল্পের সাহায্য নিয়ে নাটক লিখেছে, তা বলে তাকে কি কেউ কখনও “আমাদের হ্যামলেট” বলতে শুনেছে ? কখ্খনও না। উপাদানে আমার কিছুটা কন্‌ট্রিবিউশন থাকলেও, পাচক তো আপনি। আপনার মতো হাতের তার কি আর আমার আছে ?’

লালমোহনবাবু কৃতজ্ঞতায় কান অবধি হেসে বললেন, ‘থ্যাঙ্ক ইউ স্যার। —যাই হোক, যা বলছিলাম। কেবল একটি মাত্র মাইনর চেঞ্জ করেছে গপ্পে।’

‘কী রকম ?’

‘সে আর বলবেন না মশাই। তাজ্জব ব্যাপার। আপনি শুনলেই বলবেন টেলিপ্যাথি। হয়েছে কী, আমার গপ্পের স্মাগ্‌লার টুনটিরাম ধুরন্ধরের বাসস্থান হিসেবে একটা তেতাল্লিশ তলা বাড়ির একটা ফ্ল্যাটের উল্লেখ করেছিলুম। আপনি খুঁটিনাটির ওপর নজর দিতে বলেন, তাই বাড়িটার একটা নামও দিয়েছিলুম—শিবাজী কাস্‌ল। বোম্বাই তো—তাই মহারাষ্ট্রের জাতীয় বীরপুরুষের নামে বাড়ির নামটা বেশ অ্যাপ্রোপ্রিয়েট মনে হয়েছিল। ওমা, পুলক লিখলে ওই নামে নাকি সত্যিই একটা উঁচু ফ্ল্যাটবাড়ি আছে, আর তাতে নাকি ওর ছবির প্রোডিউসার নিজেই থাকেন। বলুন, একে টেলিপ্যাথি ছাড়া আর কী বলবেন ?’

‘কুং-ফু থাকছে, না বাদ ?’ ফেলুদা জিজ্ঞেস করল।

আমরা তিনজনে একসঙ্গে এনটার দ্য ড্রাগন দেখার পর থেকেই লালমোহনবাবুর মাথায় ঢুকেছিল যে গপ্পে কুং-ফু ঢোকাবেন। ফেলুদার প্রশ্নের উত্তরে লালমোহনবাবু বললেন, ‘আলবত থাকছে। সেটার কথা আমি আলাদা করে জিজ্ঞেস করেছিলুম ; তাতে লিখেছে, ম্যাড্রাস থেকে স্পেশালি কুং-ফু-র জন্য ফাইট মাস্টার আসছে। বলে নাকি হংকং-ট্রেনড।’

‘শুটিং শুরু কবে ?’

‘সেইটে জিজ্ঞেস করে আজ একটা চিঠি লিখছি। জানার পর আমাদের যাবার তারিখটা ফিক্স করব। আমাদের—থুড়ি, আমার গপ্পের শুটিং শুরু হবে, আর আমরা সেখানে থাকব না সে কী করে হয় মশাই ?’

ডায়মন্ডা এর আগেও খেয়েছি, কিন্তু আজকে যতটা ভাল লাগল তেমন আর কোনওদিন লাগেনি।

২

পরের রবিবার আবার লালমোহনবাবুর আবির্ভাব। ফেলুদা আগে থেকেই ঠিক করে রেখেছিল ভদ্রলোককে অর্ধেক খরচ অফার করবে, কারণ ওর নিজের হাতেও সম্প্রতি কিছু টাকা এসেছে। শুধু কেস থেকে নয় ; গত তিন মাসে ও দুটো ইংরেজি বই অনুবাদ করেছে—ঊনবিংশ শতাব্দীর দুজন বিখ্যাত পর্যটকের ভ্রমণ কাহিনী—দুটোই ছাপা হচ্ছে, আর দুটো থেকেই কিছু আগাম টাকা পেয়েছে ও। এর আগেও অবসর সময় ফেলুদাকে মাঝে মাঝে লিখতে দেখেছি—কিন্তু আদা-নুন খেয়ে লিখতে লাগা এই প্রথম।

লালমোহনবাবু অবশ্যি ফেলুদার প্রস্তাব এক কথায় উড়িয়ে দিলেন। বললেন, ‘খেপেছেন ? লেখার ব্যাপারে আপনি এখন আমার গাইড অ্যান্ড গডফাদার। এটা হল আপনাকে আমার সামান্য দক্ষিণা।’

এই বলে পকেট থেকে দুটো প্লেনের টিকিট বার করে টেবিলের উপর রেখে বললেন, ‘মঙ্গলবার সকাল দশটা পঁয়তাল্লিশে ফ্লাইট। এক ঘণ্টা আগে রিপোর্টিং টাইম। আমি সোজা দমদমে গিয়ে আপনাদের জন্য ওয়েট করব।’

‘শুটিং আরম্ভ হচ্ছে কবে ?’

‘বিষ্যুদ্‌বার। একেবারে ক্লাইম্যাকসের সিন। সেই ট্রেন, মোটর আর ঘোড়ার ব্যাপারটা।’

এ ছাড়াও আর একটা খবর দেবার ছিল লালমোহনবাবুর।

‘কাল সন্ধেবেলা আরেক ব্যাপার মশাই। এখানকার এক ফিলিম প্রোডিউসার—ধরমতলায় আপিস—আমার পাবলিশারের কাছ থেকে ঠিকানা জোগাড় করে সোজা আমার বাড়িতে গিয়ে হাজির। সেও “বোম্বাইয়ের বোম্বেটে” ছবি করতে চায়। বলে বাংলায় হিন্দি টাইপের ছবি না করলে আর চলছে না। গপ্প বিক্রি হয়ে গেছে শুনে বেশ হতাশ হল। বইটা অবিশ্যি উনি নিজে পড়েননি ; ওঁর এক ভাগ্‌নে পড়ে ওঁকে বলেছে। আমি বোম্বাই না গিয়েই বইটা লিখেছি শুনে বেশ অবাক হলেন। আমি আর ভাঙলুম না যে মারে-র গাইড টু ইন্ডিয়া আর ফেলু মিত্তিরের গাইডেন্স ছাড়া এ কাজ হত না।’

‘ভদ্রলোক বাঙালি ?’

‘ইয়েস স্যার। বারেন্দ্র। সান্যাল। কথায় পশ্চিমা টান আছে। বললেন জব্বলপুরের মানুষ। গায়ে উগ্র পারফিউমের গন্ধ। নাক জ্বলে যায় মশাই। পুরুষ মানুষ এভাবে সেন্ট মাখে এই প্রথম এক্সপেরিয়েন্স করলুম। যাই হোক্, আমি চলে যাচ্ছি শুনে একটা ঠিকানা দিয়ে দিলেন। বললেন, “কোনও অসুবিধে হলে একে ফোন করতে পারেন। আমার এ বন্ধুটি খুব হেলপ্‌ফুল”।’

কলকাতায় ডিসেম্বরে বেশ শীত পড়লেও বম্বেতে নাকি তেমন ঠাণ্ডা পড়ে না। আমাদের ছোট দুটো সুটকেসেই সব ম্যানেজ হয়ে গেল। মঙ্গলবার সকালে উঠে দেখি কুয়াশায় রাস্তার ও পারে পল্টুদের বাড়িটা পর্যন্ত ভাল করে দেখা যাচ্ছে না। প্লেন ছাড়বে তো ? আশ্চর্য, ন’টার মধ্যে সব সাফ হয়ে গিয়ে ঝক্‌ঝকে রোদ উঠে গেল। ভি আই পি রোডে এমনিতেই শহরের চেয়ে বেশি কুয়াশা হয়, কিন্তু আজ দেখলাম তেমন কিছু নয়।

এয়ারপোর্টে যখন পৌঁছলাম, তখন প্লেন ছাড়তে পঞ্চাশ মিনিট বাকি। লালমোহনবাবু আগেই হাজির। এমনকী বোর্ডিং কার্ডও দেখলাম উঁকি মারছে পকেট থেকে। বললেন, ‘কিছু মনে করবেন না, ফেলুবাবু—লম্বা কিউ দেখে ভাবলুম যদি জানলার ধারে সিট না পাই, তাই আগেভাগেই সেরে রাখলুম। এইচ রো—দেখুন হয়তো দেখবেন কাছাকাছি সিট পেয়ে গেছেন।’

‘আপনার হাতে ওটা কী ? কী বই কিনলেন ?’

লালমোহনবাবুর বগলে একটা ব্রাউন কাগজের প্যাকেট দেখে আমার মনে হয়েছিল উনি নিজের বই সঙ্গে নিয়ে যাচ্ছেন ওখানে কাউকে দেবেন বলে।

ফেলুদার প্রশ্নের জবাবে ভদ্রলোক বললেন, ‘কিনব কি মশাই ; সেই সান্যাল—সে দিন যার কথা বলেছিলাম—সে দিয়ে গেল এই মিনিট দশেক আগে।’

‘উপহার ?’

‘নো স্যার। বম্বে এয়ারপোর্টে লোক এসে নিয়ে যাবে। আমার নাম-ধাম তাকে জানিয়ে দিয়েছেন। কোন এক আত্মীয়ের কাছে যাবে এ বই।’ তারপর একটু হেসে বললেন, ‘ইয়ে—একটা বেশ অ্যাডভেঞ্চারের গন্ধ পাচ্ছেন না ?’

‘পাওয়া মুশকিল’, বলল ফেলুদা, ‘কারণ ভারত কেমিক্যাল্‌স-এর গুলবাহার সেন্টের গন্ধ আর সব গন্ধকে ম্লান করে দিয়েছে।’

গন্ধটা আমিও পেয়েছিলাম। সান্যাল মশাই এমনই সেন্ট মাখেন যে তার সুবাস এই প্যাকেটে পর্যন্ত লেগে রয়েছে।

‘যা বলেছেন স্যার, হ্যাঃ হ্যাঃ’, সায় দিলেন জটায়ু। ‘তবে অনেক সময় শুনিচি, এইভাবে লোকে উলটাপালটা জিনিসও চালান দেয়।’

‘সে তো বটেই। বুকিং কাউন্টারে তো নোটিসই লাগানো আছে যে, অচেনা লোকের হাত থেকে চালান দেওয়ার জন্য কোনও জিনিস নেওয়াটা বিপজ্জনক। অবিশ্যি এ ভদ্রলোককে টেকনিক্যালি ঠিক অচেনা বলা চলে না, আর প্যাকেটটাও যে বইয়ের, সেটা সন্দেহ করার কোনও কারণ দেখছি না।’

প্লেনে তিনজনে পাশাপাশি জায়গা পেলাম না ; লালমোহনবাবু আমাদের তিনটে সারি পিছনে জানলার ধারে বসলেন। ফ্লাইটে বলবার মতো তেমন কিছু ঘটেনি। কেবল লাউডস্পিকারে ক্যাপ্টেন দত্ত যখন বলছেন আমরা নাগপুরের উপর দিয়ে যাচ্ছি, তখন পিছন ফিরে দেখি লালমোহনবাবু সিট ছেড়ে উঠে প্লেনের ল্যাজের দিকটায় চলেছেন। শেষটায় একজন এয়ার হোসটেস ওঁকে থামিয়ে উলটো দিকে দেখিয়ে দিতে ভদ্রলোক আবার সারা পথ হেঁটে সোজা পাইলটের দরজা খুলে কক্‌পিটে ঢুকে তক্ষুনি বেরিয়ে এসে জিভ কেটে বাঁ দিকের দরজা দিয়ে বাথরুমে ঢুকলেন। নিজের সিটে ফেরার পথে আমার উপর ঝুঁকে পড়ে কানে ফিস্ ফিস্ করে বলে গেলেন, ‘আমার পাশের লোকটিকে এক ঝলক দেখে নাও। হাই-জ্যাকার হলে আশ্চর্য হব না।’

মাথা ঘুরিয়ে দেখে বুঝলাম জটায়ু অ্যাডভেঞ্চারের জন্যে একেবারে হন্যে হয়ে না থাকলে ও রকম নিরীহ, নেই-থুতনি মানুষটাকে কক্ষনও হাই-জ্যাকার ভাবতেন না।

সান্টা ক্রুজে প্লেন ল্যান্ড করার ঠিক আগেই লালমোহনবাবু ব্যাগ থেকে বইটা বার করে রেখেছিলেন। ডোমেসটিক লাউঞ্জে ঢুকে আমরা তিনজনেই এদিক ওদিক দেখছি, এমন সময় ‘মিস্টার গাঙ্গুলী ?’ শুনে ডাইনে ঘুরে দেখি গাঢ় লাল রঙের টেরিলিনের শার্ট পরা একজন লোক মাদ্রাজি টাইপের এক ভদ্রলোককে প্রশ্নটা করে তার দিকে অত্যন্ত আগ্রহের সঙ্গে চেয়ে আছে। ভদ্রলোক একটু যেন বিরক্ত ভাবেই মাথা নেড়ে ‘না’ বলে লোকটাকে পাশ কাটিয়ে চলে গেলেন, আর লালমোহনবাবুও বই হাতে লাল শার্টের দিকে এগিয়ে গেলেন।

‘আই অ্যাম মিস্টার গাঙ্গুলী অ্যান্ড দিস ইজ ফ্রম মিস্টার সান্যাল’, এক নিশ্বাসে বলে ফেললেন জটায়ু।

লাল শার্ট বইটা নিয়ে ঘাড় বেঁকিয়ে ধন্যবাদ জানিয়ে চলে গেলেন, আর লালমোহনবাবুও কর্তব্য সেরে নিশ্চিন্তে হাত ঝাড়লেন।

আমাদের মাল বেরোতে লাগল আধ ঘণ্টা। এখন একটা বেজে কুড়ি, শহরে পৌঁছতে পৌঁছতে হয়ে যাবে প্রায় দুটো। পুলক ঘোষাল গাড়ির নম্বরটা জানিয়ে দিয়েছিলেন আগেই, দেখলাম সেটা একটা গেরুয়া রঙের স্ট্যান্ডার্ড। ড্রাইভারটি বেশ শৌখিন ও ফিটফাট ; হিন্দি ছাড়া ইংরেজিটাও মোটামুটি জানে। কলকাতার তিনজন অচেনা লোকের জন্য ভাড়া খাটতে হচ্ছে বলে কোনওরকম বিরক্তির ভাব দেখলাম না। বরং লালমোহনবাবুকে যে রকম একটা

সেলাম ঠুকল, তাতে মনে হল কাজটা পেয়ে সে কৃতার্থ। ড্রাইভারই খবর দিল যে শহরের ভিতরেই শালিমার হোটেলে আমাদের থাকার বন্দোবস্ত হয়েছে, আর পুলকবাবু বিকেল সাড়ে পাঁচটার সময় হোটেলে এসে আমাদের সঙ্গে দেখা করবেন। গাড়ি আমাদের জন্য রাখা থাকবে, আমরা যখন খুশি যেখানে ইচ্ছা যেতে পারি।

ফেলুদা অবিশ্যি এখানে আসবার আগে ওর অভ্যাস মতো বম্বে সম্বন্ধে পড়াশুনা করে নিয়েছে। ও বলে, কোনও নতুন জায়গায় আসার আগে এ জিনিসটা করে না নিলে নাকি সে জায়গা দূরেই থেকে যায়। মানুষের যেমন একটা পরিচয় তার নামে, একটা চেহারায়, একটা চরিত্রে আর একটা তার অতীত ইতিহাসে, ঠিক তেমনই নাকি শহরেরও। বম্বে শহরের চেহারা আর চরিত্র এখনও ফেলুদার জানা নেই, তবে এটা জানে যে শালিমার হোটেল হল কেম্পস কর্নারের কাছে।

আমাদের গাড়ি হাইওয়ে দিয়ে গিয়ে একটা বড় রাস্তায় পড়ার সঙ্গে সঙ্গে ফেলুদা ড্রাইভারকে উদ্দেশ করে বলল—'উয়ো যো ট্যাক্সি হ্যায় না—এম আর পি থ্রি ফাইভ থ্রি এইট—উসকো পিছে পিছে চল্না।'

'কী ব্যাপার মশাই?' লালমোহনবাবু জিজ্ঞেস করলেন।

'একটা সামান্য কৌতূহল', বলল ফেলুদা।

আমাদের গাড়ি একটা স্কুটার আর দুটো অ্যাম্বাসাডরকে ছাড়িয়ে ফিয়াট ট্যাক্সিটার ঠিক পিছনে এসে পড়ল। এবার ট্যাক্সিটার পিছনের কাচ দিয়ে দেখলাম ভিতরে বসা লাল টেরিলিনের শার্ট।

একটু যেন বুকটা কেঁপে উঠল। কিছুই হয়নি, কেন ফেলুদা ট্যাক্সিটাকে ধাওয়া করছে তাও জানি না, তবু ব্যাপারটা আমার হিসেবের বাইরে বলেই যেন একটা রহস্য আর অ্যাডভেঞ্চারের ছোঁয়া লাগল। লালমোহনবাবু অবিশ্যি আজকাল ধরেই নিয়েছেন যে, ফেলুদার সব কাজের মানে জিজ্ঞেস করে সব সময়ে সঠিক উত্তর পাওয়া যাবে না; যথাসময়ে আপনা থেকেই সেটা জানা যাবে।

আমাদের গাড়ি দিব্যি ট্যাক্সিটাকে চোখে রেখে চলেছে, আমরাও নতুন শহরের রাস্তাঘাট লোকজন দেখতে দেখতে চলেছি। একটা জিনিস বলতেই হবে—হিন্দি ছবির এত বেশি আর এত বড় বড় বিজ্ঞাপন আর কোনও শহরের রাস্তায় দেখিনি। লালমোহনবাবু কিছুক্ষণ ধরে ঘাড় ফিরিয়ে ফিরিয়ে সেগুলো দেখে বললেন, 'সবাইয়ের নামই তো দেখছি, অথচ কাহিনীকারের নামটা কেন চোখে পড়ছে না। এরা কি গপ্প লেখায় না কাউকে দিয়ে?'

ফেলুদা বলল, 'গপ্প লেখক হিসেবে নাম যদি আশা করেন, তা হলে বম্বে আপনার জায়গা নয়। এখানে গপ্প লেখা হয় না, গপ্প তৈরি হয়, ম্যানুফ্যাকচার হয়—যেমন বাজারের আর পাঁচটা জিনিস ম্যানুফাকচার হয়। লাক্স সাবান কে তৈরি করেছে, তার নাম কি কেউ জানে?—কোম্পানির নামটা হয়তো জানে। টাকা পাচ্ছেন, ব্যস; মুখটি বন্ধ করে বসে থাকুন। সম্মানের কথা ভুলে যান।'

'হুঁ...।' লালমোহনবাবু বেশ চিন্তিত হয়ে পড়লেন। 'তা হলে মান হল গিয়ে আপনার বেঙ্গলে, আর বম্বেতে হচ্ছে মানি?'

'হক্ কথা', বলল ফেলুদা।

ফেলুদা যে-এলাকাটাকে মহালক্ষ্মী বলে বলল, সেটা ছাড়িয়ে কিছু দূর গিয়ে আমাদের মার্কামারা ট্যাক্সিটা একটা ডান দিকের রাস্তা ধরল। আমাদের ড্রাইভার বলল যে, শালিমার হোটেল যেতে হলে আমাদের সোজাই যাওয়া উচিত।

ফেলুদা বলল, 'আপ দাঁয়া চলিয়ে।'

SHIVAJI CASTLE
15D

ডান দিকে ঘুরে মিনিট দু-এক যেতেই দেখলাম ট্যাক্সিটা বাঁ দিকে একটা গেটের ভিতর ঢুকে গেল। ফেলুদার নির্দেশে আমাদের গাড়ি গেটের বাইরেই থামল। আমরা তিনজনেই গাড়ি থেকে নামলাম, আর নামার সঙ্গে সঙ্গেই লালমোহনবাবু হিঁক করে একটা অদ্ভুত শব্দ করলেন।

কারণটা পরিষ্কার। আমরা একটা বিরাট ঢ্যাঙা বাড়ির সামনে দাঁড়িয়েছি, তার তিনতলার হাইটে বড় বড় উঁচু উঁচু কালো অক্ষরে ইংরাজিতে লেখা—শিবাজী কাস্‌ল।

৩

নামটা দেখে আমার এত অবাক লাগল যে, কিছুক্ষণ কোনও কথাই বলতে পারলাম না। 'এ যে টেলিপ্যাথির ঠাকুরদাদা!'—বললেন লালমোহনবাবু।

ফেলুদা চুপ। দেখলাম ও শুধু বাড়িটাই দেখছে না, তার আশপাশটাও দেখছে। বাঁ দিকে পর পর অনেকগুলো বাড়ি, তার কোনওটাই বিশ তলার কম না। ডান দিকের বাড়িগুলো নিচু আর পুরনো, আর সেগুলোর ফাঁক দিয়ে পিছনে সমুদ্র দেখা যাচ্ছে।

ড্রাইভার একটু যেন অবাক হয়েই আমাদের হাবভাব লক্ষ করছিল। ফেলুদা তাকে অপেক্ষা করতে বলে সোজা গেটের ভিতর দিয়ে ঢুকে গেল। আমি আর লালমোহনবাবু বোকার মতো দাঁড়িয়ে রইলাম।

মিনিট তিনেক পরেই ফেলুদা বেরিয়ে এল।

'চলিয়ে শালিমার হোটেল।'

আমরা আবার রওনা দিলাম। ফেলুদা একটা সিগারেট ধরিয়ে বলল, 'খুব সম্ভবত সেভেনটিন্‌থ ফ্লোরে, অর্থাৎ আঠারো তলায় গেছে আপনার বইয়ের প্যাকেট।'

'আপনি যে ভেলকি দেখালেন মশাই', বললেন লালমোহনবাবু, 'এই তিন মিনিটের মধ্যে অত বড় বাড়ির কোন্ তলায় গেছে লোকটা, সেটা জেনে ফেলে দিলেন?'

'আঠারোতলায় গেছে কি না জানবার জন্য আঠারোতলায় ওঠার দরকার হয় না। এক তলার লিফ্‌টের মাথার উপরেই বোর্ডে নম্বর লেখা থাকে। যখন পৌঁছলাম, তখন লিফ্‌ট উঠতে শুরু করে দিয়েছে। শেষ যে নম্বরটার বাতি জ্বলে উঠল, সেটা হল সতেরো। এবার বুঝেছেন তো?'

লালমোহনবাবু দীর্ঘশ্বাস ফেলে বললেন, 'বুঝলুম তো। এত সহজ ব্যাপারটা আমাদের মাথায় কেন আসে না সেটাই তো বুঝি না।'

পাঁচ মিনিটের মধ্যেই শালিমার হোটেলে পৌঁছে গেলাম। ফেলুদা আর আমার জন্য পাঁচ তলায় একটা ডাব্‌ল রুম, আর লালমোহনবাবুর জন্য ওই একই তলায় আমাদের উলটো দিকে একটা সিঙ্গল। আমাদের ঘরটা রাস্তার দিকে, জানালা দিয়ে নীচে চাইলেই অবিরাম গাড়ির স্রোত, আর সামনের দিকে চাইলে দুটো ঢ্যাঙা বাড়ির ফাঁক দিয়ে দূরে সমুদ্র। বম্বে যে একটা গমগমে শহর, সেটা এই ঘরে বসেই বেশ বোঝা যায়। খিদে পেয়েছিল প্রচণ্ড; হাত-মুখ ধুয়ে তিনজনে গেলাম হোটেলেরই দোতলায় গুলমার্গ রেস্টোর‍্যান্টে। লালমোহনবাবুর ঠোঁটের ডগায় যে প্রশ্নটা এসে আটকে ছিল, সেটা খাবারের অর্ডার দিয়েই করে ফেললেন।

'আপনিও তা হলে অ্যাডভেঞ্চারের গন্ধ পাচ্ছেন, ফেলুবাবু?'

ফেলুদা সরাসরি উত্তর না দিয়ে একটা পালটা প্রশ্ন করল।

'লোকটা আপনার হাত থেকে বইটা নিয়ে কী করল, সেটা লক্ষ করেছিলেন?'

'কেন?—চলে গেল!' বললেন লালমোহনবাবু।

'ওই তো! কেবল মোটা জিনিসটাই দেখেছেন, সূক্ষ্ম জিনিসটা চোখে পড়েনি। লোকটা খানিক দূর গিয়েই পকেট থেকে খুচরো পয়সা বার করেছিল।'

'টেলিফোন!' আমি বলে উঠলাম।

'ভেরি গুড, তোপ্‌সে। আমার বিশ্বাস লোকটা এয়ারপোর্টের পাবলিক টেলিফোন থেকে শহরে ফোন করে। তারপর আমরা যখন আমাদের মালের জন্য অপেক্ষা করছিলাম তখন লোকটাকে আবার দেখতে পাই।'

'কোথায়?'

'আমরা যেখানে দাঁড়িয়েছিলাম, তার ঠিক বাইরেই প্রাইভেট গাড়ি দাঁড়াবার জায়গা। মনে পড়ছে?'

'হ্যাঁ হ্যাঁ', আমি বলে উঠলাম। লালমোহনবাবু চুপ।

'লোকটা একটা নীল অ্যাম্বাসাডারে ওঠে। ড্রাইভার ছিল। পাঁচ-সাত মিনিট চেষ্টা করেও গাড়ি স্টার্ট নেয় না। লোকটা গাড়ি থেকে নেমে এসে ড্রাইভারের উপর তম্বি করে। কথা না শুনলেও, ভাবভঙ্গিতে সেটা পরিষ্কার বোঝা যাচ্ছিল। তারপর লোকটা গাড়ির আশা ছেড়ে চলে যায়।'

'ট্যাক্সি নিতে!'—এবার লালমোহনবাবু।

'এগ্‌জাক্টলি—তাতে কী বোঝা যায়?'

'লোকটা ব্যস্ত—ইয়ে, ব্যতিব্যস্ত—ইয়ে, মানে, লোকটার তাড়া ছিল।'

'গুড। দৃষ্টি আর মস্তিষ্ক—এই দুটোকে সজাগ রাখলে অনেক কিছুই অনুমান করা যায়, লালমোহনবাবু। কাজেই আমি যে ট্যাক্সিটাকে ফলো করেছিলাম তার পিছনে একটা কারণ ছিল।'

'কী মনে হচ্ছে বলুন তো আপনার?' লালমোহনবাবু সোজা হয়ে বসে কনুই দুটো টেবিলের উপর রেখে প্রশ্নটা করলেন।

'এখনও কিছুই মনে হচ্ছে না', বলল ফেলুদা, 'শুধু একটা খট্‌কা।'

এর পরে আমরা এ ব্যাপারটা নিয়ে আর কোনও কথা বলিনি।

পাঁচটা নাগাত বিশ্রাম-টিশ্রাম করে লালমোহনবাবু আমাদের ঘরে এলেন। তিনজনে বসে চা আনিয়ে খাচ্ছি, এমন সময় দরজায় টোকা। যিনি ঢুকলেন তার বয়স পঁয়ত্রিশের বেশি কিছুতেই নয়, কিন্তু মাথা ভরতি ঢেউ খেলানো চুলে আশ্চর্য বেশি রকম পাক ধরে গেছে।

'এই যে লালুদা—কেমন, এভরিথিং অলরাইট?'

লালুদা!—লালমোহনবাবুকে যে কেউ লালুদা ডাকতে পারে সেটা কেন জানি মাথাতেই আসেনি। বুঝলাম ইনিই হচ্ছেন পুলক ঘোষাল। ফেলুদা আগেই লালমোহনবাবুকে শাসিয়ে রেখেছিল যে, ওর আসল পরিচয়টা যেন চেপে রাখা হয়। তাই পুলকবাবুর কাছে ও হয়ে গেল লালমোহনবাবুর বন্ধু। পুলকবাবু আক্ষেপের ভঙ্গিতে মাথা নেড়ে বললেন, 'দেখুন তো, আপনি লালুদার বন্ধু, এত কাছের মানুষ, আর আমরা হিরোর অভাবে হিমসিম খাচ্ছি। আপনার হিন্দি আসে?'

ফেলুদা একটা খোলা হাসি হেসে বলল, 'হিন্দি তো আসেই না, অভিনয়টা আরওই আসে না। ...কিন্তু হিরোর অভাব কী রকম? আপনাদের তো শুটিং আরম্ভ হয়ে যাচ্ছে শুনলাম। অর্জুন মেরহোত্রা করছে না?'

'তা তো করছে, কিন্তু অর্জুন কি আর সে-অর্জুন আছে? এখন তার হাজার বায়নাক্কা। এদের আমি হিরো বলি না মশাই। আসলে এরা চোরা ভিলেন, পর্দায় যাই হন না কেন। নাই দিয়ে দিয়ে এদের মাথাটি খেয়ে ফেলেছে এখানকার প্রোডিউসাররা।—যাক গে, পরশু

আপনাদের ইনভাইট করে যাচ্ছি। এখান থেকে মাইল সত্তর দূরে শুটিং। ড্রাইভার জায়গা চেনে। সক্কাল সক্কাল বেরিয়ে সোজা চলে আসবেন। মিস্টার গোরে—মানে আমার প্রোডিউসার—এখানে নেই ; ছবি বিক্রির ব্যাপারে দিন সাতেকের জন্য দিল্লি মাদ্রাজ কলকাতা ঘুরতে গেছেন। তবে উনি বলে গেছেন আপনাদের আতিথেয়তার যেন কোনও ত্রুটি না হয়।'

'কোথায় শুটিং ?' ফেলুদা প্রশ্ন করল।

'বিটউইন খাণ্ডালা অ্যান্ড লোনাউলি। ট্রেনের সিন। প্যাসেঞ্জারের অভাব হলে আপনাদের বসিয়ে দেব কিন্তু।'

'ভাল কথা', লালমোহনবাবু বললেন, 'আমরা শিবাজী কাস্‌ল দেখে এলুম।'

কথাটা শুনে পুলকবাবুর ভুরু কুঁচকে গেল।

'সেকী, কখন ?'

'এই তো, আসার পথে। ধরুন, এই দুটো নাগাদ।'

'ও। তা হলে ব্যাপারটা আরও পরে হয়েছে।'

'কী ব্যাপার মশাই ?'

'খুন।'

'সে কী !'—আমরা তিনজনে প্রায় একসঙ্গে বলে উঠলাম। খ-য়ে হ্রস্বউ আর ন—এই দুটো পর পর জুড়লে আপনা থেকেই যেন শিউরে উঠতে হয়।

'আমি খবর পাই এই আধঘণ্টা আগে', বললেন পুলকবাবু। 'ও বাড়িতে তো আমার রেগুলার যাতায়াত মশাই ! মিস্টার গোরেও শিবাজী কাস্‌লেই থাকেন—বারো নম্বর ফ্লোরে। সাধে কি আপনার গপ্পে বাড়ির নাম চেঞ্জ করতে হয়েছে ! অবিশ্যি উনি নিজে খুব মাই-ডিয়ার লোক।—আপনারা বাড়ির ভেতরে গেসলেন নাকি ?'

'আমি গিয়েছিলাম', বলল ফেলুদা, 'লিফটের দরজা অবধি।'

'ওরেব্বাবা ! লিফ্‌টের ভেতরেই তো খুন। লাশ সনাক্ত হয়নি এখনও। দেখতে গুণ্ডা টাইপ। তিনটে নাগাত ত্যাগরাজন বলে ওখানকারই এক বাসিন্দা তিন তলা থেকে লিফ্‌টের জন্য বেল টেপে। লিফ্‌ট ওপর থেকে নীচে নেমে আসে। ভদ্রলোক দরজা খুলে ভেতরে ঢুকতে গিয়েই দেখেন এই কাণ্ড। পেটে ছোরা মেরেছে মশাই। হরিব্‌ল ব্যাপার।'

'ওই সময়টায় লিফ্‌টে কাউকে উঠতে-টুঠতে দেখেনি কেউ ?' প্রশ্ন করল ফেলুদা।

'লিফটের আশেপাশে কেউ ছিল না। তবে বিল্ডিং-এর বাইরে দুজন ড্রাইভার ছিল, তারা ওই সময়টায় পাঁচ-ছজনকে ঢুকতে দেখেছে। তার মধ্যে একজনের গায়ে লাল শার্ট, একজনের কাঁধে ব্যাগ আর গায়ে খয়েরি রঙের—'

ফেলুদা হাত তুলে পুলকবাবুকে থামিয়ে বলল, 'ওই দ্বিতীয় ব্যক্তিটি স্বয়ং আমি, কাজেই আর বেশি বলার দরকার নেই।'

আমার বুকের ভিতরটা ধড়াস করে উঠেছে। সর্বনাশ !—ফেলুদা কি খুনের মামলায় জড়িয়ে পড়বে নাকি ?

'এনিওয়ে', আশ্বাসের সুরে বললেন পুলক ঘোষাল, 'ও নিয়ে আপনি চিন্তা করবেন না। আপনিও না লালুদা। আপনার গপ্পে শিবাজী কাস্‌লে স্মাগলার থাকে লিখেছেন, তাতে আর ভয়ের কী আছে বলুন। বম্বের কোন অ্যাপার্টমেন্টে স্মাগলার থাকে না ? মিসায় আর ক'টাকে ধরেছে ? এ তো সবে খোসা ছাড়ানো চলছে এখন, শাঁসে পৌঁছুতে অনেক দেরি। সারা শহরটাই তো স্মাগলিং-এর উপর দাঁড়িয়ে আছে।'

ফেলুদাকে বেশ চিন্তিত মনে হচ্ছিল। তবে সে ভাবটা কেটে গেল আর একজন লোকের

আবির্ভাবে। দ্বিতীয় টোকার শব্দ হতে পুলকবাবুই চেয়ার ছেড়ে 'এই বোধহয় ভিক্টর' বলে উঠে গিয়ে দরজা খুললেন। চাবুকের মতো শরীরওয়ালা মাঝারি হাইটের একজন লোক ঘরে ঢুকল।

'পরিচয় করিয়ে দিই লালুদা—ইনি হলেন ভিক্টর পেরুমল—হংকং-ট্রেনড কুং-ফু এক্সপার্ট।'

ভদ্রলোক দিব্যি খোলতাই হেসে আমাদের সকলের সঙ্গে হ্যান্ডশেক করলেন।

'ভাঙা ভাঙা ইংরিজি বলেন', পুলকবাবু বললেন, 'আর হিন্দি তো বটেই, যদিও ইনি দক্ষিণ ভারতের লোক। আর ইনি শুধু কুং-ফু শেখান না, এঁর স্টান্টেরও জবাব নেই। ঘোড়া থেকে চলন্ত ট্রেনের উপর লাফিয়ে পড়ার ব্যাপারটা হিরোর ভাইয়ের মেক-আপ নিয়ে ইনিই করবেন।'

আমার ভদ্রলোককে দেখে কেন জানি বেশ ভাল লেগে গিয়েছিল। হাসিটার মধ্যে সত্যিই একটা খোলসা ভাব আছে। তার উপরে স্টান্টম্যান শুনে ভদ্রলোকের উপর একটা ভক্তিভাবও জেগে উঠল। যারা সামান্য ক'টা টাকার জন্য দিনের পর দিন নিজেদের জীবন বিপন্ন করে, আর তার জন্য বাহবা নিয়ে যায় প্রক্সি-দেওয়া হিরোগুলো, তাদের সাবাস বলতেই হয়।

ভিক্টর পেরুমল বললেন, তিনি শুধু কুং-ফু-ই জানেন না—'আই নো মোক্কাইরি অলসো।'

মোক্কাইরি? সে আবার কী? ফেলুদার যে এত জ্ঞান, ও-ও বলল জানে না; আর লালমোহনবাবুর কথা তো ছেড়েই দিলাম, কারণ উনি নিজের লেখা ছাড়া বিশেষ কিছু পড়েন-টড়েন না।

পেরুমল বলল, মোক্কাইরি হচ্ছে নাকি এক-রকম ফাইটিং যেটা করার জন্য পা শূন্যে তুলে হাতে হাঁটতে হয়। এটা নাকি হংকং-এ চালু হয়েছে মাত্র মাস ছয়েক হল, যদিও জন্মস্থান

জাপান।

'এটাও রয়েছে নাকি ছবিতে?' লালমোহনবাবু যেন কিঞ্চিৎ ভয়ে ভয়ে জিজ্ঞেস করলেন। পুলক ঘোষাল হেসে মাথা নাড়লেন। 'এক কুং-ফু-র ঠেলাই আগে সামলাই। এগারোজন লোককে সকাল-বিকেল ট্রেনিং দিতে হচ্ছে সেই নভেম্বরের গোড়া থেকে। আপনি তো লিখে খালাস, ঝক্কি তো পোয়াতে হচ্ছে আমাদের। অবিশ্যি আপনারা যে শুটিংটা দেখবেন, তাতে কুং-ফু নেই। এতে দেখবেন স্টান্টম্যানের খেলা।...ক্লাস ছবি হবে আপনার গপ্পো থেকে লালুদা—কুছ পরোয়া নেহি।'

পুলক ঘোষাল আর ভিক্টর চলে যাবার পর ফেলুদা সোফা ছেড়ে উঠে গিয়ে জানালাটা খুলে দিল, আর সঙ্গে সঙ্গে রাস্তার ট্র্যাফিকের শব্দে ঘর ভরে গেল। অবিশ্যি পাঁচতলা হওয়াতে তার জন্য কথা বলতে অসুবিধা হচ্ছিল না। আসলে আমাদের কারুরই এয়ারকন্ডিশনিং-এর অভ্যেসও নেই, ভালও লাগে না। বাইরের শব্দ আসুক; তার সঙ্গে খাঁটি বাতাসটাও তো ঢুকছে।

জানালা থেকে ফিরে এসে সোফায় বসে ফেলুদা একটু যেন গম্ভীরভাবেই বলল, 'লালমোহনবাবু, অ্যাডভেঞ্চারের গন্ধটা যে রকম উগ্র হয়ে উঠছে, সেটা বেশ অস্বস্তিকর। আপনি ওই প্যাকেটটা চালানের ভার না নিলেই পারতেন। আমি যদি তখন থাকতাম, তা হলে আপনাকে বারণ করতাম।'

'কী করি বলুন', লালমোহনবাবু কাঁচুমাচু হয়ে বললেন, 'ভদ্রলোক বললেন, আমি এর পর যে গল্পটা লিখব সেটা যেন ওঁর জন্য রিজার্ভ করে রাখি। তারপরে আর কী করে না বলি বলুন।'

'ব্যাপারটা কী জানেন? এয়ারপোর্টে যখন সিকিউরিটি চেক হয়, তখন নিয়ম হচ্ছে প্যাসেঞ্জারের কাছে মোড়ক জাতীয় কিছু থাকলে সেটা খুলে দেখা। আপনাকে নিরীহ মনে করে আপনার বেলা সেটা আর করেনি। খুললে কী বেরোত কে জানে? ওই প্যাকেটের সঙ্গে যে ওই খুনের সম্বন্ধ নেই তা কে বলতে পারে?'

লালমোহনবাবু গলা খাঁকরে মিনমিন করে বললেন, 'কিন্তু একটা বইয়ের প্যাকেটে আর...'

'বই মানেই যে বই তা তো নাও হতে পারে। আংটির মধ্যে বিষ রাখার ব্যবস্থা থাকত রাজাবাদশাদের আমলে, সেটা জানেন? সে আংটিকে শুধু আংটি বললে কি ঠিক হবে? আংটিও বটে, বিষাধারও বটে।...যাক, আপনার কর্তব্য যখন নির্বিঘ্নে সারা হয়ে গেছে, তখন আপনার নিজের কোনও বিপদ নেই বলেই মনে হচ্ছে।'

'বলছেন?' লালমোহনবাবুর মুখে এতক্ষণে হাসি ফুটেছে।

'বলছি, বইকী', ফেলুদা বলল। 'আর আপনার বিপদ মানে তো আমাদেরও বিপদ। এক সূত্রে বাঁধা আছি মোরা তিনজনায়। সুতোয় টান পড়লে তিনজনেই কাত।'

লালমোহনবাবু এক ঝটকায় খাট থেকে উঠে বাঁ পা-টাকে কুং-ফুর মতো করে শূন্যে একটা লাথি মেরে বললেন, 'থ্রি চিয়ারস ফর দ্য থ্রি মাস্‌কেটিয়ারস।—হিপ হিপ—'

ফেলুদা আর আমি লালমোহনবাবুর সঙ্গে গলা মেলালাম—

'হুর্‌রে!'

সন্ধ্যা ছটা নাগাত আমরা হোটেল থেকে বেরিয়ে পড়লাম। পায়ে হেঁটে ঘুরে না দেখলে নতুন শহর দেখা হয় না, এটা আমরা তিনজনেই বিশ্বাস করি। যোধপুর, কাশী, দিল্লি, গ্যাংটক—সব জায়গাতেই আমরা এ জিনিসটা করেছি। বম্বেতেই বা করব না কেন ?

হোটেল থেকে বেরিয়ে ডান দিকে কিছু দূর গেলেই যাকে কেম্পস কর্নার বলে, সেখানে একটা দুর্দান্ত ফ্লাই-ওভার পড়ে। প্রকাণ্ড প্রকাণ্ড তাগড়াই থামের উপর দিয়ে ব্রিজের মতো রাস্তা, তার উপরেও ট্র্যাফিক, নীচেও ট্র্যাফিক। আমরা ব্রিজের তলা দিয়ে রাস্তা পেরিয়ে গিবস রোড দিয়ে দক্ষিণ দিকে চলেছি। ফেলুদা ডান দিকে দেখিয়ে দিল পাহাড়ের গা দিয়ে হ্যাংগিং গার্ডনস যাবার রাস্তা। এই পাহাড়ের নামই মালাবার হিলস।

মাইলখানেক এগিয়ে যেতে সামনে সমুদ্র পড়ল। আপিস ফেরত গাড়ির স্রোত এড়িয়ে রাস্তা পেরিয়ে এক কোমর উঁচু পাথরের পাঁচিলের ধারে গিয়ে দাঁড়ালাম। পাঁচিলের পিছন দিকে সমুদ্রের জল এসে আছড়ে আছড়ে পড়ছে।

রাস্তাটা বাঁদিক দিয়ে সোজা পুবে চলে গিয়ে গোল হয়ে ঘুরে শেষ হয়েছে সেই একেবারে দক্ষিণে, যেখানের আকাশছোঁয়া বাড়িগুলো ঝাপসা হয়ে আছে বিকেলের পড়ন্ত রোদে। ওই ধনুকের মতো রাস্তাটা নাকি ম্যারিন ড্রাইভ।

লালমোহনবাবু বললেন, 'স্মাগলারই বলুন আর যাই বলুন—পাহাড় আর সমুদ্র মিলিয়ে বম্বে একেবারে চ্যাম্পিয়ন শহর মশাই।'

পাঁচিলের ধার দিয়ে আমরা ম্যারিন ড্রাইভের দিকে এগোতে লাগলাম। বাঁ দিক দিয়ে পিঁপড়ের সারির মতো গাড়ি চলেছে। কিছুক্ষণ হাঁটার পর লালমোহনবাবু আর একটা মন্তব্য করলেন।

'এখানে বোধহয় সি এম ডি এ নেই ; আছে কি ?'

'রাস্তায় খানাখন্দ নেই বলে বলছেন তো ?'

'এয়ারপোর্ট থেকে আসার সময়ই লক্ষ করছিলুম যে, গাড়িতে চলেছি অথচ লাফাচ্ছি না। অবিশ্বাস্য !'

কিছুক্ষণ থেকেই সমুদ্রের ধারে একটা জায়গায় ভিড় লক্ষ করছিলাম। যেমন রবিবার আমাদের শহিদ মিনারের নীচে হয়, অনেকটা সেই রকম। আরও কাছে যেতে ফেলুদা বলল জায়গাটার নাম চৌপাট্টি। এখানে রোজই নাকি রথের মেলার মতো ভিড় হয়। সার-বাঁধা দোকান, দেখেই মনে হয় ফুচকা বা ভেলপুরি বা আইসক্রিম বা ওই জাতীয় কিছু বিক্রি হচ্ছে।

ক্রমে কাছে এসে বুঝলাম আন্দাজে ভুল করিনি। মেলার মতো মেলা বটে। অর্ধেক বম্বে শহর ভেঙে পড়েছে এখানে। লালমোহনবাবু শিগ্‌গিরই রিচ ম্যান হচ্ছেন, তাই ওঁর ঘাড় ভাঙতে দোষ নেই। তিনজনে হাতে ভেলপুরির ঠোঙা নিয়ে ভিড় আর হই-হুল্লোড় ছেড়ে এগিয়ে গিয়ে সমুদ্রের ধারে বালির উপর বসলাম। ঘড়িতে পৌনে সাতটা, কিন্তু এখনও আকাশে গোলাপি রং। আমাদের মতো অনেকেই বালির উপর বসে আরাম করছে। লালমোহনবাবু খাওয়া শেষ করে হাত নেড়ে একটা সংস্কৃত শ্লোক আওড়াতে গিয়ে থেমে গেলেন। বাঁ দিকে বসে থাকা লোকজনের মধ্যে কারুর হাত থেকে একটা খবরের কাগজ উড়ে এসে ভদ্রলোকের মুখের উপর লেপটে গিয়ে কথা বন্ধ করে দিয়েছে।

কাগজটা হাতে নিয়ে নামটা দেখে লালমোহনবাবু সবে 'ইভনিং নিউজ' কথাটা বলেছেন, এমন সময় ফেলুদা তাঁর হাত থেকে সেটা ছিনিয়ে নিল।

'নামটা পড়লেন, আর তার নীচে হেড-লাইনটা চোখে পড়ল না ?'

আমরা তিনজনে একসঙ্গে কাগজটার উপর ঝুঁকে পড়লাম। হেডলাইন হচ্ছে—'মার্ডার ইন অ্যাপার্টমেন্ট লিফ্ট', আর তার নীচেই যে খুন হয়েছে তার ছবি। যাক—এ তা হলে আমাদের লালশার্ট নয়।

খবরে বলছে, খুনটা হয়েছে দুটো থেকে আড়াইটের মধ্যে। খুনি এখনও ধরা পড়েনি, তবে পুলিশ অনুসন্ধান চালাচ্ছে। যে খুন হয়েছে তার নাম মঙ্গলরাম শেঠী। চোরাকারবারিদের সঙ্গে যুক্ত ছিল, বেশ কিছু দিন থেকেই পুলিশ খুঁজছে। লিফ্টে বেশ ধ্বস্তাধ্বস্তি হয়েছিল তারও নাকি প্রমাণ পাওয়া গেছে। ক্লুয়ের মধ্যে নাকি এক টুকরো কাগজ পাওয়া গেছে মৃতদেহের পাশে। কাগজে একজনের নাম ছিল। নামটা হচ্ছে—

'ও আঁ আঁ আঁ আঁ...'

একটা অদ্ভুত গোঙানি-টাইপের শব্দ লালমোহনবাবুর গলা দিয়ে বেরোল। ভদ্রলোক অজ্ঞান হয়ে যেতে পারেন মনে করে আমি তাড়াতাড়ি ওঁকে জাপটে ধরলাম। অবিশ্যি এ রকম করার যথেষ্ট কারণ ছিল। ইভনিং নিউজ লিখছে চিরকুটে লেখা ছিল—'মিস্টার গাঙ্গুলী, ডার্ক, শর্ট, বল্ড, মুসটাশ।'

খবরটা পড়া শেষ হওয়া মাত্র লালমোহনবাবু ফেলুদার হাত থেকে কাগজটা ছিনিয়ে নিয়ে টুকরো টুকরো করে ছিঁড়ে হাওয়ায় উড়িয়ে দিলেন।

ফেলুদা বলল, 'এমন পরিষ্কার সমুদ্রতটটিকে আবর্জনায় ভরিয়ে দিলেন ?'

ভদ্রলোক এখনও ভাল করে কথা বলতে পারছেন না দেখে ফেলুদা এবার ধমকের সুরে বলল, 'আপনার কি ধারণা, গোটা শহরের লোক আপনাকে দেখেই বুঝে ফেলবে যে আপনিই হচ্ছেন এই ব্যক্তি ?'

লালমোহনবাবু এতেও সান্ত্বনা পেলেন না। কোনওরকমে ঢোক গিলে বললেন, 'কিন্তু—কিন্তু—এর মানেটা বুঝছেন তো ? কে খুন করেছে, বুঝছেন তো ?'

ফেলুদা বেশ কয়েক সেকেন্ড চুপ করে একদৃষ্টে লালমোহনবাবুর দিকে চেয়ে থেকে মাথা নেড়ে বলল, 'লালুদা, চার বছর আমার সংসর্গ-লাভ করেও মাথা ঠাণ্ডা করে ভাবতে শিখলেন না।'

'কেন, কেন—লালশার্ট— ?'

'লালশার্ট কী ? কাগজটা লালশার্টেরই হাত থেকে লিফ্টে পড়েছে সেটা ধরে নিলেও তাতে কী প্রমাণ হচ্ছে ? তার মানেই যে সে খুন করেছে তার কী প্রমাণ ? আপনার কাছ থেকে প্যাকেট পাবার পর তার সঙ্গে আপনার সম্পর্ক শেষ—এটা তো ঠিক ? তা হলে কাগজটারও তার আর কোনও প্রয়োজন থাকে না। লিফ্টে ওঠার সময় সেটা পকেটে রয়ে গেছে দেখে, সে সেটা লিফ্টেই ফেলে দিল—এমন ভাবতে খুব কষ্ট হচ্ছে কি ?'

লালমোহনবাবু তবুও ঠাণ্ডা হলেন না। 'আপনি যাই বলুন, লাশের পাশে যখন আমার নাম আর ডেসক্রিপশন লেখা কাগজ পেয়েছে, তখন আমার চরম ভোগান্তি আছে—এ আমি স্পষ্ট দেখতে পাচ্ছি। রাস্তা একটাই। টাকে তো আর চুল গজাবে না, হাইটও বাড়বে না, আর কমপ্লেকশনও চেঞ্জ হবে না। আছে এক গোঁফ। আপনি যাই বলুন, এ গোঁফ আমি কালই হাওয়া করে দেব।'

'আর হোটেলের লোকেরা কী ভাববে ? তারা কি আর ইভনিং নিউজ পড়েনি ভেবেছেন ? খুনের খবর শতকরা নব্বুই ভাগ লোকে পড়বে, মানুষের স্বভাবই ওই। আমার ধারণা আপনি গোঁফ ছাঁটলে দৃষ্টিটা, এবং সেই সঙ্গে সঙ্গে সন্দেহটা, আরও বেশি করে আপনার উপর পড়বে।'

আকাশের লালটা যখন বেগুনি হয়ে শেষে পাংশুটের দিকে যেতে শুরু করেছে, পশ্চিমের চেরা মেঘের ফাঁকে শুকতারাটা পুবের ম্যারিন ড্রাইভের হাজার আলোর মালার সঙ্গে একা পাল্লা দিতে গিয়ে ধুকপুক করছে, তখন আমরা উঠে পড়ে গা থেকে বালি ঝেড়ে আবার মানুষ আর দোকানের ভিড় পেরিয়ে বড় রাস্তায় গিয়ে একটা ট্যাক্সি ধরে হোটেলমুখো হলাম।

রিসেপশন কাউন্টারে চাবি চাইবার সময় দেখলাম লালমোহনবাবু হাতটা যেদিকে বাড়ালেন, মুখটা তার উলটোদিকে ঘুরিয়ে রাখলেন। কিন্তু তাতেও রেহাই নেই, উলটোদিকে লবিতে বসা সাতজন দেশি-বিদেশি লোকের তিনজনের হাতে ইভনিং স্ট্যান্ডার্ড। স্ট্যান্ডার্ডের সামনের পাতাতেও খুনের খবর আর মৃতদেহের ছবি। খবরের মধ্যে টেকো বেঁটে গুঁফো রং-ময়লা মিস্টার গাঙ্গুলীর উল্লেখ নেই এ হতেই পারে না।

৫

লালমোহনবাবু শেষ পর্যন্ত আর গোঁফটা কামাননি। রাত্রে ঘুম হয়েছিল কি না জিজ্ঞেস করাতে বললেন যতবারই চোখ ঢুলে এসেছে ততবারই মনে হয়েছে ওঁর ঘরটা লিফ্‌টের মতো ওঠানামা করছে, আর তার ফলে তন্দ্রা ছুটে গেছে।

পুলকবাবু কাল রাত্রেই ফোন করে বলেছিলেন আজ সকাল দশটায় এসে আমাদের স্টুডিয়োতে নিয়ে যাবেন। আমরা আটটায় ব্রেকফাস্ট সেরে রাস্তায় বেরিয়ে পেডার রোড দিয়ে খানিকদূরে হেঁটে একটা পানের দোকান থেকে দিব্যি মিঠে পান কিনে পৌনে ন'টায় হোটেলে ঢুকতেই কেমন যেন একটা চাপা উত্তেজনার ভাব লক্ষ করলাম।

কারণ আর কিছুই না, পুলিশ এসেছে। একজন ইনস্পেক্টর গোছের লোক কাউনটারের সামনে দাঁড়িয়েছিলেন, হোটেলের কর্মচারী একটা ইঙ্গিত করতেই তিনি ঘুরে লালমোহনবাবুর দিকে চাইলেন। ইনস্পেক্টরের চাহনিতে যদিও কোনও হুমকির ভাব ছিল না, পাশে একটা খট্ শব্দ শুনে বুঝলাম লালমোহনবাবুর দুটো হাঁটুতে ঠোকাঠুকি লেগে গেছে।

ইনস্পেক্টর হাসিমুখে লালমোহনবাবুর দিকে এগিয়ে এলেন। ফেলুদা শান্তভাবে লালমোহনবাবুর পিঠে একটা মৃদু চাপ দিয়ে বুঝিয়ে দিল—নার্ভাস হবেন না, ঘাবড়াবার কিছু নেই।

'ইনস্পেক্টর পটবর্ধন। সি আই ডি থেকে আসছি। আপনি মিস্টার গাঙ্গুলী ?'

'হাঁয়েস।'

এই রে, লালমোহনবাবু ইংরিজি-বাংলা গুলিয়ে ফেলেছেন।

পটবর্ধন ফেলুদার দিকে চাইলেন।

'আপনারা—?'

ফেলুদা পকেট থেকে ওর প্রাইভেট ইনভেসটিগেটর লেখা কার্ডটা বার করে দিল। পটবর্ধন সেটা পড়ে ফেলুদার দিকে একটা জিজ্ঞাসু দৃষ্টি দিলেন।

'মিটার ? আপনিই কি এলোরার সেই মূর্তি চুরির—?'

ফেলুদা তার একপেশে হাসিটা হেসে মাথা নেড়ে হ্যাঁ বলল।

'গ্ল্যাড টু মিট ইউ স্যার', হাত বাড়িয়ে বললেন পটবর্ধন। 'ইউ ডিড এ ভেরি গুড জব দেয়ার।'

ফেলুদার বন্ধু বলে লালমোহনবাবুর খাতির বেড়ে গেল ঠিকই, কিন্তু জেরার হাত থেকে তিনি রেহাই পেলেন না। কথা হল হোটেলের ম্যানেজারের ঘরে বসে।

পটবর্ধন যা বললেন তাতে জান্‌লাম যে মৃতদেহের গায়ে নাকি অনেক আঙুলের ছাপ

পাওয়া গেছে, তবে খুনি এখনও ধরা পড়েনি। কিন্তু একজন লালশার্ট পরা লোক যে এয়ারপোর্ট থেকে শিবাজী কাস্‌ল-এ এসেছিল সেটা পুলিশ বার করেছে ট্যাক্সিওয়ালাটার সন্ধান বার করে। পুলিশের ধারণা এই লালশার্টই খুনি এবং তার পকেট থেকেই চিরকুটটা বেরিয়েছে। লালমোহনবাবুর কথা শুনে অবিশ্যি পটবর্ধনের ধারণা আরও বদ্ধমূল হল। বললেন, 'এটা বুঝতেই পারছিলাম যে লোকটা গাঙ্গুলী নামে কাউকে মিট করতে গিয়েছিল এয়ারপোর্টে। আমরা গতকাল সকাল থেকে দুপুরের মধ্যে যত প্লেন স্যান্টাক্রুজে নেমেছে, তার প্রত্যেকটার প্যাসেঞ্জার লিস্ট দেখে ক্যালকাটা ফ্লাইটে গাঙ্গুলী নামটা পাই। তারপর এখানের প্রত্যেক হোটেলে খোঁজ করি। দেখলাম শালিমার হোটেলে দুপুরে এসেছেন মিস্টার এল গাঙ্গুলী।'

পটবর্ধনের আসল যেটা জানার ছিল, সেটা হচ্ছে এই ব্যাপারে লালমোহনবাবুর ভূমিকাটা কী ; অর্থাৎ ওই কাগজে তার নাম আর চেহারার বর্ণনা থাকবে কেন। লালমোহনবাবু মিস্টার সান্যালের ব্যাপারটা বলাতে পটবর্ধন বললেন, 'হু ইজ দিস সানিয়াল ? হাউ ওয়েল ডু ইউ নো হিম ?'

লালমোহনবাবু যা বলবার বললেন। সান্যালের ঠিকানা জিজ্ঞেস করাতে বাধ্য হয়েই বলতে হল উনি জানেন না।

সবশেষে ইনস্পেক্টর পটবর্ধন ঠিক ফেলুদার মতো করেই সাবধান করে দিলেন লালমোহনবাবুকে। বললেন, 'ঠিক এইভাবেই নিরীহ নির্দোষ লোকের হাত দিয়ে আজকাল চোরাই মাল পাচার হচ্ছে। কাঠমাণ্ডু থেকে কিছু দামি মণিমুক্তো এদেশে এসেছে বলে আমরা খবর পেয়েছি। শুনছি, তার মধ্যে নাকি নানাসাহেবের বিখ্যাত নওলাখা হারও আছে।'

সিপাহি বিদ্রোহের সময় একজন নানাসাহেব ব্রিটিশদের বিরুদ্ধে লড়েছিল বলে ইতিহাসে পড়েছি। পটবর্ধন সেই নানাসাহেবের কথা বলছেন কি না জানি না।

'আমার বিশ্বাস এই প্যাকেটটাতেও কোনও চোরাই মাল ছিল', বললেন পটবর্ধন। 'যে গ্যাং এটা কলকাতা থেকে পাঠিয়েছে, তারই বিরুদ্ধ গ্যাঙের কেউ খবর পেয়ে শিবাজী কাস্‌লের আশেপাশে ঘুরঘুর করছিল। সেই লোকই লালশার্টকে আক্রমণ করে, ফলে লালশার্টের হাতে তার মৃত্যু হয়।'

লালমোহনবাবু ধরেই নিয়েছিলেন যে, তাঁর নাম-লেখা কাগজ পুলিশের হাতে পড়াতে ওঁর ফাঁসি না-হয় যাবজ্জীবন দ্বীপান্তর হবেই। কেবল কয়েকটা উপদেশ-বাক্য শুনে ছাড়া পেয়ে যাওয়াতে ভদ্রলোকের চেহারায় নতুন জেল্লা এসে গেল।

পুলকবাবু দশটা বলে এলেন প্রায় এগারোটায়। পুলিশের ব্যাপারটা শুনে বললেন, 'আর বলবেন না—কাল কাগজ দেখেই বুকটা ছ্যাঁৎ করে উঠেছে। লালুদার সঙ্গে নাম-ডেসক্রিপশন সব মিলে যাচ্ছে, অথচ পুরো ব্যাপারটাই আমার কাছে রহস্য।'

সান্যালের ঘটনাটা শুনে বললেন, 'কোন সান্যাল বলুন তো ? অহী সান্যাল ? মাঝারি হাইট, চোখদুটো একটু বসা, থুতনিতে খাঁজ কাটা ?'

'থুতনি তো দেখিনি ভাই। দাড়ি আছে। বোধহয় আগে রাখতেন না।'

'আমি দু বছর আগের কথা বলছি। একই লোক কি না জানি না। বোম্বেতে ছিল কিছু দিন। ছবিও প্রোডিউস করেছিল খান দু-এক। মার খেয়েছিল—যদ্দূর মনে পড়ে।'

'লোক কী রকম ?'

'সে খবর জানি না লালুদা, তবে বদনাম শুনিনি কখনও।'

'তা হলে বোধহয় কাগজের প্যাকেটে কোনও গোলমাল নেই।'

'দেখুন লালুদা, আজকাল নেহাত স্মাগলিং-টাগলিং হচ্ছে বলে, নইলে আমরাও তো

এককালে অনেক অচেনা লোকের হাত থেকে জিনিস নিয়ে এক জায়গা থেকে আর এক জায়গায় পৌঁছে দিয়েছি। কই, কোনওদিন তো কোনও গোলমাল হয়নি।'

যে গাড়িটা কাল ব্যবহার করেছিলাম, সেটাতেই আমরা চারজনে মহালক্ষ্মীর ফেমাস স্টুডিয়োতে গিয়ে হাজির হলাম। গাড়ি থেকে নামবার সময় পুলকবাবু বললেন, 'আগামী কালের শুটিং-এ ট্রেনের ব্যাপারটায় রেল কোম্পানির লোকদের সঙ্গে ঠোকাঠুকি হচ্ছিল। খবরটা পেয়েই প্রোডিউসার রাত্তিরের প্লেন ধরে কলকাতা থেকে চলে এসেছেন। চলুন, আপনাদের সঙ্গে আলাপ করিয়ে দিচ্ছি।'

'কালকের শুটিংটা হবে তো?' লালমোহনবাবুর গলায় আশঙ্কার সুর।

'শুটিং-এর ফাদার হবে লালুদা, ঘাবড়াইয়ে মৎ।'

আমরা একটা টিনের ছাতওয়ালা কারখানার ঘরের মতো বিরাট ঘরে গিয়ে ঢুকলাম। এখানেই শুটিং হয়, আর আজ এখানেই চলেছে কুং-ফুর ট্রেনিং। একটা প্রকাণ্ড গদির উপর ভিক্টর পেরুমলের নির্দেশে একদল লোক লাফাচ্ছে, পা ছুঁড়ছে, আছাড় খাচ্ছে। গদি থেকে হাত দশেক দূরে একটা বেতের চেয়ারে বসে আছেন একজন বছর পঁয়তাল্লিশের ভদ্রলোক।

'আলাপ করিয়ে দিই', বললেন পুলকবাবু, 'ইনি হচ্ছেন আমাদের ছবির প্রযোজক মিঃ গোরে...মিস্টার গাঙ্গুলী, স্টোরি রাইটার—মিস্টার মিত্র, আর—তোমার নামটা কী ভাই?'

'তপেশরঞ্জন মিত্র।'

মিঃ গোরের গাল দুটো আপেলের মতো, মাথার ঠিক মাঝখানে একটা চকচকে টাক, আর চোখদুটো সামান্য কটা। ভুঁড়িটা নিশ্চয়ই ইদানীং হয়েছে, কারণ শখ করে এত টাইট জামা কেউ পরে না। পুলকবাবু আলাপ করিয়ে দিয়ে হাওয়া, কারণ কালকের শুটিং-এর নাকি অনেক তোড়জোড় আছে। বলে গেলেন, 'দেড়টায় ফিরছি লালুদা; আমার সঙ্গে লাঞ্চ খাচ্ছেন আপনারা।'

গোরে আমাদের খুব খাতির-টাতির করে চেয়ার আনিয়ে বসতে দিলেন। নিজে লালমোহনবাবুর পাশে বসে বললেন, 'আপনি এলেন বলে আমি খুব খুশি হলাম।'

'সে কী, আপনি তো দিব্যি বাংলা বলেন!'

লালমোহনবাবু বোধহয় তাঁর দশ হাজার পাওনার কথাটা ভেবেই একটু বেশি খুলে তারিফ করলেন।

'আমার ফাদারের বিজনেস ছিল ক্যানিং স্ট্রিটে। থ্রি ইয়ারস আই ওয়জ এ স্টুডেন্ট ইন ডন বস্‌কো। দেন ফাদারের ডেথ হল, আমি আঙ্কেলের কাছে চলে এলাম বুম্বই। সে তখুন থেকেই আই আম হিয়ার। লেকিন ফিলিম লাইনে দিস ইজ মাই ফার্স্ট ভেনচার।'

গোরে বাংলা জানেন দেখেই বোধহয় লালমোহনবাবু বেশ উৎসাহের সঙ্গে সান্যাল থেকে শুরু করে আজকের পুলিশের জেরা অবধি সব ঘটনা ভদ্রলোককে বলে ফেললেন। তাতে মিঃ গোরে চুকচুক শব্দ করে সহানুভূতি জানিয়ে বললেন, 'আজকাল কাউকে বিসোয়াস করা যায় না, মিস্টার গাঙ্গুলী। আপনি এমিনেন্ট রাইটার, আপনার হাতে চোরাই মাল পাচার হবে ভাবতে শরম্ লাগে।'

এবার ফেলুদাও যোগ দিল কথায়।

'আপনি তো শিবাজী কাস্‌লে থাকেন বলে শুনলাম।'

'হাঁ। দুমাস হল আছি। হরিব্‌ল মার্ডার। ইভনিং ফ্লাইটে এসেছি আমি। বাড়ি ফিরেছি রাত ইগারটা। অ্যাট দ্যাট টাইম অলসো দেয়ার ওয়জ এ বিগ ক্রাউড ইন দ্য স্ট্রিট। হাই-রাইজ বিল্ডিংমে খুনখারাবি হোনেসে বহুৎ হুজ্জৎ।'

'ইয়ে—সেভেনটিনথ্ ফ্লোরে কে থাকে জানেন?'

‘সেভেনটিনথ...সেভেনটিনথ...’ ভদ্রলোক মনে করতে পারলেন না। ‘আমার চিনা আদমি এক হ্যায় এইটথ মে—এন সি মেহতা ; আউর দো মে ডক্টর ভাজিফদার। মাই ফ্ল্যাট ইজ অন টুয়েলফথ ফ্লোর।’

ফেলুদা আর কোনও প্রশ্ন করল না। মিঃ গোরেরও দেখলাম উঠি-উঠি ভাব। বললেন বহুৎ ঝামেলার প্রোডাকশন, সব সময় কিছু না কিছু কাজ লেগেই থাকে। তা ছাড়া কালকের শুটিংটা সত্যিই এলাহি ব্যাপার। মাথেরান স্টেশন থেকে ভাড়া করা ট্রেন খাণ্ডালা আর লোনাউলির মাঝামাঝি লেভেল ক্রসিং-এ আসবে। মিঃ গোরে মাথেরানেই থাকবেন, কারণ রেল কোম্পানিকে পয়সাকড়ি দেওয়ার ব্যাপার আছে। একটা পুরনো আমলের ফার্স্ট-ক্লাস কামরা থাকবে ট্রেনে, মিঃ গোরে সেই কামরায় চেপেই শুটিং-এর জায়গায় আসবেন। ‘আমি খুব খুশি হব যদি আপনারা আমার সঙ্গে এসে লাঞ্চ করেন। আপনারা ভেজিটেরিয়ান কি ?’

‘নো নো, নন নন’, বললেন লালমোহনবাবু।

‘হোয়াট উইল ইউ হ্যাভ ? চিকেন অর মটন ?’

‘চিকেন হ্যাড ইয়েসটারডে। মাটনই হোক টুমরো ; কী বলেন, ফেলুবাবু ?’

‘তথাস্তু’, বলল ফেলুদা।

ফেলুদা মিস্টার গোরের সব কথাই শুনছিল, কিন্তু তারই ফাঁকে ফাঁকে ওর চোখটা যে বারবার কুং-ফুর দিকে চলে যাচ্ছিল, সেটা আমি লক্ষ করছিলাম। ভিক্টর পেরুমলের ধৈর্য আর অধ্যবসায় দেখে সত্যিই অবাক হতে হয়। বোঝাই যাচ্ছে, ব্যাপারটাকে নিখুঁত না করে সে ছাড়বে না। যারা শিখছে, তাদের মধ্যে দু-একজন দেখলাম রীতিমতো তৈরি হয়ে গেছে।

পেরুমলকেও দেখছিলাম কাজের ফাঁকে ফাঁকে ফেলুদার দিকে দেখছে। ফেলুদার চাহনিতে তারিফের ভাবটা বোধহয় তাকে উৎসাহিত করছিল। গোরে চলে যাবার পর পেরুমল ফেলুদাকে ইশারা করে কাছে আসতে বলল। ফেলুদা হাতের সিগারেটটা ফেলে দিয়ে উঠে এগিয়ে গেল।

‘আইয়ে মিস্টার মিত্রা—ট্রাই কিজিয়ে—ইটস নট সো ডিফিকাল্ট।’

বাকি যারা ট্রেনিং নিচ্ছিল, তারা গদি ছেড়ে সরে গেল। পেরুমল একটা ছোট্ট লাফের সঙ্গে অদ্ভুত ভাবে ডান পা-টা মাথা অবধি তুলে সোজা সামনের দিকে ছিটকে দিল। পায়ের সামনে কেউ থাকলে নির্ঘাত ধরাশায়ী হত। ফেলুদা গদির উপর উঠে পাঁচ-ছ বার ছোট্ট ছোট্ট লাফ দিয়ে শরীরটাকে তৈরি করে নিল। পেরুমল ফেলুদার থেকে হাত চারেক দূরে দাঁড়িয়ে বলল, ‘আমার দিকে ছোঁড়ো পা।’

পেরুমলের জানার কথা নয় যে, এনটার দ্য ড্র্যাগন দেখার পর থেকে মাস কয়েক ধরে প্রায়ই সকালে ফেলুদা আমাদের বৈঠকখানায় কুং-ফুর ঢঙে হাত পা ছোঁড়া অভ্যেস করেছে। ফুর্তি ছাড়া এর পিছনে আর কোনও উদ্দেশ্য ছিল না ঠিকই, কিন্তু পা ছোঁড়ার কায়দাটা রপ্ত হয়ে গিয়েছিল।

ওয়ান-টু-থ্রি বলার সঙ্গে সঙ্গে ফেলুদার ডান পা-টা হোরাইজন্ট্যালভাবে বিদ্যুদ্বেগে সামনের দিকে ছিটকে গেল, আর সঙ্গে সঙ্গে পেরুমলের শরীরটা পিছনে ছিটকে গিয়ে আছাড় খেল গদির উপর—যদিও আমি জানি যে ফেলুদার পা তার গায়ে লাগেনি।

তারপর এইভাবে পাঁচ মিনিট ধরে চলল ভিক্টর পেরুমল আর প্রদোষ মিত্তিরের কুং-ফুর ডেমনস্ট্রেশন। আমার দৃষ্টি চলে যাচ্ছিল পেরুমলের সাকরেদদের দিকে—দেড় মাস ধরে লাফ-ঝাঁপ করে যাদের জিভ বেরিয়ে এসেছে। এটা দেখে ভাল লাগল যে, হিংসার চেয়ে প্রশংসার ভাবটাই তাদের মুখে বেশি প্রকাশ পাচ্ছে। পাঁচ মিনিটের শেষে যখন দুজনে

হ্যান্ডশেক করে পরস্পরের পিঠ চাপড়াচ্ছে, তখন সকলে হাততালি দিয়ে উঠল।

৬

দুটো নাগাদ পুলকবাবু আর সংলাপ-লেখক ত্রিভুবন গুপ্তের সঙ্গে আমরা ওয়রলির কপার চিমনি রেস্ট্যোর‍্যান্টে লাঞ্চ খেতে ঢুকলাম। দেখে মনে হয় তিলধরার জায়গা নেই, কিন্তু পুলকবাবু আমাদের জন্য একটা টেবিল আগে থেকেই রিজার্ভ করে রেখেছেন।

লালমোহনবাবু বললেন, 'আমাদের ছবির নামটা কী হচ্ছে ভাই পুলক ?'

নামের কথাটা অবিশ্যি আমারও অনেকবার মনে হয়েছে, কিন্তু জিজ্ঞেস করার সুযোগটা আসেনি। 'বোম্বাইয়ের বোম্বেটে' নাম যে থাকবে না সেটা আমিও আন্দাজ করেছিলাম।

'আর বলবেন না লালুদা', বললেন পুলকবাবু। 'নাম নিয়ে কি কম হুজ্জত গেছে ? যা ভাবি, তাই দেখি হয় হয়ে গেছে, না হয় অন্য কোনও পার্টি রেজিস্ট্রি করে বসে আছে। গুপ্তেজিকে জিজ্ঞেস করুন না, কত বিনিদ্র রজনী গেছে ওঁর নাম ভেবে বার করতে। শেষটায় এই তিনদিন আগে—যা হয় আর কী—হাই-ভোল্টেজ স্পার্ক।'

'হাই-ভোল্টেজ স্পার্ক ? ছবির নাম হাই-ভোল্টেজ স্পার্ক ?' লো-ভোল্টেজ গলার স্বরে জিজ্ঞেস করলেন জটায়ু।

পুলকবাবু হো-হো করে হেসে চারিদিকের টেবিলের লোকদের মাথা আমাদের দিকে ঘুরিয়ে দিয়ে বললেন, 'মাথা খারাপ লালুদা ? ও নামে ছবি চলে ? আমি ইনস্পিরেশনের কথা

বলছি। জেট বাহাদুর।'

'অ্যাঁ ?'

'জেট বাহাদুর। রাস্তায় হোর্ডিং পড়ে যাবে আপনারা থাকতে থাকতেই। ভেবে দেখুন—আপনার গল্পের এর চেয়ে ভাল নাম আর খুঁজে পাবেন না। অ্যাকশন, স্পিড, থ্রিল—জেট কথাটার মধ্যে আপনি সব পাবেন। প্লাস বাহাদুর। নাম আর কাস্টিং-এর জোরেই অল সার্কিটস সোল্ড।'

লালমোহনবাবুর হাসির ভোল্টেজটা যেন বাড়তে গিয়ে কমে গেল। বোধহয় ভাবছেন—শুধুই নাম আর কাস্টিং ? গল্পের কি তা হলে কোনও দামই নেই ?

'আমার কোনও ছবি আপনারা দেখেছেন, লালুদা ?' বললেন পুলকবাবু। 'তীরন্দাজটা হচ্ছে লোটাসে। আজ ইভনিং শো-এ দেখে আসুন। আমি ম্যানেজারকে বলে দেব—তিনখানা সার্কলের টিকিট রেখে দেবে। ভাল ছবি—জুবিলি করেছিল।'

আমরা পুলকবাবুর কোনও ছবি দেখিনি। লালমোহনবাবুর স্বাভাবিক কারণেই কৌতূহল ছিল, তাই যাব বলেই বলে দিলাম। বম্বেতে চেনাশোনা না থাকলে সন্ধে কাটানো ভারী মুশকিল। গাড়িটা আমাদের কাছেই থাকবে—তাকে বললেই লোটাসে নিয়ে যাবে।

খাবার মাঝখানে রেস্টোর‍্যান্টের একজন লোক পুলকবাবুকে এসে কী যেন বলল। পুলকবাবুর যে এখানে যাতায়াত আছে, সেটা ঢোকার সময় ওয়েটারদের মুখে হাসি দেখেই বুঝেছি। হিট ডিরেক্টারের এ শহরে খুব খাতির।

পুলকবাবু কথাটা শুনেই লালমোহনবাবুর দিকে ফিরলেন।

'আপনার টেলিফোন, লালুদা।'

লালমোহনবাবু ভাগ্যিস পোলাওয়ের চামচটা মুখে পোরেননি, তা হলে নির্ঘাত বিষম খেতেন। এ অবস্থায় চমকানোটা কেবল খানিকটা পোলাও চামচ থেকে ছিটকে টেবিলের চাদরে পড়ার উপর দিয়ে গেল।

'মিস্টার গোরে ডাকছেন', বললেন পুলকবাবু। 'হয়তো কিছু গুড নিউজ থাকতে পারে।'

মিনিট দুয়েকের মধ্যে টেলিফোন সেরে এসে লালমোহনবাবু আবার কাঁটাচামচ হাতে তুলে নিয়ে বললেন, 'চারটের সময় ভদ্রলোকের বাড়িতে যেতে বললেন। কিছু অর্থপ্রাপ্তি আছে বলে মনে হচ্ছে—হে হে।'

তার মানে আজ বিকেলের মধ্যে লালমোহনবাবুর পকেটে দশ হাজার টাকা এসে যাবে। ফেলুদা বলল, 'এর পরের দিন লাঞ্চটা আপনার ঘাড়ে। আর কপার-টপার নয়, একেবারে গোল্ডেন চিমনি।'

রুমালি রুটি, পোলাও, নারগিসি কোফ্‌তা আর কুলপি খেয়ে যখন রেস্টোর‍্যান্ট থেকে বেরোলাম, তখন প্রায় পৌনে তিনটে। পুলকবাবু আর মিস্টার গুপ্তে স্টুডিয়ো চলে গেলেন। সংলাপ এখনও কিছু লিখতে বাকি আছে। প্রত্যেকটা সংলাপ শানিয়ে লিখতে হয় তো, তাই নাকি সময় লাগে, বললেন পুলকবাবু। গুপ্তেজি চুরুটের ফাঁক দিয়ে একটু হাসলেন। ভদ্রলোক সংলাপ লিখলেও নিজে সংলাপ খুবই কম বলেন, সেটা লক্ষ করলাম।

আমরা পান কিনে গাড়িতে উঠলাম। 'শালিমার ?' ড্রাইভার জিজ্ঞেস করল।

ফেলুদা বলল, 'বম্বে এসে গেটওয়ে অফ ইন্ডিয়া না দেখে যাওয়া যায় না।—চলিয়ে তাজমহল হোটেলকা পাস।'

'বহুৎ আচ্ছা।'

ড্রাইভার বুঝেছিল আমাদের কোনও কাজ নেই, কেবল শহর দেখার ইচ্ছে, তাই সে দিব্যি ঘুরিয়ে ভিক্টোরিয়া টার্মিনাস, ফ্লোরা ফাউনটেন, টেলিভিশন স্টেশন, প্রিন্স অফ ওয়েলস

মিউজিয়ম ইত্যাদি দেখিয়ে সাড়ে তিনটে নাগাদ গেটওয়ে অফ ইন্ডিয়ার সামনে পৌঁছল। আমরা গাড়ি থেকে নামলাম।

পিছনে আরব্য সাগর, তাতে গুনে দেখলাম এগারোটা ছোট-বড় জাহাজ দাঁড়িয়ে আছে। এখানে রাস্তাটা পেল্লায় চওড়া। বাঁ দিকে গেটওয়ের দিকে মুখ করে ঘোড়ার পিঠে বসে আছেন ছত্রপতি শিবাজী। ডান পাশে দাঁড়িয়ে আছে পৃথিবী-বিখ্যাত তাজমহল হোটেল, যার ভিতরটা একবার দেখে না যাওয়ার কোনও মানে হয় না, কারণ বাইরেটা দেখেই আমাদের চক্ষু চড়কগাছ।

ঠাণ্ডা লবিতে ঢুকে চোখ একেবারে টেরিয়ে গেল। এ কোন দেশে এলাম রে বাবা! এত রকম জাতের এত লোক একসঙ্গে কখনও দেখিনি। সাহেবদের চেয়েও দেখলাম আরবদের সংখ্যা বেশি। এটা কেন হল? ফেলুদাকে জিজ্ঞেস করতে বলল, এবার বেরুট যাওয়া নিষেধ বলে আরবরা সব বোম্বাই এসেছে ছুটি ভোগ করতে। পেট্রোলের দৌলতে এদের তো আর পয়সার অভাব নেই।

মিনিট পাঁচেক পায়চারি করে আমরা আবার গাড়িতে এসে উঠলাম। যখন শিবাজী কাস্‌লের লিফ্‌টের বেল টিপছি, তখন ঘড়িতে চারটে বেজে দু মিনিট।

টুয়েল্‌ফথ ফ্লোর বা তেরোতলায় পৌঁছে লিফ্‌ট থেকে বেরিয়ে দেখি, তিন দিকে তিনটে দরজা। মাঝেরটার উপর লেখা জি গোরে। বেল টিপতে উর্দি-পরা বেয়ারা এসে দরজা খুলে দিল।

'অন্দর আইয়ে।'

বুঝলাম, গোরে সাহেব চাকরকে আগেই বলে রেখেছিলেন আমাদের কথা।

ভিতরে ঢুকে ভদ্রলোককে চোখে দেখার আগে তার গলা পেলাম—'আসুন, আসুন!'

এই বার দেখা গেল একটা সরু প্যাসেজের ভিতর দিয়ে তিনি হাসিমুখে এগিয়ে আসছেন আমাদের দিকে।

'হাউ ওয়জ দি লাঞ্চ?'

'ভেরি ভেরি গুড', বললেন জটায়ু।

ভদ্রলোকের বৈঠকখানা দেখে তাক লেগে গেল। আমাদের কলকাতার বাড়ির প্রায় পুরো একতলাটাই এই ঘরের মধ্যে ঢুকে যায়। পশ্চিম দিকটায় সারবাঁধা কাচের জানলা দিয়ে সমুদ্র দেখা যাচ্ছে। ঘরের আসবাবপত্রের এক একটারই দাম হয়তো দু-তিন হাজার টাকা, তা ছাড়া মেঝে-জোড়া কার্পেট, দেওয়ালে পেন্টিং, সিলিং-এ ঝাড়-লণ্ঠন—এ সব তো আছেই। এক দিকে দেওয়ালজোড়া বুকশেলফে দামি দামি বইগুলো এত ঝকঝকে যে, দেখলে মনে হয় বুঝি এইমাত্র কেনা।

আমি আর ফেলুদা একটা পুরু গদিওয়ালা সোফাতে পাশাপাশি বসলাম, আর আমাদের ডান পাশে আর একটা গদিওয়ালা চেয়ারে বসলেন লালমোহনবাবু। বসার সঙ্গে সঙ্গেই একটা বিশাল কুকুর এসে ঘরের ঠিক মাঝখানে দাঁড়িয়ে আমাদের তিনজনের দিকে মাথা ঘুরিয়ে দেখতে লাগল। লালমোহনবাবু দেখলাম ফ্যাকাসে হয়ে গেছেন। ফেলুদা হাত বাড়িয়ে তুড়ি দিতে কুকুরটা ওর দিকে এগিয়ে এল। ও পরে বলেছিল যে, কুকুরটা জাতে হল গ্রেট ডেন।

'ডিউক, ডিউক!'

কুকুরটা এবার ফেলুদাকে ছেড়ে দরজার দিকে এগিয়ে গেল। মিঃ গোরে আমাদের বসিয়ে দিয়ে একটু ঘর থেকে বেরিয়েছিলেন, এবার হাতে একটা খাম নিয়ে ঢুকে লালমোহনবাবুর অন্য পাশের চেয়ারে বসলেন।

‘আমি আপনার বেপারটা রেডি করে রাখব ভেবেছিলাম’, বললেন মিঃ গোরে, ‘কিন্তু তিনটা ট্রাঙ্ক কল এসে গেল।’

ভদ্রলোক খামটা লালমোহনবাবুর দিকে এগিয়ে দিলেন। মনের জোরে হাত কাঁপা বন্ধ করে লালমোহনবাবু সেটা নিয়ে তার ভিতর থেকে টেনে বার করলেন একতাড়া একশো টাকার নোট।

‘গিনতি করিয়ে লিন’, বললেন মিঃ গোরে।

‘গিনব ?’

আবার ভাষার গণ্ডগোল।

‘গিনবেন আলবৎ। দেয়ার শুড বি ওয়ান হান্ড্রেড নোটস দেয়ার।’

যে সময়ে লালমোহনবাবু গোনা শেষ করলেন, তার মধ্যে রুপোর টি-সেটে আমাদের জন্য চা এসে গেছে। খেয়ে বুঝলাম একেবারে সেরা দার্জিলিং টি।

‘আপনার পরিচয় আভি তক মিলল না’, গোরে বললেন ফেলুদার দিকে চেয়ে।

ফেলুদা বলল, ‘মিস্টার গাঙ্গুলীর ফ্রেন্ড—এই আমার পরিচয়।’

‘নো স্যার’, বললেন গোরে, ‘দ্যাট ইজ নট এনাফ। ইউ আর নো অর্ডিনারি পারসন—আপনার চোখ, আপনার ভয়েস, আপনার হাইট, ওয়ক, বডি—নাথিং ইজ অর্ডিনারি। আপনি হামাকে যদি নাই বলবেন তো ঠিক আছে। লেকিন ব্রিফ মিস্টার গাঙ্গুলীর দোস্ত যদি বলেন, উ তো হামি বিসোয়াস করব না।’

ফেলুদা অল্প হেসে চায়ে চুমুক দিয়ে প্রসঙ্গটা চেঞ্জ করে ফেলল।

‘আপনার অনেক বই আছে দেখছি।’

‘হাঁ—বাট আই ডোন্ট রিড দেম ! উ সব কিতাব ওনলি ফর শো। তারাপোরওয়ালা দুকানে রেগুলার অর্ডার—এনি গুড বুক দ্যাট কামস আউট—এক কপি হামাকে পাঠিয়ে দেয়।’

‘একটা বাংলা বইও চলে এসেছে দেখছি।’

চোখ বটে ফেলুদার ! ওই সারি সারি বিলিতি বইয়ের মধ্যে পনেরো হাত দূর থেকে ধরে ফেলেছে যে, একটা বই বাংলা।

মিঃ গোরে হেসে উঠলেন। ‘শুধু বাংলা কেন মিঃ মিটার, হিন্দি, মারাঠি, গুজরাটি, সব আছে। আমার এক আদমি আছে—বাংলা হিন্দি গুজরাটি তিন ভাষা জানে ; ও-ই তিন ভাষায় নভেল পড়ে হামাকে সিনপসিস করে দেয়। মিঃ গাঙ্গুলীর কিতাব কে ভি আউটলাইন পঢ়িয়েছি আমি। ইউ সি, মিস্টার মিটার, ফিল্ম বানানেকে লিয়ে তো—’

ঘরে টেলিফোন বেজে উঠেছে। মিঃ গোরে উঠে গেলেন। দরজার পাশে একটা তেপায়া টেবিলে রাখা সাদা টেলিফোন।

‘হ্যালো...হাঁ...হোল্ড অন।—আপনার টেলিফোন, মিস্টার গাঙ্গুলী।’

লালমোহনবাবুকে বার বার এভাবে চমকাতে হচ্ছে—আশা করি তাতে ওঁর হার্ট-টার্টের কোনও ক্ষতি হচ্ছে না।

‘পুলকবাবু কি ?’ টেলিফোনের দিকে যাবার পথে ভদ্রলোক প্রশ্ন করলেন।

‘নো স্যার’, বললেন মিঃ গোরে। ‘আই ডোন্ট নো দিস পারসন।’

‘হ্যালো।’

ফেলুদা আড়চোখে দেখছে লালমোহনবাবুর দিকে।

‘হ্যালো...হ্যালো...’

লালমোহনবাবু ভ্যাবাচ্যাকা ভাব করে আমাদের দিকে চাইলেন।

‘কেউ বলছে না কিছু।’

‘লাইন কাট গিয়া হোগা’, বললেন মিস্টার গোরে।

লালমোহনবাবু মাথা নাড়লেন। ‘অন্য সব শব্দ পাচ্ছি টেলিফোনে।’

এবার ফেলুদা উঠে গিয়ে লালমোহনবাবুর হাত থেকে টেলিফোনটা নিয়ে নিল।

‘হ্যালো, হ্যালো...’

ফেলুদা মাথা নেড়ে ফোন রেখে বলল, ‘ছেড়ে দিয়েছে।’

‘আশ্চর্য’, বললেন লালমোহনবাবু, ‘কে হতে পারে, বলুন তো?’

‘ও নিয়ে চিন্তা করবেন না, মিস্টার গাঙ্গুলী’, বললেন মিঃ গোরে। ‘বোম্বাই শহরে এই রকম হামেশা হয়।’

ফেলুদার দেখাদেখি আমরাও চেয়ার ছেড়ে উঠে পড়লাম। লালমোহনবাবুর পকেটে এত টাকা বলেই বোধহয় রহস্যজনক ফোনের ব্যাপারটা ওঁকে ততটা ভাবাল না। বেশ নিশ্চিন্তভাবেই ভদ্রলোক পরের কথাটা বললেন মিঃ গোরেকে।

‘আমরা আজ পুলকবাবুর ফিলিম দেখতে যাচ্ছি লোটাসে।’

‘হাঁ, হাঁ যাবেন বইকী। ভেরি গুড ডিরেক্টার পুলকবাবু। জেট বাহাদুর ভি বকস অফিস হিট হোগা জরুর।’

দরজার মুখ পর্যন্ত এলেন মিঃ গোরে। ‘ডোন্ট ফরগেট অ্যাবাউট লাঞ্চ টুমরো। ট্রানসপোর্ট আছে তো আপনাদের সঙ্গে?’

আমরা আশ্বাস দিলাম যে, সকাল থেকে রাত অবধি গাড়ির ব্যবস্থা করে দিয়েছেন

পুলকবাবু।

বাইরে বেরিয়ে এসে লিফটের বোতাম টিপে ফেলুদা বলল, 'মানি কাকে বলে দেখলেন তো লালমোহনবাবু ?'

'দেখলাম কি মশাই, তার খানিকটা তো আমার পকেটেই রয়েছে।'

'নস্যি, নস্যি। লাখ টাকাও এদের কাছে নস্যি। টাকাটা দিয়ে রসিদ লিখিয়ে নিল না, সেটা দেখলেন তো ? তার মানে আপনার পকেটটা কালো হয়ে গেছে কিন্তু। অর্থাৎ এই আপনার অন্ধকারে পদার্পণ শুরু।'

ঘড়াং শব্দে লিফ্‌টটা উপরের কোনও ফ্লোর থেকে নেমে এসে আমাদের সামনে থামল।

'সে আপনি যাই বলুন ফেলুবাবু, পকেটে টাকা এলে তা সে কালোই হোক, আর—'

ফেলুদা লিফ্‌টে ঢোকার জন্য দরজা খুলেছিল, আর তার ফলেই জটায়ুর কথা বন্ধ।

লিফ্‌টের ভিতর থেকে এক ঝলক উগ্র গন্ধ। গুলবাহার সেন্ট। এ গন্ধ আমরা তিনজনেই চিনি ; বিশেষ করে লালমোহনবাবু।

ঢিপ্ ঢিপ্ বুকে ফেলুদার পিছন পিছন লিফটে ঢুকে গেলাম।

আমি একটা কথা না বলে পারলাম না।

'গুলবাহার সেন্ট মিঃ সান্যাল ছাড়াও ভারতবর্ষের অনেকেই নিশ্চয়ই ব্যবহার করে।'

ফেলুদা কথাটার জবাবের বদলে গম্ভীরভাবে সতেরো নম্বর বোতাম টিপল। আমরা আরও পাঁচতলা ওপরে উঠে গেলাম।

অন্যান্য তলার মতোই সতেরো নম্বরেও তিনখানা ঘর। বাঁ দিকের দরজায় লেখা এইচ হেক্‌রথ। ফেলুদা বলল, জার্মান নাম। ডান দিকের দরজায় লেখা এন সি মানসুখানি। নির্ঘাত সিন্ধি নাম। মাঝখানের দরজায় কোনও নাম নেই।

'ফ্ল্যাট খালি', বললেন লালমোহনবাবু।

'নাও হতে পারে', বলল ফেলুদা। 'সবাই দরজায় নাম লাগায় না। ইন ফ্যাক্ট, আমার বিশ্বাস এ ফ্ল্যাটে লোক রয়েছে।'

আমরা দুজনেই ফেলুদার দিকে চাইলাম।

'যে কলিং বেলের বোতাম ব্যবহার হয় না, তাতে ধুলো জমে থাকা উচিত। অথচ এটা ভাল করে কাছ থেকে দেখুন, আর অন্য দুটোর সঙ্গে মিলিয়ে দেখুন।'

কাছে গিয়ে দেখেই বুঝলাম, ফেলুদা ঠিক বলেছে। দিব্যি চকচক করছে বোতাম, ধুলোর লেশমাত্র নেই।

'টিপবেন নাকি ?' কাঁপা গলায় প্রশ্ন করলেন লালমোহনবাবু।

ফেলুদা অবিশ্যি বোতাম টিপল না। তার বদলে যেটা করল, সেটা আরও অনেক বেশি তাজ্জব ব্যাপার।—মাটিতে উপুড় হয়ে সটান শুয়ে নাকটা লাগিয়ে দিল দরজার নীচে আধ ইঞ্চি ফাঁকটাতে। তারপর বার দুয়েক জোরে নিশ্বাস টেনে উঠে পড়ে বলল, 'কড়া কফির গন্ধ।'

তারপর যেটা করল, সেটাও অদ্ভুত। লিফট ব্যবহার না করে আঠারো তলা থেকে সিঁড়ি ধরে নামতে শুরু করল। প্রত্যেক তলাতেই থেমে প্রায় আধ মিনিট ধরে ঘুরে ঘুরে কী যে দেখল, তা ওই জানে।

সব সেরে নীচে যখন নামলাম, তখন ঘড়িতে পাঁচটা বেজে দশ।

বেশ বুঝতে পারছি যে, বম্বে এসে আমরা একটা প্যাঁচালো রহস্যের মধ্যে জড়িয়ে পড়েছি।

৭

'আপনাকে একটু জেরা করলে আপনার আপত্তি হবে না আশা করি।'

কথাটা বলল ফেলুদা, লালমোহনবাবুকে উদ্দেশ করে। মিনিট দশেক হল শিবাজী কাস্‌ল থেকে ফিরেছি—রিসেপশনে খবর পেয়েছি যে এই আধ ঘন্টা আগে—তার মানে যখন আমরা শিবাজী কাস্‌লের সিঁড়ি দিয়ে নামছিলাম তখন—লালমোহনবাবুর একটা ফোন এসেছিল ; কে করেছিল তা জানা নেই।

'আসলে পুলকই বারবার করছে', বললেন লালমোহনবাবু। 'পুলক ছাড়া আর কেউ হতে পারে না।'

এখন আমাদের ঘরে বসে ফেলুদার প্রশ্নটা শুনে লালমোহনবাবু বললেন, 'পুলিশের জেরাতেই যখন ফ্লাইং কালারসে বেরিয়ে এলুম, তখন আর আপনার জেরায় কী আপত্তি থাকতে পারে ?'

'আচ্ছা, মিঃ সান্যালের প্রথম নামটা তো আপনার জানা নেই।'

'না মশাই, ওটা জিজ্ঞেস করা হয়নি।'

'লোকটার একটা পরিষ্কার বর্ণনা দিন তো। আপনার বইয়ে যে রকম আধাখেঁচড়া বর্ণনা থাকে, সে রকম নয়।'

লালমোহনবাবু গলা খাঁকরিয়ে ভুরু কুঁচকোলেন।

'হাইট...এই ধরুন গিয়ে—'

'আপনি কি একটা মানুষের হাইটটাই প্রথম দেখেন ?'

'তা তেমন তেমন লম্বা বা বেঁটে হলে—'

'ইনি কি খুব লম্বা ?'

'তা অবিশ্যি না।'

'খুব বেঁটে ?'

'না, তাও অবিশ্যি না।'

'তা হলে হাইট পরে। আগে মুখ বলুন।'

'সন্ধ্যাবেলায় দেখেছি ; আমার বাইরের ঘরের বাল্‌বটা আবার চল্লিশ পাওয়ারের।'

'তাও বলুন।'

'চওড়া মুখ। চোখ, আপনার—ইয়ে, চোখে চশমা ; দাড়ি আছে, চাপ দাড়ি, গোঁফ আছে—দাড়ির সঙ্গে জোড়া—'

'ফ্রেঞ্চকাট ?'

'এই সেরেছে। না, তা বোধহয় না। ঝুলপির সঙ্গেও জোড়া।'

'তারপর ?'

'কাঁচাপাকা মেশানো চুল। ডান দিকে—না না, বাঁ দিকে সিঁথি।'

'দাঁত ?'

'পরিষ্কার। ফল্‌স-টিথ বলে তো মনে হল না।'

'গলার স্বর ?'

'মাঝারি। মানে, মোটাও না সরুও না।'

'হাইট ?'

'মাঝারি।'

'ভদ্রলোক আপনাকে একটা ঠিকানা দিয়েছিলেন না ? বম্বের ? বলেছিলেন অসুবিধা হলে

একে ফোন করবেন—বেশ হেল্‌পফুল ?'

'দেখেছেন ! বেমালুম ভুলে গেসলুম ! আজ যখন পুলিশ জেরা করল, তখনও বলতে ভুলে গেলুম।'

'আমাকে বললেই চলবে।'

'দাঁড়ান, দেখি।'

লালমোহনবাবু মানিব্যাগ থেকে একটা ভাঁজ-করা নীল কাগজ বার করে ফেলুদাকে দিলেন। ফেলুদা সেটা খুব মন দিয়ে দেখল, কারণ লেখাটা মিঃ সান্যালের নিজের। তার পর কাগজটা আবার ভাঁজ করে নিজের ব্যাগের মধ্যে রেখে দিয়ে বলল :

'তোপ্‌সে, নম্বরটা চা তো—টু ফাইভ থ্রি ফোর ওয়ান এইট।'

আমি অপারেটরকে নম্বর দিয়ে দিলাম। ফেলুদা ইংরাজিতেই কথা বলল।

'হ্যালো, মিস্টার দেশাই আছেন ?'

আচ্ছা ফ্যাসাদ। এই নম্বরে মিঃ দেশাই বলে কেউ নাকি থাকেই না। যিনি থাকেন, তাঁর পদবি পারেখ, আর গত দশ বছর তিনি এই নম্বরেই আছেন।

'লালমোহনবাবু', ফেলুদা ফোনটা রেখে বলল, 'সান্যালকে আপনার নেকস্‌ট গল্প বিক্রি করার আশা ছাড়ুন। লোকটি অত্যন্ত গোলমেলে এবং আমার বিশ্বাস আপনি যে প্যাকেটটি বয়ে আনলেন, সেটিও অত্যন্ত গোলমেলে।'

লালমোহনবাবু মাথা চুলকে দীর্ঘশ্বাস ফেলে বললেন, 'সত্যি বলতে কী মশাই, লোকটিকে আমারও কেন জানি বিশেষ সুবিধের বলে মনে হয়নি।'

ফেলুদা হুমকি দিয়ে উঠল।

'আপনার ওই "কেন জানি" কথাটা আমার মোটেই ভাল লাগে না। কেন সেটা জানতে হবে, বলতে হবে। চেষ্টা করে দেখুন তো পারেন কি না।'

লালমোহনবাবুর অবিশ্যি ফেলুদার কাছে ধমক খাওয়ার অভ্যেস আছে। এটাও জানি যে উনি সেটা মাইন্ড করেন না, কারণ ধমক খেয়ে খেয়ে ওঁর লেখা যে অনেক ইমপ্রুভ করে গেছে, সেটা উনি নিজেই স্বীকার করেন।

লালমোহনবাবু সোজা হয়ে বসলেন। 'এক নম্বর, লোকটা সোজাসুজি মুখের দিকে তাকিয়ে কথা বলে না। দুই নম্বর, সব কথা অত গলা নামিয়ে বলার কী দরকার তাও জানি না। যেন কোনও গোপন পরামর্শ করতে এসেছেন। তিন নম্বর...'

দুঃখের বিষয়, তিন নম্বরটা যে কী, সেটা লালমোহনবাবু অনেক ভেবেও মনে করতে পারলেন না।

সাড়ে ছটায় লোটাসে ইভনিং শো, তাই আমরা ছটা নাগাদ উঠে পড়লাম। আমরা মানে আমি আর লালমোহনবাবু। ফেলুদা বলল যাবে না, কাজ আছে। ব্যাগের ভিতর থেকে ওর সবুজ নোটবইটা বেরিয়ে এসেছে, তাই কাজটা যে কী সেটা বুঝতে বাকি রইল না।

ওয়রলিতে ফিরে যেতে হল আমাদের, কেননা সেখানেই লোটাস সিনেমা। লালমোহনবাবুর বেশ নার্ভাস অবস্থা ; পুলকবাবু কেমন পরিচালক, সেটা 'তীরন্দাজ' ছবি দেখেই মালুম হবে। বললেন, 'তিনটে ছবি যখন পর পর হিট করেছে, তখন একেবারে কি আর ওয়্যাক-থু হবে ? কী বলো, তপেশ ?'

আমি আর কী বলব ? আমি নিজেও তো ঠিক ওই কথাটা ভেবেই মনে জোর আনছি।

পুলকবাবু ম্যানেজারকে বলতে ভোলেননি ; রয়েল সার্কলে তিনটে সিট আমাদের জন্য রাখা ছিল। এটা ছবির রিপিট শো, তাই হলে এমনিতেই অনেক সিট খালি ছিল।

ইন্টারভ্যালের আগেই বুঝতে পারলাম যে 'তীরন্দাজ' হচ্ছে একেবারে সেন্ট পার্সেন্ট

কোডোপাইরিন-মার্কা ছবি। এর মধ্যেই অন্ধকারে বেশ কয়েকবার আমরা দুজনে পরস্পরের দিকে মুখ চাওয়াচাওয়ি করেছি। হাসি পাচ্ছিল, আবার সেই সঙ্গে জেট বাহাদুরের কী অবস্থা হবে আর তার ফলে জটায়ুর কী অবস্থা হবে, সেটা ভেবে কষ্টও হচ্ছিল। ইন্টারভ্যালে বাতি জ্বললে পর লালমোহনবাবু দীর্ঘশ্বাস ফেলে বললেন, 'গড়পারের ছেলে—তুই অ্যাদ্দিন এই করে চুল পাকালি ?' তারপর একটা গ্যাপ দিয়ে আমার দিকে ফিরে বললেন, 'ফি পুজোয় পাড়ায় একটা করে থিয়েটার করত ; যদ্দূর মনে পড়ছে বি কম ফেল ;—তার কাছ থেকে আর কী আশা করা যায়, বলো তো ?'

ইন্টারভ্যালের শেষে বাতি নেভার সঙ্গে সঙ্গে আমরা হল ছেড়ে বেরিয়ে এলাম। ভয় ছিল, পুলকবাবু বা তার দলের কেউ যদি বাইরে থাকে ; কিন্তু সে রকম কাউকে দেখলাম না।

'যদি জিজ্ঞেস করে তো বলে দেব ফার্স্ট ক্লাস। পকেটে করকরে নোটগুলো না থাকলে মনটা সত্যিই ভেঙে যেত তপেশ।'

গাড়িটা হাউসের সামনেই উলটোদিকের ফুটপাতে পার্ক করা ছিল। লালমোহনবাবু সে দিকে না গিয়ে একটা দোকানে ঢুকে এক ঠোঙা ডালমুট, দু প্যাকেট মাংঘারামের বিস্কুট, ছটা কমলালেবু আর এক প্যাকেট প্যারির লজঞ্চুস কিনে নিলেন। বললেন, হোটেলের ঘরে বসে বসে হঠাৎ হঠাৎ খিদে পায়, তখন এগুলো কাজে দেবে।

দুজনে দুহাত বোঝাই প্যাকেট নিয়ে গাড়িতে উঠলাম, আর উঠেই বাঁই করে মাথাটা ঘুরে গেল।

গাড়ির ভিতরে গুলবাহার সেন্টের গন্ধ।

আসার সময় ছিল না ; এই দেড় ঘন্টার মধ্যে হয়েছে।

'মাথা ঝিম ঝিম করছে, তপেশ', বললেন লালমোহনবাবু। 'এ ভূতের উপদ্রব ছাড়া আর কিছুই না। সান্যাল খুন হয়েছে, আর তার সেন্ট-মাখা ভূত আমাদের ঘাড়ে চেপেছে।'

আমার মনে হল—ঘাড়ে নয়, গাড়িতে চেপেছে ; কিন্তু সেটা আর বললাম না।

ড্রাইভারকে জিজ্ঞেস করাতে সে বলল, সে বেশির ভাগ সময় গাড়িতেই ছিল, কেবল মিনিট পাঁচেকের জন্য কাছেই একটা রেডিয়ো-টেলিভিশনের দোকানের সামনে দাঁড়িয়ে 'ফুল খিলে হ্যয় গুলশন গুলশন' দেখেছে। হ্যাঁ, গন্ধ সেও পাচ্ছে বইকী, কিন্তু গাড়ির ভিতরে কী করে এমন গন্ধ হয়, সেটা কিছুতেই তার মগজে ঢুকছে না। ব্যাপারটা তার কাছেও একেবারেই আজব।

হোটেলে ফিরে এসে কথাটা ফেলুদাকে বলতে ও বলল, 'রহস্য যখন জাল বিস্তার করে, তখন এইভাবেই করে, লালমোহনবাবু। এ না হলে জাত-রহস্য হয় না, আর তা না হলে ফেলু মিত্তিরের মস্তিষ্কপুষ্টি হয় না।'

'কিন্তু—'

'আমি জানি আপনি কী প্রশ্ন করবেন, লালমোহনবাবু। না, কিনারা এখনও হয়নি। এখন শুধু জালের ক্যারেকটারটা বোঝার চেষ্টা করছি।'

'তুমি বেরিয়েছিলে বলে মনে হচ্ছে ?'—আমি ধাঁ করে একটা গোয়েন্দা-মার্কা প্রশ্ন করে বসলাম।

'সাবাস তোপ্‌সে। তবে হোটেল থেকে বেরোইনি। এটা নীচে রিসেপশনেই দিল।'

ফেলুদার পাশে একটা ইন্ডিয়ান এয়ার লাইনসের টাইমটেবল ছিল, সেটা দেখেই আমি প্রশ্নটা করেছিলাম।

'দেখছিলাম কাঠমাণ্ডু থেকে কটা ফ্লাইট কলকাতায় আসে, আর কখন আসে।'

কাঠমাণ্ডু বলতেই একটা জিনিস ফেলুদাকে জিজ্ঞেস করার কথা মনে পড়ে গেল।

'আচ্ছা, ইনস্পেক্টর পটবর্ধন যে নানাসাহেবের কথা বলেছিলেন, সেটা কোন নানাসাহেব ?'

'ভারতবর্ষের ইতিহাসে একজন নানাসাহেবই বিখ্যাত।'

'যিনি সিপাহি বিদ্রোহে ব্রিটিশদের সঙ্গে লড়েছিলেন ?'

'লড়েওছিলেন, আবার তাদের কাছ থেকে আত্মরক্ষার জন্য দেশ ছেড়ে পালিয়েও ছিলেন। হাজির হয়েছিলেন গিয়ে একেবারে কাঠমাণ্ডু। সঙ্গে ছিল মহামূল্য ধনরত্ন—ইনক্লুডিং হিরে আর মুক্তোয় গাঁথা একটি হার—যার নাম নওলাখা। সেই হার শেষ পর্যন্ত চলে যায় নেপালের জং বাহাদুরের কাছে। তার পরিবর্তে জং বাহাদুর দুটি গ্রাম দিয়েছিলেন নানাসাহেবের স্ত্রী কাশীবাঈকে।'

'এই হার কি নেপাল থেকে চুরি হয়ে গেছে নাকি ?'

'পটবর্ধনের কথা শুনে তো তাই মনে হয়।'

'আমি কি ওই হারই পাচার করে বসলুম নাকি মশাই ?' লালমোহনবাবু তারস্বরে চেঁচিয়ে প্রশ্নটা করলেন। ফেলুদা বলল, 'ভেবে দেখুন। ইতিহাসে হিরের অক্ষরে লেখা থাকবে আপনার নাম।'

'কিন্তু...কিন্তু... সে তো তা হলে যথাস্থানে পৌঁছে গেছে। সে জিনিস দেশ থেকে বাইরে যায় কি না যায় সে তো দেখবে পুলিশ। আপনি কী নিয়ে এত ভাবছেন ? আপনি নিজেই কি এই স্মাগলারদের—'

ঠিক এই সময়ই টেলিফোনটা বেজে উঠল। আর লালমোহনবাবুর দিকেই ওটা ছিল বলে উনি তুলে নিলেন। 'হ্যালো—হ্যাঁ, মানে ইয়েস—স্পিকিং।'

লালমোহনবাবুরই ফোন। বোধ হয় পুলকবাবু। না, পুলকবাবু না। পুলকবাবু এমন কিছু বলতে পারেন না যাতে লালমোহনবাবুর মুখ অতটা হাঁ হয়ে যাবে, আর টেলিফোনটা কাঁপতে কাঁপতে কান থেকে পিছিয়ে আসবে।

ফেলুদা ভদ্রলোকের হাত থেকে ফোনটা নিয়ে একবার কানে দিয়ে বোধহয় কিছু না শুনতে পেয়েই সেটাকে যথাস্থানে রেখে দিয়ে প্রশ্ন করল, 'সান্যাল কি ?'

মাথা নেড়ে হ্যাঁ বলতেও যেন কষ্ট হল ভদ্রলোকের। বুঝলাম মাস্‌লগুলো ঠিকভাবে কাজ করছে না।

'কী বলল ?' আবার ফেলুদা।

'বলল—' লালমোহনবাবু গা-ঝাড়া দিয়ে মনে সাহস আনার চেষ্টা করলেন। 'বলল—মু-মুখ খুললে পেপ্-পেট ফাঁক করে দেবে।'

'যাক— ভাল কথা।'

'অ্যাঁ !'—বোকার মতো ফ্যালফ্যাল করে ফেলুদার দিকে চাইলেন লালমোহনবাবু। আমার কাছেও এই অবস্থায় ফেলুদার হাঁপ ছাড়াটা বেয়াড়া বলে মনে হচ্ছিল। ফেলুদা বলল, 'শুধু গুলবাহারের গন্ধে হচ্ছিল না। ক্লু হিসেবে ওটা বড্ড পল্‌কা। এমনকী লোকটা সত্যি করে বম্বে এসেছে না অন্য কেউ সেন্টটা ব্যবহার করছে, সেটাও বোঝা যাচ্ছিল না। এখন অন্তত শিওর হওয়া গেল।'

'কিন্তু আমার পেছনে লাগা কেন ?'

মরিয়া হয়ে প্রশ্নটা করলেন লালমোহনবাবু।

'সেটা জানলে তো বাজিমাত হয়ে যেত লালমোহনবাবু। সেটা জানার জন্য একটু ধৈর্য ধরতে হবে।'

৮

লালমোহনবাবু ডিনারে বিশেষ সুবিধে করতে পারলেন না, কারণ ওঁর নাকি একদম খিদে নেই। ফেলুদা বলল তাতে কিছু এসে যাবে না, কারণ দুপুরে কপার চিমনিতে পেট পুজোটা ভালই হয়েছে। সত্যি বলতে কী, আমাদের মধ্যে লালমোহনবাবুই সবচেয়ে বেশি খেয়েছিলেন।

খাওয়ার পর গতকাল তিনজনেই বেরিয়ে গিয়ে পান কিনেছিলাম। আজ লালমোহনবাবু কিছুতেই বেরোতে চাইলেন না। বললেন, 'ওই ভিড়ের মধ্যে কে যাচ্ছে মশাই? সান্যালের লোক নির্ঘাত হোটেল ওয়াচ করচে, বেরোলেই চাক্কু।'

শেষ পর্যন্ত ফেলুদাই বেরোল, লালমোহনবাবু আমাদের ঘরে আমার সঙ্গে বসে রইলেন, আর বার বার খালি বলতে লাগলেন, 'কী কুক্ষণেই বইয়ের প্যাকেটটা নিয়েছিলাম।' ক্রমে বর্তমান সংকটের মূল কারণ খুঁজতে খুঁজতে 'কী কুক্ষণেই হিন্দি ছবির জন্য গল্প লিখেছিলাম', আর সব শেষে 'কী কুক্ষণেই রহস্য উপন্যাস লিখতে শুরু করেছিলাম' পর্যন্ত চলে গেলেন।

'আপনার একা শুতে ভয় করবে না তো?' ফেলুদা পান বিলি করে জিজ্ঞেস করল। লালমোহনবাবু কোনও উচ্চবাচ্য করছেন না দেখে ফেলুদা আশ্বাস দিয়ে বলল, 'আমাদের ঘর থেকে বেরিয়েই প্যাসেজের ধারে একটা ছোট্ট ঘর আছে দেখেছেন তো? ওখানে সব সময় বেয়ারা থাকে। হোটেলে সারা রাত কেউ না কেউ জেগে থাকে। এ তো আর শিবাজী কাস্‌ল না।'

শিবাজী কাস্‌ল নামটা শুনে লালমোহনবাবু আরেকবার শিউরে উঠলেন, কিন্তু শেষ পর্যন্ত মনে সাহস এনে দশটা নাগাদ গুডনাইট করে নিজের ঘরে চলে গেলেন।

সারা দিন বম্বে চষে বেড়ানোর চেয়েও পুলকবাবুর ছবির অর্ধেক দেখে অনেক বেশি কাহিল লাগছিল, তাই জটায়ু চলে যাবার মিনিট দশেকের মধ্যেই শুয়ে পড়লাম। ফেলুদা যে এখন শোবে না, সেটা জানি। ওর নোটবুকটা খাটের পাশেই টেবিলের উপর রাখা রয়েছে, সারা দিন খেপে খেপে তাতে অনেক কিছু লেখা হয়েছে, হয়তো আরও কিছু লেখা হবে।

আমি অনেক দিন চেষ্টা করেছি রাত্রে বিছানায় শুয়ে চোখ বুজে খেয়াল রাখতে ঠিক কোন সময় ঘুমটা আসে, কিন্তু প্রতিবারই পরদিন সকালে উঠে বুঝেছি ঘুমটা কখন জানি আমার অজান্তেই এসে গেছে। আজও কখন ঘুমিয়েছি সেটা টের পাইনি। ঘুমটা ভাঙল দরজায় ঘন ঘন ধাক্কা, আর সেই সঙ্গে বোতাম টেপার চ্যাঁ শব্দে। উঠে দেখি, ফেলুদার ল্যাম্প তখনও জ্বলছে আর বালিশের পাশে রাখা আমার ঘড়িতে বলছে পৌনে একটা। ফেলুদা দরজা খুলতেই হুমড়ি দিয়ে প্রবেশ করলেন জটায়ু।

লালমোহনবাবু হাঁপালেও তিনি যে খুব ভয় পেয়েছেন সেটা কিন্তু মনে হল না, আর যে-কথাটা বললেন ঘরে ঢুকেই, সেটাও ভয়ের কথা নয়।

'কেলেঙ্কারিয়াস ব্যাপার মশাই!'

'আগে খাটে এসে বসুন', বলল ফেলুদা।

'দুর মশাই, বসব কী—এই দেখুন—কাঠমাণ্ডুর কী মহামূল্য ধনরত্ন আমার হাত দিয়ে পাচার করা হচ্ছিল।'

লালমোহনবাবু ফেলুদার সামনে যেটা এগিয়ে ধরলেন, সেটা একটা বই। ইংরিজি বই, আর নাম-করা বই; ল্যান্সডাউনের মোড়ের দোকানে একটা রাখা ছিল, সে দিনও দেখেছি।

বইটা হল শ্রীঅরবিন্দের লেখা দ্য লাইফ ডিভাইন।

ফেলুদারও চোখ কপালে উঠে গেছে।

'তার উপর আবার বাঁধাইয়ের গণ্ডগোল', বললেন লালমোহনবাবু। 'প্রথম ত্রিশ পাতার পর কয়েকটা পাতা পরস্পরের সঙ্গে সেঁটে আছে। এ বই না দেখে কিনলে তো পুরো টাকাটা ডেড লস্ মশাই। পণ্ডিচেরীর বাইন্ডার এ রকম কাঁচা কাজ করবে ভাবতে পারেন?'

'তা হলে সে দিন কী দিলেন লালশার্টের হাতে?' জিজ্ঞেস করল ফেলুদা।

'জানেন কী দিলুম, ভাবতে পারেন? আমার নিজের বই মশাই, নিজের বই! বোম্বাইয়ের বোম্বেটে! পুলককে তো পাণ্ডুলিপির কপি পাঠিয়েছিলুম, তাই এবার ভাবলুম এক কপি ছাপা বই দেব—উইথ মাই ব্লেসিংস অ্যান্ড মাই অটোগ্রাফ। আরও তিন কপি রয়েছে এখনও আমার ব্যাগে, প্রত্যেকটি ব্রাউন কাগজে মোড়া। আমার ভক্ত তো সারা ইন্ডিয়াতে ছড়িয়ে রয়েছে—তাই ভাবলুম, বম্বে যাচ্ছি, যদি এক-আধজনের সঙ্গে আলাপ-টালাপ হয়ে যায়, তাই সঙ্গে এনেছিলুম, আর তারই একটা কপি—হোঃ হোঃ হোঃ হোঃ!'

এত হালকা লালমোহনবাবুকে অনেক দিন দেখিনি।

বইটা হাতে নিয়ে নেড়েচেড়ে ফেলুদা বলল, 'কিন্তু সান্যাল যে টেলিফোনে হুমকি দিল, সেটা কী ব্যাপার? এর সঙ্গে লাইফ ডিভাইন খাপ খাচ্ছে কি?'

লালমোহনবাবু এতেও দমলেন না।

'কে বলল সান্যাল? টেলিফোনে অত গলা চেনা যায় নাকি? কোনও উটকো বদমাশ রসিকতা করছে হয়তো। বোম্বাইতে যদি তীরন্দাজ ছবি হিট হতে পারে তো সবই হতে পারে।'

'আর গাড়িতে গুলবাহার সেন্ট?'

'ওটা ওই ড্রাইভারই মাখে। কী রকম টেরির বাহার দেখেছেন? শৌখিন লোক। ধরা পড়ে অপ্রস্তুত হয়ে স্বীকার করলে না।'

'তা হলে আর কী, নিশ্চিন্তে ঘুমোন গিয়ে।'

'সে আর বলতে। মাথাটা ধরেছিল বলে ব্যাগটা খুলেছিলুম কোডোপাইরিনের জন্য, আর তাতেই এই হাই-ভোলটেজ আবিষ্কার। যাক, রহস্য যখন মিটেই গেল, তখন আপনিও বরং একটু আধ্যাত্মিক বিষয় অধ্যয়নে মনোনিবেশ করুন। বইটা রেখে গেলুম। গুড নাইট।'

লালমোহনবাবু চলে গেলেন, আর আমিও আবার নিজের জায়গায় এসে শুলাম।

'যে লোক অরবিন্দের বইয়ের বদলে জটায়ুর বই পেল, তার মনের অবস্থা কী হবে ফেলুদা?'

'খেপচুরিয়াস', বালিশে মাথা দিয়ে বলল ফেলুদা। মাথার পিছনের বাতিটা ও জ্বালিয়েই রাখল। দেখে হাসি পেল, ফেলুদা তার সবুজ নোটবই সরিয়ে রেখে অরবিন্দের লাইফ ডিভাইনের পাতা ওলটাল।

আমার বিশ্বাস ঠিক ওই সময়টাতেই আমার চোখ ঘুমে বন্ধ হল।

৯

বম্বে থেকে পুণা যাবার পথে খাণ্ডালা আর লোনাউলির মাঝামাঝি একটা লেভেল ক্রসিং-এর কাছে আমাদের যেতে হবে শুটিং দেখতে। ছবির এগারোটা ক্লাইম্যাক্সের শেষ ক্লাইম্যাক্স দৃশ্য তোলা হবে আজ। এক দিনে কাজ শেষ হবে না, পর পর আরও চার দিন যেতে হবে সবাইকে। আমরা ঠিক করেছি আজ যদি ভাল লাগে, তা হলে বাকি ক' দিনও যাব। ট্রেনটা

এই পাঁচ দিনই পাওয়া যাবে, প্রতি দিনই ঠিক একটা থেকে দুটো—অর্থাৎ এক ঘণ্টার জন্য। ডাকাত দলের ঘোড়া আর হিরোর লিংকন কনভারটিবল থাকবে সারা দিনের জন্য। ভিলেন ইঞ্জিন ড্রাইভারের জায়গা দখল করে ট্রেন চালিয়ে নিয়ে চলেছে, সেই ট্রেনেরই একটা কামরায় হাত-পা বাঁধা অবস্থায় পড়ে রয়েছে হিরোইন আর তার কাকা। মোটরে করে হিরো ট্রেনের উদ্দেশে ধাওয়া করছে। এদিকে হিরোর যে যমজ ভাই—যাকে ছেলেবেলায় ডাকাতে ধরে নিয়ে গিয়েছিল, আর যে, এখন নিজেই ডাকাত—সে আসছে ঘোড়া করে দলবল নিয়ে ট্রেনটাকে অ্যাটাক করবে বলে। মোটরে হিরো এসে পৌঁছনোর প্রায় সঙ্গে সঙ্গেই ডাকাত ভাই ঘোড়া থেকে চলন্ত ট্রেনে লাফিয়ে পড়ে। ইঞ্জিনের ভিতর ফাইট হয়, ভিলেন-ড্রাইভার খতম হয়। সেই সময় মোটরে করে হিরো এসে পড়ে, আর তারপর...বাকি অংশ রুপালি পর্দায় দেখিবেন। আসলে শেষটা নাকি তিন রকম ভাবে তোলা হবে, তারপর পর্দায় যেটা বেশি ভাল লাগে সেটা রাখা হবে।

পুলকবাবু সকালে তিন মিনিটের জন্য টুঁ মেরে গেছেন। আমাদের ব্যবস্থা সব ঠিকঠাক জেনে বললেন, 'লালুদা, আপনাকে দেখেই বুঝতে পারছি তীরন্দাজ আপনার খুব ভাল লেগেছে।'

আসলে লালমোহনবাবু সকাল থেকেই রাত্তিরের ঘটনাটা ভেবে ক্ষণে ক্ষণে আপন মনে হেসে ফেলছিলেন ; পুলকবাবুর সামনে সেই হাসিটাই বেরিয়ে পড়েছিল। এখন পুলকবাবুর কথা শুনে আরও জোরে হেসে বললেন, 'ওঃ—গড়পারের ছেলে—তুমি দ্যাখালে ভাই—হ্যাঃ।'

ফিরতে রাত হবে, তাই ফেলুদা বলল হাত-ব্যাগগুলো সঙ্গে নিয়ে নিতে। কালকের কেনা কমলালেবু, বিস্কুট, লজঞ্চুস ইত্যাদি তিন ব্যাগে ভাগ করে দেওয়া হল, আর লালমোহনবাবুর ক্যাশ দশ হাজার টাকা ম্যানেজারের জিম্মায় সিন্দুকে রেখে রসিদ নিয়ে নেওয়া হল। 'কী জানি বাবা', ভদ্রলোক বললেন, 'ফিলিমের ডাকাতের দলে আসল ডাকাতও যে ঢুকে পড়বে না এক-আধটা, তার কী গ্যারান্টি ?'

ফেলুদা সকালে একবার বেরিয়েছিল, বলল ওর সিগারেটের স্টক নাকি-ফুরিয়েছে, যেখানে যাচ্ছি সেখানে কাছাকাছির মধ্যে নাও পাওয়া যেতে পারে। ও ফেরার দশ মিনিটের মধ্যে আমরা রওনা দিয়ে দিলাম। আজও দেখলাম গাড়িতে গুলবাহারের গন্ধ কিছুটা রয়ে গেছে।

বম্বে থেকে থানা স্টেশন প্রায় পঁচিশ কিলোমিটার। সেখান থেকে রাস্তা ডাইনে ঘুরে ন্যাশনাল হাইওয়ে ধরে পুণার দিকে চলে গেছে। এই রাস্তায় আশি কিলোমিটার গেলেই খাণ্ডালা। আজ দিনটা ভাল, আকাশে টুকরো টুকরো মেঘ হাওয়ার তেজে তরতর করে ভেসে চলেছে, তার ফাঁক দিয়ে ফাঁক দিয়ে রোদ বেরিয়ে বোম্বাই শহরটাকে বার বার ধুয়ে দিচ্ছে। পুলকবাবু বলে গেছেন শুটিং-এর জন্য এটা নাকি আইডিয়াল ওয়েদার। লালমোহনবাবুর অবিশ্যি আজকে সব কিছুই ভাল লাগছে। খালি খালি বললেন, 'বিলেত যাবার আশ মিটে গেল মশাই। বাসে লোক ঝুলছে না সেটা লক্ষ করেছেন ? ওঃ—কী সিভিক সেন্স এদের !'

থানা পৌঁছতে লাগল প্রায় এক ঘন্টা। এখন সোয়া ন'টা। হাতে সময় আছে, তাই আমরা তিনজন আর ড্রাইভার স্বরূপলাল একটা চায়ের দোকানের সামনে গাড়ি দাঁড় করিয়ে এলাচ দেওয়া চা খেয়ে নিলাম।

থানা ছাড়বার কিছুক্ষণের মধ্যেই দেখলাম আমরা ওয়েস্টার্ন ঘাটস-এর পাহাড়ের পাশ দিয়ে চলেছি। ট্রেন লাইন আর এখন আমাদের পাশে নেই ; সেটা থানার পরেই উত্তরে ঘুরে চলে গেছে কল্যাণ। কল্যাণ থেকে আবার দক্ষিণে ঘুরে সেটা মাথেরান হয়ে যাবে পুণা,

মাঝপথে পড়বে আমাদের লেভেল ক্রসিং।

পথে লালমোহনবাবুর গলায় কমলালেবুর বিচি আটকে গিয়ে বিষম লাগা ছাড়া আর কোনও ঘটনা ঘটেনি। ফেলুদার মনের অবস্থা কী সেটা ওর মুখ দেখে বোঝা যাচ্ছিল না। ও গম্ভীর মানেই যে চিন্তিত, সেটা ফেলুদার বেলায় খাটে না এ আমি আগেও দেখেছি।

সাড়ে বারোটা নাগাত খাণ্ডালা ছাড়িয়ে মাইলখানেক যেতেই সামনে দূরে রাস্তার ধারে একটা জায়গায় মনে হল যেন মেলা বসেছে। তারপর মনে হল মেলায় এত গাড়ি থাকবে কেন? আরও কাছে যেতে গাড়ি আর মানুষ ছাড়া আর একটা জিনিস চোখে পড়ল, সে হচ্ছে ঘোড়া। এবারে বুঝলাম ভিড়টা আসলে হচ্ছে জেট বাহাদুরের শুটিং-এর দল। সব মিলিয়ে অন্তত শ'খানেক লোক, বাক্সপ্যাঁটরা ক্যামেরা আলো রিফ্লেক্টর শতরঞ্চি—সে এক এলাহি ব্যাপার।

আমাদের গাড়িটা একটা অ্যাম্বাসাডর আর একটা বাসের মাঝখানে একটা ফাঁক পেয়ে তার ভিতরে ঢুকে থেমে গেল। আমরা নামার সঙ্গে সঙ্গেই পুলকবাবু এগিয়ে এলেন—তাঁর মাথায় একটা সাদা ক্যাপ আর গলায় ঝুলোনো একটা দূরবীনের মতো যন্ত্র।

'গুড মর্নিং। সব ঠিক হ্যায়?'

আমরা তিনজনেই মাথা নেড়ে 'ইয়েস' জানিয়ে দিলাম।

'শুনুন—মিস্টার গোরের ইনস্ট্রাকশন—উনি মাথেরানে আছেন যেখান থেকে ট্রেন আসছে। রেল কোম্পানির কর্তাদের সঙ্গে কথাবার্তা আছে; কিছু পেমেন্টও আছে বোধহয়। উনি ট্রেনের সঙ্গেই চলে আসবেন, অথবা মোটরে করে আসবেন। আপনারা ট্রেনটা এলেই খবর পেয়ে যাবেন। মোট কথা, উনি আসুন বা না আসুন, আপনারা ফার্স্ট ক্লাসে উঠে পড়বেন। অল ক্লিয়ার?'

'অল ক্লিয়ার', বলল ফেলুদা।

বোম্বাইয়ের ফিল্ম লাইনে যে এত বাঙালি কাজ করে এটা আমার ধারণা ছিল না। তার মধ্যে কেউ কেউ যে ফেলুদাকে চিনে ফেলবে, তাতে আর আশ্চর্য কী? ক্যামেরাম্যান দাশু ঘোষের সঙ্গে পরিচয় হতেই তার চোখ কুঁচকে গেল।

'মিত্তির? আপনি কি ডিটেক—?'

'ধরেছেন ঠিক, কিন্তু চেপে রাখুন', বলল ফেলুদা।

'কেন মশাই? আপনি তো আমাদের প্রাইড। সেবারে এলোরার মূর্তি চুরির ব্যাপারটা—'

ফেলুদা আবার ঠোঁটে আঙুল দিয়ে ভদ্রলোককে থামাল।

দাশুবাবু এবার গলা নামিয়ে বললেন, 'আবার কোনও তদন্ত-টদন্ত করছেন নাকি এখানে?'

'আজ্ঞে না', ফেলুদা বলল, 'স্রেফ বেড়াতে এসেছি আমার এই বন্ধুটির সঙ্গে।'

দাশু ঘোষ একুশ বছর বম্বেতে থেকেও নিয়মিত বাংলা উপন্যাস পড়েন, এমনকী জটায়ুর বইও পড়েছেন দু-তিনটে। এ দৃশ্যে অবিশ্যি উনি ছাড়া আরও দুজন ক্যামেরাম্যান কাজ করছেন; তাঁরা অবাঙালি। পুলকবাবুর চারজন অ্যাসিস্ট্যান্টের দুজন বাঙালি। যাঁরা অ্যাকটিং করবেন তাঁদের মধ্যে অবিশ্যি কেউই বাঙালি নেই। অর্জুন মেরহোত্রা ছাড়া আজ আছেন ভিলেনবেশী মিকি। শুধু মিকি; পদবি ব্যবহার করেন না। বোম্বাইয়ের উঠতি ভিলেনের মধ্যে টপ, একসঙ্গে সাঁইত্রিশটা ছবি সই করেছেন, যদিও তার মধ্যে উনত্রিশটার গপ্পো চেঞ্জ করে ফাইটের সংখ্যা কমাতে হচ্ছে। ভাগ্যে জেট বাহাদুর-এ মাত্র চারটে ফাইট, না হলে পুলকবাবু, আর মিস্টার গোরেকেও মাথা চুলকোতে হত।

এ সব খবর আমাদের দিলেন প্রোডাকশন ম্যানেজার সুদর্শন দাস। ইনি উড়িয্যার লোক, অনেক দিন বম্বেতে রয়েছেন, তবে এ ছবিটা হয়ে গেলেই নাকি কটক ফিরে গিয়ে নিজে

ওড়িয়া ছবি পরিচালনা করবেন।

ফেলুদা ইতিমধ্যে হাঁটতে হাঁটতে চলে গেছে আর একটা জটলার দিকে। সেখানে ডাকাতের দলকে মেক-আপ করে পোশাক পরানো হচ্ছে। একজন ডাকাতের সঙ্গে ফেলুদাকে দিব্যি বাৎচিৎ করতে দেখে একটু অবাক হয়েই এগিয়ে গেলাম। তারপর ডাকাতের গলা শুনে বুঝলাম—ওমা, এ যে কুং-ফু এক্সপার্ট ভিক্টর পেরুমল। হিরোর যমজ ভাইয়ের মেক-আপ করা হয়েছে তাকে। ছুটন্ত ঘোড়া থেকে লাফিয়ে চলন্ত ট্রেনের ছাতে পড়তে হবে, তারপর ছটা কামরার ছাদের ওপর দিয়ে হেঁটে গিয়ে একেবারে ইঞ্জিনে পৌঁছে ভিলেনবেশী মিকিকে ঘায়েল করতে হবে। তারপর হিরো আর তার বিশ-বছর-না-দেখা ডাকাত-বনে-যাওয়া ভাইয়ের মধ্যে হাই-ভোল্টেজ সংঘর্ষ।

লালমোহনবাবু এই এলাহি ব্যাপার দেখে কেমন জানি চুপ মেরে গেছেন, যদিও ভেবে দেখলে তাঁর ফুর্তি হবার কথা, কারণ তাঁর গল্পকে ঘিরেই এত হই-হল্লা। বললেন, 'একটা গল্প লিখে এতগুলো লোককে এত হ্যাঙ্গাম এত পরিশ্রম এত খরচের মধ্যে ফেলিচি, এটা ভাবতে একটা পিকিউলিয়ার ফিলিং হচ্ছে, তপেশ। এক এক সময় নিজেকে রীতিমতো শক্তিশালী

বলে মনে হচ্ছে। মাঝে মাঝে আবার গিলটি মনে হচ্ছে ; আবার সেই সঙ্গে এও মনে হচ্ছে যে এরা লেখককে কোনও সম্মান দেয় না। ক'টা লোক এখানে জটায়ুর নাম জানে, সেটা বলতে পারো ?'

আমি সান্ত্বনা দেবার জন্য বললাম, 'ছবি যদি হিট হয়, তা হলে নিশ্চয়ই জানবে।'

'আশা করি !'—দীর্ঘশ্বাস ফেলে বললেন লালমোহনবাবু।

যে সব ডাকাতের মেক-আপ হয়ে গেছে তাদের মধ্যে কয়েকজন ঘোড়ার পিঠে চেপে ছুটোছুটি আরম্ভ করে দিয়েছে। ঘোড়াগুলো একটা বিশাল বটগাছের তলায় জড়ো হয়েছিল। গুনে দেখলাম সবসুদ্ধ ন'টা।

মিনিটখানেকের মধ্যেই নীল কাচ-তোলা একটা প্রকাণ্ড সাদা লিংকন কনভারটিবল গাড়িতে হিরো আর ভিলেন এসে হাজির হল। হিরোইনের দরকার লাগবে না, কারণ ট্রেনের কামরায় বন্দি অবস্থায় তার শটগুলো নাকি স্টুডিয়োতে তোলা হবে। সেটা এক হিসেবে ভাল। এই দুই পুরুষ তারকা গাড়ি থেকে নামতেই চারিদিকে যা শোরগোল পড়ে গেল, হিরোইন থাকলে না জানি কী হত।

সুদর্শনবাবু চা এনে দিয়েছিলেন, আমরা খাওয়া শেষ করে পেয়ালা ফেরত দিচ্ছি, এমন সময় বাজখাঁই গলায় লাউডস্পিকারের হাঁক শোনা গেল—'ট্রেন কামিং ! ট্রেন আতি হ্যায় ! এভরিবডি রেডি !'

১০

ঝুক ঝুক শব্দের সঙ্গে কালো ধোঁয়া ছাড়তে ছাড়তে আটটা বোগি সমেত পুরনো টাইপের ইঞ্জিনটা যখন লেভেল ক্রসিং-এর কাছে এসে দাঁড়াল, তখন ঘড়িতে ঠিক একটা বাজতে পাঁচ মিনিট। ফার্স্ট ক্লাস কামরা যে মাত্র একটাই, আর সেটাও যে পুরনো ধাঁচের, সেটা দূর থেকেই বুঝতে পারছি। অন্য কামরাগুলোতে মাথেরান থেকেই প্যাসেঞ্জার বসিয়ে দেওয়া হয়েছে। তাদের মধ্যে ছেলেমেয়ে বুড়োবুড়ি সব রকমই আছে। ট্রেন থামার সঙ্গে সঙ্গেই পুলকবাবুর ব্যস্ততা একেবারে সপ্তমে চড়ে গেছে। তিনি একবার এ ক্যামেরা থেকে ও ক্যামেরায় ছুটে যাচ্ছেন, একবার হিরো থেকে ভিলেন, একবার এ-অ্যাসিসট্যান্ট থেকে ও-অ্যাসিসট্যান্ট। লালমোহনবাবু পর্যন্ত বলতে বাধ্য হলেন, 'না মশাই, শুধু টাকা দিয়ে ছবি হয় না এটা বোঝা যাচ্ছে।'

হিরোর গাড়ি রেডি, কালো চশমা পরে স্টিয়ারিং ধরে বসে আছে অর্জুন মেরহোত্রা, পাশে তার নিজের মেক-আপম্যান আর দুজন ছোকরা টাইপের লোক, বোধহয় চামচা-টামচা হবে। অর্জুনের সামনে একটা হুডখোলা জিপে তেপায়া স্ট্যান্ডের উপর ক্যামেরাও রেডি। ভিক্টর সমেত ডাকাতের দল ঘোড়ার পিঠে আগেই এগিয়ে গেছে। তারা চলন্ত ট্রেন থেকে সিগন্যাল পেলে একটা বিশেষ পাহাড়ের বিশেষ জায়গা থেকে নেমে এসে ট্রেনের পাশে পাশে দৌড় আরম্ভ করবে। ভিলেন মিকিকে দেখলাম পুলকবাবুর একজন সহকারীর সঙ্গে ইঞ্জিনের দিকে এগিয়ে গেল।

আমাদের কী করা উচিত, ঠিক বুঝতে পারছি না। কারণ মিঃ গোরের দেখা নেই। তিনি ট্রেনেই এসেছেন কি না সেটাও বুঝতে পারছি না।

ভিড় পাতলা হয়ে গেছে অথচ আমাদের দিকে কেউ আসছে না দেখে লালমোহনবাবুর উসখুসুনি আরম্ভ হয়ে গেল। বললেন, 'ও ফেলুবাবু, এরা কি ভুলে গেল নাকি আমাদের ?'

ফেলুদা বলল, 'একটিই মাত্র প্রথম শ্রেণীর কামরা ; কথা মতো সেটাতে গিয়েই ওঠা

উচিত আমাদের। দেখি আরও দু মিনিট।'

দু মিনিটের আগেই, ইঞ্জিন থেকে দুটো হুইসল শোনা গেল, আর সেই মুহূর্তেই সুদর্শন দাসের হাঁক।

'এই যে, আপনারা চলে আসুন, চলে আসুন!'

আমরা হাতে ব্যাগ নিয়ে দৌড় দিলাম। সুদর্শনবাবু আমাদের ফার্স্ট ক্লাসের দরজা অবধি পৌঁছে দিলেন। বললেন, 'আমি তো কিছুই জানতাম না। এইমাত্র একজন লোক এসে খবর দিলে—বললে গোরে সাহেব আধঘন্টার মধ্যেই এসে পড়বেন। প্রথম শটের পর ট্রেন আবার এইখানেই ফিরে আসবে।'

কামরায় উঠে দেখি একটা বেঞ্চির উপর বড় জলের ফ্লাস্ক, আর সাফারি রেস্টোর‍্যান্টের নাম লেখা চারটে সাদা কাগজের বাক্স। অর্থাৎ আমাদের লাঞ্চ। এত ব্যস্ততার মধ্যেও ভদ্রলোকের যে আশ্চর্য খেয়াল, সেটা স্বীকার করতেই হবে।

আর একটা হুইসেলের সঙ্গে একটা ঝাঁকুনি দিয়ে গাড়ি ছেড়ে দিল। আমরা তিনজনে জানালা দিয়ে বাইরের কাণ্ডকারখানা দেখবার জন্য তৈরি হলাম। একেবারে নতুন অভিজ্ঞতা, তাই মনে একটা বেশ রোমাঞ্চ ভাব হচ্ছিল।

গাড়ি ক্রমশ স্পিড নিচ্ছে। ডান পাশ দিয়ে রাস্তা গেছে, সেদিকের বেঞ্চিতেই বসেছি আমরা তিনজন। বাঁ দিকে পাহাড় পড়বে, অর্থাৎ সেটা হল ডাকাতের দিক। ডান দিকটা হিরোর দিক।

আরও একটু স্পিড বাড়ার পর ডান দিকের রাস্তা দিয়ে প্রথমে ক্যামেরা সমেত জিপ, তার পর হিরোর গাড়ি আসতে দেখা গেল। এখন অবিশ্যি হিরো ছাড়া গাড়িতে আর কেউ নেই। ক্যামেরার মুখটাও যে তার দিকেই ঘোরানো সেটা বুঝতে পারলাম। যিনি ছবি তুলছেন, তিনি ছাড়া আরও তিনজন লোক রয়েছেন, তার মধ্যে একজন হল পুলকবাবুর অ্যাসিসট্যান্ট। সে হাতে একটা চোঙা নিয়ে তার ভিতর দিয়ে হিরোকে 'ডাইনে তাকাও' 'বাঁয়ে তাকাও' ইত্যাদি নির্দেশ দিচ্ছে।

আর দুটো ক্যামেরার একটার সঙ্গে পুলকবাবু রয়েছেন—সেটা রয়েছে ট্রেনেরই একটা কামরার ভিতর। তৃতীয় ক্যামেরাটা রয়েছে ট্রেনের পিছন দিকের শেষ কামরার ছাতে।

হিরো তেমন জোরে গাড়ি চালাচ্ছে না দেখে আমার মনটা দমে গিয়েছিল, কিন্তু ফেলুদা বলল ওটা ছবিতে নাকি জোরেই মনে হবে, কারণ ক্যামেরার স্পিড কমিয়ে শটটা নেওয়া হচ্ছে।

'তা ছাড়া যতটা আস্তে ভাবছিস, ততটা আস্তে কিন্তু যাচ্ছে না গাড়িটা, কারণ আমাদের ট্রেনটাও তো চলেছে সঙ্গে সঙ্গে, আর চলেছে বেশ জোরেই।'

ঠিক কথা। এটা আমার খেয়াল হয়নি।

কিছুক্ষণের মধ্যে ক্যামেরা আর হিরোর গাড়ি আমাদের কামরা ছাড়িয়ে চলে গেল। পুরনো কামরা, তাই জানালায় গরাদ নেই ; গলা বাড়িয়ে আরও কিছুক্ষণ দেখার ইচ্ছে ছিল, কিন্তু ফেলুদা বাধা দিয়ে বলল, 'জেট বাহাদুর ছবি দেখতে গিয়ে যদি পর্দায় দেখিস, তুই গলা বাড়িয়ে শুটিং দেখছিস, সেটা কি খুব ভাল হবে?'

লোভ সংবরণ করে উলটো দিকের জানালার ধারে বসব বলে সিট ছেড়ে দাঁড়িয়েছি, ঠিক সেই সময় নাকে গন্ধটা এল।

ফেলুদা দেখি আর আমার পাশে নেই। তার দৃষ্টি বাথরুমের দরজার দিকে, সে এক লাফে উলটোদিকে চলে গেছে, তার ডান হাত কোটের পকেটে।

'বন্দুক বার করে লাভ নেই, মিস্টার মিত্তির। অলরেডি একটি রিভলভার আপনার দিকে

পয়েন্ট করা রয়েছে।'

এবার দেখলাম পাহাড়ের দিকের দরজাটা খুলে গেল। একজন লোক হাতে একটা রিভলভার নিয়ে দরজা ঠেলে ভিতরে ঢুকে দরজার মুখেই দাঁড়িয়ে রইল। একে কি দেখেছি আগে? হ্যাঁ—এই তো সেই লালশার্ট! কিন্তু আজ এর পোশাক অন্য, আর চেহারায় যে হিংস্র ভাব দেখছি, সেটা সে দিন এয়ারপোর্টে দেখিনি। আজ এই অবস্থায় দেখে বুঝছি, লোকটা একেবারে নিখাদ খুনে। তার হাতের রিভলভারটা তাগ করা রয়েছে সোজা ফেলুদার দিকে।

এবার বাথরুমের দরজাটা অল্প ফাঁক অবস্থা থেকে পুরো খুলে গেল, আর সেই সঙ্গে কামরাটা গুলবাহারের গন্ধে ভরে গেল।

'সান...সান...'

লালমোহনবাবুর শরীর কুঁকড়ে ছোট হয়ে গেছে।

'সান্যালই বটে', বললেন আগন্তুক, 'আর আপনার সঙ্গেই আমার আসল দরকার মিঃ গাঙ্গুলী। বইয়ের প্যাকেটটা নিশ্চয়ই ফেলে রেখে আসেননি। ব্যাগটা খুলুন, খুলে বার করে দিন। না-দিলে কী ফল হবে সেটা আর নাই বললাম।'

'প্যা-প্-প্যাকেট...'

'কী প্যাকেটের কথা বলছি বুঝেছেন নিশ্চয়ই। আপনারই বই আপনার হাতে নিশ্চয়ই তুলে দিয়ে আসিনি সে দিন এয়ারপোর্টে। বার করুন, বার করুন!'

'আপনি ভুল করছেন। প্যাকেট ওঁর কাছে নেই, আমার কাছে।'

ট্রেনের শব্দের জন্য সকলকেই চেঁচিয়ে কথা বলতে হচ্ছে, কিন্তু ফেলুদার গম্ভীর গলা চাপা অবস্থাতেই ট্রেনের শব্দ ছাপিয়ে সান্যালের কানে পৌঁছেছে, কারণ চশমার পিছনে ভদ্রলোকের চোখ দুটো জ্বলে উঠল।

'লাইফ ডিভাইনের এতগুলো পাতা নষ্ট করে আপনার ঐশ্বর্য কিছু বাড়ল কি?'—ফেলুদার গলার স্বর এখনও ধীর, কথাগুলো মাপা।

'নিম্মো', গুণ্ডাটার দিকে আড় দৃষ্টি দিয়ে খসখসে গলায় বললেন সান্যাল, 'ইয়ে আদমি কোই ভি গড়বড় করনেসে ইনকো খতম কর না...হাত তুলে রাখুন, মিস্টার মিত্তির!'

'আপনার ঝুঁকিটা একটু বেশি হয়ে যাচ্ছে না কি?' ফেলুদা বলল। 'আপনি যে জিনিসটা চাইছেন, সেটা পেলেই তো আর আমাদের ছেড়ে দেবেন না। খতম আমাদের এমনিতেই করবেন। কিন্তু ট্রেন থামলে পর আপনার কী দশা হবে সেটা ভেবে দেখেছেন?'

'ভেরি ইজি', দাঁত বের করে বিশ্রী হেসে বললেন মিঃ সান্যাল, 'আমাকে আর কে চেনে বলুন! এত প্যাসেঞ্জার রয়েছে ট্রেনে, তার মধ্যে মিশে যেতে পারব না? আপনাদের লাশ পড়ে থাকবে, আমি বাইরে বেরিয়ে অন্য কামরায় চলে যাব। ভেরি ইজি, ইজন্ট ইট?'

ফেলুদার সঙ্গে অনেক রকম সঙ্কটের মধ্যে পড়ে আমার সাহস বেড়ে গিয়েছে ঠিকই, কিন্তু একটা কারণে এই মুহূর্তে সাহস আনার অনেক চেষ্টা সত্ত্বেও বার বার আমার সমস্ত শরীর ঠাণ্ডা হয়ে যাচ্ছিল। কারণ আর কিছুই না—ওই নিম্মো। এ রকম একটা নিষ্ঠুর খুনে চেহারা গল্পেই পড়া যায়। কামরার বন্ধ দরজায় ঠেস দিয়ে দাঁড়িয়ে আছে, গায়ের ফিনফিনে ফুলকারি করা শার্টটা খোলা জানালা দিয়ে আসা হাওয়াতে ফুরফুর করছে, ডান হাতটা ট্রেনের ঝাঁকুনিতে দুললেও রিভলভারটা ঠিকই ফেলুদার দিকে তাগ করা রয়েছে।

সান্যাল এক পা এক পা করে এগিয়ে এলেন। নাক জ্বলে যাচ্ছে সেন্টের গন্ধে। সান্যালের দৃষ্টি ফেলুদার ব্যাগের দিকে। এয়ার ইন্ডিয়ার ব্যাগ, ফেলুদার সামনেই সিটের উপর রাখা। লালমোহনবাবুর কী অবস্থা জানি না, কারণ তিনি এখন আমার পিছনে।

ট্রেনের আওয়াজের মধ্যেও ওঁর হাঁপানির টানের মতো নিশ্বাসের শব্দ শুনতে পাচ্ছি।

ট্রেন ছুটে চলেছে। তার মানে শুটিংও হয়ে চলেছে নিশ্চয়ই। মিঃ গোরে কী সাংঘাতিকভাবে আমাদের ডোবালেন, সেটা উনি জানেন কি ?

সান্যাল সিটে বসে বাক্সটার ক্যাচ টিপলেন। ঢাকনা খুলল না। বাক্সে চাবি লাগানো।

'চাবি কোথায় ? এটার চাবি কোথায় ?'

মিঃ সান্যালের সমস্ত মুখ অসহিষ্ণু রাগে কুঁচকে গেল। —'কোথায় চাবি !'

'পকেটে', শান্তভাবে জবাব দিল ফেলুদা।

'কোন পকেটে ?'

'ডান।'

আমি জানি ওই পকেটেই ফেলুদার রিভলভার।

সান্যাল উঠে দাঁড়ালেন। রাগে ফুলছেন তিনি। কয়েক মুহূর্ত যেন কিংকর্তব্যবিমূঢ়। তারপর—

'তুমি এসো !'—আমার দিকে ফিরে গর্জিয়ে উঠলেন মিঃ সান্যাল।

ফেলুদাও আমার দিকে চাইল। ইঙ্গিতে বুঝলাম, সে আমাকে সান্যালের আদেশ পালন করতে বলছে।

যখন ফেলুদার দিকে এগোচ্ছি, তখন ট্রেনের শব্দ ছাড়া আর একটা শব্দ কানে এল। ঘোড়ার খুরের শব্দ। এর মধ্যে কখন যে বাঁদিকে পাহাড় এসে গেছে, তা খেয়ালই করিনি। ফেলুদার পকেটে যখন হাত ঢোকাচ্ছি তখন দেখলাম পাহাড়ের গা দিয়ে ধুলো উড়িয়ে ডাকাতের দল নামছে।

রিভলভারের পাশে হাতড়াতেই চাবি ঠেকল হাতে।

'দিয়ে দে।'

আমি চাবি দিয়ে দিলাম মিঃ সান্যালকে। ফেলুদার হাত দুটো এখনও মাথার উপর।

সান্যাল বাক্সের তালায় চাবি লাগিয়ে ঘোরালেন। বাক্স খুলে গেল। লাইফ ডিভাইন উপরেই রাখা। বাক্স থেকে বই বেরিয়ে এল।

জানালার ঠিক বাইরেই ঘোড়ার খুর। একটা নয়—অনেকগুলো—তীরবেগে নেমে আসছে পাহাড়ের গা বেয়ে, ছুটে চলেছে ট্রেনের সঙ্গে পাল্লা দিয়ে।

সান্যাল বইটা হাতে নিয়ে কয়েকটা পাতা উলটিয়ে যেখানে পৌঁছলেন, তার পরে আর উলটোনো যায় না। কারণ সেগুলো পরস্পরের সঙ্গে সাঁটা। এবার উলটোনোর বদলে সান্যাল একটা অদ্ভুত কাজ করলেন। পাতার মাঝখানটা খামচিয়ে সেটাকে ছিঁড়ে ফেললেন, আর ফেলতেই তার তলায় একটা চৌকো খোপ বেরিয়ে পড়ল। পাতাগুলোর মাঝখানটা একসঙ্গে কেটে ফেলে খোপটা তৈরি করা হয়েছে।

খোপের ভিতর দৃষ্টি দিতেই সান্যালের মুখের অবস্থা দেখবার মতো হল। উনি ভিতরে কী আশা করেছিলেন জানি না, এখন বেরোল খান আষ্টেক সিগারেটের পোড়া টুকরো, ডজন খানেক পোড়া দেশলাই আর বেশ খানিকটা সিগারেটের ছাই।

'কিছু মনে করবেন না', বলল ফেলুদা, 'ওটাকে ছাইদান হিসাবে ব্যবহার করার লোভ সামলাতে পারলাম না।'

এবারে সান্যাল এত জোরে চ্যাঁচালেন যে, মনে হল সমস্ত ট্রেন ওর কথা শুনে ফেলবে।

'বেয়াদবির আর জায়গা পাওনি ? ভেতরের আসল জিনিস কোথায় ?'

'কী জিনিসের কথা বলছেন আপনি ?'

'স্কাউন্ড্রেল !—তুমি জানো না কীসের কথা বলছি ?'

'নিশ্চয়ই জানি, তবু আপনার মুখ থেকে শুনতে চাই !'

'কোথায় সে জিনিস ?'—আবার গর্জিয়ে উঠলেন মিঃ সান্যাল।

'পকেটে।'

'কোন পকেটে ?'

'বাঁ পকেটে।'

ডাকাতের দল এখন জানালার ঠিক বাইরে, কারণ পাহাড় আরও কাছে চলে এসেছে। ধুলো এসে ঢুকছে আমাদের কামরায়।

'ইউ দেয়ার !'

আমি জানি আমার উপর আবার হুকুম হবে।

'হাঁ করে দাঁড়িয়ে আছ কী—যাও, হাত ঢোকাও।'

আবার আদেশ মানতে হল।

এবার পকেট থেকে যে জিনিস বেরোল, তেমন জিনিস আমি কোনওদিন হাতে ধরিনি। হিরে আর মুক্তো দিয়ে গাঁথা এই আশ্চর্য হার রাজা-বাদশাদের হাতেই মানায়।

'দাও ওটা আমাকে।'

মিঃ সান্যালের চোখ জ্বলজ্বল করছে, কিন্তু এবার রাগে নয়, উল্লাসে, লোভে।

আমার হাত সান্যালের দিকে এগিয়ে গেল। ফেলুদার হাত মাথার উপর তোলা। লালমোহনবাবুর মুখ দিয়ে গোঙানির মতো শব্দ বেরোচ্ছে। ডাকাতের দল—

দড়াম্ !

একটা ভারী শব্দের সঙ্গে সঙ্গে আমাদের কামরাটা যেন একটু কেঁপে উঠল, আর তার পরেই দেখলাম নিম্মো কামরার মেঝেতে গড়াগড়ি দিচ্ছে, কারণ একজোড়া পা জানালা দিয়ে ঢুকে সটান সজোরে লাথি মেরেছে তার গায়ে। ফলে নিম্মোর হাতের রিভলভার ছুটে গিয়ে

সিলিং-এর বাতির কাচ চুরমার করে দিল, আর সেই সঙ্গে ফেলুদারও হাতে বিদ্যুদ্বেগে চলে এল তার নিজের রিভলভার।

এবারে পাহাড়ের দিকের দরজাটা আবার খুলে গেল, আর সেই দরজা দিয়ে ডাকাতের বেশে যিনি ঢুকলেন তাকে আমরা তিনজনেই খুব ভাল করে চিনি।

'থ্যাঙ্ক ইউ, ভিক্টর', বলল ফেলুদা।

১১

মিঃ সান্যাল সিটের উপর বসে পড়েছেন। এবার কাঁপুনিটা রাগের নয়, ভয়ের, কারণ তিনি জানেন তিনি জব্দ, তাঁর আর পালাবার পথ নেই।

এদিকে শুটিং-এ গণ্ডগোল বুঝে কেউ নিশ্চয়ই চেন টেনে দিয়েছে, কারণ ট্রেনটা যেভাবে থামল সেটা চেন টানলেই হয়।

থামার কয়েক সেকেন্ডের মধ্যেই শোরগোল শুনতে পেলাম। একই লোকের নাম ধরে অনেকে চিৎকার করছে।

'ভিক্টর! ভিক্টর! কোথায় গেল, ভিক্টর?'

পুলকবাবুর গলা। যত গণ্ডগোল তো ভিক্টরকে নিয়েই, কারণ তার লাফিয়ে পড়ার কথা ছাতে, আর সে কিনা সোজা এসে ঢুকেছে আমাদের কামরায়।

ফেলুদা দরজা খুলে মুখ বার করে পুলকবাবুকে ডাকলেন।

'এই যে মশাই, এদিকে।'

ভদ্রলোক হন্তদন্ত হয়ে আমাদের কামরায় উঠে এলেন। দেখে মনে হল তাঁর শেষ অবস্থা, কারণ শুনেছি এই ধরনের একটা শটে গণ্ডগোল হওয়া মানে প্রায় ত্রিশ হাজার টাকা জলে যাওয়া।

'ব্যাপার কী, ভিক্টর? তোমার কি মাথা খারাপ হয়ে গেল নাকি?'

'আপনার ছবিতে জেট বাহাদুর আখ্যা একমাত্র ভিক্টর পেরুমলই পেতে পারে, পুলকবাবু।'

'তার মানে?' পুলকবাবু অবাক হয়ে দেখলেন ফেলুদার দিকে। তার ফ্যালফ্যালে ভাবটার মধ্যে এখনও যথেষ্ট পরিমাণে বিরক্তি মেশানো রয়েছে।

'আর স্মাগলারের পার্টটা পরমেশ কাপুরকে না দিয়ে আপনার এঁকে দেওয়া উচিত ছিল।'

'কী সব উলটোপালটা বকছেন। ইনি কে?' পুলকবাবু মিঃ সান্যালের দিকে চেয়ে জিজ্ঞেস করলেন।

ইতিমধ্যে ডানদিকের রাস্তায় দুটো নতুন গাড়ির আবির্ভাব হয়েছে—একটা পুলিশ জিপ আর একটা পুলিশ ভ্যান। জিপটা আমাদের কামরার পাশেই এসে থামল। তার থেকে নামলেন ইনস্পেক্টর পটবর্ধন।

এইবার পুলকবাবুর প্রশ্নের উত্তরে ফেলুদা মিঃ সান্যালের দিকে এগিয়ে গিয়ে দুই টানে তাঁর দাড়ি আর গোঁফ, আর আরও দুই টানে তাঁর পরচুলা আর চশমাটা খুলে ফেলে দিয়ে বলল—

'আপনার গা থেকে গুলবাহারের গন্ধটাও টেনে খুলে ফেলতে পারলে খুশি হতাম মিস্টার গোরে, কিন্তু ওই একটি ব্যাপারে ফেলু মিত্তিরও অপারগ।'

'প্রোডিউসার মিসায় ধরা পড়লে ছবি বন্ধ হয়ে যাবে এ কথা আপনাকে কে বললে, লালুদা ?'

প্রশ্নটা করলেন পুলকবাবু। লালমোহনবাবু কিছুই বলেননি, কেবল ঘাড় গোঁজ করে গম্ভীর হয়ে বসে ছিলেন ; যদিও এটা ঠিক যে গম্ভীর হবার একটা কারণ হল জেট বাহাদুরের ভবিষ্যৎ সম্বন্ধে চিন্তা।

'জেট বাহাদুরকে কেউ রুখতে পারবে না, লালুদা', বললেন পুলকবাবু। 'গোরে চুলোয় যাক, গোল্লায় যাক, হাজতে যাক, যেখানে খুশি যাক্—প্রোডিউসার তো আর বম্বেতে একটা নয়। চুনি পাঞ্চোলি তো এক বছর থেকে আমার পেছনে লেগে আছে—দেখবেন আপনারা থাকতে থাকতেই নতুন ব্যানারে আবার কাজ আরম্ভ হয়ে গেছে।'

আজকের শুটিং অবিশ্যি সেই দেড়টায় বন্ধ হয়ে গেছে। গোরে আর নিম্মোর হাতে হাতকড়া পড়েছে, নানাসাহেবের নওলাখা হার পুলিশের জিম্মায় চলে গেছে। আজ যে এরকম একটা ঘটনা ঘটতে পারে সেটা ফেলুদা আগেই বুঝেছিল, আর তাই ও সকালে সিগারেট কিনতে যাবার নাম করে ইন্সপেক্টর পটবর্ধনের সঙ্গে দেখা করে পুলিশের ব্যবস্থা করে এসেছিল। গোরে নাকি এককালে একটানা বারো বছর কলকাতায় ছিল, শুধু ডন বস্কো নয়, সেন্ট জেভিয়ার্সেও পড়েছে—তাই বাংলাটা সে ভালই জানে—যদিও বম্বেতে সে সচরাচর হিন্দি, মারাঠি আর ইংরেজিটাই ব্যবহার করে।

আমরা বসে আছি খাণ্ডালা ডাকবাংলোর বারান্দায়। চমৎকার পাহাড়ে জায়গা, বাতাসে রীতিমতো ঠাণ্ডার আমেজ। বম্বের অনেকেই নাকি খাণ্ডালায় চেঞ্জে আসে। সাফারির মাটন দো পেঁয়াজি আর নান খাওয়া হয়ে গেছে আগেই, এখন বিকেল সাড়ে চারটে, তাই চা আর পকৌড়া খাচ্ছে সকলে।

আমাদের টেবিলে আমরা তিনজনই বসেছি। পুলকবাবু ছিলেন এতক্ষণ আমাদের সঙ্গে, এইমাত্র উঠে মেরহোত্রার টেবিলে চলে গেলেন। অর্জুন মেরহোত্রার একটু যেন মনমরা ভাব ; তার একটা কারণ হয়তো এই যে, আজকের হিরো হচ্ছে নিঃসন্দেহে প্রদোষ মিত্তির। ইতিমধ্যে অনেকেই ফেলুদার সই নিয়ে গেছে, এমনকী ভিলেন মিকি পর্যন্ত।

সেকেন্ড হিরো যে ভিক্টর পেরুমল তাতেও কোনও সন্দেহ নেই। ফেলুদা ভিক্টরকে আগে থেকেই তালিম দিয়ে রেখেছিল। বলেছিল—'ঘোড়া নিয়ে যখন ট্রেনের ধারে পৌঁছাবে, তখন ফার্স্ট ক্লাস কামরার দিকে একটু চোখ রেখো। গোলমাল দেখলে সোজা দরজা দিয়ে ঢুকে এসো', ফেলুদার দুহাত মাথার উপর তোলা দেখেই ভিক্টর ধরে ফেলেছে গণ্ডগোলের ব্যাপার। আশ্চর্য, এত বড় একটা কাজ করেও তার কোনও তাপ-উত্তাপ নেই। সে এরই মধ্যে আবার বাংলোর সামনের মাঠে তার লোকজন নিয়ে ওয়ান-টু-থ্রি করে কুং-ফু অভ্যাস শুরু করে দিয়েছে।

'কিন্তু ব্যাপারটা হচ্ছে কী—'

লালমোহনবাবু এই এতক্ষণে প্রথম মুখ খুললেন। ফেলুদা ওঁর মুখের কথা কেড়ে নিয়ে বলল, 'ব্যাপারটা হচ্ছে কি, আপনি এখনও যেই তিমিরে সেই তিমিরে—তাই তো ?'

জটায়ু একটা গোবেচারা হাসি হেসে মাথা নেড়ে হ্যাঁ বোঝালেন।

ফেলুদা বলল, 'আপনার মনের অন্ধকার দূর করা খুব কঠিন নয়। তবে তার আগে গোরে লোকটাকে একটু বুঝতে হবে, তা হলেই তার কার্যকলাপটা বোধগম্য হবে।

'প্রথমেই মনে রাখতে হবে যে সে আসলে স্মাগলার, কিন্তু ভেক ধরেছে সম্ভ্রান্ত ফিল্ম প্রোডিউসারের। আপনার গল্প থেকে সে ছবি করছে। গল্পে আপনি শিবাজী কাস্‌লে স্মাগলাররা থাকে বলে লিখেছেন। স্বভাবতই গোরে তাতে বিচলিত হয়ে পড়ে। তার মনে

প্রশ্ন জাগে—আপনি শিবাজী কাস্‌ল সম্বন্ধে কদ্দূর কী জানেন, কারণ সে নিজে স্মাগলার আর তার বাসস্থানও শিবাজী কাস্‌ল। এইটে জানার জন্য সে সান্যাল সেজে আপনার বাড়ি গিয়ে হাজির হয়। আপনার সঙ্গে আলাপ করে সে বোঝে যে ভয়ের কোনও কারণ নেই, আপনি অত্যন্ত নিরীহ নির্লিপ্ত মানুষ এবং শিবাজী কাস্‌ল-এর ব্যাপারটা আপনার কাছে একেবারেই কাল্পনিক। সেই সময় তার মাথায় আসে আপনার হাত দিয়ে বইয়ের প্যাকেটে নওলাখা হার পাচার করার আইডিয়া। মালটা গোরে পাঠাচ্ছিল তারই এক গ্যাঙের লোককে—যে খুব সম্ভবত থাকে শিবাজী কাস্‌লেরই সতেরো নম্বর তলার দুনম্বর ফ্ল্যাটে। আপনি যদি ধরা পড়েন, তা হলে দোষ দেবেন সান্যালকে, গোরেকে নয়—তাই তো ? অর্থাৎ সান্যালকে খাড়া করে গোরে নিজে থাকছে সেফসাইডে।

'এদিকে হয়ে গেল গণ্ডগোল। আপনি পঞ্চাশ লাখ টাকার হারের বদলে চালান করে বসলেন আপনারই পাঁচটাকা দামের বই। সেই বইয়ের প্যাকেট নিয়ে লালশার্ট অর্থাৎ নিম্মো শিবাজী কাস্‌লের লিফ্‌ট দিয়ে উঠছিল সতেরোতলায় ; সেই সময় গোরেরই কোনও প্রতিদ্বন্দ্বী গ্যাঙের লোক নিম্মোকে আক্রমণ করে প্যাকেট আদায় করার জন্য। নিম্মো তাকে খুন করে প্যাকেট যথাস্থানে চালান দিয়ে গা ঢাকা দেয়। এদিকে প্যাকেটে যে হার নেই সে খবর পেতেই গোরেকে চলে আসতে হল। সে তো বুঝেছে কী হয়েছে। তার এখন দুটো কাজ করতে হবে। এক, হার ফিরে পেতে হবে ; দুই, আমাদের খতম করতে হবে। তার একমাত্র ভরসা যে আমরা লাইফ ডিভাইনের রহস্য ভেদ করে হারটা পুলিশের হাতে জমা দিইনি। গোরে এসেই বুঝল যে সান্যালের পুনরাবির্ভাবের প্রয়োজন হবে। সান্যালই যখন মালটা পাঠিয়েছিল, তখন সান্যালকেই সেটা পুনরুদ্ধার করতে হবে, তা হলে গোরের নিজের উপর কোনও সন্দেহ পড়বে না।'

'কিন্তু গুলবাহার—'

'বলছি, বলছি—সব বলছি। গুলবাহার সেন্টের ব্যবহারটা গোরের শয়তানি বুদ্ধির আশ্চর্য উদাহরণ। এটার জন্য সে কলকাতা থেকেই তৈরি হয়ে ছিল। সান্যাল মানেই গুলবাহার, আর গুলবাহার মানেই সান্যাল—এ ধারণা অন্তত আপনার মনে বদ্ধমূল হয়ে গিয়েছিল—তাই নয় কি ?'

'হ্যাঁ—তা একরকম হয়েছিল বইকী।'

'বেশ। এবার মনে করে দেখুন—সেদিন গোরে আমাদের বৈঠকখানায় বসিয়ে কিছুক্ষণের জন্য ঘর থেকে বেরিয়ে গিয়েছিল—ভাবটা যেন আপনার জন্যে টাকা আনতে গিয়েছে—কেমন ?'

'ঠিক।'

'সেই ফাঁকে লিফ্‌টে ঢুকে দুফোঁটা গুলবাহার সেন্ট ছিটিয়ে দেওয়া কি খুব কঠিন ব্যাপার ? উপর থেকে নীচ পর্যন্ত সব ক'টা তলা শুঁকেও যখন কোনও সেন্টের গন্ধ পেলাম না, তখনই বুঝলাম যে গন্ধটা রয়েছে শুধু লিফ্‌টের ভিতর। অর্থাৎ সেটা হচ্ছে মানুষের গা থেকে নয়, এসেছে সেন্টের শিশি থেকে। ঠিক সেইভাবেই লোক লাগিয়ে লোটাস সিনেমার সামনে গাড়ির জানলা দিয়ে হাত বাড়িয়ে কয়েক ফোঁটা সেন্ট গাড়ির সিটে ছিটিয়ে দেওয়াও অতি সহজ ব্যাপার।'

ফেলুদা বুঝিয়ে দিলে সত্যিই সহজ। লালমোহনবাবুও যে ব্যাপারটা বুঝেছেন তাতে কোনও সন্দেহ নেই, কিন্তু তবু তাঁর মুখে হাসি ফুটছে না দেখে বেশ অবাক লাগল। সেটা যে শেষ পর্যন্ত পুলকবাবুর একটা কথায় ফুটবে সেটা কী করে জানব ?

চা শেষ করে যখন শহরে ফেরার তোড়জোড় চলছে, সূর্যটা পাহাড়ের পিছনে নেমে

যাওয়ায় হঠাৎ ঠাণ্ডা বেড়ে মাঝে মাঝে বেশ কাঁপুনি লাগিয়ে দিচ্ছে, তখন দেখি পুলকবাবু আমাদের দিকে ব্যস্তভাবে এগিয়ে আসছেন।

'লালুদা, জেট বাহাদুরের বিজ্ঞাপন পড়ছে শুক্রবার—কিন্তু তার আগে একটা ব্যাপার জেনে নেওয়া দরকার।'

'কী ব্যাপার ভাই ?'

'আপনার কোন নামটা যাবে—আসল না নকল ?'

'নকলটাই আসল ভাই', একগাল হেসে বললেন লালমোহনবাবু, 'বানান হবে জে এ টি এ ওয়াই ইউ।'

গোসাঁইপুর সরগরম

১

গোসাঁইপুরে আপনার চেনা একজন কে থাকেন না ?' রহস্য-রোমাঞ্চ ঔপন্যাসিক জটায়ু ওরফে লালমোহন গাঙ্গুলীকে জিজ্ঞেস করল ফেলুদা।

আমরা, থ্রি মাস্‌কেটিয়ারস, ভিক্টোরিয়া মেমোরিয়াল দেখে হাঁটতে হাঁটতে একেবারে গঙ্গার ধারে পৌঁছে গেছি। প্রিন্সেপ ঘাটের কাছে যে গম্বুজওয়ালা ঘরটা আছে সেটার মধ্যে বসে চানাচুর আর গঙ্গার হাওয়া খাচ্ছি। সময় হচ্ছে বিকেল পাঁচটা, তারিখ অক্টোবরের তেরোই। আমাদের সামনেই জলের মধ্যে একটা বয়া ভাসছে, সেটার ব্যবহার কী সেটা লালমোহনবাবুকে বুঝিয়ে দিয়ে ফেলুদা প্রশ্ন করল। ভদ্রলোক বললেন, 'আছে বইকী। তুলসীবাবু। তুলসীচরণ দাশগুপ্ত। এথিনিয়ামে অঙ্ক আর জিয়োগ্রাফি পড়াতেন। রাজা দীনেন্দ্র স্ট্রিটে থাকতেন, এখন রিটায়ার করে চলে গেছেন গোসাঁইপুর। ওখানে পৈতৃক বাড়ি আছে। ভদ্রলোক তো কতবার আমাকে যাবার জন্য লিখেছেন। আমার বিশেষ ভক্ত, জানেন তো ? নিজেও গল্প-টল্প লেখেন, ছোটদের জন্য। সন্দেশে গোটা দুই বেরিয়েচে।—কিন্তু হঠাৎ গোসাঁইপুর কেন ?'

'ওখান থেকে একটা চিঠি এসেছে। লিখেছেন জীবনলাল মল্লিক। শ্যামলাল মল্লিক, তস্য পুত্র জীবনলাল। বংশ-পরিচয় তৃতীয় খণ্ড খুলে দেখলাম গোসাঁইপুরের জমিদার ছিলেন এই মল্লিকরা।'

ফেলুদা থামল। কারণ একটা জাহাজ প্রচণ্ড জোরে ভোঁ দিয়ে উঠেছে। আজই সকালে গোসাঁইপুরের চিঠিটা এসেছে সেটা জানি। যদিও তাতে কী লেখা ছিল জানি না। চিঠিটা পড়ে ফেলুদা একটা চারমিনার ধরিয়ে কিছুক্ষণ চুপ করে বসে ছিল সেটা লক্ষ করেছিলাম।

'কী লিখেছেন ভদ্রলোক ?' লালমোহনবাবু জিজ্ঞেস করলেন।

'লিখেছেন তাঁর পিতাকে নাকি কেহ বা কাহারা হত্যা করার সংকল্প করেছে। আমি গিয়ে যদি ব্যাপারটার একটা কিনারা করতে পারি তা হলে উনি বিশেষ কৃতজ্ঞ বোধ করবেন এবং আমাকে উপযুক্ত পারিশ্রমিক প্রদান করবেন।'

'চলুন না মশাই' বললেন লালমোহনবাবু। 'বেশ তো ঝাড়াঝাপটা এখন ; আমার নতুন বই বেরিয়ে গেছে। আপনার হাতেও ইমিডিয়েট কিছু নেই, তা ছাড়া হিল্লি-দিল্লি তো অনেক হল, এবার স্বাদবদলের জন্য পল্লীগ্রামটা মন্দ কী ? কাছেই সেগুনহাটিতে শুনিচি বিরাট মেলা

হয় এই সময়টাতেই। চলুন স্যার, বেরিয়ে পড়ি।’

‘ওঁদের বাড়িতে নাকি থাকার অসুবিধে আছে, তাই মাইল তিনেক দূরে শ্রীপুরে কোন এক চেনা বাড়িতে আমার ব্যবস্থা করবেন বলেছেন। সাইকেল রিক্শাতে যাতায়াত। আমার মনে হচ্ছিল গোসাঁইপুরেই থাকতে পারলে সুবিধে হত। তাই আপনার বন্ধুটির কথা জিজ্ঞেস করলাম।’

‘আমার বন্ধু উইল বি ড্যাম গ্ল্যাড। আর আপনি যাচ্ছেন শুনলে তো কথাই নেই। উনি আপনার দারুণ ভক্ত।’

‘আর কার কার ভক্ত সেটা জেনে নিই।’

লালমোহনবাবু এই খোঁচা-দেওয়া প্রশ্নটাকেও সিরিয়াসলি নিয়ে বললেন, ‘জগদীশ বোসের নাম করতে শুনিচি এককালে, বলতেন অত বড় মনীষী পৃথিবীতে নেই ; আর গোবরবাবুর কাছে বোধহয় ছেলেবেলা কুস্তি শিখেছে ; আর—

‘আর, ওই যথেষ্ট।’

* * *

গোসাঁইপুর যেতে গেলে কাটোয়া জংশনে নেমে বাস ধরতে হয়। কাটোয়া থেকে সাত মাইল ; তার মানে বড় জোর আধ ঘণ্টা। শ্যামলাল তস্য পুত্র জীবনলালকে ফেলুদা লিখে দিয়েছিল আমরা আসছি বলে, আর বলেছিল গোসাঁইপুরেই আমাদের থাকার বন্দোবস্ত হয়েছে। এদিকে তুলসীবাবু জটায়ুর চিঠি পাওয়া মাত্র উত্তর দেন। শুধু যে খুশি হয়েছেন তা নয়, লিখেছেন ‘গোসাঁইপুর সাহিত্য সংঘ’ ফেলুদা আর লালমোহনবাবুকে একটা জয়েন্ট সংবর্ধনা দেবার আয়োজন করতে চায়। লালমোহনবাবুর একেবারেই আপত্তি ছিল না, কিন্তু ফেলুদা কথাটা শুনেই চোখ রাঙিয়ে বলল, ‘দেশে ক্রাইম বন্ধ হয়ে গেলে গোয়েন্দাদের হাঁড়ি চড়ে না। কী অবস্থায় কাজ করছি সেটা বুঝতে পারছেন ? এতে আমার সংবর্ধনার কী আছে মশাই ? আর বলে দিন যে আমার পরিচয়টা দয়া করে যেন গোপন রাখেন, নইলে তদন্তের বারোটা বেজে যাবে।’

লালমোহনবাবুকে বাধ্য হয়েই আদেশ পালন করতে হল। তবে এটাও লিখলেন যে সংবর্ধনা নিতে ওঁর নিজের কোনও বাধা নেই। এই অনুষ্ঠানের কথা ভেবেই বোধহয় উনি নীল সুতোয় চিকনের কাজ করা একটা মলমলের পাঞ্জাবি সঙ্গে নিলেন।

তুলসীবাবু জানিয়ে রেখেছিলেন যে গোসাঁইপুর গ্রামে ঢোকবার মুখে যোগেশের মুদির দোকানে তিনি আমাদের জন্য অপেক্ষা করবেন। সেখান থেকে তাঁর বাড়ি দশ মিনিটের হাঁটা পথ।

কাটোয়া থেকে বাস ধরে গোসাঁইপুর যাবার পথে একটা পালকি দেখে বেশ অবাক লাগল। ফেলুদা আর লালমোহনবাবুও দেখলাম ঘাড় ফিরিয়ে কিছুক্ষণ দেখল পালকিটাকে। ‘কোন সেঞ্চুরিতে এসে পড়লাম মশাই’, বললেন লালমোহনবাবু, ‘গোসাঁইপুরে বিজলি পৌঁছেচে তো ? এতটা অজ পাড়াগাঁ বলে তো আমার ধারণা ছিল না।’

বাসের কন্ডাকটার যোগেশের দোকানের নাম জানে, তাকে বলা ছিল। ঠিক জায়গায় চেরা গলায় ‘গোসাঁইপুর, গোসাঁইপুর !’ বলে দুটো চিৎকার দিয়ে বাস থামিয়ে আমাদের নামিয়ে দিল। যে ভদ্রলোক লালমোহনবাবুর দিকে হাসি মুখে এগিয়ে এলেন তিনি যে এককালে ইস্কুলমাস্টার ছিলেন সেটা আর বলে দিতে হয় না। ভদ্রলোকের হাতে তাপ্পি-মারা ছাতা, পায়ে ব্রাউন কেড্‌স জুতো, চোখে চশমা, পরনে হাফ পাঞ্জাবি আর খাটো করে পরা

ধুতি, আর বগলে একটা মান্ধাতার আমলের পুরনো ন্যাশনাল জিওগ্রাফিক ম্যাগাজিন। ফেলুদার সঙ্গে পরিচয় করিয়ে দিতে ভদ্রলোক হেসে চোখ টিপে বললেন, 'আপনার আদেশ পালন করিচি—কোনও চিন্তা নেই। আপনি হলেন টুরিস্ট, হোল লাইফ ক্যানাডায় কাটিয়েছেন, দেশে ফিরে পাড়াগাঁ দেখার শখ হয়েছে। ভাবলুম আপনি যদি তদন্তের ব্যাপারেই এসে থাকেন, তা হলে তল্লাশির জন্য এখেনে-সেখেনে ঘাপটি মারতে হতে পারে, কাজেই সেফ সাইডে থাকা ভাল। টুরিস্টদের উগ্র কৌতূহল থাকে সেটা সকলেই জানে।'

'আপনার বাড়িতে ক্যানাডা সম্বন্ধে তথ্যওয়ালা বই আছে আশা করি?' ফেলুদা হেসে বলল।

'কোনও চিন্তা নেই', আবার বললেন তুলসীবাবু। তারপর লালমোহনবাবুর দিকে ফিরে বললেন, 'আর গাঙ্গুলী ভায়া, তোমাকে কিন্তু একটু ঝক্কি পোয়াতে হচ্ছে, তরশু অর্থাৎ শুক্কুরবার, আমাদের নিউ প্রাইমারি স্কুলে একটা ফাংশন অ্যারেঞ্জ করিচি। সুরেশ চাকলাদার উকিল পৌরোহিত্য করবেন। কিছু না—একটু নাচ গান, দুটো আবৃত্তি, দুটো ভাষণ এই আর কী। আমাদের পোস্টমাস্টার হরিহরের ছেলে বলদেব ভাল ছবি আঁকে, সে একটা মানপত্র লিখছে। ভাষাটা অবিশ্যি, হে হে, আমার।'

'অলংকারের আবার বেশি বাড়াবাড়ি—' কাঁচা রাস্তায় কীসে জানি ঠোক্কর খাওয়াতে লালমোহনবাবুর কথা শেষ হল না। কিন্তু বাকিটা বুঝে নিয়েই তুলসীবাবু বললেন, 'তা এ সব ব্যাপারে একটু তো বাড়াবাড়ি হবেই। আর তোমার মতো সাক্সেসফুল অথর আর ক'টা এসেছে বলো এখেনে। লাস্ট এসিচিল পরীক্ষিত চাটুজ্যে—তাও সিকস্‌টি সেভেনে।'

ফেলুদা বলল, 'আসবার পথে একটা পালকি দেখলাম। এদিকে এখনও পালকি ব্যবহার হয় নাকি?'

'শুধু পালকি?' তুলসীবাবু ছাতার বাড়িতে একটা বাছুরকে পথ থেকে সরিয়ে বললেন, 'আপনি বিগত যুগের কোন জিনিসটা চান বলুন। পাইক-বরকন্দাজ? পাবেন। হুঁকোবরদার? পাবেন। টানা-পাখা? পাবেন। লম্প-পিদিম-পিলসুজ? পাবেন।—'

'কিন্তু এখানে তো ইলেক্‌ট্রিসিটি আছে দেখছি।'

'সব জায়গাতেই আছে, কেবল যেখানে সব চাইতে বেশি থাকার কথা সেইখেনেই নেই।'

'কোথায় মশাই?' লালমোহনবাবু প্রশ্ন করলেন।

'মল্লিকদের বাড়ি।'

আমরা তিনজনেই অবাক হয়ে ভদ্রলোকের দিকে চাইলাম।

'মল্লিক মানে শ্যামলাল মল্লিক?' ফেলুদা জিজ্ঞেস করল।

'ওই একটিই তো মল্লিক গোসাঁইপুরে। এখেনকার জমিদার ছিলেন ওঁরা। দুর্লভ মল্লিকের নামে বাঘে গোরুতে এক ঘাটে জল খেত। শ্যামলাল তাঁর ছেলে। জমিদারি উচ্ছেদ হবার পর কলকাতায় গিয়ে প্লাস্টিকের ব্যবসা করে বিস্তর টাকা করিছিল। একদিন অন্ধকারে হাতড়ে ঘরের সুইচ জ্বালতে গেস্‌ল, সুইচ বোর্ডে একটা খোলা তার ছিল, তাতে হাত লেগে যায়। এ সি কারেন্ট মশাই, হাত আঁটকে গিয়ে হুলুস্থূল ব্যাপার। হাসপাতালে ছিল বেশ কিছুদিন। বেরিয়ে এসে ব্যবসা ছেলের হাতে তুলে দিয়ে গোসাঁইপুরে চলে আসে। এসেই ইলেকট্রিক কানেকশন কেটে দেয়। শুধু সে হলে না হয় তবু বোঝা যেত। সেই সঙ্গে বিংশ শতাব্দীর সব কিছু বাতিল করে দিয়েছে। চুরুট ছেড়ে গড়গড়া ধরেছে; ফাউনটেন পেন ব্যবহার করে না; টুথব্রাসের বদলে দাঁতন। ইংরিজি বই যা ছিল বাড়িতে সব বেচে দিয়েছে, নিজের গাড়িটা বেচে দিয়েছে, তার জায়গায় পালকি হয়েছে। একটা পুরনো ভাঙা পালকি বাড়িতেই ছিল, সেটাকে সারিয়ে নিয়েছে, তার জন্য চারটে বেহারা বহাল

হয়েছে। বিলিতি ওষুধ যা ছিল সব নর্দমায় ফেলে দিয়েছে ; এখন ওনলি কবরেজি। ফাঁকতালে তারক কবরেজের কপাল ফিরে গেছে। আরও কত কী যে করেছে তার হিসেব নেই। এখেনে যখন এসেছেন তখন আলাপ হবে নিশ্চয়ই ; তখন সব জানতে পারবেন।'

'আলাপ না হয়ে উপায় নেই,' বলল ফেলুদা। 'আমি এসেছি ওঁর ছেলের কাছ থেকে তলব পেয়ে।'

'হ্যাঁ, তা ছেলে ক'দিন হল এসেছে বটে। কিন্তু রহস্যটা কী ?'

'শ্যামলাল মল্লিককে খুন করার চেষ্টা চলেছে বলে কোনও খবর আপনার কানে এসেছে কি ?'

তুলসীবাবু কথাটা শুনে বেশ অবাক হলেন। 'কই তেমন কিছু শুনিনি। তা খুন করার কথাই যদি বলেন, তার জন্যে বাইরের লোকের দরকার কী ? ঘরেই তো রয়েছে।'

'কীরকম ?'

'ওই যিনি আপনাকে তলব দিয়েছেন, তার সঙ্গে বাপের তো বনিবনা নেই একদম।

এখেনে এলেই তো ঝগড়াঝাটি হয়। অবিশ্যি আমি জীবনলালকে দোষ দিই না। ওরকম উদ্ভট খেয়াল যে বাপের, তাকে কোন ছেলে মানবে বলুন। জীবনলালকে তো এসে ওই বাড়িতেই থাকতে হয়। ওই ভূতের বাড়িতে মাথা ঠিক রাখা খুব মুশকিল।'

এক বিঘে জমির উপর তুলসীবাবুর কোঠাবাড়ি, বললেন বয়স নাকি প্রায় একশো। বাপ-ঠাকুরদা দুজনেই মোক্তারি করতেন, বাড়িটা ঠাকুরদাই বানিয়েছেন। তুলসীবাবুর স্ত্রী কলকাতাতেই মারা গেছেন। একটি মেয়ের বিয়ে হয়ে গেছে, তার স্বামী লোহা-লক্কড়ের ব্যবসা করে আজিমগঞ্জে। দুই ছেলের একজনের সাইন পেন্টিং-এর ব্যবসা আছে কলকাতায়, আরেকজন ওযুধের সেলসম্যান। এখানে তুলসীবাবু একাই থাকেন।—'তবে কী জানেন, পাড়াগাঁয়ে একা মনে হয় না। এখানে সবাই পরস্পরের খোঁজখবর রাখে, রোজই দেখা হয়, মেলামেশাটা অনেক বেশি।'

বিকেল চারটে নাগাত তুলসীবাবুর বাড়িতে পৌঁছে হাত মুখ ধুয়ে প্রথমেই চায়ের আয়োজন হল। ফেলুদা সঙ্গে ভাল চা এনেছিল, কারণ ওই একটা ব্যাপারে ও সত্যিই খুঁতখুঁতে। অবিশ্যি সে চা সকলেই খেল, আর তার সঙ্গে চিঁড়ে-নারকেল। জোগাড়-যন্ত্র করল তুলসীবাবুর চাকর গঙ্গা।

একতলার দুটো ঘরের একটাতে তুলসীবাবু নিজে থাকেন, দোতালার ছাতে একটা বড় ঘর, তাতে তিনটে তক্তপোষ পেতে আমাদের জন্য বন্দোবস্ত করা হয়েছে। এ ঘর নাকি তুলসীবাবুর মেয়ে-জামাই তাদের ছেলেপুলে নিয়ে বছরে একবার করে এসে থেকে যায়।

চা খেতে খেতে ফেলুদা বলল, 'আমাকে কিন্তু একবার ওই বিজলিহীন বাড়িতে যেতে হবে জীবনবাবুর সঙ্গে দেখা করতে। ওঁকে লিখে জানিয়েছি যে সাড়ে পাঁচটা নাগাত যাব।'

তুলসীবাবু বললেন, 'তা বেশ তো, আমি পৌঁছে দেবখন। মল্লিকবাড়ি পাঁচ-সাত মিনিটের পথ। তবে গাঙ্গুলীভায়াকে আমি ছাড়চি নে। আজ সন্ধেবেলা কিছু লোক আসবে আমার এখেনে। একটু সদালাপ করতে চান সাহিত্যিকের সঙ্গে। মিত্তির মশাই ঘণ্টাখানেকের মধ্যেই ফিরে আসবেন তো ?'

'কেন বলুন তো ?'

'একবার আত্মারামবাবুর ওখানে আপনাকে নিয়ে যেতে চাই। উনি গোসাঁইপুরের একটি অ্যাট্রাকশন।'

'আত্মারামবাবু ?'

'আসল নাম অবিশ্যি মৃগেন ভটচায। আত্মা-টাত্মা নিয়ে চর্চা করেন তাই এখানকার কয়েকজন নাম দিয়েছে আত্মারাম। আমি দিইনি কিন্তু ! আমার ধারণা ভদ্রলোকের মধ্যে সত্যিই ইয়ে আছে।'

আত্মা নিয়ে চর্চাটা যে কী সেটা আর জিজ্ঞেস করা হল না। কারণ ঠিক তখনই আবার দেখতে পেলাম পালকিটাকে। আমরা বাইরের দাওয়ায় বসে চা-চিঁড়ে খাচ্ছিলাম, সামনেই রাস্তা, আর সেই রাস্তা দিয়েই পালকিটা আসছে। এবার দেখতে পেলাম যে ভিতরে একজন লোক বসে আছে।

'আরে, পালকিতে জীবনবাবু বলেই মনে হচ্ছে!' বললেন তুলসীবাবু। ভিতরের ভদ্রলোক পালকির দরজা দিয়ে বাইরে উঁকি মারছিলেন। বেহারাগুলো ঠিক গল্পে যেরকম পড়া যায় সেইভাবে হুম্‌হাম শব্দ করতে করতে এগোচ্ছিল, এমন সময় শব্দের সঙ্গে সঙ্গে পালকিটাও থেমে গেল।

পালকি মাটিতে নামতেই, তার ভিতর থেকে একজন বছর পঁয়ত্রিশের ভদ্রলোক বেশ কষ্ট করে বাইরে বেরিয়ে আরও খানিকটা কষ্ট করে উঠে দাঁড়ালেন। সমস্ত ব্যাপারটা বেমানান,

কারণ ভদ্রলোকের স্মার্ট কলকাতিয়া চেহারা, গায়ে বুশ শার্ট আর টেরিলিনের প্যান্ট।

'মিস্টার মিত্তির ?' ফেলুদার দিকে এগিয়ে এসে হাসি মুখে প্রশ্ন করলেন ভদ্রলোক।

'আজ্ঞে হ্যাঁ।'

'আমার নাম জীবনলাল মল্লিক।'

'বুঝেছি। ইনি আমার বন্ধু মিস্টার গাঙ্গুলী, আর এ হল আমার খুড়তুতো ভাই তপেশ। তুলসীবাবুর সঙ্গে বোধহয় আপনার পরিচয় আছে !'

জীবনবাবু পালকিটাকে ছেড়ে দিয়ে বললেন, 'আমার বাড়ি মিনিট পাঁচেকের হাঁটা পথ। আসবেন একবারটি ? আপনাদের চা খাওয়া হয়েছে ? একটু কথা ছিল।'

লালমোহনবাবু রয়ে গেলেন, আমি আর ফেলুদা ভদ্রলোকের সঙ্গে মল্লিকবাড়ি রওনা

দিলাম। রাস্তা ছেড়ে একটা বাঁশ বনে ঢুকে বুঝলাম এটা শর্টকাট। জীবনবাবু বললেন, ‘কলকাতায় একটা টেলিফোন করার দরকার ছিল, তাই স্টেশনে যেতে হল।’

‘পালকি ছাড়া গতি নেই বুঝি?’

জীবনবাবু ফেলুদার দিকে আড়চোখে চেয়ে বললেন, ‘আপনাকে তুলসীবাবু বলেছেন বুঝতে পারছি।’

‘হ্যাঁ, বলছিলেন ইলেকট্রিক শকের পরিণাম।’

‘পরিণামটা গোড়ায় এত ভয়াবহ ছিল না, আক্রোশটা ছিল শুধু ইলেকট্রিসিটির বিরুদ্ধে। এখন কী দাঁড়িয়েছে সেটা আমাদের বাড়ি গেলেই বুঝতে পারবেন।’

‘আপনি এখানে প্রায়ই আসেন?’

‘দুমাসে একবার। আমাদের একটা ব্যবসা আছে, সেটা এখন আমাকেই দেখতে হয়। সেই নিয়ে কথা বলতেই আসি।’

‘তা হলে ব্যবসায় এখনও ইন্টারেস্ট আছে আপনার বাবার?’

‘মোটেই না। কিন্তু আমি সেটা চাই না। আমি আপ্রাণ চেষ্টা করে চলেছি যাতে উনি আবার স্বাভাবিক অবস্থায় ফিরে আসেন।’

‘কোনও আশা দেখছেন কি?’

‘এখনও না।’

২

মল্লিক বাড়িও যে অনেকদিনের পুরনো সেটা বলে দিতে হয় না, তবে মেরামতের দরুন বাড়িটাকে আর পোড়ো বলা চলে না। প্রাসাদ না হলেও, অট্টালিকা নিশ্চয়ই বলা চলে এ বাড়িকে। ফটক দিয়ে ঢুকে ডাইনে একটা বাঁধানো পুকুর, বাড়ির দুপাশের ফাঁক দিয়ে পিছনে গাছপালা দেখে মনে হয় ওদিকে একটা বাগান রয়েছে। পাঁচিলটা মেরামত হয়নি, তাই এখানে ওখানে ফাটল ধরেছে, কয়েক জায়গায় আবার দেয়াল ভেঙেও পড়েছে।

ফটকে একজন দারোয়ান দেখলাম যার হাতে সড়কি আর ঢাল দেখে মনে হল কোনও ঐতিহাসিক নাটকে নামার জন্য তৈরি হয়েছে। সদর দরজার পাশেই ঠিক ওই রকমই হাস্যকর পোশাক-পরা একজন বরকন্দাজ জীবনবাবুকে দেখে এক পেল্লায় সেলাম ঠুকল। এই থমথমে পরিবেশেও এই ধরনের সব অবিশ্বাস্য ব্যাপার দেখে হাসি পাচ্ছিল।

আমরা একতলাতেই বৈঠকখানায় ফরাসের উপর বসলাম। ঘরে চেয়ার নেই। দেয়ালে যা ছবি আছে সবই হয় দেবদেবীর, না হয় পৌরাণিক ঘটনার। দেয়ালের আলমারির একটা তাকে গোটা দশেক বাংলা বই দেখলাম, বাকি তাকগুলো মনে হল খালি।

‘আপনাদের পাখা লাগবে কি? তা হলে দাসুকে লাগিয়ে দিই।’

এতক্ষণ লক্ষ করিনি, এবার দেখলাম মাথার উপর ঝালরওয়ালা ডবল-মাদুর একটা কাঠের ডাণ্ডা থেকে ঝুলছে, আর ডাণ্ডাটা ঝুলছে সিলিং-এ দুটো আংটা থেকে। ডাণ্ডা থেকে দড়ি বেরিয়ে বাঁ দিকের একটা দরজার উপর দেয়াল ফুঁড়ে বারান্দায় চলে গেছে। এই হল টানা-পাখা, যেটা টানা হয় বারান্দা থেকে, আর হাওয়া হয় ঘরে। অক্টোবর মাস, সন্ধে হয়ে এসেছে তাই গরম নেই; পাখার আর দরকার হল না।

‘এটা কী জানেন?’

জীবনবাবু আলমারিটা খুলে তার থেকে একটা গামছা টাইপের চারকোনা কাপড় বার করে ফেলুদাকে দেখালেন। সেটার বিশেষত্ব এই যে তার এককোণে গেরো দিয়ে বাঁধা রয়েছে

একটা পাথরের টুকরো।

গামছাটা হাতে নিয়ে ফেলুদার ভুরু কুঁচকে গেল। সে পাথরের উল্টো দিকের কোনাটা হাতে নিয়ে গামছাটাকে বার কয়েক শূন্যে ঘুরিয়ে বলল, 'তোপসে, উঠে দাঁড়া তো।'

আমি দাঁড়ালাম আর সেই সঙ্গে ফেলুদাও দাঁড়াল আমার থেকে হাত তিনেক দূরে। তারপর গামছা হাওয়ায় ঘুরিয়ে হাতে ধরা অবস্থাতেই জাল ফেলার মতো করে আমার দিকে ছুঁড়ে দিল, আর সঙ্গে সঙ্গে পাথরের দিকটা আমার গলায় পেঁচিয়ে গেল।

'ঠগী!' আমি বলে উঠলাম।

ফেলুদাই বলেছিল এককালে আমাদের দেশে ঠগীদের দস্যুগিরির কথা। তারা ঠিক

এইভাবে পথচারীদের গলায় ফাঁস দিয়ে হ্যাঁচকা টানে তাদের খুন করে সর্বস্ব লুট করে নিত

ফেলুদা অবিশ্যি গামছা ধরে টান দেয়নি। সে তক্ষুনি প্যাঁচ খুলে নিয়ে ফরাসে বসে বলল, 'এ জিনিস আপনি কোথায় পেলেন ?'

'মাঝ রাত্তিরে বাবার ঘরের জানালা দিয়ে ছুঁড়ে ফেলেছিল কেউ।'

'কবে ?'

'আমি আসার কয়েকদিন আগে।'

'এত পাহারা সত্ত্বেও এটা হয় কী করে ?'

'পাহারা ?' জীবনবাবু হেসে উঠলেন। 'পাহারা তো শুধু পোশাকের বাহারে মশাই, মানুষগুলো তো সব গেঁয়ো ভুত, কুঁড়ের হদ্দ। আর তারাও তো বুঝতে পারে বাবুর ভীমরতি ধরেছে। কাজ যা করে সে তো শুধু নাম কা ওয়াস্তে। নেহাত বাড়িতে ডাকাত পড়েনি তাই, নইলে বোঝা যেত কার দৌড় কতদূর।'

'এ বাড়িতে আর কে কে থাকেন জানতে পারি কি ?'

'বাবা ছাড়া আর আছেন আমার বিধবা ঠাকুমা। তিনি প্রাচীন আমলের লোক তাই দিব্যি আছেন। তা ছাড়া আছেন ভোলানাথবাবু। এঁকে বাজার সরকার বলতে পারেন, ম্যানেজার বলতে পারেন—বাবার ফাইফরমাশ খাটা, দেখাশোনা করা, সবই ইনি করেন। বাবার অসুখ-বিসুখ হলে কবিরাজ ডাকতে হয়, সেটিও ইনিই করেন। কোনও কাজে শহরে যাবার দরকার হলেও ইনিই যান। ব্যস—এ ছাড়া আর কেউ নেই। অবিশ্যি চাকর আছে ; একটি রান্নার লোক, দুটি দারোয়ান, একটি এমনি চাকর—এরা বাড়িতেই থাকে। পালকির লোক আর পাঙখাওয়ালা কাছেই গ্রাম থেকে আসে।'

'এই ভোলানাথবাবু কোথাকার লোক ? ক'দিন আছেন ?'

'উনি এই গ্রামেরই লোক। আমাদের প্রজা ছিলেন। বাপ-ঠাকুরদা চাষবাস করত। ভোলাবাবু নিজে ইস্কুলে পড়েছেন, বেশ বুদ্ধিমান ছেলে ছিলেন। এখন বয়স ষাটের কাছাকাছি।'

'উনি কি আপনার পিতামহ ?'

ফেলুদা দেয়ালে একটা ছবি দেখিয়ে প্রশ্ন করল। বিরাট এক জোড়া পাকানো গোঁফ নিয়ে এক জমিদার বাঁ হাত শ্বেত পাথরের টেবিলের উপর রেখে ডান হাতে একটা রুপোয় বাঁধানো লাঠি ধরে চেয়ারে বসে আছেন। দেখলেই মনে হয় যাকে বলে দোর্দণ্ডপ্রতাপ।

'হ্যাঁ, উনিই দুর্লভ সিংহ।'

'যাঁর নামে বাঘে গোরুতে এক ঘাটে জল খেত ?'

জীবনবাবু হেসে উঠলেন।

'বাঘ অবিশ্যি এককালে থাকলেও, ঠাকুরদার আমলে ছিল না ; তবে হ্যাঁ, ডাকসাইটে জমিদার ছিলেন ঠিকই। এবং শেমফুলি অত্যাচারী।'

একজন চাকর একটা ট্রেতে করে একটা পেয়ালা আর দুটো গেলাসে কী যেন নিয়ে এল।

'তা হলে চায়ের পাট উঠিয়ে দেননি আপনার বাবা ?'

'আলবত দিয়েছেন। এটা অবিশ্যি চা না, কফি। আমার নিজের একটি কাপ এবং একটিন নেসক্যাফে আমি সঙ্গে করে নিয়ে আসি। সকাল সন্ধে একতলায় বসে খাই। তাই আপনাদের জন্য গেলাস ; কিছু মনে করবেন না।'

'মনে করব কেন ? এ তো খাঁটি মাদ্রাজি সিসটেম। কোমলা বিলাসে এইভাবে কাঁসার পাত্রে খেয়েছি কফি।'

দোতলা থেকে মাঝে মাঝেই একটা খটাস্ খটাস্ শব্দ পাচ্ছিলাম ; সেটা যে কীসের শব্দ সেটা ফেলুদার প্রশ্ন থেকে বুঝতে পারলাম।

'আপনার বাবা বুঝি খড়ম ব্যবহার করেন ?'

জীবনবাবু একটু হেসে বললেন, 'সেটাই স্বাভাবিক নয় কি ?'

'এই ঠগীর গামছা ছাড়া আর কী থেকে আপনার ধারণা হল যে আপনার বাবার জীবন বিপন্ন ?'

জীবনবাবু এবার তাঁর পকেট থেকে একটা কাগজ বার করে ফেলুদাকে দিলেন। তাতে গোটা গোটা পেনসিলের অক্ষরে লেখা—

'তোমার পূর্বপুরুষের পাপের প্রায়শ্চিত্ত স্বরূপ তোমার প্রাণদণ্ডের আদেশ হইল। অতএব প্রস্তুত থাকো!'

'এটা এসেছে ৫ই অক্টোবর, আমি আসার আগের দিন। পোস্ট করা হয়েছিল কাটোয়া থেকে। এখান থেকে যে-কেউ গিয়ে ডাকে ফেলে আসতে পারে।'

'কিছু মনে করবেন না—পূর্বপুরুষের পাপটা কী সে ব্যাপারে কিছু আলোকপাত করতে পারলে সুবিধে হত।'

'বুঝতেই তো পারছেন,' বললেন জীবনবাবু, 'একটা জমিদার বংশের ইতিহাসে অন্যায়ের তো কতরকম দৃষ্টান্ত থাকতে পারে। কোন পাপের কথা বলছে সেটা কী করে বলি বলুন। আমার ঠাকুরদাদা দুর্লভ মল্লিকই তো কতরকম অত্যাচার করেছেন প্রজাদের উপর।'

'এটা পেয়ে পুলিশে খবর দিলেন না কেন ?'

'দুটো কারণে', একটু ভেবে বললেন জীবনবাবু। 'এক, এখানে আপনাকে কেউ চিনবে না, তাই যে-লোক হুমকি দিচ্ছে সে সাবধানতা অবলম্বন করার অতটা তাগিদ অনুভব করবে না। দুই, পুলিশ এলে প্রথমে আমাকে সন্দেহ করবে।'

আমরা দুজনে জিজ্ঞাসু দৃষ্টিতে চাইলাম ভদ্রলোকের দিকে। জীবনবাবু বলে চললেন, 'বাবার এই অদ্ভুত পরিবর্তনের পর থেকে আমার সঙ্গে তাঁর আর বনিবনা নেই। আমরা শহুরে মানুষ, বিজ্ঞানের অবদানগুলো অত সহজে বর্জন করা আমাদের চলে না মশাই। এটা ঠিক যে ইলেকট্রিক শকের ফলে বাবা মানসিক শকও পেয়েছিলেন সাংঘাতিক। ঘটনাটা ঘটে পাঁচ বছর আগে। আমি আর বাবা আপিস থেকে ফিরে একসঙ্গে বৈঠকখানায় ঢুকি। অন্ধকারে বাতি জ্বালতে গিয়ে সুইচবোর্ডে একটা খোলা তারে বাবার হাত আটকে যায়। বাইরেই ছিল মেইন সুইচ, আমি দৌড়ে গিয়ে পাঁচ সেকেন্ডের মধ্যে অফ করি। তবু কেন জানি বাবার ধারণা হয় যে আমি ব্যাপারটা আরও তাড়াতাড়ি করতে পারতাম। সেই তখন থেকেই। যাই হোক্, এখানে এলেই কথা কাটাকাটি হয়। একবার তো রেগে গিয়ে একটা জ্বলন্ত কেরোসিনের ল্যাম্প ছুঁড়ে ফেলে দিই। তার ফলে ফরাসে আগুন-টাগুন ধরে হুলুস্থূল ব্যাপার। পাড়াগাঁতে খবরটা রটে যায়। তারপর থেকে সবাই জানে শ্যাম মল্লিকের সঙ্গে তার ছেলের সাপে-নেউলে সম্পর্ক। কাজেই বুঝতেই পারছেন কেন পুলিশ ডাকিনি। অবিশ্যি আপনাকে ডাকার আরেকটা কারণ হল আপনার খ্যাতি। আর আমার বিশ্বাস একজন আধুনিক শহুরে লোক সমস্যাটা আরও ভাল বুঝতে পারবে।'

নেসক্যাফে শেষ হবার আগেই ঘরে ল্যাম্প চলে এসেছে। ওপরে পাঁচালিও বন্ধ হয়েছে। জীবনবাবু বললেন, 'আপনি বাবার সঙ্গে কি একবার দেখা করতে চান ?'

'সেটা হলে মন্দ হত না।'

সামান্য ক'টা ল্যাম্প-লণ্ঠনের আলোয় এত বড় বাড়ির অনেকখানি যে অন্ধকার থেকে যাবে তাতে আর আশ্চর্য কী ? সিঁড়ি দিয়ে ওঠার সময় জীবনবাবু পকেট থেকে ছোট্ট একটা

টর্চ বার করে জ্বেলে বললেন, 'এটাও লুকিয়ে আনা।'

শ্যামলাল মল্লিক তাঁর নিজের ঘরে ফরাসে বসে তাকিয়ায় ঠেস দিয়ে গড়গড়ার নল হাতে নিয়ে বসে আছেন। জীবনবাবু আর নীচের ছবির দুর্লভবাবু, এই দুজনের সঙ্গেই ভদ্রলোকের চেহারার মিল আছে। হয়তো এই চেহারায় দুর্লভ সিংহের গোঁফ জুড়ে দিলে এঁকেও ডাকসাইটে বলে মনে হয়। এই অবস্থায় দেখে ভয় করে না, যদিও কথা বললে গলার গম্ভীর স্বরে মনে হয় রাগলে ভয়ংকর হতে পারে।

'আপনি এবার আসুন', গম্ভীর গলায় বললেন শ্যামলালবাবু। যাকে কথাটা বলা হল তিনি ফরাসের এক কোণে বসে ছিলেন। জীবনবাবু তাকে কবিরাজ তারক চক্রবর্তী বলে পরিচয় করিয়ে দিলেন। রোগা ডিগ্‌ডিগে চেহারা, ঘন ভুরুর নীচে নাকের উপর পুরু কাচের চশমা, নাকের নীচে একজোড়া পুরু গোঁফ। তারক চক্রবর্তী নমস্কার করে ঘর থেকে বেরিয়ে গেলেন।

'গোয়েন্দা দিয়ে কী হবে?' শ্যামলাল মল্লিক ফেলুদার পরিচয় পেয়েই বিরক্তভাবে প্রশ্ন করলেন। 'এই চক্রান্তের কিনারা গোয়েন্দার কম্মো নয়। আমার শত্রু আমার ঘরেই আছে এ কথা দুর্লভ মল্লিকের আত্মা বলে দিয়েছেন। সে কথা কাগজে লেখা আছে আমার কাছে। আত্মা ত্রিকালজ্ঞ। জ্যান্ত মানুষ সাহেবি কেতাব পড়ে তার চেয়ে বেশি জানবে কী করে?'

জীবনবাবু দেখলাম কথাটা শুনে কেমন জানি থতমত খেয়ে গেলেন। বুঝলাম তিনি ঘটনাটা জানেন না।

'আপনি কি মৃগাঙ্ক ভট্টাচার্যের বাড়িতে গিয়েছিলেন?'

'আমি যাব কেন? সে এসেছিল। আমি তাকে ডেকেছিলাম। আমাকে এইভাবে বিব্রত করছে কে সেটা আমার জানার ছিল। এখন জেনেছি।'

জীবনবাবু গম্ভীরভাবে বললেন, 'কবে এসেছিলেন মৃগাঙ্কবাবু?'

'তুমি আসার আগের দিন।'

'কই, তুমি তো আমাকে বলনি।'

শ্যামলালবাবু কোনও উত্তর দিলেন না। তিনি কথার ফাঁকে ফাঁকে সমানে গড়গড়া টেনে চলেছেন। ফেলুদা বলল, 'দুর্লভ মল্লিকের আত্মা কী লিখে গেছেন সেটা দেখা যায় কি?'

ভদ্রলোক মুখ থেকে গড়গড়ার নল সরিয়ে লাল চোখ করে ফেলুদার দিকে চাইলেন।

'তোমার বয়স কত হল?'

ফেলুদা বয়স বলল।

'এই বয়সে এত আস্পর্ধা হয় কী করে? সে লেখার আধ্যাত্মিক মূল্য জানো তুমি? সেটা কি যাকে-তাকে দেখাবার জিনিস?'

'আমায় মাপ করবেন', ফেলুদা খুব শান্তভাবেই বলল, 'আমি শুধু জানতে চেয়েছিলাম আপনার সংকট থেকে কোনও মুক্তির উপায় আপনার পরলোকগত পিতা বলেছেন কি না।'

'সেটার জন্য কাগজটা দেখাবার কী দরকার? আমাকে জিজ্ঞেস করলেই তো হয়। মুক্তির উপায় একটাই—শত্রুকে বিদায় করো।'

কয়েক মুহূর্ত সবাই চুপ। তারপর ধীরকণ্ঠে জীবনলাল বললেন, 'তুমি তা হলে আমায় চলে যেতে বলছ?'

'আমি কি তোমাকে আসতে বলেছি কোনওদিন?'

জীবনবাবু দেখলাম ছাড়বার পাত্র নন। বললেন, 'বাবা, তুমি আমার চেয়ে ভোলানাথবাবুর উপর বেশি আস্থা রাখছ, বোধহয় তার পারিবারিক ইতিহাসটা ভুলে যাচ্ছ। ভোলানাথবাবুর বাবা খাজনা দিতে দেরি করায় দুর্লভ মল্লিকের লোক গিয়ে তাঁর ঘরে আগুন

লাগিয়ে দিয়েছিল। আর—'

'মূর্খ!' মল্লিকমশাই দাঁত খিঁচিয়ে বলে উঠলেন। 'ভোলানাথ তখন ছিল শিশু। ঘটনার ষাট বছরে সে প্রতিশোধ নেবে আমাকে হত্যা করে? এমন কথা শুনলে লোকে হাসবে সেটা বুঝতে পারছ না?'

আমরা আর বসলাম না। 'চলুন, আপনাদের পৌঁছে দিয়ে আসি', বাইরে এসে বললেন জীবনবাবু। 'আপনারা শর্টকাট চিনে ফিরতে পারবেন না।'

ফটক থেকে বেরিয়ে এসে ভদ্রলোক বললেন, 'আপনাকে ডেকে এনে আমি ঝামেলার মধ্যে ফেলতে চাইনি। আপনাকে যে-ভাবে অপমানিত হতে হল তার জন্য আমি অত্যন্ত লজ্জিত।'

'গোয়েন্দাদের এ সব ব্যাপারে লজ্জাবোধ থাকে না জীবনবাবু', বলল ফেলুদা। 'এখানে এসে আমার আদৌ আপশোস হচ্ছে না। এ নিয়ে আপনি চিন্তাই করবেন না। আমার কেবল আপনার সম্বন্ধেই ভাবনা হচ্ছে। একটা কথা আপনার বোঝা উচিত। হুমকি চিঠি পড়ে ভোলানাথবাবুর কথা মনে হচ্ছে বলেই কিন্তু সন্দেহটা আরও বেশি করে আপনার উপর পড়ছে।'

'কিন্তু গামছা আর চিঠি যখন আসে তখন তো আমি কলকাতায়, মিস্টার মিত্তির।'

ফেলুদা একটা ছোট্ট হাসি দিয়ে বলল, 'আপনার যে কোনও অনুচর নেই গোসাঁইপুরে সেটা কী করে জানব জীবনবাবু?'

'আপনিও আমাকে সন্দেহ করছেন ?' শুকনো ধরা গলায় প্রশ্ন করলেন জীবনবাবু।

'আমি এখনও কাউকেই সন্দেহ করছি না, কাউকেই নির্দোষ ভাবছি না। তবে একটা কথা আমি আপনাকে জিজ্ঞেস করতে চাই। ভোলানাথবাবু কীরকম লোক ?'

জীবনবাবু এক মুহূর্ত চুপ করে থেকে বললেন, 'অত্যন্ত বিশ্বস্ত। এটা স্বীকার না করে উপায় নেই। কিন্তু তাই বলেই কি আমার উপর সন্দেহ পড়বে ?' শেষ প্রশ্নটা মরিয়া হয়ে করলেন জীবনবাবু। ফেলুদা বলল, 'জীবনবাবু, এখন আমাকে সম্পূর্ণ নিরপেক্ষভাবে সমস্ত ব্যাপারটা দেখতে হবে। এ ছাড়া উপায় নেই। এবং আপনাকে ধৈর্য ধরতে হবে। এ ছাড়া আপনারও উপায় নেই। অপরাধীকে রক্ষা করার রাস্তা আমার জানা নেই। কিন্তু যে নির্দোষ তাকে আমি বাঁচাবই।'

এতে জীবনবাবু আশ্বস্ত হলেন কি না সেটা অন্ধকারে তাঁর মুখ না দেখে বোঝা গেল না।

বাঁশবনটা ফুরিয়ে আসার মুখে ফেলুদা একটা প্রশ্ন করল জীবনবাবুকে।

'আপনার বাবা তো খড়ম ব্যবহার করেন; খালি পায়ে হাঁটাহাঁটি করেন কি কখনও—বাড়ির বাইরে ?'

'বাড়ির ভিতরেই করেন না কখনও, তো বাড়ির বাইরে! এটা অবিশ্যি নতুন কিছু নয়। চিরকালের ব্যাপার।'

'পায়ের তলায় যেন মাটি দেখলাম। তাই জিজ্ঞেস করছি। আর একটা কথা—উনি মশারি ব্যবহার করেন না ?'

'নিশ্চয়ই। এখানে সবাই করে। করতেই হয়। কেন বলুন তো ?'

'আপনি বোধহয় ল্যাম্পের আলোয় ঠিক বুঝতে পারেননি; ওঁর সর্বাঙ্গে অসংখ্য মশার কামড়ের চিহ্ন।'

'তাই বুঝি ?' বুঝলাম জীবনবাবু খেয়াল করেননি। সত্যি বলতে কী আমিও করিনি। 'কিন্তু বাবা তো মশারি ব্যবহার করেন। মশারি তো সাহেবদের জিনিস না, ওতে আপত্তির কী আছে ?'

'তা হলে বোধহয় ফুটো আছে। একটু দেখবেন তো।'

৩

তুলসীবাবু আর জটায়ু আমাদের জন্য অপেক্ষা করছিলেন; এতক্ষণে ইলেকট্রিক লাইটে এসে যেন হাঁফ ছেড়ে বাঁচলাম। লালমোহনবাবু বললেন, 'ভাবতে পারেন, এই গণ্ডগ্রামে প্রায় বিশ জনের মতো লোক পাওয়া গেল যারা আমার ফিফ্‌টি পারসেন্টের বেশি বই পড়েচে ? অবিশ্যি সবাই যে কিনে পড়েচে তা নয়; সিক্‌সটি ফাইভ পারসেন্ট ইস্কুলের লাইব্রেরি থেকে নিয়ে পড়েচে। যারা কিনেচে তারা এসে বইয়ে সই নিয়ে গেল।'

তুলসীবাবু ফেলুদাকে বললেন, 'আপনার অপেক্ষাতেই বসে আছি। একবার আত্মারামের দর্শনটা করে নিন। বাদুড়েকালী না হয় কাল দেখা যাবে।'

'সেটা আবার কী ?'

'গোসাঁইপুরের আরেকটি অ্যাট্রাকশন। আপনারা যে বাঁশবন দিয়ে এলেন, তারই ভেতরে একটি দুশো বছরের পুরনো পোড়ো মন্দির। বিগ্রহ নেই। বহুদিন থেকেই বাদুড়ের বাসা হয়ে পড়ে আছে। এককালে খুব জাঁকের মন্দির ছিল।'

'ভাল কথা, আপনার এই আত্মারামবাবুটি এ-গাঁয়েরই লোক ?'

'না, তবে রয়েছেন এখানে অনেকদিন। বছর দুয়েক হল ভদ্রলোকের এই ক্ষমতা প্রকাশ

পায়। তা ছাড়া জ্যোতিষও জানেন। খুব নাম-ডাক। কলকাতা থেকে লোক এসে হাত-টাত দেখিয়ে যায়।'

'পয়সা নেন ?'

'তা হয়তো নেন। কিন্তু এখানের কারুর কাছ থেকে কোনওদিন কিছু নিয়েছেন বলে শুনিনি। আত্মা নামান সোম আর শুক্কুরে ; আজ শুধু দর্শনটা করিয়ে আনব।'

ফেলুদা দর্শনের ব্যাপারে দেখলাম কোনও আপত্তি করল না। কারণ পরিষ্কার : সে বুঝেছে মৃগেন ভটচায এখন তদন্তের সঙ্গে জড়িয়ে গেছে। আমরা বেরিয়ে পড়লাম।

বাইরে গাছপালার ফাঁক দিয়ে এবাড়ি-ওবাড়ির বিজলি-আলো দেখা গেলেও অন্ধকারটা বেশ জমজমাট। চাঁদ এখনও ওঠেনি। ঝিঁঝি প্যাঁচা শেয়াল সব মিলিয়ে মনে হচ্ছিল এখানে শ্যাম মল্লিকের পালকি আর কেরোসিন ল্যাম্পই মানায় বেশি। লালমোহনবাবু বললেন এর চেয়ে রহস্যময় আর রোমাঞ্চকর পরিবেশ তিনি আর দেখেননি। বললেন, 'যে-উপন্যাসটার ছক কেটেচি সেটা গোয়াটেমালায় ফেলব ভাবচিলুম, এখন দেখচি গোসাঁইপুর প্রেফারেবল।'

'তাও তো ঠগীর ফাঁসটা দেখেননি, তা হলে বুঝতেন রোমাঞ্চ কাকে বলে।'

'সে কী ব্যাপার মশাই ?'

ফেলুদা সংক্ষেপে ঘটনাটা বলল। হুম্‌কি চিঠির কথাটাও বলল। তুলসীবাবু মন্তব্য করলেন, 'মৃগেন ভটচায যদি আত্মা আনিয়ে ওই কথাই বলে থাকে যে মল্লিক বাড়িতেই রয়েছেন শ্যাম মল্লিকের শত্রু তা হলে সেটা মানতেই হবে। আপনার সারা গাঁ চষে বেড়ানোর দরকার নেই।'

আমি মনে মনে বললাম—তুলসীবাবুর ভক্তির পাত্রের মধ্যে আরেকজন লোক পাওয়া গেল—আত্মারাম মৃগেন ভট্টাচার্য।

মৃগেনবাবুর বাড়িতেও দেখলাম ইলেকট্রিসিটি নেই। বোধহয় আবছা আলোয় আত্মা সহজে নামে তাই। ভদ্রলোকের চেহারাটা বেশ চোখে পড়ার মতো। দেখে বয়স বোঝার উপায় নেই। পাতলা চুলে পাক ধরেনি, যদিও চোখের কোলে আর থুতনির নীচে চামড়া কুঁচকে গেছে। নাক, চোখ, কপাল, পাতলা ঠোঁট, গায়ের রং সবই একেবারে কাশির টোলের পণ্ডিতের মতো। মানে যাকে বলে মার্কা মারা বামুন। পায়ের গুলি দেখে মনে হল ভদ্রলোক এখন না হলেও এককালে প্রচুর হেঁটেছেন।

বিজলি না থাকলেও এখানে চেয়ার টেবিলের অভাব নেই। ভটচায মশাই নিজে তক্তপোষে বসে আছেন, সামনে তিনটে টিনের আর একটা কাঠের চেয়ার ছাড়া দুপাশে দুটো বেঞ্চ রয়েছে। ডান দিকের বেঞ্চিতে একজন বছর পঁচিশের ছেলে বসে একটা পুরনো পাঁজির পাতা উলটোচ্ছে। পরে জেনেছিলাম ও মৃগেনবাবুর ভাগনে নিত্যানন্দ, আত্মা নামানোর ব্যাপারে মামাকে সাহায্য করে।

তুলসীবাবু ভটচায মশাইকে ঢিপ্ করে একটা প্রণাম করে আমাদের দিকে দেখিয়ে বললেন, 'কলকাতা থেকে এলেন এঁরা। আমার বন্ধু। নিয়ে এলাম আপনার কাছে। গোসাঁইপুর কাকে নিয়ে গর্ব করে সেটা এঁদের জানা উচিত নয় কি ?'

মৃগাঙ্কবাবু ঘাড় তুলে আমাদের দেখে চেয়ারের দিকে দেখিয়ে দিলেন। আমরা তিনজনে বসলাম, তুলসীবাবু দাঁড়িয়ে রইলেন।

মৃগাঙ্কবাবু হঠাৎ টান হয়ে পদ্মাসন করে বসে মিনিট খানেক চোখ বুজে চুপ করে রইলেন। তারপর সেই অবস্থাতেই বললেন, 'সন্ধ্যাশশী বন্ধুটি কোন জন ?'

আমরা সবাই চুপ। ফেলুদার চোখ কুঁচকে গেছে। লালমোহনবাবু বললেন, 'আজ্ঞে ওই নামে তো কেউ—'

তুলসীবাবু ঠোঁটে আঙুল দিয়ে তাঁকে থামিয়ে দিলেন।

'প্রদোষ চন্দ্র মিত্র আমার নাম,' হঠাৎ বলে উঠল ফেলুদা। সত্যিই তো!—প্রদোষ মানে সন্ধ্যা, চন্দ্র হল শশী, আর মিত্র হল বন্ধু!

ভটচায মশাই চোখ খুলে ফেলুদার দিকে মুখ ঘোরালেন। তুলসীবাবু দেখি বেশ গর্ব-গর্ব ভাব করে ফেলুদার দিকে চেয়ে আছেন।

'বুঝলে তুলসীচরণ', বললেন ভটচায মশাই। 'কিছুদিন পরে আর আত্মার প্রয়োজন হবে না। আমার নিজের মধ্যেই ক্রমে ত্রিকাল দর্শনের শক্তি জাগছে বলে অনুভব হচ্ছে। অবিশ্যি আরও কয়েক বছর লাগবে।'

'ওঁর পেশাটা কী বলুন তো!' তুলসীবাবু ফেলুদার দিকে দেখিয়ে প্রশ্নটা করলেন। ইতিমধ্যে একজন বাইরের লোক এসে ঢুকেছে, তার সামনে ফেলুদা যে গোয়েন্দা এই খবরটা বেরিয়ে পড়লে মোটেই ভাল হবে না।

'সেটা আর বলার দরকার নেই', বলল ফেলুদা। তুলসীবাবুও নিজের অসাবধানতার

ব্যাপারটা বুঝে ফেলে জিভ কেটে কথা ঘুরিয়ে বললেন, 'শুক্কুরবার আরেকবার আপনার এখানে নিয়ে আসব ওঁদের। আজ কেবল দর্শনটা করিয়ে গেলাম।'

মৃগাঙ্কবাবুর চোখ এখনও ফেলুদার দিকে। একটু হেসে বললেন, 'সূক্ষ্ম সাল শস্যের কাজে এসেছেন আপনি, এ কথা বললে আপনি ছাড়া আর কেউ বুঝবে কি? আপনি অকারণে বিচলিত হচ্ছেন।'

ভদ্রলোকের কাছ থেকে বিদায় নিয়ে বাইরে এসে ফেলুদা বলল, 'চতুর লোক। এঁর পসার জমবে না তো কার জমবে?'

'সূক্ষ্ম সাল শস্য কী মশাই?' লালমোহনবাবু জিজ্ঞেস করলেন। 'সন্ধ্যা শশী বন্ধু তো তাও অনেক কষ্টে বুঝলাম—তাও আপনি নিজের নামটা বললেন বলে।'

'সূক্ষ্ম হল অণু, সাল—দন্ত্য স—হল সন, আর শস্য হল ধান। তিনে মিলে—'

'অনুসন্ধান!' লালমোহনবাবু ক্ল্যাপ দিয়ে বলে উঠলেন, 'লোকটা শুধু গণনা জানে না, হেঁয়ালিও জানে। আশ্চর্য!'

কে যেন এদিকেই আসছে—হাতের লণ্ঠনটা দোলার ফলে তার নিজের ছায়াটা সারা রাস্তা ঝাঁট দিতে দিতে এগিয়ে আসছে। তুলসীবাবু হাতের টর্চ তুলে তার মুখে ফেলে বললেন, 'ভটচাযের ওখানে বুঝি? কী ব্যাপার, ঘন ঘন দর্শন?'

ভদ্রলোক একটু হেঁ হেঁ ভাব করে কিছু না বলে আমাদের পাশ কাটিয়ে চলে গেলেন।

'ভোলানাথবাবু' বললেন তুলসীবাবু, 'ভটচায মশাইয়ের লেটেস্ট ভক্ত। মাঝে একদিন ওঁর বাড়িতে গিয়ে কার জানি আত্মা নামিয়েছেন।'

রাত্রে তুলসীবাবুর দাওয়ায় বসে তিনরকম তরকারি, মুগের ডাল আর ডিমের ডালনা দিয়ে দিব্যি ভোজ হল। তুলসীবাবু বললেন যে এখানকার টিউবওয়েলের জলটায় নাকি খুব খিদে হয়।

খাওয়া-দাওয়া করে বাইরের দাওয়ায় বসে তুলসীবাবুর কাছে ওঁর মাস্টারি জীবনের গল্প শুনে যখন দোতলায় শুতে এলাম তখন ঘড়ি বলছে সাড়ে নটা, কিন্তু মনে হচ্ছে যেন মাঝরাত্তির। আমরা মশারি সমেত বিছানাপত্র সব নিয়ে এসেছিলাম ; ফেলুদা বলল ওডোমস মেখে শোব, মশারির দরকার নেই। আমি লক্ষ করেছি গত দেড় ঘণ্টায় ও একবার কেবল গঙ্গার রান্নার প্রশংসা ছাড়া আর কোনও কথা বলেনি। এত চট করে ওকে চিন্তায় ডুবে যেতে এর আগে কখনও দেখিনি। লালমোহনবাবু বললেন ওঁর সংবর্ধনার স্পিচটা তৈরি করে রাখতে হবে, তাই উনি একটা লণ্ঠন চেয়েছেন, কারণ ঘরে বাতি জ্বালিয়ে রাখলে আমাদের ঘুমের ব্যাঘাত হবে।

আমি বিছানায় শুয়ে ফেলুদাকে একটা প্রশ্ন না করে পারলাম না।

'তোমার নাম আর পেশা কী করে বলে দিল বলো তো?'

'আমার মনের অনেকগুলো প্রশ্নের মধ্যে ওটাও একটা রে তোপসে। তবে অনেক লোকের অনেক পিকিউলার ক্ষমতা থাকে যার কোনও ব্যাখ্যা পাওয়া যায় না।'

লালমোহনবাবু বললেন, 'আমাকে এভাবে স্রেফ ইগনোর করল কেন বলুন তো।'

'সারা গাঁয়ের লোক আপনাকে অভ্যর্থনা দিতে চলেছে, আর একটি লোক আপনার নামে হেঁয়ালি বাঁধল না বলে আপনি মুষড়ে পড়লেন?'

'তা হলে বোধহয় আমার নাম থেকে হেঁয়ালি হয় না তাই।'

ফেলুদা দুটো ধোঁয়ার রিং ছেড়ে বলল, 'রক্তবরণ মুগ্ধকরণ নদীপাশে যাহা বিঁধিলে মরণ—কেমন হল?'

'কীরকম, কীরকম ?' বলে উঠলেন লালমোহনবাবু। ফেলুদা এত ফস্ করে ছড়াটা বলেছে যে দুজনের কেউই ঠিকমত ধরতে পারিনি। ফেলুদা আবার বলল—'রক্তবরণ মুগ্ধকরণ নদীপাশে যাহা বিঁধিলে মরণ।'

'দাঁড়ান, দাঁড়ান.......রক্তবরণ লাল, আর মুগ্ধকরণ—'

'মোহন !' আমি চেঁচিয়ে বলে উঠলাম।

'ইয়েস, লালমোহন—কিন্তু গাঙ্গুলী ?—ওহো, নদী হল গাঙ আর গুলি বিঁধলে মরণ—ওঃ, ব্রিলিয়ান্ট মশাই ! কী করে যে আপনার মাথায় এত আসে জানি না। আপনি থাকতে সংবর্ধনাটা আমাকে দেওয়ার কোনও মানেই হয় না। ভাল কথা, স্পিচটা তৈরি হলে একটু দেখে দেবেন তো ?'

৪

পরদিন সকালে গ্রামটা ঘুরে দেখে আমরা জাগরণী ক্লাবের বাড়িতে সিরাজদ্দৌলা নাটকের রিহার্শাল দেখতে গেলাম। ফেলুদা অভিনেতাদের সঙ্গে আলাপ করে তাদের ক্যানেডিয়ান থিয়েটার সম্বন্ধে একটা ছোটখাটো বক্তৃতা দিয়ে ফেলল। সেখানেই আলাপ হল গোসাঁইপুরের একমাত্র মূকাভিনেতা বেণীমাধবের সঙ্গে। বললেন শুক্কুরবার বিকেলে আমাদের বাড়িতে এসে তাঁর আর্ট দেখিয়ে যাবেন। 'দেখবেন স্যার, ফ্ল্যাট ছাতের উপর সিঁড়ি বেয়ে ওঠা দেখিয়ে দেব, ঝড়ের মধ্যে মানুষের অভিব্যক্তি কীরকম হয়, স্যাড থেকে ছ'রকম চেঞ্জের মধ্যে দিয়ে হ্যাপিতে নিয়ে যাওয়া সব দেখিয়ে দেব।'

বিকেলে সেগুনহাটির মেলা দেখতে গেলাম। সেখানে নাগরদোলায় চড়ে, চা চিকেন কাটলেট আর রাজভোগ খেয়ে স্পাইডার লেডির বীভৎস ভেলকি দেখে, সাড়ে তেরো টাকার খুচরো জিনিস কিনে গোসাঁইপুর যখন ফিরলাম তখন ছ'টা বাজে। আকাশে আলো আছে দেখেই বোধহয় ফেলুদা বলল একবার মল্লিকবাড়িতে জীবনবাবুর সঙ্গে দেখা করে যাবে। তুলসীবাবু বললেন বাড়ি গিয়ে আমাদের জন্য অপেক্ষা করবেন।

সদর দরজায় পৌঁছানোর আগেই জীবনবাবু বেরিয়ে এলেন ; বললেন ওঁর ঘরের জানালা দিয়েই অনেক আগেই আমাদের দেখতে পেয়েছেন। তারপর ফেলুদার প্রশ্নের উত্তরে বললেন যে নতুন কোনও খবর নেই। 'আপনাদের বাগানটা একটু দেখতে পারি ?' 'নিশ্চয়ই', বললেন জীবনবাবু, 'আসুন আমার সঙ্গে।'

বাগানটা অবিশ্যি ফুলের বাগান নয়, এখানে বেশির ভাগই বড় বড় গাছ আর ফলের গাছ। ফেলুদা ঘুরে ঘুরে কী দেখছে তা ওই জানে ! একবার এক জায়গায় থেমে মাটিটার দিকে যেন একটু বেশিক্ষণ ধরে দেখল। এরই ফাঁকে আবার মল্লিকবাড়ির দোতলার পিছনের বারান্দা থেকে 'কে রে, কে ওখানে ?' বলে জীবনবাবুর ঠাকুমা চেঁচিয়ে উঠলেন। তাতে জীবনবাবুকে আবার উলটে চেঁচিয়ে বলতে হল, 'কেউ না ঠাকুমা—আমরা।' 'ও, তোরা', উত্তর দিলেন ঠাকুমা, 'আমি রোজই যেন দেখি কারা ঘুর ঘুর করে ওখানে।'

'আপনার ঠাকুমার দৃষ্টিশক্তি কেমন ?' জিজ্ঞেস করল ফেলুদা।

'খুবই কম', বললেন জীবনবাবু, 'এবং তার সঙ্গে মানানসই শ্রবণশক্তি !'

'বাগান এমনিতে তেমন দেখাশোনা হয় না ?'

'ওই ভোলানাথবাবুই যা দেখেন।'

'রাত্রে লোক থাকে এদিকে ?'

'রাত্রে ? মাথা খারাপ ! রাত জেগে বাগানে টহল দেবে এরা ?'

'সদর দরজায় তালা দেওয়া থাকে আশা করি ?'

'ওটা ভোলানাথবাবুর ডিউটি। তবে আমি থাকলে আমিই চাবি বন্ধ করি, চাবি আমার কাছেই থাকে।'

'ভোলানাথবাবুর সঙ্গে আলাপ হয়নি ; তাঁকে একবার ডাকতে পারেন !'

ভোলানাথবাবুকে দিনের আলোয় দেখে মনে হল তিনি শহুরে লোকের মতো ধুতি শার্ট পরলেও তাঁর চেহারায় এখনও অনেকখানি তাঁর পূর্বপুরুষের ছাপ রয়ে গেছে। খালি গা করে মাঠে নিয়ে, হাতে লাঙল ধরিয়ে দিলে খুব বেমানান হবে না। আমরা বাড়ির সামনে বাঁধানো পুকুরের ঘাটে বসে কথা বললাম। বর্ষার জলে পুকুর প্রায় কানায় কানায় ভরে আছে আর সারা পুকুর ছেয়ে আছে শালুকে। নবীন বলে একটি চাকরকে লেবুর সরবত আনতে বললেন জীবনবাবু। চারিদিক অদ্ভুত রকম নিস্তব্ধ, কেবল দূরে কোত্থেকে জানি চিঁ চিঁ করে শোনা যাচ্ছে ট্র্যানজিস্টারে গান। ওটা না হলে সত্যিই যেন মনে হত আমরা কোন আদ্যিকালে ফিরে গেছি।

'মৃগাঙ্কবাবু আপনাদের বাড়িতে একবারই এসেছেন ?' ভোলানাথবাবুকে জিজ্ঞেস করল ফেলুদা।

'সম্প্রতি একবারই এসেছেন।'

'আর আগে ?'

'আগেও এসেছেন কয়েকবার। কাটোয়া থেকে আষাঢ় মাসে মদন গোসাঁইর দল এল, তখন মৃগাঙ্কবাবুই তাদের নিয়ে এসে কর্তাকে কেত্তন শুনিয়ে যান। এমনিতেও বার কয়েক একা আসতে দেখেছি ; মনে হয় কর্তা একটা কুষ্ঠি ছ'কে দেবার কথা বলেছিলেন।'

'সে কুষ্ঠি হয়েছে ?'

'আজ্ঞে তা বলতে পারব না।'

'এবার যে এলেন, তার ব্যবস্থা কে করল ?'

'আজ্ঞে কর্তার নিজেরই ইচ্ছা ছিল, আর কবিরেজ মশাইও বললেন, আর—আজ্ঞে, আমিও বলেছিলাম।'

'আপনার তো যাতায়াত আছে ভটচায বাড়িতে ?'

'আজ্ঞে হ্যাঁ।'

'ভক্তি হয় ?'

ভোলানাথবাবুর মাথা হেঁট হয়ে গেল।

'আজ্ঞে কী আর বলব বলুন। আমার মেয়ের নাম ছিল লক্ষ্মী, যেমন নাম তেমনি মেয়ে, এগারোয় পড়তে না পড়তে ওলাউঠোয় চলে গেল। মৃগাঙ্কবাবু শুনে বললেন, সে কেমন আছে জানতে চাও তার নিজের কথায় ?'

ভোলানাথবাবু অন্ধকারে ধুতির খুঁটে চোখ মুছলেন। তারপর সামলে নিয়ে বললেন, 'সেই মেয়েকে নামিয়ে আনলেন ভটচায মশাই। মেয়ে বললে ভগবানের কোলে সে সুখে আছে, তার কোনও কষ্ট নাই। মুখে বললে না অবিশ্যি, কাগজে লেখা হল। সেই থেকে...' '

ভোলানাথবাবুর গলা আবার ধরে গেল। ফেলুদা ব্যাপারটাকে আর না বাড়িয়ে বলল, 'এ বাড়িতে আত্মা নামানোর সময় আপনি ছিলেন ?'

'ছিলাম, তবে ঘরের মধ্যে ছিলাম না, দরজার বাইরে। ভেতরে কেবল কর্তামশাই আর ভটচায মশাই আর নিত্যানন্দ ছাড়া কেউ ছিলেন না। মা ঠাকরুন যেন জানতে না পারেন এইটে বলে দিয়েছিলেন কর্তামশাই, তাই দরজায় পাহারা থাকতে হল।'

'তা হলে আপনি কিছুই শোনেননি ?'

'আজ্ঞে দশ মিনিট খানেক চুপচাপের পর মধু সরকারের বাঁশ বনের দিক থেকে যখন শেয়াল ডেকে উঠল সেই সময় যেন কর্তামশাইয়ের গলায় শুনলাম—কেউ এলেন, কেউ এলেন ? তারপর আর কিছু শুনিনি। সব হয়ে যাবার পর ভটচায মশাইকে নিয়ে তাঁর বাড়ি পৌঁছে দিয়ে আসি।'

সরবত খাওয়া শেষ করে একটা চারমিনার ধরিয়ে ফেলুদা বলল, 'দুর্লভ মল্লিকের লোক আপনাদের ঘরে আগুন লাগিয়ে দিয়েছিল সে কথা মনে পড়ে ?'

ভোলানাথবাবুর উত্তর এল ছোট্ট দুটো কথায়।

'তা পড়ে।'

'আপনার মনে আক্রোশ নেই ?'

ফেলুদাকে এ ধরনের ধাক্কা-মারা প্রশ্ন করতে আগেও দেখেছি। ও বলে এই ধরনের প্রশ্নের রিঅ্যাকশন থেকে নাকি অনেক কিছু জানা যায়। ভোলানাথবাবু জিভ কেটে মাথা হেঁট করলেন। তারপর কয়েক সেকেন্ড চুপ থেকে বললেন, 'এখন মাথাটা ঠিক নেই তাই, নইলে কর্তামশাইয়ের মতো মানুষ ক'জন হয় ?'

ফেলুদা আর কোনও প্রশ্ন করল না। ভোলানাথবাবু একটুক্ষণ অপেক্ষা করে বললেন, 'যদি অনুমতি দেন—আমি একটু ভটচায মশাইয়ের বাড়ি যাব।'

ফেলুদা বা জীবনবাবুর কোনও আপত্তি নেই জেনে ভদ্রলোক চলে গেলেন। জীবনবাবু একটু উস্‌খুস্ করছেন দেখে ফেলুদা বলল, 'কিছু বলবেন কি ?'

'আপনি কিছুটা অগ্রসর হলেন কি না জানার আগ্রহ হচ্ছে।'

বুঝলাম ভদ্রলোক নিজের সম্বন্ধে বিশেষ চিন্তিত।

ফেলুদা বলল, 'ভোলানাথবাবুকে বেশ ভাল লাগল।'

জীবনবাবুর মুখ শুকিয়ে গেল। 'তার মানে আপনি বলতে চান—'

'আমি নিশ্চয়ই বলতে চাই না আপনাকে আমার ভাল লাগে না। আমি বলতে চাই শুধু দু-একটা খটকার উপর নির্ভর করে তো খুব বেশি দূর এগোনো যায় না—বিশেষ করে সেই খটকাগুলোর সঙ্গে যখন মূল ব্যাপারটার কোনও সম্পর্ক পাওয়া যাচ্ছে না। এখন যেটা দরকার সেটা হল কোনও একটা ঘটনা যেটা—'

'কে রে, কে ওখানে ?'

ফেলুদার কথা থেমে গেল, কারণ ঠাকুমা চেঁচিয়ে উঠেছেন। আওয়াজটা এসেছে বাড়ির পিছন দিক থেকে। চারদিক নিস্তব্ধ বলে গলা এত পরিষ্কার শোনা গেল।

ফেলুদা দেখলাম মুহূর্তের মধ্যে সোজা বাগানের দিকে ছুটছে। আমরাও তার পিছু নিলাম। লালমোহনবাবু এতক্ষণ পুকুরের দিকে তাকিয়ে গুনগুন করে গান গাইছিলেন। তিনিও দেখলাম সঙ্গে সঙ্গে দিলেন ছুট।

তিনটে টর্চের আলোর সাহায্যে আমরা বাগানে গিয়ে পৌঁছলাম। ফেলুদা এগিয়ে গেছে, সে পশ্চিমের পাঁচিলের গায়ে একটা ধসে যাওয়া অংশের পাশে দাঁড়িয়ে বাইরে টর্চ ফেলে রয়েছে। 'কাউকে দেখলেন ?' জীবনবাবু প্রশ্ন করলেন।

'দেখলাম, কিন্তু চেনার মতো স্পষ্ট নয়।'

আধঘণ্টা ধরে মশার বিনবিনুনি আর কামড় আর ঝিঁঝির কান ফাটানো শব্দের মধ্যে সারা বাগান চষে যেটা পাওয়া গেল সেটা একটা চরম রহস্য। সেটা হল বাগানের উত্তর দিকের শেষ মাথায় একটা গাছের গুঁড়ির পাশে একটা সদ্যখোঁড়া গর্ত। তার মধ্যে যে কী ছিল বা কী থাকতে পারে সে ব্যাপারে জীবনবাবু কোনওরকম আলোকপাত করতে পারলেন না। লালমোহনবাবু অবিশ্যি সোজাসুজি বললেন গুপ্তধন, কিন্তু জীবনবাবু বললেন তাঁদের বংশে

কস্মিনকালেও গুপ্তধন সম্বন্ধে কোনও কিংবদন্তি ছিল না। ফেলুদা যে কথাটা বলল সেটাও আমার কাছে পুরোপুরি রহস্য।

'জীবনবাবু, আমার মনে হচ্ছে আমরা এই ঘটনাটার জন্য অপেক্ষা করছিলাম।'

আমরা কিছুক্ষণ হল খাওয়া-দাওয়া সেরে আমাদের ঘরে এসে বসেছি। আজ বেশ কাহিল লাগছে ; বুঝতে পারছি অন্ধকারে বনবাদাড়ে ঘোরাটা সহজ কাজ নয়। আমার আর লালমোহনবাবুর পায়ে বেশ কয়েক জায়গায় ডেটল দিতে হয়েছে। কারণ আগাছার মধ্যে কাঁটা-ঝোপও ছিল বেশ কয়েকটা।

একমাত্র ফেলুদাকে দেখে মনে হচ্ছে তার মধ্যে কোনও পরিবর্তন নেই। সে আজ তার খাতা খুলেছে। গায়ে ওডোমস লাগিয়ে বালিশে বুক দিয়ে শুয়ে কী যেন হিজিবিজি লিখছে। লালমোহনবাবু একটা হাই অর্ধেক তুলে থেমে গেলেন, কারণ ফেলুদা একটা প্রশ্ন করেছে—লালমোহনবাবুকে নয়, তুলসীবাবুকে। তুলসীবাবু আমাদের জন্য পান নিয়ে ঢুকছেন।

'তুলসীবাবু, আপনি যদি একজন মহৎ লোককে একটা লোক ঠকানো ফন্দি বাতলে দেন, সে-লোক যদি সে ফন্দি কাজে লাগায়, তা হলে তাকে কি আর মহৎ বলা চলে ?'

তুলসীবাবু ভ্যাবাচ্যাকা ভাব করে বললেন, 'ওরে বাবা, আমি মশাই এসব হেঁয়ালি-টেয়ালিতে একেবারেই অপটু। তবে হ্যাঁ, মহৎ লোক অত নীচে নামবেন কেন ? নিশ্চয়ই নামবেন না।'

'যাক্', বলল ফেলুদা, 'আমি খুশি হলাম জেনে যে আপনি আমার সঙ্গে এক মত।'

একেই তো প্যাঁচালো রহস্য, সেটাকে ধোঁয়াটে কথা বলে ফেলুদা আরও পেঁচিয়ে দিচ্ছে, আমি তাই ও নিয়ে আর একদম চিন্তা না করে মশারির ভিতর ঢুকলাম। কিন্তু চিন্তা করব না ভাবলেই কি আর মন থেকে চিন্তা পালিয়ে যায় ? আমার নিজের মনেই যে প্রশ্ন জমা হয়েছে একগাদা। শ্যামলালবাবুর পায়ে কাদা কেন ? কে পাঠিয়েছে ঠগীর ফাঁস আর হুমকি চিঠি ? ঠাকুমা কাকে দেখে চেঁচালেন আজকে ? বাগানের গর্তে কী ছিল ? আত্মার উত্তর লেখা কাগজ দেখালেন না কেন মল্লিকমশাই ?......গতকালের মতো আজও বিছানায় পড়তে না পড়তে ঘুমিয়ে পড়েছিলাম, কেবল তফাতটা এই যে গতকাল এক ঘুমে রাত কাবার, আর আজ চোখ খুলে দেখি তখনও অন্ধকার।

আসলে ঘুমটা ভেঙেছে একটা চিৎকারে। সেটার জন্য দায়ী বোধহয় লালমোহনবাবু, কারণ তিনি খাটের উপর বসে আছেন মশারির বাইরে, সামনের খোলা জানালার গরাদের ভিতর দিয়ে চাঁদের আলো এসে পড়েছে তাঁর মুখের উপর, আর স্পষ্ট দেখছি তাঁর চোখ গোল হয়ে গেছে।

'বাপ্‌রে বাপ, কী স্বপ্ন, কী স্বপ্ন !' বললেন লালমোহনবাবু।

'কী দেখলেন আবার ?' আমি জিজ্ঞেস করলাম।

'দেখলুম আমার ঠাকুরদা হরিমোহন গাঙ্গুলীকে......একটা সংবর্ধনা সভা, তাতে ঠাকুরদা স্পিচ দিলেন, তারপর আমার গলায় মালা পরিয়ে দিয়ে বললেন, এই দ্যাখ্, কেমন রোমাঞ্চকর মালা দিলাম তোকে—আর আমি দেখছি সেটা ফুলের মালা নয় তপেশ, সেটা—ওরেব্বাস্‌রে বাস্—সেটা খুদে খুদে রক্তবর্ণ নরমুণ্ড দিয়ে গাঁথা !'

'এমন চমৎকার ব্রাহ্ম মুহূর্তে আপনি এই সব উদ্ভট স্বপ্ন দেখছেন ?'

আশ্চর্য ! ফেলুদা যে তার খাটে নেই সেটা এতক্ষণ খেয়ালই করিনি। সে ছাতের দরজা দিয়ে ঘরে এসে ঢুকল ; বুঝলাম সে যোগব্যায়াম করছিল। যাক্, তা হলে সকাল হয়ে গেছে।

'কী করব বলুন,' বললেন লালমোহনবাবু, 'আপনার ওই রক্তবরণ আর আত্মারাম আর সংবর্ধনা মিলে এমন জগাখিচুড়ি হয়ে গেছে আমার মধ্যে।'

আমরা উঠে পড়লাম। তুলসীবাবু কি এখনও ঘুমোচ্ছেন ? ছাতে এসে দেখি পুব দিকটা সবে ফরসা হয়েছে, তার ফলে চাঁদের আলোটা ফিকে লাগছে। দু-তিনটে তারা এখনও পিট্-পিট্ করছে, কিন্তু তাদের মেয়াদও আর বেশিক্ষণ নয়। দাঁতন দিয়ে এক্সপেরিমেন্ট করব বলে কিছু নিমের ডাল ভেঙে রেখেছিলাম—ফেলুদা বলে দোকানের যে কোনও টুথব্রাশ আর পেস্টের চেয়ে দশ গুণ বেশি ভাল—তারই একটা চিবিয়ে রেডি করছি, এমন সময় শুনলাম পরিত্রাহি চিৎকার।

'মিত্তির মশাই ! মিত্তির মশাই !'

ভোলানাথবাবুর গলা। আমরা দুদ্দাড় করে নীচে গিয়ে হাজির হলাম। 'সর্বনাশ হয়ে গেছে !'

ভোরের আকাশে ভদ্রলোকের ফ্যাকাসে মুখ আরও ফ্যাকাশে লাগছিল। 'কী হয়েছে ?' ফেলুদা দৌড়ে গিয়ে জিজ্ঞেস করল।

'কাল রাত্তিরে বাড়িতে ডাকাত পড়ে সব লণ্ডভণ্ড। সিন্দুক খালি। কর্তামশাইয়ের হাত-পা-মুখ বেঁধে রেখেছিল। আমাকেও বেঁধেছিল, সকালে ছোটবাবু এসে খুলে দিলেন। আপনি শিগ্‌গির আসুন !'

৫

শ্যামলাল মল্লিক জখম হননি বটে, কিন্তু তাঁকে যেভাবে দুঘণ্টা বাঁধা অবস্থায় পড়ে থাকতে হয়েছিল তাতে তিনি বেশ টস্‌কে গেছেন। ফ্যালফ্যাল করে সামনের দিকে চেয়ে বসে আছেন ফরাসের উপর, কেবল একবার মাত্র বিড়বিড় করে বলতে শুনলাম, 'বাঁধলি যদি তো মেরে ফেললি না কেন ?' এদিকে তাঁর সিন্দুক যে ফাঁক সেটা কি তিনি খেয়াল করেছেন ?

ফেলুদা প্রথমে শ্যামলালবাবুর ঘরটা তন্ন তন্ন করে দেখল। শুধু সিন্দুকটাই খোলা হয়েছে, আর যার যেমন তেমনিই আছে। চাবি থাকত নাকি ভদ্রলোকের বালিশের নীচে। ভোলানাথবাবু দোতলাতেই শোন, তাঁকে ঘুমের মধ্যে অ্যাটাক করে হাত-পা চোখ-মুখ বেঁধে ফেলেছে ডাকাত। ওঁর ধারণা যে অন্তত দুজন লোক ছিল। চাকর নবীন নাকি সারারাত নাকে তেল দিয়ে ঘুমিয়েছে। দুজন পাইকের মধ্যে একজন চলে গিয়েছিল সেগুনহাটি যাত্রা দেখতে, আর একজন তার ডিউটি ঠিকই করছিল, দুঃখের বিষয় ডাকাত মাথায় লাঠি মেরে বেশ কয়েক ঘণ্টার জন্য তাকে অকেজো করে দিয়েছিল। সামনের দরজা বন্ধই ছিল, কাজেই মনে হয় খিড়কির পাঁচিল টপকে পিছনের বারান্দা দিয়ে ঢুকেছিল। ঠাকুমাকে কিছু জিজ্ঞেস করে লাভ নেই, কারণ তিনি থাকেন বারান্দার উত্তর প্রান্তে তিনটে অকেজো ঘরের পরে শেষ ঘরে।

পনেরো মিনিট হল এসেছি, কিন্তু এখনও জীবনবাবুর দেখা নেই। ভোলানাথবাবু আমাদের সঙ্গেই ছিলেন, ফেলুদা তাঁকে বলল, 'জীবনবাবু কি আমাদের সঙ্গে কথা না বলেই পুলিশে খবর দিতে গেলেন নাকি ?'

ভোলানাথবাবু আমতা আমতা করে মাথা নেড়ে বললেন, 'আজ্ঞে আমাকে বলেই তিনি বাইরে বেরিয়ে ছিলেন বটে, কিন্তু তার পরে তো......

ফেলুদা এবার ছুটল সিঁড়ির দিকে, পিছনে আমি আর লালমোহনবাবু। উঠোন পেরিয়ে সোজা খিড়কি দিয়ে বাইরে বাগানে হাজির হলাম। এখনও ভাল করে সূর্য ওঠেনি। অল্প

কুয়াশাও যেন রয়েছে, কিংবা জমে থাকা উনুনের ধোঁয়া। গাছের পাতাগুলো শিশিরে ভেজা, পায়ের নীচে ঘাস ভেজা। পাখি ডাকছে—কাক, শালিক, আর আরেকটার নাম জানি না।

আমরা বাগানের মধ্যে দিয়ে এগিয়ে গিয়ে থমকে থেমে গেলাম।

দশ হাত দূরে একটা কাঁঠাল গাছের গুঁড়ির ধারে নীল পাঞ্জাবি আর পায়জামা পরা একজন লোক পড়ে আছে। ওই পোশাক আমি চিনি ; ওই চটিটাও চিনি।

ফেলুদা এগিয়ে গিয়ে কাছ থেকে দেখেই একটা আতঙ্ক আর আক্ষেপ মেশানো শব্দ করে পিছিয়ে এল।

'ও মশাই !'

লালমোহনবাবু আঙুল দিয়ে কিছু দূরে মাটিতে একটা জায়গায় পয়েন্ট করে কথাটা বললেন।

'জানি। দেখেছি', বলল ফেলুদা, 'ওটা ছোঁবেন না। ওটা দিয়েই জীবনবাবুকে খুন করা হয়েছে।' ঝোপের ধারে পড়ে রয়েছে কোণে পাথর বাঁধা একটা গামছা।

ভোলানাথবাবুও বেরিয়ে এসেছেন, আর দেখেই বুঝেছেন কী হয়েছে। 'সর্বনাশ' বলে মাথায় হাত দিয়ে প্রায় যেন ভিরমি লাগার ভাব করে তিন হাত পেছিয়ে গেলেন ভদ্রলোক।

'এখন বিচলিত হলে চলবে না ভোলানাথবাবু, আপনি চলে যান ভদ্রলোকের সঙ্গে। এখানে পুলিশের ঘাঁটিতে গিয়ে খবর দিন। দরকার হলে শহর থেকে দারোগা আসবে। কেউ যেন লাশ বা গামছা না ধরে। কিছুক্ষণ আগেই এ কীর্তিটা হয়েছে। সে লোক হয়তো এখনও এ তল্লাটেই আছে। আর—ভাল কথা—মল্লিকমশাই যেন খুনের কথাটা না জানেন।'

ফেলুদা দৌড় দিল পশ্চিম দিকের পাঁচিল লক্ষ্য করে, সঙ্গে সঙ্গে আমিও।

এ দিকের পাঁচিলের একটা জায়গা ধসে গিয়ে দিব্যি বাইরে যাবার পথ হয়ে গেছে। আমরা দুজনে টপকে বাইরে গিয়ে পড়লাম। ফেলুদার চোখ চারিদিকে ঘুরছে, এমনকী জমির দিকেও। আমরা এগিয়ে গেলাম। একশো গজের মধ্যে অন্য কোনও বাড়ি নেই, কারণ এটা সেই শর্টকাটের বাঁশবন। কিন্তু ওটা কী ? একটা ভাঙা মন্দির। নিশ্চয় সেই বাদুড়ে কালী মন্দির।

মন্দিরের পাশে একজন লোক, আমাদের দিকেই এগিয়ে আসছেন। কবিরাজ রসিক চক্রবর্তী। 'কী ব্যাপার ? এত সকালে ?' ভদ্রলোক জিজ্ঞেস করলেন।

'আপনি খবর পাননি বোধহয় ?'

'কী খবর ?'

'মল্লিকমশাই—'

'অ্যাঁ !' কবিরাজের চোখ কপালে উঠে গেছে।

'আপনি যা ভয় পাচ্ছেন তা নয়। মল্লিকমশাই সুস্থই আছেন, তবে তাঁর বাড়িতে ডাকাত পড়েছে। আর জীবনবাবু খুন হয়েছেন—তবে এ খবরটা আর মল্লিকমশাইকে দেবেন না।'

রসিকবাবু ব্যস্তভাবে এগিয়ে গেলেন। আমরাও ফেরার রাস্তা ধরলাম ; খুনি পালিয়ে গেছে।

পাঁচিল টপকে বাগানে ঢুকে এগিয়ে যেতেই তিন নম্বর বিস্ফোরণ। আমার মাথা ভোঁ ভোঁ করছে। একি স্বপ্ন না সত্যি ? কাঁঠাল গাছের নীচটা এখন খালি।

জীবনবাবুর লাশ উধাও।

ঝোপের পাশ থেকে ঠগীর ফাঁসটাও উধাও।

লালমোহনবাবু একটা গোলঞ্চ গাছের পাশে দাঁড়িয়ে ঠক্ ঠক্ করে কাঁপছেন।

কোনওরকমে ভদ্রলোক মুখ খুললেন।

'ভোলানাথবাবু পুপ্—পুলিশে খবর দিতে গেলেন, আমি আপনাদের খুঁজতে এসে দেখি...'

'এসে দেখলেন লাশ নেই ?' ফেলুদা চেঁচিয়ে জিজ্ঞেস করল। 'না !'

ফেলুদা আবার দৌড় দিল। এবার পশ্চিমে নয়, পুবে।

পুবের দেয়ালে ফাঁক নেই, কিন্তু উত্তরে আছে। কালকের সেই গর্ত—আজ দেখলাম সেটা একটা আম গাছের নীচ—আর পিছনেই ফাঁক। বড় ফাঁক, প্রায় একটা ফটক বললেই চলে। আমি আর ফেলুদা বাইরে বেরোলাম।

দশ হাতের মধ্যেই একটা পুকুর, জলে টইটম্বুর। এই পুকুরেই যে ফেলা হয়েছে লাশ তাতে সন্দেহ নেই।

আমরা ফিরে গিয়ে পিছনের সিঁড়ি দিয়ে সোজা উঠলাম দোতলায়।

'ও জীবন, ও বাবা জীবন !'—ঠাকুমা চেঁচাচ্ছেন—'এই যেন দেখলাম জীবনকে, গেল কোথায় ছেলেটা ?'

গাল তোবড়ানো, চুল ছোট করে ছাঁটা, থান পরা আশি বছরের বুড়ি, ঘোলাটে চশমা পরে নিজের ঘর ছেড়ে বারান্দার এদিকে চলে এসেছেন। অ্যাদ্দিন গলা শুনেছি, আজ প্রথম দেখলাম ঠাকুমাকে। ফেলুদা এগিয়ে গেল। 'জীবনবাবু একটু বেরিয়েছেন। আমার নাম প্রদোষ মিত্র। আপনার কী দরকার আমাকে বলতে পারেন।'

'তুমি কে বাবা ?'

'আমি জীবনবাবুর বন্ধু।'

'তোমাকে তো দেখিনি।'

'আমি দুদিন আগে এসেছি কলকাতা থেকে।'

'তুমিও কলকাতায় থাকো ?'

'আজ্ঞে হ্যাঁ। কিছু বলার ছিল আপনার ?'

বুড়ি হঠাৎ যেন খেই হারিয়ে ফেললেন। ঘাড় উঁচু করে কিছুক্ষণ এদিক ওদিক চেয়ে বললেন, 'কী বলার ছিল সে আর মনে নেই বাবা, আমার বড্ড ভোলা মন যে !'

আমরা ঠাকুমাকে আর সময় দিলাম না। তিনজনে গিয়ে ঢুকলাম শ্যামলালবাবুর ঘরে।

রসিকবাবু ইতিমধ্যে এসে হাজির হয়েছেন ; তিনি শ্যামলালবাবুর নাড়ি ধরে বসে আছেন।

'জীবন কোথায় গেল ?' এখনও কেমন জানি অসহায় ভাব করে কথা বলছেন ভদ্রলোক। বুঝলাম রসিকবাবু জীবনবাবুর মৃত্যু সংবাদটা শ্যামলালবাবুকে দেননি।

'আপনি তো চাইছিলেন তিনি কলকাতায় ফিরে যান,' বলল ফেলুদা।

'ও চলে গেল ! কীসে গেল ? পালকিতে ?'

'পালকিতে তো আর সবটুকু যাওয়া যায় না। কাটোয়া থেকে ট্রেন ছাড়া গতি নেই। গোরুর গাড়ি বা ডাক গাড়িতে যাওয়া আজকের দিনে যে সম্ভব নয় সেটা নিশ্চয়ই বোঝেন।'

'তুমি আমাকে বিদ্রূপ করছ ?' শ্যামলালবাবুর গলায় যেন একটু অভিমানের সুর।

'শুধু আমি কেন ?' ফেলুদা বলল, 'গ্রামের সবাই করে। আপনি যা করছেন তাতে আপনার তো নয়ই, কারুরই লাভ বা মঙ্গল হচ্ছে না। আপনার নিজের কী হল সেটা তো দেখলেন। সড়কির বদলে বন্দুকধারী একজন ভাল পাহারাদার থাকলে আর এ কাণ্ডটা হত না। বৈদ্যুতিক শক্-এর চেয়ে এ শক্টা কি কিছু কম হল ? যে-যুগ চলে গেছে তাকে আর ফিরিয়ে আনা যায় না মল্লিকমশাই।'

আশ্চর্য, আমি ভেবেছিলাম ভদ্রলোক তেলেবেগুনে জ্বলে উঠবেন, কিন্তু সেটা হল না।

ফেলুদার কথার উত্তরে একটি কথাও বললেন না তিনি, কেবল একটা দীর্ঘশ্বাস ফেলে চুপ করে রইলেন।

৬

'মুখের চেহারা কী হয়েছে দেখেছেন ?'

লালমোহনবাবু তক্তপোষে বসে হাতে তাঁর দাড়ি কামানোর আয়নাটা নিয়ে তাতে নিজের মুখ দেখে মন্তব্যটা করলেন। ওঁর মুখের যা অবস্থা, আমাদের সকলেরই তাই।

'গোসাঁইপুরের ওই একটা ড্রব্যাক্', বললেন তুলসীবাবু। 'এটার বিষয় আপনাদের আগে থেকেই ওয়ার্নিং দেওয়া উচিত ছিল।'

'আপনি গোসাঁইপুর বলছেন, আমি বলব মল্লিকবাড়ির বাগানে', বললেন লালমোহনবাবু। 'ওইটেই হল মশার ডিপো।'

দুপুরের খাওয়া শেষ করে আমরা দোতলায় আমাদের ঘরে এসে বসেছি। পুলিশ এসে তদন্ত শুরু করে দিয়েছে। ফেলুদা এভাবে গুম্ মেরে গেছে কেন বুঝতে পারছি না। আমার বিশ্বাস জীবনবাবুর খুনটা ওর কাছে এতই অপ্রত্যাশিত যে ওর ক্যালকুলেশন সব গণ্ডগোল হয়ে গেছে। আর ডাকাতই যদি খুনটা করে থাকে, তা হলে তদন্তের মজাটা কোথায় ? ডাকাত ধরার রাস্তা তো পুলিশের ঢের বেশি ভাল জানা আছে ; সেখানে একজন প্রাইভেট গোয়েন্দা আর কী করতে পারে ?

দারোগা সুধাকর প্রামাণিক ইতিমধ্যে ফেলুদার সঙ্গে এসে কথা বলে গেছেন। তিনি ফেলুদার নাম শুনেছেন, তবে ফেলুদার উপর খুব একটা ভক্তিভাব আছে বলে মনে হল না। বিশেষ করে জীবনবাবুর লাশ লোপাট হয়ে যাওয়াতে তিনি রীতিমতো বিরক্ত।

'আপনারা যাঁরা শখের ডিটেকটিভ', বললেন সুধাকর দারোগা, 'তাদের দেখেছি কাজের মধ্যে সিসটেমের কোনও বালাই নেই। আরেকজন দেখেছি আপনার মতো গণেশ দত্তগুপ্ত—তার সঙ্গে একটা কেসে ঠোকাঠুকি লাগে। যেখানে দরকার অ্যাকশনের, সেখানে চোখ কুঁচকে বসে ভাবছে। কী যে ভাবছে তা মা গঙ্গাই জানে। আবার যেখানে কাজ করছে, তার পেছনে কোনও চিন্তা নেই। লাশটা যখন দেখলেন পড়ে আছে, আর সেটাকে ছেড়ে যদি যেতেই হয় তো একটা লোককে পাহারায় বসিয়ে যেতে পারলেন না ? এখন আমাদের ওই পেছনের পুকুরের জলে জাল ফেলতে হবে। আর তাতে যদি বডি না ওঠে তো ভেবে দেখুন—এই গাঁয়ে এগারোটা পুকুর, তার মধ্যে একটাকে দীঘি বলা চলে ! আর তাতেও যদি না হয় তা হলে...এ সবই কিন্তু আপনার নেগলিজেন্সের জন্য।'

ফেলুদা পুরো ঝালটা হজম করে উলটে একটা বেয়াড়া প্রশ্ন করে সুধাকর দারোগাকে আরও উস্কে দিল।

'আপনি প্রেতাত্মায় বিশ্বাস করেন ?'

দারোগা কিছুক্ষণ অবাক হয়ে ফেলুদার দিকে চেয়ে থেকে মাথা নেড়ে বললেন, 'আপনার সিরিয়াস বলে খ্যাতি আছে শুনেছিলুম, এখন দেখছি সেটাও ভুল।'

ফেলুদা বলল, 'কথাটা জিজ্ঞেস করলাম কারণ আপনারা যদি খুনি ধরতে না পারেন তা হলে আমাকে মৃগাঙ্ক ভট্টাচার্যের শরণাপন্ন হতে হবে। তিনি প্রেতাত্মা নামাতে পারেন। আমার মনে হচ্ছে জীবনলালের আত্মাই জীবনলালের খুনির সঠিক সন্ধান দিতে পারেন।'

'আপনি নিজে তা হলে হোপ্‌লেস ফিল করছেন বলুন।'

'খুনের তদন্ত আমার সাধ্যের বাইরে সেটা স্বীকার করছি', বলল ফেলুদা, 'কিন্তু ডাকাতের

হাতে হাতকড়া পরাতে পারব বলে আমার বিশ্বাস আছে।'

সুধাকরবাবুর যে ফেলুদার উপর আস্থা কত কম সেটা তাঁর পরের কথা থেকেই বুঝতে পারলাম।

'আপনি ডেড বডি আর জ্যান্ত বডি তফাত করতে পারেন আশা করি? গলায় ফাঁস দিয়ে টান মারলে কী কী পরিবর্তন হয় সেটা জানা আছে আপনার?'

ফেলুদা ঠাণ্ডা ভাবেই উত্তরটা দিল।

'সুধাকরবাবু, আমার যখন পুলিশে চাকরি নেবার কোনও বাসনা নেই, তখন আপনার প্রশ্নের জবাব দেওয়াটা আমার মর্জির ব্যাপার। পুলিশের উপর নির্ভর না করে যখন আমি প্রেতাত্মার কথা বলছি তখন বুঝতেই পারছেন আমার তদন্তের রাস্তাটা একটু স্বতন্ত্র।'

'ভোলানাথবাবু সম্পর্কে আপনার মনে কোনও সন্দেহের ভাব নেই?'

'নিশ্চয়ই আছে। আমার সন্দেহ হয় আপনারা দিগ্‌বিদিক্ বিবেচনা না করেই ভদ্রলোকের হাতে হাতকড়া পরাবেন, কারণ তাঁর পূর্বপুরুষ যে জীবনবাবুর পূর্বপুরুষের দ্বারা লাঞ্ছিত হয়েছিলেন সে খবর হয়তো আপনাদের কানে পৌঁছেছে। কিন্তু সেটা করলে আপনারা মারাত্মক ভুল করবেন।'

সুধাকর দারোগা সশব্দে হেসে মোড়া থেকে উঠে দাঁড়ালেন। তারপর ফেলুদার দিকে চেয়ে চুক্ চুক্ করে আক্ষেপের শব্দ করে বললেন, 'মুশকিল হচ্ছে কী জানেন, আপনারা বেশি ভেবে সহজ জিনিসটাকে জটিল করে ফেলেন। কেসটা জলের মতো পরিষ্কার।'

'আপনাদের জাল ফেলা পুকুরের জলের মতো?'

ফেলুদার খোঁচা অগ্রাহ্য করে দারোগা বলে চললেন, 'আপনি একটু ভেবে দেখলেই বুঝতে পারতেন কেন ভোলানাথবাবুর কথা বলছি। ডাকাতি এবং খুন দুটোর জন্যেই সে দায়ী। এ ডাকাতি ঘরের লোকের কাজ সে তো বোঝাই যায়। আসল ডাকাত হলে সিন্দুক ভাঙত—চাবি দিয়ে খুলত না। ভোলানাথ টাকা নিয়ে পালাচ্ছিল, পিছনের বাগান দিয়ে, খুন করবার কোনও অভিপ্রায় ছিল না তার। জীবনবাবু ঘুম ভেঙে টের পেয়ে তাকে ধাওয়া করেন; ভোলানাথ খুন করতে বাধ্য হয়। তারপর সন্দেহ যাতে না পড়ে তাই আপনাদের খবর দিতে আসে। ভোলানাথ বলেছে ডাকাত তাকেও বেঁধে রেখেছিল, জীবনবাবু এসে তার বাঁধন খোলে। এ কথা যে সত্যি তার প্রমাণ কই? এর তো কোনও সাক্ষী নেই!'

'সিন্দুকের টাকা তা হলে কোথায় গেল সুধাকরবাবু?' ফেলুদা গম্ভীরভাবে জিজ্ঞেস করল।

'সে-টাকাও খুঁজতে হবে', বললেন সুধাকরবাবু। 'লাশ পেলে পর আমরা ভোলানাথবাবুকে জেরা করব। তখন সব সুরসুর করে বেরিয়ে পড়বে।'

আমার কিন্তু সুধাকরবাবুর কথাগুলো বেশ মনে ধরল; কিন্তু ফেলুদা কেন আমল দিচ্ছে না? দারোগা যখন সিঁড়ি দিয়ে নামছে তখনই কেন সে বলতে গেল, 'আজ সন্ধ্যায় জীবনলালের আত্মা নামানো হবে মৃগাঙ্কবাবুর বাড়িতে। এলে ঠকবেন না!'

তুলসীবাবুর দেখলাম একমাত্র চিন্তা কালকের সংবর্ধনা হবে কি না সেই নিয়ে। রহস্যের কিনারা না হলে, খুনির হাতে হাতকড়া না পড়লে, নিশ্চয়ই হবে না, কারণ গ্রামের লোকের সংবর্ধনা সভায় যোগ দেবার উৎসাহই হবে না। লালমোহনবাবু অবিশ্যি মেনেই নিয়েছেন যে মালা আর মানপত্র ফস্‌কে গেল, আর স্পিচটা মাঠে মারা গেল। হয়তো নিজেকে সান্ত্বনা দেবার জন্যই বললেন, 'আমরা মশাই রহস্য বেচে খাই; বাস্তবিক একটা খাঁটি রহস্যের সামনে পড়লে সেইটেই আমাদের সবচেয়ে বড় পুরস্কার।'

মুখে এটা বলা সত্ত্বেও লক্ষ করছি উনি বার বার নিজের অজানতে বিড় বিড় করে স্পিচের

লাইন বলছেন, আর বলেই নিজেকে সামলে নিচ্ছেন।

'মৃগাঙ্ক ভটচায্যি কোন বাড়িতে থাকেন বলতে পারেন?'

প্রশ্নটা এল তুলসীবাবুর বাড়ির দরজার বাইরে থেকে।

'এই শুরু হল', বললেন তুলসীবাবু। 'সোম আর শুক্কুরে এ উপদ্রব লেগেই আছে, আর রাস্তায় প্রথম বাড়ি বলে আমাকেই এ ঝক্কি পোয়াতে হয়।'

ভদ্রলোক জানালা দিয়ে নীচের দিকে চেয়ে বললেন, 'আরও তিনটে বাড়ি পরে ডান দিকে।'

ফেলুদা বলল, 'আমরা আসছি বলে খবরটা পাঠিয়ে দিতে পারলে ভাল হত। আর বলবেন কিউয়ে দাঁড়াতে পারব না। আমাদের আত্মাকে প্রাইয়রিটি দিতে হবে।'

তুলসীবাবু বোধহয় এই প্রথম বুঝলেন যে ফেলুদা ব্যাপারটা সম্বন্ধে সত্যিই সিরিয়াস। তাঁর মুখের ভাব দেখে ফেলুদা বলল, 'আমার একার কাজ ফুরিয়ে গেছে তুলসীবাবু। এখন ভটচায্যি মশাইয়ের সাহায্য ছাড়া এগোতে পারব না।'

ফেলুদা অনেক সময়ই বলে যে মনের দরজা খোলা রাখা উচিত, বিশেষ করে আজকের দিনে; কারণ রোজই প্রমাণ হচ্ছে যে এমন অনেক ঘটনা পৃথিবীতে ঘটে যার কারণ বৈজ্ঞানিকেরা জানে না, অথচ জানে না বলে সেটাকে উড়িয়েও দিতে পারছে না। এই যেমন সেদিন কাগজে বেরোল যে ইউরি গেলর বলে এক হুইদি যুবক চোখের চাহনির জোরে পাঁচ হাত দূর থেকে বৈজ্ঞানিকের হাতে ধরা কাঁটা চামচ বেঁকিয়ে ফেলছে। এ ঘটনা চোখের সামনে দেখছে আরও একজন ডাকসাইটে বৈজ্ঞানিক, আর দেখে তারা না পারে কারণ বলতে, না পারে উড়িয়ে দিতে। মৃগাঙ্কবাবুর ক্ষমতাও কি এই ধরনের?

তুলসীবাবু বললেন, 'সাড়ে পাঁচটা বাজে; চলুন আমি আপনি একসঙ্গে গিয়ে ওঁকে রিকোয়েস্টটা করি, তা হলে জোরটা বেশি হবে।'

ফেলুদা উঠে পড়ে বলল, 'তোরা বরং একটু বেড়িয়ে আয় না।'

আমার নিজেরও এক ঘরে বেশিক্ষণ বসে থাকতে ভাল লাগছিল না, লালমোহনবাবুও বলছিলেন গোসাঁইপুরের শরৎকালের বিকেলের তুলনা নেই, তাই ফেলুদার বেরোনোর সঙ্গে সঙ্গেই আমরাও দুজন বেরিয়ে পড়লাম।

৭

দুদিন আগে যখন এসেছিলাম, তখন একরকম মনে হয়েছিল গ্রামটাকে; আজ আমার মনে হচ্ছে আরেক রকম। তার কারণ মন বলছে এই সুন্দর গ্রামের কোনও একটা গোপন জায়গায় গলায়-ফাঁস-দিয়ে-মরা মানুষের লাশ লুকিয়ে আছে। হঠাৎ যদি দেখি—

নাঃ—ও সব ভাবব না। তা হলে বেড়ানো মাটি হয়ে যাবে।

কিন্তু বাঁশ বনের মধ্যে দিয়ে এগোতে এগোতে আলো কমে আসার সঙ্গে সঙ্গে সাহসটা আবার কমে গিয়েছিল। সেটাকে বাড়িয়ে দিল মূকাভিনেতা বেণীমাধব।

'আরে, আমি যে আপনাদের বাড়িই যাচ্ছিলাম। বললুম না শুক্কুরবার বিকেলে এসে অভিনয় দেখিয়ে যাব!'

'কী করি বলো ভাই', বললেন লালমোহনবাবু। 'এমন একটা বিপর্যয় ঘটে যাবে সে কি জানতাম? এর পরে আর অ্যাকটিং দেখার মুড থাকে? তুমিই বলো।'

'তা যা বলেছেন স্যার। তা আপনারা ক'দিন আছেন তো?'

'হ্যাঁ, তা দিন তিনেক তো আছিই।'

'এ দিকে চল্লেন কোথায় ?'

'কোনদিকে যাওয়া যায় তুমিই বলো না।'

'বাদুড়ে-কালী দেখেছেন স্যার ? সপ্তদশ শতাব্দীর টেম্পল। এখনও কিছু হাতের কাজ রয়ে গেছে দেয়ালে। চলুন দেখিয়ে দিচ্ছি।'

আমি যে সকালে দেখেছি মন্দিরটা সেটা আর বললাম না। সত্যি বলতে কী, তখন যা মনের অবস্থা ছিল তাতে হাতের কাজটাজ চোখে পড়েনি।

মিনিট তিনেক যেতেই মন্দিরটায় পৌঁছে গেলাম। এখানে সকালেই আসা উচিত। সন্ধেবেলা গা-টা একটু ছম্ছম্ করে। পাশেই আবার একটা বটগাছ। তার একটা ঝুরি মন্দিরের চুড়োটাকে আঁকড়ে ধরে খুলি ফাটিয়ে দিয়েছে।

'এইখেনটায় বলি হত স্যার', বটগাছের গুঁড়ির পাশে একটা জায়গা দেখিয়ে বলল বেণীমাধব।

'বলি ?' লালমোহনবাবু কাঁপা গলায় জিজ্ঞেস করলেন।

'নরবলি, স্যার। গোসাঁইপুরের ডাকাত ওয়ার্লড ফেমাস নেদো ডাকাতের ইতিহাস পড়েননি ? ওই নিয়েই তো আপনার একটা রহস্য-রোমাঞ্চের বই হয়ে যায়। ভেতরটা দেখবেন ? টর্চ আছে ?'

ভেতরটা এর মধ্যে অন্ধকার হয়ে গেছে।

'ভেতর ?' ধরা গলায় বললেন লালমোহনবাবু। 'টর্চ তো আনিনি ভাই। শুনিচি বাদুড়-টাদুড়...'

'বাদুড়ের তো এখন ইভিনিং এক্সকারশন স্যার। এইতো সবে চরতে বেরিয়েছে। বাদুড় দেখতে চাইলে—'

'না ভাই, চাই না। বরং না দেখাটাই বাঞ্ছনীয়।'

'চলে আসুন স্যার। মাচিস জ্বেলেছি। একটা বিড়ি ধরালুম স্যার। কিছু মাইন্ড করবেন না তো ?'

'নো নো ভাই, মাইন্ড কী, তুমি পাঁচটা বিড়ি একসঙ্গে ধরাও না।'

বেণীমাধব বিড়ি ধরিয়ে জ্বলন্ত দেশলাইটা মন্দিরের দরজার জায়গায় ধরল, আর অমনি এক লাফে আমার হৃৎপিণ্ডটা গলার কাছে চলে এল। লালমোহনবাবু চারবার 'জী-জী-জী-জী' বলে থেমে গেলেন।

জীবনবাবুর মৃতদেহ! মন্দিরের ভিতরে থামের আড়ালে নীল পাঞ্জাবি আর সাদা পায়জামার খানিকটা উঁকি মারছে। সকালে হাতে ঘড়ি ছিল, এখন নেই।

'এই দেখুন, কে কাপড় ফেলে গেছে।'

বেণীমাধব দিব্যি এগিয়ে যাচ্ছিলেন, বোধহয় কাপড়গুলো উদ্ধার করে তার মালিককে ফেরত দিতে, লালমোহনবাবু তার শার্টের কোনা খামচে ধরে বললেন, 'ওটা ল-লাশ! পুশ-পুশ্ পুশ্ পুলিশের ব্যাপার!'

মূকাভিনেতা লাশ শুনেই মূক মেরে গিয়েছিলেন—এইবার দেখলাম তার অভিনয়। অবাক থেকে শুরু করে এক ধাপে আতঙ্কে পৌঁছে তিনি দেখিয়ে দিলেন কথা না বলে কী করে পিট্টান দেওয়ার অভিনয় করতে হয়। আমরাও আর অপেক্ষা না করে এই বিভীষিকাময় পরিবেশ থেকে ঘুরে জোরে হেঁটে বাড়িমুখে রওনা দিলাম।

ফেলুদা দেখলাম ফিরে এসেছে। বলল, 'অমন ফ্যাকাশে মেরে গেছিস কেন ? চটপট রেডি হয়ে নে। পনেরো মিনিটের মধ্যে আত্মা নামবে।'

লালমোহনবাবু ফেলুদাকে দেখেই সম্পূর্ণ স্বাভাবিক। বললেন, 'একটা ইম্পরটান্ট

ডিসকভারি করে এলুম। অবিশ্যি একা নয়, দুজনে। জীবনবাবুর লাশ পড়ে রয়েছে বাদুড়ে কালীর মন্দিরে। পুলিশকে জানাবেন, না খুঁজতে দেবেন?'

আমি জানতাম সুধাকর দারোগাকে লালমোহনবাবুর মোটেই পছন্দ হয়নি, তাই খুঁজতে দেবেন। ফেলুদা বলল, 'মন্দিরের ভেতরে গেস্‌লেন?'

'নো স্যার। লাশ তো হ্যান্ডল করা বারণ, তাই আর যাইনি। তবে বিয়ন্ড ডাউট জীবন মল্লিক।'

'ঠিক আছে। সুধাকরবাবু এসছিলেন একটু আগে। বোধহয় ভটচায মশায়ের ওখানে আসছেন। তখন খবরটা দিয়ে দিলেই হবে।'

দশ মিনিটের মধ্যে আমরা রওনা দিয়ে দিলাম। তুলসীবাবু বললেন যে একবার উকিলবাবুর বাড়ি থেকে চট করে ঘুরে আসতে হবে। কালকের অনুষ্ঠানটা যে ভেস্তে যেতে পারে সেটা ওঁকে জানানো দরকার।

যাবার পথে ফেলুদা বলল যে মৃগাঙ্কবাবু নাকি জীবনলালের আত্মা নামানোর ব্যাপারে আপত্তি দূরের কথা, রীতিমতো আগ্রহ দেখিয়েছেন। বাইরে থেকে আরও জন তিনেক লোক এসেছেন, তাদের বাইরে বসিয়ে রেখে আগে আমাদের কাজটা করে দেবেন।

মৃগাঙ্কবাবুর ঘরে আজ তক্তপোষের বদলে রয়েছে একটা কাঠের টেবিল, আর সেটাকে ঘিরে টিন আর কাঠে মেশানো পাঁচটা চেয়ার। এরই একটাতে বসে আছেন মৃগাঙ্ক ভটচায। টেবিলের মাঝখানে রয়েছে একটা পিদিম, আর তার পাশেই একটা কাগজ আর পেনসিল। এ ছাড়া ঘরে রয়েছে দুটোর বদলে একটা বেঞ্চি, আর দুটো মোড়া। বেঞ্চিতে বসে আছে ভাগনে নিত্যানন্দ।

আমরা তিনজনে তিনটে চেয়ারে বসলাম, একটা খালি রইল তুলসীবাবুর জন্য।

'তুলসীচরণের জন্য অপেক্ষা করব কি?' প্রশ্ন করলেন মৃগাঙ্কবাবু।

'পাঁচ মিনিট দেখা যেতে পারে,' বলল ফেলুদা।

'আমি জানতাম। সেদিন আপনাকে দেখেই উপলব্ধি হয়েছিল যে আমার কাছে আবার আসতে হবে।' ভদ্রলোকের গলাটা এই অন্ধকার ঘরে গমগম করছে। মৃগাঙ্কবাবু বলে চললেন, 'বিজ্ঞান অর্থ বিশেষ জ্ঞান। পরলোকগত আত্মার সঙ্গে যোগস্থাপন হল এই বিশেষ জ্ঞানের শ্রেষ্ঠ জ্ঞান। সুতরাং যারা প্রকৃত বৈজ্ঞানিক, তারা এই বিশেষ জ্ঞানকে হেয় জ্ঞান করে না।'

জ্ঞান জ্ঞান করে এই ঘ্যানঘ্যানানি আর ভাল লাগছিল না। ভদ্রলোক এবার আরম্ভ করলেই পারেন।

'আপনারা সকলেই পরলোকগত জীবনলালকে প্রত্যক্ষ করেছেন, এবং তিনি সদ্য মৃত। এই দুই কারণে আজকের অধিবেশনের চূড়ান্ত সাফল্য আমি আশা করি। আত্মা এখনও নরলোক হতে পরলোকে উত্তীর্ণ হবার অবকাশ লাভ করেনি। অনেক পার্থিব বন্ধন মুক্ত করে তবে আত্মার উত্তরণ। জীবনলালের আত্মা এখনও আমাদের পরিপার্শ্বে বিদ্যমান। সে আমার আবাহনের অপেক্ষায় আছে। সে জানে আমি তাকে ডাকলে পাব, আমি জানি তাকে ডাকলে সে আসবে। জীবনলালের আত্মা ত্রিকালজ্ঞ, অবিনশ্বর। জলে স্থলে অন্তরীক্ষে তার অবাধ গতি। আমার এই লেখনী হবে তারই লেখনী। তারই জ্ঞান, তারই উপলব্ধি, তারই বিশ্বাস, ব্যক্ত হবে তারই ভাষায় আমার এই লেখনীর সাহায্যে।'

এবার ফেলুদার মুখ খুলল। এ অবস্থায় কথা বলা ওর পক্ষেই সম্ভব, কেননা আমার গলা শুকিয়ে গেছে, আর আমার বিশ্বাস লালমোহনবাবুরও।

'আপনি কী লিখছেন সেটা জানার জন্য সকলেরই কৌতূহল হবে, অথচ আমি ছাড়া আর সকলেই টেবিলের উলটো দিকে বসেছে, লেখা পড়া সম্ভব নয়। আমি যদি সকলের সুবিধের জন্য পড়ে দিই তাতে আপনার আপত্তি আছে কি?'

'কোনও আপত্তি নেই', বললেন মৃগাঙ্কবাবু, 'আপনি স্বচ্ছন্দেই লেখা পড়ে শুনিয়ে দিতে পারেন। আপনার জিজ্ঞাস্য তো একটাই, নয় কি?'

'তিনটে—ডাকাতের পরিচয়, খুনির পরিচয় এবং কখন কী ভাবে খুনটা হয়।'

'উত্তম,' বললেন মৃগাঙ্কবাবু।

৮

পাঁচ মিনিটের মধ্যেও তুলসীবাবু এলেন না দেখে মৃগাঙ্কবাবু কাজ আরম্ভ করে দেওয়া স্থির করলেন। মনে মনে বললাম— তুলসীবাবু এ জিনিস অনেক দেখেছেন, তাঁর পুরোটা না দেখলেও চলবে।

'অনুগ্রহ করে আপনাদিগের প্রত্যেকের হস্তদ্বয় অঙ্গুলি প্রসারিত করে এই টেবিলের উপর স্থাপন করুন।'

কাঠের টেবিলে হাতগুলো রাখার সঙ্গে সঙ্গে যে একটা টক্ টক্ শব্দ শুরু হল সেটা আর কিছুই না, লালমোহনবাবুর কাঁপা আঙুল টেবিলের উপর তবলার বোল তুলে ফেলছে। ভদ্রলোক দাঁতে দাঁত চেপে হাত স্টেডি করলেন।

মৃগাঙ্কবাবুর চোখ বন্ধ, ঠোঁট নড়ছে। চারিদিক একেবারে নিস্তব্ধ বলেই বুঝলাম উনি ফিস্ ফিস্ করে একটা শ্লোক আওড়াচ্ছেন।

এক মিনিট পরে সেটাও বন্ধ হয়ে গেল। এবারে যাকে ইংরিজিতে বলে ডেথলি সাইলেন্স। পিদিমের শিখা কাঁপছে, আর তার চার পাশে ঘুর ঘুর করছে তিনটে ফড়িং। ঘরের চারিদিকের দেয়ালে চারটে মানুষের ছায়া থর থর করে কাঁপছে। আড়চোখে ফেলুদার দিকে চেয়ে তার মনের অবস্থা কিছু বুঝতে পারলাম না। চোয়াল শক্ত, চোখের পাতা প্রায় পড়ছেই না, দৃষ্টি সটান মৃগাঙ্কবাবুর দিকে। মৃগাঙ্কবাবু নিজে যেন পাথরের মূর্তি। এর মধ্যে কখন যে পেনসিলটা তার হাতে চলে গেছে জানি না। সেটা এখন খাতার সাদা পাতার উপর ধরা, শিসের ডগাটা ঠেকে রয়েছে কাগজের সঙ্গে।

এবার মৃগাঙ্কবাবুর ঠোঁটে কাঁপুনি আরম্ভ হল। কপালে বিন্দু বিন্দু ঘাম। আমার পাশে আবার তবলার বোল শুরু হয়েছে, এখন আওয়াজটা রীতিমতো ভৌতিক বলে মনে হচ্ছে। অনেকেরই এ অবস্থায় এভাবে হাত কাঁপতে পারে, যদিও আমার কাঁপছে শুধু বুক।

'জীবনলাল, জীবনলাল, জীবনলাল......'

তিনবার পর পর অতি আস্তে উচ্চারণ হল নামটা। মৃগাঙ্কবাবুর ঠোঁটটা নড়ল কি না তাও ভাল করে বুঝতে পারলাম না। 'এসেছেন ? আপনি এসেছেন ?'

প্রশ্ন এল আমাদের চমকে দিয়ে আমাদের পিছন থেকে। এইবারে বুঝলাম নিত্যানন্দের ভূমিকাটা কী। মৃগাঙ্কবাবু নিজে এই অবস্থায় কথা বলেন না। হয়তো বলা সম্ভবই না। 'এসেছি।'

ফেলুদার গলা। খাতায় লেখা হয়েছে, ফেলুদা সেটাই পড়ে বলেছে।

আমার চোখ মৃগাঙ্কবাবু হাতের দিকে গেল। পিছন থেকে প্রশ্ন এল, 'তুমি কোথায় আছ ?'

'কাছেই'—পড়ে বলল ফেলুদা।

'কতগুলি প্রশ্ন তোমাকে করা হবে, সেগুলোর জবাব দিতে পারবে ?' পেনসিল নড়ল।

'পারব'—পড়ে বলল ফেলুদা।

'সিন্দুক খুলে টাকা নিল কে ?' 'আমি।'

'তোমাকে যে হত্যা করল, তাকে দেখেছিলে ?' 'হ্যাঁ।'

'চিনেছিলে ?' 'হ্যাঁ।'

'কে সে ?' 'বাবা।'

কিন্তু কী ভাবে খুনটা করা হল সেটা আর জানা হল না, কারণ প্রশ্নটা হবার সঙ্গে সঙ্গে 'এতেই হবে' বলে ফেলুদা উঠে দাঁড়াল! তারপর আমার দিকে ফিরে বলল, 'তোপ্‌সে, ওই লণ্ঠনটা আন তো—দরজার বাইরে রাখা রয়েছে। আলো বড্ড কম।'

আমি ভ্যাবাচ্যাকা, লণ্ঠনটা এনে টেবিলের উপরে রাখলাম।

ফেলুদা মৃগাঙ্কবাবুর সামনে থেকে কাগজটা তুলে নিল। তারপর উত্তরগুলোর দিকে একবার চোখ বুলিয়ে নিয়ে বলল, 'মৃগাঙ্কবাবু, আমার মনে হচ্ছে আপনার এই আত্মাটি এখনও ঠিক ত্রিকালজ্ঞ হয়ে উঠতে পারেনি, কারণ প্রশ্নোত্তরে কতগুলো গোলমাল পাচ্ছি।'

মৃগাঙ্কবাবু কটমট করে ফেলুদার দিকে চাইলেন, যেন এক চাহনিতে ফেলুদাকে ভস্ম করবেন। ফেলুদা তাঁকে অগ্রাহ্য করে বলে চলল, 'যেমন, তাঁকে জিজ্ঞেস করা হচ্ছে সিন্দুক

খুলে টাকা নিল কে, উত্তর হচ্ছে—'আমি'। কিন্তু সিন্দুকে তো টাকা ছিল না মৃগাঙ্কবাবু!'

ম্যাজিকের মতো মৃগাঙ্কবাবুর মুখ থেকে ক্রোধের ভাবটা চলে গিয়ে সেখানে দেখা দিল সংশয়। ফেলুদা বলল, 'টাকা ছিল না বলছি এই কারণে যে সিন্দুক খুলেছিল জীবনলাল নয়, খুলেছিল প্রদোষ চন্দ্র মিত্র। অবিশ্যি জীবনবাবু এই ব্যাপারে আমাকে সাহায্য করেছিলেন। তিনিই মাঝরাত্তিরে দরজা খুলে আমাকে ঢুকতে দেন, তিনিই বলে দেন যে তাঁর বাবার বালিশের তলায় থাকে সিন্দুকের চাবি; ভোলানাথবাবু আর শ্যামলালবাবুকে বাঁধার ব্যাপারেও অবিশ্যি তিনি আমাকে সাহায্য করেন। যাই হোক্, সিন্দুকে টাকার বদলে যেটা ছিল সেটা হল—'

ফেলুদা পকেট থেকে আর একটা কাগজ বের করল। এটাও খাতার কাগজ, এটাতেও পেনসিল দিয়ে লেখা।

'এই কাগজটাই', বলল ফেলুদা, 'শ্যামলালবাবুর কাছ থেকে চেয়ে আমি পাইনি। এটার প্রয়োজন হয়েছিল এই কারণেই যে মৃগাঙ্কবাবুর সততা সম্বন্ধে আমার মনে সন্দেহ উপস্থিত হয়েছিল, আর সেটা হয়েছিল একেবারে প্রথম দিনের সাক্ষাতের পরেই। আমার সঙ্গে আলাপ হবার পরমুহূর্তেই তিনি ভান করলেন যে আমার নাম এবং পেশা তিনি অলৌকিক উপায়ে জেনে ফেলেছেন। আসলে এগুলো কিন্তু তাঁকে আগেই জানিয়ে রেখেছিলেন তুলসীবাবু। তাই নয়, তুলসীবাবু?'

তুলসীবাবু এর মধ্যে কখন যে অন্ধকারে ঘরে ঢুকে মোড়ায় বসেছেন তা দেখিইনি। ভদ্রলোক ফেলুদার কথায় ভারী অপ্রস্তুত হয়ে আমতা আমতা করে বললেন, 'মানে আপনার মনে, ইয়ে, যদি একটু ভক্তিভাব জাগে...'

ফেলুদা তাঁকে থামিয়ে বলল, 'দোষ আমি আপনাকে দিচ্ছি না তুলসীবাবু। আপনি তো আর নিজেকে মহৎ প্রতিপন্ন করার চেষ্টা করেন না। কিন্তু ইনি করেন। যাই হোক, এই ভণ্ডামির গন্ধ পেয়েই আমি কাগজটা পেতে বদ্ধপরিকর। আমার আশা ছিল শ্যামলালবাবু সম্পর্কে কয়েকটা খটকার উত্তর আমি এই কাগজে পাব।'

পিদিমের আলোতেও বুঝতে পারলাম মৃগাঙ্কবাবুর কপাল ঘেমে গেছে। ফেলুদা কাগজটা আলোয় ধরে বলল, 'দুর্লভ মল্লিকের আত্মা এই কাগজে তাঁর ছেলের কিছু প্রশ্নের উত্তর দিয়েছেন। প্রশ্নগুলো মুখে করা হয়েছিল, তাই এতে লেখা নেই; কিন্তু উত্তরগুলো থেকে প্রশ্নগুলো অনুমান করা যায়। আমি উত্তরের পাশে পাশে সেগুলো লিখেছি, এবং সেই ভাবেই পড়ে শোনাচ্ছি; আমার ভুল হলে সংশোধন করে দেবেন মৃগাঙ্কবাবু!'

মৃগাঙ্কবাবুর দ্রুত নিশ্বাসে প্রদীপের শিখা কেঁপে কেঁপে উঠছে। ফেলুদা পড়া আরম্ভ করল—

'এক নম্বর প্রশ্ন—আমার শত্রু কে? উত্তর—ঘরেই আছে।

সে কি আমার মৃত্যু কামনা করে—না। তবে কী চায়?—টাকা। টাকা রক্ষার উপায় কী?—সিন্দুকে রেখো না। কোথায় রাখব?—মাটির নীচে। কোনখানে?—বাগানে। বাগানের কোথায়?—উত্তরে। উত্তরে কোথায়?—আম গাছের নীচে। কোন আম গাছ?—দেয়ালের ফাটলের ধারে।'

ফেলুদা এবার হাতের কাগজটা টেবিলের উপরে রেখে বলল, 'শ্যামলালবাবুর পায়ের তলায় মাটি এবং গায়ে মশার কামড় দেখে মনে হয়েছিল তিনি কোনও কারণে বাগানে গিয়ে সেখানে কিছুটা সময় কাটিয়েছেন। আজ জানি তিনি এই কাগজের—অর্থাৎ মৃগাঙ্কবাবুর—নির্দেশ অনুযায়ী সিন্দুক থেকে টাকার বাক্স বার করে মাটিতে পুঁততে গিয়েছিলেন। টাকা লুকিয়ে রাখার এই প্রাচীন পন্থা শ্যামলালবাবুর মনঃপূত হবে এটা

মৃগাঙ্কবাবু বুঝেছিলেন। এই টাকার উপর মৃগাঙ্কবাবুর লোভ অনেক দিনের, কিন্তু বিশ্বস্ত ভোলানাথ যদ্দিন আছেন তদ্দিন সিন্দুকের নাগাল পাওয়া অসম্ভব। প্রথমে চেষ্টা করেছিলেন ভোলানাথবাবুর উপর শ্যামলালের সন্দেহ ফেলে তাকে হটানোর। সেটা সফল হয়নি। কিন্তু সেই সময় আশ্চর্য সুযোগ এসে যায়। শ্যামলালবাবু নিজেই মৃগাঙ্কবাবুকে ডেকে পাঠান আত্মা নামানোর জন্য। মৃগাঙ্কবাবু তাঁর আশ্চর্য বুদ্ধি বলে এক ঢিলে দুই পাখি মারেন ; শ্যামলালের ঘরের লোককেই শ্যামলালের শত্রু করে দেন, এবং টাকার বাক্স সিন্দুক থেকে বার করিয়ে বাগানে আনান। সেই বাক্স কাল সন্ধ্যাবেলা—'

একটা শব্দ শুনে পিছন ফিরে দেখি ভাগনে বেঞ্চি ছেড়ে দরজার দিকে একটা লাফ মেরেছে। কিন্তু ঘর থেকে বেরোনো আর হল না কারণ দুটো শক্ত হাত তাকে বাধা দিয়েছে। এবার হাতের মালিক ভাগনে সমেত ভিতরে ঢুকলেন। আরেব্বাস—এ যে সুধাকর দারোগা ! দারোগা বললেন, 'বাক্সটা পেয়েছি মিস্টার মিত্তির ; একটা ট্রাঙ্কের মধ্যে কাপড়ের নীচে রাখা ছিল। মণীশ—দাও তো !'

একজন কনস্টেবল একটা স্টিলের বাক্স নিয়ে ঘরে ঢুকে সেটাকে টেবিলের উপর রাখল।

'এর ডালা তো ভেঙেই ফেলা হয়েছে দেখছি,' বলল ফেলুদা।

বাক্স খুলতে লণ্ঠন আর পিদিমের আলোয় তাড়া তাড়া একশো টাকার নোট দেখেই বুঝলাম এত টাকা আমি একসঙ্গে কখনও দেখিনি।

'কিন্তু খুন ?' হঠাৎ চিৎকার করে উঠলেন মৃগাঙ্কবাবু। 'খুন করল কে ? খুন তো আমি করিনি !'

'খুন একজনই করেছে মৃগাঙ্কবাবু !'—ফেলুদার গলা যেন খাপখোলা তলোয়ার—'এবং তারও নাম প্রদোষ চন্দ্র মিত্র। খুন হয়েছে আপনার ভণ্ডামি, আপনার শয়তানি, আপনার লোভ। এর কোনওটাই আর কোনওদিনও মাথা তুলতে পারবে না, কারণ সকলেই জানবে যে আপনি আজ অপূর্ব ক্ষমতাবলে একটি জীবন্ত ব্যক্তির আত্মাকে পরলোক থেকে ডেকে এনেছেন আপনার এই ঘরে—আসুন, জীবনবাবু !'

এবার পিছন নয়, সামনের দরজা দিয়ে ঢুকলেন জীবনলাল মল্লিক। তাঁকে দেখেই মৃগাঙ্কবাবু যে কথাটা বলে আর্তনাদ করলেন, সেটা লালমোহনবাবুর বিশ্বাস 'হা হতোহস্মি', কিন্তু আমি যেন শুনলাম 'হায় ! হাতে হাতকড়া।'

* * *

অবিশ্যি হাতে হাতকড়া পড়েছিল ঠিকই। সুধাকরবাবু শুধু একটা অভিযোগ করলেন ফেলুদাকে—'মিছিমিছি দুটো পুকুরে জাল ফেলালেন আমাদের দিয়ে !'

'কী বলছেন সুধাকরবাবু,' বলল ফেলুদা, 'জীবনবাবু খুন হয়েছে এ ধারণা সকলের মনে বদ্ধমূল না হলে মৃগাঙ্কবাবুর ভণ্ডামি হাতেনাতে ধরব কী করে ?'

জীবনবাবু খুনের ব্যাপারটা শুধুই মৃগাঙ্কবাবুকে সায়েস্তা করার জন্য। একেবারে প্ল্যান করে ভাঁওতা। এদিকে আমি আর ফেলুদা, আর ওদিকে লালমোহনবাবু ও ভোলানাথবাবু চলে যাওয়া মাত্র ভদ্রলোক বাগান থেকে উঠে বাড়িতে ফিরে গিয়ে দোতলার পিছন দিকের একটা গুদোম ঘরে গা ঢাকা দেন। যাবার পথে ঠাকুমা দেখে ফেলেছিলেন, কিন্তু সেটা ফেলুদা ম্যানেজ করে। আজ সন্ধ্যায় তিনি আবার বাড়ি থেকে বেরিয়ে আসেন মৃগাঙ্কবাবুর বৈঠকের শেষে আত্মপ্রকাশ করবেন বলে। সেই সময় বাঁশ বনে দূর থেকে আমাদের দেখে বাদুড়ে কালীমন্দিরে ঢুকে মড়া সেজে পড়ে থাকতে হয়।

রাত্রে খাবার সময় তুলসীবাবু কাঁচুমাচু ভাব করে ফেলুদাকে বললেন, 'আপনি আমার উপর অসন্তুষ্ট হননি তো ?'

'অসন্তুষ্ট ?' বলল ফেলুদা, 'আপনি আমাকে কতটা হেল্‌প করেছেন জানেন ? লোকটা সেদিন আমার নাম নিয়ে হেঁয়ালি না করলে তো ওর ওপর আমার সন্দেহই পড়ত না ! আমার তো আপনাকে ধন্যবাদ দেওয়া উচিত ।'

আজ জীবনবাবু আমাদের বাড়িতে যাচ্ছিলেন । বললেন, 'আমি বেরোবার আগে বাবাকে প্রণাম করে এলাম ।'

'কী মনে হল ?' জিজ্ঞেস করল ফেলুদা ।

'তাজ্জব বনে গেলাম,' বললেন জীবনবাবু । 'আমার মাথায় হাত বুলিয়ে জিজ্ঞেস করলেন ব্যবসা কেমন চলছে ।'

লালমোহনবাবু এতক্ষণ মাছের মুড়ো চিবোচ্ছিলেন বলে কিছু বলেননি । এবার তুলসীবাবুর দিকে ফিরে বললেন, 'তা হলে কালকের ইয়েটা—?'

'হচ্ছে বইকী । এখন তো আর কোনও বাধা নেই ।'

'ভেরি গুড । আমার ইয়েটাও রেডি আছে ।'

গোরস্থানে সাবধান

১

রহস্য-রোমাঞ্চ ঔপন্যাসিক জটায়ু ওরফে লালমোহন গাঙ্গুলীর লেখা গল্প থেকে বম্বের ফিল্ম পরিচালক পুলক ঘোষালের তৈরি ছবি কলকাতার প্যারাডাইজ সিনেমায় জুবিলি করার ঠিক তিন দিন পরে বিকেল বেলা উৎকট সারেগামা হর্ন বাজিয়ে একটা সেকেন্ড হ্যান্ড মার্ক টু অ্যাম্বাসাডর গাড়ি আমাদের বাড়ির সামনে এসে দাঁড়াল। আমরা জানতাম যে লালমোহনবাবু একটা গাড়ি কেনার তাল করছেন, কিন্তু ঘটনাটা যে এত চট করে ঘটে যাবে সেটা ভাবিনি। অবিশ্যি শুধু যে গাড়িই কেনা হয়েছে তা নয়; তার সঙ্গে একটি ড্রাইভারও রাখা হয়েছে, কারণ লালমোহনবাবু গাড়ি চালাতে জানেন না। এমনকী শেখার ইচ্ছেটাও নেই। একথাটা তিনি এতবার আমাদের বলেছেন যে, শেষটায় একদিন ফেলুদাকে বাধ্য হয়ে জিজ্ঞেস করতে হল, 'কেন মশাই, শিখবেন না কেন?' তাতে লালমোহনবাবু বললেন যে, বছর পাঁচেক আগে নাকি এক বন্ধুর গাড়িতে শিখতে আরম্ভ করেছিলেন। দুদিন শিখে থার্ড দিনে একটা চমৎকার গল্পের প্লট মাথায় নিয়ে ফার্স্ট গিয়ার থেকে সেকেন্ড গিয়ারে যেতে গাড়িটা এমন হ্যাঁচকা মারলে যে প্লটের খেই বেমালুম হাওয়া। 'সে-আপশোস আমার আজও যায়নি মশাই।'

সাদা শার্ট আর খাকি প্যান্ট-পরা ড্রাইভার নেমে এসে দরজা খুলে দিতে লালমোহনবাবু একটা ছোট্ট লাফ দিয়ে রাস্তায় নামতে গিয়ে ধুতির কোঁচায় পা আটকে খানিকটা বেসামাল হলেও তাঁর মুখ থেকে হাসিটা গেল না। ফেলুদা কিন্তু গম্ভীর। তিনজনে ঘরে এসে বসার পর সে মুখ খুলল।

'আপনার ওই বিটকেল হর্নটা পালটিয়ে সাধারণ, সভ্য হর্ন না-লাগানো পর্যন্ত রজনী সেন রোডে ও-গাড়ির প্রবেশ নিষেধ।'

জটায়ু জিভ কাটলেন। 'আমি জানতুম ব্যাপারটা একটু রিস্‌কি হয়ে যাচ্ছে। যখন ডিমনস্ট্রেট

করলে না?—তখন লোভ সামলাতে পারলুম না।—জাপানি, জানেন তো?'

'কান-ফাটানি হাড়-জ্বালানি', বলল ফেলুদা। 'আপনার উপর হিন্দি ফিল্মের প্রভাব এতটা ঝটিতি পড়বে সেটা ভাবতে পারিনি। আর রংটাও ইকুয়্যালি পীড়াদায়ক। মাদ্রাজি ফিল্ম-মার্কা।'

লালমোহনবাবু কাতরভাবে হাত জোড় করলেন। 'দোহাই মিস্টার মিত্তির! হর্ন আমি কালই চেঞ্জ করছি, কিন্তু রংটা রাখতে দিন। গ্রিনটা বড় সুদিং।'

ফেলুদা হাল ছেড়ে দিয়ে চায়ের অর্ডার দিতে যাচ্ছিল, লালমোহনবাবু বাধা দিয়ে বললেন, 'ওটা এখন বাদ দিন; আগে চলুন একবারটি চক্কর মেরে আসি। আপনাকে আর তপেশবাবুকে না-চড়ানো অবধি আমার ঠিক স্যাটিসফ্যাকশন হচ্ছে না। বলুন কোথায় যাবেন।'

ফেলুদা আপত্তি করল না। একটু ভেবে বলল, 'তোপ্‌সেকে একবার চার্নকের সমাধিটা দেখিয়ে আনব ভাবছিলাম।'

'চার্নক? জব চার্নক?'

'না।'

'তবে? চার্নক আরও আছে নাকি?'

'আরও নিশ্চয়ই আছে, তবে কলকাতার প্রতিষ্ঠাতা চার্নক একজনই।'

'তাই তো—মানে...'

'তার নাম জব নয়, জোব। জব হল কাজ, চাকরি; আর জোব হল নাম। যে ভুলটা আর পাঁচজনে করে সেটা আপনি করবেন কেন?'

এখানে বলে রাখি ফেলুদার লেটেস্ট নেশা হল পুরনো কলকাতা। ফ্যান্সি লেনে একটা খুনের তদন্ত করতে গিয়ে ও যখন জানল যে ফ্যান্সি হচ্ছে আসলে ফাঁসি, আর ওই অঞ্চলেই দুশো বচ্ছর আগে নন্দকুমারের ফাঁসি হয়েছিল, তখন থেকেই নেশাটা ধরে। গত তিন মাসে ও এই নিয়ে যে কত বই পড়েছে, ম্যাপ দেখেছে, ছবি দেখেছে তার ইয়ত্তা নেই। অবিশ্যি এই সুযোগে আমারও অনেক কিছু জানা হয়ে যাচ্ছে, আর তার বেশির ভাগটা হয়েছে ভিক্টোরিয়া মেমোরিয়ালে দুটো দুপুর কাটিয়ে।

ফেলুদা বলে দিল্লি-আগ্রার তুলনায় কলকাতা খোকা-শহর হলেও এটাকে উড়িয়ে দেওয়া মোটেই ঠিক নয়। এখানে তাজমহল নেই, কুতুবমিনার নেই, যোধপুর-জয়সলমীরের মতো কেল্লা নেই, বিশ্বনাথের গলি নেই—এ সবই ঠিক—'কিন্তু ভেবে দ্যাখ তোপ্‌সে—একটা সাহেব মশা মাছি সাপ ব্যাঙ বন-বাদাড়ে ভরা মাঠের এক প্রান্তে গঙ্গার ধারে বসে ভাবল এখানে সে কুঠির পত্তন করবে, আর দেখতে দেখতে বন-বাদাড় সাফ হয়ে গিয়ে সেখানে দালান উঠল, রাস্তা হল, রাস্তার ধারে লাইন করে গ্যাসের বাতি বসল, সেই রাস্তায় ঘোড়া ছুটল, পাল্কি ছুটল, আর একশো বছর যেতে না যেতে গড়ে উঠল এমন একটা শহর যার নাম হয়ে গেল সিটি অফ প্যালেসেজ। এখন সে শহরের কী ছিরি হয়েছে সেটা কথা নয়; আমি বলছি ইতিহাসের কথা। শহরের রাস্তার নাম পালটে এরা সেই ইতিহাস মুছে ফেলতে চাইছে—কিন্তু সেটা কি উচিত? বা সেটা কি সম্ভব? অবিশ্যি সাহেবরা তাদের সুবিধের জন্যই এত সব করেছিল, কিন্তু যদি না করত, তা হলে ফেলু মিত্তির এখন কী করত ভেবে দ্যাখ! ছবিটা একবার কল্পনা করে দ্যাখ—তোর ফেলুদা—প্রদোষচন্দ্র মিত্র, প্রাইভেট ইনভেস্টিগেটর—ঘাড় গুঁজে কলম পিশছে কোনও জমিদারি সেরেস্তায়, যেখানে ফিংগার প্রিন্ট বললে বুঝবে টিপসই!'

বিবিডি বাগ—যার নাম ছিল ডালহৌসি স্কোয়ার—যে ডালহৌসি আমাদের দেশে লাটসাহেব হয়ে এসে গপাগপ্ রাজ্য গিলেছে, আর সেই সঙ্গে প্রথম রেলগাড়ি আর প্রথম টেলিগ্রাফ চালু করেছে—সেই বিবিডি বাগে দুশো বছরের পুরনো সেন্ট জন্‌স চার্চের কম্পাউন্ডে কলকাতার প্রথম ইটের বাড়ি জোব চার্নকের সমাধি দেখে লালমোহনবাবু যদিও

বললেন 'থ্রিলিং', আমার কিন্তু মনে হল সেটা আকাশে মেঘের ঘনঘটা আর সেই সঙ্গে একটা গুরু-গম্ভীর গর্জনের জন্য। সমাধির গায়ে একটা মার্বেলের ফলকের দিকে কিছুক্ষণ চেয়ে থেকে ভদ্রলোক বললেন, 'এ তো দেখছি জোবও নয় মশাই—জোবাস্। ব্যাপার কী বলুন তো?'

'জোবুস হল জোবের ল্যাটিন সংস্করণ', বলল ফেলুদা। 'পুরো লেখাটাই ল্যাটিনে সেটা বুঝতে পারছেন না?'

'ল্যাটিন-ফ্যাটিন জানি না মশাই; ইংরিজি নয় এটা বুঝতেই পারছি। নামের উপর ডি-ও-এম লেখা কেন?'

'ডি-ও-এম হচ্ছে ডমিনুস অমনিউম ম্যাজিস্টের। অর্থাৎ ঈশ্বর সকলের কর্তা। আর তার নীচে যে কথাগুলো রয়েছে তার একটার প্রতি আপনার দৃষ্টি আকর্ষণ করি। Marmore। মর্মর-সৌধ জানেন তো? সেই মর্মর আর এই মারমোরে একই জিনিস—মার্বল। আর আরও মজা হচ্ছে এই যে, মর্মর কথাটা সংস্কৃত নয়, ফারসি। অথচ সৌধ হল সংস্কৃত। এইভাবে সংস্কৃত-ফারসি সংস্কৃত-আরবি আমরা দিব্যি জোড়া লাগিয়ে চালিয়ে দিই। যেমন, শলাপরামর্শ। শলা হল সলাহ্—অর্থাৎ পরামর্শ, ফারসি কথা: পরামর্শ সংস্কৃত। বা কাগজপত্র—কাগজ আরবি, পত্র সংস্কৃত। তারপর আবার—'

ফেলুদার লেকচার শেষ হল না, কারণ কথা নেই বার্তা নেই উঠল এমন এক ধুলোর ঝড় (জটায়ু বললেন 'প্রলয়ঙ্কর') যেমন আমি আর কোনওদিন দেখিনি। আমরা পড়ি-কি-মরি করে লালমোহনবাবুর সবুজ অ্যামবাসাডরে গিয়ে উঠলাম, আর ড্রাইভার হরিপদবাবু গাড়ি ছুটিয়ে দিলেন এস্প্লানেডের দিকে। এই প্রথম দেখলাম ধুলোর জন্য অক্টার—থুড়ি—শহিদ মিনারটা আর দেখা যাচ্ছে না। হাওয়ার তেজ কত বুঝতে পারছি না। কারণ গাড়ির কাচ তুলে দেওয়া হয়েছে। তবে এটা দেখলাম যে, চানাচুরওয়ালারা যে সরু লম্বা বেতের মোড়ার মতো স্ট্যান্ডের উপর তাদের জিনিসপত্র রাখে, তারই একটা গড়ের মাঠের দিক থেকে শূন্য দিয়ে পাক খেতে খেতে উড়ে এসে আমাদের ঠিক সামনে একটা চলন্ত ডবল ডেকারের দোতলায় আছড়ে পড়ে পরক্ষণেই আবার ছাড়া পেয়ে কার্জন পার্কের দিকে উড়ে গেল।

পার্ক স্ট্রিটের কাছাকাছি এসে দেখি ট্রাম বন্ধ, কারণ একটা দেবদারু গাছ ভেঙে লাইনের উপর পড়েছে, ফেলুদার ইচ্ছে ছিল আমাদের পার্ক স্ট্রিটের পুরনো গোরস্থানটা দেখিয়ে নিয়ে যাবে, কিন্তু সেটা আর এই ঝড়ের জন্য হল না। যদি যেতাম, তা হলে হয়তো একটা ঘটনা চোখের সামনে দেখতে পেতাম—যেটার বিষয় পরদিন সকালে কাগজে বেরোল। চব্বিশে জুনের এই প্রলয়ঙ্কর ঝড়ে ('উইন্ড ভেলসিটি ওয়ান হান্ড্রেড অ্যান্ড ফর্টিফাইভ কিলোমিটার্স পার আওয়ার') সাউথ পার্ক স্ট্রিট গোরস্থানে একটা গাছ ভেঙে পড়ে নরেন্দ্রনাথ বিশ্বাস নামে এক প্রৌঢ় ভদ্রলোককে গুরুতরভাবে জখম করে। তাঁকে হাসপাতালে নিয়ে যাওয়া হয়। অবিশ্যি তিনি সন্ধ্যাবেলা এই আদ্যিকালের গোরস্থানে কী করছিলেন সে খবর কাগজে লেখেনি।

২

পরদিন সকাল আর দুপুরের অর্ধেকটা বাদলার উপর দিয়েই গেল। ফেলুদা কোত্থেকে জানি একটা ১৯৩২ সালের ক্যালকাটা অ্যান্ড হাওড়ার ম্যাপ জোগাড় করেছে; দুপুরে খিচুড়ি আর ডিম ভাজা খেয়ে পান মুখে পুরে একটা চারমিনার ধরিয়ে ও ম্যাপটার ভাঁজ খুলল। সেটাকে মাটিতে বিছনোর জন্য টেবিল চেয়ার সব ঠেলে দেয়ালের গায়ে লাগিয়ে দিয়ে মেঝের মাঝখানে ছ-ফুট বাই ছ-ফুট জায়গা করতে হল। ম্যাপের উপর হামাগুড়ি দিয়ে আমরা কলকাতার রাস্তাঘাট দেখছি, ফেলুদা বলছে 'রজনী সেন খুঁজিস না, এ অঞ্চলটা তখন জঙ্গল,' এমন সময়

জটায়ু এলেন। আজ আর ধুতি-পাঞ্জাবি নয়, গাঢ় নীল টেরিকটের প্যান্ট আর হলুদে বুশ শার্ট। 'ছিয়াত্তরটা গাছ পড়েছে কালকের ঝড়ে' ঢুকেই ঘোষণা করলেন ভদ্রলোক। 'আর আপনার কথা রেখেছি মশাই, এখন আর হর্ন শুনলে হিন্দি ফিল্মের কথা মনে পড়বে না।'

আজ তাড়া নেই, তাই চা খেয়ে বেরোনো হল। ছিয়াত্তরটা গাছ পড়ার খবর কাগজে পড়ে বিশ্বাস হয়নি, কিন্তু পার্ক স্ট্রিট থেকে নিজের চোখে উনিশটা গাছ বা গাছের ডাল পড়ে থাকতে দেখলাম, তার মধ্যে সাদার্ন এভিনিউতেই তিনটে। তাও তো এর মধ্যে কত ডালপালা সরিয়ে ফেলা হয়েছে কে জানে।

গোরস্থানের গেটের সামনে যখন পৌঁছলাম (এখানে আসছি সেটা ক্যামাক স্ট্রিটের আগে ফেলুদা আমাদের বলেনি) তখন জটায়ুর দিকে চেয়ে দেখি তাঁর স্বাভাবিক ফুর্তি ভাবটা যেন একটু কম। ফেলুদা তাঁর দিকে জিজ্ঞাসু দৃষ্টি দিতে ভদ্রলোক বললেন, 'একবার এক সাহেবকে কবর দিতে দেখেছিলুম—ফর্টিওয়ানে— রাঁচিতে। কাঠের বাক্সটা গর্তে নামিয়ে যখন তার উপর চাবড়া চাবড়া মাটি ফেলে না—সে এক বীভৎস শব্দ মশাই।'

'সে শব্দ এখানে শোনার কোনও সম্ভাবনা নেই,' বলল ফেলুদা। 'এই গোরস্থানে গত সোয়াশো বছরে কোনও মৃতব্যক্তিকে সমাধিস্থ করা হয়নি।'

গেট দিয়ে ঢুকতেই ডাইনে দারোয়ানের ঘর। দিনের বেলা যে-কেউ এ গোরস্থানে ঢুকতে পারে, তাই দারোয়ানের বোধহয় বিশেষ কোনও কাজ নেই। 'তবে হ্যাঁ,' বলল ফেলুদা। 'একটা ব্যাপারে একটু নজর রাখতে হয়—যাতে সমাধির গা থেকে কেউ মার্বেলের ফলক খুলে না নেয়। ভাল ইটালিয়ান মার্বেল বাজারে বিক্রি করলে বেশ দু পয়সা আসে।—দারোয়ান!'

দারোয়ান ঘর থেকে বেরিয়ে এল। দেখে বলে দিতে হয় না সে বিহারের লোক; খৈনিটা মনে হয় সবেমাত্র পুরেছে মুখে।

'কাল এখানে একজন বাঙালিবাবু জখম হয়েছেন—মাথায় গাছ পড়ে?'

'হাঁ বাবু।'

'সে জায়গাটা দেখা যায়?'

'উয়ো রাস্তাসে সিধা চলিয়ে যান—একদম এন্ড তক্। বাঁয়ে ঘুমলেই দেখতে পাবেন। অভিতক্ পড়া হুয়া হ্যায় পেড়।'

আমরা তিনজন ঘাস-গজিয়ে-যাওয়া বাঁধানো রাস্তাটা দিয়ে এগিয়ে গেলাম। দুদিকে সমাধির সারি—তার এক-একটা বারো-চোদ্দো হাত উঁচু। ডাইনে কিছু দূরে একটা সমাধি প্রায় তিনতলা বাড়ির সমান উঁচু। ফেলুদা বলল, ওটা খুব সম্ভবত পণ্ডিত উইলিয়াম জোন্স-এর সমাধি, ওর চেয়ে উঁচু সমাধি নাকি কলকাতায় আর নেই।'

প্রত্যেকটা সমাধির গায়ে সাদা কিংবা কালো মার্বেলের ফলকে মৃতব্যক্তির নাম, জন্মের তারিখ, আর মৃত্যুর তারিখ, আর সেই সঙ্গে আরও কিছু লেখা। কয়েকটা বড় ফলকে দেখলাম অল্প কথায় জীবনী পর্যন্ত লেখা রয়েছে। বেশির ভাগ সমাধিই চারকোনা থামের মতো, নীচে চওড়া থেকে উপরে সরু হয়ে উঠেছে। লালমোহনবাবু সেগুলোকে বললেন বোরখাপরা ভূত। কথাটা খুব খারাপ বলেননি, যদিও এ ভূতের নড়াচড়ার উপায় নেই। এ ভূত প্রহরী ভূত; মাটির নীচে কফিনবন্দি হয়ে যিনি শুয়ে আছেন তাঁকেই যেন গার্ড করছেন এই ভূত। 'এই স্তম্ভগুলোর ইংরিজি নামটা জেনে রাখ তোপ্সে। একে বলে ওবেলিস্ক।' লালমোহনবাবু বার পাঁচেক কথাটা আউড়ে নিলেন। আমি বাঁ দিক ডান দিক চোখ ঘোরাচ্ছি আর ফলকের নামগুলো বিড়বিড় করছি—জ্যাকসন, ওয়াট্স, ওয়েল্স, লারকিন্স, গিবন্স, ওল্ডহ্যাম...। মাঝে মাঝে দেখছি পাশাপাশি একই নামের বেশ কয়েকটি সমাধি রয়েছে—বোঝা যাচ্ছে সবাই একই পরিবারের লোক। সবচেয়ে আগের তারিখ যা এখন পর্যন্ত চোখে পড়েছে তা হল ২৮ শে জুলাই ১৭৭৯।

তার মানে ফরাসি বিপ্লবেরও বারো বছর আগে।

রাস্তার শেষ মাথায় পৌঁছে বুঝতে পারলাম গোরস্থানটা কত বড়। পার্ক স্ট্রিটের ট্র্যাফিকের শব্দ এখানে ক্ষীণ হয়ে এসেছে। ফেলুদা পরে বলেছিল, 'এখানে নাকি দু হাজারের বেশি সমাধি আছে। লালমোহনবাবু লোয়ার সার্কুলার রোডের দিকটায় গোরস্থানের গায়ে-লাগা একটা ফ্ল্যাটবাড়ির দিকে দেখিয়ে বললেন, ওঁকে লাখ টাকা দিলেও নাকি উনি ওখানে থাকবেন না।

গাছ যেটা ভেঙেছে বলে কাগজে বেরিয়েছে, সেটা আসলে শাখা-প্রশাখা সমেত একটা প্রকাণ্ড আম গাছের ডাল। সেটা পড়েছে একটা সমাধির বেশ খানিকটা ধ্বংস করে। এ ছাড়াও আরও অনেক ডালপালা চারিদিকে ছড়িয়ে রয়েছে।

আমরা সমাধিটার দিকে এগিয়ে গেলাম।

এটা অন্যগুলোর তুলনায় বেঁটে, লালমোহনবাবুর কাঁধ অবধি আসবে বড় জোর। বোঝা যায় এমনিতেই সেটার অবস্থা বেশ কাহিল ছিল। যেদিকে ডালের ঘা লাগেনি সেদিকটাও ফাটল ধরে চৌচির হয়ে আছে, পলেস্তারা খসে ইট বেরিয়ে আছে। ঘা লাগার দরুন শ্বেত পাথরের ফলকটাও ভেঙেছে; তার খানিকটা সমাধির গায়ে এখনও লেগে আছে, বাকিটা আট-দশ টুকরো হয়ে ঘাসের উপর পড়ে আছে। বৃষ্টি হয়ে চারিদিকটা এমনিতেই জলকাদায় ভরা, কিন্তু এখানে যেন কাদাটা অন্য জায়গার চেয়ে একটু বেশি। 'আশ্চর্য', বললেন লালমোহনবাবু, 'গড কথাটা কিন্তু এখনও সমাধির গায়ে লেগে আছে।'

'শুধু গড নয়,' বলল ফেলুদা, 'তার নীচে সালের অংশ দেখতে পাচ্ছেন নিশ্চয়ই।'

'ইয়েস। ওয়ান এইট-ফাইভ—তারপর ভাঙা। বোঝাই যাচ্ছে এই গড হল আপনার সেই ঈশ্বর সকলের কর্তা-র গড।'

'তাই কি?'

ফেলুদার প্রশ্ন শুনে তার দিকে চাইলাম। তার ভুরু কুঁচকোনো। বলল, 'আপনি অন্য সমাধিগুলো বিশেষ মন দিয়ে দেখেননি দেখছি। দেখুন না ওই পাশেরটার দিকে।'

পাশেই আরেকটা বড় সমাধি রয়েছে। তার ফলকে লেখা—

To the Memory of
Capt. P. O'reilly, H. M. 44th Regt.
who died 25th May, 1823 aged 38 years

'লক্ষ করুন, নামের নীচেই আসছে সাল-তারিখ। বেশির ভাগ ফলকেই তাই। আর, গড কথাটা অন্য কোনও ফলকে দেখলেন কি?'

ফেলুদা ঠিকই বলেছে। এই পথটুকু আসার মধ্যে আমি নিজেই অন্তত ত্রিশটা ফলকের লেখা পড়েছি, কিন্তু কোনওটাতেই গড দেখিনি।

'তার মানে বলছেন, গড হল মৃতব্যক্তির নাম?'

'গড কারুর নাম হয় বলে আমার মনে হয় না, যদিও ঈশ্বর বা ভগবান নামটা হিন্দুদের মধ্যে আছে। লক্ষ করুন, গড-এর জি-এর বাঁ দিকে ইঞ্চি-খানেক ফাঁক দেখা যাচ্ছে—অর্থাৎ বাঁ দিকে ওর গায়ে গায়ে কোনও অক্ষর ছিল না। কিন্তু ডি-এর ডান দিকটায় ফাঁক আছে কি না বোঝা যাচ্ছে না—কারণ সে-জায়গায় পাথরটা ভেঙে পড়ে গেছে। আমার ধারণা এটা যার কবর তার পদবির প্রথম তিনটে অক্ষর হল জি-ও-ডি; যেমন গডফ্রি বা গডার্ড।'

'সে তো পাথরের টুক্‌রোগুলো জড়ো করে পাশাপাশি—'

লালমোহনবাবু কথাটা বলতে বলতে ভাঙা ডালপালার উপর দিয়ে সমাধিটার দিকে এগিয়ে তার ধারে পৌঁছোতেই হঠাৎ সড়াৎ করে খানিকটা নীচের দিকে নেমে গেলেন। গর্তে পা পড়লে যেমন হয় ঠিক তেমনি। কিন্তু ফেলুদা ঠিক সময়ে তার লম্বা হাত দুটি বাড়িয়ে তাঁকে খপ্‌ করে

ধরে টেনে তুলে শক্ত জমিতে দাঁড় করিয়ে দিল? ব্যাপারটা কী? ওখানে গর্ত হল কী করে?

'কেমন যেন খট্‌কা লাগছিল,' বলল ফেলুদা, 'ভাঙল আমগাছ, অথচ আমপাতার সঙ্গে জাম-কাঁঠাল কী করছে তাই ভাবছিলাম।'

লালমোহনবাবু এমনিতেই গোরস্থানে এসে একটু গুম্ মেরে গিয়েছিলেন, তার উপর এই ব্যাপার। প্যান্টের ধুলো ঝাড়তে ঝাড়তে 'এ একটু বাড়াবাড়ি মশাই' বলে ভদ্রলোক একপাশে সরে গিয়ে আমাদের দিকে পেছন করে বোধ হয় নিজেকে সামলাবার চেষ্টা করলেন।

'তোপ্‌সে—খুব সাবধানে ডালপালাগুলো সরা তো।'

আমি আর ফেলুদা গর্ত বাঁচিয়ে জায়গাটা পরিষ্কার করতেই বেশ বোঝা গেল কবরের

পাশটায় হাত-খানেক গভীর খালের মতো রয়েছে। সেটা আগেই ছিল, না সম্প্রতি কেউ খুঁড়ে করেছে সেটা ফেলুদা বুঝে থাকলেও, আমি বুঝলাম না।

ফেলুদা এবার মার্বেলের টুকরোগুলোয় মন দিল। দুজনে মিলে এগারোটা টুকরো জড়ো করে মিনিট দশেক ঘাসের উপর জিগ-স পাজ্‌ল খেলে সেগুলোকে ঠিক ঠিক জায়গায় বসিয়ে দিলাম। তার ফলে জিনিসটা এইরকম দাঁড়াল—

Sacred to the Memory of

THOMAS—WIN

Obt. 24th April—8, AET. 180—

'গডউইন', বলল ফেলুদা, 'টমাস গডউইনের পুণ্যস্মৃতির উদ্দেশে। ওবিটি হল "ওবিটুস" অর্থাৎ মৃত্যু, আর এ ই টি হল "এই টাটিস" অর্থাৎ বয়স। এখন কথা হচ্ছে—'

'ও মশাই!'

জটায়ু হঠাৎ চেঁচিয়ে উঠে আমাকে বেশ চমকে দিলেন। ঘুরে দেখতেই ভদ্রলোক একটা চৌকো চ্যাপটা কালো জিনিস আমাদের দিকে তুলে ধরে বললেন, 'সাঁইত্রিশ টাকায় ব্লু-ফক্সে তিনজনের ডিনার হবে কি?'

'কী পেলেন ওটা?'

আমরা দুজনেই বেশ আগ্রহের সঙ্গে এগিয়ে গেলাম।

লালমোহনবাবুর বাঁ হাতে একটা কালো মানিব্যাগ, আর ডান হাতে তিনটে দশ, একটা পাঁচ, আর একটা দু টাকার নোট। টাকা আর ব্যাগ দুটোরই অবস্থা বেশ শোচনীয়। ভদ্রলোকের ভয় কেটে গিয়ে এখন একটা বেশ মারদিস্‌ ভাব; বেশ বুঝতে পারছেন যে, ফেলুদার জন্য একটা ভাল ক্লু জোগাড় করে দিয়েছেন।

ফেলুদা ব্যাগটা খুলে খাপগুলোর ভিতর যা ছিল সব বার করল। চার রকম জিনিস বেরোল খাপ থেকে। এক নম্বর—এক গোছা ভিজিটিং কার্ড, যাতে ইংরিজিতে লেখা এন এম বিশ্বাস। ঠিকানা টেলিফোন নেই। ফেলুদা বলল, 'দেখেছেন খবরের কাগজের কাণ্ড—নরেন্দ্রমোহনকে নরেন্দ্রনাথ করে দিয়েছে।'

দুই নম্বর হচ্ছে দুটো খবরের কাগজের কাটিং। একটাতে এই সাউথ পার্ক স্ট্রিটে গোরস্থান প্রথম যখন খুলল তার খবর, আর আরেকটাতে আজকাল যাকে শহিদ মিনার বলি, সেই অকটারলোনি মনুমেন্ট তৈরি হবার খবর। তার মানে দুটো কাগজের টুকরোই দেড়শো-দুশো বছরের পুরনো। 'বিশ্বেস মশাই এত প্রাচীন কাগজের কাটিং কোত্থেকে জোগাড় করলেন জানতে ভারী কৌতূহল হচ্ছে—' মন্তব্য করল ফেলুদা।

তিন নম্বর হচ্ছে পার্ক স্ট্রিটের অক্সফোর্ড বুক কোম্পানির একটা বারো টাকা পঞ্চাশ পয়সার ক্যাশমেমো; আর চার হল এক টুকরো সাদা কাগজ, যাতে ডট পেনে ইংরিজিতে কয়েকটা লাইন লেখা। লেখার মাথামুণ্ডু বুঝলাম না, যদিও ভিক্টোরিয়া নামটা পড়তে পেরেছিলাম।

'অকটারলোনি মনুমেন্ট নিয়ে যে একটা লেখা দেখলুম সেদিন কাগজে', হঠাৎ বলে উঠলেন লালমোহনবাবু, 'আর যদ্দুর মনে পড়ছে লেখকের পদবি ছিল বিশ্বাস। হ্যাঁ—বিশ্বাস। কারেক্ট।'

'কোন কাগজ?' ফেলুদা জিজ্ঞেস করল।

'হয় "লেখনী" না হয় "বিচিত্রপত্র"। ঠিক মনে পড়ছে না। আমি বাড়ি গিয়ে চেক্‌ করব।'

জটায়ুর স্মরণশক্তি তেমন নির্ভরযোগ্য নয় বলেই বোধ হয় ফেলুদা এ ব্যাপারে আর কিছু না বলে সাদা কাগজের লেখাটা তার নিজের নোটবুকে কপি করে নিয়ে আসল কাগজ আর অন্য জিনিসগুলো মানিব্যাগে ভরে সেটা পকেটে নিয়ে নিল। তারপর মিনিট পাঁচেক ধরে কবরের আশপাশটা ভাল করে দেখে আরও দুটো জিনিস পেয়ে সেগুলোও পকেটে পুরল। সে-দুটো

হচ্ছে একটা ব্রাউন রঙের কোটের বোতাম আর একটা নেতিয়ে যাওয়া রেসের বই।—'চল, দারোয়ানের সঙ্গে একবার কথা বলে বেরিয়ে পড়ি। আবার মেঘ করল।'

'ব্যাগটা কি ফেরত দেবেন?' জিজ্ঞেস করলেন লালমোহনবাবু।

'অবিশ্যি। কোন্ হাসপাতালে আছে খোঁজ করে কাল একবার যাব।'

'আর সে-লোক যদি মরে গিয়ে থাকে?'

'সেই অনুমান করে তো আর তার প্রপার্টি আত্মসাৎ করা যায় না। সেটা নীতিবিরুদ্ধ।—আর তিরিশ টাকায় ব্লু-ফক্সে তিনজনের চা-স্যান্ডউইচের বেশি কিছু হবে না, সুতরাং আপনি ডিনারের আশা ত্যাগ করতে পারেন।'

আমরা আবার উলটোমুখে ঘুরে কবরের সারির মাঝখানের পথ দিয়ে গেটের দিকে এগোতে লাগলাম। ফেলুদা গম্ভীর। এরই ফাঁকে একটা চারমিনার ধরিয়ে নিয়েছে। এমনিতে ও সিগারেট অনেক কমিয়ে দিয়েছে। কিন্তু রহস্যের গন্ধ পেলে নিজের অজান্তেই মাঝে সাঝে সাদা কাঠি মুখে চলে যায়।

অর্ধেক পথ যাবার পর সে হঠাৎ থামল কেন সেটা তৎক্ষণাৎ বুঝতে পারিনি। তারপর তার চাহনি অনুসরণ করে একটা জিনিস দেখে আমার হাঁটার হার্টবিটটাও সঙ্গে সঙ্গে এক পলকের জন্য থেমে গেল।

একটা গম্বুজওয়ালা সমাধি—যার ফলকে মৃতব্যক্তির নাম রয়েছে মিস মারগারেট টেম্পলটন—তার ঠিক সামনে ঘাসে পড়ে থাকা একটা পুরনো ইটের উপর একটা সিকিখাওয়া জ্বলন্ত সিগারেট থেকে সরু ফিতের মতো ধোঁয়া কুণ্ডলী পাকিয়ে উপরে উঠছে। বৃষ্টি হবে বলেই বোধহয় বাতাসটা বন্ধ হয়েছে, না হলে ধোঁয়া দেখা যেত না।

ফেলুদা এগিয়ে গিয়ে দু ইঞ্চি লম্বা সিগারেটটা তুলে নিয়ে মন্তব্য করল, 'গোল্ড ফ্লেক।' জটায়ু বলল, 'বাড়ি চলুন।' আমি বললাম, 'একবার খুঁজে দেখব লোকটা এখনও আছে কি না?'

'সে যদি থাকত', বলল ফেলুদা, 'তা হলে সিগারেট হাতে নিয়েই থাকত; কিংবা হাত থেকে ফেলে পা দিয়ে মাড়িয়ে নিবিয়ে দিত। আধখাওয়া অবস্থায় এভাবে ফেলে যেত না। সে লোক পালিয়েছে, এবং বেশ ব্যস্তভাবেই পালিয়েছে।'

দারোয়ান ঘরে ছিল না। মিনিট তিনেক অপেক্ষা করার পর সে পশ্চিম দিকের একটা ঝোপের পিছন থেকে বেরিয়ে হেলতে দুলতে এগিয়ে এসে বলল, 'আভি এক চুহাকো খতম্ কর দিয়া।'

বুঝলাম, ওই ঝোপের পিছনে চুহার সৎকার সেরে তিনি ফিরছেন, ফেলুদা কাজের কথায় চলে গেল।

'যার উপর গাছ পড়েছিল তাকে জখম অবস্থায় প্রথম দেখল কে?'

দারোয়ান বলল যে সেই দেখেছিল। গাছ পড়ার সময়টা সে গোরস্থানে ছিল না, তার নিজের একটা শার্ট উড়ে গিয়েছিল পার্ক স্ট্রিটে, সেটা উদ্ধার করতে গিয়েছিল। ফিরে এসে ব্যাপারটা দেখে। দারোয়ান ভদ্রলোকের মুখ চিনত, কারণ উনি নাকি সম্প্রতি আরও কয়েকবার এসেছেন গোরস্থানে।

'আর কেউ এসেছিল কালকে?'

'মালুম নেহি বাবু। হাম্ যব দৌড়কে গিয়া, উস টাইমমে তো আউর কোই নেহি থা।'

'এইসব সমাধির পিছনে লুকিয়ে থাকতে পারে তো?'

এটা দারোয়ান অস্বীকার করল না। আমারও মনে হচ্ছিল যে এই গোরস্থানের চেয়ে ভাল লুকোচুরির জায়গা বোধহয় সারা কলকাতায় আর একটিও নেই।

নরেন বিশ্বাসের অবস্থা দেখে দারোয়ান রাস্তায় বেরিয়ে এসে এক পথচারী সাহেবকে খবরটা

দেয়। বর্ণনা থেকে মনে হল সেন্ট জেভিয়ার্সের ফাদার-টাদার হতে পারে। তিনিই নাকি ট্যাক্সি ডাকিয়ে নরেন বিশ্বাসকে হাসপাতালে পাঠানোর বন্দোবস্ত করেন।

'আজ একটু আগে কাউকে আসতে দেখেছিলে?'

'আভি?'

'হ্যাঁ?'

না, দারোয়ান কাউকে আসতে দেখেনি। সে গেটের কাছে ছিল না। সে গিয়েছিল চুহার লাশ নিয়ে ওই ঝোপড়াটার পিছনে। ওটা ফেলে দিয়েই ওর কাজ শেষ হয়নি, কারণ একটু পিপাসার প্রয়োজন হয়ে পড়েছিল।

'রাত্রে তুমি এখানে থাক?'

'হাঁ বাবু। লেকিন রাতকো তো পহারেকা কোই জরুরৎ নেহি হোতা। ডর কে মারে কোই আতাহি নেহি। পহলে লোয়ার সারকুলার রোড সাইডমে দিওয়ার টুটা থা, লেকিন্ আজকাল রাতকো কোই নেহি আতা সমনটরিমে।'

'তোমার নাম কী?'

'বরমদেও।'

'এই নাও।'

'সালাম বাবু।'

দারোয়ানের হাতে দু টাকার নোটটা গুঁজে দেবার ফল অবিশ্যি আমরা পরে পেয়েছিলাম।

৩

'গডউইন...? টমাস গডউইন...?'

সিধু জ্যাঠার কপালে ছ'টা খাঁজ পড়ে গেল।

সিধু জ্যাঠাকে আমি বলি বিশ্বকোষ, ফেলুদা বলে শ্রুতিধর। দুটোই ঠিক। একবার যা পড়েন, একবার যা শোনেন—মনে ধরলে ভোলেন না। ফেলুদাকে মাঝে মাঝে ওঁর কাছে আসতেই হয়। যেমন আজকে। ভোরে উঠে হাঁটতে বেরোন সিধু জ্যাঠা লেকের ধারে। মাইল দু-এক হেঁটে বাড়ি ফিরে আসেন সাড়ে ছ'টার মধ্যে। বৃষ্টি হলেও বাদ নেই; ছাতা নিয়ে বেরোবেন। বাড়ি ফিরে সেই যে তক্তপোষের উপর বসেন, এক স্নান-খাওয়া ছাড়া ওঠা নেই। সামনে একটা ডেস্ক, তার উপর বই, ম্যাগাজিন, খবরের কাগজ। লেখেন না। চিঠিও না, ধোপার হিসেবও না, কিচ্ছু না। খালি পড়েন। টেলিফোন নেই। আমাদের সঙ্গে যোগাযোগ করার দরকার হলে চাকর জনার্দনকে দিয়ে বলে পাঠান; দশ মিনিটে সে খবর পৌঁছে যায়। বিয়ে করেননি; বউ-এর বদলে বই নিয়ে ঘর করেন। বলেন, আমার সংসার, আমার স্ত্রী-পুত্র-পরিবার। আমার ডাক্তার মাস্টার সিস্টার মাদার ফাদার, সবই আমার বই। পুরনো কলকাতা সম্বন্ধে ফেলুদার উৎসাহের জন্য সিধু জ্যাঠাই কতকটা দায়ী। তবে সিধু জ্যাঠা শুধু কলকাতা না। সারা বিশ্বের ইতিহাস জানেন।

দুধ-ছাড়া চায়ে পর পর দুটো চুমুক দিয়ে সিধু জ্যাঠা গডউইন কথাটা আরও দুবার আওড়ালেন। তারপর বললেন, 'গডউইন নামটা ফস্ করে বললে প্রথমটা শেলির শ্বশুরের কথাই মনে হয়, কিন্তু ভারতবর্ষে এসেছে এমন একটা গডউইনও ছিল বটে; কোন বছরে মারা গেছে বললে?'

'আঠারো শো আটান্ন।'

'আর জন্ম?'

'সতেরো শো আটাশি।'

'হুঁ, তা হলে এই গডউইন হতে পারে বটে। আটচল্লিশেই বোধ হয়, কিংবা উনপঞ্চাশে; ক্যালকাটা রিভিউতে একটা লেখা বেরিয়েছিল। টমাসের মেয়ে। নাম শার্লি। না না—শার্লট। শার্লট গডউইন। তার বাপ সম্বন্ধে লিখেছিল। হুঁ, মনে পড়েছে।... ওরেব্বাস্! সে তো এক তাজ্জব কাহিনী হে ফেলু!—অবিশ্যি শেষ জীবনের কথা লেখেনি শার্লট। আর সেটা আমি জানিও না; কিন্তু গোড়ায় ভারতবর্ষে এসে তার কীর্তিকলাপ—সে তো একেবারে গল্পের মতো! তুমি তো লখনৌ গেছ?'

ফেলুদা মাথা নেড়ে হ্যাঁ বলল। বাদশাহী আংটির ব্যাপারে প্রথম তার গোয়েন্দাগিরির তারাবাজি লখনৌতেই দেখিয়েছিল ফেলুদা।

'সাদত আলির কথা জান তো?'

'জানি।'

'সেই সাদত আলি তখন লখনৌ-এর নবাব। দিল্লির পিদিম তখন নিবু-নিবু, যত রোশনাই সব লখনৌ-এ। সাদত ইয়াং বয়সে কলকাতায় ছিল, সাহেবদের সঙ্গে মিশে ইংরিজি ভাষাটা একটু ভাসাভাসা শিখেছিল, আর শিখেছিল ষোল আনা সাহেবিয়ানা। আসাফ-উদ-দৌল্লা মারা যাবার পর ওয়জীর আলি হল নবাব। সাদত আলি তখন কাশীতে। মন খারাপ, কারণ আশা ছিল আসফের পর সেই গদিতে বসবে। এদিকে ওয়জীর ছিল অকর্মার ঢেঁকি। ব্রিটিশরা তাকে বরদাস্ত করতে পারলে না; চার মাসে তার নবাবি দিলে বরবাদ করে। মনে রেখো। অযোধ্যায় তখন কোম্পানির প্রতিপত্তি খুব; নবাবরা কোম্পানির কথায় ওঠে বসে। ওয়জীরকে হটিয়ে তারা সাদতকে সিংহাসনে বসাল। সাদত খুশি হয়ে ব্রিটিশকে অর্ধেক অযোধ্যা দিয়ে দিলে।

'সে সময়ে লখনৌ-এর অলিতে-গলিতে সাহেব। নবাবের ফৌজে সাহেব অফিসার, সাহেব গোলন্দাজ; তা ছাড়া সাহেব ব্যবসায়ী, সাহেব ডাক্তার, সাহেব পেন্টার, সাহেব নাপিত, সাহেব ইস্কুল মাস্টার; আবার কেউ কেউ আছে যারা এসেছে শুধু টাকার লোভে; নবাবের নেক নজরে পড়ে দু-পয়সা যদি কামাতে পারে। এই শেষ দলের মধ্যে পড়ে টমাস গডউইন। ইংলন্ডের ছোকরা— সাসেক্স না সাফোক না সারি কোথায় তার বাড়ি ঠিক মনে নেই—সে দেশে বসে নবাবির গল্প শুনে এসে হাজির হল লখনৌতে। সুপুরুষ চেহারা, কথাবার্তা ভাল, রেসিডেন্ট চেরি সাহেবের মন ভিজিয়ে তার কাছ থেকে সুপারিশপত্র নিয়ে গিয়ে হাজির হল নবাবের দরবারে। সাদত জিজ্ঞেস করলে, তোমার গুণপনা কী। টমাস শুনেছে নবাব বিলিতি খানা পছন্দ করে— রান্নার হাত ভাল ছিল ছোকরার—বললে আমি ভাল শেফ, তোমাকে রেঁধে খাওয়াতে চাই। নবাব বললে খাওয়াও। ব্যস—গডউইন এমন রান্না রাঁধলে যে সাদত তক্ষুনি তাকে বাবুর্চিখানায় বাহাল করে নিলে। তারপর থেকে নবাব যেখানে যায় সেখানেই মুসলমান বাবুর্চির পাশে পাশে যায় টমাস গডউইন। লাটসাহেব শহরে এলে সাদত তাকে ব্রেকফাস্টে ডাকে— সাহেব খুশি হলে সাদতের মঙ্গল—ভরসা টমাস গডউইন। আর নতুন কোনও ডিশ পছন্দ হলেই আসে বকশিশ। নবাবি বকশিশ জানো তো? দু-দশ টাকা কি দু-চারটে মোহর গুঁজে দেওয়া তো নয়—লখনৌ-এর নবাব! হাত ঝাড়লেই পর্বত। বুঝে দেখো, গডউইনের পকেট কীভাবে ফুলে-ফেঁপে উঠল। আর তাই যদি না হবে তো সে বাবুর্চিখানায় পড়ে থাকবে কেন? সে রকম লোকই সে নয়।

'বেরিয়ে এল নবাবের আওতা থেকে। চলে এল আমাদের এই কলকাতায়। এসেই বিয়ে করলে জেন ম্যাডক বলে এক মেমসাহেবকে—কোম্পানির ফৌজের এক ক্যাপ্টেনের মেয়ে। তার তিন মাসের মধ্যে এক রেস্টোরান্ট খুললে খাস চৌরঙ্গিতে। তারপর যা হয় আর কী। সুদিন তো আর কারুর চিরটাকাল থাকে না। গডউইনের ছিল জুয়োর নেশা। লখনৌ থাকতে মুরগির লড়াই আর তিতিরের লড়াইয়ে বাজি ফেলে যেমন কামিয়েছে তেমনি খুইয়েছে। কলকাতায়

এসে সে রোগ আবার মাথা চাড়া দিয়ে উঠল।... এর বেশি আর তার মেয়ে কিছু লেখেনি। যদ্দূর মনে হয়, টমাস গডউইন মারা যাবার কয়েক মাস পরেই এ-লেখাটা বেরোয়। সেক্ষেত্রে তার নিজের মেয়ের পক্ষে তার বাপের মন্দ দিকটা কি আর খুব ফলাও করে লেখা চলে? অন্তত সে-যুগে যেত না নিশ্চয়ই। যাই হোক, এশিয়াটিক সোসাইটিতে গিয়ে তুমি লেখাটা পড়ে দেখতে পারো। আমি যা বললাম তার চেয়ে ন্যাচারেলি আরও বেশি ডিটেল পাবে।'

আমার অবিশ্যি মনে হল, সিধু জ্যাঠা পুরো লেখাটাই বাংলা করে বলে ফেলেছেন।

ফেলুদা আর আমি দুজনেই টমাস গডউইনের এই আশ্চর্য কাহিনী শুনে বেশ কিছুক্ষণ চুপ করে রইলাম। আমাদের আগে সিধু জ্যাঠাই আবার মুখ খুললেন।

'কিন্তু টমাস গডউইনের বিষয় হঠাৎ জিজ্ঞেস করছ কেন? কী ব্যাপার?'

ফেলুদা বলল, 'সেটা বলছি। তার আগে আরেকটা জিনিস জানার আছে। নরেন্দ্র বিশ্বাস বলে কারুর নাম শুনেছেন—যিনি পুরনো কলকাতা নিয়ে প্রবন্ধ-টবন্ধ লেখেন?'

'কীসে লেখেন?'

'তা জানি না।'

'কোনও অখ্যাত কাগজে লিখলে সে লেখা আমার চোখে পড়বে না। আজকাল আর ধরাবাঁধা কাগজের বাইরে আর কিছু পড়ি না। কিন্তু এ প্রশ্নই বা কেন?'

ফেলুদা সংক্ষেপে কালকের ঘটনাটা বলে বলল, 'গাছ পড়ে যদি একটা লোক জখম হয়ে অজ্ঞান হয়, তা হলে তার মানিব্যাগটা দশ হাত দূরে ছিটকে পড়বে কেন, এইখানেই খটকা।'

'হুম্'...

সিধু জ্যাঠা একটু গম্ভীর থেকে বললেন, 'কাল ঝড়ের গতিবেগ ছিল ঘণ্টায় নব্বুই মাইল। যদি বেরোয় যে ভদ্রলোকের মানিব্যাগ তার শার্ট বা পাঞ্জাবির বুকপকেটে ছিল, তা হলে দৌড়ে পালাতে গিয়ে পকেট থেকে সে ব্যাগ ছিটকে পড়া কিছুই আশ্চর্য নয়। আর দৌড়ানোর অবস্থাতেই তার মাথায় গাছ পড়ে থাকতে পারে। তা হলে আর রহস্য কোথায়?'

'ভদ্রলোক পড়েছিলেন গডউইনের সমাধির পাশে।'

'তাতে কী এসে গেল?'

'সেই সমাধির পাশে খালের মতো গর্ত। মনে হয় কেউ খোঁড়ার কাজ শুরু করেছিল।'

সিধু জ্যাঠার চোখ ছানাবড়া।

'বল কী হে! গ্রেভ ডিগিং? এ তো ভারী গ্রেভ সংবাদ দিলে হে তুমি। এ তো অবিশ্বাস্য। টাটকা লাশ হলে খুঁড়ে বার করে শব ব্যবচ্ছেদের জন্য বিক্রি করে পয়সা আসে জানি। কিন্তু দুশো বছরের পুরনো লাশের কয়েকটা হাড়গোড় ছাড়া আর কী পাওয়া যাবে বলো! তার না আছে প্রত্নতাত্ত্বিক ভ্যালু, না আছে রিসেল ভ্যালু। খুঁড়েছে সে ব্যাপারে তুমি শিওর?'

'পুরোপুরি নয়—কারণ বৃষ্টির জন্য কোদালের কোপের চিহ্ন মুছে গেছে—কিন্তু তবু...'

সিধু জ্যাঠা আবার একটু ভেবে মাথা নেড়ে বললেন, 'না হে ফেলু, আমার মনে হচ্ছে তুমি বুনো হাঁসের পেছনে ধাওয়া করছ। হাতে কোনও কেস-টেস নেই বুঝি? তাই কল্পনায় একটা রহস্য খাড়া করছ—অ্যাঁ?'

ফেলুদা তার একপেশে হাসিটা হেসে চুপ করে রইল। সিধু জ্যাঠা বললেন, 'গডউইনের বংশের কেউ যদি এখানে থাকত তা হলে না হয় তাদের জিজ্ঞেস করে কিছু জানা যেত। কিন্তু সেও তো বোধহয় নেই। সব সাহেব পরিবারই তো আর বারওয়েল বা টাইটলার পরিবার নয়—যাদের কেউ না কেউ সেই ক্লাইভের আমল থেকে এই সেদিন অবধি ইন্ডিয়াতে কাটিয়ে গেছে।'

এইবার ফেলুদা তার এতক্ষণের চাপা খবরটা দিয়ে দিল।

'টমাস গডউইনের তিন পুরুষ পর অবধি তাদের কেউ না কেউ এ-দেশেই মারা গেছে সে

খবর আমি জানি।'

'সে কী?' সিধু জ্যাঠা অবাক। আসলে আজই সকালে এখানে আসার আগে আমরা লোয়ার সার্কুলার রোডের গোরস্থানটা দেড় ঘণ্টা ধরে দেখে এসেছি। এটা পার্ক স্ট্রিট গোরস্থানের পরে তৈরি আর এখনও ব্যবহার হয়।

'শার্লট গডউইনের সমাধি দেখেছি', বলল ফেলুদা। '১৮৮৬ সালে সাতষট্টি বছর বয়সে মারা যান।'

'গডউইন পদবি দেখলে? তার মানে বিবাহ করেননি। আহা, বড় সুলেখিকা ছিলেন।'

'শার্লটের পাশে তার বড় ভাই ডেভিডের সমাধি। মৃত্যু ১৮৭৪'—ফেলুদা পকেট থেকে তার খাতাটা বার করে নোট দেখে দেখে বলে চলেছে—'ইনি খিদিরপুরের কিড কোম্পানির হেড অ্যাসিসট্যান্ট ছিলেন। ডেভিডের পাশে তার ছেলে লেফটেনান্ট কর্নেল অ্যান্ড্রু গডউইন ও তার স্ত্রী এমা গডউইন। অ্যান্ড্রু মারা যান ১৮৮২-তে। অ্যান্ড্রু-এমার পাশে তাদের ছেলে চার্লস। ইনি ডাক্তার ছিলেন, মৃত্যু ১৯২০।'

'সাবাস! ধন্যি তোমার অনুসন্ধিৎসা আর অধ্যবসায়।' সিধু জ্যাঠা সত্যিই খুশি হয়েছেন। 'এখন তোমার জানতে হবে বর্তমানে এঁদের কেউ জীবিত কি না এবং কলকাতায় আছেন কি না। টেলিফোন ডিরেক্টরিতে গডউইন নাম পেলে?'

'মাত্র একটি। ফোন করেছিলাম। এই পরিবারের সঙ্গে কোনও সম্পর্ক নেই।'

'দেখো খোঁজ করে। হয়তো থাকতে পারে। অবিশ্যি তার হদিস কী করে পাবে তা জানি না। পেলে, আর কিছু না হোক—গ্রেভ ডিগিং-এর ব্যাপারটা আমার কাছে ভুয়ো বলেই মনে হয়—অন্তত টমাস গডউইনের মতো একটা কালারফুল চরিত্র সম্বন্ধে হয়তো আরও কিছু তথ্য জোগাড় করতে পারো। গুড লাক!'

৪

বাড়ি এসে দুপুর পর্যন্ত ধৈর্য ধরে তারপর ফেলুদাকে আর না জিজ্ঞেস করে পারলাম না।—

'কাল যে নরেন বিশ্বাসের ব্যাগ থেকে একটা সাদা কাগজ বেরোল, তাতে কী লেখা ছিল?'

নরেন বিশ্বাসের খাতাটা ফেলুদা বিকেলে ফেরত দিতে যাবে। সে খবর নিয়ে জেনেছে যে, ভদ্রলোক পার্ক হসপিটালে আছেন।

ফেলুদা তার খাতাটা খুলে আমার দিকে এগিয়ে দিল।

'যদি এর মানে বার করতে পারিস তা হলে বুঝব নোবেল প্রাইজ তোর হাতের মুঠোয়।'

খাতার রুল টানা পাতায় লেখা রয়েছে—

B/S 141 SNB for WG Victoria & P.C. (44?)

Re Victoria's letters try MN, OU, GAA, SJ, WN

আমি মনে মনে বললাম, নোবেল প্রাইজটা ফসকে গেল। তাও মুখে বললাম, 'ভদ্রলোক কুইন ভিক্টোরিয়া সম্বন্ধে ইন্টারেস্টেড বলে মনে হচ্ছে। কিন্তু ভিক্টোরিয়া অ্যান্ড পি সি টা কী ঠিক বুঝতে পারছি না।'

'পি সি বোধ হয় প্রিন্স কনসর্ট; তার মানে ভিক্টোরিয়ার স্বামী প্রিন্স অ্যালবার্ট।'

'আর কিছুই বুঝতে পারছি না।'

'কেন, ফর মানে জন্য আর ট্রাই মানে চেষ্টা বুঝলি না?'

ফেলুদার মেজাজ দেখে বুঝলাম সেও বিশেষ কিছু বোঝেনি। সিধু জ্যাঠার কথাটা যে আমারও মনে ধরেনি তা নয়। ফেলুদা সত্যিই হয়তো যেখানে রহস্য নেই সেখানে জোর করে

রহস্য ঢোকাচ্ছে। কিন্তু তার পরেই মনে পড়ে যাচ্ছে কালকের সেই জ্বলন্ত সিগারেটটা আর সঙ্গে সঙ্গে পেটের ভিতরটা কেমন যেন খালি হয়ে যাচ্ছে। আমরা আছি জেনে কে পালাল গোরস্থান থেকে? আর বাদলা দিনে সন্ধে করে সে সেখানে গিয়েছিলই বা কেন?

আগে থেকেই ঠিক ছিল যে চারটের সময় আমরা নরেন বিশ্বাসের ব্যাগ ফেরত দিতে যাব, আর লালমোহনবাবুই আমাদের এসে নিয়ে যাবেন। টাইমমাফিক বাড়ির সামনে গাড়ি থামার শব্দ পেলাম। ভদ্রলোক ঘরে ঢুকলেন হাতে একটা পত্রিকা নিয়ে। 'কী বলেছিলুম মশাই? এই দেখুন বিচিত্রপত্র, আর এই দেখুন নরেন বিশ্বাসের লেখা। সঙ্গে একটা ছবিও আছে মনুমেন্টের, যদিও ছাপেনি ভাল।'

'কিন্তু এও তো দেখছি নরেন্দ্রনাথ বলছে; নরেন্দ্রমোহন তো নয়। তা হলে কি অন্য লোক নাকি?'

'আমার মনে হয় ভিজিটিং কার্ডেই গণ্ডগোল। বাজে প্রেসে ছাপানো। আর ভদ্রলোক হয়তো প্রুফও দেখেননি। কিন্তু ব্যাগের মধ্যে ওই কাটিং আর তার পর এই লেখা—ব্যাপারটা স্রেফ কাকতালীয় বলে উড়িয়ে দেওয়া যায় কি?'

ফেলুদা লেখাটায় চোখ বুলিয়ে পত্রিকাটা পাশের টেবিলের উপর ফেলে দিয়ে বলল, 'ভাষা মন্দ না, তবে নতুন কিছু নেই। এখন জানা দরকার এই লোকই গাছ পড়ে জখম হওয়া নরেন বিশ্বাস কি না।'

পার্ক হসপিটালের ডাঃ শিকদারকে বাবা বেশ ভাল করে চেনেন। আমাদের বাড়িতেও এসেছেন দু-একবার, তাই ফেলুদার সঙ্গেও আলাপ। ফেলুদা কার্ড পাঠানোর মিনিট পাঁচেকের মধ্যে আমাদের ডাক পড়ল।

'কী ব্যাপার? কোনও নতুন কেস-টেস নাকি?'

ফেলুদা যেখানেই যে-কারণেই যাক না কেন, চেনা লোক থাকলে তবে এ প্রশ্নটা শুনতেই হয়।

ও হেসে বলল, 'আমি এসেছি এখানের এক পেশেন্টকে একটা জিনিস ফেরত দিতে।'

'কোন পেশেন্ট?'

'মিস্টার বিশ্বাস। নরেন বিশ্বাস। পরশু—'

'সে তো চলে গেছে! এই ঘণ্টা দু-এক আগে। তার ভাই এসেছিল গাড়ি নিয়ে; নিয়ে গেছে।'

'কিন্তু কাগজে যে লিখল—'

'কী লিখেছে? সিরিয়াস বলে লিখেছে তো? কাগজে ওরকম অনেক লেখে। আস্ত একটা গাছ মাথায় পড়লে কি আর সে লোক বাঁচে? একটা ছোট ডাল, যাকে বলে প্রশাখা; তাই পড়েছে। জখমের চেয়ে শকটাই বেশি। ডান কবজিটায় চোট পেয়েছে, মাথায় ক'টা স্টিচ—ব্যাস এই তো।'

'আপনি কি বলতে পারেন ইনিই পুরনো কলকাতা নিয়ে—'

'ইয়েস। ইনিই। একটা লোক সন্ধেবেলা গোরস্থানে ঘোরাঘুরি করছে, ন্যাচারেলি কৌতূহল হয়। জিজ্ঞেস করতে বললেন পুরনো কলকাতা নিয়ে চর্চা করছেন। তা আমি বললুম ভাল লাইন বেছেছেন; নতুন কলকাতাকে যতটা দূরে সরিয়ে রাখা যায় ততই ভাল।'

'জখমটা স্বাভাবিক বলেই মনে হল?'

'অ্যাই!... পথে আসুন বাবা। এতক্ষণে একটা গোয়েন্দা মার্কা প্রশ্ন হয়েছে!'

ফেলুদা অপ্রস্তুত ভাবটা চাপতে পারলে না।

'মানে, উনি নিজেই বললেন যে গাছ পড়ে...?'

'আরে মশাই, গাছটা যে পড়েছে তাতে তো আর ভুল নেই? আর উনি সেখানেই ছিলেন।

সন্দেহ করার কোনও কারণ আছে কি?'

'উনি নিজে অস্বাভাবিক বা সন্দেহজনক কিছু বলেননি তো?'

'মোটেই না। বললেন, চোখের সামনে দেখলাম গাছটা ভাঙল—তার ডালপালা যে কতখানি ছড়িয়ে আছে সেটা তো আর আঁচ করা সম্ভব হয়নি। তবে হ্যাঁ—ইয়েস—জ্ঞান হবার পরে 'উইল' কথাটা দু-তিনবার উচ্চারণ করেছিলেন। এতে যদি কোনও রহস্য থাকে তো জানি না। মনে তো হয় না, কারণ উইলের উল্লেখ ওই একবারই; আর করেননি।'

'ভদ্রলোকের পুরো নামটা আপনার জানা আছে?'

'কেন, কাগজেই তো বেরিয়েছিল। নরেন্দ্রনাথ বিশ্বাস।'

'আরেকটা প্রশ্ন—বিরক্ত করছি, কিছু মনে করবেন না—ওনার পোশাকটা মনে আছে?'

'বিলক্ষণ। শার্ট আর প্যান্ট। রংও মনে আছে—সাদা শার্ট আর বিস্কিটের রঙের প্যান্ট। গ্ল্যাক্সো না, ক্রিম ক্র্যাকার—হেঃ হেঃ!'

ফেলুদা ডাঃ শিকদারের কাছে নরেন বিশ্বাসের ঠিকানা নিয়ে নিয়েছিল। আমরা নার্সিংহোম থেকে সটান চলে গেলাম নিউ আলিপুরে। ভারী ঝামেলা নিউ আলিপুরে ঠিকানা খুঁজে বার করা, কিন্তু জটায়ুর ড্রাইভার মশাইটি দেখলাম কলকাতার রাস্তাঘাট ভালই চেনেন। বাড়ি বার করতে তিন মিনিটের বেশি ঘুরতে হয়নি।

দোতলা বাড়ি, দেখে মনে হয় পনেরো থেকে বিশ বছরের মধ্যে বয়স। গেটের সামনে রাস্তার উপর একটা কালো অ্যামবাসাডর দাঁড়িয়ে আছে, আর গেটের গায়ে দুটো নাম—এন বিশ্বাস ও জি বিশ্বাস। বেল টিপতে একজন চাকর এসে দরজা খুলে দিল।

'নরেনবাবু আছেন কি?' ফেলুদা প্রশ্ন করল।

'তার তো অসুখ।'

'দেখা করতে পারবেন না? একটু দরকার ছিল।'

'কাকে চাই?'

প্রশ্নটা এল চাকরের পিছন দিক দিয়ে। একজন চল্লিশ-পঁয়তাল্লিশ বছরের ভদ্রলোক এগিয়ে এসেছেন। ফরসা রং, চোখ সামান্য কটা, দাড়ি-গোঁফ কামানো। পাজামার উপর বুশ শার্ট, তার উপর একটা মটকার চাদর জড়ানো। ফেলুদা বলল, 'নরেন বিশ্বাস মশাই-এর একটা জিনিস তাঁকে ফেরত দিতে চাই। ওঁর মানিব্যাগ, পকেট থেকে পড়ে গেসল পার্ক স্ট্রিট গোরস্থানে।'

'তাই বুঝি? আমি ওঁর ভাই। আপনারা ভিতরে আসুন। দাদা বিছানায়। এখনও ব্যান্ডেজ বাঁধা। কথা বলছেন, তবে এ রকম অ্যাক্সিডেনট...একটা বড় রকম ইয়ে তো!...'

দোতলায় যাবার সিঁড়ির পিছন দিকে একটা বেডরুম, তাতেই নরেনবাবু শুয়ে আছেন। ভাইয়ের চেয়ে রং প্রায় দু-পোঁচ কালো, ঠোঁটের উপর বেশ একটা পুরু গোঁফ, আর মাথার ব্যান্ডেজটার নীচে যে টাক আছে সেটা বলে দিতে হয় না।

বাঁ হাতে ধরা স্টেটসম্যান কাগজটা নামিয়ে ভদ্রলোক ঘাড় হেঁট করে আমাদের নমস্কার জানালেন। ডান কবজিতে ব্যান্ডেজ, তাই হাত জোড় করে নমস্কারে অসুবিধা আছে। ভাইটি আমাদের ঘরে ঢুকিয়ে দিয়ে বেরিয়ে গেলেন। শুনলাম চাকরকে হাঁক দিয়ে আরও দুটো চেয়ারের কথা বলে দিলেন। এ ঘরে রয়েছে একটিমাত্র চেয়ার, খাটের পাশে ডেস্কের সামনে।

ফেলুদা মানিব্যাগটা বার করে এগিয়ে দিল।

'ও হো হো—অনেক ধন্যবাদ। আপনি আবার কষ্ট করে...'

'কষ্ট আর কী'—ফেলুদা বিনয়ভূষণ—'ঘটনাচক্রে ওখানে গিয়ে পড়েছিলাম, আমার এই বন্ধুটি কুড়িয়ে পেলেন, তাই...'

নরেনবাবু এক হাতেই মানিব্যাগের খাপগুলো ফাঁক করে তার ভিতরে একবার চোখ বুলিয়ে

ফেলুদার দিকে জিজ্ঞাসু দৃষ্টিতে চাইলেন। 'গোরস্থানে...?'

'আমিও আপনাকে ঠিক ওই প্রশ্নই করতে যাচ্ছিলাম,' ফেলুদা হেসে বলল, 'আপনি বোধহয় প্রাচীন কলকাতার ইতিহাস নিয়ে পড়াশুনো করছেন?'

ভদ্রলোক দীর্ঘশ্বাস ফেললেন।

'করছিলাম তো বটেই—কিন্তু যা ঘা খেলাম! মনে হয় পবনদেব চাইছেন না আমি এ নিয়ে বেশি ঘাঁটাঘাঁটি করি।'

'বিচিত্রপত্র কাগজে যে লেখাটা—'

'ওটা আমারই। মনুমেন্ট তো? আমারই। আরও লিখেছি দু-একটা এখানে সেখানে। চাকরি করতাম, গত বছর রিটায়ার করেছি। কিছু তো একটা করতে হবে! ছাত্র ছিলাম ইতিহাসের। ছেলেবেলা থেকেই ওদিকটায় ঝোঁক। কলেজে থাকতে বাগবাজার থেকে হেঁটে দমদম যাই ক্লাইভ সাহেবের বাড়ি দেখতে। দেখেছেন? এই সেদিন অবধি ছিল—একতলা বাংলো টাইপের বাড়ি, সামনে ইস্ট ইন্ডিয়া কোম্পানির কোট-অফ-আর্মস।'

'আপনি প্রেসিডেন্সিতে পড়েছেন?'

খাটের ডান পাশেই টেবিল, আর তার দু-হাত উপরেই দেয়ালে একটা বাঁধানো গ্রুপ ছবিতে লেখা—

'Presidency College Alumni Association 1953.'

'শুধু আমি কেন,' বললেন নরেন বিশ্বাস, 'আমার ছেলে, ভাই, বাপ, ঠাকুর্দা সবাই প্রেসিডেন্সির ছাত্র। ওটা একটা ফ্যামিলি ট্রাডিশন। এখন বলতে লজ্জা করে—আমরা সোনার মেডেল পাওয়া ছাত্র—গিরীন, আমি, দুজনেই!'

'কেন, লজ্জা কেন!'

'কী আর করলুম বলুন জীবনে? আমি গেলাম চাকরিতে, গিরীন গেল ব্যবসায়। কে আর চিনল আমাদের বলুন?'

ফেলুদা এগিয়ে গিয়েছিল ছবিটা দেখতে। এবার তার দৃষ্টি নামল নীচের দিকে। টেবিলের উপর একটা নীল খাতা। সেটার প্রথম পাতাটা খোলা রয়েছে, দেখে বোঝা যাচ্ছে একটা লেখা শুরু হয়ে আট-দশ লাইনের বেশি এগোয়নি।

'আপনার নাম কি নরেন্দ্রনাথ না নরেন্দ্রমোহন?'

'আজ্ঞে?'

ভদ্রলোক বোধহয় একটু অন্যমনস্ক হয়ে পড়েছিলেন। ফেলুদা আবার প্রশ্নটা করল। ভদ্রলোক একটু হেসে একটু যেন অবাক হয়ে বললেন, 'নরেন্দ্রনাথ বলেই তো জানি। কেন, আপনার কি সন্দেহ হচ্ছে?'

'আপনার ভিজিটিং কার্ডে দেখলাম এন এম বিশ্বাস রয়েছে।'

'ও হো! ওটা তো ছাপার ভুল। কাউকে কার্ড দেবার আগে ওটা কলম দিয়ে শুধরে দিই। অবশ্য নতুন কার্ড ছাপিয়ে নেওয়া উচিত ছিল, কিন্তু গাফিলতি করে আর করিনি। আর সত্যি বলতে কী, আমাদের আর ভিজিটিং কার্ডের কী প্রয়োজন বলুন। ইদানীং মিউজিয়ম-টিউজিয়মের কর্তা-ব্যক্তিদের সঙ্গে একটু দেখা-টেখা করতে হচ্ছিল তাই ব্যাগে কয়েকটা ভরে নিয়েছিলাম। ভাল কথা—আপনিও কি ওই গোরস্থান নিয়ে লিখবেন-টিখবেন নাকি? আশা করি না! আপনার মতো ইয়াং রাইভ্যালের সঙ্গে কিন্তু পেরে উঠব না!'

ফেলুদা যাবার জন্য উঠে পড়ে বলল, 'আমি লিখিটিখি না—শুধু জেনেই আনন্দ। ভাল কথা—একটা অনুরোধ আছে। পুরনো কলকাতা নিয়ে পড়াশুনা করতে গিয়ে যদি গডউইন পরিবারের কোনও উল্লেখ পান তা হলে অনুগ্রহ করে জানালে উপকার হবে।'

‘গডউইন পরিবার?’

‘টমাস গডউইনের সমাধি পার্ক স্ট্রিট গোরস্থানে রয়েছে। ইন ফ্যাক্ট, একই গাছ একসঙ্গে আপনাকে এবং গডউইনের সমাধিকে জখম করেছে।’

‘তাই বুঝি?’

‘আর সার্কুলার রোড গোরস্থানে গডউইন পরিবারের আরও পাঁচটা সমাধি রয়েছে।’

‘অবিশ্যি জানাব। কিন্তু কোথায় জানাব? আপনার ঠিকানাটা?’

ফেলুদা তার প্রাইভেট ইনভেসটিগেটর লেখা কার্ডটা নরেনবাবুর হাতে তুলে দিল।

‘এই আপনার পেশা নাকি? গোয়েন্দাগিরি?’ ভদ্রলোক বেশ একটু অবাক হয়ে প্রশ্ন করলেন।

‘আজ্ঞে হ্যাঁ।’

‘কলকাতায় প্রাইভেট ডিটেকটিভ আছে বলে শুনেছি, কিন্তু চোখে দেখলাম এই প্রথম!’

৫

‘তুমি ভিক্টোরিয়ার কথাটা জিজ্ঞেস করলে না কেন?’ আমি ফেলুদাকে জিজ্ঞেস করলাম গাড়িতে চৌরঙ্গির দিকে যেতে যেতে। আজ লালমোহনবাবু ধরেছেন ব্লু ফক্সে গিয়েই চা-স্যান্ডউইচ খাওয়াবেন। কে জানত যে এই ব্লু ফক্সে গিয়েই ঘটনার মোড় ঘুরে যাবে!

ফেলুদা বলল, ‘তার ব্যাগের কাগজপত্র আমি ঘাঁটাঘাঁটি করেছি সেটা জানলে কি ভদ্রলোক খুব খুশি হতেন? আর লেখাটা সাংকেতিক না হোক, সংক্ষিপ্ত ভাষায় তো বটেই। যদি কোনও গোপনীয় ব্যাপার হয়ে থাকে?’

‘তা বটে।’

লালমোহনবাবুকে একটু ভাবুক বলে মনে হচ্ছিল। ফেলুদাও সেটা লক্ষ করেছে। বলল, ‘আপনার চোখে উদাস দৃষ্টি কেন?’

ভদ্রলোক একটা দীর্ঘশ্বাস ফেলে বললেন, ‘পুলক ছোকরার জন্য একটা ভাল প্লট ফেঁদেছিলুম। নির্ঘাত আবার হিট হত—তা সে আজ লিখেছে হিন্দি ছবিতে নাকি থ্রিল আর ফাইটিং-এর বাজারে মন্দা। সবাই নাকি ভক্তিমূলক ছবি চায়। জয় সন্তোষী মা সুপারহিট হবার ফলে নাকি এই হাল। ভেবে দেখুন!’

‘তা আপনার মুশকিলটা কোথায়! ভক্তিভাব জাগছে না মনে?’

লালমোহনবাবু কথাটার উত্তর দেবারও প্রয়োজন বোধ করলেন না। কেবল ভীষণ একটা অভক্তির ভাব করে দুবার ‘হেল’ ‘হেল’ বলে চুপ করে গেলেন। হেল বলার কারণ অবিশ্যি পুলক ঘোষালের চিঠি নয়। আমরা বিড়লা প্লানেটেরিয়াম ছাড়িয়ে চৌরঙ্গিতে পড়েছি; বাঁয়ে মাটির পাহাড় ময়দানটাকে আড়াল করে দিয়েছে। লালমোহনবাবু কিছুদিন থেকে পাতাল রেল না বলে হেল রেল বলছেন।

গাড়ি ক্রমাগত গাড্ডায় পড়ছে আর লালমোহনবাবু শিউরে শিউরে উঠছেন। বললেন, ‘স্প্রিং যতটা খারাপ ভাবছেন ততটা নয়। চলুন রেড রোড দিয়ে, দেখবেন গাড়ির কোনও দোষ নেই।’

‘তাও তো এখন রাস্তা পাকা,’ বলল ফেলুদা, ‘দুশো বছর আগে এ রাস্তা ছিল গেঁয়ো কাঁচা। কল্পনা করে দেখুন।’

‘তখন তো আর অ্যাম্বাসাডর চলত না। আর এত ভিড়ও ছিল না।’

‘ভিড় ছিল, তবে সে মানুষের নয়, হাড়গিলের।’

‘হাড়গিলে?’

‘সাড়ে চার ফুট লম্বা পাখি। রাস্তায় ময়লা খুঁটে খুঁটে খেত। এখন যেমন দেখছেন কাক চড়ুই,

তখন ছিল হাড়গিলে। গঙ্গার জলে মড়া ভেসে যেত, তার উপর চেপে দিব্যি নৌসফর করত।'

'জংলি জায়গা ছিল বলুন! বীভৎস। ভয়াবহ।'

'তারই মধ্যে ছিল লাটের বাড়ি, সেন্ট জনস চার্চ, পার্ক স্ট্রিটের গোরস্থান, থিয়েটার রোডের থিয়েটার, আর আরও কত সাহেব-সুবোদের বাড়ি। এ অঞ্চলটাকে বলত হোয়াইট টাউন—এদিকে নেটিভদের নো-পাত্তা, আর উত্তর কলকাতা ছিল ব্ল্যাক টাউন।'

'গায়ের রক্ত গরম হয়ে যাচ্ছে মশাই।'

পার্ক স্ট্রিটে এসে মোড় ঘুরে ব্লু ফক্সের আগেই ফেলুদা গাড়ি থামাতে বলল।—'একবার বইয়ের দোকানে ঢুঁ মারতে হবে।'

অক্সফোর্ড বুক কোম্পানি সম্পর্কে লালমোহনবাবুর কোনও উৎসাহ নেই, কারণ এখানে রহস্য রোমাঞ্চ সিরিজের বই বিক্রি হয় না। বললেন, 'আমাদের কলেজ স্ট্রিট আর বালিগঞ্জের ব্ল্যাকবুকশপ বেঁচে থাকুক।'

ফেলুদা দোকানে ঢুকে এদিক-ওদিক ঘুরে একটা কাউন্টারের সামনে গিয়ে দাঁড়াল। সামনে থরে থরে সাজানো রয়েছে নীল আর লাল খাতা, ফাইল, ডাইরি, এনগেজমেন্ট প্যাড। একটা নীল খাতা হাতে তুলে দামটা দেখে নিল। বারো-পঞ্চাশ। ঠিক এ-রকম খাতা ছিল নরেন বিশ্বাসের টেবিলে।

'ইয়েস?'

দোকানের একজন লোক এগিয়ে এসেছে ফেলুদার দিকে।

'কুইন ভিক্টোরিয়ার কোনও চিঠির কালেকশন আছে আপনাদের এখানে?'

'কুইন ভিক্টোরিয়া? নো স্যার। তবে আপনি প্রকাশকের নাম বলতে পারলে আমরা আনিয়ে দিতে পারি। যদি ম্যাকমিলন বা অক্সফোর্ড ইউনিভার্সিটি হয় তা হলে ওদের কলকাতার আপিসে খোঁজ করে দেখতে পারি।'

ফেলুদা কী যেন ভাবল। তারপর বলল, 'ঠিক আছে। আমি খোঁজ করে আপনাদের জানাব।'

আমরা পার্ক স্ট্রিটে বেরিয়ে এলাম। গাড়িটা এগিয়ে ব্লু ফক্সের সামনে গিয়ে দাঁড়িয়েছে, আমরা হেঁটে এগোতে লাগলাম।

'একটু দাঁড়া!'—ফেলুদা পকেট থেকে তার খাতাটা বার করেছে।—'ভিড়ের মধ্যে হাঁটতে হাঁটতে পড়া যায় না।'

কয়েক সেকেন্ড খাতায় চোখ বুলিয়েই ফেলুদা আবার হাঁটতে শুরু করল। 'কিছু পেলে?' আমি জিজ্ঞেস করলাম। জবাব এল: 'আগে ব্লু ফক্সে গিয়ে বসি।'

রেস্টোরান্টে বসে জানা গেল ব্লু ফক্স নামটা ভাল লাগে বলেই লালমোহনবাবু আমাদের এখানে এনেছেন। নিজে এর আগে কখনও আসেননি। এমনকী পার্ক স্ট্রিটের কোনও রেস্টোরান্টেই আসেননি।—'থাকি সেই গড়পারে। পাবলিশার কলেজ স্ট্রিট পাড়ায়, এ তল্লাটে খেতে আসার মওকাই বা কোথায় আর দরকারই বা কী?'

চা আর স্যান্ডউইচ অর্ডার দেবার পর ফেলুদা খাতাটা আবার বার করে টেবিলের উপর রাখল। তারপর সেই পাতাটা খুলে বলল, 'প্রথম লাইনটা এখনও রহস্যাবৃত। দ্বিতীয়টা কবজা করে ফেলেছি। এগুলো সব বিদেশি প্রকাশকের নাম।'

'কোনগুলো?' জিজ্ঞেস করলাম আমি।

'MM, OU, GAA, SJ আর WN হল যথাক্রমে ম্যাকমিলন, অক্সফোর্ড ইউনিভার্সিটি প্রেস, জর্জ অ্যালেন অ্যান্ড আনউইন, সিজিক অ্যান্ড জ্যাকসন, ওয়াইডেনফেলড অ্যান্ড নিকলসন।'

'বাপরে বাপ', বললেন জটায়ু, 'আপনার জিহ্বার জয় হোক। এতগুলো ইংরিজি নাম হোঁচট না খেয়ে একধারসে আউড়ে গেলেন কী করে মশাই?'

'বোঝাই যাচ্ছে ভদ্রলোক এইসব পাবলিশারদের চিঠি লিখতেন বা লিখছেন, ভিক্টোরিয়ার চিঠির সংকলন সম্বন্ধে খোঁজ করে। অথচ মজা এই যে, এত না করে ব্রিটিশ কাউনসিল বা ন্যাশনাল লাইব্রেরিতে গিয়ে ভিক্টোরিয়ার চিঠি পড়ে আসা ঢের সহজ ছিল।'

'এ যেন মাথার পিছন দিক দিয়ে হাত ঘুরিয়ে নাক দেখানো', মন্তব্য করলেন জটায়ু।

ফেলুদা খাতাটা পকেটে পুরে স্যান্ডউইচের জায়গা করে দিয়ে একটা চারমিনার ধরাল। লালমোহনবাবু টেবিলের উপর তাল ঠুকে একটা বিলিতি ধাঁচের সুরের এক লাইন গুন গুন করে বললেন, 'চলুন কোথাও বেরিয়ে পড়ি শহরের বাইরে। বাইরে গেলেই দেখিচি আপনার কেসও জোটে, আমার গল্পও জোটে। কোথায় যাওয়া যায় বলুন তো? বেশ রুক্ষ জায়গা হওয়া চাই। সমতল শস্যশ্যামলা আয়েশি ভেতো মিনমিনে পরিবেশ হলে চলবে না। বেশ একটা—'

স্যান্ডউইচের প্লেট এসে পড়ায় আর কথা এগোল না। আমাদের তিনজনেরই খিদে পেয়েছিল বেশ জবর। একসঙ্গে দু জোড়া স্যান্ডউইচে একটা বিশাল কামড় দিয়ে তিনবার চোয়াল খেলিয়েই লালমোহনবাবু কেন জানি থমকে গেলেন। তারপর গোল গোল চোখ করে দুবার পর পর 'ঈশ্বরের জয়...ঈশ্বরের জয়' বললেন, যার ফলে মুখ থেকে কয়েকটা রুটির টুকরো ছিটকে বেরিয়ে টেবিলের ওপর পড়ল।

ব্যাপারটা হল এই—আমি আর ফেলুদা রাস্তার দিকে মুখ করে বসে ছিলাম, আর লালমোহনবাবুর মুখ ছিল রেস্টোরান্টের পিছন দিকটায়। ঘরের শেষ মাথায় একটা নিচু প্ল্যাটফর্ম, দেখেই বোঝা যায় সেখানে রাত্রে বাজনা বাজে। সেখানে একটা সাইনবোর্ড দেখেই জটায়ুর এই দশা। তাতে রয়েছে এই বাজনার দলের নাম, আর নামের ঠিক তলায় লেখা—'গিটার—ক্রিস গডউইন।'

ফেলুদা হাত থেকে স্যান্ডউইচ নামিয়ে একটা বেয়ারাকে তুড়ি দিয়ে কাছে ডাকল।

'এখানে ডিনারের সময় বাজনা বাজে?'

'হাঁ বাবু, বাজতা হ্যায়।'

'তোমাদের ম্যানেজারের সঙ্গে একটু কথা বলতে পারি?'

ক্রিস গডউইনের ঠিকানা জোগাড় করাই ফেলুদার উদ্দেশ্য, আর তার জন্য একটা জুতসই অজুহাতও রেডি করে রেখেছিল। ম্যানেজার আসতে বলল, 'বালিগঞ্জ পার্কের মিস্টার মানসুখানির বাড়িতে বিয়ের জন্য একটা ভাল বাজিয়ে গ্রুপ চাই। আপনাদের এখানের দলটার খুব নাম শুনেছি—তারা কি বিয়েতে ভাড়া খাটবে?'

'হোয়াই নট? এটাই তো তাদের পেশা।'

'ওই যে গডউইন নামটা দেখছি, ওই বোধহয় লিডার? ওর ঠিকানাটা যদি...'

ম্যানেজার একটা স্লিপে ঠিকানাটা লিখে ফেলুদাকে এনে দিলেন। দেখলাম লেখা আছে—১৪/১ রিপন লেন।

অন্য দিন হলে গল্প-টল্প করে চা-স্যান্ডউইচ খেতে যতটা সময় লাগত, আজ অবিশ্যি তার চেয়ে অনেক কম লাগল। ফেলুদার খিদে মিটে গেছে; সে একটার বেশি খেল না। লালমোহনবাবু অসম্ভব স্পিডে আর এনার্জির সঙ্গে ফেলুদার দুটো আর নিজের তিনটে খেয়ে ফেলে বললেন, 'পয়সা যখন পুরো দেব তখন খাবার ফেলা যায় কেন মশাই?'

ফোর্টিন বাই ওয়ান রিপন লেনের বাইরেটা দেখে মনটা দমে যাওয়া স্বাভাবিক—কারণ সাদত আলির নবাবির কথা এখনও ভুলতে পারিনি। কিন্তু ফেলুদা বলল, এতে আশ্চর্য হবার কিছু নেই। চার-পাঁচ পুরুষের ব্যবধানে একটা পরিবার যে কোথা থেকে কোথায় নামতে পারে তার কোনও লিমিট নেই। অবিশ্যি বাড়িগুলো যে খুব ছোট তা নয়, সবই তিনতলা চারতলা,

কিন্তু কোনওটারই বাইরেটা দেখে ভিতরে ঢুকতে ইচ্ছে করে না। লালমোহনবাবু বললেন যে, বোঝাই যাচ্ছে এর প্রত্যেকটাই হানাবাড়ি। যাই হোক, ঢোকার আগে পাশেই একটা পান-বিড়িওয়ালাকে ফেলুদা জিজ্ঞেস করে নিল।

'ইয়ে কোঠিমে গডউইন সাহাব বোলকে কোই রহতা হ্যায়?'

'গুডিন সাহাব? জো বাজা বাজাতা হ্যায়?'

'সে ছাড়া আরও আছে নাকি?'

'বুঢ়া সাহাব ভি হ্যায়। মার্কিস সাহাব। মার্কিস গুডিন।'

'কোন তলায় থাকেন সাহেব?'

'দো তল্লা। তিন তল্লামে আর্কিস সাহাব।'

'আর্কিস-মার্কিস দুই ভাই নাকি বাবা?' প্রশ্ন করলেন লালমোহনবাবু।

'নেহি বাবু। আর্কিস সাহাব আর্কিস সাহাব, মার্কিস সাহাব গুডিন সাহাব—দো তল্লামে মার্কিস সাহাব, তিন তল্লামে...'

ফেলুদা আর্কিস-মার্কিসের ঝামেলা ছেড়ে ইতিমধ্যে চোদ্দ বাই একে ঢুকে পড়েছে। আমরাও দুগ্গা বলে তার পিছন পিছন ঢুকলাম।

যা ভেবেছিলাম তাই। ভিতরে বাইরে কোনও তফাত নেই। জুন মাসের দিন বড় বলে এই সাড়ে ছ'টার সময়ও বাইরে আলো রয়েছে, কিন্তু ভিতরে সিঁড়ির কাছটায় একেবারে মিশমিশে অন্ধকার। ফেলুদার একটা অদ্ভুত ক্ষমতা আছে—হয়তো ওর চোখটাই ওইভাবে তৈরি—অন্ধকারে সাধারণ লোকের চেয়ে ও অনেক বেশি দেখতে পায়। ওর তরতরিয়ে সিঁড়ি ওঠা দেখে লালমোহনবাবু রেলিংটাকে খামচে ধরে কোনওরকমে উঠতে উঠতে বললেন, 'ক্যাট-বার্গলার হয় জানতুম মশাই, ক্যাট-গোয়েন্দা এই প্রথম দেখলুম।'

দোতলা থমথমে। একটা ক্ষীণ বাজনার শব্দ শোনা যাচ্ছে, বোধ হয় কোনও রেডিও থেকে আসছে। সিঁড়ির মুখে একটা দরজা, তার পিছনে বারান্দা, তাতে আলো না জ্বললেও বাইরেটা খোলা বলে খানিকটা দিনের আলো এসে পড়ে বারান্দার ভাঙা-কাচের টুকরো বসানো মেঝেটাকে বুঝিয়ে দিচ্ছে। আমাদের বাঁয়ের দরজা দিয়ে যে ঘরটা দেখা যাচ্ছে তাতে কেউ নেই, কারণ বাতি জ্বলছে না। ভিতরে বারান্দার বাঁ দিকে একটা ঘর আছে বুঝতে পারছি, কারণ সেই ঘর থেকেই এক চিলতে আলো এসে বারান্দার একটা কোণে পড়েছে। একটা কালো বেড়াল সেই আলোয় কুণ্ডলী পাকিয়ে বসে একদৃষ্টে আমাদের দেখছে। তিনতলা থেকে পুরুষের গলার শব্দ পাচ্ছি মাঝে মাঝে। একবার যেন একটা ঘংঘঙে কাশির শব্দও পেলাম।

'বাড়ি চলুন', বললেন জটায়ু। 'এ হল রিপন লেনের গোরস্থান।'

ফেলুদা বারান্দার দরজার দিকে এগিয়ে গেল।

'কোই হ্যায়?'

কয়েক সেকেন্ড কোনও শব্দ নেই, তারপর উত্তর এল—'কৌন হ্যায়?'

ফেলুদা ইতস্তত করছে, এমন সময় আবার কথা এল, এবার বেশ কড়া স্বরে।

'অন্দর আইয়ে!—আই কান্ট কাম আউট।'

'ভেতরে যাবেন, না বাড়ি যাবেন?'

ফেলুদা লালমোহনবাবুর প্রশ্ন অগ্রাহ্য করে চৌকাঠ পেরিয়ে এগিয়ে গেল। ও ঘুড়ি, আমরা ল্যাজ; এঁকেবেঁকে এগোলাম দুজনে পিছন পিছন।

'কাম ইন,' হুকুম এল বাঁয়ে ঘরের ভিতর থেকে।

৬

তিনজনে ঢুকলাম ভিতরে। একটা মাঝারি সাইজের বৈঠকখানা। দরজার উলটো দিকে একটা সোফা, তার কাপড়ের ঢাকনির তিন জায়গায় ফুটো দিয়ে নারকোলের ছোবড়া বেরিয়ে আছে। সোফার সামনে একটা শ্বেতপাথরের টেবিল;—এখন শ্বেত বললে ভুল হবে, কিন্তু এককালে তাই ছিল। বাঁয়ে একটা কালো প্রাচীন বুক কেস, তাতে গোটা পনেরো প্রাচীন বই। বুক কেসের মাথায় একটা পিতলের ফুলদানিতে ধুলো জমা প্লাস্টিকের ফুল, সে ফুলের রং বোঝে কার সাধ্যি। দেয়ালে একটা বাঁধানো ছবি, সেটা ঘোড়াও হতে পারে, রেলগাড়িও হতে পারে, এত ধুলো জমেছে তার কাচে। যে ফিলিপস রেডিওটা সোফার পাশের টেবিলের উপর রাখা রয়েছে সেটার মডেল নির্ঘাত ফেলুদার জন্মেরও আগের। আশ্চর্য এই যে সেটা এখনও চলে, কারণ সেটা থেকেই গানের শব্দ আসছিল। এখন একটা শিরা-বার-করা ফ্যাকাসে হাত নব ঘুরিয়ে গানটা বন্ধ করে দিল। যার হাত, তিনি সোফার এক কোণে একটা কুশন কোলে নিয়ে বাঁ পা-টা একটা মোড়ার উপর তুলে দিয়ে বসে মিটমিট করে আমাদের দিকে চাইছেন। এঁর শরীরে যে সাহেবের রক্ত আছে সেটা চামড়ার রং থেকে বোঝা যায়, আর চুলের যেটুকু পাকা নয় তার রং কটা। চোখটা যে কীরকম সেটা বুঝতে পারছি না, কারণ ছাত থেকে ঝোলানো যে বাতিটা জ্বলছে সেটার পাওয়ার পঁচিশের বেশি নয়।

'আমি গাউটে ভুগছি, তাই চলাফেরা করতে পারি না', ইংরিজিতে বললেন সাহেব। 'আই হ্যাভ টু টেক দ্য হেল্প অফ মাই সারভেন্ট। সে শুয়োরটা আবার ফাঁক পেলেই সটকায়।'

ফেলুদা এবার পরিচয়ের ব্যাপারটা সেরে নিল। ভদ্রলোক আমরা আসাতে বিরক্ত হলেও সেটা এখনও প্রকাশ করেননি। ফেলুদা কাজের কথায় চলে গেল।

'আমি শুধু একটা খবর জানতে এসেছি। আপনি কি টমাস গডউইনের বংশধর—যিনি ঊনবিংশ শতাব্দীর প্রথম দিকে ভারতবর্ষে এসেছিলেন?'

সাহেব মাথাটা আর একটু তুললেন। এবারে বুঝলাম তার চোখের রং ঘোলাটে নীল। কিছুক্ষণ এক দৃষ্টে ফেলুদার দিকে চেয়ে থেকে বললেন, 'নাউ হাও দ্য হেল ডিড ইউ নো অ্যাবাউট মাই গ্রেট গ্র্যান্ডফাদার?'

'তা হলে আমার অনুমান ঠিক?'

'শুধু তাই নয়; আমার কাছে এমন একটা জিনিস আছে যেটা খোদ টমাস গডউইনের সম্পত্তি। অন্তত আমার ঠাকুমা তাই বলতেন। দেড়শো বছরের—ও হেল!'

'কী হল?'

'দ্যাট স্কাউন্ড্রেল অ্যারাকিস—ঠক, জোচ্চোর! কালই রাত্রে ওটা চেয়ে নিয়ে গেছে। বলেছে আজ ফেরত দেবে। আজই ওদের মিটিং বসবে। আজ বিষ্যুদবার তো? একটু পরেই শুনতে পাবে মাথার উপরে সব উদ্ভট আওয়াজ।'

মাথাটা গুলিয়ে যাচ্ছে বলেই বোধ হয় ঘরটা আরও অন্ধকার লাগছে। কিংবা হয়তো সত্যি করেই রাত হয়ে আসছে। না, মেঘ ডাকল। আকাশে মেঘ করেছে, তাই অন্ধকার।

ফেলুদা মিঃ গডউইনের সামনে একটা হাতলভাঙা চেয়ারে বসেছে। তার ডান পাশে আরামকেদারায় জটায়ু। আরাম খুব হচ্ছে না, কারণ উসখুসে ভাব দেখে মনে হয় ছারপোকার কামড় খাচ্ছেন। আমি বসেছি বাঁয়ে একটা চেয়ারে। ফেলুদা চেয়ে আছে একদৃষ্টে সাহেবের দিকে; ভাবটা—তুমি যা বলতে চাও বলো, আমি শুনতে এসেছি।

'ইটস অ্যান আইভরি কাসকেট,' বললেন মিঃ গডউইন। 'ভেতরেও জিনিস আছে। দুটো পুরনো পাইপ, একটা রুপোর নস্যির কৌটো, একটা চশমা, আর সিল্কে মোড়া একটা প্যাকেট।

ভেতরে বইটই আছে বলে মনে হয়; কোনওদিন খুলিনি। আরও সব ছিল বাড়িতে পুরনো জিনিস; আমার বাউন্ডুলে ছেলেটা সব বেচে দিয়েছে। পড়াশুনোয় জলাঞ্জলি দিয়ে গাঁজা ধরল, আর তারপরেই ঘর থেকে এটা-ওটা সরিয়ে ফেলতে শুরু করল। বাক্সটা যে কেন নেয়নি জানি না। হয়তো নিত; কপাল ফিরে গেল তাই নেবার দরকার হয়নি। বাজনার দল করেছে একটা। তার রোজগারেই চলছে এখন—যদি চলা বলো এটাকে। ছেলেকে আর দোষ দিই কী করে? আমারই কি কম দোষ? শুনেছি টম গডউইন জুয়ো খেলে সর্বস্ব খুইয়েছিলেন। আমারও তাই।...'

ভদ্রলোক একটু থামলেন। হাঁপাচ্ছেন। বোধহয় একটানা এত কথা বলে। বাতের যন্ত্রণাতেই বোধ হয় একবার মুখটা বেঁকে গেল। তারপর আবার কথা।—

'একবার বিলেত গিয়েছিলাম ইয়ং বয়সে। ছোট কাকা ছিল লন্ডনে, মিডল্যান্ড ব্যাঙ্কে ক্যাশিয়ারি করত। তিন মাসের বেশি থাকতে পারিনি। শীত সহ্য হয়নি। খানা সহ্য হয়নি। ডাল-ভাতের অভ্যেস। ফিরে এলাম ক্যালকাটা। বিয়ে করলাম। বউ মরেছে দশ বছর আগে। এখন আছে ক্রিস্টোফার। মুখ দেখি দিনে একটিবার হয়তো; কি তাও না। পাশের ঘরে বসে গিটারে ট্যাং ট্যাং করে। হাত ভাল।'

মাথার উপরে সত্যিই একটা অদ্ভুত আওয়াজ শুরু হয়েছে। খট খট—খট খট। হচ্ছে আবার থামছে, ঘরের ছায়াগুলো দুলছে, কারণ খট খটের সঙ্গে সঙ্গে সিলিং-এর বাতিটা দুলতে আরম্ভ করেছে। এখন আর শুধু লালমোহনবাবু না; আমারও ভয় করছে। এরকম বাড়িতে, এরকম ঘরে কখনও আসিনি; এরকম মানুষের মুখে এরকম কথা কখনও শুনিনি। কী ব্যাপার হচ্ছে ওপরের ঘরে?

গডউইন সাহেব ওপরে না তাকিয়েই বললেন, 'টেবিলটা লাফাচ্ছে। চার ব্যাটা ভণ্ড টেবিলটাকে ঘিরে বসেছে। বলে মরা লোকের আত্মা নামায় ওরা, আর যেই সে আত্মা আসে অমনি টেবিলটা ছটফট করতে শুরু করে।'

'ওরা কারা?' ফেলুদা প্রশ্ন করল।

'অ্যারাকিসের দল। প্রেতচর্চা সমিতি। দুটো ইহুদি, একটা পার্শি, আর অ্যারাকিস। আমাকে দলে টানতে চেয়েছিল, আমি যাইনি। একদিন অ্যারাকিসের কাছে টমাস গডউইনের কথা বলেছিলাম। বললে, তোমাকে তার সঙ্গে কথা বলিয়ে দেব। আমি বললাম—নো, সার্টেনলি নট। আজ বাদে কাল এমনিতেই তার সঙ্গে দেখা হবে। তারপর কাল এসে বললে—'

ভদ্রলোক থামলেন। খট খট খট। আবার টেবিল লাফাচ্ছে।

'কিন্তু বাক্সটা কেন নিল আপনার কাছ থেকে?' প্রশ্ন করল ফেলুদা।

'সেটাই তো বলছি। বললে, আমরা তোমাকে ছাড়াই গডউইনের আত্মা নামাব। তার নিজের জিনিস কিছু থাকলে দাও, সেটা টেবিলের উপর রাখলে আত্মা সহজে নামবে। আওয়াজ শুনে মনে হচ্ছে তিনি নেমেছেন।'

খট খট খট...আবার টেবিল লাফাল।

'ব্যাপারটা কি অন্ধকারে হয়?' ফেলুদা জিজ্ঞেস করল।

'সব বুজরুকিই তো অন্ধকারে হয়।'—গডউইনের গলার স্বরে বিদ্রূপ।

'একবার উপরে যাওয়া যায়?'

লালমোহনবাবু প্রশ্নটা শুনেই চেয়ারের হাতল খামচে তাঁর আপত্তি জানিয়ে দিয়েছিলেন। গডউইন সাহেবের উত্তরে তিনি অনেকটা আশ্বস্ত হলেন।

'ও ঘরে তোমায় ঢুকতে দেবে না,' বললেন মিঃ গডউইন। 'ফর মেমবারস্ ওনলি। ওর চাকর পাহারা দেয়। তবে কেউ যদি কারুর আত্মা নামাতে চায় ওদের সাহায্যে, তো সে আলাদা কথা।

আগাম বিশ টাকা, আত্মা নামলে আরও একশো।'

'আই সি...'

ফেলুদা উঠে পড়ল। 'আচ্ছা, মিস্টার গডউইন। অনেক ধন্যবাদ। আপনাকে বিরক্ত করে গেলাম, কিছু মনে করবেন না।'

'গুড নাইট।'

গডউইন সাহেবের শীর্ণ হাত আবার রেডিওর দিকে চলে গেল।

ল্যান্ডিং-এ এসে ফেলুদা যেটা করল সেটা আমাকে হকচকিয়ে দিল, লালমোহনবাবুর যে কী দশা হল সেটা অন্ধকারে বুঝতে পারলাম না। ফেলুদা নীচে না গিয়ে সটান তিনতলায় রওনা দিল।

'আপ-ডাউন গুলিয়ে ফেললেন নাকি?' ব্যস্তভাবে প্রশ্ন করলেন জটায়ু। উত্তর এল, 'চলে আসুন, ঘাবড়াবেন না।'

উপরে উঠেই সামনে লুঙ্গি পরা দারোয়ান।

'আপ কিসকো মাংতে হ্যায়?'

'আমি শুধু তোমার প্রয়োজন মেটাতে এসেছি ভাই!'

ফেলুদা অ্যারাকিস সাহেবের দারোয়ানের দিকে একটা পাঁচ টাকার নোট এগিয়ে দিয়েছে। লোকটা থতমত। ফেলুদা তার কানের কাছে মুখ নিয়ে বলল, 'তোমার মনিব যে-ঘরে বসেছেন সেটা এখন চারদিক থেকে বন্ধ কি না সেটা আগে বলো।'

ওষুধ ধরেছে বোধহয়। চাকর বলল বারান্দার দিক থেকে বন্ধ, কিন্তু শোবার ঘর দিয়ে দরজা আছে ঢোকার; সেটা খোলা।

'তোমার কোনও চিন্তা নেই—কিচ্ছু করতে হবে না—শুধু একবারটি শোবার ঘরটা দেখিয়ে দাও। নইলে বিপদ হবে। আমরা পুলিশের লোক। ইনি দারোগা।'

লালমোহনবাবু পায়ের বুড়ো আঙুলে দাঁড়িয়ে হাইটটা ঝট করে দু ইঞ্চি বাড়িয়ে নিলেন। এ ল্যান্ডিং-এ বাতি আছে। ফেলুদা নোটটা আর একটু এগিয়ে একেবারে দারোয়ানের হাতের তেলোতে ঠেকিয়ে দিল। তেলোটা আপনা থেকেই নোটের উপর মুঠো হয়ে গেল।

'আইয়ে—লেকিন...'

'লেকিন-টেকিন ছাড়ো ভাই! তোমার মনিবের বন্ধুদের একজনের ওপর পুলিশের সন্দেহ, তাই যাওয়া দরকার। তোমার সাহেবের বা তোমার কিচ্ছু হবে না।'

'আইয়ে।'

শোবার ঘর অন্ধকার, আর তার একটা খোলা দরজার ওদিকে যে ঘর, সেও অন্ধকার। আমরা তিনজনে সেই দরজাটার দিকে এগিয়ে গেলাম।

প্ল্যানচেটের ঘর থেকে এখন কোনও শব্দ নেই। তবে একটু আগে পর পর তিনবার টেবিলের পায়ের শব্দ পেয়েছি। বুঝতে পারছি ভূত নামানোর ক্লাবের সদস্যরা সব দম বন্ধ করে টমাস গডউইনের আত্মার জন্য অপেক্ষা করছেন। লালমোহনবাবু এত জোরে আর এত দ্রুত নিশ্বাস ফেলছেন যে ভয় হচ্ছে তাতেই পাশের ঘরের সবাই আমাদের অস্তিত্ব টের পেয়ে যাবে। ফেলুদা ইতিমধ্যে বোধহয় দরজার আরও কাছে এগিয়ে গেছে। কোত্থেকে যেন কেরোসিন তেলের গন্ধ আসছে। একবার শুনলাম একটা বেড়াল ম্যাও করল। বোধহয় দোতলার সেই কালো হুলোটা।

'ট—মাস গডউইন! ট—মাস গডউইন!'

গোঙানির মতো স্বরে নামটা দুবার উচ্চারিত হল। বুঝলাম এইভাবেই এরা আত্মাকে ডাকে।

'আর ইউ উইথ আস? আর ইউ উইথ আস?'

কোনও সাড়া নেই, কোনও শব্দ নেই। প্রায় আধ মিনিট হয়ে গেল। তারপর আবার সেই

Diary

কাতর প্রশ্ন—

'টমাস গডউইন...আর ইউ উইথ আস?'

'ইয়ে—স! ইয়ে—স!'

আমার ডান পাশেও পায়া ঠক ঠক করে কাঁপছে। টেবিলের নয়, মানুষের। লালমোহনবাবুর হাঁটু।

'ইয়েস! আই হ্যাভ কাম! আই অ্যাম হিয়ার!'

'হিয়ার' বললেও মনে হয় বহু দূর থেকে আসছে গলার স্বরটা।

প্ল্যানচেটের দল আবার প্রশ্ন করল।

'তুমি কি সুখে আছ? শান্তিতে আছ?'

উত্তর এল—'নো—ও!'

'কী দুঃখ তোমার?'

প্রায় আধ মিনিট সব চুপ। তারপর আবার প্রশ্ন করল অ্যারাকিসের দল।

'কী দুঃখ তোমার?'

'আই...আই...আই...ওয়ন্ট মাই...আই ওয়ন্ট মাই...কাসকেট!'

এর পরেই একসঙ্গে কতকগুলো অদ্ভুত ব্যাপার। পাশের ঘর থেকে এক ভয়াবহ চিৎকার, আতঙ্কের শেষ অবস্থায় যেটা হয়—আর পরমুহূর্তেই আমার হাতে একটা হ্যাঁচকা টান আর কানের কাছে ফিসফিস—'চলে আয়, তোপ্‌সে!'

অ্যারাকিসের চাকর আমাদের তিনজনকে ছুটে বেরোতে দেখে যেন আরও হতভম্ব হয়ে কিছুই করল না। এক মিনিটের মধ্যে তিনজনে রিপন লেন পেরিয়ে রয়েড স্ট্রিটে রাখা আমাদের গাড়িটার দিকে এগোতে লাগলাম। 'এ এক খেল দেখালেন মশাই,' বললেন লালমোহনবাবু। 'এ জিনিস ফিল্মে দেখালে সুপারহিট।'

লালমোহনবাবুর তারিফের কারণ আর কিছুই না; ফেলুদার হাতে এসে গেছে সাদত আলির দেওয়া টমাস গডউইনের আইভরি কাসকেট।

৭

পরদিন সকাল। ফেলুদা নিজেই আমাকে তার ঘরে ডেকে পাঠিয়েছে। কাল রাত্রে লালমোহনবাবু আমাদের নামিয়ে দিয়ে যাবার পর আধ ঘণ্টার মধ্যে স্নান-খাওয়া সেরে ফেলুদা তার ঘরে ঢুকে দরজা বন্ধ করে দিয়েছিল। সত্যি বলতে কী, রাত্রে আমার ভাল করে ঘুমই হয়নি। বেশ বুঝতে পারছি যে আমরা একটা আশ্চর্য রকম প্যাঁচালো রহস্যের জালে জড়িয়ে পড়েছি। এ গোলকধাঁধার কাছে লখনৌ-এর ভুলভুলাইয়া হার মেনে যায়। কোন দিকে কোন রাস্তায় যেতে হবে জানি না, সব ভরসা ফেলুদার উপর। অথচ ফেলুদা নিজেই কি ভুলভুলাইয়া থেকে বেরোনোর পথ জানে?

ফেলুদা তার ঘরে খাটের উপর বসে, তার সামনে টমাস গডউইনের বাক্স, তার ভিতরের জিনিস খাটের উপর ছড়ানো। দুটো তামাক খাবার সাদা পাইপ—তেমন পাইপ আমি কখনও চোখেই দেখিনি; একটা রুপোর নস্যির কৌটো; একটা সোনার চশমা, আর চারটে লাল চামড়ায় বাঁধানো খাতা—তার প্রত্যেকটার মলাটে সোনার জল দিয়ে লেখা 'ডায়রি'। খাতাটা যে সিল্কের কাপড়ে বাঁধা ছিল সেটা বিছানার উপরেই পড়ে আছে, আর তার পাশে পড়ে আছে নীল ফিতেটা। ফেলুদা একটা খাতা আমার দিকে এগিয়ে দিয়ে বলল, 'খুব সাবধানে প্রথম পাতাটা উলটে দ্যাখ।'

'এ কী! এ যে শার্লট গডউইনের খাতা!'

'১৮৫৮ থেকে '৬২ পর্যন্ত। যেমন মুক্তোর মতো হাতের লেখা, তেমনি স্বচ্ছন্দ ভাষা। কাল সারা রাত ধরে পড়ে শেষ করেছি। কী অমূল্য জিনিস যে রিপন লেনের অন্ধকূপের মধ্যে এতকাল পড়েছিল, তা ভাবা যায় না।'

আমি অবাক হয়ে প্রথম পাতাটার দিকে চেয়ে আছি। আর উলটোতে সাহস পাচ্ছি না, কারণ বুঝতে পারছি পাতাগুলো ঝুরঝুরে হয়ে আছে। ফেলুদা বলল, 'অ্যারাকিস এ খাতা খুলেছিল।'

'কী করে জানলে?'

'খাতার পাতা অসাবধানে উলটোলেই পাতার উপরের ডান দিকের কোণ আঙুলের চাপে ভেঙে যায়। এই দ্যাখ—'

ফেলুদা একটা পাতা অসাবধানে উলটে দেখিয়ে দিল।

'আর শুধু তাই না,' বলে চলল ফেলুদা, 'এই ফিতেটা দ্যাখ। কয়েক জায়গায় ক্ষয়ে গেছে—একশো বছরের উপর গেরোবাঁধা অবস্থায় থাকার জন্য। কিন্তু ওই ক্ষয়ে যাওয়া জায়গা ছাড়াও দ্যাখ এই দুটো জায়গায় ফিতে কেমন পাকিয়ে গেছে। এটা হচ্ছে টাটকা নতুন গেরোর জন্য। যে খুলেছে সে তত হিসেব করে ঠিক একই জায়গায় গেরো বাঁধেনি; সেটা করলে ধরা মুশকিল হত।'

'তোমার আঙুলে কালো দাগ কেন?'—এটা আমি ঘরে ঢুকেই লক্ষ করেছি।

'এটা আরেকটা ক্লু,' বলল ফেলুদা। 'এটা বোঝানোর সময় পরে আসবে। দাগটা লেগেছে ওই নস্যির কৌটোটা থেকে।'

'কী জানলে ওই ডায়েরি পড়ে?' আগ্রহে আমার প্রায় দম বন্ধ হয়ে আসছিল।

'টম্ গডউইনের শেষ বয়সের কথা,' বলল ফেলুদা। 'একটা পয়সা হাতে নেই, খিটখিটে মেজাজ। এক ছেলে মরে গেছে, অন্য ছেলে ডেভিডের উপর কোনও বিশ্বাস নেই, কোনও টান নেই। কাউকে ট্রাস্ট করে না, এমনকী নিজের মেয়ে শার্লটকেও না। কিন্তু শার্লট তবু তার পরিচর্যা করে, তাকে প্রাণ দিয়ে ভালবাসে, ভগবানের কাছে তার মঙ্গল প্রার্থনা করে। জুয়ায় সর্বস্ব গেছে টমাস গডউইনের; শার্লট নিজে সেলাইয়ের কাজ করে আর কার্পেট বুনে কলকাতার মেমসাহেবদের কাছে বিক্রি করে সংসার চালাচ্ছে। গডউইন লখনৌ-এর নবাবের কাছে দামি জিনিস যা পেয়েছিল সব বিক্রি করে দিয়েছে, কেবল তিনটি জিনিস ছাড়া। এই কাসকেট, এই নস্যির কৌটো—যেটা সে আগেই শার্লটকে দিয়েছিল—আর তৃতীয় হল সাদতের কাছে পাওয়া তার প্রথম বকশিশ।'

'সেটাও শার্লটকে দিয়ে গেছিল?'

'না। সেটা সে কাউকে দেয়নি। মারা যাবার আগে সে মেয়েকে বলে গিয়েছিল, সেটা যেন তার কফিনের মধ্যে পুরে তার মৃতদেহের সঙ্গে কবর দেওয়া হয়। শার্লট তার বাপের ইচ্ছা পূরণ করে মনে শান্তি পেয়েছিল।'

'সেটা কী জিনিস?'

'শার্লটের ভাষায়—"ফাদার'স প্রেশাস পেরিগ্যাল রিপিটার"।'

'সেটা আবার কী?'

'এখানে ফেলু মিত্তিরও ফেল মেরে গেছে রে তোপ্‌সে। ডিকশনারিতে বলছে রিপিটার বন্দুক বা পিস্তল হতে পারে, আবার ঘড়িও হতে পারে। পেরিগ্যাল হয়তো কোম্পানির নাম। সিধু জ্যাঠাও শিওর নন। তুই ঘুম থেকে ওঠার আগে ওর বাড়িতে ঢুঁ মেরে এসেছি। দেখি, বিকাশবাবু যদি আলোকপাত করতে পারেন।'

পার্ক স্ট্রিটে একটা নিলামের দোকান আছে; নাম পার্ক অকশন হাউস। সেখানে বিকাশ

চক্রবর্তী বলে এক ভদ্রলোক কাজ করেন যাঁর সঙ্গে ফেলুদার খুব আলাপ। একটা কেসের ব্যাপারে ফেলুদাকে ওখানে যেতে হয়েছিল বার কয়েক, তখনই চেনা হয়।

'এই সেদিনও দোকানটার পাশ দিয়ে যাবার সময় দেখেছি অনেক পুরনো ঘড়ি সাজানো রয়েছে। আমার মন বলছে ওটা বন্দুক-টন্দুক নয়, ঘড়ি।'

লালমোহনবাবু আসার আগে অবধি ফেলুদা শার্লট গডউইনের ডায়রি থেকে অনেক ঘটনা বলল। শার্লটের এক ভাইঝি বা বোনঝিরও কথা নাকি আছে ডায়রিতে। শার্লট তাকে উল্লেখ করেছে 'মাই ডিয়ার ক্লেভার নীস' বলে। সে নাকি কোনও কারণে তার ঠাকুরদাদাকে অসন্তুষ্ট করেছিল, কিন্তু মারা যাবার আগে টম গডউইন তাকে ক্ষমা করে তাঁর আর্শীবাদ দিয়ে যান। শার্লটের দুই ভাই ডেভিড আর জনের কথাও ডায়রিতে আছে। ডেভিডের সমাধি আমরা সার্কুলার রোডের গোরস্থানে দেখেছি। জন বিলেতে গিয়ে আত্মহত্যা করেন; কেন সেটা শার্লট জানতে পারেননি।

লালমোহনবাবু এসে বললেন, 'কাল সকাল অবধি দোটানার মধ্যে ছিলুম,—পুলকের জন্য ভক্তিমূলক গপ্প লিখি, না আপনার সঙ্গে ভিড়ে পড়ি। কালকের কাণ্ডকারখানার পর আর দ্বিধা নেই। থ্রিল ইজ বেটার দ্যান ভক্তি। সেই বাক্সে কিছু পেলেন?'

'একটা সোয়াশো বছরের পুরনো ডায়রি থেকে জানলাম যে, টমাস গডউইনের কবর খুঁড়লে হয়তো একটা পেরিগ্যাল রিপিটার পাওয়া যেতে পারে।'

'কী পিটার?'

'চলুন, বেরিয়ে পড়া যাক। পেট্রল কত আছে?'

'দশ লিটার ভরলুম তো আজ সকালেই।'

'গুড। ঘোরাঘুরি আছে।'

পার্ক অকশন হাউসে ঢুকেই ফেলুদার ভুরুটা কুঁচকে গেল।

'আসুন, মিস্টার মিত্তির! কী সৌভাগ্য আমার। কোনও নতুন কেস-টেস নাকি?'

বিকাশবাবু এগিয়ে এসেছেন। বেশ চকচকে নাদুসনুদুস চেহারা, গাল ভর্তি পান। কেন জানি দেখলেই মনে হয় নর্থ ক্যালকাটার লোক।

'আপনার যে সৌভাগ্য সে তো দেখতেই পাচ্ছি,' বলল ফেলুদা। 'এই সেদিন দেখলাম গোটা আষ্টেক ছোট বড় ঘড়ি সাজানো রয়েছে; এর মধ্যেই সব বিক্রি হয়ে গেল?'

'কেন? কী ঘড়ি চাই আপনার? ওয়াল ক্লক? অ্যালার্ম ক্লক?'

ফেলুদা তখনও এদিক ওদিক দেখছে। বিকাশবাবুকে দেখে কেন জানি মনে হচ্ছিল যে উনি ওই খটমট নামওয়ালা ঘড়ির বিষয় কিছু জানবেন না। ফেলুদার প্রশ্ন শুনে বললেন, 'রিপিটার বোধহয় এক রকমের অ্যালার্ম ঘড়ি। তবে পেরিগ্যাল ঠিক বুঝলাম না। তা ঘড়ির বিষয়ে জানার জন্য তো খুব ভাল লোক রয়েছে। তার বাড়িতে শুনেছি আড়াইশো রকম ঘড়ি আছে। ঘড়ি-পাগলা লোক আর কী।'

'কার কথা বলছেন?'

'মিস্টার চৌধুরী। মহাদেব চৌধুরী।'

'বাঙালি?'

'বাঙালি হলেও মনে হয় পশ্চিম-টশ্চিমে মানুষ। ভাঙা-ভাঙা বলেন বাংলা। বেশির ভাগ ইংরিজিই বলেন। এলেমদার লোক। আগে বম্বে ছিলেন, এখন কলকাতায় এয়েছেন। আর এসেই, যা পাচ্চেন—একটু ভাল হলেই—কিনে নিচ্চেন। অবিশ্যি পুরনো হওয়া চাই। আপনি যে বলচেন এখানে ঘড়ি দেখচেন না, তার বেশির ভাগই আপনি দেখতে পাবেন ওর বাড়িতে গেলে। আর লোকটা জানেও। আপনি একবারটি গিয়ে কথা বলে দেখুন না। কাগজে বিজ্ঞাপন

দিয়েছিল—দেখেননি?'

'কী বিজ্ঞাপন?'

'কারুর কাছে কোনও পুরনো ঘড়ি বিক্রি থাকলে ওর সঙ্গে যোগাযোগ করতে।'

'লোকটিকে একটি পুরোদস্তুর ধনকুবের বলে মনে হচ্ছে!'

'বাব্বা—ক্লথ মিল, সিনেমা হাউস, চা, জুট, রেসের ঘোড়া, ইম্পোর্ট-এক্সপোর্ট—কী চাই আপনার?'

'ঠিকানা জানেন?'

'জানি বইকী। কলকাতায় আলিপুর পার্ক, আর তা ছাড়া পেনেটিতে গঙ্গার ধারে একটা বাড়ি কিনেচে। ওখানেই কাছাকাছির মধ্যে কাপড়ের মিল। এখন বোধকরি কলকাতায় আছে, তবে আপনারা সকালে না গিয়ে বিকেলে যাবেন; এখন আপিসে থাকবেন।...দাঁড়ান, ঠিকানাটা লিখে দিচ্ছি।'

মহাদেব চৌধুরীর ঠিকানা নিয়ে আমরা পার্ক অকশন হাউস থেকে বেরিয়ে পড়লাম। 'আপনারা এক কাজ করুন,' ফেলুদা গাড়িতে উঠে বলল, 'আমাকে ন্যাশনাল লাইব্রেরির এসপ্লানেড রিডিং রুমে নামিয়ে দিয়ে একবারটি পার্ক স্ট্রিট গোরস্থানে গিয়ে দেখে আসুন তো রিপোর্ট করার মতো কিছু আছে কি না।'

'রিহিপোর্ট?'—লালমোহনবাবুর গলা আর স্টেডি নেই।

'হ্যাঁ, রিপোর্ট। আর কিচ্ছু দেখবার দরকার নেই, শুধু গডউইনের সমাধিটা একবার দেখে আসবেন। এ দুদিন জল হয়নি, জায়গাটা শুকনোই পাবেন। ওখানে কাজ সেরে চলে আসবেন আমার কাছে, তারপর বাইরে কোথাও খেয়ে নেওয়া যাবে। এখন আর বাড়ি ফেরার কোনও মানে হয় না। অনেক কাজ; একবার রিপন লেনেও যেতে হবে।'

ফেলুদা গডউইন সাহেবের বাক্সটা ভাল করে ব্রাউন কাগজে প্যাক করে সঙ্গেই এনেছে, আর সব সময় বগলদাবা করে রেখেছে।

'অবিশ্যি দিনের বেলা আর ভয়ের কী আছে বলুন,' বললেন লালমোহনবাবু, 'সন্ধের দিকটাতেই একটু ইয়ে-ইয়ে লাগে।'

'মন যদি কুসংস্কারের ডিপো না হয় তা হলে ভূতের ভয় কোনও সময়ই নেই।'

এসপ্ল্যানেডের পথে একটা ট্রাফিক জ্যামে পড়ে অপেক্ষা করার ফাঁকে লালমোহনবাবু বললেন, 'আপনি যে ঘড়ির খোঁজ করছেন, সে কি ট্যাঁক-ঘড়ি?'

'সে তো জানি না এখনও।'

'ট্যাঁক-ঘড়ি যদি হয় তো আমার কাছে একটা আছে।'

'কার ঘড়ি?'

'যার ঘড়ি তার তিনটে জিনিস রয়েছে আমার কাছে—ঘড়ি, ছড়ি আর পাগড়ি। গ্র্যান্ডফাদারের জিনিস। লেট প্যারীচরণ গঙ্গোপাধ্যায়। আচ্ছা, প্যারী নামটা কোত্থেকে এল মশাই?'

'এখানেই ছিল,' বলল ফেলুদা। 'আপনি বাংলা রাইটার হয়ে প্যারী মানে জানেন না? প্যারী হল রাধার আর এক নাম। যেমন রাধিকাচরণ, তেমনি প্যারীচরণ।'

'থ্যাঙ্ক ইউ সার। যা হোক, যা বলছিলাম—ঘড়িটা ভাবছি আপনাকে দিয়ে দেব।'

ফেলুদা বেশ অবাক।

'হঠাৎ?'

'একটা কিছু দেব দেব করছিলাম ক'দিন থেকে; আমার হিন্দি ছবির সাফল্যের পিছনে তো আপনার অবদান কম নয়!—আর তার মানে এই গাড়িটা হওয়ার পিছনেও। হয়তো দেখবেন এ

ঘড়িও সেই পেরিপিটার না কী বলছিলেন, সে জিনিস।'

'সেটার চান্স কম। তবে আপনি যে জিনিসটা অফার করলেন তার জন্য আমি কৃতজ্ঞ। আমার কাছে খুব যত্নে থাকবে এটা কথা দিতে পারি। ঊনবিংশ শতাব্দীর জিনিস তো আর ব্যবহার করা যায় না—তবে দম দেব রোজ। ঘড়িটা চলে?'

'দিব্যি।'

ফেলুদাকে নামিয়ে দিয়ে যখন আমরা গোরস্থানে পৌঁছলাম তখন প্রায় বারোটা বাজে। এখানে কাজ সেরে ফেলুদাকে তুলে নিয়ে আমরা যাব নিজামে মাটন রোল খেতে। এটা ফেলুদারই প্ল্যান, ও-ই খাওয়াবে। অবিশ্যি তার আগে যাওয়া হবে রিপন লেনে বাক্স ফেরত দিতে।

পার্ক স্ট্রিটে এ সময়টা ট্র্যাফিক কম, তাই দুপুর হওয়া সত্ত্বেও গোরস্থানের পরিবেশটা বেশ নিরিবিলি। গেট দিয়ে ঢুকে দু-একবার ডাকাডাকি করেও বরমদেও দারোয়ানের দেখা পেলাম না। সে আবার ইঁদুরের সৎকার করতে কোনও ঝোপের পিছনে গেছে কি না কে জানে।

আমরা মাঝখানের পথটা দিয়ে এগিয়ে গেলাম। লালমোহনবাবুকে যতই ঠাট্টা করি না কেন, আর ফেলুদা কুসংস্কারের কথা যাই বলুক না কেন, এই গোরস্থানটার ভিতরে ঢুকলে সাহসের খানিকটা কম পড়ে যায় ঠিকই। শুধু সমাধিগুলো থাকলেও না হয় হত; তার উপরে এত গাছপালা, এত ঝোপঝাড় আগাছা কচুবনে ছেয়ে আছে জায়গাটা যে, তাতে ছমছমে ভাবটা আরও বেড়ে যায়। অবিশ্যি লালমোহনবাবু যতটা বাড়াবাড়ি করছেন, ততটা করার মতো ভয়ের কারণ দিনের বেলা কী থাকতে পারে জানি না। ভদ্রলোক এগোতে এগোতে আড়চোখে ফলকগুলোর দিকে দেখছেন আর সমানে মন্ত্র আওড়ানোর মতো করে বিড়বিড় করছেন। কী যে বলছেন সেটা কান পেতে শুনে তবে বুঝতে পারলাম। সেটা শোনার মতোই বটে।

'দোহাই পামার সাহেব, দোহাই হ্যামিলটন সাহেব, দোহাই স্মিথ মেমসাহেব—ঘাড়টি মটকিও না বাবা, কাজে ব্যাগড়া দিয়ো না! তোমরা অনেক দিয়েচ, অনেক নিয়েচ, অনেক শিখিয়েচ, অনেক ঠেঙিয়েচ...ক্যাম্বেল সাহেব, অ্যাডাম সাহেব, আর—হুঁ হুঁ—তোমার নামের তো বাবা উচ্চারণ জানি না!—দোহাই বাবা, তোমরা ধুলো, ধুলো হয়েই থাকো বাবা, ধুলো...ধুলো...'

আমি আর থাকতে পারলাম না। বললাম, 'কী ধুলো-ধুলো করছেন?'

'ছেলেবেলায় পড়িচি যে বাবা তপেশ—ডাস্ট দাউ আর্ট, টু ডাস্ট রিটার্নেস্ট। এ সবই তো ধুলো।'

'তা হলে আর ভয় কীসের?'

'কবিরা যা লেখে সব কি আর সত্যি?'

আমরা বাঁয়ের মোড় ঘুরেছি। গাছ এখনও পড়ে আছে। মাটি শুকনো। অনেক মাটি। টমাস গডউইনের সমাধি ঘিরে মাটির ঢিবি।

'ধুলো...ধুলো...ধুলো...'

লালমোহনবাবু যেন মনে সাহস আনার জন্যই যান্ত্রিক মানুষের মতো কথাটা বলতে বলতে গডউইনের সমাধির দিকে এগিয়ে গেলেন। তারপর তাকে তিনবার 'ক' আর দু'বার 'কং' কথাটা বলতে শুনলাম, আর তারপরই তিনি দাঁত কপাটি লেগে কাটা গাছের মতো সটান পড়ে গেলেন মাটির ঢিবির ওপর।

তার পা যেখানে পড়েছে তার পর থেকেই শুরু হয়েছে একটা গর্ত, সেটা প্রায় এক-মানুষ গভীর, আর সেই গর্তের মাটির ভিতর থেকে উঁকি মারছে একটা মড়ার খুলি।

বার দশেক ঝাঁকুনিতে লালমোহনবাবুর জ্ঞান ফিরে না এলে সত্যিই মুশকিল হত। কারণ এরকম অবস্থায় এর আগে আমি কখনও পড়িনি। ভদ্রলোক গায়ের ধুলোমাটি ঝেড়ে বললেন সাহিত্যিকদের নাকি সহজে অজ্ঞান হবার একটা টেনডেনসি আছে, বিশেষত ভয় পেলে, কারণ তাদের কল্পনাশক্তি সাধারণ লোকের চেয়ে অনেক বেশি ধারালো। 'তোমার দাদা যে কুসংস্কারের কথাটা বললেন সেটা একদম বাজে। আমার মধ্যে ও সব ইয়ে একদম নেই।'

আমরা অবিশ্যি আর এক মিনিটও সময় নষ্ট না করে সোজা চলে গিয়েছিলাম ফেলুদার কাছে। ওর কাজও শেষ হয়ে গিয়েছিল; না হলেও ও যে এমন খবর শুনে সব কাজ ফেলে গোরস্থানে চলে আসবে সেটা জানতাম। গডউইনের সমাধি দেখে, মাটির ভিতর থেকে উঁকি মারা প্রায় দেড়শো বছরের পুরনো মড়ার খুলি দেখে আর চারিদিকটা ভাল করে সার্চ করে সমাধি থেকে হাত দশেক দূরে পড়ে থাকা একটা কোদাল ছাড়া আর কিছু পেল না ফেলুদা।

এবারে অবিশ্যি দারোয়ানের সঙ্গে দেখা হল। সে বলল তার ভাতিজার পানের দোকান আছে কাছেই লোয়ার সার্কুলার রোডের মোড়ে, সেখানে একটা জরুরি কথা বলতে গিয়েছিল। সে কবর খোঁড়ার ঘটনা কিছুই জানে না। তার বিশ্বাস ঘটনাটা আগের রাত্রে ঘটেছে, আর যারা করেছে তারা পাঁচিল টপকে এসেছে। ফেলুদা দারোয়ানের সাহায্যে মিনিট পনেরোর মধ্যে মাটি আর গাছের পাতা দিয়ে গর্তটা মোটামুটি বুজিয়ে দিল। যাবার সময় দারোয়ানকে বলে গেল ঘটনাটা সে যেন কাউকে না বলে।

গোরস্থান থেকে আমরা সোজা চলে গেলাম রিপন লেনে।

চোদ্দো বাই একের সিঁড়ি দিয়ে উঠতে আমাদের একটু বাধা পড়ল। একজন নামছেন সিঁড়ি দিয়ে, তার হাতে একটা লম্বা চামড়ার কেস। গিটারের কেস। বছর পঁচিশেক বয়সের একজন যুবক। এ ধরনের চেহারা যে-কোনও সময়ে, বিশেষ করে সন্ধের দিকে, পার্ক স্ট্রিটে গেলেই দেখা যায়, কাজেই বর্ণনা দেবার দরকার নেই। ক্রিস গডউইন এই যে বেরোল, ফিরবে বোধহয় সেই রাত্রে, ব্লু ফক্সের বাজনা সেরে।

দোতলা আজ আর কালকের মতো নিস্তব্ধ নয়; বৈঠকখানায় গলাবাজি চলেছে। একটা গলা আমাদের চেনা; অন্যটা মনে হয় তিন তলার সাহেবের। প্রথম গলা বিশ্রী ভাষায় ধমকাচ্ছে, আর দ্বিতীয় গলা ইনিয়ে-বিনিয়ে দোষ অস্বীকার করছে। 'কাসকেট' কথাটা বার বার ব্যবহার করছেন দুজনেই।

ফেলুদা বারান্দায় গিয়ে বৈঠকখানার দরজায় টোকা মারল। সঙ্গে সঙ্গে বিস্ফোরণের মতো শোনা গেল 'কৌন হ্যায়'। আমরা তিনজনেই চৌকাঠ পেরোলাম। অচেনা ভদ্রলোকটির গায়ের রং হলদে, সর্বাঙ্গে মেচেতা, মাথায় টাক, দুটো দাঁত সোনা দিয়ে বাঁধানো, বয়স ষাট-পঁয়ষট্টি। ভদ্রলোক আমাদের দিকে পিছন ফিরে দাঁড়িয়েছিলেন, ফেলুদা তাকে পাশ কাটিয়ে এগিয়ে গিয়ে হাতের বাক্সটা মোড়ক খুলে সোফায় বসা মিঃ গডউইনের দিকে এগিয়ে দিল।

'এটা কাল নিয়ে যাবার লোভ সামলাতে পারিনি। আমার রিসার্চে প্রচুর সাহায্য করবে।'

গডউইন বাক্সটা পেয়ে এক মুহূর্ত হতভম্ব থেকে তারপর অট্টহাসিতে ফেটে পড়ল।

'সো ইউ ফুলড দেম, ইউ ফুলড দেম! দোজ ফুলস!—ধূর্ত, ঠগ, জোচ্চোর।'—এবার শুধু রাগ আর বিদ্রূপ, আর তার সবটা গিয়ে পড়েছে অন্য ভদ্রলোকটির উপর।—'টম গডউইনের প্রেতাত্মা নিয়ে গেছে তার বাক্স? ইনি কি টম গডউইনের প্রেতাত্মা?—দিস জেনটলম্যান? কী মনে হয় তোমার?—এই যে, ইনিই হচ্ছেন মিস্টার অ্যারাকিস, আমার তিনতলার প্রতিবেশী, যার টেবিলের ছটফটানি আমার প্রত্যেক বিষ্যুদবারের সন্ধেগুলোকে মাটি করে দেয়!'

মিস্টার অ্যারাকিস বোকার মতো বাক্সটার দিকে চেয়ে ছিলেন; এবারে তাঁর দৃষ্টি গেল ফেলুদার দিকে। তারপর আবার বোকার মতো দৃষ্টি ঘুরিয়ে দরজার দিকে এগোতে গিয়েই তাঁকে থেমে যেতে হল। ফেলুদা তার নাম ধরে ডেকেছে।

'মিস্টার অ্যারাকিস!'

ভদ্রলোক ফেলুদার দিকে চাইলেন। ফেলুদা ধীরকণ্ঠে বলল, 'এই বাক্সর একটা জিনিস বোধহয় আপনার কাছে রয়ে গেছে।'

'সার্টেনলি নট!' অ্যারাকিস গর্জিয়ে উঠলেন। 'আর সেটা আপনিই বা বুঝছেন কী করে? মার্কাস, তুমি বাক্স খুলে দেখে নাও তো কোনও জিনিস কম পড়ছে কি না।'

এতক্ষণে জানলাম মিঃ গডউইনের প্রথম নাম, আর সেই সঙ্গে আর্কিস-মার্কিস রহস্যের সমাধান হল।

মার্কাস গডউইন বাক্স খুলে তার ভিতর হাতড়ে দেখে একটু কিন্তু-কিন্তু ভাব করে বললেন, কই মিঃ মিটার, এতে তো সব জিনিসই আছে বলে মনে হচ্ছে।'

'ওই নস্যির কৌটোটা একবার বার করবেন কি?—যেটার বর্ণনা শার্লট গডউইন তার ডায়রিতে দিয়েছেন এবং বলেছেন ওর গায়ে পান্না চুনি এবং নীলা বসানো ছিল?'

মিঃ গডউইন কৌটো বার করে ঘুরিয়ে ফিরিয়ে দেখলেন।

ফেলুদা বলল, 'বুঝতে পারছেন কি যে, ওটা একটা সস্তা নতুন কৌটো, যাতে কালো রং মাখিয়ে পুরনো করার চেষ্টা করেছিলেন মিঃ অ্যারাকিস?'

পাঁচ মিনিটের মধ্যে ওপর থেকে আসল নস্যির কৌটো এনে দিলেন মিস্টার অ্যারাকিস, আর মিঃ গডউইন তাকে দিয়ে ঈশ্বরের দোহাই দিয়ে বলিয়ে নিলেন যে, সামনের বিষ্যুদবার যদি আবার খটখটানি শোনেন তা হলেই পুলিশে খবর দেবেন। কালো মুখ করে চোর অ্যারাকিস চোরের মতো ঘর থেকে বেরিয়ে গেল।

'থ্যাঙ্ক ইউ, মিস্টার মিটার,' হাঁপ ছেড়ে বললেন মার্কাস গডউইন।

'শার্লট গডউইনের ডায়রি যে কত মূল্যবান জিনিস সেটা আপনি জানেন?' প্রশ্ন ফেলুদার।

'না। শার্লট গডউইনের ডায়রি ওই বাক্সে রয়েছে তা আমি জানতাম না,' বললেন মার্কাস গডউইন। 'তবে একটা কথা আমি আপনাকে বলছি মিঃ মিটার—আমার পূর্বপুরুষদের নিয়ে আমার বিন্দুমাত্র কৌতূহল নেই। সত্যি বলতে কী আমার কোনও বিষয়েই কোনও কৌতূহল নেই। এখন শুধু মরার দিনটির জন্য অপেক্ষা। ওই বেড়াল ছাড়া আর আমার আপন বলতে কেউ নেই। সন্ধেবেলা একজনের বাড়িতে গিয়ে পোকার খেলতাম, এখন গাউটের জন্য তাও পারি না।'

'তা হলে প্রশ্নগুলো করে বোধহয় লাভ নেই।'

'কী প্রশ্ন?'

'আপনার ঠাকুরদাদার বাবার নাম ছিল ডেভিড, যার সমাধি রয়েছে সার্কুলার রোড গোরস্থানে।'

'ইয়েস।'

'ডেভিডের আর কোনও ভাই বা বোন ছিল কি?'

'মনে নেই। আমার এক পূর্বপুরুষ আত্মহত্যা করেছিলেন। সে ডেভিডের ভাই কি না মনে নেই।'

'ডেভিডের ছেলে, অর্থাৎ আপনার ঠাকুরদাদার নাম ছিল অ্যান্ড্রু?'

'ইয়েস। হি ওয়াজ ইন দি আর্মি।'

'শার্লট গডউইন তার এক ভাইঝি বা বোনঝির কথা লিখেছেন। হিসেব করে দেখা যাচ্ছে,

তিনি আপনার ঠাকুরদার আপন বোন কিংবা—'

'আমার ঠাকুরদাদার কোনও ভাই-বোন ছিল না।

'তা হলে কাজিন।'

'তাদের সম্বন্ধে আমি কিছু বলতে পারব না, মিঃ মিটার। আমার স্মরণশক্তি অনেকদিন থেকেই ক্ষীণ হয়ে আসছে। তা ছাড়া আমাদের পরিবার তোমাদের মতো কাছাকাছি থাকে না। তারা সব ছিটকে ছড়িয়ে পড়ে। এ তো আর তোমাদের বাঙালিদের একান্নবর্তী পরিবার নয়।'

* * *

সোসাইটি সিনেমার সামনে নিজামেতে বসে মাটন-রোল খেতে খেতে ফেলুদা লালমোহনবাবুকে একটা প্রশ্ন করল।

'নরেন বিশ্বাস লোকটাকে আপনার কেমন মনে হয়?'

লালমোহনবাবু চিবোনো শেষ করে ঢোক গিলে বললেন, 'ভালই তো। চোখের মধ্যে বেশ একটা ইয়ে ভাব আছে।'

'আমারও তাই মনে হয়েছিল।'

'এখন আর হচ্ছে না?'

'অবিশ্যি একটা দোষেই একটা মানুষের গোটা চরিত্র নষ্ট করে দেয় না। কিন্তু এটা বলতেই হয় যে, ভদ্রলোক একটা মারাত্মক অন্যায় করে ফেলেছেন।'

আমরা দুজনেই খাওয়া থামালাম।

'আজ প্রমাণ পেলাম যে, ওর মানিব্যাগের কাটিং দুটো ন্যাশনাল লাইব্রেরির রিডিং রুমে সযত্নে রক্ষিত দেড়শো দুশো বছরের পুরনো খবরের কাগজ থেকে ব্লেড দিয়ে কেটে নেওয়া। আমার মতে, এ অপরাধের জন্য মানুষের জেল হওয়া উচিত।'

আমি কল্পনা করতে চেষ্টা করলাম নরেনবাবু রিডিং রুমে বসে দম বন্ধ করে গোপনে কর্মচারীদের দৃষ্টি এড়িয়ে এই দুষ্কর্মটি করছেন, কিন্তু পারলাম না। সত্যি, মানুষকে দেখে চেনার উপায় নেই।

'এটা একটা রোগ বলতে পারেন,' ফেলুদা বলে চলল, 'আর এ ধরনের অন্যায় কাজ ধরা না-পড়ে সাক্সেসফুলি করতে পারলে মানুষ একটা উৎকট আনন্দও পায়, নিজেকে আর পাঁচ জনের চেয়ে বেশি চতুর মনে করে একটা আত্মতৃপ্তি অনুভব করে। ভেরি স্যাড।'

মাটন রোলের পর লস্যির অর্ডারের সঙ্গে সঙ্গে ফেলুদা বিলটাও আনতে বলে দিল। ঘড়িতে বলছে আড়াইটা। আরও তিন ঘণ্টা সময় কাটিয়ে তারপর যেতে হবে ঘড়ি-পাগল মিস্টার চৌধুরীর বাড়িতে। আমি জানি পেরিগ্যাল রিপিটারের সমস্যা সমাধান না হওয়া পর্যন্ত ফেলুদার সোয়াস্তি নেই।

'আচ্ছা মশাই, হাড়গিলেও কি এইভাবে খাবারের প্রত্যাশায় জানালার উপর বসে হাঁক পাড়ত নাকি?'

আমাদের পাশেই রাস্তার দিকে একটা জানালা, তার উপর একটা কাক বসে বেশ কিছুক্ষণ থেকে কা-কা করছে। সেইটের দিকে তাকিয়েই লালমোহনবাবু প্রশ্নটা করেছেন।

'সম্ভবত না', বলল ফেলুদা, 'তবে বাড়ির আলসে বা ছাতের পাঁচিলে যে বসত তার অনেক প্রমাণ পুরনো ছবিতে আছে।'

'আশ্চর্য, পাখিটার চেহারা যে কী রকম তাই জানি না।'

'জানার একটা উপায় হচ্ছে চিড়িয়াখানায় যাওয়া। আর না হয় চলুন কর্পোরেশন স্ট্রিট দিয়ে

বেরোব। মিউনিসিপ্যাল বিল্ডিং-এর সামনেই কর্পোরেশনের সিম্বলে হাড়গিলের চেহারা দেখিয়ে দেব।'

'আপনি এখনও কর্পোরেশন স্ট্রিট বলছেন?' হেসে বললেন জটায়ু।

'থুড়ি, সুরেন ব্যানার্জি—'

ফেলুদা থেমে গেল। চোখের চাহনি চেঞ্জ। পকেট থেকে খাতা বার করে কী জানি দেখল। তারপরেই ছটফটে ভাব, কারণ বিল দিতে দেরি করছে। ফেলুদা বেয়ারা বলে হাঁক দিল—যেটা সচরাচর করে না। বিল দিয়ে গাড়িতে উঠে ড্রাইভার হরিপদকে নির্দেশ দিয়ে দিল। গাড়ি সুরেন ব্যানার্জি রোডে গিয়ে পড়ল। ফেলুদা বাড়ির নম্বর দেখছে, যদিও সব বাড়িতে নম্বর নেই—কলকাতার এই আরেকটা কেলেঙ্কারি। 'আরেকটু এগিয়ে যাব ভাই।...তোপ্‌সে, ১৪১ দেখলেই বলবি।'

মনে পড়ে গেল—১৪১ SNB। সুরেন্দ্রনাথ ব্যানার্জি। বুকটা ঢিপ ঢিপ করছে।

'ওই যে একশো একচল্লিশ!'

গাড়ি থামল। বাড়ির গায়ে লেখা Bourne & Shepherd-BS! পাওয়া গেছে। মিলে গেছে।

ফেলুদার সঙ্গে আমরা দুজনও ভিতরে ঢুকলাম। লিফ্‌ট দিয়ে উঠতে হবে।

দোতলায় লিফ্‌ট থেকে বেরিয়েই একটা সোফা-বেঞ্চি পাতা ঘর। একজন কর্মচারী আমাদের দিকে এগিয়ে এলেন। ফেলুদার ইতস্তত ভাব, কারণ যে প্রশ্নটা করতে হল সেটায় একটা বেকুবি গন্ধ থাকতে বাধ্য।

'ইয়ে—ভিক্টোরিয়ার কোনও ছবি আছে আপনাদের এখানে?'

'ভিক্টোরিয়া মেমোরিয়াল?'

'না। কুইন ভিক্টোরিয়া।'

'আজ্ঞে না। আমাদের এখানে শুধু যারা ভারতবর্ষে এসেছেন তাদের ছবি পাবেন। এডওয়ার্ড দ্য সেভেন্‌থ পাবেন—যখন প্রিন্স অফ ওয়েল্‌স ছিলেন—জর্জ দ্য ফিফ্‌থ, দিল্লির দরবার...'

'এসব এখনও পাওয়া যায়?'

'প্রিন্ট তৈরি থাকে না। নেগেটিভ আছে; অর্ডার দিলে করে দিই। ১৮৫৪ থেকে সব নেগেটিভ রাখা আছে।'

'বলেন কী! আঠারোশো চুয়ান্ন?'

'বোর্ন অ্যান্ড শেপার্ড হল পৃথিবীর দ্বিতীয় প্রাচীনতম ফোটোর দোকান।'

'তার মানে তো হাজার হাজার নেগেটিভ থাকবে আপনাদের এখানে!'

'আসুন না, দেখিয়ে দিচ্ছি। ওই যে দেখুন দেয়ালে ঝুলছে—১৮৮০-তে মনুমেন্টের উপর থেকে তোলা ছবি।'

এতক্ষণ দেখিনি, এবার বলতে চোখ গেল। এক হাত বাই পাঁচ হাত সাইজের ছবি। মনুমেন্টের উপর থেকে প্রায় একশো বছর আগের কলকাতা শহর। ড্যালহৌসি-এসপ্ল্যানেড থেকে শুরু করে উত্তরে যতদূর দেখা যায়। গির্জাগুলির মাথা অন্য সব বাড়িকে ছাপিয়ে উঠেছে। ত্রিসীমানায় একটাও হাইরাইজ নেই। দেখলেই বোঝা যায় শান্ত শহর।

নেগেটিভের ঘর দেখে চোখ টেরিয়ে গেল। ঘরের চার দেয়ালের মেঝে থেকে সিলিং অবধি শেলফ উঠে গেছে, আর প্রত্যেকটি শেলফ ব্রাউন রঙের চ্যাপটা চ্যাপটা বাক্সে ঠাসা। প্রত্যেক বাক্সের গায়ে লেখা রয়েছে তাতে কোন সালের কী ধরনের ছবি রয়েছে।

ফেলুদা শেলফগুলোর সামনে ঘুরে ঘুরে লেখাগুলোর দিকে কিছুক্ষণ খুব মন দিয়ে দেখে হাতের রিস্টওয়াচটার দিকে একবার চেয়ে আমাদের দিকে ফিরে বলল, 'তোরা ঘণ্টাখানেক ঘুরে আয়; আমার একটু কাজ আছে এখানে।'

লিফ্‌টে উঠে লালমোহনবাবু বললেন, 'তোমার দাদার হুকুম শিরোধার্য। ওই একটা লোককে না বলা যায় না। কী পার্সোনালিটি! চলো একটিবার ফ্র্যাঙ্ক রস্‌-এ।'

গাড়িটা সুরেন ব্যানার্জি রোডেই রেখে আমরা চৌরঙ্গি দিয়ে গ্র্যান্ড হোটেলের দিকে হাঁটতে লাগলাম। লালমোহনবাবু কী ওষুধ কিনবেন জানি না, জানার দরকারও নেই। উদ্দেশ্য কেবল সময় কাটানো।

ভিড়ের মধ্যে কলিশন বাঁচিয়ে কিছুদূর এগোনোর পর ভদ্রলোক বললেন, 'কিছু বুঝতে পারছ ভাই তপেশ—তোমার দাদার মতিগতি?'

বলতে বাধ্য হলাম যে কিছুই বুঝছি না, তবে এটুকু আন্দাজ করতে পারছি যে, ফেলুদা ছাড়াও আরেকজন কেউ শার্লট গডউইনের ডায়রি পড়েছে, আর সেই পড়ার সঙ্গে টমাস গডউইনের কবর খোঁড়ার একটা সম্পর্ক রয়েছে।

'দুশো বছর মাটির নীচে থাকার পরও যে দেহ কঙ্কাল অবস্থায় থাকে সেটা তুমি জানতে?' জটায়ু জিজ্ঞেস করলেন।

এ ব্যাপারে জোব চার্নকের মৃতদেহ নিয়ে একটা ঘটনা ফেলুদা আমাকে বলেছিল: সেটা লালমোহনবাবুকে বললাম। চার্নক মারা যাবার দুশো বছর পরে সেন্ট জন্‌স গির্জার একজন পাদ্রির মনে হঠাৎ সন্দেহ ঢোকে চার্নকের সমাধিটা সত্যিই সমাধি তো, নাকি এমনিই একটা স্তম্ভ খাড়া করা হয়েছে। সন্দেহটা এমনিই পেয়ে বসে যে, পাদ্রি শেষে লোক দিয়ে মাটি খোঁড়ালেন। চার ফুট নীচে পর্যন্ত কিছু পাওয়া গেল না, কিন্তু আর দু ফুট খুঁড়তেই একটা কঙ্কালের হাত বেড়িয়ে পড়ল। পাদ্রি মানে মানে গর্ত বুজিয়ে দিলেন।

ফ্র্যাঙ্ক রসে গিয়ে লালমোহনবাবু যখন কাউন্টারের সামনে দাঁড়িয়ে বলছেন 'ওয়ান ফরহ্যানস ফর দি গামস ফ্যামিলি সাইজ', ঠিক তখনই লক্ষ করলাম দোকানে একজন চেনা লোক ঢুকছেন। তিনি অবশ্যি আমাদের দেখামাত্র চেনেননি; বার দু-তিন আমাদের দিকে তাকিয়ে তারপর মুখে হাসিটা এল। নরেনবাবুর ভাই গিরীনবাবু। হাতে একটা বড় বাক্স, তাতে লেখা হংকং ড্রাই ক্লিনারস। বললেন, 'দাদার জন্য ওষুধ নিতে এসেছি।'

'কেমন আছেন নরেনবাবু?' জিজ্ঞেস করলেন জটায়ু।

'দাদা বেটার। ভাল কথা—আপনাদের সঙ্গে সেদিন যিনি ছিলেন তিনিই নাকি গোয়েন্দা প্রদোষ মিত্তির? দাদা দিলেন খবরটা। ভদ্রলোকের নাম শুনেছি আগে। ভাবছিলাম—'

গিরীনবাবু ভুরু কুঁচকে একটু যেন অন্যমনস্ক হলেন। তারপর বললেন, 'ওঁকে বাড়িতে পাওয়া যায় কখন?'

'সেটা ঠিক বলা মুশকিল,' আমি বললাম, 'তবে ডিরেক্টরিতে নম্বর পাবেন। আপনি আসতে চাইলে আগে ফোন করে নিতে পারেন।'

'হুঁ...ওঁর সঙ্গে একটু...ঠিক আছে, আমি টেলিফোন করে নেব। বলবেন প্রদোষবাবুকে, দরকার পড়লে যাব—হেঃ হেঃ...'

আমরাও হেঁ হেঁ করতে করতে ভদ্রলোকের কাছে বিদায় নিয়ে বেরিয়ে এলাম।

নিউ মার্কেটে একটা চক্কর মেরে মতিশীল স্ট্রিট দিয়ে সুরেন ব্যানার্জিতে পড়লাম। বোর্ন অ্যান্ড শেপার্ডের সামনে এসে দেখি ফেলুদা গাড়ির পাশে দাঁড়িয়ে আছে। ওর কাজ নাকি যা আন্দাজ করা গিয়েছিল তার একটু আগেই শেষ হয়ে গেছে। গিরীনবাবুর সঙ্গে দেখা হবার খবরটা ফেলুদাকে দিলাম। 'বটে?' বলল ফেলুদা, 'কী বললেন ভদ্রলোক?' আমি জানি ফেলুদাকে ভাসাভাসাভাবে কিছু বললে চলবে না, তাই যা কথা হল সব ডিটেলে বললাম। এমনকী ভদ্রলোকের হাতে লন্ড্রির বাক্সটার কথাও বললাম। ফেলুদা চুপ করে শুনে গেল। 'কাজ কেমন হল?' লালমোহনবাবু জিজ্ঞেস করলেন।

'ফার্স্ট ক্লাস,' বলল ফেলুদা, 'একেবারে রত্নখনি। আর ওখান থেকে ফোন করে জেনে নিয়েছি মিঃ চৌধুরী বাড়ি ফিরেছেন। পাকা অ্যাপয়েন্টমেন্ট হয়ে গেছে। মখমলের মতো মোলায়েম গলায় কথা বলেন ভদ্রলোক।'

৯

বাজা-ঘড়ি বা চাইমিং ক্লক অনেক শুনেছি, কিন্তু মহাদেব চৌধুরীর বাড়িতে ঢুকতে না-ঢুকতে ছ'টা বাজার যেসব অদ্ভুত শব্দ একটার পর একটা ঘড়ি থেকে আমাদের কানে আসতে লাগল, সেরকম ঘড়ির বাজনা আমি কোনওদিন শুনিনি। লালমোহনবাবু বললেন, 'এ যেন স্বর্গদ্বার দিয়ে ঢুকছি মশাই। মাঙ্গলিক বাজছে। এ রিসেপশন ভাবা যায় না।'

ঢুকতেই যে ভদ্রলোকের সঙ্গে দেখা হল তা নয়। একজন কর্মচারী গোছের লোক এসে বলল, মিঃ চৌধুরী ব্যস্ত আছেন, আমাদের একটু অপেক্ষা করতে হবে। আমরা একটা আপিস ঘরে গিয়ে বসলাম। এই ছোট্ট ঘরেও দুটো বাহারের ঘড়ি—একটা দেয়ালে, একটা বুকশেলফের ওপর।

ঘড়ির শব্দ থামতে এখন বাড়িটা থমথমে মনে হচ্ছে। পেল্লায় হাল ফ্যাশানের বাড়ি, পায়ের নীচে শ্বেতপাথরের মেঝেতে মুখ দেখা যায়।

একটা গলার স্বর বাড়ির ভিতর থেকে মাঝে মাঝে শুনতে পাচ্ছি; ফেলুদা বলল সেটাই নাকি মহাদেব চৌধুরীর গলা। মখমল কি না সেটা এখান থেকে বোঝা মুশকিল, তবে এই গলাটাই যে

হঠাৎ সপ্তমে চড়ে আর মখমল রইল না সেটা বেশ বুঝতে পারলাম।

মহাদেব চৌধুরী কাকে যেন বেদম ধমক দিচ্ছেন। আমরা তিনজনে প্রায় দমবন্ধ করে অনিচ্ছাসত্ত্বেও আড়ি পাতছি। দ্বিতীয় ব্যক্তি গলা তুলছে না, তাই তার কথা বুঝছি না। কথা হচ্ছে ইংরিজিতে। চৌধুরীর গলায় হুমকানি শোনা গেল—

'এসব ব্যাপারে আমি অ্যাডভান্স দিই না—আপনি অত করে বললেন বলে দিলাম—আর এখন বলছেন, সে টাকা খরচ হয়ে গেছে? আপনার একটা কথাও আমি বিশ্বাস করি না। আর এই সামান্য কাজটা করতে এত টাকা কেন লাগবে সেটাও আমি বুঝছি না। যাই হোক, আমি দিচ্ছি টাকা, কিন্তু দুদিনের মধ্যে আমি মাল চাই। আমি কোনও অসুবিধার কথা শুনতে চাই না, বুঝেছেন?'

কিছুক্ষণ সব চুপচাপ, তারপর একটা জুতোর শব্দ পেলাম: মনে হল সেটা সদর দরজার দিকে চলে গেল। এক মিনিটের মধ্যেই কর্মচারীটি আবার এল।—

'আপলোগ আইয়ে।'

মিঃ চৌধুরীর মাথার চুল থেকে জুতোর ডগা পর্যন্ত সত্যিই মখমলের মতো। ভদ্রলোক দিনে দুবার দাড়ি কামান নিশ্চয়ই, না হলে সন্ধ্যা ছ'টায় পুরুষ মানুষের গাল এত মসৃণ হয় না। (পরে লালমোহনবাবু বলেছিলেন, মনে হচ্ছিল গালে মাছি বসলে পিছলে যাবে)। যে বিশাল বৈঠকখানা ঘরটাতে আমরা বসেছি সেটাও মিঃ চৌধুরীর মতোই পালিশ করা। আনাচে-কানাচে কোথাও এক কণা ধুলো বা একটাও পিঁপড়ে বা আরশোলা থাকতে পারে বলে মনে হয় না।

সোনার হোল্ডারে ধরা সিগারেটে একটা টান দিয়ে ধোঁয়া ছেড়ে ফেলুদার দিকে চেয়ে প্রশ্ন করলেন মিঃ চৌধুরী—

'ওয়েল—ঘড়িটা এনেছেন সঙ্গে?'

আমরা সকলেই অবাক; ফেলুদা তো বটেই।

'ঘড়ি? কী ঘড়ি বলুন তো?' প্রশ্ন করল ফেলুদা।

'আপনি যে বললেন একটা ঘড়ির ব্যাপারে দেখা করতে আসছেন? আমি তো ভাবলাম আমার বিজ্ঞাপন পড়ে ফোন করছেন আমাকে।'

'মাপ করবেন মিস্টার চৌধুরী—আমি আপনার বিজ্ঞাপন পড়িনি। আমার একটা ব্যাপার একটু জানার দরকার হয়ে পড়েছে, সেটা সম্ভবত ঘড়ি সংক্রান্ত। শুনলাম আপনি ঘড়ির বিষয় অনেক কিছু জানেন, তাই—'

মখমলে ভাঁজ পড়েছে। ভদ্রলোক একটু যেন বিরক্তির সঙ্গেই নড়েচড়ে বসে বললেন—

'আমার সময় বেশি নেই মিঃ মিটার। একটু পরেই কলকাতার বাইরে চলে যাব। আপনার কী জানার আছে সংক্ষেপে বলুন।'

'পেরিগ্যাল রিপিটার জিনিসটা কী সেটা জানতে চাইছিলাম।'

মখমল হঠাৎ পাথর হয়ে গেল। সিগারেট হোল্ডার ঠোঁটের কাছে এসে থেমে গেছে। চোখের মণি পাথর, দৃষ্টি ফেলুদার দিকে, নিষ্পলক।

'আপনি কোথায় পেলেন নামটা?'

'ঊনবিংশ শতাব্দীর একটা ইংরেজি উপন্যাসে।'

তার কাজের সুবিধের জন্য যে ফেলুদা অম্লানবদনে মিথ্যে কথা বলতে পারে সেটা আগেও দেখেছি।—'রিপিটার যে ঘড়িও হতে পারে বন্দুকও হতে পারে সেটা অভিধানে দেখেছি, কিন্তু পেরিগ্যাল সম্বন্ধে কেউ কিছু বলতে পারল না।'

মহাদেব চৌধুরী এখনও সেইভাবেই চেয়ে আছেন ফেলুদার দিকে। এর পরের প্রশ্নটাতে মখমলের সঙ্গে মেশানো একটা ধারালো ভাব দেখা দিল।

'আপনি কি সব সময়ই কথার মানে জানতে অচেনা লোকের বাড়ি ধাওয়া করেন?'

'বিশেষ প্রয়োজন হলে করি বইকী।'

আমি ভেবেছিলাম ভদ্রলোক জিজ্ঞেস করবেন বিশেষ প্রয়োজনটা কী; কিন্তু তা না করে সেই একইভাবে ফেলুদার দিকে তাকিয়ে থেকে যে কথাটা বললেন, তাতে আমার ডান পাশের টেবিলের উপরে ঘড়িটা যেভাবে টিক্‌টিক্ করছে, আমার হৃৎপিণ্ডটাও ঠিক সেইভাবেই টিক্‌টিক্ করতে আরম্ভ করে দিল।

'আপনি তো গোয়েন্দা, তাই না?'

ফেলুদার নার্ভের বলিহারি। জবাবটা দিতে বোধহয় পাঁচ সেকেন্ড দেরি হয়েছিল, কিন্তু যখন এল তখন তারও গলা মখমল।

'আপনি খবর রাখেন দেখছি।'

'রাখতেই হয় মিস্টার মিটার। খবর সংগ্রহের জন্য লোক থাকে।'

'আমার প্রশ্নটা বোধহয় ভুলে গেছেন। হয়তো উত্তরটা আপনার জানা নেই। আর যদি জেনেও জবাব না দিতে চান তা হলে আমি উঠি। বৃথা আপনার সময় নষ্ট করতে চাই না।'

'সিট ডাউন, মিস্টার মিটার।'

ফেলুদা উঠে পড়েছিল, তাই এই হুকুম। লালমোহনবাবুকে দেখে মনে হচ্ছে তাঁর নিজের থেকে ওঠার অবস্থা নেই; ধরে উঠিয়ে দিতে হবে।

'সিট ডাউন, প্লিজ।'

ফেলুদা বসল।

'রিপিটার মানে বন্দুকও হয়', বললেন মহাদেব চৌধুরী, 'তবে তার সঙ্গে পেরিগ্যাল যোগ দিলে সেটা হয় ঘড়ি। পকেট ওয়াচ। ফ্রানসিস পেরিগ্যাল্। ইংলিশম্যান। অষ্টাদশ শতাব্দীর শেষভাগে পেরিগ্যালের মতো ঘড়ির কারিগর পৃথিবীতে কমই ছিল। দুশো বছর আগে ইংল্যান্ডেই সবচেয়ে ভাল ঘড়ি তৈরি হত, সুইটজারল্যান্ডে নয়।'

'আজকের দিনে একটা পেরিগ্যাল রিপিটারের দাম কত হতে পারে?'

'সে ঘড়ি কেনার সামর্থ্য তো আপনার নেই মিঃ মিটার।'

'তা জানি।'

'আমার আছে।'

'তাও জানি।'

'তা হলে দাম জেনে কী হবে?'

'কৌতূহল।'

'ব্যর্থ কৌতূহল।'

মিঃ চৌধুরী সিগারেটে শেষ টান দিয়ে হোল্ডার থেকে সেটা খুলে পাশে কাচের অ্যাশট্রেতে ফেলে দিয়ে সোফা ছেড়ে উঠে দাঁড়ালেন।

'আপনি যা জানতে চেয়েছিলেন সেটা আপনার জানা হয়ে গেছে', বললেন মিঃ চৌধুরী। 'এবার আপনি আসুন। পেরিগ্যাল রিপিটার কলকাতায় যেটা আছে সেটা আমিই পাব, আপনি পাবেন না।—পেয়ারেলাল!'

একজন কর্মচারী এসে দাঁড়াল। সেই একই লোক—যিনি আমাদের আপিস ঘরে বসিয়েছিলেন। আমরা উঠে পড়লাম। যখন ঘর থেকে বেরোচ্ছি, তখন মখমলের মতো গলাটা আরেকবার শোনা গেল।

'আমার কাছে অন্যরকম রিপিটারও আছে মিঃ মিটার; তবে তার আওয়াজ ঘড়ির মতো সুরেলা নয়।'

'আপনার বর্তমান কাহিনীর নায়ক তো ইনিই বলে মনে হচ্ছে', বললেন জটায়ু।

আমরা আলিপুর পার্ক থেকে ফিরছি। গাড়ির কাচ আবার তুলে দিতে হয়েছে, কারণ বৃষ্টি। জাজেস কোর্ট রোডে পড়ার সঙ্গে সঙ্গেই বৃষ্টিটা নেমেছে।

ফেলুদা লালমোহনবাবুর কথার কোনও জবাব না দিয়ে জানালার বাইরে দৃশ্য দেখতে লাগল। লালমোহনবাবু একটানা বেশিক্ষণ কথা না-বলে থাকতে পারেন না। বললেন, 'জানি নায়ক না বলে ভিলেন বলা উচিত, কিন্তু আপনি যে বলেন ক্রাইমের ব্যাপারে সকলকেই সন্দেহ করা উচিত—যে-কেউ ভিলেন হতে পারে— তাই আর বললুম না। অবিশ্যি সন্দেহটাও যে ঠিক কী কারণে করা উচিত, সেটা এখনও আমার কাছে পরিষ্কার নয়। কবর খোঁড়াটা কি ক্রাইমের মধ্যে পড়ে?'

ফেলুদা কোনও কথারই জবাব দিচ্ছে না দেখে লালমোহনবাবু এবার অসহিষ্ণু হয়ে বললেন—'ও মশাই, আপনি যে দমে গেলেন বলে মনে হচ্ছে। তা হলে আমাদের কী দশা হবে ভেবে দেখুন! একে তো ভদ্রলোকের হাবভাব দেখে হাড়গোড় নড়বড়ে হয়ে যাবার অবস্থা। তারপরে ওই অতগুলো ঘড়ির ঢং ঢং, আর তার উপরে আবার আপনি গুম্, বাইরে বৃষ্টি, রাস্তায় গাড্ডা...'

এতক্ষণে ফেলুদা মুখ খুলল।

'আপনার অনুমান ভুল, মিঃ গাঙ্গুলী। আমি দমিনি মোটেই। জটিল গোলকধাঁধার মধ্যে পথ পেয়ে গেলে কি লোকে দমে? বরং উলটো।'

'পথ পেয়ে গেছেন?'

'পেয়েছি, তবে পথের শেষে কী আছে তা এখনও জানি না। পথ অত্যন্ত ঘোরালো। আরও বেশ কিছুটা এগোলে পরে শেষ দেখা যাবে।'

আমরা বাড়ি ফেরার পরও টিপ্ টিপ্ করে বৃষ্টি পড়তে লাগল। লালমোহনবাবু বলে গেলেন কাল সকাল সকাল আসবেন।—'এ কেসটায় আমি ছাড়া আপনার গতি নেই, ফেলুবাবু! বাস-ট্রামে ঘোরাঘুরি করতে গেলে আপনার কত সময় লাগত ভাবুন দিকি!'

আজ দুপুরে নিজামে বসে থাকতেই লক্ষ করেছিলাম, ফেলুদা তার খাতায় কী যেন হিজিবিজি কাটছে; রাত্রে খাবার পর ওর ঘরে এসে জানতে পারলাম সেটা কী। ও যে আমাকে ডেকে পাঠিয়েছিল তা নয়; এমনিতেই আমার ওর জন্য ভাবনা হচ্ছিল; মহাদেব চৌধুরীকে দেখে আর তার কথা শুনে অবধি দুশ্চিন্তা হচ্ছিল; ভদ্রলোকের মুখটা মনে করলেই কেমন জানি বুকটা কেঁপে উঠছিল। লালমোহনবাবু হিরো ভিলেন যা ইচ্ছে তাই বলুন না কেন, আমার কাছে উনি একটি ভয়াবহ চরিত্র। বাইরেটা মখমল হলে কী হবে, ভিতরটা থর মরুভূমির কাঁটা-ঝোপের জঙ্গল।

অবিশ্যি ফেলুদাকে দেখে মনেই হল না যে তার কোনও দুশ্চিন্তা হচ্ছে। সে এখন সামনে খাতা খুলে বসে একমনে একটা নকশার দিকে দেখছে। আমি ঢুকতে 'এই দ্যাখ শাখাপ্রশাখা' বলে খাতাটা আমার দিকে এগিয়ে দিল। তাতে যে জিনিসটা আঁকা রয়েছে সেটা আমি তুলে দিচ্ছি—

'ডান দিকটা কী রকম খালি-খালি লাগছে না?' বলল ফেলুদা।

আমি বললাম, 'তা তো লাগবেই। শার্লট তো বিয়েই করেনি।'

'শার্লটকে নিয়ে সমস্যা নয়। সমস্যা ওই জন ব্যক্তিটিকে নিয়ে। ওই একটি শাখার বাকি অংশটা লুকিয়ে আছে। অবিশ্যি একটা জিনিস উলটো অবস্থায় দেখেছি; সেটা সোজা দেখলে পরে কিছুটা আলোকপাত হতে পারবে। অর্থাৎ কাল সকালে।'

এটা ফেলুদার একটা মার্কামারা হেঁয়ালি; আর যখন হেঁয়ালি করে বলছে, তখন হেঁয়ালি

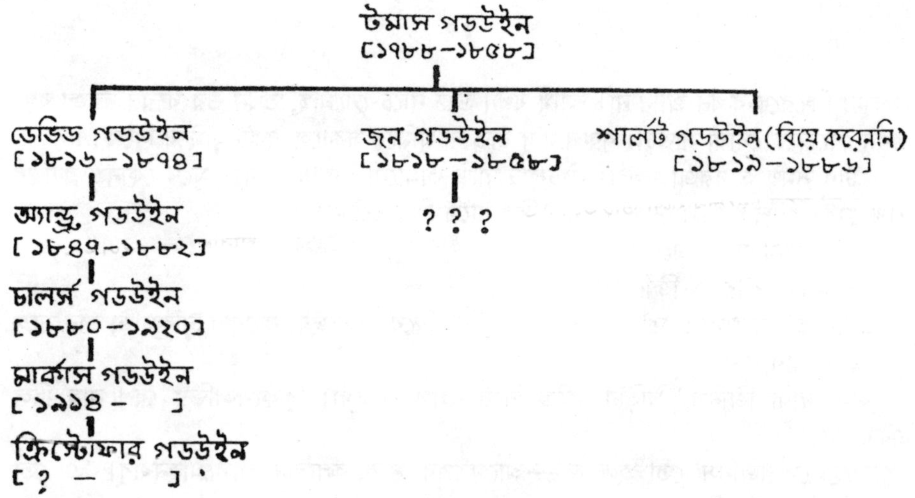

করবার জন্যই বলেছে।

আমাদের কথার ফাঁকেই বৃষ্টিটা থেমে গিয়েছিল। ফেলুদাকে হঠাৎ ব্যস্তভাবে বিছানা থেকে উঠতে দেখে অবাক লাগল।

বললাম, 'বেরোবে নাকি?'

'ইয়েস স্যার।'

'সে কী? কোথায়?'

'ডিউটি আছে।'

'কীসের ডিউটি?'

'পাহারা।'

তার হান্টিং বুট-জোড়া বার করে রেখেছে ফেলুদা সেটা এতক্ষণ দেখিনি। ওটা দেখলেই আমার গায়ে কাঁটা দেয়, কারণ ফেলুদার প্রত্যেকটা বিখ্যাত তদন্তের সঙ্গে ওটা জড়িয়ে আছে। মাঝরাত্তিরে গোরস্থানে চলতে ফিরতে হলে ওটা ছাড়া গতি নেই।

'গোরস্থানে?' ধরা গলায় জিজ্ঞেস করলাম আমি।

'আর কোথায় বল!'

'একা যাবে?'

'চিন্তা নেই। সঙ্গী আছে। রিপিটার।'

ফেলুদা আলমারি থেকে তার ৩২ কোল্টটা বার করে পকেটে পুরল। আমার ভাল লাগছে না ব্যাপারটা মোটেই। বললাম, 'কিন্তু ওখানে কী ঘটনা ঘটবে বলে আশা করছ? কবর তো খোঁড়া হয়ে গেছে। ঘড়ি যদি পেয়ে থাকে সে তো নিয়ে গেছে।'

'নেয়নি। যে বা যারা খুঁড়ছিল তারা মড়ার খুলি দেখেই ভয়ে পালিয়েছে। নইলে ওভাবে কোদাল ফেলে দিয়ে যায় না। হয় নিয়ে যাবে, না হয় লুকিয়ে রাখবে।'

এ জিনিসটা আমার একেবারেই খেয়াল হয়নি।

১০

ফেলুদা ফিরেছে কখন জানি না। আমি যখন উঠে নীচে নেমেছি, তখন ওর ঘরের দরজা বন্ধ; তখন বেজেছে সোয়া সাতটা। বুঝলাম দু রাত না ঘুমিয়ে সকালে একটু ঘুমিয়ে নিচ্ছে।

ন'টার সময় ও দরজা খুলল। ফিটফাট দাড়ি কামানো চেহারা, চোখে-মুখে কোনও ক্লান্তির ছাপ নেই। বুড়ো আঙুল নেড়ে বুঝিয়ে দিল রাত্রে কিছু ঘটেনি।

সাড়ে ন'টায় জটায়ু এলেন।

'দেখুন তো কীরকম জিনিস।'

জটায়ু তাঁর কথামতো তাঁর ঠাকুরদাদার ঘড়িটা নিয়ে এসেছেন। রুপোর ট্যাঁকঘড়ি, তার সঙ্গে ঝুলছে রুপোর চেন।

'বাঃ, দিব্যি জিনিস,' ঘড়িটা হাতে নিয়ে বলল ফেলুদা। 'কুককেলভির বেশ নাম ছিল এককালে।'

'কিন্তু সে জিনিস তো হল না'—আক্ষেপের সুরে বললেন লালমোহনবাবু। 'এ তো কলকাতায় তৈরি ঘড়ি।'

'কিন্তু আপনি সত্যিই এটা আমাকে দিচ্ছেন?'

'উইথ মাই ব্লেসিংস অ্যান্ড বেস্ট কম্প্লিমেন্টস। আপনার চেয়ে সাড়ে তিন বছরের বড় আমি, সুতরাং আমার কাছ থেকে আশীর্বাদ নিতে আপনার আপত্তি নেই নিশ্চয়ই।'

ফেলুদা ঘড়িটাকে রুমালে মুড়ে পকেটে রেখে টেলিফোনের দিকে এগোল। কিন্তু ডায়াল করার আগেই রাস্তার দিকের দরজার কড়াটায় নাড়া পড়ল।

খুলে দেখি গিরীনবাবু। ইনি কাল হিন্ট দিলেও, সত্যি করে যে আসবেন, আর এত তাড়াতাড়ি আসবেন, সেটা ভাবিনি। কাজে বেরিয়েছেন সেটা বোঝা যাচ্ছে পোশাক দেখে—কোট প্যান্ট, হাতে একটা ব্রিফকেস।

'টেলিফোনে দশ মিনিট ডায়াল করেও লাইন পেলাম না। কিছু মনে করবেন না।' ভদ্রলোকের হাবভাব চনমনে, নার্ভাস্।

'মনে করবার কিছু নেই। টেলিফোন তো না থাকারই সামিল। কী ব্যাপার বলুন।'

ভদ্রলোক সোফায় না বসে একটা চেয়ারে বসলেন। আমি আর জটায়ু তক্তপোষে, ফেলুদা সোফায়।

'কার কাছে যাওয়া উচিত ঠিক বুঝতে পারছিলাম না', রুমাল দিয়ে কপালের ঘাম মুছে বললেন গিরীন বিশ্বাস, 'পুলিশের ওপর খুব ভরসা নেই, ফ্র্যাঙ্কলি বলছি। ঘটনাচক্রে আপনি যখন এসেই পড়লেন...'

'সমস্যাটা কী?'

গিরীনবাবু গলা খাক্‌রে নিলেন। তারপর বললেন, 'দাদার মাথায় গাছ পড়েনি।'

আমরা তিনজনেই চুপ, ভদ্রলোকও কথাটা বলে চুপ।

'তা হলে?' প্রশ্ন করল ফেলুদা।

'মাথায় বাড়ি মেরে হত্যা করার চেষ্টা হয়েছিল তাকে।'

ফেলুদা শান্তভাবে চারমিনারের প্যাকেটটা ভদ্রলোকের দিকে এগিয়ে দিলে তিনি প্রত্যাখ্যান করাতে সে নিজের জন্য একটা বার করে বলল, 'কিন্তু আপনার দাদা নিজে যে বললেন গাছ পড়েছিল।'

'তার কারণ দাদা মরে গেলেও তার নিজের ছেলের নাম প্রকাশ করবে না।'

'নিজের ছেলে?'

‘প্রশান্ত। বড় ছেলে। ছোটটি বিলেতে।’

‘কী করে প্রশান্ত?’

‘কী না-করে সেইটে জিজ্ঞেস করুন। যত রকম গর্হিত কাজ হতে পারে। গত তিন-চার বছরে এই পরিবর্তন। দাদা দুই ভাইকে সমান ভাগ দিয়ে উইল করেছিল। বউদি মারা গেছেন সেভেনটিতে। মাসখানেক আগে দাদা প্রশান্ত-র ব্যবহারে বিরক্ত হয়ে তাকে শাসায়; বলে তাকে উইলচ্যুত করবে, সব টাকা সুশান্তকে দিয়ে দেবে।’

‘প্রশান্ত আপনাদের বাড়িতেই থাকে তো?’

‘থাকার অধিকার আছে, তার জন্য ঘর আছে আলাদা, তবে থাকে না। কোথায় থাকে বলা শক্ত। তার দল আছে। জঘন্যতম টাইপের গুণ্ডা সব। আমার বিশ্বাস সেদিন ও খুনই করে ফেলত, যদি না সাংঘাতিক ঝড়টা এসে পড়ত।’

‘আপনার দাদা এ বিষয় কী বলেন?’

‘দাদা বলছে সত্যিই গাছ পড়েছিল। সে জেনে-শুনেও বিশ্বাস করতে চাইছে না যে তার ছেলে তার মাথার জখমের জন্য দায়ী। কিন্তু দাদা যাই বলুক না কেন—আমার নিজের ভাইপো হলেও বলছি—আপনি একটা কিছু বিহিত না করলে সে আবার খুনের চেষ্টা দেখবে।’

‘নরেনবাবু যদি নতুন উইল করেন তা হলে তো আর তার ছেলের তাকে খুন করে কোনও আর্থিক লাভ হবে না।’

‘আর্থিক লাভটাই কি বড় কথা মিস্টার মিত্তির? সে তো খেপে গিয়েও খুন করতে পারে। প্রতিশোধের জন্য কি মানুষ খুন করে না?—আর দাদা উইল চেঞ্জ করবে না। তার মাথার ঠিক নেই। অপত্যস্নেহ যে কদ্দূর যেতে পারে তা আপনি জানেন না মিস্টার মিত্তির। এ ক’দিন আমি বাড়িতেই ছিলাম, কিন্তু আজ আমাকে একটু কলকাতার বাইরে যেতে হচ্ছে দু-তিন দিনের জন্য, ব্যবসার কাজে। তাই আপনার কাছে এলাম। আপনি যদি ব্যাপারটা...’

‘মিস্টার বিশ্বাস,’ ফেলুদা প্রায় এক ইঞ্চি লম্বা ছাইটা অ্যাশট্রেতে ফেলে দিয়ে বলল, ‘আমি অত্যন্ত দুঃখের সঙ্গে জানাচ্ছি আমি আরেকটা তদন্তে জড়িয়ে পড়েছি। আপনার দাদার প্রোটেকশনের একটা ব্যবস্থা করা উচিত নিশ্চয়ই, কিন্তু এটাও ঠিক যে তিনি নিজেই যদি জোর গলায় বলেন যে তাঁর মাথায় গাছ পড়েছিল, তাঁকে কেউ হত্যা করার চেষ্টা করেনি—তা হলে পুলিশের বাবাও কিছু করতে পারবে না।’

গিরীনবাবু অনেকদিন-পরে-রোদ-ওঠা সকালের মেজাজটা বিগড়ে দিয়ে বিদায় নিলেন।

‘বিচিত্র ব্যাপার’, বলে ফেলুদা সোফা ছেড়ে উঠে গিয়ে টেলিফোনে নম্বর ডায়াল করল।

‘হ্যালো, সুহৃদ? আমি ফেলু বলছি রে...’

সুহৃদ সেনগুপ্ত ফেলুদার সঙ্গে কলেজে পড়ত এটা আমি জানি।

‘শোন—তোর বাড়িতে একটা প্রেসিডেন্সি কলেজ ম্যাগাজিনের শতবার্ষিকী সংখ্যা দেখেছিলাম—তোর দাদার কপি—যদ্দূর মনে হয় পঞ্চান্নতে বেরিয়েছিল—সেটা আছে এখনও?...বেশ, ওটা তুই বেরোবার সময় তোর চাকরের হাতে রেখে যাস, আমি দশটা-সাড়ে দশটা নাগাত গিয়ে নিয়ে আসব...’

আমরা চা খেয়ে বেরিয়ে পড়লাম। তিন জায়গায় যাবার আছে ফেলুদার—নরেনবাবু, বোর্নি অ্যান্ড শেপার্ড আর পার্ক স্ট্রিট গোরস্থান। নরেনবাবু শুনে একটু অবাক হলাম। ফেলুদাকে বলতে বলল, ‘গিরীনবাবুকে মুখে যাই বলি না কেন, ওঁর কথাটা একেবারে উড়িয়ে দিতে পারছি না। কাজেই একবার যাওয়া দরকার। তৃতীয় জায়গাটায় তোদের না গেলেও চলবে, তবে রাত্রের পাহারাটায় আজ ভাবছি তোদের নিয়ে যাব। গোরস্থানে মাঝরাত্তিরের অ্যাটমোসফিয়ারটা অনুভব না করা মানে একটা অসামান্য অভিজ্ঞতা থেকে বঞ্চিত হওয়া।’

'জয় মা সন্তোষী,' বললেন লালমোহনবাবু। তারপর মাঝপথে একবার বললেন, 'মশাই, সান অফ টারজনের মতো সান অফ সন্তোষী করা যায় না?'—বুঝলাম পুলক ঘোষালের অফারটা নিয়ে ভদ্রলোক এখনও ভাবা শেষ করেননি।

নরেনবাবু যদিও শরীরের দিক দিয়ে অনেকটা সুস্থ—বললেন ব্যথা-ট্যথা প্রায় সেরে গেছে, কয়েকদিনের মধ্যেই ব্যান্ডেজ খুলবেন—তবু ওঁর চাহনিটা ভাল লাগল না। কেমন যেন শুকনো, বিষণ্ণ ভাব।

'আপনাকে শুধু দু-একটা প্রশ্ন করার আছে,' বলল ফেলুদা, 'বেশি সময় নেব না।'

ভদ্রলোক ফেলুদার দিকে একটা সন্দিগ্ধ দৃষ্টি দিয়ে বললেন, 'কিছু মনে করবেন না—আপনি কি কোনও তদন্ত চালাচ্ছেন? আপনি গোয়েন্দা জেনেই এ প্রশ্নটা করছি।'

'আপনি ঠিকই আন্দাজ করেছেন', বলল ফেলুদা। 'সে ব্যাপারে প্রচুর সাহায্য হবে যদি আপনি সত্য গোপন না করেন।'

ভদ্রলোক চোখ বন্ধ করলেন। অনেক সময় যন্ত্রণাবোধ করলে সেটাকে সহ্য করার চেষ্টায় মানুষে যেভাবে চোখ বন্ধ করে এও সেই রকম। মনে হল উনি আন্দাজ করেছেন যে ফেলুদার জেরাটা ওঁর পক্ষে কষ্টকর হবে। ফেলুদা বলল, 'আপনি হাসপাতালে জ্ঞান হবার পরমুহূর্তে উইল সম্পর্কে কিছু বলতে চাইছিলেন।'

নরেনবাবু সেইভাবেই চোখ বন্ধ করে রইলেন।

'উইলের উল্লেখ কেন সে সম্বন্ধে একটু আলোকপাত করবেন কি?'

এবার নরেন বিশ্বাস চোখ খুললেন। তার ঠোঁট নড়ল, কাঁপল, তারপর কথা বেরোল।

'আমি আপনার কথার জবাব দিতে বাধ্য নই নিশ্চয়ই?'

'নিশ্চয়ই না।'

'তা হলে দেব না।'

ফেলুদা কয়েক মুহূর্ত চুপ। আমরা সবাই চুপ। নরেনবাবু দৃষ্টি ঘুরিয়ে নিয়েছেন।

'বেশ আমি অন্য প্রশ্ন করছি,' বলল ফেলুদা।

'জবাব দেওয়া না-দেওয়ার অধিকার কিন্তু আমার।'

'একশোবার।'

'বলুন।'

'ভিক্টোরিয়া কে?'

'ভিক- টোরিয়া...?'

'এখানে বলে রাখি আমি একটা অন্যায় কাজ করে ফেলেছি। আপনার ব্যাগের ভিতরের কাগজপত্র আমি দেখেছি। তাতে একটি স্লিপ-এ—'

'ও হো হো!'—ভদ্রলোক আমাদের বেশ চমকে দিয়ে হাসিতে ফেটে পড়লেন।—'ও তো মান্ধাতার আমলের ব্যাপার! আমিও প্রায় ভুলেই গিয়েছিলাম। আমি তখনও চাকরিতে। এক অ্যাংলো-ইন্ডিয়ান কাজ করত আমাদের আপিসে—নর্টন— জিমি নর্টন। বললে তার ঠাকুমার লেখা গুচ্ছের চিঠি রয়েছে তাদের বাড়িতে। সে চিঠি আমি চোখেই দেখিনি। এই ঠাকুমা নাকি মিউটিনির সময় বহরমপুরে ছিলেন—তখন পাঁচ-সাত বছর বয়স। চিঠিগুলো পরে লেখা, কিন্তু তাতে তার ছেলেবেলার অভিজ্ঞতার কথা আছে। আজকাল তো এসব নিয়ে বই-টই খুব বেরোচ্ছে, তাই নর্টনকে বলেছিলাম কিছু বিলিতি পাবলিশারের নাম দিয়ে দেব। সে নিজে এসব ব্যাপারে একেবারে আনাড়ি। দাঁড়ান—কাগজটা বার করি।'

নরেনবাবু বাঁ হাত বাড়িয়ে টেবিলের উপরের দেরাজটা খুলে ব্যাগ থেকে তার স্লিপটা বার করলেন।

'এই যে—বোর্ন অ্যান্ড শেপার্ড। ওকে বলতে চেয়েছিলুম খোঁজ করে দেখতে পারে, ওখানে ওর ঠাকুরমার কোনও ছবি পাওয়া যায় কি না। আর এই যে সব পাবলিশারের নামের আদ্যক্ষর। এ কাগজ আর তাকে দেওয়া হয়নি, কারণ নর্টনের জনডিস হয়। দেড়মাস ট্রিটমেন্টে ছিল, তারপর চাকরি ছেড়ে দেয়।'

ফেলুদা উঠে পড়ল। 'ঠিক আছে, মিস্টার বিশ্বাস—শুধু একটা ব্যাপারে আক্ষেপ প্রকাশ না করে পারছি না।'

'কী ব্যাপার?'

'আপনি ভবিষ্যতে কোনও লাইব্রেরির কোনও বই বা পত্রিকা থেকে কিছু ছিঁড়ে বা কেটে নেবেন না। এটা আমার অনুরোধ। আসি।'

ঘর থেকে বেরোবার সময় ভদ্রলোক আর আমাদের মুখের দিকে চাইতে পারলেন না।

বেণীনন্দন স্ট্রিটের সুহৃদ সেনগুপ্তের চাকর একটা ঢাউস বই এনে ফেলুদাকে দিল। প্রেসিডেন্সি কলেজ ম্যাগাজিনের শতবার্ষিকী সংখ্যা। সেটা ফেলুদা সারা রাস্তা কেন যে এত মন দিয়ে দেখল, আর দেখতে দেখতে কেন যে বার তিনেক 'বোঝো ব্যাপারখানা' বলল সেটা বুঝতে পারলাম না।

বোর্ন অ্যান্ড শেপার্ডে ঢুকে ফেলুদা দশ মিনিটের মধ্যে একটা বড় লাল খাম নিয়ে বেরিয়ে এল। দেখেই বোঝা যায় তার মধ্যে বড় সাইজের ফোটো রয়েছে।

'কীসের ছবি আনলেন মশাই?' জিজ্ঞেস করলেন লালমোহনবাবু।

'মিউটিনি,' বলল ফেলুদা। আমি আর লালমোহনবাবু মুখ চাওয়া-চাওয়ি করলাম। ফেলুদার কথার মানে ছবিগুলো নট ফর দ্য পাবলিক।

'গোরস্থানে আর আপনাদের ভেতরে টানব না; আমি শুধু দেখে আসি সব ঠিক আছে কি না।'

আমরা গাড়িটা ঘুরিয়ে গোরস্থানের ঠিক সামনেই পার্ক করলাম। ফেলুদা যখন গেট দিয়ে ঢুকল, তখন দেখলাম দারোয়ান বরমদেও বেশ একটা বড় রকমের সেলাম ঠুকল।

দশ মিনিটের মধ্যে ফেলুদা ফিরে এসে 'ওকে' বলে গাড়িতে উঠল। ঠিক হল রাত সাড়ে দশটায় আমরা আবার এখানে ফিরে আসছি।

আমার মন বলছে আমরা নাটকের শেষ অঙ্কের দিকে এগিয়ে চলেছি।

১১

ফেলুদার সঙ্গে এতবার এত জায়গায় ঘুরেছি রহস্যের পিছনে পিছনে—সিকিম, লখনৌ, রাজস্থান, সিমলা, বেনারস—কোনওখানেই অ্যাডভেঞ্চারে কমতি পড়েনি; কিন্তু এই কলকাতাতে বসেই এমন একটা রক্ত-হিম-করা রহস্যের জালে জড়িয়ে পড়তে হবে এটা কোনওদিন স্বপ্নেও ভাবিনি।

বিশেষ করে আজকের দিনটা, লালমোহনবাবু যেটার নাম দিয়েছিলেন ব্ল্যাক-লেটার ডে—যদিও সেটাকে আবার পরে বদলিয়ে করলেন ব্লাক-লেটার নাইট। আর পার্ক স্ট্রিট সেমেট্রি সম্বন্ধে বলেছিলেন, 'ছেলেবেলায় মেজো জ্যাঠা বুঝিয়েছিলেন ওটাকে বলে গোরস্থান, কারণ ওখানে গোরাদের সমাধি আছে। এখন মনে হচ্ছে নামটা হওয়া উচিত গেরোস্থান। এমন গেরোয় এর আগে পড়িচি কখনও তপেশ? তোমার মনে পড়চে?'

সত্যি বলতে কী, অনেক ভেবেও মনে করতে পারিনি।

লালমোহনবাবু এমনিতেই পাংচুয়াল; গাড়ি হবার পর মেজাজটা আরও মিলিটারি হয়ে গেছে। আগে কড়া নাড়তেন, আজ দেখি নক করলেন। আমরা দুজনেই খেয়েদেয়ে তৈরি হয়ে

বসেছিলাম। আজ ফেলুদার সঙ্গে সঙ্গে আমাকেও হান্টিং বুট পরতে হয়েছে। আমারটা গত বছর কেনা, ওরটা এগারো বছরের পুরনো। বোধহয় অবস্থাটা খুব ভাল নয় বলে বিকেলে দেখেছিলাম ও নিজেই সুকতলায় কী সব মেরামতের কাজ করছে। এখন একটু খোঁড়াচ্ছে দেখে মনে হল মুচি ডাকিয়ে কাজটা করালেই ভাল হত। এই বিপদের রাতে খোঁড়ালে চলবে কেন?

দরজায় টোকা পড়তেই আমরা উঠে পড়লাম। ফেলুদার কাঁধে খয়েরি রঙের শান্তিনিকেতনি ঝোলা, তার ভিতর থেকে লাল খামের খানিকটা বাইরে বেরিয়ে রয়েছে। এখানে বলে রাখি, ওরই হুকুমমাফিক আজ আমরা সকলে গাঢ় রঙের পোশাক পরেছি। লালমোহনবাবু পরেছেন একটা কালো টেরিকটের সুট।

ভদ্রলোক ঘরে ঢুকেই বললেন, 'মডার্ন মেডিসিন কোথায় পৌঁছে গেল মশাই!—একটা নতুন নার্ভ-পিল বেরিয়েছে—নামটায় আবার দুটো 'এক্স'—ভবেন ডাক্তারের সাজেশনে ডিনারের পরে একটা খেয়ে নিলুম—এরই মধ্যে সমস্ত শরীরে বেশ একটা কলপ-দেওয়া ফিলিং হচ্ছে। তপেশ ভাই, যা থাকে কপালে—লড়ে যাব, কী বলো?' কীসের সঙ্গে লড়বেন সেটা অবিশ্যি উনিও জানেন না, আমিও জানি না।

ফেলুদা আগেই ঠিক করেছিল গাড়িটা গোরস্থানের গেট থেকে বেশ কিছুটা দূরে রাখবে—'গাড়ির রংটা আপনার আজকের পোশাকের সঙ্গে ম্যাচ করলে অতটা চিন্তা করতাম না।' সেন্ট জেভিয়ার্স ছাড়িয়ে রডন স্ট্রিটের মোড়ের একটু আগেই ও গাড়িটা থামাতে বলল। 'তোরা এগিয়ে যা' গাড়ি থেকে নেমে বলল ফেলুদা, 'আমি হরিপদবাবুকে কয়েকটা ইনস্ট্রাকশন দিয়ে আসছি।'

আমরা এগিয়ে গেলাম। ফেলুদা কী ইনস্ট্রাকশন দিল জানি না, কিন্তু এটা জানি যে হরিপদবাবু এ ক'দিন আমাদের কাণ্ডকারখানা দেখে আর কথাবার্তা শুনে রীতিমতো উৎসাহ পেয়ে গেছেন। এটা ওঁর হাবেভাবে বেশ বোঝা যায়।

মিনিট তিনেকের মধ্যেই ফেলুদা ফিরে এল। বলল, 'আপনার লাক ভাল মিঃ গাঙ্গুলী যে আপনি এমন একটি ড্রাইভার পেয়েছেন। ভদ্রলোককে কাজের দায়িত্ব দিয়ে বেশ নিশ্চিন্ত হওয়া যায়।'

'কী দায়িত্ব দিলেন মশাই?'

'এদিকে গণ্ডগোল না হলে কোনও দায়িত্ব নেই, আর হলে ওঁর উপর বেশ খানিকটা ভরসা রাখতে হবে।'

এর বেশি আর ফেলুদা কিছু বলল না।

লোহার ফটকের সামনে পৌঁছে দেখি সেটা খোলা। ফেলুদাকে ফিসফিস করে জিজ্ঞেস করাতে ও ফিসফিস করে উত্তর দিল যে এমনিতে এ সময় খোলা থাকে না। কিন্তু আজ সেটার ব্যবস্থা করা হয়েছে। 'পাঁচিলের উপর কাচ বসানো, টপকানো রিসকি, তাই এই ব্যবস্থা। কিন্তু বরমদেও আছেন কি?'

দারোয়ানের ঘরে টিমটিম করে বাতি জ্বলছে, কিন্তু সেখানে কেউ আছে বলে মনে হল না। আমরা ঘরের আশপাশটা ঘুরে দেখলাম। কেউ নেই। পার্ক স্ট্রিট থেকে আসা ফিকে আলোতে দেখতে পাচ্ছি ফেলুদার ভ্রূকুটি। বুঝলাম দারোয়ানের সঙ্গে যা ব্যবস্থা হয়েছিল তাতে ওর থাকবার কথা।

আমরা এগিয়ে গেলাম। আজ আর মাঝখানের সেই পথটা দিয়ে নয়। সেটা দিয়ে কয়েক পা গিয়েই ফেলুদা বাঁয়ে ঘুরল। আমরা সমাধির ভিড়ের মধ্যে দিয়ে এগোতে লাগলাম। বাতাস বইছে বেশ জোরে। আকাশে ফালি ফালি মেঘের স্রোত। তার ফাঁক দিয়ে ফাঁক দিয়ে ফিকে আধা-চাঁদটা উঁকি মেরেই আবার লুকিয়ে পড়ছে। সেই চাঁদের আলোতে ফলকের নামগুলো এই আছে এই নেই। এই আলোতেই বুঝলাম আমরা স্যামুয়েল কাথবার্ট থর্নহিলের সমাধিতে আশ্রয়

নিলাম। এটা সরু হয়ে উঠে যাওয়া ওবেলিস্ক নয়। এর নীচে বেদি, বেদির উপর চারিদিকে ঘিরে থাম আর মাথায় গম্বুজ। তিনজন লোকে দিব্যি ঘাপটি মেরে থাকতে পারে। এখানে আলো পৌঁছায় না, তবে সুবিধে এই যে ডান দিকে চাইলে অন্য সমাধির ফাঁক দিয়ে লোহার ফটকের একটা অংশ দেখা যায়।

এ গোরস্থান এখন আমরা ছাড়া কেউ থাকতে পারে না ভেবেই ফেলুদা মুখ খুলল; তবে গলা তুলল না।

'এটা ছড়িয়ে দিন তো একটু আশেপাশে।'

ফেলুদা ঝোলা থেকে একটা ছিপি-আঁটা বোতল বার করে লালমোহনবাবুর দিকে এগিয়ে দিয়েছে।

'ছোছ্—ছড়িয়ে?'

'কার্বলিক অ্যাসিড। সাপ আসবে না। চারদিকে হাত চারেক দূর অবধি ছিটিয়ে দিলেই হবে।'

লালমোহনবাবু আজ্ঞা পালন করে এক মিনিটের মধ্যেই ফিরে এসে বললেন, 'যাক নিশ্চিন্ত হওয়া গেল। সাপের ভয়টা মশাই নার্ভ-পিলেও যায় না।'

'ভূতের ভয় গেছে?'

'টোট্যালি।'

ব্যাঙ ডাকছে। ঝিঁঝি ডাকছে। একটা ঝিঁঝি বোধহয় আমাদের পাশের কবরেই আস্তানা গেড়েছে। চলন্ত মেঘের এক-একটা খণ্ড বোধহয় একটু বেশি ঘন বলেই অন্ধকারটা হঠাৎ-হঠাৎ গাঢ় হয়ে উঠছে। তার ফলে সমাধিগুলো তালগোল পাকিয়ে চোখের সামনে একটা জমাট বাঁধা অন্ধকার ছাড়া আর কিছুই দেখা যাচ্ছে না। আবার যেই চাঁদ বেরোচ্ছে অমনি সমাধিগুলোর এক পাশে আলো পড়ে সেগুলো পরস্পর থেকে আলগা হয়ে যাচ্ছে।

ফেলুদা পকেট থেকে চিকলেট বার করে আমাদের দিয়ে নিজে দুটো মুখে পুরল।

গাড়ির শব্দ ক্রমেই কমে আসছে। এক দুই তিন করে সেকেন্ড গুনে হিসাব করে দেখলাম একটানা প্রায় আধ মিনিট ধরে ব্যাঙ ঝিঁঝি আর দমকা হাওয়ায় পাতার সরসর ছাড়া আর কোনও শব্দ শোনা যাচ্ছে না।

'মিডনাইট', চাপা স্বরে লালমোহনবাবু বললেন।

মিডনাইট কেন বললেন? আমি দু মিনিট আগে হাত বাড়িয়ে আমার রিস্টওয়াচে চাঁদের আলো ফেলিয়ে দেখেছি বেজেছে এগারোটা পঁচিশ। জিজ্ঞেস করাতে বললেন, 'না, এমনি বলছি। মিডনাইটের একটা বিশেষ ইয়ে আছে তো!'

'কী ইয়ে?'

'গোরস্থানে মিডনাইট তো!—তার একটা বিশেষ ইয়ে আছে। কোথায় যেন পড়িচি।'

'তখনই ভূত বেরোয়?'

লালমোহনবাবু কয়েকবার 'এক্স' 'এক্স' বলে শেষের বার এক্স-এর 'স'টাকে সাপের মতো কিছুক্ষণ টেনে রেখে চুপ মেরে গেলেন। আমার পাশে একটা প্রায়-শোনা-যায়-না খচ শব্দ থেকে বুঝলাম ফেলুদা হাতের আড়ালে দেশলাই জ্বালাল। তারপর হাতের আড়ালেই একটা চারমিনার ধরিয়ে হাতের আড়ালেই টান দিয়ে ধোঁয়া ছাড়ল।

আকাশে মেঘ বাড়ছে। গাড়ির আওয়াজ হাওয়া। হাওয়ার আওয়াজ হাওয়া। সব সাড়া, সব শব্দ শেষ। কাছের ঝিঁঝি ঠাণ্ডা। আমার শরীর ঠাণ্ডা, গলা শুকনো। ঠোঁট চেটে ঠোঁট ভিজল না।

চী-এর পরে একগাদা ঋ-ফলা দিয়ে একটা প্যাঁচা ডেকে উঠল। এক সঙ্গে দুটো থাপ্পড়ের আওয়াজে বুঝলাম লালমোহনবাবু হাত দিয়ে হাইম্পিডে কান ঢাকলেন। ফেলুদা ধীরে ধীরে উঠে দাঁড়াল।

একটা গাড়ি থেমেছে। কতদূরে, সেটা এত রাত্রে বোঝা যাবে না। দরজা বন্ধর শব্দ। মন বলছে শব্দটা উত্তরে পার্ক স্ট্রিট থেকে নয়, পশ্চিমের রডন স্ট্রিট থেকে। ওদিকে গেট নেই, পাঁচিল আছে; পাঁচিলের উপর কাচ বসানো।

আমাদের চোখ তবু লোহার গেটের দিকে। লালমোহনবাবু মুখ খুলতে যাচ্ছিলেন, ফেলুদা আমার কাঁধের উপর দিয়ে হাত বাড়িয়ে ওঁর কাঁধে চাপ দিয়ে থামিয়ে দিল।

কিন্তু কেউ তো আসছে না গেটের দিকে।

হয়তো গাড়ি অন্য কোথাও অন্য কারণে থেমেছে। কত বাড়ি তো রয়েছে চারপাশে। হয়তো কেউ নাইট-শো দেখে ফিরল। আশা করি তাই; তা হলে আর এ-গাড়িটা নিয়ে ভাববার কিছু থাকে না।

ফেলুদা কিন্তু সটান দাঁড়িয়ে আছে, পিছনের দেয়ালের সঙ্গে সেঁধিয়ে। তার সামনেই একটা থাম। চারিদিকে বাদুড়ে অন্ধকার। কেউ দেখতে পাবে না আমাদের।

কিন্তু আমরা তাদের দেখব কী করে? যদি তারা এসে থাকে?

দেখবার দরকার নেই। একটু পরেই সেটা বুঝতে পারলাম। চোখের দরকার নেই। কাজ

রবে কান।

ঝুপ...ঝুপ...ঝুপ...ঝুপ...

মাটি খোঁড়ার শব্দ। কিছুক্ষণ চলল শব্দ। আমরা রুদ্ধশ্বাসে শুনছি।

ঝুপ...ঝুপ...

শব্দ থেমে গেল।

একটা আলো। দূরে দুটো ওবেলিস্কের ফাঁক দিয়ে ঘাসের উপর ক্ষীণ আলো। প্রতিফলিত আলো।

আলোটা স্থির নয়—দুলছে, নড়ছে, খেলছে। টর্চের আলো।

এবার নিভে গেল।

'পাঁচিল টপকে এসেছে' দাঁত চিপে মন্তব্য করল ফেলুদা। তারপর বলল, 'ফলো করব।' বুঝলাম আবার গাড়ির আওয়াজের অপেক্ষা করছে ফেলুদা।

এক মিনিট।

দু মিনিট, তিন মিনিট, চার মিনিট।

'স্ট্রেঞ্জ!' বলল ফেলুদা।

কোনও শব্দ আসছে না আর পার্ক স্ট্রিট থেকে। রডন স্ট্রিট থেকেও না। যে গাড়িটা এসেছিল সেটা থেমেই আছে। তা হলে?

আরও দু মিনিট গেল। আবার মেঘে ফাটল। চাঁদ বেরোল। কেউ কোথাও নেই।

'ধর এটা—'

ফেলুদা তার ঝোলাটা আমায় দিয়ে ঘাসে নামল। যেদিকে আলোটা দেখেছিলাম সেদিকে এগিয়ে গেল। ভয় নেই—ওর পকেটে কোল্ট ৩২। মন বলছে শিগগিরই তার গর্জনে এই গোরস্থানের জমাট নিস্তব্ধতা খান-খান হতে চলেছে। কিন্তু পা যে খোঁড়া ওর! সামান্য হলেও খোঁড়া। কেন যে সর্দারি করে নিজে জুতো সারাতে গেল জানি না।

কিন্তু কই? কোল্টের গর্জন?

'ভুল করলেন,' ঘড়ঘড়ে গলায় বললেন জটায়ু। 'তোমার দাদা ভুল করলেন।'

আর যেন কথা না বলেন তাই আমি জিভ দিয়ে সাপের শব্দ করে ওকে থামিয়ে দিলাম। ফেলুদা কয়েক পা এগিয়ে গিয়েই অন্ধকারে মিলিয়ে গেছে। কী ঘটছে ওই সমাধিস্তম্ভগুলোর মধ্যে কিছুই বুঝতে পারছি না। একটা শব্দ পাওয়া গেল কি? কানের ভুল নিশ্চয়ই।

মিডনাইট? এটা কোন ঘড়ি? সেন্ট পলস্? হাওয়া ওদিক থেকেই। পশ্চিমে হাওয়া হলে রাত্তিরে আলিপুরের চিড়িয়াখানার সিংহের গর্জন শোনা যায় আমাদের বালিগঞ্জের বাড়ি থেকে।

ওই যে গাড়ির শব্দ!

দরজা বন্ধ হল। স্টার্ট নিল। তারপর হুস্।

আর বসে থাকা যায় না। ভয় করছে না; শুধু ভাবনা।

উঠে পড়লাম দুজনেই। লালমোহনবাবুর বিড়বিড়ানিতে কান দেব না; সময় নেই।

এগিয়ে গেলাম দ্রুত পায়ে। মেরি এলিসের কবর। কবরের দেয়ালে হাত ঘষে ঘষে এগোচ্ছি। জটায়ু আমার শার্ট খামচে আছেন পিছন থেকে। পায়ের তলায় ঘাস এখনও ভিজে, এখনও ঠাণ্ডা।

জন মার্টিনের কবর। সিনথিয়া কোলেট। ক্যাপ্টেন এভানস। এবার একটা ওবেলিস্ক। কালো ফলকের উপরে—

খচ্—

পায়ের তলায় কী জানি পড়ল। মৃদু শব্দ করে চেপটে গেল। পা সরিয়ে নীচের দিকে

চাইলাম। চাঁদের আলো রয়েছে। হাতে তুলে নিলাম জিনিসটা।

চারমিনারের প্যাকেট।

খালি না। অনেক সিগারেট রয়েছে ভিতরে। সব চ্যাপটা। ফেলুদা—

আর কিছু মনে নেই—কেবল মুখের উপর একটা চাপ, আর লালমোহনবাবুর এক চিলতে আর্তনাদ।

১২

জ্ঞান হয়ে প্রথমেই মনে হল পুরীর সমুদ্রের ধারে রয়েছি। এত হাওয়া সমুদ্রের ধারেই হয়। কান ঠাণ্ডা, নাক ঠাণ্ডা, চুল উড়ছে।

কিন্তু জল কোথায়? বালি? ঢেউ কোথায়? এ গর্জন তো ঢেউয়ের গর্জন নয়; এ তো চলন্ত গাড়ির শব্দ। অন্ধকারের মধ্যে খোলা রাস্তা দিয়ে ছুটে চলেছি আমরা। গাড়ির পিছনে বসে আছি আমি। আমি মাঝখানে, ডান পাশে লালমোহনবাবু, বাঁয়ে যে লোক তাকে চিনি না, দেখিনি কখনও। সামনে ড্রাইভারের মাথায় পাগড়ি, তার পাশে আরেকটা লোক। কেউ কথা বলছে না।

একটু মাথা তুলতেই পাশের লোকটা ঘাড় ফিরিয়ে দেখল। আধা-গুণ্ডা টাইপের চেহারা। কোনও ধমক দিল না। কেন দেবে? আমাদের ভয় করার তো কোনও কারণ নেই। আমাদের কাছে কোনও হাতিয়ার নেই। হাতিয়ার ফেলুদার কাছে। সে এ গাড়িতে নেই। সে কোথায় জানি না।

কিন্তু ফেলুদার সেই ঝোলাটা?

আমার মাথার পিছনে, কাচের সামনের তাকটায়। ঝোলার স্ট্র্যাপটা আমার গালের পাশ অবধি ঝুলে আছে।

'মিডনাইট', পাশ থেকে বলে উঠলেন জটায়ু। আমি আড়চোখে দেখলাম ওঁর চোখ এখনও বোজা।

'মিডনাইট, মা!—জয় মা, মা সন্তোষী!...মিডনাইট...'

'বকো মৎ!' পাশের লোক শাসাল।

আবার ঝিমুনি। আবার অন্ধকার। গাড়ির শব্দ মিলিয়ে এল...

এর পর আবার যখন চোখ খুলল তখন মন বলছে দেখব কোনও মন্দিরের ভিতর বসে আছি। না, মন্দির না—গির্জা। এ তো পিতলের দিশি ঘণ্টা নয়। এ-সুর বিলিতি।

কিন্তু দেখলাম এটা মন্দির নয়। এটা বৈঠকখানা। মাথার উপর ঝাড় লণ্ঠন, তবে সেটা জ্বলছে না। ঘরে আলো বেশি নেই—কেবল একটা ল্যাম্প। সেটা একটা মখমলে মোড়া সোফার পাশে একটা টেবিলের উপর রাখা। আমিও বসে আছি মখমলের সোফায়। বসে না; আধ-শোয়া। আমার পাশেই লালমোহনবাবু। তাঁর চোখ বন্ধ। আমার ডান দিকে পরের সোফাটায় বসে আছে ফেলুদা। তার মুখ গম্ভীর। তার কপালের ডান দিকে একটা অংশ কালো হয়ে ফুলে আছে। বাঁয়ে আমাদের দিকে মুখ করে দাঁড়িয়ে একটা লোক, যাকে আমরা পেয়ারেলাল বলে চিনি। তার হাতে রিভলভার। কোল্ট .৩২। নির্ঘাত ফেলুদারটা।

আরও তিনজন লোক দাঁড়িয়ে আছে আমাদের দিকে মুখ করে। কেউ কোনও কথা বলছে না। কথা বলার লোক বোধহয় এখনও আসেনি। আমাদের সামনে সবচেয়ে যে বড় সোফা, যার মখমলের রং কালো, সেটা এখনও খালি। মনে হয় সেটা কারুর অপেক্ষায় রয়েছে। বোধহয় মিস্টার চৌধুরী। কিন্তু এটা আলিপুরের কোনও হালের বাড়ি নয়। এ বাড়ি আদ্যিকালের। এর

সিলিং বিশ হাত উঁচু। লোহার কড়িবরগা। এর দরজা দিয়ে ঘোড়া ঢুকে যায়।

আরও আছে। ঘড়ি। ঝুলোনো আর দাঁড়ানো ঘড়ি। তার মধ্যে একটা প্রায় দেড় মানুষ উঁচু, আমার ডান দিকে। এই ঘড়িগুলোই বাজছিল একটু আগে। এখনও মাঝে মাঝে বেজে উঠছে। রাত দুটো।

ফেলুদার সঙ্গে একবারই চোখাচোখি হয়েছে। ওর চোখের ভাষাটা আমি জানি বলেই ভরসা পেয়েছি। ওর চোখ বলছে ঘাবড়াসনি, আমি আছি।

'গুড মর্নিং, মিস্টার মিটার!'

বিলিতি নিয়মে রাত বারোটার পরেই মর্নিং।

ভদ্রলোককে দেখতে পাইনি, কারণ ল্যাম্পের ঠিক পিছন দিকের দরজা দিয়ে ঢুকেছেন। এখনও মখমল। আগের বার যা দেখেছিলাম তার চেয়েও বেশি। না হবার কোনও কারণ নেই। এখন উনি আপ, ফেলুদা ডাউন।

'ওতে কী আছে পেয়ারেলাল? ওটা সার্চ করা হয়েছে ভাল করে?'

ভদ্রলোকের চোখ গেছে ফেলুদার ঝোলার দিকে। ওটা যে কখন ফেলুদার কাছে চলে গেছে জানি না।

পেয়ারেলাল জানাল যে ওতে বই খাতা আর ছবি ছাড়া আর কিছু নেই। একটা বোতল ছিল, সরিয়ে রাখা হয়েছে।

'কিছু মনে করবেন না এইভাবে ধরে আনার জন্য'—গলায় একটু বেশি পালিশ দিয়ে ফেলুদাকে উদ্দেশ করে কথাটা বললেন মিঃ চৌধুরী। 'ভাবলাম পেরিগ্যাল রিপিটার সম্পর্কে যখন আপনার এতই কৌতূহল, তখন জিনিসটা আমার হাতে এসে পড়ার মুহূর্তে আপনি থাকলে হয়তো খুশিই হবেন।—কেয়া বলওয়ন্ত, সাফা হুয়া ঘড়ি?'

একজন ভৃত্য মাথা নেড়ে বলল, ঘড়ি সাফা হয়ে এল, এক্ষুনি আসবে।

'টু হান্ড্রেড ইয়ারস গ্রেভের মধ্যে পড়েছিল,' বললেন মিঃ চৌধুরী। 'উইলিয়াম এ কথাটা আগে আমাকে বলেনি। বলেছে তার কাছে পেরিগ্যাল ঘড়ি আছে। অথচ আনব-আনব করে দেরি করছে। তারপর চাপ দিতে বলল ঘড়ি আছে মাটির নীচে তাই দেরি হচ্ছে। ডেডবডির পাশে পড়েছিল তাই বললাম বুরুশ দিয়ে ঝাড়ন দিয়ে সাফা না করে আমার কাছে আনবে না। ডেটলের পোঁছ দিয়ে দেবার কথাও বলেছি।'

ফেলুদা সটান চেয়ে আছে মিঃ চৌধুরীর দিকে। মুখ দেখে তার মনের ভাব বোঝার উপায় নেই। আমাদের ক্লোরোফর্ম দিয়ে অজ্ঞান করেছিল; ওকে মাথায় বাড়ি মেরে।

'আপনি কোত্থেকে জানলেন এ ঘড়ির কথা মিঃ মিটার?' প্রশ্ন করলেন মহাদেব চৌধুরী।

'ঊনবিংশ শতাব্দীর একটা ডায়রি থেকে। যার ঘড়ি তার মেয়ের ডায়রি।'

'ডায়রি? চিঠি না?'

'না, ডায়রি।'

মিঃ চৌধুরী তার বিলিতি সিগারেটের প্যাকেটটা বার করেছেন পকেট থেকে, আর সেইসঙ্গে সোনার লাইটার আর সোনার হোল্ডার।

'আপনার সঙ্গে উইলিয়ামের পরিচয় নেই?' হোল্ডারে সিগারেট ঢোকালেন মিঃ চৌধুরী।

'উইলিয়াম নামে আমি কাউকে চিনি না।'

ফস্ করে মিঃ চৌধুরীর ডানহিল লাইটার জ্বলে উঠল।

'তা হলে ওই ডায়রি পড়েই আপনার ঘড়িটার উপর লোভ হয়েছিল?'

'লোভ জিনিসটা তো আপনার একচেটিয়া, মিঃ চৌধুরী।'

মখমলের উপর মেঘের ছায়া। দুই আঙুলে ধরা হোল্ডারটা ঈষৎ কাঁপছে।

'আপনি মুখ সামলে কথা বলবেন, মিঃ মিটার!'

'সত্যি কথা বলতে আমি মুখ সামলাই না, মিঃ চৌধুরী। আমার উদ্দেশ্য ছিল ঘড়ি যাতে গডউইনের কবরেই থাকে; আপনার মতো লোকের হাতে—'

ফেলুদার কথা শেষ হল না। একজন লোক হাতে একটা সিল্কের রুমালের উপর একটা জিনিস এনে মিঃ চৌধুরীকে দিল। চৌধুরী জিনিসটা হাতে তুলে নেবার সঙ্গে সঙ্গে আমার পাশ থেকে একটা গোঙানির শব্দ উঠল—

'আঁ...আঁ...আঁ...আঁম্...'

লালমোহনবাবুর জ্ঞান হয়েছে, আর হয়েই মিঃ চৌধুরীর হাতের জিনিসটা দেখেছেন। জিনিসটা তিনি খুব ভাল করেই চেনেন।

মিঃ চৌধুরীর অবস্থা যে কী হল সেটা আমার পক্ষে লিখে বোঝানো খুব মুশকিল। ফেলুদাকেই বলতে শুনেছি যে গানের সাত সুর আর রামধনুর সাত রঙের মধ্যে একটা সম্পর্ক আছে, কিন্তু একটা মানুষের গলায় আর মুখে এত কম সময়ে এত রকম সুর আর এত রকম রং খেলতে পারে সেটা ভাবতে পারিনি। গালাগাল যা বেরোল মানুষটার মুখ দিয়ে সেটা শোনা যায় না, বলা যায় না, লেখা যায় না। ফেলুদা অবিশ্যি নির্বিকার। আমি বুঝতে পারছি এটা তারই কীর্তি; কাল যখন দুপুরে দশ মিনিটের জন্য সে গোরস্থানে ঢুকেছিল তখনই সে এ কাজটা করে এসেছে। কিন্তু আসল ঘড়ি কি তা হলে নেই?

কুককেলভির ঘড়িটাকে মিঃ চৌধুরী উন্মাদের মতো ছুঁড়ে ফেলে দিলেন তার ডান পাশে খালি সোফাটার দিকে। আর তার পরেই তিনি হুঙ্কার দিয়ে উঠলেন—

'উইলিয়াম সাহাবকো বোলাও!—আর উয়ো রিভলভার দেও হামকো!'

পেয়ারেলাল রিভলভারটা মিঃ চৌধুরীর হাতে দিয়ে বেরিয়ে গেল ঘর থেকে। মিঃ চৌধুরী দু-একবার 'স্কাউন্ড্রেল' 'সুইন্ডলার' ইত্যাদি বলে সোফা ছেড়ে উঠে অত্যন্ত অসহিষ্ণু ভাবে পায়চারি শুরু করলেন।

এবার পেয়ারেলাল সেই পিছনের দরজাটা দিয়ে আরেকটা লোককে সঙ্গে নিয়ে ঢুকল। আবছা অন্ধকারে দেখলাম কাঁধ অবধি লম্বা মাথার চুল আর ঠোঁটের দুপাশে ঝুলে থাকা গোঁফ। পরনে প্যান্ট, শার্ট আর সুতির কোট।

'কী ঘড়ি নিয়ে এসেছ তুমি কবর খুঁড়ে?' বজ্রগম্ভীর গলায় প্রশ্ন করলেন মিঃ চৌধুরী। তিনি আবার সোফায় গিয়ে বসেছেন, তাঁর হাতে এখনও রিভলভার, দৃষ্টি এখনও ফেলুদার দিকে।

'যা পেয়েছি তাই এনেছি, মিঃ চৌধুরী'—আগন্তুক কাতর স্বরে জবাব দিল। 'আপনাকে ঠকিয়ে কি আমি পার পাব? আপনি এত বড় এক্সপার্ট!'

'তা হলে সে চিঠির কথা কি মিথ্যে?' ঘর কাঁপিয়ে প্রশ্ন করলেন মহাদেব চৌধুরী।

'তা কী করে জানব মিঃ চৌধুরী? ওটার উপর ভরসা করেই তো সব কিছু। এই তো সেই চিঠি—দেখুন না।'

আগন্তুক একটা পুরনো চিঠি বার করে মিঃ চৌধুরীর হাতে দিল। চৌধুরী সেটায় চোখ বুলিয়ে বিরক্তভাবে সেটাকেও ছুঁড়ে ফেলে দিলেন পাশের সোফার উপর, আর ঠিক সেই সময় হেসে উঠল ফেলুদা। প্রাণখোলা হাসি। এমন হাসি ওকে অনেকদিন হাসতে দেখিনি।

'হাসির কী পেলেন আপনি মিঃ মিটার?' গর্জন করে উঠলেন মহাদেব চৌধুরী। কোনওমতে হাসিটাকে একটু চেপে ফেলুদা উত্তর দিল—

'আপনার এত নাটকীয় আয়োজন সব ভেস্তে গেল দেখে হাসি পেল, মিঃ চৌধুরী।'

চৌধুরী রিভলভার হাতে আবার সোফা ছেড়ে উঠে পুরু কার্পেটের উপর দিয়ে নিঃশব্দে হেঁটে এগিয়ে এলেন ফেলুদার দিকে।

'আমার নাটক কি শেষ হয়ে গেছে ভাবছেন, মিঃ মিটার? আসল ঘড়ি যে আপনার কাছে নেই তার কী বিশ্বাস? আপনি তো গোরস্থানে অনেকবার গেছেন। আজও তো উইলিয়ামের আগে আপনি পৌঁছেছেন। আপনার কাছে ঘড়ি থাকলে সে ঘড়ি হাত না করে কি আমি ছাড়ব? আপনি যেখানে সেটা লুকিয়ে এসেছেন সেখান থেকে আপনাকেই সেটা বার করে দিতে হবে মিঃ মিটার। আর ঘড়ি যদিও নাও থেকে থাকে—এই চিঠি যদি মিথ্যে হয়ে থাকে—তা হলেও যে আমি আপনাকে ছেড়ে দেব এটা কী করে ভাবছেন? আপনার সব ব্যাপারে নাক গলানোর অভ্যাসটা যে আমার পক্ষে বড্ড অসুবিধাজনক, মিঃ মিটার! কাজেই, নাটক ফুরিয়েছে কী বলছেন? নাটক তো সবে শুরু!'

ফেলুদার গলায় এবার আমার একটা খুব চেনা সুর দেখা দিল। এটা ও নাটকের চরম মুহূর্তে ব্যবহার করে। লালমোহনবাবু বললেন, এ সুরটা নাকি ওঁকে তিব্বতি শিঙার কথা মনে করিয়ে দেয়।

'আপনি ভুল করছেন, মিঃ চৌধুরী। নাটক এখন আমার হাতে, আপনার হাতে নয়। এই মুহূর্ত থেকে আমি নাটকটা চালাব। আমিই বিচার করব আপনাদের দুজনের মধ্যে কার অপরাধ বেশি—আপনার, না যিনি উইলিয়াম বলে—'

ঘরে তোলপাড় ব্যাপার। উইলিয়াম একটা প্রচণ্ড লাফ দিয়ে তার সামনে দাঁড়ানো পেয়ারেলালকে এক ঘুঁষিতে ধরাশায়ী করে বাইরের দরজার দিকে ধাওয়া করেছে। চৌধুরীর রিভলভারের গুলি তাকে হাত দু-একের জন্য মিস করে দরজার বাঁ দিকের একটা দাঁড়ানো ঘড়ির কাচের ডায়াল খানখান করে দিল; আর সবাইকে অবাক করে সেই সঙ্গে শুরু হয়ে গেল সেই জখম ঘড়ির ঘণ্টাধ্বনি।

মিস্টার উইলিয়ামকে ধরতে আরও দুজন লোক ছুটছে; কিন্তু তারা বেশি দূর যেতে পারল না। তাদের পথ আটকেছে কয়েকজন সশস্ত্র লোক। তারা এবার উইলিয়াম সমেত সকলকে নিয়ে বৈঠকখানায় এসে ঢুকল। সামনের ভদ্রলোককে দেখে বলে দিতে হয় না ইনি একজন পুলিশ ইনস্পেক্টর। সঙ্গে আরও পাঁচজন পুলিশ কনস্টেবল ইত্যাদি, আর সবার পিছন দিয়ে সাগ্রহে উঁকি দিচ্ছেন লালমোহনবাবুর ড্রাইভার হরিপদ দত্ত।

'সাবাস, হরিপদবাবু,' বলল ফেলুদা।

'আপনিই তো ফেলু মিত্তির?' ঠিক লোকের দিকে চেয়েই প্রশ্নটা করলেন ইন্‌স্পেক্টর মশাই। 'কী ব্যাপার বলুন তো? মিঃ চৌধুরীকে তো চিনি—কিন্তু ইনি কে, যিনি পালাচ্ছিলেন?'

ফেলুদা এর উত্তর দেবার আগে হতভম্ব মহাদেব চৌধুরীর হাত থেকে নিজের রিভলভারটি অনায়াসে বার করে নিয়ে বলল, 'থ্যাঙ্ক ইউ, মিঃ চৌধুরী—এবার আপনি কাইন্ডলি আপনার নিজের জায়গায় গিয়ে বসুন তো। নাটকের বাকি অংশটা দেখার সুবিধে হবে। আর তা ছাড়া আপনাকে কালো মখমলে মানায় বড্ড ভাল। আর মিস্টার উইলিয়াম'—ফেলুদার দৃষ্টি ঘুরে গেছে—'আপনার চুল আর গোঁফটাতে কিন্তু আপনাকে হুবহু আপনার প্রপিতামহের মতো দেখাচ্ছে। ও দুটো খুলবেন কি দয়া করে?'

পুলিশ টান দিতেই উইলিয়ামের গোঁফ আর পরচুলা খুলে এল, আর অবাক হয়ে দেখলাম উইলিয়ামের জায়গায় দাঁড়িয়ে আছেন নরেন বিশ্বাসের ভাই গিরীন বিশ্বাস!

'এবার বলুন তো মিঃ বিশ্বাস,' বলল ফেলুদা, 'আপনার পুরো নামটা কী?'

'কেন; আমার নাম আপনি জানেন না?'

'আপনার এখন দুটো নাম জানা যাচ্ছে। এই দুটো জুড়েই বোধহয় আপনার আসল নাম, তাই না? উইলিয়াম গিরীন্দ্রনাথ বিশ্বাস—তাই না? অন্তত প্রেসিডেন্সি কলেজ ম্যাগাজিনে গোল্ড মেডালিস্টদের তালিকায় তো তাই বলছে। আর আপনার ভাইয়ের নাম বলছে মাইকেল

নরেন্দ্রনাথ বিশ্বাস। ভিজিটিং কার্ডের 'এম'টা হয়ে যাচ্ছে মাইকেল, তাই না? আপনারা বাংলা নামটা ব্যবহার করতেন বলেই বোধহয় নরেনবাবু ভিজিটিং কার্ডে "এম. এন" না ছেপে "এন. এম" ছেপেছিলেন—তাই না?'

গিরীনবাবু চুপ। বোঝাই যাচ্ছে ফেলুদা ঠিকই বলেছে।

'আপনার দাদা আপনাকে কী বলে ডাকেন, মিঃ বিশ্বাস?'

'তাতে আপনার কী প্রয়োজন?'

'আপনি যখন বলবেন না, তখন আমিই বলছি। উইল। উইল বলে ডাকেন আপনার দাদা। হাসপাতালে জ্ঞান হবার পর তিনি আপনারই নাম উচ্চারণ করেছিলেন দুবার—তাই না?'

এবার ফেলুদা লাল খামটা থেকে একটা বড় ছবি টেনে বার করল। 'দেখুন তো গিরীনবাবু এঁদের চেনেন কি না। এ ছবি হয়তো আপনাদের বাড়িতেও নেই। কিন্তু বোর্ন অ্যান্ড শেপার্ডে ছিল।'

স্বামী-স্ত্রীর ছবি। যাকে বলে ওয়েডিং গ্রুপ। ভদ্রলোকের চেহারার সঙ্গে গিরীনবাবুর চেহারার আশ্চর্য মিল। আর ভদ্রমহিলা মেমসাহেব।

ফেলুদা বলল, 'চিনতে পারছেন এঁদের? ইনি হচ্ছেন পার্বতীচরণ—অর্থাৎ পি সি বিশ্বাস, আপনার প্রপিতামহ। ইনি যে ক্রিশ্চান হয়েছিলেন সেটা তো এঁর পোশাক দেখেই বোঝা যাচ্ছে। আর এই মহিলাটি হচ্ছেন টমাস গডউইনের নাতনি—ওই চিঠিটা যিনি লিখেছেন তিনি—ভিক্টোরিয়া গডউইন। এঁর কুমারী অবস্থার ছবিও বোর্ন অ্যান্ড শেপার্ডে রয়েছে। এই ভিক্টোরিয়া আপনার প্রপিতামহের মতো একজন নেটিভ ক্রিশ্চানকে ভালবেসে তার ঠাকুরদাদার বিরাগভাজন হয়েছিলেন। কিন্তু মৃত্যুশয্যায় টম গডউইন ভিক্টোরিয়াকে ক্ষমা করে যান। তার এক বছর পরেই পার্বতীচরণ ভিক্টোরিয়াকে বিয়ে করেন। তার মানে হচ্ছে এই যে, কলকাতায় একটি নয়, দুটি পরিবারের সঙ্গে টম গডউইনের নাম জড়িত রয়েছে—একটি রিপন লেনে, আরেকটি নিউ আলিপুরে। আর আশ্চর্য এই যে, দুজনের কাছেই এমন দলিল রয়েছে যাতে টমাসের ঘড়ির উল্লেখ রয়েছে। এক হল ভিক্টোরিয়ার এই চিঠি, আর আরেক হল টমাসের মেয়ে শার্লট গডউইনের ডায়রি।'

আশ্চর্য ঘটনা! গল্পকে হার মানায়। ভিক্টোরিয়ার লেখা চিঠির একটা তাড়া বহুকাল থেকেই নাকি নরেনবাবুদের বাড়িতে রয়েছে পুরনো ট্রাঙ্কের মধ্যে, কিন্তু কেউ গরজ করে পড়েনি। পুরনো কলকাতা নিয়ে লিখতে শুরু করার পর নরেনবাবু চিঠিগুলো পড়েন। তখনই টমাস গডউইনের ঘড়ির ঘটনাটা জানতে পারেন, আর ভাইকে সে সম্বন্ধে বলেন।

গিরীনবাবু ফেলুদার জেরার ঠেলায় কাহিল, কিন্তু এখনও তাকে রেহাই দেবার সময় আসেনি। ফেলুদা হঠাৎ প্রশ্ন করল—

'আপনার কি রেসের মাঠে যাবার অভ্যেস আছে, মিঃ বিশ্বাস?'

ভদ্রলোক কিছু বলার আগে মিঃ চৌধুরী খেঁকিয়ে উঠলেন।

'আমার কাছ থেকে টাকা আগাম নিয়ে সব ঘোড়ার পিছনে খুইয়েছে, আর এখন কবর খুঁড়ে কুককেলভির ঘড়ি এনে হাজির করেছে—অকর্মা কোথাকার!'

ফেলুদা চৌধুরীর কথায় কান না দিয়ে গিরীনবাবুকেই উদ্দেশ করে বলে চলল, 'তার মানে টম গডউইনের একটি গুণ আপনি পেয়েছেন! আর সেই কারণেই বোধহয় এত বড় একটা ঝুঁকি নিয়েছিলেন?'

উত্তরটা এল বেশ ঝাঁজের সঙ্গে।

'মিঃ মিত্তির, আপনি ভুলে যাচ্ছেন যে, একশো বছর পেরিয়ে গেলে কবরের ভিতরের কোনও জিনিসের উপর কোনও ব্যক্তিবিশেষের আর কোনও অধিকার থাকে না। ওই ঘড়িটা

এখন আর টম গডউইনের সম্পত্তি নয়।'

'সেটা জানি মিঃ বিশ্বাস। ও ঘড়ি সরকারের সম্পত্তি, আপনারও নয়। কিন্তু কথাটা হচ্ছে, আপনার অপরাধ তো শুধু ঘড়ি চুরির চেষ্টা নয়, অন্য অপরাধও যে আছে।'

'কী অপরাধ?' গিরীন বিশ্বাস এখনও একগুঁয়ে ভাব করে চেয়ে আছেন ফেলুদার দিকে।

এবার ফেলুদা তার পকেট থেকে ছোট্ট একটা জিনিস বার করল।

'দেখি তো, এই বোতামটা আপনার ওই কোটটা থেকেই পড়েছে কি না—যে কোটটা আপনি এই দুদিন আগে হংকং লন্ড্রি থেকে নিয়ে এলেন।'

ফেলুদা বোতাম নিয়ে এগিয়ে গেল।

'এই দেখুন, মিলে যাচ্ছে।'

'তাতে কী প্রমাণ হল?' প্রশ্ন করলেন গিরীনবাবু। 'এটা খুলে পড়ে যায় গোরস্থানে। আমি তো অস্বীকার করছি না যে সেখানে গিয়েছিলাম।'

'আমি যদি বলি এটা আপনার কোট নয়, আপনার দাদার কোট, তা হলে স্বীকার করবেন কি?'

'কী আবোল-তাবোল বকছেন আপনি?'

'আবোল-তাবোল আমি বকছি না, মিঃ বিশ্বাস, আপনি বকছেন। কাল আমার বাড়িতে এসে বকেছেন, আবার এখানে বকছেন। এ কোট আপনার দাদার। এটা পরে তিনি গোরস্থানে গিয়েছিলেন সেই ঝড়ের দিন। গিয়ে দেখেন গডউইনের কবর খোঁড়া হচ্ছে, আপনি রয়েছেন। তিনি আপনাকে বাধা দিতে যান। আপনি তার মাথায় বাড়ি মারেন—লাঠি বা ওই জাতীয় কিছু দিয়ে। নরেনবাবু অজ্ঞান হয়ে পড়েন। আপনি হয়তো তাকে মেরেই ফেলতেন, কিন্তু সেই সময় ঝড়টা আসে। আপনি পালাতে যান। গাছ পড়ে—'

গিরীনবাবু আবার বাধা দিলেন।

'আমার দাদাকে আপনি মিথ্যেবাদী বানাতে চান? তিনি বলেছেন তাঁর মাথায় গাছের ডাল—'

কিন্তু ফেলুদার কথা আটকানো এখন সহজ নয়। সে বলেই চলল—

'গাছের ডাল ভেঙে পড়ে আপনার পিঠে। আপনার গায়ে কোট ছিল না। পিঠের জখম ঢাকবার জন্য আপনি দাদার কোট খুলে নিজে পরেন। কোটের বোতাম ছিঁড়ে যায়, পকেট থেকে মানিব্যাগ পড়ে যায়। আপনার নিজের পকেট থেকে রেসের বই—'

গিরীনবাবু আবার পালাতে চেষ্টা করলেন, কিন্তু পারলেন না। এবার ফেলুদাই তাঁকে ধরে তাঁর কোটটা খুলে দিয়ে দেখিয়ে দিল তাঁর টেরিলিনের শার্টের নীচে ব্যান্ডেজটা।

'আপনার দাদা আপনাকে বাঁচাবার জন্য অনেক মিথ্যে বলেছেন গিরীনবাবু, কারণ তিনি আপনাকে অত্যন্ত বেশিরকম স্নেহ করতেন।'

ফেলুদা এবার তার ঝোলাটায় কুককেলভির ঘড়িটা আর ভিক্টোরিয়ার চিঠিটা ভরে নিয়ে, সেটা কাঁধে নিয়ে হতভম্ব মিঃ চৌধুরীর দিকে ফিরে বলল, 'আপনার সব ঘড়িতে এক সঙ্গে বারোটা বাজলে কেমন শোনায়, সেটা শোনার আর সুযোগ হল না। হবে হয়তো একদিন!'

তিনবার ডাকার পর জটায়ু উঠলেন। তিনি যে এর ফাঁকে আবার হুঁশ হারিয়ে নাটকের আসল দৃশ্যটাই মিস্ করে গেছেন সেটা এতক্ষণ বুঝতে পারিনি।

* * *

'এসব লোককে দাবিয়ে রাখা যায় না রে। পুলিশও কিছু করতে পারে না। মহাদেব চৌধুরীর মতো লোকগুলো হল এক-একটা হিটলার। কাজ গুছিয়ে নিতে এরা কত লোককে যে টাকার জোরে হাতের মুঠোর মধ্যে রাখে তার ঠিক নেই।'

আমরা তিনজনে পেনেটির গঙ্গার ঘাটে এসে বসেছি। চৌধুরীর বাড়ি থেকে মিনিট পাঁচেকের পথ এই ঘাট। পুব আকাশের রং দেখে মনে হচ্ছে সূর্য এই উঠল বলে। হরিপদবাবু অক্ষরে অক্ষরে ফেলুদার নির্দেশ পালন না করলে আজ আমাদের কী দশা হত জানি না তো। (লালমোহনবাবু বললেন গঙ্গাপ্রাপ্তি)। একজন লোকের কতখানি দায়িত্বজ্ঞান থাকলে তবে আমাদের গাড়ির পিছনে ধাওয়া করে এসে সটান গিয়ে থানায় খবর দেয়, সেটা ভাবতে অবাক লাগছে। লালমোহনবাবু হরিপদবাবুরই এনে দেওয়া ভাঁড়ের চায়ে একটা চুমুক দিয়ে বললেন, 'গাড়ি কেনার ফলটা আশা করি টের পেলেন?'

'মোক্ষমভাবে', বলল ফেলুদা। 'আপনার গাড়ির উপর অনেক অত্যাচার হয়েছে এই তিন দিনে। আজ শহরে ফিরে দুটো জায়গায় যাবার পর আর বেশ কিছুদিন ও গাড়ির ওপর জুলুম করব না।'

'দুটো জায়গা মানে?'

'এক হল নরেনবাবুর বাড়ি। তাকে খবরটা আর সেই সঙ্গে এই চিঠিটা ফেরত দেওয়া দরকার।'

'আর দ্বিতীয়?'

'সাউথ পার্ক স্ট্রিট গোরস্থান।'

'আ-হাবা-র!'

'কী সাবধানে পা ফেলতে হয়েছে জানিস্ তোপ্‌সে? এর জন্যে জুত করে লড়তে পারলাম না লোকগুলোর সঙ্গে!'

ফেলুদা তার বাঁ পায়ের হান্টিং বুটটা খুলে তার ভিতর হাত ঢুকিয়ে প্রথমে বার করল তার তৈরি ফল্‌স সুকতলা, যার তলায় খোপ, যার মধ্যে তুলোর মোড়কে লুকিয়ে আছে একটি আশ্চর্য জিনিস, এত হুলস্থুল কাণ্ডের মধ্যেও যার শুধু কাচটি ছাড়া আর সবই অক্ষত, অটুট রয়েছে।

'এটা যথাস্থানে ফেরত দিতে হবে না?'

ফেলুদার হাতে ঝুলছে টমাস গডউইনকে তার রান্নার জন্যে দেওয়া লখ্‌নৌ-এর নবাব সাদাত আলির প্রথম বকশিশ—ইংল্যান্ডের অন্যতম শ্রেষ্ঠ কারিগর ফ্রানসিস পেরিগ্যালের তৈরি রিপিটার পকেট ঘড়ি—দুশো বছর তার মালিকের কঙ্কালের পাশে ভূগর্ভে থেকেও যার জৌলুস সূর্যের প্রথম আলোতে এখনও আমাদের চোখ ধাঁধিয়ে দিচ্ছে।

ছিন্নমস্তার অভিশাপ

১

রহস্য-রোমাঞ্চ ঔপন্যাসিক লালমোহন গাঙ্গুলী ওরফে জটায়ু চোখের সামনে থেকে বইটা সরিয়ে ফেলুদার দিকে ফিরে বললেন, 'রামমোহন রায়ের নাতির সার্কাস ছিল সেটা জানতেন ?'

ফেলুদার মুখের উপর রুমাল চাপা, তাই সে শুধু মাথা নাড়িয়ে না জানিয়ে দিল।

প্রায় দশ মিনিট ধরে পর্বতপ্রমাণ খড়বোঝাই লরি আমাদের যে শুধু পাশ দিচ্ছে না তা নয়, সমানে পিছন থেকে রেলগাড়ির মতো কালো ধোঁয়া ছেড়ে প্রাণ অতিষ্ঠ করে তুলেছে। লালমোহনবাবুর গাড়ির ড্রাইভার হরিপদবাবু বার বার হর্ন দিয়েও কোনও ফল হয়নি। লরির পিছনের ফুলের নকশা, নদীতে সূর্য অস্ত যাওয়ার দৃশ্য, হর্ন প্লিজ, টা-টা গুডবাই, থ্যাঙ্ক ইউ সব মুখস্থ হয়ে গেছে। লালমোহনবাবু সার্কাস সম্বন্ধে বইটা কিছুদিন হল জোগাড় করেছেন ; অনেক দিন আগের লেখা বই, নাম বাঙালির সার্কাস। বইটা ওঁর ঝোলার মধ্যে ছিল, লরির জ্বালায় সামনে কিছু দেখবার জো নেই বলে সেটা বার করে পড়তে শুরু করেছেন। ইচ্ছে আছে সার্কাস নিয়ে একটা রহস্য উপন্যাস লেখার তাই ফেলুদার পরামর্শ অনুযায়ী বিষয়টা নিয়ে একটু পড়াশুনা করে রাখছেন। সার্কাসের কথা অবিশ্যি এমনিতেই হচ্ছিল, কারণ আজ সকালেই রাঁচি শহরে দ্য গ্রেট ম্যাজেস্টিক সার্কাসের বিজ্ঞাপন দেখেছি। হাজারিবাগে এসেছে সার্কাস, আর আমরা যাচ্ছিও হাজারিবাগেই। ওখানে সন্ধেবেলা আর কিছু করার না থাকলে একদিন গিয়ে সার্কাস দেখে আসব সেটাও তিনজনে প্ল্যান করে রেখেছি।

শীতের মুখটাতে কোথাও একটা যাবার ইচ্ছে ছিল ; লালমোহনবাবুর নতুন বই পুজোয় বেরিয়েছে, তিন সপ্তাহে দু হাজার বিক্রি, ভদ্রলোকের মেজাজ খুশ, হাত খালি। নতুন বইয়ের নাম 'ভ্যানকুভারের ভ্যামপায়ার'-এ ফেলুদার আপত্তি ছিল ; ও বলেছিল ভ্যানুকভার একটা পেল্লায় আধুনিক শহর, ওখানে ভ্যাম্পায়ার থাকতেই পারে না ; তাতে লালমোহনবাবু বললেন হর্নিম্যানের জিওগ্রাফির বই তন্নতন্ন করে ঘেঁটে ওঁর মনে হয়েছে ওটাই বেস্ট নাম। ফেলুদা কোডার্মায় একটা তদন্ত করে এসেছে গত সেপ্টেম্বরে ; মক্কেল সর্বেশ্বর সহায়ের একটা বাড়ি আছে হাজারিবাগে, সেটা প্রায়ই খালি পড়ে থাকে, তাই ফেলুদার কাজে খুশি হয়ে ভদ্রলোক তাঁর বাড়িটা অফার করেছেন দিন দশেকের জন্য। চৌকিদার আছে, সেই দেখাশুনা করে, আর তার বউ রান্না করে। খাওয়ার খরচ ছাড়া আর কোনও খরচ লাগবে না আমাদের।

লালমোহনবাবুর নতুন অ্যাম্বাসাডরেই যাওয়া ঠিক হল ; বললেন, 'লং রানে গাড়িটা কীরকম সার্ভিস দেয় সেটা দেখা দরকার।' গ্র্যান্ডট্রাঙ্ক রোড দিয়ে আসানসোল-ধানবাদ হয়ে আসা যেত, কিন্তু শেষ পর্যন্ত খড়্গপুর-রাঁচি হয়ে আসাই ঠিক হল। খড়্গপুর পর্যন্ত ফেলুদা চালিয়েছে, তারপর থেকে ড্রাইভারই চালাচ্ছে। গতকাল সকাল আটটায় রওনা হয়ে খড়্গপুরে লাঞ্চ সেরে সন্ধ্যায় রাঁচি পৌঁছই। সেখানে অ্যাম্বার হোটেলে থেকে আজ সকাল ন'টায় হাজারিবাগ রওনা দিই। পঞ্চাশ মাইল রাস্তা, খালি পেলে সোয়া ঘণ্টায় পৌঁছে যাওয়া যায়, কিন্তু এই লরির জ্বালায় সেটা নির্ঘাত দেড়ে দিয়ে দাঁড়াবে।

আরও মিনিট পাঁচেক হর্ন দেবার পর লরিটা পাশ দিল, আর আমরাও সামনে খোলা পেয়ে হাঁপ ছাড়লাম। দু পাশে বাবলা গাছের সারি, তার অনেকগুলোতেই বাবুইয়ের বাসা, দূরে পাহাড় দেখা যাচ্ছে। মাঝে মাঝে পথের ধারেও টিলা পড়ছে। লালমোহনবাবু বই বন্ধ করে দৃশ্য দেখে আহা-বাহা করছেন আর মাঝে মাঝে বেমানান রবীন্দ্র-সংগীত গুনগুন করছেন, যেমন অঘ্রাণ মাসে ফাগুনের নবীন আনন্দে। ওঁর চেহারায় গান মানায় না, গলার কথা ছেড়ে দিলাম। মুশকিল হচ্ছে, উনি বলেন কলকাতার ডামাডোল থেকে বেরিয়ে নেচারের কনট্যাক্টে এলেই নাকি ওঁর গান আসে, যদিও স্টক কম বলে সব সময়ে অ্যাপ্রোপ্রিয়েট গান মনে আসে না।

তবে এটা বলতেই হবে যে ওঁর দৌলতে এই চব্বিশ ঘণ্টার মধ্যে সার্কাস সম্বন্ধে অনেক তথ্য জেনে ফেলেছি। কে জানত আজ থেকে একশো বছর আগে বাঙালির সার্কাস ভারতবর্ষে এত নাম কিনেছিল? সবচেয়ে বিখ্যাত ছিল প্রোফেসর বোসের গ্রেট বেঙ্গল সার্কাস। এই সার্কাসে নাকি বাঙালি মেয়েরাও খেলা দেখাত, এমনকী বাঘের খেলাও। আর সেই সঙ্গে রাশিয়ান, আমেরিকান জার্মান আর ফরাসি খেলোয়াড়ও ছিল। গাস্ বার্নস বলে একজন আমেরিকানকে রেখেছিলেন প্রোফেসর প্রিয়নাথ বোস বাঘ-সিংহ ট্রেন্ড করার জন্য। ১৯২০-এ প্রিয়নাথ বোস মারা যান। আর তারপর থেকেই বাঙালি সার্কাসের দিন ফুরিয়ে আসে।

'এই গ্রেট ম্যাজেস্টিক কোন দেশি সার্কাস মশাই?' জিজ্ঞেস করলেন লালমোহনবাবু।

'দক্ষিণ ভারতীয়ই হবে,' বলল ফেলুদা, 'সার্কাসটা আজকাল ওদের একচেটে হয়ে গেছে।'

'ভাল ট্র্যাপিজ আছে কি না সেইটেই হচ্ছে প্রশ্ন। ছেলেবেলায় হার্মস্টোন আর কার্লেকার সার্কাসে যা ট্র্যাপিজ দেখিচি তা ভোলবার নয়।'

লালমোহনবাবুর গল্পে নাকি ট্র্যাপিজের একটা বড় ভূমিকা থাকবে। শূন্যে সব লোমহর্ষক খেলার মাঝখানে একজন ট্র্যাপিজের খেলোয়াড় ঝুলন্ত অবস্থায় আরেকজনকে বিষাক্ত ইনজেকশন দিয়ে খুন করবে। রহস্যের সমাধান করতে হিরো প্রখর রুদ্রকে নাকি ট্র্যাপিজের খেলা শিখতে হবে। ফেলুদা শুনে বলল, 'যাক, একটা জিনিস তা হলে আপনার হিরোর এখনও শিখতে বাকি।'

৭২ কিলোমিটারের পোস্টটা পেরিয়ে কিছুদূর গিয়েই আর একটা অ্যাম্বাসাডর দেখা গেল। সেটা রাস্তার এক ধারে বনেট খোলা অবস্থায় দাঁড়িয়ে আছে, আর তার পাশেই দাঁড়িয়ে এক ভদ্রলোক হাত তুলে যে ভঙ্গিটা করছেন সেটা রেলের স্টেশনে খুব দেখা যায়। সেখানে সেটা গুড-বাই, আর এখানে হয়ে গেছে থামতে বলার সংকেত। হরিপদবাবু ব্রেক কষলেন।

'ইয়ে, আপনারা হাজারিবাগ যাচ্ছেন কি?'

ভদ্রলোকের বয়স চল্লিশের কাছাকাছি। গায়ের রং ফরসা, চোখে চশমা, পরনে খয়েরি প্যান্টের উপর সাদা শার্ট আর সবুজ হাত-কাটা পুলোভার। সঙ্গে ড্রাইভার আছে, যার শরীরের উপরের অর্ধেকটা এখন বনেটের নীচে।

প্রশ্নের উত্তরে ফেলুদা 'আজ্ঞে হ্যাঁ' বলায় ভদ্রলোক বললেন, 'আমার গাড়িটা গণ্ডগোল করছে, বুঝেছেন। বোধহয় সিরিয়াস। তাই ভাবছিলাম...'

'আপনি আমাদের সঙ্গে আসতে চাইলে আসতে পারেন।'

'সো কাইন্ড অফ ইউ!'—ভদ্রলোক বোধহয় ভাবতে পারেননি যে না চাইতেই ফেলুদা

অফারটা করবে। —'আমি ওখান থেকে একটা মেকানিক নিয়ে ট্যাক্সি করে চলে আসব। তা ছাড়া আর কোনও ইয়ে দেখছি না।'

'আপনার সঙ্গে লাগেজ কী ?'

'একটা সুটকেস, তবে সেটা অবিশ্যি পরে নিয়ে যেতে পারি। এখান থেকে যেতে আসতে তিন কোয়ার্টারের বেশি লাগবে না।'

'চলে আসুন।'

ভদ্রলোক ড্রাইভারকে ব্যাপারটা বুঝিয়ে দিয়ে আমাদের গাড়িতে উঠে আরও দু বার বললেন সো কাইন্ড অফ ইউ। তারপর বাকি পথটা আমরা কিছু না জিজ্ঞেস করতেই নিজের বিষয়ে একগাদা বলে গেলেন। ওঁর নাম প্রীতীন্দ্র চৌধুরী। বাপ বছর দশেক হল রিটায়ার করে হাজারিবাগে বাড়ি করে আছেন, আগে রাঁচিতে অ্যাডভোকেট ছিলেন, নাম মহেশ চৌধুরী। এ অঞ্চলের নামকরা লোক।

'আপনি কলকাতাতেই থাকেন ?' জিজ্ঞেস করল ফেলুদা।

'হ্যাঁ। আমি ইলেকট্রনিকসে। ইন্ডোভিশনের নাম শুনেছেন ?'

ইন্ডোভিশন নামে একটা নতুন টেলিভিশনের বিজ্ঞাপন কিছুদিন থেকে কাগজে দেখছি, সেটা নাকি এঁদেরই তৈরি।

'আমার বাবার সত্তর পূর্ণ হচ্ছে কাল', বললেন ভদ্রলোক, 'বড়দা আমার স্ত্রী আর মেয়েকে নিয়ে দিন তিনেক হল পৌঁছে গেছেন। আমার আবার দিল্লিতে একটা কাজ পড়ে গেসল, আসা মুশকিল হচ্ছিল, কিন্তু বাবা টেলিগ্রাম করলেন মাস্ট কাম বলে। —একটু থামাবেন গাড়িটা কাইন্ডলি ?'

গাড়ি থামল ; কেন তা বুঝতে পারছি না। ভদ্রলোক তাঁর হাতের ব্যাগটা থেকে একটা ছোট্ট ক্যাসেট রেকর্ডার বার করে গাড়ি থেকে নেমে রাস্তার পাশেই একটা শালবনে ঢুকে মিনিট খানেকের মধ্যেই ফিরে এসে বললেন, 'একটা ফ্লাইক্যাচার ডাকছিল ; লাকিলি পেয়ে গেলাম। পাখির ডাক রেকর্ড করাটা আমার একটা নেশা। সো কাইন্ড অফ ইউ।'

ধন্যবাদটা অবিশ্যি তাঁর অনুরোধে গাড়ি থামানোর জন্য।

আশ্চর্য, ভদ্রলোক নিজের সম্বন্ধে এত বলে গেলেও, আমাদের কোনও পরিচয় জানতে চাইলেন না। ফেলুদা অবিশ্যি বলে যে একেকজন লোক থাকে যারা অন্যের পরিচয় নেওয়ার চেয়ে নিজের পরিচয় দিতে অনেক বেশি ব্যগ্র।

হাজারিবাগ টাউনে পৌঁছে ইউরেকা অটোমোবিলস্-এ প্রীতীন্দ্রবাবুকে নামিয়ে দেবার পর আর একবার সো কাইন্ড অফ ইউ বলে ভদ্রলোক হঠাৎ জিজ্ঞেস করলেন, 'ভাল কথা, আপনারা উঠছেন কোথায় ?'

জবাবটা দিতে ফেলুদার গলা তুলতে হল, কারণ গাড়ির কাছেই কেন জানি লোকের ভিড় জমেছে, আর সবাই বেশ উত্তেজিত ভাবে কথা বলছে। কী বিষয়ে কথা হচ্ছে সেটা অবিশ্যি পরে জেনেছিলাম।

ফেলুদা বলল, 'সঠিক নির্দেশ দিতে পারব না, কারণ এই প্রথম আসছি এখানে। এটা বলতে পারি যে ডিস্ট্রিক্ট বোর্ড রেস্ট হাউস আর কর্নেল মোহান্তির বাড়ির খুব কাছে।'

'ও, তার মানে আমাদের বাড়ি থেকে মিনিট সাতেকের হাঁটা পথ। —টেলিফোন আছে ?'

'সেভেন ফোর টু।'

'বেশ, বেশ।'

'আর আমার নাম মিত্র। পি সি মিত্র।'

'দেখেছেন, নামটাই জানা হয়নি !'

ভদ্রলোককে ছেড়ে দিয়ে রওনা হবার পর ফেলুদা বলল, 'নতুন মাল বাজারে ছাড়ছে বলে বোধহয় টেন্স হয়ে আছে।'

'বাতিকগ্রস্ত', বললেন লালমোহনবাবু।

ডিস্ট্রিক্ট বোর্ড রেস্ট হাউসের কথা জিজ্ঞেস করে আমাদের বাড়ির রাস্তা খুঁজে বার করতে কোনও অসুবিধা হল না। কর্নেল জি সি মোহান্তির নাম লেখা মার্বেল ফলক-ওয়ালা গেট ছাড়িয়ে তিনটে বাড়ি পরেই এস সহায় লেখা বুগেনভিলিয়ায় ঢাকা গেটের বাইরে এসে হর্ন দিতেই একজন বেঁটে মাঝবয়সী লোক এসে গেটটা খুলে দিয়ে সেলাম ঠুকল। মোরাম ঢাকা পথে খানিকটা এগিয়ে গিয়ে একতলা বাংলো টাইপের বাড়ির সামনে আমাদের গাড়ি থামল। মাঝবয়সী লোকটাও দৌড়ে এসেছে পিছন পিছন, জিজ্ঞেস করে জানলাম সে-ই চৌকিদার, নাম বুলাকিপ্রসাদ।

গাড়ি থেকে নেমে বুঝলাম কী নির্জন। বাংলোটা ঘিরে বেশ বড় কম্পাউন্ড (লালমোহনবাবু বললেন অ্যাট লিস্ট তিন বিঘে), একদিকে বাগানে তিন চার রকম ফুল ফুটে আছে, অন্য দিকে অনেকগুলো বড় বড় গাছ, তার মধ্যে তেঁতুল, আম আর অর্জুন চিনতে পারলাম। কম্পাউন্ডের পাঁচিলের উপর দিয়ে উত্তর দিকে একটা পাহাড় দেখা যাচ্ছে, সেটাই নাকি কানারি হিল, এখানে থেকে মাইল দুয়েক।

বাড়িটা তিনজনের পক্ষে একেবারে ফরমাশ দিয়ে তৈরি। সামনে তিন ধাপ সিঁড়ি উঠে চওড়া বারান্দার পর পাশাপাশি তিনটে ঘর। মাঝেরটা বৈঠকখানা, আর দুদিকে দুটো শোবার ঘর। পিছন দিকে আছে খাবার ঘর, রান্নাঘর ইত্যাদি। সানসেট দেখা যাবে বলে লালমোহনবাবু পশ্চিমের বেডরুমটা নিলেন।

সুটকেস থেকে জিনিস বার করে বাইরে রাখছি, এমন সময় বুলাকিপ্রসাদ আমার ঘরে চা নিয়ে এসে ট্রেটা টেবিলের উপর রেখে যে কথাটা বলল, তাতে আমাদের দুজনেরই কাজ বন্ধ করে ওর দিকে চাইতে হল। লালমোহনবাবু সবে ঘরে ঢুকেছেন, তিনিও দরজার মুখটাতেই দাঁড়িয়ে গেলেন।

'আপলোগ যব বাহার যাঁয়ে,' বলল বুলাকিপ্রসাদ 'পয়দল যানেসে যারা সমহালকে যানা।'

'চোর ডাকাতের কথা বলছে নাকি মশাই ?' বললেন লালমোহনবাবু।

'নেহি, বাবু ; বাঘ ভাগ গিয়া মজিস্টি সর্কস সে।'

সর্বনাশ ! লোকটা বলে কী !

জিজ্ঞেস করতে জানা গেল আজই সকালে নাকি একটা তাগড়াই বাঘ সার্কাসের খাঁচা থেকে পালিয়েছে। কী করে পালিয়েছে সেটা বুলাকিপ্রসাদ জানে না, কিন্তু সেই বাঘের ভয়ে সারা হাজারিবাগ শহর তটস্থ। বাঘের খেলাই নাকি এক সার্কাসের যাকে বলে স্টার অ্যাট্রাকশন। সার্কাসের বিজ্ঞাপনও যা দেখেছি, তাতে বাঘের ছবিটাই সবচেয়ে বেশি চোখে পড়ে। ফেলুদার অবিশ্যি চোখই আলাদা, তাই সে আমাদের চেয়ে বেশি দেখেছে। বলল, বাঘের খেলা যিনি দেখান তিনি নাকি মারাঠি, নাম কারান্ডিকার, আর নামটা নাকি বিজ্ঞাপনে দেওয়া ছিল।

লালমোহনবাবু খবরটা শুনে কিছুক্ষণ চুপ করে দাঁড়িয়ে থেকে বললেন তার গল্পে বাঘ পালানোর ঘটনা একটা রাখা যায় কি না সেটা তিনি ভাবছিলেন, কাজেই এটাকে টেলিপ্যাথি ছাড়া আর কিছুই বলা যায় না।—'তবে আপনি মশাই একেবারে ইন্‌কঙ্গিটো হয়ে থাকুন, গোয়েন্দা জানলে আপনাকে নির্ঘাত ওই বাঘ সন্ধানের কাজে লাগিয়ে দেবে।'

ইনকঙ্গিটো অবিশ্যি ইনকগনিটোর জটায়ু সংস্করণ। লালমোহনবাবু মাঝে মাঝে ইংরিজি

কথায় এরকম ওলট পালট করে ফেলেন। খবরটা শুনে এত অবাক হয়ে গিয়েছিলাম যে তাঁকে আর শুধরে দেওয়া হল না। ফেলুদা অবিশ্যি অব'রণে কখনও ওর পেশাটা প্রকাশ করে না। আর গোয়েন্দা বলেই যে ওকে যে কেউ যে কোনও তদন্তে ফাঁসিয়ে দেবে সেটারও কোনও সম্ভাবনা নেই।

বুলাকিপ্রসাদ আরও বলল যে সার্কাসটা নাকি আগে শহরের মাঝখানে কার্জন মাঠে বসত, এইবারই নাকি প্রথম সেটা শহরের এক ধারে একটা নতুন জায়গায় বসেছে। এই মাঠটার উত্তরে নাকি বিশেষ বসতি নেই। বাঘ যদি সেদিক দিয়ে বেরোয় তা হলে রাস্তা পেরিয়ে কিছুদূর গিয়েই জঙ্গল পাবে। কাছাকাছি আদিবাসীদের গ্রাম আছে, খিদে পেলে সেখান থেকে গোরু বাছুর টেনে নিয়ে যাওয়া কিছুই আশ্চর্য নয়।

মোটকথা, ঘটনাটা চাঞ্চল্যকর। আপশোস এই যে হাজারিবাগের মতো জায়গায় এসে বাঘের ভয়ে স্বচ্ছন্দে হেঁটে বেড়ানো যাবে না।

চা খাওয়ার পর লালমোহনবাবু প্রস্তাব করলেন যে দুপুরে একবার গ্রেট ম্যাজেস্টিকে ঢুঁ মারা হোক। ঘটনাটা ঠিক কী ভাবে ঘটেছে সেটা জানতে পারলে নাকি ওঁর খুব কাজে দেবে। 'ঢুঁ মারা মানে কি টিকিট কেটে সার্কাস দেখার কথা ভাবছেন?' ফেলুদা জিজ্ঞেস করল।

'ঠিক তা নয়', বললেন লালমোহনবাবু, 'আমি ভাবছিলাম যদি খোদ মালিকের সঙ্গে দেখা করা যায়। অনেক ডিটেলস জানা যেত ওঁর কাছে।'

'সেটা ফেলু মিত্তিরের সাহায্য ছাড়া সম্ভব নয়।'

২

দুপুরে বুলাকিপ্রসাদের বউয়ের রান্না মুরগির কারি আর অড়হড়ের ডাল খেয়ে গাড়িতে করেই বেরিয়ে পড়লাম আমরা। বুঝতে পারলাম ফেলুদারও যথেষ্ট কৌতূহল আছে এই বাঘ পালানোর ব্যাপারে। বেরোবার আগে থানায় একটা ফোন করল। কোডার্মায় ওকে বিহার পুলিশের সঙ্গে কাজ করতে হয়েছিল, সর্বেশ্বর সহায়কেও এখানে সবাই চেনে, তাই নাম করতেই ইনস্পেক্টর রাউত ফেলুদাকে চিনে ফেললেন। আসলে পুলিশের সাহায্য ছাড়া হয়তো এই জরুরি অবস্থায় সার্কাসের মালিকের সঙ্গে দেখা করা মুশকিল হত। রাউত বললেন, সার্কাসের সামনে পুলিশের লোক থাকবে, ফেলুদার কোনও অসুবিধা হবে না। ফেলুদা এটাও বলে দিল যে সে কোনওরকম তদন্ত করতে যাচ্ছে না, কেবল কৌতূহল মেটাতে যাচ্ছে।

সমস্ত শহরে যে সাড়া পড়ে গেছে সেটা গাড়িতে যেতে যেতে বেশ বুঝতে পারছিলাম। শুধু যে রাস্তার মোড়ে জটলা তা নয়,. একটা চৌমাথায় দেখলাম ঢ্যাঁড়া পিটিয়ে লোকদের সাবধান করে দেওয়া হচ্ছে। ফেলুদা একটা পানের দোকানে চারমিনার কিনতে নেমেছিল, সেখানে দোকানদার বলল যে বাঘটাকে নাকি উত্তরে ডাহিরি বলে একটা আদিবাসী গ্রামের কাছাকাছি দেখা গেছে, তবে কোনও উৎপাতের কথা এখনও শোনা যায়নি।

সার্কাসের তাঁবু দেখলেই বুকের ভিতরটা কেমন জানি করে ওঠে, ছেলেবেলা ফেলুদার সঙ্গে কত সার্কাস দেখেছি সে কথা মনে পড়ে যায়। গ্রেট ম্যাজেস্টিকের সাদা আর নীল ডোরাকাটা ছিমছাম তাঁবুটা দেখলেই বোঝা যায় এটা জাত সার্কাস। তাঁবুর চুড়োয় ফরফর করে হলদে ফ্ল্যাগ উড়ছে, চুড়ো থেকে বেড়া অবধি টেনে আনা দড়িতে আরও অজস্র রঙিন ফ্ল্যাগ। তাঁবুর গেটের বাইরে কমপক্ষে হাজার লোক, তারা অনেকেই টিকিট কিনতে

এসেছে। বাঘ পালানোয় সার্কাস বন্ধ হয়নি, শুধু আপাতত বাঘের খেলাটাই স্থগিত। আরও কতরকম খেলা যে সে সার্কাসে দেখানো হয় সেটা হাতে আঁকা প্রকাণ্ড বড় বড় বিজ্ঞাপনে বোঝানো হয়েছে। শিল্পী খুব পাকা নন, তবে লোকের মনে চনমনে ভাব আনতে এই যথেষ্ট।

পুলিশের লোক গেটের বাইরেই ছিল। ফেলুদা কার্ডটা দিতেই খুব খাতির করে ভিতরে ঢুকিয়ে দিল। বলল, মালিক মিঃ কুট্টিকেও বলা আছে, তিনি তাঁর ঘরে অপেক্ষা করছেন।

তাঁবুটাকে ঘিরে বেশ খানিকটা জায়গা ছেড়ে তারপর টিনের বেড়া। এই বেড়ার মধ্যেই একধারে দাঁড়িয়ে আছে দ্য গ্রেট ম্যাজেস্টিক সার্কাসের মালিক মিঃ কুট্টির ক্যারাভ্যান। বলা যায় একটা সুদৃশ্য চলন্ত বাড়ি। দুপাশের সার বাঁধা কাচের জানালায় নকশা করা পর্দার ফাঁক দিয়ে টুকরো টুকরো রোদ ঢুকেছে ভিতরে আবছা অন্ধকারে। মিঃ কুট্টি চেয়ার ছেড়ে উঠে আমাদের তিনজনের সঙ্গে হ্যান্ডশেক করে বসবার জন্য মিনি-সোফা দেখিয়ে দিলেন। ভদ্রলোকের গায়ের রং মাজা, বয়স পঞ্চাশের বেশি না হলেও মাথার চুল ধপধপে সাদা, হাসলে বোঝা যায় দাঁতও চুলের সঙ্গে মানানসই, যদিও ফলস টিথ নয়।

ফেলুদা প্রথমেই বলে নিল যে ও পুলিশের লোক নয়, সার্কাস ওর খুব প্রিয় জিনিস, গ্রেট ম্যাজেস্টিকের খ্যাতির কথা ও জানে, হাজারিবাগে এসে সার্কাস দেখার ইচ্ছে ছিল, আপশোস এই যে একটা দুর্ঘটনার জন্য আসল খেলাটাই দেখা হবে না। সেই সঙ্গে লালমোহনবাবুরও পরিচয় করিয়ে দিল একজন বিশিষ্ট লেখক বলে।—'সার্কাস নিয়ে একটা গল্প লেখার কথা ভাবছেন মিঃ গাঙ্গুলী।'

মিঃ কুট্টি বললেন, সার্কাসে আসার আগে ছবছর উনি কলকাতায় একটা জাহাজ কোম্পানিতে ছিলেন, বাঙালিদের ভালবাসেন, কারণ বাঙালিরাই নাকি সার্কাসের সত্যিকার কদর করে। আমরা সার্কাস দেখায় নিরুৎসাহ বোধ করছি জেনে বললেন যে বাঘের খেলা ছাড়াও অনেক কিছু দেখার আছে গ্রেট ম্যাজেস্টিকে।—'কাল আমাদের স্পেশাল শো ছিল, হাজারিবাগের অনেক নামকরা লোককে আমরা ইনভাইট করেছিলাম। আপনাদেরও ইনভাইট করছি।'

'ব্যাপারটা হল কী ভাবে ?' লালমোহনবাবু হিন্দি আর ইংরিজি মিশিয়ে জিজ্ঞেস করলেন। (আসলে জিজ্ঞেস করেছিলেন—'শের তো ভাগা, বাট হাউ ?')

'ভেরি আনফরচুনেট, মিঃ গাঙ্গুলী', বললেন মিঃ কুট্টি। 'বাঘের খাঁচার দরজাটা ঠিক ভাবে বন্ধ করা হয়নি। বাঘ নিজেই সেটাকে মাথা দিয়ে ঠেলে তুলে পালিয়েছে। তার উপর আর একটা গলতি হয়েছে এই যে টিনের বেড়ার একটা অংশ কে জানি ফাঁক করে বাইরে যাবে বলে শর্টকাট করেছিল তারপর আর বন্ধ করেনি। কে দোষী সেটা আমরা বার করেছি, আর তার জন্য প্রপার স্টেপস নিচ্ছি।'

ফেলুদা বলল, 'বম্বেতে একবার ঠিক এইভাবে বাঘ পালিয়েছিল না ?'

'হ্যাঁ, ন্যাশনাল সার্কাস। শহরের রাস্তায় বেরিয়ে গিয়েছিল বাঘ। কিন্তু বেশি দূর যাবার আগেই রিং-মাস্টার তাকে ধরে নিয়েছিল।'

এখানকার বাঘ পালানোর ব্যাপারে আরও খবর জানলাম কুট্টির কাছে। কম করে জনা পঞ্চাশেক লোক নাকি বাঘটাকে তাঁবুর বাইরে দেখেছে। এক পেট্রোল স্টেশনের মালিকের বাড়ির উঠোনে নাকি বাঘটা ঢুকেছিল। ভদ্রলোকের স্ত্রী সেটাকে দেখতে পেয়ে ভিরমি যান। এক নেপালি ভদ্রলোক স্কুটারে যাচ্ছিলেন, তিনি বাঘটাকে রাস্তা পেরোতে দেখে সোজা ল্যাম্পপোস্টে ধাক্কা মেরে পাঁজরার তিনটে হাড় ভেঙে এখন হাসপাতালে আছেন।

'আচ্ছা, আপনাদের তো রিং-মাস্টার আছে নিশ্চয়ই?'

রিং-মাস্টার কথাটা নতুন শিখে সেটা ব্যবহার করার লোভ সামলাতে পারলেন না জটায়ু।

'কে, কারান্ডিকার ? তার শরীর কিছুদিন থেকে এমনিতেই খারাপ যাচ্ছে। বয়স হয়েছে নিয়ারলি ফর্টি। ঘাড়ে একটা ব্যথা হয় মাঝে মাঝে, তাই নিয়েই খেলা দেখায়। আমার কথা শুনবে না, ডাক্তার দেখাবে না। মাস খানেক হল তাই আমি আর একজন লোক রেখেছি। নাম চন্দ্রন। কেরলের লোক। ভেরি গুড। সেও বাঘ ট্রেন করে, কারান্ডিকার অসুস্থ হলে সে-ই খেলা দেখায়।'

'কাল স্পেশ্যাল শো-তে দেখিয়েছিল ?' ফেলুদা জিজ্ঞেস করল।

'কাল কারান্ডিকারই দেখিয়েছিল। একটা খেলা ও ছাড়া আর কেউ দেখাতে পারে না। খেলার ক্লাইম্যাক্সে দুহাতে বাঘের মুখ ফাঁক করে তার মধ্যে মাথা ঢুকিয়ে দেয়। দুঃখের বিষয়, কাল একটা বিশ্রী গণ্ডগোল হয়ে যায়। দুবার চেষ্টা করেও যখন বাঘ মুখ খুলল না, তখন কারান্ডিকার হঠাৎ চেষ্টা থামিয়ে দিয়ে খেলা শেষ করে দেয়। ফলে হাততালির সঙ্গে তাকে কিছু টিটকিরিও শুনতে হয়েছিল।'

'আপনি তাতে কোনও স্টেপ নেননি ?'

'নিয়েছি বইকী। পুরনো লোক, কিন্তু তাও কথা শোনাতে হল। ও সতেরো বছর কাজ করছে সার্কাসে। প্রথম তিন বছর গোল্ডেনে ছিল, বাকি সময়টা এখানে। ওর যা নাম তা আমার সার্কাসে খেলা দেখিয়েই। এখন বলছে কাজ ছেড়ে দেবে। খুবই দুঃখের কথা, কারণ অন্তত আরও বছর তিনেক ও কাজ করতে পারত বলে আমার বিশ্বাস।'

'বাঘ খুঁজতে সার্কাসের লোক যায়নি ?'

'কারান্ডিকারেরই যাবার কথা ছিল, কিন্তু ও রাজি হয়নি। তাই চন্দ্রনকে যেতে হয়েছে ফরেস্ট ডিপার্টমেন্টের লোকের সঙ্গে।'

লালমোহনবাবুর সাহস বেড়ে গেছে। বললেন, 'কারান্ডিকারের সঙ্গে দেখা করা যায় ?'

'কোনও গ্যারান্টি দিতে পারি না', বললেন মিঃ কুট্টি, 'খুব মুডি লোক। মুরুগেশের সঙ্গে যান আপনারা গিয়ে দেখুন সে দেখা করে কি না।'

মুরুগেশ হল মিঃ কুট্টির পার্সোনাল বেয়ারা। সে বাইরেই দাঁড়িয়ে ছিল, মনিবের হুকুমে আমাদের তিনজনকে নিয়ে গেল রিং-মাস্টারের তাঁবুতে।

তাঁবুর ভিতরে দুটো ভাগ ; একটা বসার জায়গা, আর একটা শোবার। আশ্চর্য এই যে খবর দিতেই বেডরুম থেকে বেরিয়ে এলেন রিং-মাস্টার। ভদ্রলোকের চেহারা দেখে বলে দিতে হয় না যে উনি একজন অত্যন্ত শক্তিশালী পুরুষ, বাঘের খেলা দেখানোর পক্ষে এর চেয়ে উপযুক্ত চেহারা আর হয় না। লম্বায় ফেলুদার সমান, চওড়ায় ওর দেড়া। ফরসা রঙে কুচকুচে কালো চাড়া-দেওয়া গোঁফটা আশ্চর্য খুলেছে, চোখের দৃষ্টি এখন উদাস হলেও হঠাৎ হঠাৎ এক একটা কথা বলতে জ্বলে ওঠে। ভদ্রলোক জানিয়ে দিলেন যে তিনি মারাঠি মালয়ালম তামিল আর ভাঙা ভাঙা ইংরিজি আর হিন্দি জানেন। শেষের দুটো ভাষাতেই কথা হল।

কারান্ডিকার প্রথমেই জানতে চাইলেন আমরা কোনও খবরের কাগজ থেকে আসছি কি না। বুঝলাম ভদ্রলোক লালমোহনবাবুর হাতে খাতা পেনসিল দেখেই প্রশ্নটা করেছেন। ফেলুদা প্রশ্নের জবাবটা যেন বেশ হিসেব করে দিল।

'যদি তাই হয়, তা হলে আপনার কোনও আপত্তি আছে ?'

'আপত্তি তো নেইই, বরং সেটা হলে খুশিই হব। এটা পাবলিকের জানা দরকার যে বাঘ পালানোর জন্য ট্রেনার কারান্ডিকার দায়ী নয়, দায়ী সার্কাসের মালিক। বাঘ দুজন ট্রেনারকে মানে না, একজনকেই মানে। অন্য ট্রেনার আসার পর থেকেই সুলতানের মেজাজ খারাপ

হতে শুরু করেছিল। আমি সেটা মিঃ কুট্টিকে বলেছিলাম, উনি গা করেননি। এখন তার ফল ভোগ করছেন।'

'আপনি বাঘটাকে খুঁজতে গেলেন না যে ?' ফেলুদা জিজ্ঞেস করল।

'ওরাই খুঁজুক না', গভীর অভিমানের সঙ্গে বললেন কারান্ডিকার।

লালমোহনবাবু বিড়বিড় করে ফেলুদাকে বাংলায় বললেন, 'একটু জিজ্ঞেস করুন তো তেমন তেমন দরকার পড়লে উনি যাবেন কি না। খবরটা পেলে বাঘ ধরা দেখা যেত। অবিশ্যি একা নয়, ইন ইওর কম্প্যানি। খুব থ্রিলিং ব্যাপার হবে নিশ্চয়ই।'

ফেলুদা জিজ্ঞেস করাতে কারান্ডিকার বললেন যে বাঘকে গুলি করে মারার প্রস্তাব উঠলে তাঁকে যেতেই হবে বাধা দিতে, কারণ সুলতান ওঁর আত্মীয়ের বাড়া।

আমিও একটা জিনিস জিজ্ঞেস করার কথা ভাবছিলাম, শেষ পর্যন্ত ফেলুদাই করল।

'আপনার মুখে কি বাঘ কোনওদিন আঁচড় মেরেছিল ?'

'নট সুলতান', বললেন কারান্ডিকার। 'গোল্ডেন সার্কাসের বাঘ। গাল আর নাকের খানিকটা মাংস তুলে নিয়েছিল।'

কথাটা বলে কারান্ডিকার তাঁর শার্ট খুলে ফেললেন। দেখলাম বুকে পিঠে কাঁধে কত যে আঁচড়ের দাগ রয়েছে তার হিসেব নেই।

আমরা ভদ্রলোককে অনেক ধন্যবাদ দিয়ে উঠে পড়লাম। তাঁবু থেকে বেরোবার সময় ফেলুদা বলল, 'আপনি এখন এখানেই থাকবেন ?'

কারান্ডিকার গম্ভীর হয়ে বললেন 'আজ সতেরো বছর আমি সার্কাসের তাঁবুকেই ঘর বলে জেনেছি। এবার বোধহয় নতুন ডেরা দেখতে হবে।'

লালমোহনবাবু মিঃ কুট্টিকে বলে রেখেছিলেন যে তিনি ম্যাজেস্টিকের পশুশালাটা একবার দেখতে চান। মুরুগেশের সঙ্গে গিয়ে আমরা সার্কাসের অবশিষ্ট দুটি বাঘ, একটা বেশ বড় ভাল্লুক, একটা জলহস্তী, তিনটে হাতি, গোটা ছয়েক ঘোড়া আর সুলতানের গা ছমছম করা খালি খাঁচাটা দেখে বাড়ি ফিরতে ফিরতে হয়ে গেল পাঁচটা। বুলাকিপ্রসাদকে চা দেবার জন্য ডেকে পাঠাতে সে বলল, চৌধুরী সাহেবের বাড়ি থেকে একজন বাবু এসেছিলেন, বলে গেছেন আবার আসবেন।

সাড়ে ছটায় এলেন প্রীতীন্দ্র চৌধুরী। ইতিমধ্যে সূর্য ডোবার সঙ্গে সঙ্গে ঝপ্ করে ঠাণ্ডা পড়েছে, আমরা সবাই কোট পুলোভার চাপিয়ে নিয়েছি, লালমোহনবাবুর মাঙ্কিক্যাপটা পরার মতো ঠাণ্ডা এখনও পড়েনি, কিন্তু ওঁর টাক বলে উনি রিস্ক না নিয়ে এর মধ্যেই ওটা চাপিয়ে বসে আছেন।

'আপনি যে ডিটেকটিভ সেটা তো বলেননি !' আমাদের তিনজনকেই অবাক করে দিয়ে বললেন প্রীতীন্দ্র চৌধুরী।—'বাবা তো আপনার মক্কেল মিঃ সহায়কে খুব ভাল করে চেনেন। সহায় ওঁকে জানিয়েছেন যে আপনারা এখানে আসছেন। বাবা বিশেষ করে বলে দিয়েছেন আপনারা তিনজনেই যেন কাল আমাদের সঙ্গে পিকনিকে আসেন।'

'পিকনিক ?' লালমোহনবাবু ভুরু কপালে তুলে প্রশ্ন করলেন।

'বলেছিলাম না—কাল বাবার জন্মদিন। আমরা সবাই যাচ্ছি রাজরাপ্পা পিকনিক করতে। দুপুরে ওখানেই খাওয়া। আপনাদের তো গাড়ি রয়েছে, ন'টা নাগাত আমাদের ওখানে চলে আসুন। বাড়ির নাম কৈলাস। আপনাদের ডিরেকশন দিয়ে দিচ্ছি, খুঁজে পেতে কোনও অসুবিধা হবে না।'

রাজরাপ্পা হাজারিবাগ থেকে মাইল পঞ্চাশেক দূর, জলপ্রপাত আছে, চমৎকার দৃশ্য, আর একটা পুরনো কালীমন্দির আছে—নাম ছিন্নমস্তার মন্দির। এসব আমরা আসবার আগেই

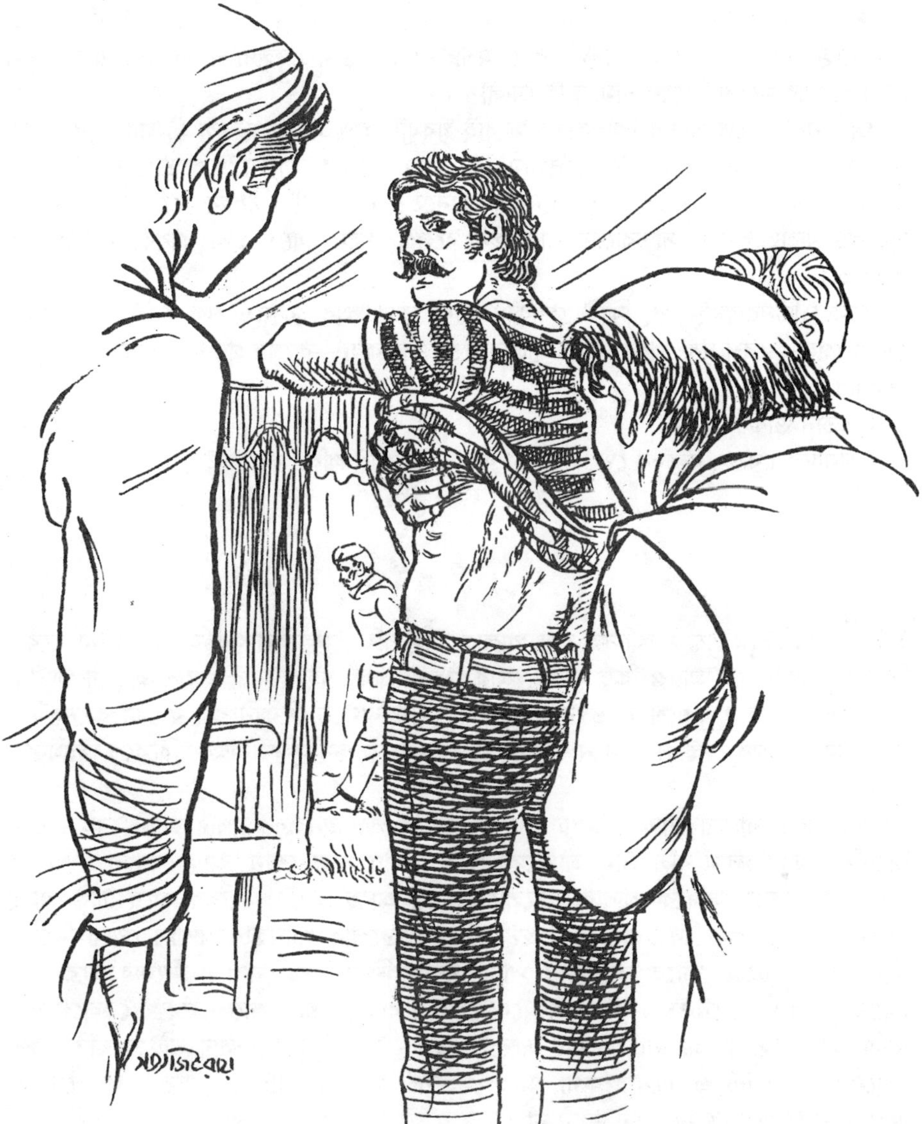

জেনে এসেছি, আর পিকনিকের নেমন্তন্ন না হলে নিজেরাই যেতাম।

প্রীতীনবাবু আরও বললেন যে আমরা যদি একটু আগে আগে যাই, তা হলে মহেশবাবুর প্রজাপতি আর পাথরের কালেকশনটাও দেখা হয়ে যেতে পারে।

'কিন্তু পিকনিকে যে যাচ্ছেন আপনারা, বাঘ পালানোর খবরটা জানেন কি ?' ধরা গলায় প্রশ্ন করলেন জটায়ু।

'জানি বইকী !' হেসে বললেন প্রীতীনবাবু, 'কিন্তু তার জন্য ভয় কী ? সঙ্গে বন্দুক থাকবে। আমার বড়দা ক্র্যাক শট। তা ছাড়া বাঘ তো শুনেছি উত্তরে হানা দিচ্ছে, রাজরাপ্পা তো দক্ষিণে, রামগড়ের দিকে। কোনও ভয় নেই।'

ঠিক হল আমরা সাড়ে আটটা নাগাত মহেশ চৌধুরীর বাড়িতে পৌঁছে যাব। লালমোহনবাবু, 'কৈলাস নাম দিল কেন, মশাই'-এর উত্তরে ফেলুদা বলল, শিবের বাসস্থান কৈলাস, আর মহেশ শিবের নাম, তাই কৈলাস।

প্রীতীনবাবু চলে যাবার কিছুক্ষণের মধ্যেই ঘুরঘুট্টি অন্ধকার হয়ে এল। আমরা বারান্দায় বেতের চেয়ারে এসে বাতিটা জ্বাললাম না, যাতে চাঁদের আলো উপভোগ করা যায়। ছিন্নমস্তার মন্দিরের কথাটা লালমোহনবাবু জানতেন না, তাই বোধহয় মাঝে মাঝে নামটা বিড়বিড় করছিলেন। সাতবারের বার ছিন্ বলেই থেমে যেতে হল, কারণ ফেলুদা হাত তুলেছে।

আমরা তিনজনেই চুপ, ঝিঁঝিঁ পোকার ডাক ছাড়া আর কোনও শব্দ নেই, এমন সময় শোনা গেল—বেশ দূর থেকে, তাও গায়ের রক্ত জল করা—বাঘের গর্জন। একবার, দু বার, তিনবার।

সুলতান ডাকছে।

কোনদিক থেকে, কতদূর থেকে, সেটা বুঝতে হলে শিকারির কান চাই।

৩

আমি ভেবেছিলাম যে সার্কাসের বাঘ পালানোটাই বুঝি হাজারিবাগের আসল ঘটনা হবে ; কিন্তু তা ছাড়াও যে আরও কিছু ঘটবে, আর ফেলুদা যে সেই ঘটনার জালে জড়িয়ে পড়বে, সেটা কে জানত ? ২৩শে নভেম্বর মহেশ চৌধুরীর বার্থডে পিকনিকের কথাটা অনেকদিন মনে থাকবে, আর সেই সঙ্গে মনে থাকবে রাজরাপ্পার আশ্চর্য সুন্দর রুক্ষ পরিবেশে ছিন্নমস্তার মন্দির।

কাল রাত্রে বাঘের ডাক শোনার পথ থেকেই লালমোহনবাবুর মুখটা জানি কেমন হয়ে গিয়েছিল, ভাবছিলাম বলি উনি আমাদের ঘরে আমার সঙ্গে শোন, আর ফেলুদা পশ্চিমের ঘরটা নিক, কিন্তু সেদিকে আবার ভদ্রলোকের গোঁ আছে। চৌকিদারের কাছে টাঙি আছে জেনে, আর লোকটা বেঁটে হলেও সাহসী জেনে ভদ্রলোক খানিকটা আশ্বাস পেয়ে নিজের তিন সেলের টর্চের বদলে আমাদের পাঁচ সেলটা নিয়ে দশটা নাগাত নিজের ঘরে চলে গেলেন। বড় টর্চ নেওয়ার কারণ এই যে, ফেলুদা বলেছে তীব্র আলো চোখে ফেললে বাঘ নাকি অনেক সময় আপনা থেকেই সরে পড়ে।—'অবিশ্যি জানালার বাইরে যদি গর্জন শোনেন, তখন টর্চ জ্বালানোর কথা, আর সেই টর্চ জানালার বাইরে বাঘের চোখে ফেলার কথা, মনে থাকবে কি না সেটা জানি না।'

যাই হোক, রাত্রে বাঘ এসে থাকলেও সে গর্জন করেনি, তাই টর্চ ফেলারও কোনও দরকার হয়নি।

আমরা প্রীতীনবাবুর নির্দেশ অনুযায়ী ঠিক সাড়ে আটটার সময় কৈলাসের লাল ফটকের সামনে গিয়ে হাজির হলাম। বাইরে থেকে বাড়িটা দেখে লালমোহনবাবু মন্তব্য করলেন যে বোঝাই যাচ্ছে এ শিব হল সাহেব শিব। সত্যিই, বছর দশেক আগে তৈরি হলেও বাড়ির চেহারাটা সেই পঞ্চাশ বছর আগের ব্রিটিশ আমলের বাড়ির মতো।

দারোয়ান গেট খুলে দিতে আমরা গাড়িটা বাইরে রেখে কাঁকর বিছানো রাস্তা দিয়ে বাড়ির দিকে এগিয়ে গেলাম। আরও তিনটে গাড়ি দাঁড়িয়ে আছে কম্পাউন্ডের এক পাশে : একটা

কালকের দেখা প্রীতীনবাবুর কালো অ্যামবাসাডর, একটা সাদা ফিয়াট, আর একটা পুরনো হলদে পনটিয়াক।

'একটা ক্লু পাওয়া গেছে মশাই।'

লালমোহনবাবু বাগান আর রাস্তার মাঝখানে সাদা রং করা ইটের বেড়ার পাশ থেকে একটা কাগজ কুড়িয়ে নিয়ে ফেলুদাকে দিলেন। ফেলুদা বলল, 'আপনি রহস্যের অবর্তমানেই ক্লু-য়ের সন্ধান পাচ্ছেন?'

'জিনিসটা কীরকম মিস্টিরিয়াস মনে হচ্ছে না?'

একটা রুলটানা খাতার পাতা, তাতে সবুজ কালিতে গোটা গোটা অক্ষরে লেখা কিছু, অর্থহীন ইংরিজি কথা। মিস্ট্রির কিছুই নেই; বোঝাই যাচ্ছে সেটা বাচ্চার হাতের লেখা, আর সেই কারণেই কথাগুলোর কোনও মানে নেই। যেমন—OKAHA, RKAHA, LOKC।

'ওকাহা যে জাপানি নাম সে তো বোঝাই যাচ্ছে' বললেন লালমোহনবাবু।

'বাংলা নামটা না চিনে জাপানি নামটা চিনে ফেললেন?'—বলে ফেলুদা কাগজটা পকেটে পুরে নিল।

একজন ভীষণ বুড়ো মুসলমান বেয়ারা দাঁড়িয়েছিল গাড়িবারান্দার নীচে, সে আমাদের সেলাম করে 'আইয়ে' বলে ভিতরে নিয়ে গেল। একটা চেনা গলা আগে থেকেই পাচ্ছিলাম, বৈঠকখানার চৌকাঠ পেরোতেই প্রীতীনবাবু আমাদের দিকে এগিয়ে এলেন।

'আসুন, আসুন—সো কাইন্ড অফ ইউ টু কাম।'

ঘরে ঢুকে প্রথমেই চোখ চলে যায় দেয়ালের দিকে। তিন দেয়াল জুড়ে ছবির বদলে টাঙানো রয়েছে ফ্রেমে বাঁধানো মহেশ চৌধুরীর সংগ্রহ করা পিনে আঁটা সার সার ডানা মেলা প্রজাপতি। প্রতি ফ্রেমে আটটা, সব মিলিয়ে চৌষট্টি, আর তাদের রঙের বাহারে পুরো ঘরটা যেন হাসছে।

যাঁর সংগ্রহ, তিনি সোফায় বসে ছিলেন, আমাদের দেখে হাসিমুখে উঠে দাঁড়ালেন। বুঝলাম এককালে ভদ্রলোক বেশ শক্ত সুপুরুষ ছিলেন। টকটকে রং, দাড়িগোঁফ পরিষ্কার করে কামানো, চোখে রিমলেস চশমা, পরনে ফিনফিনে ধুতি, গরদের পাঞ্জাবি আর ঘন কাজ করা কাশ্মীরি শাল। বুঝলাম এটা মহেশ চৌধুরীর সত্তর বছরের জন্মদিন উপলক্ষে স্পেশাল পোশাক।

প্রীতীনবাবু শুধু ফেলুদার নামটাই জানেন, তাই বাকি দুজনের পরিচয় ফেলুদাকেই দিতে হল। ভদ্রলোক কিছু বলার আগেই লালমোহনবাবু আমাদের অবাক করে দিয়ে বললেন, 'হ্যাপি বার্থডে টু ইউ স্যার!'

ভদ্রলোক হো হো করে হেসে উঠলেন।—'থ্যাঙ্ক ইউ, থ্যাঙ্ক ইউ! বুড়োমানুষের আবার জন্মদিন। এসব আমার বৌমার কাণ্ড।—যাক আপনারা এসে গিয়ে খুব ভালই হল। হোয়ার ইজ দ্য ডেড বডি খুঁজে বার করতে অসুবিধা হয়নি তো?'

প্রশ্নটা শুনে আমার আর লালমোহনবাবুর মুখ একসঙ্গে হাঁ হয়ে গেছে। ফেলুদা কিন্তু ভুরুটা একটু তুলেই নামিয়ে নিল। 'আজ্ঞে না, অসুবিধা হয়নি।'

'ভেরি গুড। আমি বুঝেছিলাম আপনি যখন গোয়েন্দা তখন হয়তো আমার সাংকেতিক ভাষা বুঝতে পারবেন। তবে আপনার দুই বন্ধু মনে হচ্ছে বোঝেননি।'

ফেলুদা বুঝিয়ে দিল। 'কৈলাস হচ্ছে "কই লাশ?"'

এবারে লক্ষ করলাম ঘরের ঠিক মাঝখানে একটা চিতাবাঘের ছালের উপর বসে একটি বছর পাঁচেকের মেয়ে ডান হাতে একটা চিমটের মতো জিনিস নিয়ে বাঁ হাতে ধরা একটি বিলিতি ডলের ভুরুর জায়গায় এক মনে চিমটি কাটছে। বোধহয় পুতুলের ভুরু প্লাক করা

হচ্ছে। আমি ওর দিকে চেয়ে আছি বলেই বোধহয় মহেশবাবু বললেন, 'ওটি আমার নাতনি ; ওর নাম জোড়া মৌমাছি।'

'আর তুমি জোড়া কাটারি', বলল মেয়েটি।

'বুঝলেন তো, মিঃ মিত্তির ?'

ফেলুদা বলল, 'বুঝলাম, আপনার নাতনি হলেন বিবি, আর আপনি তার দাদু।'

লালমোহনবাবু আমার দিকে ফ্যালফ্যাল করে চেয়ে আছেন দেখে বুঝিয়ে দিলাম বিবি হচ্ছে Bee-Bee, আর দাদুর 'দা' হল কাটারি আর 'দু' হল দুই। ফেলুদা আর আমি অনেক

সময়ই বাড়িতে বসে কথার খেলা তৈরি করে খেলি, তাই এগুলো বুঝতে অসুবিধা হল না।

প্রীতীনবাবু 'দাদাকে ডাকি' বলে ঘর থেকে বেরিয়ে গেলেন ; আমরা তিনজনে সোফায় বসলাম। মহেশবাবুর ঠোঁটের কোণে হাসি, তিনি এক দৃষ্টে চেয়ে রয়েছেন ফেলুদার দিকে। ফেলুদার তাতে কোনও উসখুসে ভাব নেই, সেও দিব্যি উলটে চেয়ে আছে ভদ্রলোকের দিকে।

'ওয়েল, ওয়েল, ওয়েল', অবশেষে বললেন মহেশ চৌধুরী, 'সহায় আপনার খুব সুখ্যাতি করছিল, তাই আপনি এসেছেন শুনে তিরিকে বললুম, ভদ্রলোককে ডাক, তাকে একবার দেখি। আমার জীবনেও তো অনেক রহস্য, দেখুন যদি তার দু-একটাও সমাধান করে দিতে পারেন।'

'তিরি মানে আপনার তৃতীয় পুত্র কি ?' ফেলুদা জিজ্ঞেস করল।

'রাইট এগেন', বললেন ভদ্রলোক। 'আমি যে কথা নিয়ে খেলতে ভালবাসি সেটা নিশ্চয়ই বুঝতে পারছেন।'

'ও বাতিকটা আমারও আছে।'

'সে তো খুব ভাল কথা। আমার নিজের ছেলেদের মধ্যে টেক্কা তবু একটু আধটু বোঝে, তিরির মাথা এদিকে একেবারেই খেলে না। তা যাক্ গে—আপনি গোয়েন্দাগিরি করছেন কদ্দিন ?'

'বছর আষ্টেক।'

'আর উনি কী করেন ? মিঃ গাঙ্গুলী ?'

'উনি লেখেন। রহস্য উপন্যাস। জটায়ু ছদ্মনামে।'

'বাঃ ! আপনাদের কম্বিনেশনটি বেশ ভাল। একজন রহস্য-প্লট পাকান, আরেকজন রহস্যের জট ছাড়ান। ভেরি গুড।'

ফেলুদা বলল, 'আপনার প্রজাপতি আর পাথরের সংগ্রহ তো দেখতেই পাচ্ছি ; এ ছাড়া আরও কিছু জমিয়েছেন কি কোনওদিন ?'

পাথরগুলো রাখা ছিল ঘরের একপাশে একটা বড় কাচের আলমারির ভিতর। এত রকম রঙের পাথর যে হয় আমার ধারণাই ছিল না। কিন্তু ফেলুদা হঠাৎ এ প্রশ্ন করল কেন ? ভদ্রলোকও বেশ অবাক হয়ে বললেন, 'অন্য সংগ্রহের কথা হঠাৎ জিজ্ঞেস করলেন কেন ?'

'আপনার নাতনির হাতের চিমটেটাকে পুরনো টুইজারস বলে মনে হচ্ছে তাই—'

'ব্রিলিয়ান্ট ! ব্রিলিয়ান্ট !'—ভদ্রলোক ফেলুদার কথার উপর তারিফ চাপিয়ে দিলেন।—'আপনার অদ্ভুত চোখ। আপনি ঠিক ধরেছেন, ওটা স্ট্যাম্প কালেকটরের চিমটেই বটে। ডাকটিকিট এককালে জমিয়েছি বইকী, আর বেশ যত্ন নিয়ে সিরিয়াসলি জমিয়েছি। এখনও মাঝে মাঝে গিবন্সের ক্যাটালগের পাতা উলটোই। ওটাই আমার প্রথম হবি। যখন ওকালতি করি তখন আমার এক মক্কেল, নাম দোরাবজী, আমার উপর কৃতজ্ঞতাবশে তার একটি আস্ত পুরনো অ্যালবাম আমাকে দিয়ে দেয়। তার নিজের অবিশ্যি শখ মিটে গিয়েছিল, কিন্তু এ জিনিস সহজে কেউ দেয় না। বেশ কিছু দুষ্প্রাপ্য টিকিট ছিল সেই অ্যালবামে।'

আমি নিজে স্ট্যাম্প জমাই, আর ফেলুদারও এক সময় ডাকটিকিটের নেশা হয়েছিল। ও বলল, 'সে অ্যালবাম দেখা যায় ?'

'আজ্ঞে ?'—ভদ্রলোক যেন একটু অন্যমনস্ক হয়ে পড়েছিলেন—'অ্যালবাম ? অ্যালবাম তো নেই ভাই। সেটা খোয়া গেছে।'

'খোয়া গেছে ?'

‘বলছি না—আমার জীবনে অনেক রহস্য। রহস্যও বলতে পারেন, ট্র্যাজিডিও বলতে পারেন। তবে আজকের দিনটায় সেসব আলোচনা থাক।—এসো টেক্কা, তোমার সঙ্গে আলাপ করিয়ে দিই।’

টেক্কা মানে বোঝাই যাচ্ছে ভদ্রলোকের বড় ছেলে। প্রীতীনবাবুর সঙ্গে এসে ঘরে ঢুকলেন। বয়সে প্রীতীনবাবুর চেয়ে বেশ কিছুটা বড়। ইনিও সুপুরুষ, যদিও মোটার দিকে, আর প্রীতীনবাবুর মতো ছট্‌ফটে নন ; বেশ একটা ভারভার্তিক ভাব।

‘তিরিকে মাইক সম্বন্ধে জিজ্ঞেস করলে আপনি ভাল জবাব পাবেন’, বললেন মহেশ চৌধুরী, ‘আর ইনি মাইকার কারবারি। অরুণেন্দ্র। কলকাতায় অফিস, হাজারিবাগ যাতায়াত আছে কর্মসূত্রে।’

‘আর দুরি বুঝি উনি ?’ ফেলুদা রুপোর ফ্রেমে বাঁধানো একটা ছবির দিকে দেখাল। ফ্যামিলি গ্রুপ। মহেশবাবু, তাঁর স্ত্রী, আর তিন ছেলে। অন্তত বছর পঁচিশ আগে তোলা, কারণ বাপের দুপাশে দাঁড়ানো দুজন ছেলেই হাফ প্যান্ট পরা, আর তৃতীয়টি মায়ের কোলে। দাঁড়ানো ছেলে দুটির মধ্যে যে ছোট সেই নিশ্চয়ই মহেশবাবুর দ্বিতীয় ছেলে।

‘ঠিকই বলেছেন আপনি,’ বললেন মহেশবাবু, ‘তবে দুরির সঙ্গে আলাপের সৌভাগ্য আপনার হবে কি না জানি না, কারণ সে ভাগলওয়া।’

অরুণবাবু ব্যাপারটা বুঝিয়ে দিলেন। ‘বীরেন বিলেত চলে যায় উনিশ বছর বয়সে ; তারপর আর ফেরেনি।’

‘ফেরেনি কি ?’—মহেশবাবুর প্রশ্নে কোথায় যেন একটা খটকার সুর।

‘ফিরলে কি আর তুমি জানতে না, বাবা ?’

‘কী জানি !’—সেই একই সুরে বললেন মহেশ চৌধুরী। ‘গত দশ বছর তো সে আমাকে চিঠিও লেখেনি।’

ঘরে কেমন একটা থমথমে ভাব এসে গেছিল বলেই বোধহয় সেটা দূর করার জন্য মহেশবাবু হঠাৎ চাঙা হয়ে সোফা ছেড়ে উঠে পড়লেন।—‘চলুন, আপনাদের আমার বাড়িটা একটু ঘুরিয়ে দেখাই। অখিল আর ইয়ে যখন এখনও এল না, তখন হাতে কিছুটা সময় আছে।’

‘তুমি উঠছ কেন বাবা,’ বললেন অরুণবাবু, ‘আমিই দেখিয়ে আনছি।’

‘নো স্যার, আমার প্ল্যান করা আমার বাড়ি, আমিই দেখাব। আসুন, মিঃ মিত্তির।’

দোতলায় উত্তরে রাস্তার দিকে একটা চমৎকার চওড়া বারান্দা, সেখান থেকে কানারি হিল দেখা যায়। বেডরুম তিনটে, তিনটেতেই এখন লোক রয়েছে। মাঝেরটায় থাকেন মহেশবাবু নিজে, এক পাশে বড় ছেলে, অন্য পাশে স্ত্রী আর মেয়েকে নিয়ে প্রীতীনবাবু। নীচে একটা গেস্টরুম আছে, তাতে এখন রয়েছেন মহেশবাবুর বন্ধু অখিল চক্রবর্তী। অরুণবাবুর দুই সন্তানের মধ্যে বড়টি ছেলে, সে এখন বিলেতে, আর মেয়েটির সামনে মাধ্যমিক পরীক্ষা বলে সে মায়ের সঙ্গে কলকাতায় রয়ে গেছে।

মহেশবাবুর বেডরুমেও দেখলাম কিছু পাথর আর প্রজাপতি রয়েছে। একটা বুকসেলফে পাশাপাশি রাখা অনেকগুলো একরকম দেখতে বইয়ের দিকে ফেলুদার দৃষ্টি গিয়েছিল, ভদ্রলোক বললেন ওগুলো ওঁর ডায়রি। চল্লিশ বছর একটানা ডায়রি লিখেছেন উনি। খাটের পাশে টেবিলে ছোট্ট বাঁধানো ছবি দেখে লালমোহনবাবু বলে উঠলেন, ‘আরে, এ যে দেখছি মুক্তানন্দের ছবি।’

মহেশবাবু হেসে বললেন, ‘আমার বন্ধু অখিল দিয়েছে ওটা।’ তারপর ফেলুদার দিকে ফিরে বললেন, ‘তিনটে মহাদেশের শক্তি এঁর পিছনে।’

'কারেক্ট !' বললেন লালমোহনবাবু, 'বিরাট তান্ত্রিক সাধু। ইন্ডিয়া, ইউরোপ, আমেরিকা—সর্বত্র এঁর শিষ্য।'

'আপনি তো অনেক খবর রাখেন দেখছি', বললেন মহেশ চৌধুরী, 'আপনিও এঁর শিষ্য নাকি ?'

'আজ্ঞে না, তবে আমার পাড়ায় আছেন একজন।'

দোতলায় থাকতেই একটা গাড়ির শব্দ পেয়েছিলাম. নীচে এসে দেখি, যে-দুজনের কথা মহেশবাবু বলছিলেন, তাঁরা এসে গেছেন। একজন মহেশবাবুরই বয়সী, সাধারণ ধুতি পাঞ্জাবি আর গাঢ় খয়েরি রঙের আলোয়ান গায়ে। ইনি যে উকিল-টুকিল ছিলেন না কোনওদিন সেটা বলে দিতে হয় না, আর সাহেবিরও কোনও গন্ধ নেই এঁর মধ্যে। অন্য ভদ্রলোককে মনে হল চল্লিশের নীচে বয়স, বেশ হাসিখুশি সপ্রতিভ ভাব, মহেশবাবু আসতেই তাঁকে টিপ করে প্রণাম করলেন। বৃদ্ধ ভদ্রলোকটির হাতে মিষ্টির হাঁড়ি ছিল, সেটা তিনি প্রীতীনবাবুর হাতে চালান দিয়ে মহেশবাবুর দিকে ফিরে বললেন, 'আমার কথা যদি শোনো তো পিকনিকের পরিকল্পনাটা বাদ দাও। একে যাত্রা অশুভ, তার উপর বাঘ পালিয়েছে। শার্দূলবাবাজী যদি মুক্তানন্দের শিষ্যটিষ্য হন তা হলে একবার ছিন্নমস্তায় হাজিরা দেওয়াটা কিছুই আশ্চর্য নয়।'

মহেশবাবু আমাদের দিকে ফিরে বললেন, 'আলাপ করিয়ে দিই—এই কুডাকডাকা ভদ্রলোকটি হলেন আমার অনেকদিনের বন্ধু শ্রীঅখিলবন্ধু চক্রবর্তী, এক্স-স্কুলমাস্টার, জ্যোতিষচর্চা আর আয়ুর্বেদ হচ্ছে এনার হবি ; আর ইনি হলেন শ্রীমান শঙ্করলাল মিশ্র, আমার অত্যন্ত স্নেহের পাত্র, বলতে পারেন আমার মিসিং পুত্রের স্থান অনেকটা অধিকার করে আছেন।'

সবাই যাবার জন্য তৈরি হচ্ছে দেখে অখিলবাবু আরেকবার বললেন, 'তা হলে আমার নিষেধ কেউ মানছে না ?'

'না ভাই', বললেন মহেশ চৌধুরী, 'আমি খবর পেয়েছি বাঘের নাম সুলতান, কাজেই সে মুসলমান, তান্ত্রিক নয়।—ভাল কথা, মিঃ মিত্তির যদি সময় পান তো সার্কাসটা একবার দেখে নেবেন। আমাদের ইনভাইট করেছিল পরশু। বৌমা আর বিবিদিদিমণিকে নিয়ে আমি দেখে এসেছি। দিশি সার্কাস যে এত উন্নত করেছে জানতাম না। আর বাঘের খেলার তো তুলনাই নেই।'

'কিন্তু পরশু নাকি বাঘের খেলায় গোলমাল হয়েছিল ?' প্রশ্ন করলেন লালমোহনবাবু।

'সেটা খেলোয়াড়ের কোনও গণ্ডগোলে নয়। জানোয়ারেরও তো মুড বলে একটি জিনিস আছে। সে-তো আর কলের পুতুল না যে চাবি টিপলেই লম্ফ-ঝম্প করবে।'

'কিন্তু সেই মুডের ঠেলা তো এখন সামলানো দায়', বললেন অরুণবাবু। 'শহরে তো প্যানিক। ওটাকে এক্ষুনি মেরে ফেলা উচিত। বিলিতি সার্কাস হলে এ জিনিস কক্ষনও হত না।'

মহেশবাবু একটা শুকনো হাসি হেসে বললেন, 'হ্যাঁ—তুমি তো আবার বন্যপশু-সংহার সমিতির সভাপতি কি না, তোমার হাত তো নিশপিশ করবেই।'

রাজরাপ্পা রওনা হবার আগে আর একজনের সঙ্গে আলাপ হল। উনি হলেন প্রীতীনবাবুর স্ত্রী নীলিমা দেবী। এঁকে দেখে বুঝলাম যে চৌধুরী পরিবারের সকলেই বেশ ভাল দেখতে।

৪

রাজরাপ্পা হাজারিবাগ থেকে আশি কিলোমিটার। ৪৮ কিলোমিটার গিয়ে রামগড় পড়ে, সেখান থেকে বাঁয়ে রাস্তা ধরে গোলা বলে একটা জায়গা হয়ে ভেড়া নদী পর্যন্ত গাড়ি যায়। নদী হেঁটে পেরিয়ে খানিকদূর গিয়েই রাজরাপ্পা।

শঙ্করলাল মিশ্রের গাড়ি নেই। তিনি আমাদের গাড়িতেই এলেন। দুজন বেয়ারাকেও নেওয়া হয়েছে পিকনিকের দলে, তাদের একজন হল বুড়ো নূরমহম্মদ, যে মহেশবাবুর ওকালতির জীবনের শুরু থেকে আছে। অন্য জন হল ষণ্ডা মার্কা জগৎ সিং, যার জিম্মায় রয়েছে অরুণবাবুর বন্দুক আর টোটার বাক্স।

মিঃ মিশ্রকে দেখেই বেশ ভাল লেগেছিল, তার সঙ্গে কথা বলে আরও ভাল লাগল। ভদ্রলোকের জীবনের ঘটনাও শোনবার মতো। শঙ্করলালের বাবা দীনদয়াল মিশ্র ছিলেন মহেশবাবুর দারোয়ান। আজ থেকে পঁয়ত্রিশ বছর আগে, যখন শঙ্করলালের বয়স চার—দীনদয়াল নাকি একদিন হঠাৎ নিখোঁজ হয়ে যায়। দুদিন পরে এক কাঠুরে তার মৃতদেহ দেখতে পায় মহেশবাবুর বাড়ি থেকে প্রায় সাত-আট মাইল দূরে একটা জঙ্গলের মধ্যে। কোনও জানোয়ারের হাতে তার মৃত্যু হয়েছে তাতে সন্দেহ নেই, কিন্তু দীনদয়াল ওই জঙ্গলে কেন গিয়েছিল সেটা জানা যায়নি। একটা পুরনো শিবমন্দির আছে সেখানে, কিন্তু দীনদয়াল কোনওদিন সেখানে যেত না।

এই ঘটনার পর থেকে নাকি মহেশবাবুর ভীষণ মায়া পড়ে যায় বাপহারা চার বছরের শিশু শঙ্করলালের উপর। তিনি শঙ্করলালকে মানুষ করার ভার নেন। শঙ্করলালও খুব বুদ্ধিমান ছেলে ছিল ; পরীক্ষায় বৃত্তি পায়, বি এ পাশ করে রাঁচিতে শঙ্কর বুক স্টোর্স নামে একটা বইয়ের দোকান খোলে। হাজারিবাগে ব্রাঞ্চ আছে, দু জায়গাতেই যাতায়াত আছে ভদ্রলোকের।

এই খবরটা শুনে অবিশ্যি লালমোহনবাবু জিজ্ঞেস করার লোভ সামলাতে পারলেন না এই বইয়ের দোকানে বাংলা বইও পাওয়া যায় কি না। 'নিশ্চয়ই', বললেন শঙ্করলাল, 'আপনার বইও বিক্রি করেছি আমরা।'

ফেলুদা সব শুনে বলল, 'মহেশবাবুর দ্বিতীয় ছেলে তা হলে আপনারই বয়সী ছিলেন ?'

'বীরেন্দ্র ছিল আমার চেয়ে কয়েকমাসের ছোট', বলল শঙ্করলাল। 'আমরা দুজন ইস্কুলে এক ক্লাসেই পড়েছি, যদিও কলেজের পড়াটা ওরা তিন ভাই-ই করেছে কলকাতায় ওদের এক জ্যাঠামশাইয়ের বাড়িতে থেকে। বীরেনের পড়াশুনায় মন ছিল না। সে ছিল বেপরোয়া, রোম্যান্টিক প্রকৃতির ছেলে। উনিশ বছর বয়সে বাড়ি ছেড়ে চলে যায়।'

ফেলুদা বলল, 'মহেশবাবু কি সাধুসংসর্গ-টর্গ করেন নাকি ?'

'আগে করতেন না মোটেই, তবে ওঁর জীবনে অনেক পরিবর্তন হয়েছে। আমি যদিও দেখিনি, তবে শুনেছি এককালে মিলিটারি মেজাজ ছিল, প্রচুর মদ্যপান করতেন। সব ছেড়ে দিয়েছেন। সাধুসঙ্গ না করলেও, আমার বিশ্বাস আজ রাজরাপ্পায় পিকনিকের কারণ ছিন্নমস্তার মন্দির।'

'এটা কেন বলছেন ?'

'উনি বাইরে বিশেষ প্রকাশ করেন না, কিন্তু আমি এর আগেও কয়েকবার রাজরাপ্পা গিয়েছি ওঁর সঙ্গে। মন্দিরের সামনে এলে ওঁর মুখের ভাব বদলে যায় এটা লক্ষ করেছি।'

'অতীতে কি এমন কোনও ঘটনা ঘটে থাকতে পারে যার ফলে এটা হওয়া সম্ভব ?'

'সেটা আমি বলতে পারব না। ভুলে যাবেন না, আমি ছিলাম ওঁর দারোয়ানের ছেলে।'

সাড়ে দশটা নাগাত পরপর তিনখানা গাড়ি এসে থামল ভেড়া নদীর ধারে। আমাদের গাড়িটা ছিল সবচেয়ে পিছনে ; আমাদের সামনে প্রীতীনবাবুর গাড়ি। তিনি প্রথমে নামলেন গাড়ি থেকে, হাতে টেপ রেকর্ডার আর নেমেই চলে গেলেন বাঁয়ে জঙ্গলের দিকে। আমরা সবাই নামলাম। মহেশবাবু ছিলেন প্রথম গাড়িতে, তিনি আমার দিকে এগিয়ে এসে বললেন, 'তাড়া নেই, নদী পেরিয়েই রাজরাপ্পা, সঙ্গে ফ্লাস্কে কফি আছে, একটু রিল্যাক্স করে তবে ওপারে যাত্রা।'

আমরা সবাই নদীর দিকে এগিয়ে গেলাম। পাহাড়ে নদী, যাকে বলে খরস্রোতা। বর্ষার ঠিক পরে এ নদী পেরোনো নাকি মুশকিল, কারণ তখন জল থাকে হাঁটু অবধি। ছোট বড় মেজ সেজো নানান সাইজের সাদা কালো খয়েরি পাটকিলে ছিটদার সব পাথর ডিঙিয়ে পাশ কাটিয়ে, যুগ যুগ ধরে সেগুলোকে মোলায়েম করে, পালিশ করে ব্যস্তবাগীশ ভেড়া নদী তড়িঘড়ি ছুটে চলেছে দামোদরে ঝাঁপিয়ে পড়বে বলে। এই ঝাঁপের জায়গাই হল রাজরাপ্পা।

নীলিমা দেবী কফি ঢেলে দিলেন কাগজের কাপে, আমরা সবাই একে একে গিয়ে নিয়ে নিলাম। প্রীতীনবাবুকে বোধহয় নদীর শব্দ বাঁচিয়ে পাখির ডাক রেকর্ড করতে হবে বলে বনের একটু ভিতর দিকে যেতে হয়েছে। পাখি যে ডাকছে নানারকম সেটা ঠিকই।

এখানে এসে নতুন যাদের সঙ্গে আলাপ হল, ফেলুদার কায়দায় তাদের একটু স্টাডি করার চেষ্টা করলাম।

বয়সে যে সবচেয়ে ছোট, সে তার ডলটাকে একটা পাথরের উপর বসিয়ে দিয়ে বলল, 'চুপটি করে বসে থাকো। দুষ্টুমি করলেই ভেড়া নদীতে ফেলে দেব, তখন দেখবে মজা।'

অরুণবাবু হাত থেকে কাগজের কাপ ফেলে দিয়ে একটু দূরে একটা ঝোপের পিছনে অদৃশ্য হলেন, আর তার পরেই ঝোপের মাথার উপর ধোঁয়া দেখে বুঝলাম এই বয়সেও ভদ্রলোক বাপের সামনে সিগারেট খান না।

মহেশ চৌধুরী হাত দুটো পিছনে জড়ো করে নদীর কাছেই দাঁড়িয়ে এক দৃষ্টে জলের দিকে চেয়ে আছেন।

ফেলুদা দুটো পাথর ঠোকাঠুকি করে সেগুলো চকমকি কি না পরীক্ষা করছিল, অখিলবাবু তার দিকে এগিয়ে গিয়ে বললেন, 'আপনার রাশিটা কী জানা আছে?' ফেলুদা বলল, 'কুম্ভ। সেটা গোয়েন্দার পক্ষে ভাল না খারাপ?'

নীলিমা দেবী মাটি থেকে একটা বুনো হলদে ফুল তুলে সেটা খোঁপায় গুঁজে লালমোহনবাবুর দিকে এগিয়ে গিয়ে কী একটা বলায় লালমোহনবাবু মাথাটা পিছনে হেলিয়ে স্মার্টলি হাসতে গিয়ে এক লাফে বাঁয়ে সরে গেলেন, আর নীলিমা দেবী খোলা হাসি হেসে বললেন, 'সে কী, আপনি গিরগিটি দেখে ভয় পাচ্ছেন?'

শঙ্করলালকে খুঁজতে গিয়ে দেখি উনি ইতিমধ্যে কখন জানি নদী পেরিয়ে গিয়ে ওপারে একজন গেরুয়াধারী ভদ্রলোকের সঙ্গে কথা বলছেন। একটা বাসে কিছু যাত্রী এসেছিল, তারা একটুক্ষণ আগেই নদী পেরিয়েছে সেটা দেখেছিলাম।

কফি খাওয়া শেষ, প্রীতীনবাবুও এসে গেছেন, তাই আমরা ওপারে যাবার জন্য তৈরি হলাম। ধুতি, শাড়ি, প্যান্ট সবই একটু ওপরদিকে উঠে গেল, বিবি চড়ে বসল নূর মহম্মদের পিঠে, লালমোহনবাবু জলে নামবার আগে মনে হল চোখ বুজে কী জানি বিড়বিড় করে নিলেন, পেরোবার সময় বার তিনেক বেসামাল হতে হতে সামলে নিলেন, আর ওপারে পৌঁছিয়েই বললেন ব্যাপারটা যে এত সহজ সেটা উনি ভাবতেই পারেননি।

বাকি পথটার দু পাশে গাছপালা ছিল, যদিও সেটাকে জঙ্গল বলা চলে না। তাও লালমোহনবাবু সেদিকে বারবার আড়চোখে চাওয়াতে বুঝলাম উনি বাঘের কথা ভোলেননি।

একটা মোড়ে থিয়েটারের পর্দা সরে যাওয়ার মতো চোখের সামনে রাজরাপ্পা বেরিয়ে পড়াতে লালমোহনবাবু এত জোরে বাঃ বললেন যে পাশের গাছ থেকে একসঙ্গে দুটো ঘুঘু উড়ে পালাল।

অবিশ্যি বাঃ বলার যথেষ্ট কারণ ছিল। আমবা যেখানে এসে দাঁড়িয়েছি সেখান থেকে দুটো নদীই দেখা যাচ্ছে। বাঁ দিকে উত্তরে ভেড়া, আর ডাইনে নীচে দামোদর। জলপ্রপাতের জায়গাটা দেখতে হলে আরও এগিয়ে বাঁয়ে যেতে হবে, যদিও শব্দটা এখান থেকেই পাচ্ছি। সামনে আর নদীর ওপারে বিশাল বিশাল কচ্ছপের পিঠের মতো পাথর, দূরে বন, আর আরও দূরে আবছা পাহাড়ের লাইন।

মন্দির আমাদের বাঁয়ে বিশ হাতের মধ্যে। বোঝাই যায় অনেকদিনের পুরনো, কিন্তু সেটাকে আবার নতুন করে সাজগোজ পরানো হয়েছে। এই ক'দিন আগেই কালীপুজোতে এখানে মোষ বলি হয়েছে বলে শুনলাম। লালমোহনবাবু বললেন এককালে নির্ঘাত নরবলি হত। অবিশ্যি সেটা যে খুব ভুল বলেছেন তা হয়তো না। বাসে যেসব যাত্রী এসেছে তাদের দেখার উৎসাহ নেই, তারা সবাই মন্দিরের সামনে জড়ো হয়েছে। শঙ্করলাল ঠিকই বলেছিলেন। মহেশ চৌধুরী প্রায় মিনিট খানেক ধরে মন্দিরের দরজার দিকে চেয়ে রইলেন, যদিও অন্ধকারে বিগ্রহটা দেখাই যায় না। তারপর ধীরে ধীরে চলে গেলেন অন্যরা যেদিকে গেছে সেইদিকে। আমরা তিনজনও সেইদিকেই এগিয়ে গেলাম।

খানিকটা যেতেই ফল্‌সটা দেখতে পেলাম। যেখানে বালির উপর শতরঞ্চি পাতা হচ্ছে সেখান থেকে ওটা দেখা যাবে। লালমোহনবাবু বললেন, 'এটা কিন্তু ফাউ হয়ে গেল মশাই। হাজারিবাগ এসে সেকেন্ড দিনেই একজন রিটায়ার্ড অ্যাডভোকেটের জন্মদিনে পিকনিকে ইনভাইটেড হবেন, এটা কি ভাবতে পেরেছিলেন?'

'এ তো সবে শুরু', বলল ফেলুদা।

'বলছেন?'

'দাবা খেলেছেন কখনও?'

'রক্ষে করুন মশাই।'

'তা হলে ব্যাপার বুঝতেন। দাবার শেষ দিকে যখন দুপক্ষের পাঁচটি কি সাতটি ঘুঁটি বোর্ডের এখানে ওখানে দাঁড়িয়ে থাকে, তখন অনড় অবস্থাতেই তাদের পরস্পরের মধ্যে একটা বৈদ্যুতিক প্রবাহ চলতে থাকে। যারা খেলছে তারা তাদের প্রত্যেকটি স্নায়ু দিয়ে ব্যাপারটা অনুভব করে। এই চৌধুরী পরিবারটিকে দেখে আমার দাবার ঘুঁটির কথা মনে হচ্ছে, যদিও কে সাদা কে কালো, কে রাজা কে মন্ত্রী, তা এখনও বুঝিনি।'

আমরা মন্দির আর পিকনিকের জায়গার মাঝামাঝি একটা জায়গায় একটা অশ্বত্থগাছের তলায় পাথরের উপর বসলাম। এগারোটাও বাজেনি এখনও, খাবার তাড়া নেই, সবাইয়ের মধ্যে একটা নিশ্চিন্ত ঢিলেঢালা ভাব। অখিলবাবু বালিতে উবু হয়ে বসে বিবিকে হাত নেড়ে কী যেন বোঝাচ্ছেন; নীলিমা দেবী শতরঞ্চিতে বসে তাঁর ব্যাগের ভিতর থেকে একটা ইংরিজি পেপারব্যাক বার করলেন, সেটা নির্ঘাত ডিটেকটিভ বই; প্রীতীনবাবু একটি ঢিবির উপর বসে তাঁর টেপ রেকর্ডারে একটা নতুন ক্যাসেট ভরলেন; অরুণবাবু জগৎ সিংয়ের কাছ থেকে তাঁর বন্দুকটা নিলেন, মহেশবাবু মাটি থেকে একটা পাথরের টুকরো কুড়িয়ে নিয়ে সেটা নেড়ে চেড়ে দেখে আবার ফেলে দিলেন। 'শঙ্করলালকে দেখছি না', বললেন লালমোহনবাবু।

'আছেন, তবে দূরে', বলল ফেলুদা।

তার দৃষ্টি অনুসরণ করে দেখলাম মন্দির ছাড়িয়ে আরও বেশ কিছুটা দক্ষিণে একটা গাছের

তলায় দাঁড়িয়ে শঙ্করলাল কিছুক্ষণ আগে দেখা সেই গেরুয়াধারীটির সঙ্গে কথা বলছেন। 'একটু যে সাস্‌পিশাস বলে মনে হচ্ছে', মন্তব্য করলেন লালমোহনবাবু।

ফেলুদারও সাস্‌পিশাস মনে হচ্ছে কি না সেটা জানবার আগেই আমাদের পাশে এসে দাঁড়ালেন অরুণবাবু, তাঁর হাতে বন্দুক। 'ওটা দিয়ে কি বাঘ মারা যায় ?' জিজ্ঞেস করল ফেলুদা।

'সার্কাসের বাঘ এতদূর আসবে না', হেসে বললেন অরুণবাবু। 'সাম্বার মেরেছি এটা দিয়ে, তবে সাধারণত পাখিটাখিই মারি। এটা টোয়েন্টি-টু।'

'তাই তো দেখছি।'

'আপনি শিকার করেন ?'

'শুধু মানুষ !'

'আপনার কি কোনও এজেন্সি নাকি ? না প্রাইভেট ?'

ফেলুদা তার প্রাইভেট ইনভেস্টিগেটর লেখা একটা কার্ড অরুণবাবুকে দিয়ে দিল। ভদ্রলোক বললেন, 'থ্যাঙ্কস। কখন কাজে লেগে যায় বলা তো যায় না।'

ভদ্রলোক যেদিক দিয়ে এসেছিলেন সেইদিকেই চলে গেলেন। ফেলুদা এই ফাঁকে কখন যে সেই সকালের কাগজটা পকেট থেকে বের করেছে সেটা দেখতেই পাইনি। লালমোহনবাবু কাগজটার দিকে ঝুঁকে পড়ে বললেন, 'বাংলা নামের কথা কী বলছিলেন মশাই ?'

'এই দেখুন।'

ফেলুদা পাশাপাশি লেখা চারটে ইংরিজি অক্ষরের দিকে দেখাল। লালমোহনবাবু ভুরু কুঁচকে বললেন, 'ওটা তো মনে হচ্ছে লক্ লিখতে গিয়ে বানান ভুল করে LOKC লিখেছে।'

'এলোকেশী !' আমি চেঁচিয়ে উঠলাম। এরকম ভাবে ইংরিজি অক্ষরে বাংলা কথা আমিও লিখেছি ছেলেবেলায়।

'বাঃ,' বললেন লালমোহনবাবু, 'সত্যিই তো। আর এই জাপানি নামটা ?'

'ওকাহা ? এটা একটা বাংলা সেনটেন্স। OKAHA।'

'ও, কে, এ, এইচ, এ ? এটা একটা বাংলা সেনটেনস্। একটু বাড়াবাড়ি হয়ে যাচ্ছে না কি ?'

'ও, কে, এ, এইচ, এ—এটা তাড়াতাড়ি বলুন তো, না থেমে। দেখুন তো কী রকম শোনায়।'

এবার লালমোহনবাবুর মুখে একটা বিস্ময় আর খুশি মেশানো ভাব দেখা দিল। 'ও কে এয়েচে ! ওয়ান্ডারফুল !...বাঃ, বাঃ, এই তো, জলের মতো সোজা —SO—এসো ; DO—দিও ; NADO—এনে দিও ; NHE—এনেচি।—ও বাব্বা ! এটা যে বিরাট সেনটেন্স ; এর তো শেষ নেই মশাই !—AKLO ATBB BBSO ADK SO RO ADK SO AT KLO PC LO ROT OT DD OK OJT RO OG এ আমার সাধ্যি নেই।'

'ধৈর্য নেই বলুন। তোপ্‌সে পড়। পাংচুয়েট করে নিলে জলের মতো সোজা।'

খুব বেশি না ঠেকেই পড়ে গেলাম আমি।—

'এ কে এল ? এটি বিবি। বিবি এসো। এদিকে এসো। আরো এদিকে এসো। এটি কে এল ? পিসি এল। আর ওটি ? ওটি দিদি। ও কে ? ও জেঠি। আর ও ? ও ঝি।'

'ওটা কোথায় পেলেন আপনারা ?' মহেশবাবু হাসিমুখে আমাদের দিকে এগিয়ে এসেছেন।

'আপনার বাগানের ধারে পড়ে ছিল,' বলল ফেলুদা।

'বিবিদিদিমণির সঙ্গে একটু খেলা করছিলাম আর কী।'

'সেটা আন্দাজ করেছি', বলল ফেলুদা। আমরা তিনজনেই উঠতে যাচ্ছিলাম, ভদ্রলোক বাধা দিয়ে আমাদের পাশেই পাথরের উপর বসে পড়লেন।

'আরেকটি কাগজ দেখাব আপনাদের।'

মহেশবাবুর মুখে আর হাসি নেই। পকেট থেকে মানিব্যাগ বার করে তার ভিতর থেকে একটা পুরনো ভাঁজ করা পোস্টকার্ড বার করলেন।—'আমার দ্বিতীয় পুত্রের শেষ পোস্টকার্ড।'

ফেলুদা পোস্টকার্ডটা নিয়ে ভাঁজ খুলল। একদিকে রঙিন ছবি। লেক সমেত জুরিখ শহরের দৃশ্য। উলটোদিকে শুধুই নাম ঠিকানা দেখে আমরা সকলেই বেশ অবাক।

মহেশবাবু বললেন, 'শেষের দিকে ও তাই করত। শুধু জানান দিয়ে দিত কোথায় আছে। আগেও দু-এক লাইনের বেশি লেখেনি কখনও।'

ভদ্রলোক ফেলুদার হাত থেকে পোস্টকার্ডটা নিয়ে আবার ভাঁজ করে ব্যাগে রেখে দিলেন।

ফেলুদা বলল, 'বীরেনবাবু বিলেতে কী করতেন সেটা জানতে পেরেছিলেন?'

মহেশবাবু মাথা নাড়লেন। 'মামুলি চাকরি করার ছেলে ছিল না বীরেন। সে ছিল যাকে বলে রেবেল। একটি অগ্নিস্ফুলিঙ্গ। গতানুগতিকের একেবারে বাইরে। তার আবার একটি হিরো ছিল। বাঙালি হিরো। একশো বছর আগে তিনিও নাকি বাড়ি থেকে পালিয়ে জাহাজের খালাসি হয়ে বিলেত যান। তারপর শেষ পর্যন্ত ব্রেজিল না মেক্সিকো কোথায় গিয়ে আর্মিতে ঢুকে কর্নেল হয়ে সেখানকার যুদ্ধে অসাধারণ বীরত্ব দেখান।'

'সুরেশ বিশ্বাস কি?' ফেলুদা জিজ্ঞেস করল। লালমোহনবাবুরও চোখ চকচক করে উঠেছে। বললেন, 'ইয়েস ইয়েস, সুরেশ বিশ্বাস। ব্রেজিলে মারা যান ভদ্রলোক। কর্নেল সুরেশ বিশ্বাস।'

মহেশবাবু বললেন, 'ঠিক বলেছেন। ওই নাম। কোত্থেকে তার একটা জীবনী জোগাড় করেছিল, আর সেটা পড়েই ওর অ্যাডভেঞ্চারের শখ হয়। আমি বাধা দিইনি। জানতাম দিলে কোনও ফল হবে না। উধাও হয়ে গেল। তারপর মাস দুয়েক পরে এল ইউরোপ থেকে এক চিঠি। হল্যান্ড, সুইডেন, জার্মানি, অস্ট্রিয়া...কী করছে কিছু বলে না, শুধু জানিয়ে দেয় সে আছে। চলে গেছে বলে যেমন দুঃখ হত, তেমনি নিজের চেষ্টায় নিজের পায়ে দাঁড়িয়েছে বলে গর্বও হত। তারপর সিক্সটি সেভনের পর আর চিঠি নেই।'

মহেশবাবু কিছুক্ষণ উদাস চোখে দূরের গাছপালার দিকে চেয়ে রইলেন। তারপর বললেন, 'সে আর আমার কাছে আসবে না। এত সুখ আমার কপালে নেই। আমার উপরে যে অভিশাপ লেগেছে!'

'সে কী হে, তুমি আবার অভিশাপ-টভিশাপে বিশ্বাস কর কবে থেকে?'—অখিলবাবু আমাদের দিকে এগিয়ে এলেন। মহেশবাবু দীর্ঘশ্বাস ফেলে বললেন, 'তুমি আমার কোষ্ঠীই বিচার করেছ অখিল, মানুষটাকে বিচার করনি।'

'ওইখানেই তো ভুল,' বললেন অখিলবাবু, 'মানুষের কুষ্ঠি, মানুষের রাশি গ্রহ লগ্ন—এ সবের থেকে তো আলাদা নয় মানুষ। তোমায় বলেছিলুম সেই ফর্টিটুতে, যে তোমার জীবনে একটা বড় চেঞ্জ আসছে—মনে আছে তোমার?—শুনুন মশাই—' ফেলুদার দিকে ফিরলেন অখিলবাবু—'এই যে দেখছেন এঁকে এখন দেখলে বুঝতে পারছেন কি যে ইনি এককালে

রাঁচি টু নেতারহাট যাবার পথে এঁর একটি পুরনো ফোর্ড গাড়ি বিকল হয়ে যাওয়ায় তার উপর রাগ করে সেটাকে পাহাড় থেকে হাজার ফুট নীচে ফেলে দিয়েছিলেন ?'

মহেশবাবু উঠে পড়েছিলেন। বললেন, 'বয়সের সঙ্গে সঙ্গে মানুষ বদলায় সেটা বলে দিতে কি জ্যোতিষীর দরকার হয় ?'

কথাটা বলে মহেশবাবু উত্তরদিকে চলে গেলেন, বোধহয় পাথরের সন্ধানে। অখিলবাবু বসলেন তাঁর জায়গায়। গল্প বলার মুডে ছিলেন ভদ্রলোক। বললেন, 'আশ্চর্য লোক এই মহেশ। আমি ওঁর পড়শি ছিলাম। যদিও অন্য দিক দিয়ে ব্যবধান বিস্তর। আমি শিক্ষক, আর ও উদীয়মান অ্যাডভোকেট। ওর ছেলেদের টিউশনি করেছি কিছুদিন, সেই থেকে আলাপ। অ্যালোপ্যাথিতে আস্থা ছিল না, তাই অসুখ-টসুখ করলে মাঝে মাঝে শিকড় বাকল চেয়ে নিত আমার কাছে। সামাজিক ব্যবধানটা কোনওদিন বুঝতে দিত না। আমার ছেলেকেও নিজের ছেলের মতোই স্নেহ করত। কোনও স্নবারি ছিল না।'

'আপনার ছেলে কী করে ?'

'কে, অধীর ? অধীর ইঞ্জিনিয়ার। বোকারোয় আছে। খড়্গপুরে পাশ করে ডুসেলডর্ফে চাকরি নিয়ে চলে গেসল। বিদেশেই ছিল বছর দশেক, তারপর—'

একটা বিস্ফোরণের শব্দ অখিলবাবুর কথা থামিয়ে দিল। 'বন্দুক !'—চেঁচিয়ে উঠল বিবি—'জেঠু পাখি মেরেছে ! আমরা রাত্তিরে তিতিরের মাংস খাব !'

'দেখি মহেশ আবার কোথায় গেল।' অখিলবাবু যেন কিছুটা চিন্তিত ভাবেই উঠে পড়লেন। 'পাথর খুঁজতে গিয়ে পা হড়কে পড়ে-টড়ে গেলে জন্মদিনটাই...'

'পিকনিক বলে মনে হচ্ছে না।' প্রীতীনবাবুর স্ত্রী হাতের বইটা বন্ধ করে শতরঞ্চির উপর রেখে উঠে আমাদের দিকে এগিয়ে এলেন। 'সবাই এমন ছড়িয়ে আছে কেন বলুন তো ?'

'খিদে পেলেই সুড়সুড় করে এসে হাজির হবে', বলল ফেলুদা।

'কিছু খেললে হত না ?'

'তাস ?' বললেন লালমোহনবাবু, 'আমি কিন্তু স্ক্রু ছাড়া আর কিচ্ছু জানি না।'

'তাও আবার ঢিলে', বলল ফেলুদা।

'তাস তো আনিনি সঙ্গে', বললেন নীলিমা দেবী। 'এমনি মুখে মুখে কিছু খেলা যেতে পারে।'

'জল-মাটি-আকাশ হলে লালমোহনবাবু যোগ দিতে পারেন,' বলল ফেলুদা।

'সেটা আবার কী মশাই ?'

'খুব সহজ', বললেন নীলিমা দেবী, 'ধরুন, আপনার দিকে তাকিয়ে আমি জল, মাটি, আকাশ এই তিনটের কোনও একটা বলে দশ গুনতে শুরু করব। জল বললে জলের, মাটি বললে মাটির, আর আকাশ বললে আকাশের একটা প্রাণীর নাম করতে হবে আপনাকে ওই দশ গোনার মধ্যে।'

'এটা খুব কঠিন খেলা বুঝি ?'

'খেলে দেখুন একবার। আমি আপনাকেই প্রশ্ন করছি।'

'বেশ। রেডি।' লালমোহনবাবু দম নিয়ে সোজা হয়ে যোগাসনে বসলেন। নীলিমা দেবী ভদ্রলোকের চোখের দিকে কিছুক্ষণ চেয়ে থেকে হঠাৎ চেঁচিয়ে উঠলেন—

'আকাশ ! এক দুই তিন চার পাঁচ—'

'এঁ-এঁ-এঁ—'

'ছয় সাত আট নয়—'

'বেঙুর !'

ফেলুদা অবিশ্যি জানতে চাইল বেঙুরটা কোন গ্রহের আকাশে চরে বেড়ায়। তাতে লালমোহনবাবু বললেন যে ব্যাঙ, হাঙর আর বেলুন—এই তিনটে তিনি ভেবে রেখেছিলেন, বলার সময় তালগোল পাকিয়ে গেছে। তাতে ফেলুদা বলল যে বেলুনকে প্রাণী বলা যায় কি না সে বিষয়ে সন্দেহ আছে ; কিন্তু লালমোহনবাবু কথাটা মানতে চাইলেন না। বললেন, 'বেলুনে অক্সিজেন লাগে, প্রাণীরও অক্সিজেন ছাড়া চলে না, সুতরাং প্রাণী বলব না কেন মশাই ?' ফেলুদা বলল যে সে হাওয়া, হাইড্রোজেন আর হিলিয়ামের বেলুনের কথা শুনেছে, এমন কী কয়লার গ্যাসের বেলুনের কথাও শুনেছে, কিন্তু অক্সিজেন বেলুনের কথা এই প্রথম শুনল।

নীলিমা দেবী তর্ক থামানোর জন্য হাত তুলেছিলেন, ঠিক সেই সময় এমন একটা ঘটনা ঘটল যে তর্ক আপনিই থেমে গেল।

প্রীতীন্দ্রবাবু।

মানুষে একসঙ্গে দুঃখ আর আতঙ্ক অনুভব করলে তার কীরকম ভাবভঙ্গি হতে পারে, লিওনার্দো দা ভিঞ্চির করা তার একটা ড্রইং ফেলুদা একবার আমাকে দেখিয়েছিল। প্রীতীনবাবুর চেহারা অবিকল সেই ছবির মতো।

ভদ্রলোক একটা ঝোপের পিছন থেকে বেরিয়ে এসে কাঁপতে কাঁপতে মাটিতে বসে পড়লেন।

নীলিমা দেবী ছুটে গেলেন স্বামীর দিকে, যদিও ফেলুদা তার আগেই পৌঁছে গেছে। কিন্তু ভদ্রলোকের মুখ দিয়ে কথা বেরোতে বেশ সময় লাগল।

'বা...বা...বাবা !' বললেন প্রীতীনবাবু, আর সঙ্গে সঙ্গে তার ডান হাতটা পিছন দিকে নির্দেশ করল।

৫

মহেশবাবুকে যখন বাড়িতে আনা হয় তখন প্রায় আড়াইটা। তখনও জ্ঞান হয়নি ভদ্রলোকের। মাথায় চোট লেগেছে, দাঁড়ানো অবস্থা থেকে সটান পড়েছিলেন মাটিতে। ডাক্তার বলছেন হার্ট অ্যাটাক। ভদ্রলোকের হার্ট এমনিতেই দুর্বল ছিল, তার উপর এই বয়সে হঠাৎ কোনও কারণে শক্‌ পেলে এরকম হওয়া অস্বাভাবিক নয়। মোটকথা, তাঁর অবস্থা ভাল নয়, সেরে ওঠার সম্ভাবনা আছে কি না সেটা এখনও বলা যাচ্ছে না।

রাজরাপ্পার আমরা যেখানে বসেছিলাম, তার উত্তরে খানিকটা দূরে একটা বেশ বড় পাথরের পিছনে একটা খোলা জায়গায় মহেশবাবুকে পাওয়া যায়। এটা কোনওদিন ভুলব না যে আমরা যখন সেখানে পৌঁছলাম তখন তাঁর কাছেই দুটো হলদে প্রজাপতি উড়ে বেড়াচ্ছিল। প্রীতীনবাবু পাহাড় বেয়ে উপর দিকের জঙ্গলে গিয়েছিলেন, ফেরার পথে কিছুদূর নেমে এসে একটা ঝোপ পেরিয়ে নীচের দিকে চেয়ে দেখেন মহেশবাবু পড়ে আছেন মাটিতে। তিনি ভেবেছিলেন ভদ্রলোক মারাই গেছেন, তাই ওরকম চেহারা করে এসেছিলেন খবর দিতে। ফেলুদা গিয়েই মহেশবাবুর নাড়ি ধরে বলল তিনি বেঁচে আছেন। তাঁর মাথাটা পড়েছিল একটা থান ইটের সাইজের পাথরের উপর, তার ফলে খানিকটা রক্ত বেরিয়ে পড়েছিল পাথর আর বালির উপর।

আমরা মহেশবাবুর কাছে পৌঁছনোর মিনিটখানেক পরে প্রথম এলেন অরুণবাবু, তাঁর হাতে বন্দুক। তারপর এলেন অখিলবাবু। সব শেষে এলেন শঙ্করলাল মিশ্র। শেষের ভদ্রলোকটিকে যেরকম ভেঙে পড়তে দেখলাম, তাতে বুঝলাম মহেশবাবুর প্রতি তাঁর টান কত গভীর।

এই অবস্থায় আমাদের পক্ষে মহেশবাবুকে তুলে ভেড়া নদী পেরিয়ে হাজারিবাগ নিয়ে আসা অসম্ভব, তাই ভদ্রলোকের দুই ছেলে তৎক্ষণাৎ চলে গেলেন শহরে। ডাক্তার আর অ্যাম্বুল্যান্স নিয়ে আসতে লাগল প্রায় আড়াই ঘণ্টা, কৈলাসে পৌঁছতে আরও এক ঘণ্টা। আমরা কিছুক্ষণ কৈলাসেই রয়ে গেলাম। পিকনিক আর হয়নি, তাই কারুর খাওয়া হয়নি। কিন্তু এই অবস্থার মধ্যেই প্রীতীনবাবুর স্ত্রী আমাদের জন্য পরোটা, আলুর দম, মাংসের কাবাব ইত্যাদি এনে দিলেন। আশ্চর্য শক্ত বলতে হবে ভদ্রমহিলা। বিবি অবিশ্যি ব্যাপারটা বুঝতেই পারছে না, বলছে দাদু মাথা ঘুরে পড়ে গেছে। আমরা বৈঠকখানাতেই বসেছিলাম, অরুণবাবু ডাক্তারের সঙ্গে ছিলেন বাপের ঘরে, প্রীতীনবাবু মাঝে মাঝে এসে ভদ্রতার খাতিরে আমাদের সঙ্গে দু-একটা কথা বলে যাচ্ছিলেন। শঙ্করলাল নির্বাক, এই কয়েক ঘণ্টার মধ্যে তিনি একবারও মুখ খোলেননি। অখিলবাবুর মুখে একটাই কথা—'এত করে বললাম, তাও কথা শুনল না। আমি জানতাম আজ একটা কিছু অঘটন ঘটবে।'

চারটে নাগাত আমরা উঠে পড়লাম। প্রীতীনবাবু ছিলেন, তাঁকে বললাম কাল এসে খবর নিয়ে যাব কেমন থাকেন মহেশবাবু।

বাড়ি ফিরে এসে হাত মুখ ধুয়ে বারান্দায় এসে বসলাম তিনজন। একদিনে অল্প সময়ের মধ্যে অনেকগুলো ঘটনা ঘটলে মাথাটা কেমন যেন ভোঁ ভোঁ করে, আমার সেই অবস্থা। ফেলুদা কথা বলছে না, তার মানে তার ভাবনা চিন্তাগুলোকে গুছিয়ে ফেলছে। আমি জানি ও এখন বেশি কথা বলা পছন্দ করে না, তাও একটা জিনিস না বলে পারলাম না।

'আচ্ছা ফেলুদা, ডাক্তার বলেছেন একটা শক্ পেলে এরকম হতে পারে, কিন্তু রাজরাপ্পাতে কী শক পেতে পারেন মহেশবাবু?'

'গুড কোয়েশ্চন,' বলল ফেলুদা, 'আজকের ঘটনার ওই একটা ব্যাপারই আমার কাছে অর্থপূর্ণ। অবিশ্যি শক্ পেয়েছেন কি না নিশ্চিতভাবে বলা যায় না এখনও।'

'সেটা ভদ্রলোক সুস্থ হয়ে উঠলেই ক্লিয়ার হয়ে যাবে,' বললেন লালমোহনবাবু।

'উঠবেন কি সুস্থ হয়ে?'

মহেশবাবু সম্বন্ধে ফেলুদার মনে যে কৌতূহলের ভাব জেগে উঠেছে, সেটা আজ কৈলাসের বৈঠকখানায় বসেই বুঝতে পারছিলাম। বেশির ভাগ সময়টাই ও ঘরের জিনিসপত্র, আলমারির বই, এই সব দেখে কাটিয়েছে। ভাবটা যে তদন্ত করছে তা নয়, বেশ ঢিলেঢালা, কিন্তু আমি বুঝতে পারছিলাম যে ও সব কিছু মনে মনে নোট করে নিচ্ছে। সেই ফ্যামিলি গ্রুপটা ও হাতে তুলে নিয়ে দেখল প্রায় পাঁচ মিনিট ধরে।

আদিবাসী গ্রাম থেকে মাদলের শব্দ ভেসে আসছে। হঠাৎ খেয়াল হল যে আজ ম্যাজেস্টিক সার্কাসের বাঘটার কোনও খবর পাওয়া যায়নি। অবিশ্যি ধরা পড়লে নিশ্চয়ই জানা যেত। অন্তত বুলাকিপ্রসাদ নিশ্চয়ই জানাত।

ঠাণ্ডাটা পড়েছে, লালমোহনবাবু তাই মাঙ্কিক্যাপটা আরও টেনে নামিয়ে নিয়ে বললেন, 'সিগ্‌নিফিক্যান্ট ব্যাপার।'

ভদ্রলোক বোধহয় ভেবেছিলেন আমরা দুজনেই জিজ্ঞেস করব ব্যাপারটা কী; না করাতে শেষে নিজেই বললেন, 'যে সময়টা ঘটনাটা ঘটল, তখন কিন্তু মিসেস প্রীতীনবাবু আর খুকি ছাড়া আর কে কী করছিল তা আমরা কেউ জানি না।'

'কেন জানব না', বলল ফেলুদা। 'অরুণবাবু পাখি মারার চেষ্টা করছিলেন, প্রীতীনবাবু পাখির ডাক রেকর্ড করছিলেন, অখিলবাবু মহেশবাবুকে খুঁজছিলেন, শঙ্করলাল তাঁর সন্ন্যাসী বন্ধুর সঙ্গে গল্প করছিলেন, আর বেয়ারা দুজন আমাদের বিশ হাত দূরে শিমুল গাছের তলায় বসে বিড়ি খাচ্ছিল।'

‘বেয়ারাদের তো আমিও দেখেছি মশাই, কিন্তু আর সবাই সত্যি কথা বলছে কি না সেটা জানচেন কী করে ?’

‘যাঁদের সঙ্গে মাত্র কয়েক ঘণ্টার আলাপ তাঁদের আচরণ সম্বন্ধে এত চট করে সন্দেহ প্রকাশ করতে আমি রাজি নই।’

‘তা বটে, তা বটে।’

ডিনারের মাঝখানে লালমোহনবাবু হঠাৎ একটা নতুন কথা ব্যবহার করলেন—‘সুপার-কেলেঙ্কারি’। এটাও বলা দরকার যে কথাটা বলার সময় তিনি চেয়ার ছেড়ে প্রায় ছইঞ্চি লাফিয়ে উঠেছিলেন। ফেলুদা স্বভাবতই জিজ্ঞেস করল ব্যাপারটা কী।

‘আরে মশাই, একটা জরুরি কথাই বলা হয়নি। সাংঘাতিক ক্লু। যেখানে ডেড্‌বডি—থুড়ি, মহেশবাবু পড়েছিলেন, তার একপাশে পায়ে কী জানি ঠেকতে চেয়ে দেখি প্রীতীনবাবুর টেপ রেকর্ডার।’

‘সেটা এনেছেন সঙ্গে ?’

‘ভাবলাম পরে তুলব, তুলে ভদ্রলোককে দেব, তা তখন যা অবস্থা...ফেরার সময় দেখি সেটা আর নেই।’

‘প্রীতীনবাবু তুলে নিয়েছিলেন বোধহয়।’

‘দূর মশাই, প্রীতীনবাবু ওই দিকটাতেই ঘেঁষেননি। তা ছাড়া জিনিসটা পড়েছিল একটা ঝোপড়ার মধ্যে ; পায়ে না ঠেকলে চোখেই পড়ত না।’

ফেলুদা ব্যাপারটা নিয়ে কী যেন মন্তব্য করতে যাচ্ছিল, এমন সময় একটা টেলিফোন এল।

অরুণবাবু।

ফেলুদা দু-একটা কথা বলেই ফোনটা রেখে বলল, ‘কৈলাস চল। মহেশবাবুর জ্ঞান হয়েছে। আমার নাম করছেন।’

গাড়িতে কৈলাস যেতে লাগল এক মিনিট।

মহেশবাবুর ঘরে সকলেই রয়েছেন, এক বিবি ছাড়া। ভদ্রলোকের মাথায় ব্যান্ডেজ, চোখ আধবোজা, হাত দুটো বুকের উপর জড়ো করা। ফেলুদাকে দেখে মুখে যে হাসিটা দেখা দিল সেটা প্রায় চোখে ধরাই পড়ে না। তারপর তাঁর ডান হাতটা উঠে তর্জনীটা সোজা হল।

‘কা কা...’

‘একটা কাজের কথা বলছেন কি ?’ ফেলুদা জিজ্ঞেস করল।

ভদ্রলোকের মাথাটা সামান্য নড়ে উঠল হ্যাঁ-য়ের ভঙ্গিতে। তারপর তর্জনীর পাশে মাঝের আঙুলটাও উঠে দাঁড়াল। একের জায়গায় দুই।

‘উই...উই...’

এইটুকু বলে দুটো আঙুল আবার ভাঁজ হয়ে গিয়ে সেই জায়গায় বুড়ো আঙুলটা সোজা হয়ে উঠে এদিক ওদিক নড়ল।

তারপর ভদ্রলোক বেশ কষ্ট করে ঘাড়টা ডান দিকে ঘোরালেন। ওদিকে বেডসাইড টেবিল। তার উপর মুক্তানন্দের ছবি।

ছবির দিকে হাতটা বাড়ানোর চেষ্টা করতে অরুণবাবু ছবিটা বাপের দিকে এগিয়ে দিলেন। মহেশবাবু সেটা নিজে না নিয়ে ফেলুদার দিকে দৃষ্টি ফেরালেন। অরুণবাবু ছবিটা ফেলুদাকে দেবার পর মহেশবাবু আবার দু আঙুল দেখালেন। কী যেন একটা বলতেও চেষ্টা করেছিলেন, কিন্তু পারলেন না।

এর পরে আর কোনও কথা বলতে পারেননি মহেশ চৌধুরী।

তিন মহাদেশের শক্তি যাঁর পিছনে, সেই মুক্তানন্দের ফ্রেমে বাঁধানো পাসপোর্ট সাইজের ছবি এখন আমাদের ঘরে। আমরা চলে আসার ঘণ্টা দুয়েকের মধ্যেই মহেশবাবু মারা যান। যাবার আগে ফেলুদার উপর যে তিনি কী দায়িত্ব দিয়ে গেছেন সেটা ফেলুদা বুঝলেও, আমি বুঝিনি। আর লালমোহনবাবুও নিশ্চয়ই বোঝেননি, কারণ উনি বললেন মহেশবাবু নাকি ফেলুদাকে মুক্তানন্দের শিষ্য হতে বলে গেছেন। ফেলুদা যখন জিজ্ঞেস করল যে ছবিটা দেবার পরে দুটো আঙুল দেখানোর মানে কী, তখন লালমোহনবাবু বললেন মুক্তানন্দের শিষ্য হলে ফেলুদার শক্তি ডবল হয়ে যাবে এটাই বোঝাতে চেয়েছিলেন ভদ্রলোক। 'অবিশ্যি কাঁচকলা দেখালেন কেন সেটা বোঝা গেল না।' স্বীকার করলেন লালমোহনবাবু।

পরদিন সকালে অখিলবাবুর টেলিফোনে আমরা মৃত্যুসংবাদটা পেলাম।

এগারোটা নাগাদ শ্মশান থেকে ফেরার পথে লালমোহনবাবু জিজ্ঞেস করলেন, 'কৈলাসে যাবেন, না বাড়ি যাবেন?' ফেলুদা বলল, 'এবেলা ওদিকটা না মাড়ানোই ভাল ; অনেকে সমবেদনা জানাতে আসবে, কাজ হবে না কিছুই।'

'কী কাজের কথা বলছেন?'

'তথ্য সংগ্রহ।'

দুপুরে খাবার পর বারান্দায় বসে ফেলুদা ওর সবুজ খাতায় কিছু নোট লিখল। সেটা শেষ হলে এইরকম দাঁড়াল—

১। মহেশ চৌধুরী—জন্ম ২৩শে নভেম্বর ১৯০৭, মৃত্যু ২৪শে নভেম্বর ১৯৭৭ (স্বাভাবিক হার্ট অ্যাটাক? শক?)। হেঁয়ালিপ্রিয়। ডাকটিকিট, প্রজাপতি, পাথর। দোরাবজীর দেওয়া মূল্যবান স্ট্যাম্প অ্যালবাম লোপাট (How?) মেজো ছেলের প্রতি টান। অন্য দুটির প্রতি মনোভাব কেমন? শঙ্করলালের প্রতি অপত্য স্নেহ। স্নবারি ছিল না। অতীতে মেজাজী, মদ্যপ। শেষ বয়সে সাত্ত্বিক, সদাশয়। অভিশাপ কেন?

২। ঐ স্ত্রী—মৃতা। কবে?

৩। ঐ বড় ছেলে অরুণেন্দ্র—জন্ম (আন্দাজ) ১৯৩৬। অভ্রব্যবসায়ী। কলকাতা-হাজারিবাগ যাতায়াত। মৃগয়াপ্রিয়। স্বল্পভাষী।

৪। ঐ মেজো ছেলে বীরেন্দ্র—জন্ম (আন্দাজ) ১৯৩৯। 'অগ্নিস্ফুলিঙ্গ'। ১৯ বছর বয়সে দেশ-ছাড়া। কর্নেল সুরেশ বিশ্বাসের ভক্ত। বাপকে বিদেশ থেকে চিঠি লিখত '৬৭ পর্যন্ত। জীবিত? মৃত? বাপের ধারণা সে ফিরে এসেছে?

৫। ছোট ছেলে প্রীতীন্দ্র—অরুণের সঙ্গে ব্যবধান অন্তত ৯-১০ বছর (ভিত্তি : ফ্যামিলি গ্রুপ)। অর্থাৎ জন্ম (আন্দাজ) ১৯৪৫। ইলেকট্রনিকস। পাখির গান। মিশুকে নয়। কথা বললে বেশি বলে, নিজের বিষয়। টেপ রেকর্ডার ফেলে এসেছিল রাজরাপ্পায়।

৬। প্রীতীনের স্ত্রী নীলিমা—বয়স ২৫-২৬। সহজ, সপ্রতিভ।

৭। অখিল চক্রবর্তী—বয়স আন্দাজ ৭০। এক্স-স্কুলমাস্টার। মহেশের বন্ধু। ভাগ্য গণনা, আয়ুর্বেদ।

৮। শঙ্করদয়াল মিশ্র—জন্ম (আন্দাজ) ১৯৩৯। বীরেনের সমবয়সী। মহেশের

দারোয়ান দীনদয়ালের ছেলে। দীনদয়ালের মৃত্যু ১৯৪৩। প্রশ্ন—জঙ্গলে গিয়েছিল কেন? শঙ্করকে মানুষ করেন মহেশ। বর্তমানে বইয়ের দোকানের মালিক। মহেশের মৃত্যুতে মুহ্যমান।

৯। নূর মহম্মদ—বয়স ৭০-৮০। চল্লিশ বছরের উপর মহেশের বেয়ারা।

ফেলুদা ঠিকই আন্দাজ করেছিল। দুপুরে খাওয়ার পর কৈলাসে গিয়ে শুনলাম সকালে অনেকেই এসেছিলেন, কিন্তু একটা নাগাদ সবাই চলে গেছেন। বৈঠকখানায় মহেশবাবুর দুই ছেলে আর অখিলবাবু ছিলেন, আমরা সেখানেই বসলাম। প্রীতীনবাবুর অস্থির ভাবটা যেন আরও বেড়ে গেছে; একটা আলাদা সোফার এক কোণে বসে খালি হাত কচলাচ্ছেন। অখিলবাবু মাঝে মাঝে দীর্ঘশ্বাস ফেলছেন আর মাথা নাড়ছেন। অরুণবাবু যথারীতি গম্ভীর ও শান্ত। ফেলুদা তাঁকেই প্রশ্নটা করল।

'আপনারা কি কিছুদিন আছেন?'

'কেন বলুন তো?'

'আপনাদের একটু সাহায্যের দরকার। মহেশবাবু একটা কাজের ভার দিয়ে গেছেন আমাকে, কী কাজ সেটা অবিশ্যি স্পষ্ট করে বলার ক্ষমতা ছিল না তাঁর। আমি প্রথমে জানতে চাই—উনি কী বলতে চেয়েছিলেন সেটা আপনারা কেউ বুঝেছেন কি না।'

অরুণবাবু একটু হেসে বললেন, 'বাবার সুস্থ অবস্থাতেই তাঁর অনেক সংকেত আমাদের বুঝতে বেশ অসুবিধা হত। রাশভারি লোক হলেও ওঁর মধ্যে একটা ছেলেমানুষি দিক ছিল সেটার কিছুটা আভাস হয়তো আপনিও পেয়েছেন। আমার মনে হয় বাবা শেষ অবস্থায় যে কথাগুলো বললেন সেটার উপর বেশি গুরুত্ব না দেওয়াই ভাল।'

ফেলুদা বলল, 'আমার কাছে নির্দেশগুলো কিন্তু সম্পূর্ণ অর্থহীন বলে মনে হয়নি।'

'তাই বুঝি?'

'হ্যাঁ। তবে সব সংকেত ধরতে পেরেছি এটা বলতে পারব না। যেমন ধরুন, মুক্তানন্দের ছবি।' ফেলুদা অখিলবাবুর দিকে ফিরল। 'আপনি ওটা সম্বন্ধে নিশ্চয়ই কিছু বলতে পারেন। ছবিটা তো বোধহয় আপনারই দেওয়া।'

অখিলবাবু বিষণ্ণ হাসি হেসে বললেন, 'হ্যাঁ, আমারই দেওয়া। মুক্তানন্দ রাঁচিতে এসেছিলেন একবার। আমার তো এসবের দিকে একটু ঝোঁক আছেই চিরকাল। বেশ জেনুইন লোক বলে মনে হয়েছিল। আমি মহেশকে ঠাট্টা করে বলেছিলাম—তুমি তো কোনওদিন সাধু-সন্ন্যাসীতে বিশ্বাস-টিশ্বাস করলে না, শেষ বয়সে একটু এদিকে মন দাও না। তোমাকে একটা ছবি এনে দেব। ঘরে রেখে দিয়ো। মুক্তানন্দের প্রভাব খারাপ হবে না। তিনটি মহাদেশে এঁর প্রভাব ছড়িয়ে পড়েছে, না হয় তোমার উপরেও একটু পড়ল।—তা সে ছবি যে সে তার খাটের পাশে রেখে দিয়েছে সেটা কালই প্রথম দেখলাম। অসুখের আগে তো ওর শোবার ঘরে যাইনি কখনও।'

'আপনি ওটা সম্বন্ধে জানেন কিছু?' ফেলুদা অরুণবাবুকে প্রশ্ন করল।

অরুণবাবু মাথা নাড়লেন। 'ও জিনিসটা যে বাবার কাছে ছিল সেটাই জানতাম না। বাবার শোবার ঘরে আমিও কালই প্রথম গেলাম।'

'আমিও জানতাম না।'—প্রীতীনবাবুকে কিছু জিজ্ঞেস করার আগেই তিনি বলে উঠলেন।

ফেলুদা বলল, 'দুটো জিনিস পেলে আমার কাজের একটু সুবিধা হতে পারে।'

'কী জিনিস?' অরুণবাবু জিজ্ঞেস করলেন।

‘প্রথমটা হল—মহেশবাবুকে লেখা তাঁর দ্বিতীয় পুত্রের চিঠি।’

‘বীরেনের চিঠি ?’ অরুণবাবু অবাক। ‘বীরেনের চিঠি দিয়ে কী হবে ?’

‘আমার বিশ্বাস ওই ছবিটা মহেশবাবু বীরেনকে দেবার জন্য দিয়েছিলেন আমাকে।’

‘হাউ স্ট্রেঞ্জ ! এ ধারণা কী করে হল আপনার ?’

ফেলুদা বলল, ‘ছবিটা আমাকে দিয়ে মহেশবাবু দুটো আঙুল দেখিয়েছিলেন সেটা আপনারাও দেখেছিলেন ; একটা সম্ভাবনা আছে যে দুই আঙুল মানে দুরি। আমার ভুল হতে পারে, কিন্তু আপাতত এই বিশ্বাসেই আমাকে কাজ চালিয়ে যেতে হবে।’

‘কিন্তু বীরেনকে আপনি পাচ্ছেন কোথায় ?’

‘ধরুন মহেশবাবু যদি ঠিকই দেখে থাকেন ; যদি সে এখানে এসে থাকে।’

অরুণবাবু তাঁর বাপের মৃত্যুর কথা ভুলে গিয়ে হো হো করে হেসে উঠলেন।

‘বাবা গত পাঁচ বছরে কতবার বীরেনকে দেখেছেন তা আপনি জানেন ? বিশ বছর যে ছেলে বিদেশে, বাবা তাঁর দুর্বল দৃষ্টি দিয়ে তাকে এক ঝলক দেখেই চিনে ফেলবেন এটা আপনি ভাবছেন কী করে ?’

‘আপনি ভুল করছেন অরুণবাবু, আমি নিজে একবারও ভাবছি না যে বীরেনবাবু ফিরে এসেছেন। কিন্তু তিনি যদি দেশের বাইরেও কোথাও থেকে থাকেন, তা হলেও আমার দায়িত্ব দায়িত্বই থেকে যায়। তিনি কোথায় আছেন জেনে জিনিসটা তাঁর হাতে পৌঁছানোর ব্যবস্থা করতে হবে আমাকে।’

অরুণবাবু একটু নরম হয়ে বললেন, ‘বেশ। আপনি দেখবেন বীরেনের চিঠি। বাবা সব চিঠি এক জায়গায় রাখতেন। বীরেনের চিঠিগুলো আলাদা করে বেছে রাখব।’

‘ধন্যবাদ’, বলল ফেলুদা, ‘আর দ্বিতীয় জিনিস হচ্ছে—মহেশবাবুর ডায়রি। সম্ভব হলে সেগুলোও একবার দেখব।’

আমি ভেবেছিলাম অরুণবাবু এতে আপত্তি করবেন, কিন্তু করলেন না। বললেন, ‘দেখতে চান দেখতে পাবেন। বাবা তাঁর ডায়রির ব্যাপারে কোনও গোপনতা অবলম্বন করতেন না। তবে আপনি হতাশ হবেন, মিঃ মিত্তির।’

‘কেন ?’

‘বাবার মতো ও রকম নীরস ডায়রি আর কেউ লিখেছে কি না জানি না। অত্যন্ত মামুলি তথ্য ছাড়া আর কিচ্ছু নেই।’

‘হতাশ হবার ঝুঁকি নিতে আমার আপত্তি নেই।’

চিঠির ব্যাপারে ঠিক হল অরুণবাবু আর প্রীতীনবাবু ভাইয়েরগুলো বেছে আলাদা করে রাখবেন, সেগুলো কাল সকালে ফেলুদাকে দেওয়া হবে। ডায়রিগুলো আজই নিয়ে যাব আমরা, আর কালই ফেরত দিয়ে দেব। বুঝলাম ফেলুদাকে আজ রাত জাগতে হবে, কারণ ডায়রির সংখ্যা চল্লিশ।

তিনজনে ভাগাভাগি করে খবরের কাগজে মোড়া মহেশ চৌধুরীর ডায়রির সাতটা প্যাকেট নিয়ে কৈলাসের কাঁকর-বিছানো পথ দিয়ে যখন ফটকের দিকে যাচ্ছি, তখন দেখলাম জোড়া-মৌমাছি তার বিলিতি ডল হাতে নিয়ে বাগানে ঘোরাফেরা করছে। পায়ের শব্দে সে হাঁটা থামিয়ে আমাদের দিকে ঘুরে দেখল। তারপর বলল, ‘দাদু আমাকে বলেনি।’

হঠাৎ এমন একটা কথায় আমরা তিনজনেই থেমে গেলাম।

‘কী বলেনি দাদু ?’ ফেলুদা জিজ্ঞেস করল।

‘কী খুঁজছিল বলেনি।’

‘কবে ?’

'পরশু তরশু নরশু।'

'তিনদিন?'

'একদিন।'

'কী হয়েছিল বলো তো।'

বিবি দূরে দাঁড়িয়েই চেঁচিয়ে কথা বলছে, যদিও তার মন পুতুলের দিকে। সে পুতুলের মাথায় গোঁজার জন্য বাগান থেকে ফুল নিতে এসেছে। ফেলুদার প্রশ্নের উত্তরে বলল, 'দাদুর যে ঘর আছে দোতলায়, যেখানে টেবিল আছে, বই আছে আর সব জিনিস-টিনিস আছে, সেইখানে খুঁজছিল দাদু।'

'কী খুঁজছিলেন?'

'আমি তো জিজ্ঞেস করলাম। দাদু বলল কী পাচ্ছি না, কী খুঁজছি।'

'আবোল তাবোল বকছে, মশাই,' চাপা গলায় বললেন লালমোহনবাবু।

'আর কিছু বলেননি দাদু?' ফেলুদা জিজ্ঞেস করল।

'দাদু বলল এটা হেঁয়ালি, পরে মানে বলে দেব, এখন খুঁজতে দাও। তার পর আর বলল না দাদু। দাদু মরে গেল।'

ইতিমধ্যে ডলের মাথায় ফুল গোঁজা হয়ে গেছে, বিবি বাড়ির দিকে চলে গেল, আর আমরাও হলাম বাড়িমুখো।

৭

ফেলুদা এখন মহেশ চৌধুরীর ডায়রি নিয়ে বসবে, তাকে ডিসটার্ব না করাই ভাল, তাই আমরা দু জনে চারটে নাগাদ চা খেয়ে একটু ঘুরব বলে গাড়িতে করে বেরিয়ে পড়লাম। লালমোহনবাবুর ধারণা শহরের দিকে গেলে হয়তো সুলতানের লেটেস্ট খবর পাওয়া যেতে পারে।—'মহেশ চৌধুরীর মৃত্যুর ব্যাপারে তোমার দাদা যতই রহস্যের গন্ধ পেয়ে থাকুন না কেন, আমার কাছে বাঘ পালানোর ঘটনাটা অনেক বেশি রোমাঞ্চকর।'

বাঘের খবর পেতে বেশি দূর যেতে হল না। পেট্রোল নেবার দরকার ছিল, মেন রোডে ব্রিজভূষণ তেওয়ারির পেট্রোল পাম্পের সামনে ভিড় দেখেই বুঝলাম বাঘের আলোচনা হচ্ছে, কারণ একজন ভদ্রলোক থাবা মারার ভঙ্গি করলেন কথা বলতে বলতে।

লালমোহনবাবু গাড়ি থেকে নেমে সটান এগিয়ে গেলেন জটলার দিকে। ভদ্রলোক এককালে রাজস্থানে যাবেন বলে বই পড়ে কিছুটা হিন্দি শিখেছিলেন, কিন্তু এখন সেটা ফেলুদার ভাষায় আবার শেয়ালের স্ট্যান্ডার্ডে নেমে গেছে। তার মানে কেয়া হুয়া-র বেশি এগোনো মুশকিল হয়। তবু ভাল, ভিড়ের মধ্যে একজন বাঙালি বেরিয়ে গেল। তার কাছেই জানলাম যে হাজারিবাগের পুবে বিষ্ণুগড়ের দিকে একটা বনের মধ্যে নাকি সুলতানকে পাওয়া গিয়েছিল। ট্রেনার চন্দ্রনের সঙ্গে বনবিভাগের শিকারি নাকি বাঘটার দিকে এগিয়ে যায়। একটা সময় মনে হয়েছিল যে বাঘটা ধরা দেবে, কিন্তু শেষ মুহূর্তে সেটা চন্দ্রনকে একটা থাবা মেরে পালিয়ে যায়। গুলিও চলেছিল, কিন্তু বাঘটা জখম হয়েছে কি না জানা যায়নি। চন্দ্রন অবিশ্যি জখম হয়েছে, তবে তেমন গুরুতরভাবে নয়। সে এখন হাসপাতালে।

লালমোহনবাবু বললেন, 'কান্ডারিকারের কোনও খবর জানেন?'

এটা শুধরাতেই হল। বললাম, 'কান্ডারিকার নয়, কারান্ডিকার—যিনি বাঘের আসল ট্রেনার।'

ভদ্রলোক বললেন তার খবর জানেন না, তবে এটা জানেন যে বাঘের অভাবে নাকি সার্কাসের বিক্রি কিছুটা কমেছে।

বাঘের দিকে গুলি চলেছে জেনে কারান্ডিকারের মনোভাব কী হল সেটা জানার জন্য ভীষণ কৌতূহল হচ্ছিল আমাদের দুজনেরই, তাই পেট্রোল নিয়ে সোজা চলে গেলাম গ্রেট ম্যাজেস্টিকে।

ফেলুদা সঙ্গে থাকলে দেখেছি লালমোহনবাবু নিজে থেকে আগ বাড়িয়ে কিছু করতে সাহস পান না ; আজ দেখলাম সোজা গেটে গিয়ে বললেন, 'পুট মি থ্রু টু মিস্টার কুট্টি প্লিজ।' গেটের লোকটা কী বুঝল জানি না। হয়তো সেদিন আমাদের চিনে রেখেছিল, তাই আর কিছু জিজ্ঞেস না করে আমাদের ঢুকতে দিল, আর আমরাও সোজা গিয়ে হাজির হলাম মিঃ কুট্টির ক্যারাভানে।

কুট্টির কাছে যে খবরটা পেলাম সেটাকেও একটা হেঁয়ালি বলা চলে।

কারান্ডিকার নাকি কাল রাত থেকে হাওয়া।

'দু দিন থেকেই পাবলিক আবার বাঘের খেলা ডিমান্ড করতে শুরু করেছে,' বললেন মিঃ কুট্টি। 'আমি নিজে কারান্ডিকারের কাছে গিয়ে ক্ষমা চেয়েছি। বলেছি সে ছাড়া আর কেউ বাঘ ট্রেন করবে না। কিন্তু তাও সে না বলে চলে গেল। এর মধ্যেও দু-একদিন বেরিয়েছে, কিন্তু ঘণ্টাখানেকের মধ্যেই আবার ফিরে এসেছে। কিন্তু আজ সে এখনও ফিরল না।'

খবরটা শুনে সার্কাসের বাইরে বেরিয়ে এসে লালমোহনবাবু বললেন, 'সুলতান-ক্যাপচারের দৃশ্য আর দেখা হল না, তপেশ। এমন সুযোগ আর আসবে না।'

আমারও মনটা খারাপ লাগছিল, তাই ঠিক করলাম গাড়িতে করে কোথাও একটু বেরিয়ে আসব। উত্তরে যাব না দক্ষিণে যাব—অর্থাৎ কানারি হিলের দিকে যাব না রামগড়ের দিকে যাব—সেটা ঠিক করতে না পেরে শেষ পর্যন্ত টস্ করলাম। দক্ষিণ পড়ল। লালমোহনবাবু বললেন, 'ওদিকটাতেও একটা পাহাড় আছে, সেদিন যাবার পথে দেখেছি। খাসা দৃশ্য।'

দৃশ্য ভাল ঠিকই, কিন্তু এগারো কিলোমিটারের পোস্টটা পেরিয়ে কিছু দূর গিয়েই একটা কালভার্টের ধারে যে ঘটনাটা ঘটল, সেটাকে মোটেই ভাল বলা চলে না।

মাত্র ছ মাস আগে কেনা লালমোহনবাবুর অ্যাম্বাসাডর বার তিনেক হেঁচকি তুলে মিনিট খানেক গো স্লো করে অবশেষে বেমালুম ধর্মঘটের দিকে চলে গেল। 'বোধহয় তেল টানচে না,' বললেন হরিপদবাবু।

ঘড়িতে পাঁচটা কুড়ি। সূর্য আকাশের নীচের দিকে, কিন্তু দেখা যাচ্ছে না, কারণ পশ্চিমে দূরে শালবনের মাথার উপর মেঘ জমে আছে।

আমরা গাড়ি থেকে নেমে কালভার্টের উপর গিয়ে বসলাম, হরিপদবাবু গাড়ি নিয়ে পড়লেন। লালমোহনবাবুকে এ ব্যাপারে পুরোপুরি ড্রাইভারের উপর নির্ভর করতে হয়, কারণ উনি গাড়ি সম্বন্ধে কিছুই জানেন না। উনি বলেন, 'আমার নিজের পায়ের ভেতর কটা হাড় আছে কটা মাস্‌ল আছে না জেনে যখন দিব্যি চলে ফিরে বেড়াচ্ছি, তখন গাড়ির ভেতর কী কলকজা আছে সেটা জানার কী নেসেসিটি ভাই ?'

মেঘের গায়ে নীচের দিকে একটা খড়খড়ির মধ্যে দিয়ে একটিবার উঁকি দিয়ে সূর্যদেব যখন আজকের মতো ছুটি নিলেন, হরিপদবাবু সেই সময় জানালেন যে তিনি রেডি—'চলে আসুন, স্যার।'

কালভার্ট থেকে উঠে আরেকবার ঘড়ির দিকে চেয়ে দেখি পাঁচটা তেত্রিশ। সময়টা জরুরি, কারণ ঠিক তখনই আমরা দেখলাম সুলতানকে।

খবরটা আরও অনেক নাটকীয়ভাবে দিতে পারতাম, কিন্তু ফেলুদা বলে এটাই

ঠিক। —'গাদাগুচ্ছের মরচে-ধরা বিশেষণ আর তথাকথিত লোম-খাড়া-করা শব্দ ব্যবহার না করে চোখে যা দেখলে সেইটে ঠিক ঠিক সোজাসুজি বলে গেলে কাজ দেবে ঢের বেশি।' আমিও সেটাই করার চেষ্টা করছি।

খাঁচার বাইরে বাঘ এর আগেও একবার দেখেছি, যেটার কথা রয়েল বেঙ্গল রহস্যে আছে। কিন্তু সেখানে আমাদের সঙ্গে আরও অনেক লোক ছিল। শিকারি আর বন্দুক তো ছিলই, সবচেয়ে বড় কথা—ফেলুদা ছিল। তার উপরে আমি আর লালমোহনবাবু ছিলাম গাছের উপর, বাঘের নাগালের বাইরে। এখানে আমরা তিনজন দাঁড়িয়ে আছি খোলা রাস্তায়, যার দু দিকে বন, অদূরে একটা পাহাড়, যাতে ভল্লুক আছেই, আর সময়টা সন্ধে। এই সময় এই অবস্থায় আমাদের থেকে হাত পঞ্চাশেক দূরে পশ্চিম দিকের বন থেকে বেরিয়ে বাঘটা রাস্তার উপর উঠল। আমরা তিনজনে ঠিক একসঙ্গে একই সময় বাঘটা দেখেছি, কারণ আমার সঙ্গে সঙ্গে অন্য দুজনও ঠিক সেই ভাবেই কাঠ হয়ে গেল। হরিপদবাবুর বাঁ হাতটা গাড়ির দরজার দিকে বাড়িয়ে ছিলেন, সেই বাড়ানোই রয়ে গেল ; লালমোহনবাবু নাক ঝাড়বেন বলে ডান হাতের বুড়ো আঙুল আর তর্জনীটা নাকের দু পাশে ধরে শরীরটা একটু সামনের দিকে ঝুঁকিয়েছিলেন, তিনি সেই ভাবেই রয়ে গেলেন ; আমি ধুলো ঝাড়বার জন্য আমার ডান হাতটা আমার জিন্‌সের পিছন দিকে নিয়েছিলাম, তার ফলে শরীরটা একটু বেঁকে গিয়েছিল, বাঘটা দেখার ফলে শরীরটা সেইরকম বেঁকেই রইল।

রাস্তায় উঠে বাঘটা ঠিক চার পা গিয়ে থেমে গেল। তারপর মাথাটা ঘোরাল আমাদের দিকে।

আমার পা কাঁপতে শুরু করেছে, বুকের ভিতরে কে যেন হাতুড়ি পিটছে। অথচ আমার চোখ কিছুতেই বাঘের দিক থেকে সরছে না। সঙ্গে সঙ্গে এটাও বুঝতে পারছি যে আমার ডান পাশে আবছা কালো জিনিসটা হচ্ছে লালমোহনবাবুর মাথা, আর সেটা ক্রমশ নীচের দিকে নেমে যাচ্ছে। আন্দাজে বুঝলাম তাঁর পা অবশ হয়ে যাবার ফলে শরীরের ভার আর বইতে পারছে না। এটাও বুঝতে পারছিলাম যে আমার দৃষ্টিতে কী জানি গণ্ডগোল হচ্ছে, কারণ বাঘের আউটলাইনটা বার বার ঝাপসা হয়ে যাচ্ছে, আর গায়ের কালো ডোরাগুলো স্থির না থেকে ভাইব্রেট করছে।

সুলতান যে কতক্ষণ দাঁড়িয়ে আমাদের দেখল সেটার আন্দাজ দেওয়া মুশকিল। মনে হচ্ছিল সময়টা অফুরন্ত। লালমোহনবাবু পরে বললেন কম করে আট-দশ মিনিট ; আমার মতে আট-দশ সেকেন্ড, কিন্তু সেটাও যথেষ্ট বেশি।

দেখা শেষ হলে পর মাথা ঘুরিয়ে নিয়ে আরও চার পা ফেলে বাঘ রাস্তা পেরিয়ে গেল। সাহস একটু বাড়াতে ধীরে ধীরে ডান দিকে মাথা ঘুরিয়ে দেখলাম শাল সেগুন সরল শিশু শিমুল আর আরও অনেক সব শুকনো গাছের জঙ্গলে সুলতান অদৃশ্য হয়ে গেল।

আশ্চর্য এই যে, এর পরেও আমরা অন্তত মিনিটখানেক (লালমোহনবাবুর বর্ণনায় পনেরো মিনিট) প্রায় একই ভাবে দাঁড়িয়ে রইলাম। তার পর তিন জনে কেবল তিনটে কথা বলে গাড়িতে উঠলাম—হরিপদবাবু 'চলুন', আমি 'আসুন' আর লালমোহনবাবু 'ছঃ'। খুব বেশি ভয় নিয়ে কথা বলতে গেলে লালমোহনবাবুর এ রকম হয় এটা আমি আগেই দেখেছি। ডুয়ার্সে মহীতোষ সিংহরায়ের বাড়িতে আমরা তিনজনে একঘরে শুয়েছিলাম। একদিন রাত্রে ঘরের বন্ধ দরজাটা হাওয়াতে খট্‌ খট্‌ করায় উনি 'কে' না বলে 'খে' বলেছিলেন।

হরিপদবাবুর নার্ভটা দেখলাম মোটামুটি ভাল। ফেরার পথে স্টিয়ারিং হুইলে হাত-টাত কাঁপেনি। উনি নাকি এর আগেও রাস্তায় বাঘ দেখেছেন, জামসেদপুরে ড্রাইভারি করার সময়।

বাড়ি ফিরে দেখি ফেলুদা তখনও মহেশবাবুর ডায়রিতে ডুবে আছে। আমার মনে হচ্ছিল সুলতানের খবরটা লালমোহনবাবু দিতে পারলে খুশি হবেন, তাই আমি আর কিছু বললাম না। ভদ্রলোক লেখেন-টেখেন বলেই বোধহয় সরাসরি খবরটা না দিয়ে একটু পাঁয়তারা কষে নিলেন। বার দু-তিন হুঁ হুঁ হুঁ করে কী একটা গানের সুর ভেঁজে নিয়ে বললেন, 'আচ্ছা, তপেশ, বাঘের পায়ের তলায় বোধহয় প্যাডিং থাকে, তাই না ?'

আমি মজা দেখছি ; বললাম, 'তাই তো শুনেছি।'

'নিশ্চয়ই তাই ; নইলে এত কাছ দিয়ে গেল আর কোনও শব্দ হল না ?'

লালমোহনবাবুর পাঁয়তারা কিন্তু মাঠে মারা গেল। ফেলুদা আমাদের দিকে চাইলও না, কেবল একটা ডায়রি সরিয়ে রেখে আর-একটা হাতে নিয়ে বলল, 'আপনারা যদি বাঘটাকে দেখে থাকেন, তা হলে ক'টার সময় কোনখানে দেখেছেন সেটা বনবিভাগে ফোন করে জানিয়ে দেওয়া উচিত ইমিডিয়েটলি।'

লালমোহনবাবু বললেন, 'টাইম পাঁচটা তেত্রিশ, লোকেশন রামগড়ের রাস্তায় এগারো কিলোমিটার পোস্টের পরের কালভার্টের কাছে।'

'বেশ তো, পাশের ঘরে ডিরেকটরি রয়েছে, আপিসে এখন কেউ নেই, আপনি একেবারে ডি-এফ-এর বাড়িতে ফোন করে জানিয়ে দিন। ওদের উপকার হবে।'

'আচ্ছা, হুঁ, তা হলে...' লালমোহনবাবু দেখলাম মাস্‌লগুলোকে টান করে নিচ্ছেন। —'কী ভাবে পুট করা যায় ব্যাপারটা ? ইংরিজিতেই বলব তো ?'

'হিন্দি ইংরিজি যেটায় বেশি দখল তাতেই বলবেন।'

'দি টাইগার হুইচ এস্‌কেপ্‌ড ফ্রম দি...এস্‌কেপ্‌ডই বলব তো ?'

'সহজ করে নিয়ে র‍্যান অ্যাওয়ে বলতে পারেন।'

'এসকেপটা বোধহয় ম্যানেজ করতে পারব।'

'তা হলে তাই বলুন।'

নম্বর বার করে দিলাম আমি। ফোনটাও বোধহয় আমি করলেই ভাল হত, কারণ লালমোহনবাবু 'দি সার্কাস হুইচ এসকেপ্‌ড ফ্রম দি গ্রেট ম্যাজেস্টিক টাইগার—থুড়ি', বলে থেমে গেলেন। ভাগ্যিস ভদ্রলোক কথাটা খুব চেঁচিয়ে বলেছিলেন। ফেলুদা পাশের ঘর থেকে শুনতে পেয়ে দৌড়ে এসে টেলিফোনটা ওঁর হাত থেকে ছিনিয়ে খবরটা নিজেই দিয়ে দিল।

৮

ফেলুদার ঘরেই চা এনে দিল বুলাকিপ্রসাদ। আমরা আসার আগেই বাঘের হাতে চন্দ্রনের জখম হবার খবরটা ফেলুদা বুলাকিপ্রসাদের কাছে পেয়ে গিয়েছিল। ফেলুদার ধারণা কারান্ডিকার ছাড়া এই বাঘ জ্যান্ত ধরার সাধ্যি কারুর নেই।

লালমোহনবাবু গরম চায়ে একটা সশব্দ চুমুক দিয়ে বললেন, 'কিছু পেলেন ও ডায়রিতে ? নাকি অরুণবাবুর কথাই ঠিক ?'

'আপনিই বলুন না।'

ফেলুদা একটা ডায়রি খুলে লালমোহনবাবুর দিকে এগিয়ে দিল।

লালমোহনবাবু পড়লেন 'Self elected President of club—meeting on 8. 4. 46'—তারপর আরেকটা পাতা খুলে পড়লেন—Tea Party at Brig. Sudarshan's আর তার পরের পাতায়—'Trial for new suit at Shakur's—4. P.M... কী মশাই, এসব খুব তাৎপর্যপূর্ণ বুঝি ?'

'তোপ্‌সে, তোর কী মনে হয় ?'

আমি লালমোহনবাবুর পিছন দিয়ে ঝুঁকে পড়ে দেখছিলাম, এবার ডায়রিটা হাতে নিয়ে নিলাম। 'আলোর কাছে আন', বলল ফেলুদা।

টেবিল ল্যাম্পের নীচে ডায়রিটা ধরে চোখটা কাছে নিতেই একটা শিহরন খেলে গেল আমার শিরদাঁড়ায়।

বেশ বড় সাইজের ডায়রি, তার পাতার মাঝখানে ফাউনটেন পেনে ইংরেজিতে লেখা

ছাড়াও অন্য লেখা রয়েছে যেটা প্রায় চোখে দেখা যায় না। পাতার একেবারে উপর দিকে ছাপা তারিখেরও উপরে, খুব সরু করে কাটা হার্ড পেনসিল দিয়ে খুদে খুদে অক্ষরে হাল্‌কা লেখা।

'কী দেখলি ?'

'বাংলা লেখা।'

'কী লেখা ?'

'এই পাতাটায় লেখা—"পাঁচের বশে বাহন ধ্বংস"।'

'সর্বনাশ', বললেন লালমোহনবাবু, 'এ যে আবার হেঁয়ালি দেখছি মশাই।'

'তা তো বটেই', বলল ফেলুদা, 'এবার এটা দেখুন। এটা ১৯৩৮ অর্থাৎ প্রথম বছরের ডায়রি, আর এটাই পেনসিলে প্রথম সাংকেতিক লেখা।'

১৯৩৮-এর ডায়রির প্রথম পাতাতেই লিখেছেন ভদ্রলোক "শম্ভু দুই-পাঁচের বশ।"

'শম্ভুটি কে ?' লালমোহনবাবু প্রশ্ন করলেন।

ফেলুদা বলল, 'ভদ্রলোক নিজের বিষয় বলতে গেলে সব সময়ই শিবের কোনও না কোনও নাম ব্যবহার করেছেন।'

'শিবের নাম তো হল, কিন্তু দুই-পাঁচের বশ তো বোঝা গেল না।'

'রিপু বোঝেন ?' জিজ্ঞেস করল ফেলুদা।

'মানে ছেঁড়া কাপড় সেলাই-টেলাই করা বলছেন ?'

'আপনি ফারসি-সংস্কৃত গুলিয়ে ফেলছেন, লালমোহনবাবু! আপনি যেটা বলছেন সেটা হল রিফু। আমি বলছি রিপু।'

'ওহো—ষড়রিপু ? মানে শত্রু ?'

'শত্রু। এবার মানুষের এই ছটি শত্রুর নাম করুন তো।'

'ভেরি ইজি। কাম ক্রোধ লোভ মদ মোহ মাৎসর্য।'

'হল না। অর্ডারে ভুল। কাম ক্রোধ লোভ মোহ মদ মাৎসর্য। অর্থাৎ দুই আর পাঁচ হল ক্রোধ আর মদ।'

'ওয়ান্ডারফুল !' বললেন লালমোহনবাবু, 'এ তো মিলে যাচ্ছে মশাই !'

'এবার তা হলে প্রথমটা আর-একবার দেখুন, এটাও মিলে যাবে।'

এবারে আমার কাছেও ব্যাপারটা সহজ হয়ে গেছে। বললাম, 'বুঝেছি, দুইয়ের বশে বাহন ধ্বংস হচ্ছে, রাগের মাথায় গাড়ি ভাঙা।'

'ভেরি গুড', বলল ফেলুদা, 'তবে দুই-পাঁচ নিয়ে একটা সংকেতের এখনও সমাধান হয়নি।'

যে ডায়রিগুলো দেখা হয়ে গেছে, সেগুলোর বিশেষ বিশেষ জায়গায় কাগজ গুঁজে রেখেছে ফেলুদা। তারই একটা জায়গা খুলে আমাদের দেখাল। লেখাটা হচ্ছে—২+৫=X।

লালমোহনবাবু বললেন, 'এক্স তো মশাই আননোন কোয়ান্টিটি। ওটা বাদ দিন। আর, সব সংকেতেরই যে একটা গুরুত্বপূর্ণ মানে থাকবে সেটাই বা ভাবছেন কেন ?'

ফেলুদা বলল, 'যেখানে একটা লোক বছরে তিনশো পঁয়ষট্টি দিনে মাত্র পনেরো-বিশ দিন সংকেতের আশ্রয় নিয়েছে, সেখানে কারণটা যে জরুরি তা তো বোঝাই যাচ্ছে। কাজেই X-এর রহস্য আমাকে উদ্‌ঘাটন করতেই হবে।'

'ওই তারিখের কাছাকাছি কোনও লেখা থেকে কোনও হেল্‌প পাচ্ছেন না ?'

'ওর দশদিন পরে আর-একটা সংকেত আছে। দেখুন—'

এটাও আমার কাছে অসম্ভব কঠিন বলে মনে হল। লেখাটা হচ্ছে—'অনর্গল-ঘৃতকুমারী'।

ফেলুদা বলল, 'লোকটা যে কথা নিয়ে কী না করেছে তাই ভাবছি।'

'আপনি ধরে ফেলেছেন?'

'আপনিও পারবেন—একটু হেল্প করলে।'

'ঘৃতকুমারী তো কবরেজির ব্যাপার মশাই', বললেন লালমোহনবাবু।

'হ্যাঁ,' বলল ফেলুদা, 'ঘৃতকুমারী তেল মাথায় মাখলে মাথা ঠাণ্ডা রাখে। অর্থাৎ রাগ কমায়।'

'কিন্তু তেল অনর্গল মাখতে হয় এ তো জানতুম না মশাই।'

ফেলুদা হেসে বলল, 'আপনি ড্যাশটা অগ্রাহ্য করছেন কেন? ওটারও একটা মানে আছে। আর অর্গল মানে জানেন তো?'

'কপাট। খিল।'

'এবার ওই দ্বিতীয় মানেটার সঙ্গে একটা নেগেটিভ জুড়ে দিন।'

'অখিল!' আমি চেঁচিয়ে উঠলাম। 'তার মানে অখিলবাবু ওঁকে ঘৃতকুমারী ব্যবহার করতে বলেছিলেন।'

'সাবাশ। এবার পরেরটা দ্যাখ।'

তিন পাতা পরে পড়ে দেখলাম—'আজ থেকে পাঁচ বাদ।' তার মানে মহেশবাবু মদ ছেড়ে দিলেন। কিন্তু তার এক মাস বাদেই মহেশবাবু লিখছেন—'ভোলানাথ ভোলে না। আবার পাঁচ। পাঁচেই বিস্মৃতি।'

ফেলুদা বলল, 'কিছু একটা ভুলে থাকার জন্য মহেশবাবু আবার মদের আশ্রয় নিয়েছেন। প্রশ্ন হচ্ছে—কী ভুলতে চাইছেন?'

লালমোহনবাবু আর আমি মাথা চুলকোলাম। মহেশবাবু বলেছিলেন তাঁর জীবনে অনেক রহস্য। এখন মনে হচ্ছে কথাটা ঠাট্টা করে বলেননি।

ফেলুদা আর-একটা জায়গায় ডায়রিটা খুলে বলল, 'এটা খুব মন দিয়ে পড়ে দেখুন। কথা নিয়ে খেলার একটা আশ্চর্য উদাহরণ। অনেক তথ্য, অনেক জটিল মনের ভাব এই কয়েকটি কথার মধ্যে পুরে দেওয়া হয়েছে।'

আমরা পড়লাম—'আমি আজ থেকে পালক। পালক=feather=হাল্‌কা। পালক=পালনকর্তা। আজ থেকে শমির ভার আমার। শমি আমার মুক্তি।'

শমি যে শঙ্করলাল মিশ্র সেটা আমি বুঝতে পারলাম। ফেলুদা বলল, 'শঙ্করলালকে মানুষ করার ভার বহন করতে পেরে মহেশবাবুর মন থেকে একটা ভার নেমে গেছে। এই ভারটা কীসের ভার সেইটে জানা দরকার।'

ফেলুদা খাট থেকে উঠে কিছুক্ষণ চিন্তিত ভাবে পায়চারি করল। আমি ডায়রিগুলোর দিকে দেখছিলাম। কী অদ্ভুত লোক ছিলেন এই মহেশ চৌধুরী। বেঁচে থাকলে ফেলুদার সঙ্গে নিশ্চয়ই ভাব জমে যেত, কারণ ফেলুদারও হেঁয়ালির দিকে ঝোঁক আর হেঁয়ালির সমাধানও করতে পারে আশ্চর্য চটপট।

লালমোহনবাবু খাটের এক কোনায় ভুরু কুঁচকে বসেছিলেন। বললেন, 'অখিলবাবু ভদ্রলোকের এত বন্ধু ছিলেন, ওঁকে কবরেজি ওষুধ দিয়েছেন, ওঁর কুষ্ঠি ঘেঁটেছেন, তাঁর তো মহেশবাবুর নাড়ীনক্ষত্র জানা উচিত। আপনি ডায়রি না ঘেঁটে তাঁকেই জেরা করুন না।'

ফেলুদা পায়চারি থামিয়ে একটা চারমিনার ধরিয়ে বলল, 'এই ডায়রিগুলোর মধ্যে দিয়ে আমি আসল মানুষটার সঙ্গে যোগ স্থাপন করার চেষ্টা করছি। ওই পেনসিলের লেখাগুলোতে আমার কাছে মহেশ চৌধুরী এখনও বেঁচে আছেন।'

'ওঁর ছেলেদের সম্বন্ধে কিছু পেলেন না ডায়রিতে ?'

'প্রথম পনেরো বছরে বিশেষ কিছু নেই, তবে পরে—'

একটা গাড়ি থামল আমাদের গেটের বাইরে। ফিয়াটের হর্ন। চেনা শব্দ।

আমরা তিনজনে বারান্দায় এসে দেখলাম অরুণবাবু হাতে একটা প্যাকেট নিয়ে গাড়ি থেকে নামলেন।

'মিঃ সিং-এর ওখানে যাচ্ছিলাম—এখানকার ফরেস্ট অফিসার,' বললেন অরুণবাবু, 'তাই ভাবলাম বীরেনের চিঠিগুলো দিয়ে যাই। চিঠি অবিশ্যি নামেই। তাও আপনি যখন চেয়েছেন...'

'আপনাকে এই অবস্থায় এত ঝামেলার মধ্যে ফেললাম বলে আমি অত্যন্ত লজ্জিত।'

'দ্যাটস্ অল রাইট,' বললেন অরুণবাবু 'বাবা যে কী বলতে চাইছিলেন সেটা আমার কাছে রহস্য। দেখুন যদি আপনি বুদ্ধি খাটিয়ে কিছু বার করতে পারেন। সত্যি বলতে কী, আমি বাবার সঙ্গ খুব বেশি পাইনি। হাজারিবাগে আসি মাঝে মাঝে আমার কাজের ব্যাপারে। এককালে প্রায়ই আসতাম শিকারের জন্য। তা, বড় শিকার তো এরা বন্ধই করে দিয়েছে। কাল একটা সুযোগ পাওয়া গেছে—দেখি !...'

'কী সুযোগ ?'

'যে কারণে সিং-এর কাছে যাচ্ছি। খবর এসেছে রামগড়ের রাস্তায় আজ বিকেলেই নাকি বাঘটা দেখা গেছে। এদিকে একটি ট্রেনার তো হাসপাতালে, অন্যটি মালিকের সঙ্গে ঝগড়াটগড়া করে নিখোঁজ। আমি সিংকে বলেছি যে বাঘটাকে যদি মারতেই হয়, তো আমাকে মারতে দাও। অলরেডি তো তার দিকে গুলি চলেছে ; যদি জখম হয়ে থাকে তা হলে তো হি ইজ এ ডেঞ্জারাস বীস্ট।'

আমার বলার ইচ্ছে ছিল বাঘটাকে দেখে তো জখম বলে মনে হয়নি, কিন্তু ফেলুদার ইশারাতে সেটা আর বললাম না।

'আমি তো সঙ্গে থ্রি ওয়ান ফাইভটা নিচ্ছি,' বললেন অরুণবাবু, 'কারণ এমনিতেই চারিদিকে প্যানিক। গোরু ছাগলও গেছে এক আধটা। সার্কাসের খাঁচায় বন্দি অবস্থায় বুড়ো হয়ে মরার চেয়ে জঙ্গলে গুলি খেয়ে মরাটা খারাপ কীসে ?...যাই হোক, আপনার ইন্টারেস্ট থাকলে আপনিও আসতে পারেন। কাল সকালে বেরোব আমরা।'

'দেখি...' বলল ফেলুদা। 'আমার এই কাজটা কতদূর এগোয় তার উপর নির্ভর করছে। ভাল কথা—'

অরুণবাবু যাবার জন্য পা বাড়িয়েছিলেন, ফেলুদার কথায় থামলেন। ফেলুদা বলল, 'সেদিন পিকনিকে আপনিই তো বন্দুক ছুঁড়েছিলেন, তাই না ?'

ভদ্রলোক হেসে উঠলেন। 'আপনি বোধহয় ভাবছিলেন—বন্দুক চলল, অথচ শিকার নেই কেন ? গোয়েন্দার মন তো! ওয়েল, আই মিস্‌ড ইট। একটা বটের। সেরা শিকারিরও লক্ষ্য কি সব সময় অব্যর্থ হয়, মিঃ মিত্তির ?'

৯

বিলেত থেকে লেখা মহেশবাবুর দ্বিতীয় ছেলের চিঠিগুলো থেকে সত্যিই বিশেষ কিছু জানা গেল না। চিঠি বলতে সবই পোস্টকার্ড, তার একদিকে ছবি, অন্যদিকে ঠিকানা। যেখানে ঠিকানা ছাড়াও কিছু লেখা আছে, সেখানে বীরেন তার বাবার দেওয়া নাম ব্যবহার করেছে—দুরি।

নটায় বুলাকিপ্রসাদ ডিনার রেডি করে আমাদের ডাক দিল। ফেলুদা ডায়রি আর খাতা নিয়ে খেতে বসল। যে-সংকেতগুলো তৎক্ষণাৎ সমাধান হচ্ছে না, সেগুলো সে নিজের খাতায় লিখে রাখছে। বাঁ হাতে লিখছে, এবং দিব্যি লিখছে। লালমোহনবাবু একবার বললেন, 'লেখা বন্ধ না করলে আজকের মাংসের কারিটার ঠিক জাসটিস করতে পারবেন না। দুর্ধর্ষ হয়েছে।'

ফেলুদা বলল, 'বাঁদর সমস্যা নিয়ে পড়েছি, এখন মাংস-টাংস বলে ডিসটার্ব করবেন না।'

আমি লক্ষ করছিলাম ফেলুদার ভুরুটা সাংঘাতিক কুঁচকে রয়েছে, যদিও ঠোঁটের কোণে একটা হাসির আভাসও রয়েছে। জিজ্ঞেস করতেই হল ব্যাপারটা কী। ফেলুদা ডায়রি থেকে পড়ে শোনাল—'অগ্নির উপাসকের অসীম বদান্যতা। নবরত্ন বাঁদরের হিসাবে দু হাজার পা।'

লালমোহনবাবু বললেন, 'রাঁচিতে পাগলাগারদ আছে বলে ওখানকার বাসিন্দারাও নাকি একটু ইয়ে হয় বলে শুনিচি। সেটাও একটু মনে রাখবেন।'

ফেলুদা এ কথায় কোনও মন্তব্য না করে বলল, 'অগ্নির উপাসক পার্সিদের বলে জানি, কিন্তু বাকিটা সম্পূর্ণ ধোঁয়া।'

তাতে লালমোহনবাবু বললেন যে, প্রথমত নবরত্ন বাঁদর বলে কোনওরকম বাঁদর হয় কি না সে বিষয়ে ওঁর সন্দেহ আছে; আর দ্বিতীয়ত, নটা রত্নের কী করে দু হাজার পা হয়, আর বাঁদর কী করে সে হিসেবটা করে সেটা কোনওমতেই বোধগম্য হচ্ছে না—'এইবার আপনি খাতা বন্ধ করে একটু বিশ্রাম করুন।'

লালমোহনবাবু বলার জন্য নিশ্চয়ই নয়, হয়তো চোখ আর মাথাটাকে একটু রেস্ট দেবার জন্য ফেলুদা খাবার পরে হাঁটতে বেরোল। অবিশ্যি একা নয়, আমাদের দুজনকে সঙ্গে নিয়ে।

পূর্ণিমার চাঁদ এই কিছুক্ষণ হল উঠেছে, তার গায়ের রং থেকে এখনও হলুদের ছোপটা যায়নি। আকাশে মেঘ জমেছে, তাই দেখে জটায়ু বললেন, 'চন্দ্রালোক ক্ষণস্থায়ী বলে মনে হচ্ছে।' পশ্চিম দিক থেকে মাঝে মাঝে একটা দমকা বাতাস দিচ্ছে, আর তার সঙ্গে একটা শব্দ ভেসে আসছে যেটা ভাল করে শুনলে বোঝা যায় সার্কাসের ব্যান্ড।

ডাইনে মোড় নিয়ে দুটো বাড়ি পরেই কৈলাস। এক সারি ইউক্যালিপটাসের ফাঁক দিয়ে বাড়িটা দেখা যাচ্ছে। দোতলায় একটা ঘরের জানালা খোলা, ঘরে আলো জ্বলছে। সেই আলোর সামনে দিয়ে কে যেন দ্রুত পায়চারি করছে। ফেলুদারও চোখ সেইদিকে। আমরা হাঁটা থামিয়েছি। ওটা কার ঘর? প্রীতীনবাবুর। পায়চারি করছেন নীলিমা দেবী। একবার জানালায় এসে থামলেন, আবার সরে গিয়ে পায়চারি। অস্থির ভাব।

আমরা আবার চলা শুরু করলাম। জানালাটা ক্রমে দৃষ্টির আড়াল হয়ে গেল।

পরপর আরও বাড়ি। প্রত্যেকটাতেই বেশ বড় কম্পাউন্ড। রেডিয়োতে খবর বলছে; কোন বাড়িতে চলছে রেডিয়ো জানি না। লালমোহনবাবু আরেকটা বেমানান রবীন্দ্র সংগীত ধরতে যাচ্ছিলেন—গুনগুনানি শুনে মনে হল ধানের ক্ষেতে রৌদ্রছায়ায়—এমন সময় দেখলাম দূরে একজন লোক রাস্তা দিয়ে এগিয়ে আসছে আমাদেরই দিকে। গায়ে নীল রঙের পুলোভার।

আরেকটু কাছে এলেই চিনতে পারলাম।

'আপনাদের ওখানেই যাচ্ছিলাম', নমস্কার করে বললেন শঙ্করলাল মিশ্র। চেহারা দেখে মনে হল অনেকটা সামলে নিয়েছেন, যদিও সেই হাসিখুশি ছেলেমানুষি ভাবটা এখনও ফিরে আসেনি।

'কী ব্যাপার ?' বলল ফেলুদা।

'আপনাকে একটা অনুরোধ করব।'

'কী অনুরোধ ?'

'আপনি তদন্ত ছেড়ে দিন।'

হঠাৎ এমন একটা অনুরোধে রীতিমতো হকচকিয়ে গিয়েছিলাম, কিন্তু ফেলুদা বেশ স্বাভাবিক ভাবেই বলল, 'কেন বলুন তো ?'

'এতে কারুর উপকার হবে না, মিঃ মিত্তির।'

ফেলুদা একটুক্ষণ চুপ থেকে একটা হালকা হাসি হেসে বলল, 'যদি বলি আমার নিজের উপকার হবে ? মনে খট্‌কা থাকলে আমি বড় উদ্বেগ বোধ করি মিঃ মিশ্র ; সেটাকে দূর না করা অবধি শান্তি পাই না। তা ছাড়া মৃত্যুশয্যায় একজন একটা কাজের ভার আমাদের দিয়ে গেছেন, সেটা না করেও আমার শান্তি নেই। এইসব কারণে আমাকে তদন্ত চালাতেই হবে। উপকার-অপকারের প্রশ্নটা এখানে খুব বড় নয়। ভেরি সরি, আপনার অনুরোধ আমি রাখতে পারলাম না। শুধু তাই নয়—এই তদন্তের ব্যাপারে আমি আপনাকে অনুরোধ করব যে আমাকে একটু সাহায্য করুন। মহেশবাবু সম্বন্ধে আর কেউ যাই ভাবুন না কেন, আপনি তাঁকে শ্রদ্ধা করতেন এটা তো ঠিক ?'

'নিশ্চয়ই ঠিক।' ফেলুদার কথাটা মনে ধরতে কিছুটা সময় নিল বলেই বোধহয় জবাবটা এল একটু পরে। কিন্তু যখন এল তখন বেশ জোরের সঙ্গেই এল। 'নিশ্চয়ই ঠিক', আবার বললেন শঙ্করলাল। তার পর তার গলার সুরটা কেমন যেন বদলে গেল। বললেন, 'যে শ্রদ্ধাটা বহুদিন ধরে ক্রমে ক্রমে গড়ে ওঠে, সেটাকে কি এক ধাক্কায় ভাঙতে দেওয়া উচিত ?'

'আপনি কি সেটাই করছিলেন ?'

'হ্যাঁ, সেটাই করছিলাম। কিন্তু সেটা ভুল। এখন বুঝেছি সেটা মস্ত ভুল, আর বুঝতে পেরে মনে শান্তি পাচ্ছি।'

'তা হলে আপনার কাছে সাহায্য আশা করতে পারি ?'

'কী সাহায্য চাইছেন বলুন', ফেলুদার দিকে সোজাসুজি চেয়ে বেশ সহজ ভাবে কথাটা বললেন শঙ্করলাল।

'তাঁর দুই ছেলের প্রতি মহেশবাবুর মনোভাব কেমন ছিল সেটা জানতে চাই। চৌধুরী পরিবার সম্বন্ধে আপনি যতটা নিরপেক্ষভাবে বলতে পারবেন, তেমন অনেকেই পারবেন না।'

শঙ্করলাল বললেন, 'আমি যেটুকু বুঝেছি তা বলছি। আমার বিশ্বাস শেষ বয়সে বীরেন ছাড়া আর কারুর উপর টান ছিল না মহেশবাবুর। অরুণদা আর প্রীতীন দুজনেই ওঁকে হতাশ করেছিল।'

'সেটার কারণ বলতে পারেন ?'

'সেটা পারব না, জানেন, কারণ ওই দু ভাইয়ের সঙ্গে আমার বিশেষ যোগাযোগ ছিল না অনেকদিন থেকেই। তবে অরুণদাকে যে জুয়ার নেশায় পেয়েছে সে কথা আমাকে একদিন মহেশবাবু বলেছিলেন। সোজা করে বলেননি, ওঁর নিজস্ব ভাষায় বলেছিলেন। আমি বুঝতে পারিনি ; শেষে ওঁকেই বুঝিয়ে দিতে হল। বললেন, "অরুণ গুড হলে আমি খুশি হতুম, বেটার হয়েই আমায় চিন্তায় ফেলেছে। শুনছি নাকি আজকাল মহাজাতি ময়দানে যাতায়াত করছে নিয়মিত।"—বেটার তো বুঝতেই পারছেন, আর জাতি হল রেস ; মহাজাতি ময়দান হল মহেশবাবুর ভাষায় রেসের মাঠ।'

ফেলুদা বলল, 'কিন্তু প্রীতীনবাবু তাঁকে হতাশ করবেন কেন ? উনি তো ইলেক্‌ট্রনিকসে বেশ—'

'ইলেক্‌ট্রনিকস !'—শঙ্করলাল যেন আকাশ থেকে পড়লেন। 'ও কি আপনাকে তাই বলেছে নাকি ?'

'ইন্ডোভিশনের সঙ্গে ওঁর কোনও সম্পর্ক নেই ?'

শঙ্করলাল সশব্দে হেসে উঠলেন। 'হরি, হরি ! ইন্ডোভিশন ! প্রীতীন একটা সদাগরি আপিসে সাধারণ চাকরি করে। সেটাও ওর শ্বশুরের সুপারিশে পাওয়া। প্রীতীন ছেলে খারাপ নয়, কিন্তু অত্যন্ত ইমপ্র্যাকটিক্যাল আর খামখেয়ালি। এককালে সাহিত্য-টাহিত্য করতে চেষ্টা করেছে, কিন্তু সেও খুব মামুলি। ওর স্ত্রী বড়লোক বাপের একমাত্র মেয়ে। ও যে গাড়িটাতে এসেছে সেটাও ওর শ্বশুরের। আপিস থেকে ছুটি পাচ্ছিল না, তাই আসতে দেরি হয়েছে।'

এবার আমাদের আকাশ থেকে পড়ার পালা।

'তবে ওর পাখির নেশাটা খাঁটি', বললেন শঙ্করলাল, 'ওতে কোনও ফাঁকি নেই।'

ফেলুদা বলল, 'আরেকটা প্রশ্ন আছে।'

'বলুন।'

'সেদিন রাজরাপ্পায় যে গেরুয়াধারীটির সঙ্গে আপনি কথা বলছিলেন, তিনিই কি বীরেন্দ্র ?'

হঠাৎ এরকম একটা প্রশ্ন শুনে শঙ্করলাল থতমত খেলেও, মনে হল চট করে সামলে নিলেন। কিন্তু উত্তর যেটা দিলেন সেটা সোজা নয়।

'আপনার যা বুদ্ধি, আমার মনে হয় ক্রমে আপনি সব কিছুই জানতে পারবেন।'

'এটা জিজ্ঞেস করার একটা কারণ আছে', বলল ফেলুদা। 'যদি তিনি বীরেন হন, তা হলে মহেশবাবুর শেষ ইচ্ছা অনুযায়ী তাঁকে আমার একটা জিনিস দিতে হবে। আপনি প্রয়োজনে বীরেনের সঙ্গে যোগাযোগ করিয়ে দিতে পারবেন কি ?'

শঙ্করলাল বললেন, 'মহেশবাবুর শেষ ইচ্ছা যাতে পূরণ হয়, তার চেষ্টা আমি করব। এটা আমি কথা দিচ্ছি। এর বেশি আর কিছু বলতে পারব না। আমায় মাপ করবেন।'

কথাটা বলে শঙ্করলাল যে পথে এসেছিলেন, আবার সেই পথে ফিরে গেলেন।

আমরা যে হাঁটতে হাঁটতে বেশ অনেকখানি পথ চলে এসেছিলাম সেটা বুঝতেই পারিনি। ফেলুদা টর্চের আলোয় ঘড়ি দেখে বলল সাড়ে দশটা। আমরা ফিরতি পথ ধরলাম। কৈলাসে সব বাতি নিভে গেছে, চাঁদ ঢেকে গেছে মেঘে, সার্কাসের বাজনাও আর শোনা যাচ্ছে না। এই থমথমে পরিবেশে ফেলুদার 'বাঁদর' বলে চেঁচিয়ে ওঠাটা এত অপ্রত্যাশিত যে লালমোহনবাবুর সঙ্গে সঙ্গে 'কোথায়' বলাতে কিছুই আশ্চর্য হলাম না। আমি অবিশ্যি বুঝেছিলাম যে ফেলুদা মহেশবাবুর ডায়রির বাঁদরের কথা বলছে। 'কী অদ্ভুত মাথা ভদ্রলোকের !' বলল ফেলুদা। 'বাঁদরেও যে বই লিখেছে সেটা তো খেয়ালই ছিল না।'

'আপনি সিমপল ফ্র্যাকচারটাকে কম্পাউন্ড ফ্র্যাকচারে পরিণত করছেন কেন বলুন তো মশাই ? শুধু বাঁদরে শানাচ্ছে না, তার উপর আবার বই-লিখিয়ে বাঁদর ?'

'গিবন ! গিবন ! গিবন !' বলে উঠল ফেলুদা।

আরেব্বাস্ ! সত্যিই তো। গিবন তো একরকম বাঁদর তো বটেই।

কিন্তু ফেলুদা হঠাৎ কেন জানি মুষড়ে পড়ল। বাড়ির ফটকের কাছাকাছি যখন পৌঁছেছি তখন চাপা গলায় বলতে শুনলাম, 'সাংঘাতিক দাঁও মেরেছে লোকটা, সাংঘাতিক।'

'কে মশাই ?' জিজ্ঞেস করলেন লালমোহনবাবু।

'স্ট্যাম্প-অ্যালবাম চোর', বলল ফেলুদা।

রাত বারোটা পর্যন্ত আমাদের ঘরে থেকে লালমোহনবাবু ফেলুদার হেঁয়ালির সমাধান দেখলেন। একটা হেঁয়ালির উত্তরের জন্য এগারোটার সময় কৈলাসে ফোন করতে হল। ১৯১৫-র ১৮ই অক্টোবর মহেশবাবু লিখেছেন He Passes away। কার মৃত্যু সংবাদ ডায়রিতে লেখা রয়েছে জানবার জন্য অরুণবাবুকে জিজ্ঞেস করে জানা গেল ওই দিনে অরুণবাবুর মা মারা গিয়েছিলেন। মা-র নাম জিজ্ঞেস করাতে বললেন হিরণ্ময়ী। তার ফলে বেরিয়ে গেল He হল 'হি'।

১৯৫৮-তে কিছু লেখা পাওয়া গেল যেগুলো পড়লে মনে হয় ইংরিজি 'মটো'। যেমন 'Be foolish', 'Be stubborn', 'Be determined'। তার পর যখন এল 'Be leaves for England' তখন বোঝা গেল Be হচ্ছে বী অর্থাৎ বীরেন।

১৯৭৫-এর পাতায় পাওয়া গেল 'এ তিনের বশ'। কাম ক্রোধ লোভ মোহ মদ মাৎসর্য। তিন হল লোভ। 'এ' হচ্ছে A —অরুণবাবু।

শেষ লেখা মহেশবাবুর জন্মদিনের আগের দিন।—'ফিরে আসা। ফিরে আশা'—ব্যস—তার পর আর কিচ্ছু নেই।

ডায়রি যখন শেষ হল তখন রাত একটা। ফেলুদার তখনও ঘুম আসেনি, কারণ আমি যখন লেপটা গায়ের উপর টানছি, তখন দেখলাম ও লালমোহনবাবুর দেওয়া সার্কাসের বইটা খুলল। উনি কথাই দিয়েছিলেন ওঁর পড়া হলে ফেলুদাকে পড়তে দেবেন, আর ফেলুদার পড়া হলে আমি পড়ব।

যখন তন্দ্রার ভাব আসছে, তখন শুনলাম ফেলুদা কথা বলছে, আর সেটা আমাকেই বলছে।—

'কোথাও খুন হলে পুলিশে গিয়ে খুনের জায়গার একটা নকশা করে লাশ যেখানে পাওয়া গেছে সেখানে একটা চিহ্ন দিয়ে দেয়। সে চিহ্নটা কী জিনিস?'

'এক্স মার্কস দ্য স্পট।' আমি জিজ্ঞেস করলাম।

'ঠিক বলেছিস। এক্স মার্কস দ্য স্পট।'

এই এক্সটাই স্বপ্নে হয়ে গেল দু হাত তোলা পা ফাঁক করা কালী মূর্তি, যেটা অরুণবাবুর দিকে চোখ রাঙিয়ে বলছে, 'তুই দুইয়ের বশ, তুই দুইয়ের বশ, তুই দুইয়ের বশ', আর অরুণবাবু চিৎকার করে বলছেন, 'আমি দেখছিলাম! আমি দেখছিলাম!' তারপরই কালীর মুখটা হয়ে গেল লালমোহনবাবুর মুখ, আর যেই সেই মুখটা বলছে, 'এক মাসে তিন হাজার বিক্রি—হুঁ হুঁ—কালমোহন বেঙ্গলি!'—অমনি স্বপ্নটা ভেঙে গেল একটা শব্দে।

দরজায় ধাক্কা লাগার শব্দ। আর তার সঙ্গে একটা ধস্তাধস্তির শব্দ। বাইরে বৃষ্টি পড়ছে এটাও বুঝতে পারলাম।

আমার হাতটা আপনা থেকেই টেবিল ল্যাম্পের সুইচটার দিকে চলে গেল। আলো জ্বলল না। বিহারেও যে লোডশেডিং হয় এটা খেয়াল ছিল না।

মেঝেতে ধুপ্ করে কী একটা পড়ার শব্দের সঙ্গে সঙ্গে ফেলুদার গলা—

'টর্চ জ্বাল, তোপ্‌সে—আমারটা পড়ে গেছে!'

টেবিলের উপর হাতড়ে জলের গেলাসটাকে মাটিতে ফেলে ভেঙে তবে টর্চটা পেলাম। ফেলুদা ইতিমধ্যে উঠে দাঁড়িয়েছে। টর্চের আলোতে তার নিস্ফল ক্রোধটা চোখে মুখে ফুটে বেরোচ্ছে।

'কে ছিল ফেলুদা?'

'দেখিনি, তবে অনুমান করতে পারি। লোকটা ষণ্ডা।'

'কী মতলবে এসেছিল, বল তো?'

'চুরি।'
'কিছু নেয়নি তো?'
'নেয়নি, তবে নির্ঘাত নিত—যদি আমার ঘুমটা এত পাতলা না হত।'
'কী নিত?'
ফেলুদা এ প্রশ্নের কোনও উত্তর না দিয়ে কেবল বিড়বিড় করে বলল, 'এখন দেখছি ফেলু মিত্তিরই একমাত্র লোক নয় যে মহেশ চৌধুরীর সংকেতের মানে বুঝতে পারে। যদিও এটা একটু লেটে বুঝেছে।'...

১০

পরদিন সকালে লালমোহনবাবু সব শুনে-টুনে বললেন, 'আমি প্রথম দিনই বলেছিলাম দরজা বন্ধ করে শোবেন। এ সব জায়গায় চোর ডাকাতের উপদ্রব তো হবেই।'
'আপনি তো বাঘের ভয়ে দরজা বন্ধ করেছিলেন।'
'আর আপনি চোরের জন্য খোলা রেখেছিলেন! বন্ধ রাখলে দুটোর হাত থেকেই সেফ। ওহে বুলাকিপ্রসাদ, চটপট ব্রেকফাস্টটা দাও ভাই।'
'এত তাড়া কীসের,' বলল ফেলুদা।
'বাঘ ধরা দেখতে যাবেন না?'
'ধরবে কে? কারান্ডিকার তো নিখোঁজ।'
'নিখোঁজ হলে কী হবে? বাঘ মারার তাল হচ্ছে সে খবর কি তার কাছে পৌঁছয়নি?—ওঃ, কী থ্রিলিং ব্যাপার মশাই। এ চান্স ছাড়া যায় না। আপনি ব্যাপারটা কী করে এত কামলি নিচ্ছেন জানি না।'
আটটা নাগাদ ব্রেকফাস্ট সেরে ডায়রি আর চিঠির প্যাকেট নিয়ে কৈলাসে যাবার জন্য তৈরি হয়েছি, এমন সময় অখিলবাবু এলেন। বললেন তাঁর এক হোমিওপ্যাথ বন্ধু কাছেই থাকেন, তাঁর কাছেই যাচ্ছিলেন, আমাদের বাড়ি পথে পড়ে বলে ঢুঁ মেরে যাচ্ছেন।
'ঘৃতকুমারীতে মহেশবাবুর মাথা ঠাণ্ডা হয়েছিল?' ফেলুদা প্রশ্ন করল হালকাভাবে।
'ও বাবা! এত কথাও লিখেছে নাকি মহেশ ডায়রিতে?'
'আরও অনেক কথাই লিখেছেন।'
অখিলবাবু বললেন, 'আমার ওষুধের চেয়েও অনেক বেশি কাজ দিয়েছিল ওর মনের জোর। যাকে বলে উইল পাওয়ার। সে যে কী ভাবে মদ ছাড়ল সে তো আমি নিজের চোখে দেখেছি। সে তো আর ঘৃতকুমারীতে হয়নি।'
'উইলের কথাই যখন তুললেন,' বলল ফেলুদা, 'তখন বলুন তো মহেশবাবুর উইল সম্বন্ধে কিছু জানেন কি না। আমি অবিশ্যি দলিলের কথা বলছি, মনের জোরের কথা বলছি না।'
'ডিটেল জানি না, তবে এটুকু জানি যে মহেশ একবার উইল করে পরে সেটা বাতিল করে আরেকটা উইল করে।'
'আমার ধারণা এই দ্বিতীয় উইলে বীরেনের কোনও অংশ ছিল না।'
অখিলবাবু অবাক হয়ে বললেন, 'এটা কি ডায়রিতে পেলেন নাকি?'
'না। এটা উনি মৃত্যুশয্যায় বলে গেছেন। সংকেতটা আপনার মনে আছে কি না জানি না। প্রথমে দুটো আঙুল দেখালেন, তারপর উই উই বললেন, আর তারপর বুড়ো আঙুলটা নাড়ালেন। দুই আঙুল যদি দুরি হয়, তা হলে ও ছাড়া আর কোনও মানে হয় না।'
'আশ্চর্য সমাধান করেছেন আপনি,' বললেন অখিলবাবু। 'প্রথমে উইলে বীরেনের অংশ

ছিল। তার কাছ থেকে চিঠি আসা বন্ধ হবার পর পাঁচ বছর অপেক্ষা করে ছেলে আর আসবে না ধরে নিয়ে গভীর অভিমানে বীরেনকে বাদ দিয়ে মহেশ নতুন উইল করে।'

'বীরেন ফিরে এসেছে জানলে কি আবার নতুন উইল করতেন?'

'আমার তো তাই বিশ্বাস।'

এবার ফেলুদা একটু ভেবে প্রশ্ন করল—

'বীরেন সন্ন্যাসী হয়ে যেতে পারে, এমন কোনও সম্ভাবনা তার মধ্যে কখনও লক্ষ করেছিলেন কি?'

'দেখুন বীরেনের কুষ্ঠি আমিই করি। সে যে গৃহত্যাগী হবে সেটা আমি জানতাম। তাই যদি হয় তা হলে সন্ন্যাসী হবার সম্ভাবনাটা উড়িয়ে দেওয়া যায় কি?'

'আরেকটা শেষ প্রশ্ন।—সেদিন আপনি বললেন মহেশবাবুকে খুঁজতে যাচ্ছেন অথচ আপনি এলেন আমাদের পরে। আপনি কি পথ হারিয়েছিলেন? জায়গাটা তো তেমন গোলকধাঁধা নয় কিছু।'

'এ প্রশ্ন আপনি করবেন সে আমি জানতাম,' মৃদু হেসে বললেন অখিলবাবু। জায়গাটা গোলকধাঁধা নয় ঠিকই, তবে পথটা দুভাগ হয়ে গেছে সেটা আপনি লক্ষ করেছেন নিশ্চয়ই। মহেশকে খুঁজে পাওয়া আমার পক্ষে সহজই ছিল। কিন্তু ব্যাপার কী জানেন, বুড়ো বয়সে ছেলেবেলার স্মৃতি মাঝে মাঝে জেগে ওঠে মনে; সেই রকম একটা স্মৃতি আমাকে অন্য পথে নিয়ে যায়। সেটা আর কিছুই না; পঞ্চান্ন বছর আগে ওই দিকেই একটা পাথরে আমি আমার নামের আদ্যাক্ষর আর তারিখ খোদাই করে রেখেছিলাম। গিয়ে দেখি সে পাথর এখনও আছে, আর সে খোদাইও আছে—A. B. C; 15. 5. 23—বিশ্বাস না হয় আপনি গিয়ে দেখতে পারেন।'

কৈলাসে গিয়ে নূর মহম্মদের কাছে শুনলাম অরুণবাবু আধঘণ্টা আগে বেরিয়ে গেছেন বাঘের সন্ধানে—'ছোটাবাবা' আছেন।

প্রীতীনবাবু দোতলায় ছিলেন, খবর দিতে নীচে নেমে এলেন। তাঁর হাতে চিঠি আর ডায়রির প্যাকেট তুলে দিয়ে চলে আসছি, এমন সময় বাধা পড়ল।

নীলিমা দেবী। তিনি ঘরে ঢুকতেই প্রীতীনবাবুর মুখ শুকিয়ে গেছে সেটা লক্ষ করলাম।

'আপনাকে একটা কথা বলার ছিল, মিঃ মিত্তির। সেটা আমার স্বামীরই বলা উচিত ছিল, কিন্তু উনি বলতে চাইছেন না।'

প্রীতীনবাবু তাঁর স্ত্রীর দিকে কাতরভাবে চেয়ে আছেন, কিন্তু নীলিমা দেবী সেটা গ্রাহ্য করলেন না। তিনি বলে চললেন, 'সেদিন বাবাকে ওই অবস্থায় দেখে আমার স্বামীর হাত থেকে টেপ রেকর্ডারটা পড়ে যায়। আমি সেটা তুলে আমার ব্যাগে রেখে দিই। আমার মনে হয় এটা আপনার কাজে লাগবে। এই নিন।'

প্রীতীনবাবু আবার বাধা দেবার চেষ্টা করলেন, কিন্তু পারলেন না। ফেলুদা ধন্যবাদ দিয়ে চ্যাপটা ক্যাসেট-রেকর্ডারটা কোটের পকেটে পুরে নিল।

প্রীতীনবাবুকে দেখে মনে হল তিনি একেবারে ভেঙে পড়েছেন।

আমার মন বলছিল যে বাঘ ধরার ব্যাপারে ফেলুদারও যথেষ্ট কৌতূহল আছে। গাড়িতে উঠে ও হরিপদবাবুকে যা নির্দেশ দিল, তাতে বুঝলাম আমার অনুমান ঠিক।

লালমোহনবাবু যতটা সাহস নিয়ে বেরিয়েছিলেন, তার কিছুটা বোধহয় কমেছে, কারণ যাবার পথে একবার ফেলুদাকে বললেন, 'ভদ্রলোকের তো অনেক বন্দুক ছিল মশাই—একটা চেয়ে নিলেন না কেন? আপনার কোল্ট বত্রিশ এ ব্যাপারে কোনও কাজে লাগবে কি?'

তাতে ফেলুদা বলল, 'বাঘের গায়ে মাছি বসলে সেটা মারা চলবে।'

সারা পথ ফেলুদা টেপ রেকর্ডারটা চালিয়ে ভল্যুম কমিয়ে কানের কাছে ধরে রইল। কী শুনল ওই জানে।

কাল রাত্রে বৃষ্টি হওয়াতে রাস্তায় অনেক জায়গাই ভিজে ছিল। বড় রাস্তা থেকে একটা মোড়ের কাছে এসে কাঁচা মাটিতে টায়ারের দাগ দেখে বুঝলাম কিছু গাড়ি মেন রোড থেকে বেঁকে ওই দিকেই গেছে। আমরাও বাঁয়ের রাস্তা নিলাম, আর মাইল খানেক গিয়েই দেখলাম রাস্তার বাঁ ধারে একটা বটগাছের পাশে তিনটে তিনরকম গাড়ি দাঁড়িয়ে আছে—একটা বন বিভাগের জিপ, একটা অরুণবাবুর ফিয়াট আর বাঘের খাঁচাসমেত সার্কাসের ট্রাক। পাঁচজন লোক গাছটার তলায় বসে ছিল, তারা বলল আধঘণ্টা হল বাঘ খোঁজার দল বনের ভিতর চলে গেছে। কোনদিকে গেছে সেটাও দেখিয়ে দিল। লোকগুলোর মধ্যে একটাকে সেদিন সার্কাসের তাঁবুতে দেখেছি; ফেলুদা তাকেই জিজ্ঞেস করল ট্রেনারও এসেছে কি না। লোকটা বলল যে দ্বিতীয় ট্রেনার চন্দ্রন এসেছে।

আমরা রওনা দিলাম। সামনে কী অভিজ্ঞতা আছে জানি না, তবে এইটুকু জানি যে অরুণবাবুদের হাতে বন্দুক আছে, হয়তো বনবিভাগের শিকারির হাতেও আছে, কাজেই ভয়ের কোনও কারণ নেই। লালমোহনবাবু মনে হল একটু মুষড়ে পড়েছেন তার কারণ নিশ্চয়ই কারান্ডিকারের বদলে চন্দ্রনের আসা।

ভিজে মাটিতে মাঝে মাঝে অস্পষ্ট পায়ের ছাপ গাইড হিসেবে কাজ করছে। বন ঘন নয়, শীতকালে আগাছাও কম, তাই এগোতে কোনও অসুবিধে হচ্ছিল না। এর মধ্যে দু-একবার ময়ূর ডেকে উঠেছে; সেটা যে বাঘের সংকেত হতে পারে সেটা আমরা সবাই জানি।

মিনিট দশেক চলার পর শব্দটা পেলাম।

বাঘের ডাক, তবে গর্জন বলব না। ইংরিজিতে এটাকে গ্রাউল বলে, বাংলায় হয়তো গোঙানি, কিংবা গরগরানি বা গজগজানি। ঘন ঘন ডাক, আর বিরক্তির ডাক, বিক্রমের নয়।

আরও কয়েক পা এগিয়ে যেতেই দুটো গাছের ফাঁক দিয়ে একটা অদ্ভুত দৃশ্য দেখতে পেলাম। অদ্ভুত কেন না এ জিনিস সার্কাসের বাইরে কখনও যে দেখতে পাব এটা স্বপ্নেও ভাবিনি।

আমাদের সামনে বাঁয়ে তিনজন লোক দাঁড়িয়ে আছে, তাদের দুজনের হাতে বন্দুক। একটা বন্দুক অরুণবাবুর হাতে, সেটা উঁচিয়ে তাগ করা আছে সামনের দিকে।

এই তিনজনের পিছনে একটা খোলা জায়গা, যেটাকে বলা যেতে পারে সার্কাসের রিং। এই রিং-এর মাঝখানে দাঁড়িয়ে আছে ডান হাতে চাবুক আর বাঁ হাতে একটা গাছের ডাল নিয়ে একটা লোক। বাঁ কাঁধে ব্যান্ডেজ দেখে বুঝলাম ইনিই হলেন ট্রেনার চন্দ্রন। আমার দিকে পিছন ফিরে হাতের চাবুকটা মাঝে মাঝে সপাং করে মাটিতে মেরে চন্দ্রন ধীরে ধীরে এগিয়ে যাচ্ছে যার দিকে সে হল আমাদের কালকের দেখা গ্রেট ম্যাজেস্টিক সার্কাস থেকে পালানো বাঘ সুলতান।

এ ছাড়া আরও চারজন লোক দাঁড়িয়ে আছে বাঁয়ে একটু দূরে, তাদের দুজনের হাতে যে শিকলটা রয়েছে সেটাই নিশ্চয়ই বাঘকে পরানো হবে, যদি সে ধরা দেয়।

সবচেয়ে অদ্ভুত লাগল সুলতানের হাবভাব। সে পালানোর কোনও চেষ্টা করছে না, অথচ ধরা দেবারও যেন বিন্দুমাত্র ইচ্ছা নেই। শুধু তাই নয়, তার চোখে মুখে যে রাগ আর অবজ্ঞার ভাবটা ফুটে উঠেছে সেটা সে বার বার বুঝিয়ে দিচ্ছে চাপা গর্জনে।

চন্দ্রন যদিও এক পা এক পা করে এগোচ্ছে বাঘটার দিকে, তাকে দেখে মনে হয় না যে

তার নিজের উপর সম্পূর্ণ আস্থা আছে। সে যে একবার জখম হয়েছে এই বাঘেরই হাতে সেটা সে নিশ্চয়ই ভুলতে পারছে না।

আমি আড়চোখে মাঝে মাঝে দেখছি অরুণবাবুর দিকে। তিনি যেভাবে বন্দুক উঁচিয়ে স্থির লক্ষ্য নিয়ে দাঁড়িয়ে আছেন, বেশ বুঝতে পারছি সুলতান বেসামাল কিছু করলেই বন্দুক গর্জিয়ে উঠে তাকে ধরাশায়ী করে দেবে। আমার বাঁ পাশে দু পা সামনে ফেলুদা পাথরের মতো দাঁড়ানো, ডাইনে লালমোহনবাবু, তাঁর মুখ এমনভাবে হাঁ হয়ে রয়েছে যে মনে হয় না চোয়াল আর কোনওদিনও উঠবে। (ভদ্রলোক পরে বলেছিলেন যে, তাঁর ছেলেবয়সে তিনি যত সার্কাসে যত বাঘের খেলা দেখেছিলেন, তার সমস্ত স্মৃতি নাকি মুছে গেছে আজকের হাজারিবাগের বনের মধ্যে দেখা এই সার্কাসে।)

চন্দ্রন যখন পাঁচ হাতের মধ্যে, তখন সুলতান হঠাৎ তার সমস্ত মাংসপেশি টান করে

শরীরটা একটু নিচু করল, আর ঠিক সেই মুহূর্তে ফেলুদা একটা নিঃশব্দ লাফে অরুণবাবুর ধারে পৌঁছে গিয়ে তাঁর বন্দুকের নলের উপর হাত রেখে মৃদু চাপে সেটাকে নামিয়ে দিল।

'সুলতান!'

গুরুগম্ভীর ডাকটা এসেছে আমাদের ডান দিক থেকে। যিনি ডাকটা দিয়েছেন, তাঁকে আগে থেকে দেখতে পেয়েই যে ফেলুদা এই কাজটা করেছে তাতে কোনও সন্দেহ নেই।

'সুলতান! সুলতান!'

গম্ভীর স্বরটা নরম হয়ে এল। অবাক হয়ে দেখলাম রঙ্গমঞ্চে অবতীর্ণ হলেন রিং-মাস্টার কারান্ডিকার; এঁরও হাতে চাবুক, পরনে সাধারণ প্যান্ট আর শার্ট। গলা অনেকখানি নামিয়ে নিয়ে পোষা কুকুর বা বেড়ালকে যেমন ভাবে ডাকে, সেই ভাবে ডাকতে ডাকতে কারান্ডিকার এগিয়ে গেলেন সুলতানের দিকে।

চন্দ্রন হতভম্ব হয়ে পিছিয়ে গেল। অরুণবাবুর বন্দুক ধীরে নেমে গেল। বনবিভাগের কর্তার মুখ লালমোহনবাবুর মুখের মতোই হাঁ হয়ে গেল। বনের মধ্যে এগারো জন হতবাক দর্শক দেখল গ্রেট ম্যাজেস্টিক সার্কাসের রিং-মাস্টার কী আশ্চর্য কৌশলে পালানো বাঘকে বশ করে তার গলায় চেন পরিয়ে দিল, আর তার পর সেই চেন ধরে সুলতানকে জঙ্গলের মধ্যে থেকে বার করে নিয়ে এল একেবারে সার্কাসের খাঁচার কাছে। তারপর খাঁচার দরজা খুলে তার বাইরে টুল রেখে দিল সার্কাসের লোক, আর কারান্ডিকার চাবুকের এক আছাড়ের সঙ্গে সঙ্গে 'আপ্!' বলতেই সেই বাঘ তীরবেগে ছুটে গিয়ে টুলে পা দিয়ে আবার সার্কাসের খাঁচায় বন্দি হয়ে গেল।

আমরা একটু দূরে দাঁড়িয়ে ব্যাপারটা দেখছিলাম; বাঘ খাঁচায় বন্দি হওয়া মাত্র কারান্ডিকার আমাদের দিকে ফিরে একটা সেলাম ঠুকল। তারপর সে একটা গাড়ির দিকে এগিয়ে গেল। এটা একটা প্রাইভেট ট্যাক্সি, আগে ছিল না।

গাড়িটা চলে যাবার পর অরুণবাবুকে বলতে শুনলাম, 'ব্রিলিয়ান্ট'। তার পর ফেলুদার দিকে ফিরে বললেন, 'থ্যাঙ্কস'।

১১

কৈলাসে ফিরে এসে ফেলুদা প্রথমে অরুণবাবুর অনুমতি নিয়ে একটা টেলিফোন করল, কাকে জানি না। তারপর বৈঠকখানায় এল, যেখানে আমরা সবাই বসেছি। নীলিমা দেবী চা পাঠিয়ে দিয়েছেন। ওঁরা তিনজনে কালই কলকাতা ফিরে যাচ্ছেন। মহেশবাবুর শ্রাদ্ধ কলকাতাতেই হবে। অখিলবাবুকে বাঘের খবরটা দেওয়াতে তিনি ঘটনাটা দেখতে পেলেন না বলে খুব আপশোস করলেন।

'আমিও ভাবছি কালই বেরিয়ে পড়ব,' বললেন অরুণবাবু, 'অবিশ্যি যদি আপনার তদন্ত শেষ হয়ে থাকে।'

ফেলুদা জানাল সব শেষ।—'আপনার পিতৃদেবের শেষ ইচ্ছা পালনেও কোনও বাধা নেই। সে ব্যবস্থাও হয়ে গেছে।

অরুণবাবু চায়ের কাপ থেকে দৃষ্টি তুললেন।

'সে কী, বীরেনের খোঁজ পেয়ে গেছেন?'

'আজ্ঞে হ্যাঁ। আপনার বাবা ঠিকই অনুমান করেছিলেন।'

'মানে?'

'তিনি এখানেই আছেন।'

'হাজারিবাগে ?'

'হাজারিবাগে।'

'খুবই আশ্চর্য লাগছে আপনার কথাটা শুনে।'

আশ্চর্য লাগার সঙ্গে যে একটা অবিশ্বাসের ভাবও মিশে আছে সেটা অরুণবাবুর কথার সুরেই বোঝা গেল। ফেলুদা বলল, 'আশ্চর্য তো হবারই কথা, কিন্তু আপনারও এরকম একটা সন্দেহ হয়েছিল, তাই নয় কি ?'

অরুণবাবু চায়ের কাপটা নামিয়ে সোজা ফেলুদার দিকে চাইলেন।

'শুধু তাই নয়,' ফেলুদা বলে চলল, 'আপনার মনে এমনও ভয় ঢুকেছিল যে মহেশবাবু হয়তো আবার নতুন উইল করে আপনাকে বাদ দিয়ে বীরেনকে তাঁর সম্পত্তির ভাগ দেবেন।'

ঘরের মধ্যে একটা অদ্ভুত থমথমে ভাব। লালমোহনবাবু আমার পাশে বসে সোফার একটা কুশন খামচে ধরেছেন। প্রীতীনবাবুর মাথায় হাত। অরুণবাবু উঠে দাঁড়িয়েছেন—তাঁর চোখ লাল, তাঁর কপালের রগ ফুলে উঠেছে।

'শুনুন মিঃ মিত্তির,' গর্জিয়ে উঠলেন অরুণবাবু, 'আপনি নিজেকে যত বড়ই গোয়েন্দা ভাবুন না কেন, আপনার কাছ থেকে এমন মিথ্যে, অমূলক, ভিত্তিহীন অভিযোগ আমি বরদাস্ত করব না। —জগৎ সিং !'

পিছনের দরজা দিয়ে বেয়ারা এসে দাঁড়াল।

'আর একটি পা এগোবে না তুমি !'—ফেলুদার হাতে রিভলবার, সেটার লক্ষ্য অরুণবাবুর পিছনে জগৎ সিং-এর দিকে। —'ওর মাথার একগাছা চুল কাল রাত্রে আমার হাতে উঠে এসেছিল। আমি জানি ও আপনারই আজ্ঞা পালন করতে এসেছিল আমার ঘরে। ওর মাথার খুলি উড়ে যাবে যদি ও এক পা এগোয় আমার দিকে !'

জগৎ সিং পাথরের মতো দাঁড়িয়ে রইল।

অরুণবাবু কাঁপতে কাঁপতে বসে পড়লেন সোফাতে।

'আ-আপনি কী বলতে চাইছেন ?'

'শুনুন সেটা মন দিয়ে,' বলল ফেলুদা, 'আপনি উইল চেঞ্জ করার রাস্তা বন্ধ করার জন্য আপনার বাবার চাবি লুকিয়ে রেখেছিলেন। বিবি দেখেছিল মহেশবাবুকে চাবি খুঁজতে। মহেশবাবু হেঁয়ালি করে তাঁর নাতনিকে বলেছিলেন তিনি কী হারিয়েছেন, কী খুঁজছেন। এই কী হল Key—অর্থাৎ চাবি। কিন্তু চাবি সরিয়েও আপনি নিশ্চিন্ত হননি। তাই আপনি সেদিন রাজরাপ্পায় সুযোগ পেয়ে আপনার মোক্ষম অস্ত্রটি প্রয়োগ করেন আপনার বাবার উপর। আপনি জানতেন সেই অস্ত্রে মৃত্যু হতে পারে—এবং সেটা হলেই আপনার কার্যসিদ্ধি হবে—'

'পাগলের প্রলাপ ! পাগলের প্রলাপ বকছেন আপনি !'

'সাক্ষী আছে, অরুণবাবু—একজন নয়, তিনজন—যদিও তাঁরা কেউই সাহস করে সেটা প্রকাশ করেননি। আপনার ভাই সাক্ষী—অখিলবাবু সাক্ষী—শঙ্করলাল সাক্ষী।'

'সাক্ষী যেখানে নির্বাক, সেখানে আপনার অভিযোগ প্রমাণ করছেন কী করে, মিঃ মিত্তির ?'

'উপায় আছে, অরুণবাবু। তিনজন ছাড়াও আরেকজন আছে যে নির্দ্বিধায় সমস্ত সত্য ঘটনা উদ্ঘাটন করবে।'

কৈলাসের বৈঠকখানায় পাখির ডাক কেন ? জলপ্রপাতের শব্দ কেন ?

অবাক হয়ে দেখলাম ফেলুদা তার কোটের পকেট থেকে প্রীতীনবাবুর ক্যাসেট রেকর্ডার বার করেছে।

'সেদিন একটি ঘটনা দেখে এবং কয়েকটি কথা শুনে বিহ্বল হয়ে প্রীতীনবাবু হাত থেকে এই যন্ত্রটা ফেলে দেন। নীলিমা দেবী এটা কুড়িয়ে নেন। এই যন্ত্রতে পাখির ডাক ছাড়াও আরও অনেক কিছু রেকর্ড হয়ে গেছে, অরুণবাবু।'

এইবারে দেখলাম অরুণবাবুর মুখ ক্রমে লাল থেকে ফ্যাকাসের দিকে চলেছে। ফেলুদার ডান হাতে রিভলবার, বাঁ হাতে টেপ রেকর্ডার।

পাখির শব্দ ছাপিয়ে মানুষের গলা শোনা যাচ্ছে। ক্রমে এগিয়ে আসছে গলার স্বর, স্পষ্ট হয়ে আসছে। অরুণবাবুর গলা—

'বাবা, বীরু ফিরে এসেছে এ ধারণা তোমার হল কী করে?'

তারপর মহেশবাবুর উত্তর—

'বুড়ো বাপের যদি তেমন ধারণা হয়েই থাকে, তাতে তোমার কী?'

'তোমার এ বিশ্বাস মন থেকে দূর করতে হবে। আমি জানি সে আসেনি, আসতে পারে না। অসম্ভব।'

'আমার বিশ্বাসেও তুমি হস্তক্ষেপ করবে?'

'হ্যাঁ, করব। কারণ বিশ্বাসের বশে একটা অন্যায় কিছু ঘটে যায় সেটা আমি চাই না।'

'কী অন্যায়?'

'আমার যা পাওনা তা থেকে বঞ্চিত করতে দেব না তোমাকে আমি।'

'কী বলছ তুমি!'

'ঠিকই বলছি। একবার উইল বদল করেছ তুমি বীরু আসবে না ভেবে। তার পর আবার—'

'উইল আমি এমনিও চেঞ্জ করতাম!'—মহেশবাবুর গলার স্বর চড়ে গেছে; তাঁর পুরনো রাগ যেন আবার মাথা চাড়া দিয়ে উঠেছে। তিনি বলে চলেছেন—

'তুমি আমার সম্পত্তির ভাগ পাবার আশা কর কী করে? তুমি অসৎ, তুমি জুয়াড়ি, তুমি চোর!—লজ্জা করে না? আমার আলমারি থেকে দোরাবজীর দেওয়া স্ট্যাম্প অ্যালবাম—'

মহেশবাবুর বাকি কথা অরুণবাবুর কথায় ঢাকা পড়ে গেল। তিনি উন্মাদের মতো চেঁচিয়ে উঠেছেন—

'আর তুমি? আমি যদি চোর হই তবে তুমি কী? তুমি কি ভেবেছ আমি জানি না? দীনদয়ালের কী হয়েছিল আমি জানি না? তোমার চিৎকারে আমার ঘুম ভেঙে গিয়েছিল। সব দেখেছিলাম আমি পর্দার ফাঁক দিয়ে। পঁয়ত্রিশ বছর আমি মুখ বন্ধ রেখেছি। তুমি দীনদয়ালের মাথায় বাড়ি মেরেছিলে পিতলের বুদ্ধমূর্তি দিয়ে। দীনদয়াল মরে যায়। তারপর নূর মহম্মদ আর ড্রাইভারকে দিয়ে গাড়িতে করে তার লাশ—'

এর পরেই একটা ঝুপ শব্দ, আর কথা বন্ধ। তার পর শুধু পাখির ডাক আর জলের শব্দ।

টেপ রেকর্ডার বন্ধ করে সেটা প্রীতীনবাবুকে ফেরত দিয়ে দিল ফেলুদা।

মিনিটখানেক সকলেই চুপ, আর সকলেই কাঠ, এক ফেলুদা ছাড়া।

ফেলুদা রিভলবার চালান দিল পকেটে। তার পর বলল, 'আপনার বাবা গর্হিত কাজ করেছিলেন, সাংঘাতিক অন্যায় করেছিলেন, সেটা ঠিক, কিন্তু তার জন্য তিনি পঁয়ত্রিশ বছর যন্ত্রণা ভোগ করেছেন, যত রকমে পেরেছেন প্রায়শ্চিত্ত করেছেন। তবুও তিনি শান্তি পাননি। যেদিন সেই ঘটনা ঘটে, সেইদিন থেকেই তাঁর ধারণা হয়েছে যে, তাঁর জীবনটা অভিশপ্ত, তাঁর অন্যায়ের শাস্তি তাঁকে একদিন না একদিন পেতেই হবে। অবিশ্যি সেই শাস্তি

এভাবে তাঁর নিজের ছেলের হাত থেকে আসবে, সেটা তিনি ভেবেছিলেন কি না জানি না।'

অরুণবাবু পাথরের মতো বসে আছেন মেঝের বাঘছালটার দিকে একদৃষ্টে চেয়ে। যখন কথা বললেন, তখন মনে হল তাঁর গলার স্বরটা আসছে অনেক দূর থেকে।

'একটা কুকুর ছিল। আইরিশ টেরিয়ার। বাবার খুব প্রিয়। দীনদয়ালকে দেখতে পারত না কুকুরটা। একদিন কামড়াতে যায়। দীনদয়াল লাঠির বাড়ি মারে। কুকুরটা জখম হয়। বাবা ফেরেন রাত্তিরে—পার্টি থেকে। কুকুরটা ওঁর ঘরেই অপেক্ষা করত। সেদিন ছিল না। নূর মহম্মদ ঘটনাটা বলে। বাবা দীনদয়ালকে ডেকে পাঠান। রাগলে বাবা আর মানুষ থাকতেন না...'

ফেলুদার সঙ্গে আমরাও উঠে পড়লাম। অখিলবাবুও উঠছেন দেখে ফেলুদা বলল, 'আপনি একটু আমাদের সঙ্গে আসতে পারেন কি ? কাজ ছিল।'

'চলুন', বললেন ভদ্রলোক, 'মহেশ চলে গিয়ে আমার তো এখন অখণ্ড অবসর।'

১২

গাড়িতে অখিলবাবু বললেন—'আমার নাম লেখা পাথরটার পাশে দাঁড়িয়েই আমি ওদের কথা শুনতে পাই। তাকে অনেক সময় জিজ্ঞেস করেছি সে হঠাৎ হঠাৎ এত অন্যমনস্ক হয়ে পড়ে কেন। সে ঠাট্টা করে বলত—তুমি গুনে বার করো, আমি বলব না। আশ্চর্য—তার জীবনের এত বড় একটা ঘটনা—সেটা কুষ্ঠিতে ধরা পড়ল না কেন বুঝতে পারছি না! হয়তো আমারই অক্ষমতা।'

বাড়ির কাছাকাছি যখন পৌঁছেছি তখন বুঝতে পারলাম ফেলুদা কাকে ফোন করেছিল।

ফটকের বাইরে দাঁড়িয়ে আছেন শঙ্করলাল মিশ্র।

'আপনার মিশন সাকসেসফুল ?' গাড়ি থেকে নেমে জিজ্ঞেস করল ফেলুদা।

'হ্যাঁ,' বললেন শঙ্করলাল, 'বীরেন এসেছে।'

আমরা বৈঠকখানায় ঢুকতে সেই গেরুয়াধারী সন্ন্যাসী সোফা ছেড়ে দাঁড়িয়ে উঠে নমস্কার করলেন। লম্বা চুল, রুক্ষ লম্বা দাড়ি, লম্বা বলিষ্ঠ চেহারা।

'বাপের শেষ ইচ্ছার কথা শুনে বীরেন আসতে রাজি হল,' বললেন শঙ্করলাল, 'মহেশবাবুর উপর কোনও আক্রোশ নেই ওর।'

'যেমন আক্রোশ নেই, তেমনি আকর্ষণও নেই,' বললেন বীরেন-সন্ন্যাসী। 'শঙ্কর এবার অনেক চেষ্টা করেছিল আমাকে ফিরিয়ে আনতে। বলেছিল—ওদের দেখলে তোমার টানটা হয়তো ফিরে আসবে। ওর কথাতেই আমি রাজরাপ্পায় গিয়েছিলাম সেদিন। কিন্তু দূর থেকে দেখেই আমি বুঝেছিলাম আমার আত্মীয়দের উপর আমার কোনও টান নেই। বাবা তবু আমাকে কিছুটা বুঝেছিলেন, তাই প্রথম প্রথম ওঁকে চিঠিও লিখেছি। কিন্তু তারপর...'

'কিন্তু সে চিঠি তো আপনি বিদেশ থেকে লেখেননি,' বলল ফেলুদা, 'আমার বিশ্বাস আপনি দেশের বাইরে কোথাও যাননি কোনওদিন।'

বীরেনবাবু কিছুক্ষণ চুপ করে থেকে হঠাৎ হেসে ফেললেন। আমি হতভম্ব, কী যে হচ্ছে কিছুই বুঝতে পারছি না।

'শঙ্কর আমাকে বলেছিল আপনার বুদ্ধির কথা,' বললেন বীরেনবাবু, 'তাই আপনাকে একটু পরীক্ষা করছিলাম।'

'তা হলে আর কী। খুলে ফেলুন আপনার অতিরিক্ত সাজ পোশাক। হাজারিবাগের

রাস্তার লোকের পক্ষে ওটা যথেষ্ট হলেও আমার পক্ষে নয় ।'

বীরেনবাবু হাসতে হাসতে তাঁর দাড়ি আর পরচুলা খুলে ফেললেন । লালমোহনবাবু আমার পাশ থেকে চাপা গলায় 'কান্...কান্...কান্' বলে থেমে গেলেন । আমি জানি তিনি আবার ভুল নামটা বলতে যাচ্ছিলেন, কিন্তু এবার বললেও আর শুধরোতে পারতাম না, কারণ আমার মুখ দিয়েও কথা বেরোচ্ছে না । কথা বললেন অখিলবাবু, 'বীরেন বাইরে যায়নি মানে ? ওর চিঠিগুলো তা হলে... ?'

'বাইরে না গিয়েও বিদেশ থেকে চিঠি লেখা যায় অখিলবাবু, যদি আপনার ছেলের মতো একজন কেউ বন্ধু থাকে বিদেশে, সাহায্য করার জন্য ।'

'আমার ছেলে !'

'ঠিকই বলেছেন মিস্টার মিত্তির,' বললেন বীরেন কারান্ডিকার, 'অধীর যখন ডুসেলডর্ফে, তখন ওকে চিঠি লিখে আমি বেশ কিছু ইউরোপীয় পোস্ট কার্ড আনিয়ে নিই । সেগুলোতে ঠিকানা আর যা কিছু লিখবার লিখে খামের মধ্যে ভরে ওর কাছেই পাঠাতাম, আর ও টিকিট লাগিয়ে ডাকে ফেলে দিত । অবিশ্যি অধীর দেশে ফিরে আসার পর সে সুযোগটা বন্ধ হয়ে যায় ।'

'কিন্তু এই লুকোচুরির প্রয়োজনটা হল কেন ?' জিজ্ঞেস করলেন অখিলবাবু ।

'কারণ আছে', বলল ফেলুদা । 'আমি বীরেনবাবুকে জিজ্ঞেস করতে চাই আমার অনুমান ঠিক কিনা ।'

'বলুন ।'

'বীরেনবাবু কর্নেল সুরেশ বিশ্বাসের জীবনী পড়ে মুগ্ধ হয়েছিলেন, এবং তাঁর মতো হতে চেয়েছিলেন । সুরেশ বিশ্বাস ঘর ছেড়ে খালাসি হয়ে বিদেশে গিয়ে শেষে ব্রেজিলে যুদ্ধ করে নাম করেছিলেন সেটা আমার মনে ছিল । যেটা মনে ছিল না সেটা আমি কাল রাত্রে বাঙালির সার্কাস বলে একটা বই থেকে জেনেছি । সেটা হল এই যে সুরেশ বিশ্বাস ছিলেন প্রথম বাঙালি যিনি বাঘ সিংহ ট্রেন করে সার্কাসের খেলা দেখিয়েছিলেন । তাঁর সবচেয়ে আশ্চর্য খেলা ছিল সিংহের মুখ ফাঁক করে তার মধ্যে মাথা ঢুকিয়ে দেওয়া ।'

এখানে লালমোহনবাবু কেন যেন ভীষণ ছটফট করে উঠলেন ।

'ও মশাই ! ছ্যাঃ ছ্যাঃ ছ্যাঃ, এই সেদিন পড়লুম, তাও খেয়াল হল না, ছ্যাঃ ছ্যাঃ ছ্যাঃ...'

'আপনি ছ্যাছ্যাটা পরে করবেন, আগে আমাকে বলতে দিন ।'

ফেলুদার ধমকে লালমোহনবাবু ঠাণ্ডা হলেন । ফেলুদা বলে চলল, 'বীরেনবাবুর অ্যাম্বিশন ছিল আসলে বাঘ সিংহ নিয়ে খেলা দেখানো । কিন্তু বাঙালি ভদ্রঘরের ছেলে আজকের দিনে ওদিকে যেতে চাইছে শুনলে কেউ কি সেটা ভাল চোখে দেখত ? মহেশবাবুই কি খুশি মনে মত দিতেন ? তাই বীরেনবাবুকে কৌশলের আশ্রয় নিতে হয়েছিল । তাই নয় কি ?'

'সম্পূর্ণ ঠিক,' বললেন বীরেনবাবু ।

'কিন্তু আশ্চর্য এই যে, অ্যাদ্দিন পরে ছেলেকে রিং-মাস্টার হিসেবে দেখেও মহেশবাবু তাকে চিনতে পেরেছিলেন, যদিও অরুণবাবু সামনে থেকে দেখেও চিনতে পারেননি । সেটার কারণ এই যে বীরেনবাবুর নাকে প্ল্যাস্টিক সার্জারি করানো হয়েছিল, যে কারণে ছেলেবেলার ছবির সঙ্গেও নাকের মিল সামান্যই ।'

'তাই বলুন ।' বলে উঠলেন অখিলবাবু, 'তাই ভাবছি সবাই বীরেন বীরেন করছে, অথচ আমি সঠিক চিনতে পারছি না কেন !'

'যাক গে,' বলল ফেলুদা, 'এখন আসল কাজে আসি ।'

ফেলুদা পকেট থেকে মুক্তানন্দের ছবিটা বার করল । তারপর বীরেনবাবুর দিকে ফিরে

বলল, 'আপনি বোধহয় জানেন না যে, আপনি আর ফিরবেন না ভেবে মহেশবাবু আপনাকে তাঁর উইল থেকে বাদ দিয়েছিলেন। সেই উইল আর বদল করার উপায় ছিল না। অথচ আপনি একেবারে বঞ্চিত হন সেটাও উনি চাননি। তাই এই ছবিটা আপনাকে দিয়েছেন।'

ফেলুদা ছবিটা উলটে পিছনটা খুলে ফেলল। ভিতর থেকে বেরোল একটা ভাঁজ করা সেলোফেনের খাম, তার মধ্যে ছোট্ট ছোট্ট কতগুলো রঙিন কাগজের টুকরো।

'তিনটি মহাদেশের ন'টি দুষ্প্রাপ্য ডাক টিকিট আছে এখানে। অ্যালবাম চুরি যেতে পারে এই আশঙ্কায় তিনি তাঁর সবচেয়ে মূল্যবান স্ট্যাম্প ক'টি এইভাবে লুকিয়ে রেখেছিলেন। গিবন্স ক্যাটালগের হিসেবে পঁচিশ বছর আগে এই ডাক টিকিটের দাম ছিল দু হাজার পাউন্ড। আমার ধারণা আজকের দিনে প্রায় পঞ্চাশ-ষাট হাজার টাকা।'

বীরেন্দ্র কারান্ডিকার খামটা হাতে নিয়ে কিছুক্ষণ দেখলেন সেটার দিকে। তারপর বললেন, 'সার্কাসের রিং-মাস্টারের হাতে এ জিনিস যে বড় বেমানান, মিঃ মিত্তির! আমি খুব অসহায় বোধ করছি। আমরা যাযাবর, ঘুরে ঘুরে খেলা দেখিয়ে বেড়াই, আমাদের কাছে এ জিনিস... ?'

'বুঝতে পারছি,' বলল ফেলুদা, 'এক কাজ করুন। ওটা আমাকেই দিন। কলকাতার কিছু স্ট্যাম্প ব্যবসায়ীর সঙ্গে চেনা আছে আমার। এর জন্য যা মূল্য পাওয়া যায় সেটা আমি আপনাকে পাঠিয়ে দেব। আমার উপর বিশ্বাস আছে তো আপনার ?'

'সম্পূর্ণ।'

'কিন্তু আপনার ঠিকানাটা যে আমাকে দিতে হবে।'

'গ্রেট ম্যাজেস্টিক সার্কাস,' বললেন বীরেনবাবু, 'কুট্টি বুঝেছে যে আমাকে ছাড়া তার চলবে না। আমি এখনও কিছুদিন আছি এই সার্কাসের সঙ্গে। আজ রাত্রে সুলতানকে নিয়ে খেলা দেখাব। আসবেন।'

রাত্রে গ্রেট ম্যাজেস্টিক সার্কাসে সুলতানের সঙ্গে কারান্ডিকারের আশ্চর্য খেলা দেখে বেরোবার আগে আমরা বীরেনবাবুকে থ্যাঙ্ক ইউ আর গুড বাই জানাতে তাঁর তাঁবুতে গেলাম। আইডিয়াটা লালমোহনবাবুর, আর কারণটা বুঝতে পারলাম তাঁর কথায়।

'আপনার নামটার মধ্যে একটা আশ্চর্য কাণ্ডকারখানা রয়েছে,' বললেন জটায়ু, 'ডু ইউ মাইন্ড যদি আমি নামটা আমার সামনের উপন্যাসে ব্যবহার করি ? সার্কাস নিয়েই গপ্প, রিং-মাস্টার একটা প্রধান চরিত্র।'

বীরেন্দ্রবাবু হেসে বললেন, 'নামটা তো আমার নিজের নয়! আপনি স্বচ্ছন্দে ব্যবহার করতে পারেন।'

ধন্যবাদ জানিয়ে বাইরে বেরিয়ে আসার পর ফেলুদা বলল, 'তা হলে ইনজেকশন বাদ ?'

'বাদ কেন মশাই ? ইনজেকশন দিচ্ছে বাঘকে। ভিলেন হচ্ছে সেকেন্ড ট্রেনার। বাঘকে নিস্তেজ করে কারান্ডিকারকে ডাউন করবে দর্শকদের সামনে।'

'আর ট্র্যাপিজ ?'

'ট্র্যাপিজ ইজ নাথিং,' অবজ্ঞা আর বিরক্তি মেশানো সুরে বললেন লালমোহন গাঙ্গুলী।

গ্রন্থ-পরিচয়

ফেলুদা'র গোয়েন্দাগিরি

প্রথম প্রকাশ: সন্দেশ, অগ্রহায়ণ-পৌষ-মাঘ ১৩৭২।

গ্রন্থাকারে 'একডজন গপ্‌পো'-এর অন্তর্ভুক্ত। প্রথম সংস্করণ ২৫ বৈশাখ ১৩৭৭। আনন্দ পাবলিশার্স প্রাইভেট লিমিটেড।

অলংকরণ: সত্যজিৎ রায়

'পাহাড়ে ফেলুদা' গ্রন্থে সংকলিত। প্রথম সংস্করণ: জানুয়ারি ১৯৯৬। আনন্দ পাবলিশার্স প্রাইভেট লিমিটেড।

বাদশাহী আংটি

প্রথম প্রকাশ: সন্দেশ, বৈশাখ-চৈত্র ১৩৭৩, বৈশাখ ১৩৭৪।

গ্রন্থাকারে প্রকাশ: আশ্বিন ১৩৭৬। আনন্দ পাবলিশার্স প্রাইভেট লিমিটেড।

প্রচ্ছদ ও অলংকরণ: সত্যজিৎ রায়।

'ফেলুদার সপ্তকাণ্ড' গ্রন্থে সংকলিত। প্রথম সংস্করণ: নভেম্বর ১৯৯৮। আনন্দ পাবলিশার্স প্রাইভেট লিমিটেড।

কৈলাস চৌধুরীর পাথর

প্রথম প্রকাশ: সন্দেশ, শারদীয়া ১৩৭৪।

গ্রন্থাকারে 'একডজন গপ্‌পো'-এর অন্তর্ভুক্ত। প্রথম সংস্করণ ২৫ বৈশাখ ১৩৭৭। আনন্দ পাবলিশার্স প্রাইভেট লিমিটেড।

প্রচ্ছদ ও অলংকরণ: সত্যজিৎ রায়

'কলকাতায় ফেলুদা' গ্রন্থে সংকলিত। প্রথম সংস্করণ: জানুয়ারি ১৯৯৮। আনন্দ পাবলিশার্স প্রাইভেট লিমিটেড।

শেয়াল-দেবতা রহস্য

প্রথম প্রকাশ: সন্দেশ, গ্রীষ্ম সংখ্যা ১৩৭৭।

গ্রন্থাকারে ' আরো এক ডজন'-এর অন্তর্ভুক্ত। প্রথম সংস্করণ: এপ্রিল ১৯৭৬।
আনন্দ পাবলিশার্স প্রাইভেট লিমিটেড।

প্রচ্ছদ ও অলংকরণ: সত্যজিৎ রায়

'কলকাতায় ফেলুদা' গ্রন্থে সংকলিত। প্রথম সংস্করণ: জানুয়ারি ১৯৯৮। আনন্দ পাবলিশার্স প্রাইভেট লিমিটেড।

গ্যাংটকে গণ্ডগোল

প্রথম প্রকাশ: দেশ, শারদীয়া ১৩৭৭।

গ্রন্থাকারে প্রকাশ: ফেব্রুয়ারি ১৯৭১। আনন্দ পাবলিশার্স প্রাইভেট লিমিটেড।

প্রচ্ছদ ও অলংকরণ: সত্যজিৎ রায়।

'পাহাড়ে ফেলুদা' গ্রন্থে সংকলিত। প্রথম সংস্করণ: জানুয়ারি ১৯৯৬। আনন্দ পাবলিশার্স প্রাইভেট লিমিটেড।

সোনার কেল্লা

প্রথম প্রকাশ: দেশ, শারদীয়া ১৩৭৮।

গ্রন্থাকারে প্রকাশ: ডিসেম্বর ১৯৭১। আনন্দ পাবলিশার্স প্রাইভেট লিমিটেড।

প্রচ্ছদ ও অলংকরণ: সত্যজিৎ রায়।

'ফেলুদার সপ্তকাণ্ড' গ্রন্থে সংকলিত। প্রথম সংস্করণ: নভেম্বর ১৯৯৮। আনন্দ পাবলিশার্স প্রাইভেট লিমিটেড।

বাক্স-রহস্য

প্রথম প্রকাশ: দেশ, শারদীয়া ১৩৭৯।

গ্রন্থাকারে প্রকাশ: ১ বৈশাখ ১৩৮০। আনন্দ পাবলিশার্স প্রাইভেট লিমিটেড।

প্রচ্ছদ ও অলংকরণ: সত্যজিৎ রায়।

'ফেলুদার পান্‌চ' গ্রন্থে সংকলিত। প্রথম সংস্করণ: আগস্ট ২০০০। আনন্দ পাবলিশার্স প্রাইভেট লিমিটেড।

সমাদ্দারের চাবি

প্রথম প্রকাশ: সন্দেশ, শারদীয়া ১৩৮০।

গ্রন্থাকারে 'আরো এক ডজন'-এর অন্তর্ভুক্ত। প্রথম সংস্করণ: এপ্রিল ১৯৭৬। আনন্দ পাবলিশার্স প্রাইভেট লিমিটেড।

প্রচ্ছদ ও অলংকরণ: সত্যজিৎ রায়

'ফেলুদা একাদশ' গ্রন্থে সংকলিত । প্রথম সংস্করণ: জানুয়ারি ১৯৯৬। আনন্দ পাবলিশার্স প্রাইভেট লিমিটেড।

কৈলাসে কেলেঙ্কারি

প্রথম প্রকাশ: দেশ, শারদীয়া ১৩৮০।

গ্রন্থাকারে প্রকাশ: ১ বৈশাখ ১৩৮১। আনন্দ পাবলিশার্স প্রাইভেট লিমিটেড।

প্রচ্ছদ ও অলংকরণ: সত্যজিৎ রায়।

'ফেলুদার সপ্তকাণ্ড' গ্রন্থে সংকলিত। প্রথম সংস্করণ: নভেম্বর ১৯৯৮। আনন্দ পাবলিশার্স প্রাইভেট লিমিটেড।

রয়েল বেঙ্গল রহস্য

প্রথম প্রকাশ: দেশ, শারদীয়া ১৩৮১।

গ্রন্থাকারে প্রকাশ: ১২ বৈশাখ ১৩৮২। আনন্দ পাবলিশার্স প্রাইভেট লিমিটেড।

প্রচ্ছদ ও অলংকরণ: সত্যজিৎ রায়।

'ফেলুদার পান্‌চ' গ্রন্থে সংকলিত। প্রথম সংস্করণ: আগস্ট ২০০০। আনন্দ পাবলিশার্স প্রাইভেট লিমিটেড।

জয় বাবা ফেলুনাথ

প্রথম প্রকাশ: দেশ, শারদীয়া ১৩৮২।

গ্রন্থাকারে প্রকাশ: সেপ্টেম্বর ১৯৭৬। আনন্দ পাবলিশার্স প্রাইভেট লিমিটেড।

প্রচ্ছদ ও অলংকরণ: সত্যজিৎ রায়।

'ফেলুদার সপ্তকাণ্ড' গ্রন্থে সংকলিত। প্রথম সংস্করণ: নভেম্বর ১৯৯৮। আনন্দ পাবলিশার্স প্রাইভেট লিমিটেড।

ঘুরঘুটিয়ার ঘটনা

প্রথম প্রকাশ: সন্দেশ ১৩৮২।

গ্রন্থাকারে 'আরো একডজন'-এর অন্তর্ভুক্ত। প্রথম সংস্করণ: এপ্রিল ১৯৭৬। আনন্দ পাবলিশার্স প্রাইভেট লিমিটেড।

প্রচ্ছদ ও অলংকরণ: সত্যজিৎ রায়

'ফেলুদা একাদশ'-গ্রন্থে সংকলিত। প্রথম সংস্করণ: ডিসেম্বর ২০০০। আনন্দ পাবলিশার্স প্রাইভেট লিমিটেড।

বোম্বাইয়ের বোম্বেটে

প্রথম প্রকাশ: দেশ, শারদীয়া ১৩৮৩।

গ্রন্থাকারে 'ফেলুদা এন্ড কোং'-এর অন্তর্ভুক্ত। প্রথম সংস্করণ: ১ বৈশাখ ১৩৮৪। আনন্দ পাবলিশার্স প্রাইভেট লিমিটেড।

প্রচ্ছদ ও অলংকরণ: সত্যজিৎ রায়

'ফেলুদা একাদশ' গ্রন্থে সংকলিত। প্রথম সংস্করণ: ডিসেম্বর ২০০০। আনন্দ পাবলিশার্স প্রাইভেট লিমিটেড।

চলচ্চিত্রায়িত হওয়ার পর আনন্দ পাবলিশার্স থেকে একটি 'বিশেষ ফিল্ম এডিশন' প্রকাশিত হয় জানুয়ারি ২০০৪-এ।

গোসাঁইপুর সরগরম

প্রথম প্রকাশ: সন্দেশ, শারদীয়া ১৩৮৩।

গ্রন্থাকারে 'ফেলুদা এন্ড কোং'-এর অন্তর্ভুক্ত। প্রথম সংস্করণ: ১ বৈশাখ ১৩৮৪। আনন্দ পাবলিশার্স প্রাইভেট লিমিটেড।

প্রচ্ছদ ও অলংকরণ: সত্যজিৎ রায়

'ফেলুদা একাদশ' গ্রন্থে সংকলিত। প্রথম সংস্করণ: ডিসেম্বর ২০০০। আনন্দ পাবলিশার্স প্রাইভেট লিমিটেড।

গোরস্থানে সাবধান

প্রথম প্রকাশ: দেশ, শারদীয়া ১৩৮৪।

গ্রন্থাকারে প্রকাশ: মে ১৯৭৯। আনন্দ পাবলিশার্স প্রাইভেট লিমিটেড।

প্রচ্ছদ ও অলংকরণ: সত্যজিৎ রায়।

‘কলকাতায় ফেলুদা’ গ্রন্থে সংকলিত। প্রথম সংস্করণ: জানুয়ারি ১৯৯৮। আনন্দ পাবলিশার্স প্রাইভেট লিমিটেড।

ছিন্নমস্তার অভিশাপ

প্রথম প্রকাশ: দেশ, শারদীয়া ১৩৮৫।

গ্রন্থাকারে প্রকাশ: ফেব্রুয়ারি ১৯৮১। আনন্দ পাবলিশার্স প্রাইভেট লিমিটেড।

প্রচ্ছদ ও অলংকরণ: সত্যজিৎ রায়।

পরবর্তীকালে ‘ফেলুদার পান্‌চ’ গ্রন্থে সংকলিত। প্রথম সংস্করণ: আগস্ট ২০০০। আনন্দ পাবলিশার্স প্রাইভেট লিমিটেড।
